FRANCOSCOPIE

1999

DU MÊME AUTEUR

TENDANCES
Les nouveaux consommateurs. Larousse, éditions 1998 et 1996.

FRANCOSCOPIE
Larousse, éditions 1997, 1995, 1993, 1991, 1989, 1987 et 1985.

LA PISTE FRANÇAISE
FIRST - Documents, 1994.

EUROSCOPIE
Les Européens, qui sont-ils, comment vivent-ils ? Larousse, 1991.

LES FRANÇAIS EN QUESTIONS
La Revue des Deux Mondes/RFI, 1989.

MONSIEUR LE FUTUR PRÉSIDENT
Aubier, 1988.

DÉMOCRATURE
Comment les médias transforment la démocratie. Aubier, 1987.

LA BATAILLE DES IMAGES
Avec Jean-Marie Cotteret, Larousse, 1986.

VOUS ET LES FRANÇAIS
Avec Bernard Cathelat, Flammarion, 1985.

MARKETING : LES RÈGLES DU JEU
Clet (France) et Agence d'Arc (Canada), 1982.

Les photographies de Luc CHOQUER qui illustrent la première partie et les têtes de chapitre de cet ouvrage ont été choisies parmi celles réalisées dans le cadre de son travail personnel sur la société française. Il s'agit de photos d'auteur qui n'ont pas de lien direct avec les textes qu'elles accompagnent.

FRANCOSCOPIE
1999
GÉRARD MERMET

Comment vivent les Français

Faits - Analyses - Tendances

Comparaisons - 10 000 chiffres

Photos de Luc Choquer

LAROUSSE

SOMMAIRE

*Pour Léonard qui, avec quelques autres,
devra inventer la France du XXIe siècle.*

LE GRAND PASSAGE

Cette huitième édition de Francoscopie se situe à la charnière entre deux siècles et deux millénaires. Elle poursuit le travail de description et d'analyse que j'ai entrepris depuis 1984, en privilégiant cette fois un double éclairage, en forme de bilan et de prospective.

La première partie de l'ouvrage brosse le portrait des Français à la veille du troisième millénaire, en adoptant plusieurs angles de vue complémentaires : les grandes transformations de la fin du siècle; l'état de l'opinion; les grands débats pour l'avenir; les grands chantiers qu'ils impliquent; l'image de la France vue de l'étranger; les records et les exceptions françaises. Elle présente les résultats d'une enquête exclusive sur l'héritage laissé aux jeunes générations par les plus anciennes, ainsi qu'une autre sur les valeurs comparées des nations européennes. A la veille du « grand passage », et dans le sillage de l'événement sociosportif exceptionnel qu'a représenté la victoire de la France lors de la Coupe du monde de football, cette synthèse met en évidence la volonté des Français de changer... mais aussi les diverses poches de résistance au changement.

Comme à l'accoutumée, le livre est découpé en six grandes parties : Individu - Famille - Société - Travail - Argent - Loisirs. Chacun des chapitres qui les composent décrit et illustre les transformations en cours dans les modes de vie, les attitudes, les comportements et les valeurs. Pour la plupart des thèmes, des comparaisons sont établies dans le temps (évolutions) mais aussi avec d'autres pays, notamment ceux de l'Union européenne.

Par rapport à l'édition précédente deux chapitres ont été ajoutés. L'un est consacré à l'Europe et à ses conséquences sur les mentalités et le climat social. L'autre s'intéresse à la communication et au multimédia, vus à la fois de façon quantitative (équipements) et qualitative (état d'esprit, perspectives...). Le chapitre concernant la consommation a été également développé, afin de mettre en évidence les tendances actuelles, les changements perceptibles dans les attitudes et les comportements à l'égard des produits, des marques, de la publicité, des fabricants ou des distributeurs*.

Je souhaite que cette nouvelle édition de Francoscopie vous aide à mieux comprendre les forces actuellement à l'œuvre dans la société française, à en saisir le sens et la portée à un moment exceptionnel de notre histoire. Car le changement de siècle et de millénaire se confond (mais ce n'est pas une coïncidence) avec l'avènement de ce que l'on peut vraiment appeler une nouvelle civilisation. Un tel mouvement ne s'était pas produit depuis la fin du dix-huitième siècle. Puisse ce livre contribuer à ce que vous en soyez les témoins avertis et les acteurs éclairés.

Gérard Mermet

* Pour une vision plus complète, se reporter à Tendances 1998, les nouveaux consommateurs, du même auteur, chez Larousse.

MÉTHODOLOGIE
ET MODE D'EMPLOI

La veille sociologique

La raison d'être de *Francoscopie* est d'aider ses lecteurs à connaître et à comprendre l'état de la France et des Français, à mesurer les évolutions au fil du temps et à établir des comparaisons avec d'autres pays développés. On peut qualifier la démarche utilisée de *veille sociologique*.

Cette approche repose sur deux idées-force. La première est que le fonctionnement de la société est le résultat des attitudes et des comportements des *individus* qui la composent, tels des atomes qui font partie de molécules (les foyers et les familles) et constituent ensemble la matière sociale. S'il n'existe pas à proprement parler de volonté ni d'inconscient collectif, la société se présente à tout moment comme *l'agrégat algébrique* de forces qui s'additionnent ou se soustraient (selon qu'elles vont dans la même direction ou s'opposent), se multiplient ou se divisent parfois lorsque naissent de véritables mouvements de masse.

La seconde idée-force est que, dans une société de type libéral et démocratique, les actes, les décisions et les choix des individus-citoyens-consommateurs (c'est-à-dire en fait leurs modes de vie) ne sont jamais dus au hasard. Ils sont dictés par leurs *attitudes*, leurs *opinions* et leurs *valeurs*. Celles-ci sont à leur tour largement conditionnées par les *facteurs d'environnement* comme le climat social, le contenu et la tonalité des médias, l'action des institutions et des grands acteurs de la vie politique, administrative, économique, syndicale, scientifique, culturelle.

L'observation et la compréhension de cette alchimie complexe sont précisément l'objet de la veille sociologique. Elle permet de mesurer de façon continue le *changement social*, d'identifier les *tendances lourdes* et les « *signaux* » de faible intensité qui apparaissent dans la société, d'évaluer leurs conséquences présentes ou futures pour les organisations dans leurs domaines d'activité. Cette approche permet aussi de vérifier que le sociologique se situe le plus souvent en amont du politique et de l'économique.

Informations

Les informations mentionnées sont les plus récentes disponibles au moment de la rédaction (terminée en août 1998). Elles émanent d'un grand nombre de sources, publiques ou privées, dont les plus importantes sont indiquées en annexe (*Remerciements*). En l'absence de chiffres officiels et précis, des estimations « raisonnables » ont été reprises ou élaborées; elles sont mentionnées comme telles.

Opinions

De nombreux chiffres proviennent d'enquêtes et de sondages d'opinion, sélectionnés parmi ceux qui présentent les meilleures garanties de représentativité et de fiabilité (méthodologie, échantillon, libellé des questions...). Les enquêtes répétitives (baromètres), qui permettent de mesurer les évolutions dans le temps, ont été privilégiées. Les intitulés exacts des questions sont en général repris dans les sous-titres des tableaux et graphiques et dans les encadrés. Rappelons que les totaux des pourcentages énumérés peuvent être supérieurs à 100 lorsque la question posée autorise plusieurs réponses. Ils peuvent être inférieurs à 100 lorsque toutes les possibilités de réponses n'ont pas été reprises ou, le plus souvent, du fait des non-réponses. Sauf indication contraire, les enquêtes portent sur des échantillons représentatifs de la population âgée de 18 ans et plus.

Illustrations

La première partie de l'ouvrage est illustrée par des photographies de Luc Choquer, témoignages esthétiques et lucides des métamorphoses françaises. Les autres parties sont illustrées comme à l'habitude par des photographies choisies dans l'univers *publicitaire*, car le discours des marques (images et textes) sur les Français est l'un des indicateurs de l'état de la société.

LES FRANÇAIS À LA VEILLE DU XXIe SIÈCLE

L'ÉTAT DES LIEUX

Les grandes transformations

S'il sont convaincus que le monde a changé, les Français n'ont pas toujours le sentiment que leur pays s'est transformé avec lui. Soit parce qu'ils ne sont pas favorables au changement, soit (plus rarement) parce qu'ils le trouvent trop lent. Pourtant, la France a connu au cours du siècle, et notamment des dernières décennies, des évolutions spectaculaires, parfois des mutations. Il suffit, pour les faire apparaître, de donner la parole aux chiffres.

Une population plus vieille

La part des moins de 20 ans dans la population diminue régulièrement. Elle n'est plus que de 26 %, contre 33 % en 1970, alors que les 65 ans et plus en représentent 15 % (contre 13 % en 1970). En un quart de siècle, l'âge moyen des Français a augmenté de 3 ans, passant de 35 ans à 38 ans.

On peut citer deux causes principales à ce vieillissement. La première est l'allongement continu de l'espérance de vie : 74,2 ans pour les hommes contre 63,4 ans en 1950 ; 82,1 ans pour les femmes (record européen) contre 69,1 ans en 1950.

La seconde cause est la diminution continue de la fécondité, tombée en 1993 au taux le plus bas jamais enregistré en temps de paix : 1,65 enfant par femme (remonté à 1,70 depuis 1995), contre 1,94 en 1970. Il faut cependant noter que les femmes ont des enfants plus tard et plus longtemps. L'âge moyen des mères ayant eu un enfant en 1996 était de 29 ans, contre 28 ans en 1990 et 27 ans en 1980. Sur l'indice de fécondité moyen de 1,72 enfant, 0,77 était dû à des femmes ayant 30 ans et plus, contre 0,53 en 1980.

Entre 1950 et 1990, l'espérance de vie à 60 ans a doublé. Elle est aujourd'hui de 25 ans pour les femmes et de 20 ans pour les hommes ; elle a doublé depuis 1950. L'une des conséquences de cette évolution démographique est la multiplication des familles comportant quatre générations vivantes.

Plus d'étrangers

La France compte 3,6 millions d'étrangers (chiffre officiel ne prenant pas en compte l'immigration illégale) contre 1,7 million en 1954. Beaucoup ont été naturalisés, ce qui explique que la proportion dans la population totale a peu évolué depuis les années 30.

Leur provenance s'est cependant transformée : 47 % sont aujourd'hui originaires d'Afrique (notamment des pays du Maghreb) contre 13 % en 1954, 41 % des pays européens contre 84 % en 1954, 12 % d'Asie contre 2,5 % en 1954.

Un niveau d'éducation plus élevé

Entre 1946 et 1996, la proportion de titulaires d'un CAP ou BEP a triplé parmi les 25-34 ans ; la part des bacheliers est passée de 4 % à 60 %. 22 % des Français de 15 ans et plus ont aujourd'hui le baccalauréat ou des diplômes plus élevés, contre 17 % en 1982. En cinquante ans, la durée médiane des études (qui sépare la population en deux parties égales) a doublé, passant de 7 à 14 ans. 23 % des 18-25 ans poursuivent des études supérieures, contre 14 % en 1982.

Surtout, l'éducation des femmes a connu une progression spectaculaire ; elles sont aujourd'hui plus nombreuses que les hommes à obtenir le baccalauréat et sont majoritaires dans l'enseignement supérieur (54 %). Celles qui ont entre 25 et 34 ans sont donc plus diplômées que les hommes. Cette évolution explique le poids croissant des femmes dans la vie économique et sociale.

Un état de santé amélioré

L'espérance de vie moyenne à la naissance des Français est la plus élevée de l'Union européenne ; elle a progressé de 2,5 ans pendant les années 80 (environ trois mois par an au cours des dix dernières années). Dans le même temps, l'espérance de vie sans incapacité s'est accrue de 3 ans.

Il faut cependant rappeler que la France est l'un des pays européens les plus touchés par la « mortalité prématurée » liée aux comportements à risques (tabac, alcool, accidents domestiques ou de la route...). Celle-ci concerne surtout les hommes (ce qui explique que la France détient aussi le record européen de « surmortalité masculine »), mais les comportements des deux sexes tendent à se rapprocher. De plus, la mortalité infantile tend à stagner après les progrès réalisés. Enfin, les inégalités face aux soins ont recommencé à s'accroître récemment, après une réduction régulière dans le passé.

Un niveau d'information accru

Les médias sont omniprésents dans la vie des Français, qui consacrent en moyenne 3 h 12 mn par jour à la télévision (1997) et le même temps à la radio, et lisent en moyenne 6,4 magazines (53 % lisent régulièrement un quotidien).

Cette surinformation s'est accompagnée d'une forte baisse de la crédibilité des médias. Elle participe aussi à une confusion croissante et à l'entretien d'un climat social pessimiste.

Une religion moins influente

Si 75 % des Français se disent encore catholiques, la proportion des mariages religieux a beaucoup diminué : 50 % contre 95 % en 1970. Les enfants ne sont plus systématiquement baptisés : 58 % contre 84 % en 1970. 16 % seulement des Français estiment que l'Église exerce une influence dans leur vie quotidienne, contre 26 % en 1986.

Les jeunes se détachent de plus en plus de la religion : 29 % des 18-24 ans se disent sans religion, contre 13 % des personnes âgées de 65 ans et plus ; 6 % des jeunes assistent au moins deux fois par mois à la messe, contre 12 % de l'ensemble des catholiques. Pourtant, le besoin de spiritualité n'a pas disparu, comme l'a montré le succès des Journées mondiales de la jeunesse au cours de l'été 1997.

La vie de couple transformée

Le nombre de mariages est passé de 6,2 pour 1 000 habitants en 1980 à 4,9 en 1997 (4,4 en 1995, avant l'alignement des régimes fiscaux des couples mariés et non mariés). Dans le même temps, le nombre des divorces passait de 22 pour 1 000 mariages à 42 en 1996, de sorte qu'un couple qui se marie aujourd'hui a une « chance » sur trois de divorcer au cours de sa vie conjugale (une sur deux à Paris). On constate ainsi un fort accroissement de la proportion de per-

sonnes vivant seules : célibataires, divorcées ou veuves.

Il en est de même du nombre des familles « recomposées » ou « éclatées ». 10 % des enfants sont élevés par un seul de leurs parents, en général la mère (familles monoparentales). 1,5 million de jeunes de moins de 25 ans vivent avec des parents remariés. 85 % des enfants de divorcés connaissent l'expérience d'une nouvelle union de leur père et/ou de leur mère ; 66 % ont des demi-frères ou demi-sœurs.

On constate aussi que les enfants restent plus longtemps au foyer parental : entre 20 et 24 ans, c'est le cas de 60 % des hommes et de 49 % des femmes, contre respectivement 51 % et 38 % en 1982 ; à 28 ans, 12 % des hommes et 5 % des femmes sont encore dans cette situation. Enfin, de nouveaux modèles familiaux se sont mis en place, caractérisés par un plus grand libéralisme à l'égard des enfants, qui entraîne parfois une absence d'autorité parentale.

Photo : Luc Choquer/Métis

La millième génération

On peut considérer, avec certains anthropologues, que le singe est devenu homme lorsqu'il a acquis la conscience de lui-même (*homosapiens*) et qu'il a commencé à enterrer ses morts. Notre ancêtre serait donc apparu il y a quelque 60 000 ans (les recherches actuelles tendent à repousser cette date, ce qui ne change rien au raisonnement qui suit).

Si l'on fait l'hypothèse, par souci de simplification, que les vies se sont déroulées en moyenne sur une soixantaine d'années (avec une définition des générations différente de celle utilisée par les démographes), 1 000 générations se sont ainsi succédé depuis le début de l'humanité. On peut alors constater que la plupart d'entre elles, près de 900, sont nées et ont vécu dans des grottes. La grande majorité également n'a pu connaître et utiliser les progrès majeurs de l'humanité:

• 100 ont connu l'écriture (depuis celle, cunéiforme, inventée au quatrième millénaire avant notre ère) ;

• 9 ont connu les livres (l'imprimerie à caractères mobiles a été inventée en Europe au milieu du XVᵉ siècle) ;

• 2 ont connu l'électronique (le début de la radio remonte à 1910) ;

• 1 seule a connu l'informatique (l'ENIAC date de 1946).

Les changements considérables liés aux développements successifs de l'ordinateur n'ont en effet concerné que la dernière génération, née depuis le milieu du siècle. Ce constat met en évidence à la fois l'accélération de l'innovation et son influence croissante sur les modes de vie des hommes et des femmes.

On peut donc penser à bien des égards qu'il s'est produit plus de changements au cours du XXᵉ siècle qu'au cours des dix-neuf qui l'ont précédé. Cette impression est même démontrable dans certains domaines :

• La vitesse de déplacement des hommes. On peut aujourd'hui voler dans les avions des lignes commerciales à plus de 1 000 km/h. Les fusées atteignent même la vitesse de 11 km par seconde pour mettre sur orbite les satellites. Le TGV circule à plus de 300 km/h en vitesse de croisière (il a atteint à l'essai 515 km/h en 1990). Les voitures de course atteignent des vitesses comparables ; le record de vitesse terrestre dépasse 1 000 km/h.

• La capacité de calcul des machines. Les gros ordinateurs peuvent aujourd'hui effectuer des milliards d'opérations à la seconde, ce qui leur permet de battre aux échecs les grands maîtres comme Kasparov. Leur capacité double pratiquement tous les ans.

• La condition féminine. Même si l'égalité des sexes n'est pas encore totalement réalisée dans les pays développés, la plupart des femmes s'accordent à reconnaître que leur situation a plus progressé au cours de la seconde moitié du XXᵉ siècle que pendant les siècles précédents (rappelons qu'elles n'ont obtenu le droit de vote en France qu'en 1944 et que la maîtrise légale de la fécondité date des années 60 et 70).

• La capacité de destruction des armes. Avec la bombe atomique mise au point pendant la Seconde Guerre mondiale, les puissances nucléaires (officielles et officieuses) ont la possibilité pour la première fois dans l'histoire de détruire la planète et l'humanité. Les armes chimiques et bactériologiques, qui sont à la portée de tous les Etats ou groupuscules terroristes, ont un pouvoir semblable et tout aussi effrayant.

On pourrait trouver bien d'autres exemples des extraordinaires évolutions qui ont accompagné le siècle. Beaucoup sont d'origine scientifique et technique : invention et développement de la radiophonie, des barbituriques, de la radiologie, des équipements électroménagers (réfrigérateur, lave-vaisselle, lave-linge, congélateur, four à micro-ondes...), de la télévision, du Nylon, de la pilule contraceptive, des vaccins contre les maladies virales, de la greffe d'organes, du satellite artificiel, du laser, du microprocesseur, d'Internet, etc. D'autres évolutions concernent le fonctionnement de la vie sociale : congés payés, réduction du temps de travail, allongement de la durée de vie, accroissement du pouvoir d'achat... Toutes ont exercé une influence considérable sur les modes de vie individuels et les valeurs collectives.

Une population majoritairement citadine...

75 % des Français vivent dans des communes urbaines (plus de 2 000 habitants) ; en 50 ans, la population urbaine de la France a doublé, alors que la population totale n'augmentait que d'un tiers. La majorité des ménages (56 %) habitent dans des maisons individuelles (48 % en 1982). Plus de la moitié (54 %) sont propriétaires de leur logement, contre 47 % en 1975. Plus de huit sur dix disposent aujourd'hui de tout le confort (salle de bains, WC intérieurs, chauffage central) contre 48 % en 1975 ; 9 % ont au moins deux salles de bains. La surface moyenne est passée de 82 m^2 en 1984 à 88 m^2 en 1996. 13 % des ménages disposent également d'une résidence secondaire.

... mais un nombre croissant de « néoruraux »

Un exode urbain succède depuis une vingtaine d'années à l'exode rural. Il est motivé par la recherche de conditions de vie meilleures que celles des grandes villes et l'attraction exercée par la province et les régions du sud de la France (héliotropisme).

La mobilité résidentielle tend cependant à diminuer. Entre 1982 et 1990, seuls 8,6 % des ménages ont changé de logement, contre 9,4 % entre 1975 et 1982. La baisse du rythme de la construction et celle du nombre des candidats à la propriété expliquent cette situation.

Une vie professionnelle transformée

Plusieurs changements importants se sont produits en matière d'emploi au cours des dernières décennies :

• La proportion de femmes actives s'est accrue de façon spectaculaire (3 millions de plus en 30 ans, contre 900 000 hommes pendant la même période), de sorte que le couple biactif (dans lequel les deux conjoints ont une activité professionnelle) est devenu majoritaire depuis la fin des années 80.
• La durée du travail a poursuivi sa diminution, atteignant 39 heures par semaine et 1 750 heures par an en moyenne.
• La part des services dans le PIB a doublé depuis 1946, à 70 %, tandis que celle de l'agriculture est passée de 38 % à 9 %.
• On compte aujourd'hui de moins en moins de paysans (3 % de la population active occupée) mais aussi d'ouvriers et d'artisans ou commerçants. A l'inverse, le nombre de cadres et de professions intermédiaires s'est accru.
• 87 % des actifs sont salariés, contre 72 % en 1960.
• La France compte environ 5 millions de fonctionnaires, soit le quart de la population active.
• Seuls 9 % des salariés sont syndiqués, ce qui représente le taux le plus faible de tous les pays d'Europe (82 % en Suède, 71 % au Danemark, 39 % en Grande-Bretagne, 33 % en Allemagne).

Un pouvoir d'achat en augmentation

Le pouvoir d'achat des salaires nets a été multiplié par 2,5 en francs constants entre 1960 et 1994. Le salaire moyen était supérieur en 1997 à 10 000 F par mois (avant impôts et prestations sociales). Le revenu disponible moyen des ménages atteint 20 000 F par mois. La crise économique qui sévit depuis 1973 n'a donc pas interrompu l'accroissement du revenu moyen, qui a augmenté de 60 % entre 1970 et 1990 en francs constants.

Il est donc faux de penser que le pouvoir d'achat a régressé avec la crise économique. Mais il faut préciser que son rythme de progression a diminué par rapport à celui des Trente Glorieuses. De plus, les inégalités se sont accrues entre les jeunes (dont le pouvoir d'achat est stagnant par rapport à celui qu'avaient leurs parents au même âge) et les plus âgés, qui ont vu leurs revenus s'accroître dans de fortes proportions. A tel point que les ménages de retraités perçoivent des revenus en moyenne supérieurs de 8 % à ceux des actifs.

Un emploi du temps de la vie bouleversé

En 1900, les Français consacraient 42 % du temps éveillé de leur vie au travail (soit 16 heures par jour pendant 50 ans, espérance de vie moyenne d'un homme à cette époque). Le temps libre qui leur restait après avoir décompté le temps physiologique (alimentation, soins...), le temps représenté par l'enfance et la scolarité et celui de déplacement s'établissait à 11 % du temps disponible total. Aujourd'hui, le temps de travail ne compte plus que pour 12 % du temps éveillé d'une vie, alors que le temps libre en représente 31 %.

Photo Luc Choquer/Métis

Audit économique

La France occupe aujourd'hui le quatrième rang économique mondial avec des parts de marché à peu près stables sur 30 ans (mais en baisse sur les cinq dernières années) dans un contexte de concurrence internationale accrue et une balance commerciale de plus en plus excédentaire depuis 1992. Les entreprises sont pour la plupart modernisées, restructurées, désendettées et renouent avec les profits. Elles investissent à l'étranger (1 000 milliards de francs d'actifs hors des frontières) alors que les entreprises étrangères sont aussi présentes en France, témoignant d'une certaine attractivité. L'inflation est maîtrisée et la monnaie est stable malgré des taux d'intérêt historiquement bas. Enfin, la reprise économique si longtemps attendue se manifeste avec force depuis fin 1997, faisant oublier (provisoirement ?) la crise asiatique.

Il faut cependant, pour être objectif, évoquer les difficultés existantes : chômage ; endettement national ; déficits (Sécurité sociale, retraites) ; poids du secteur public et fréquente inefficacité de sa gestion ; multiplicité des statuts sociaux ; coût du travail élevé ; niveau confiscatoire des prélèvements obligatoires ; recherche publique (et parfois privée) moins efficace que par le passé ou dans d'autres pays ; retard dans les technologies de l'information ; montée de l'exclusion...

Dans leur majorité, les Français ne sont guère conscients de ce qui va bien. Ils se focalisent bien davantage sur ce qui ne va pas et sont sensibles aux discours sur « l'horreur économique ». Leur crainte principale concerne bien sûr le chômage. Ce cancer ronge la société depuis maintenant une vingtaine d'années ; il est au moins en partie responsable de la plupart des difficultés sociales : pauvreté ; inégalités ; délinquance ; climat social délétère ; cohabitation difficile avec les étrangers ; divorce avec les institutions ; résistance au changement ; fuite à l'étranger de personnes et de capitaux.

Les Echos, divers

• Baisse du nombre des mariages, particulièrement marquée depuis le début des années 70 ;

• Unions plus tardives : l'âge au premier mariage s'est accru de plus de 4 ans en quinze ans (29 ans pour les hommes, 27,5 ans pour les femmes) ;

• Développement de la cohabitation ou union libre : environ 15 % des couples vivent ensemble sans être mariés, contre 3,6 % en 1975. 38 % des naissances se sont produites hors mariage en 1997 ;

• Baisse de la natalité : l'indicateur conjoncturel de fécondité n'était plus que de 1,7 enfant par femme en 1997 (après 1,65 en 1993), contre 1,94 en 1970 et 2,73 en 1960. Mais les femmes ont des enfants plus tard et plus longtemps : l'âge moyen de celles qui ont eu un enfant était de 29 ans en 1996 contre 27 ans en 1980 ;

Cette inversion entre temps de travail et temps libre est l'un des phénomènes les plus révélateurs de l'évolution des modes de vie. Elle n'est pas encore vraiment perçue et intégrée par la société, qui reste organisée et centrée sur le travail. De nouvelles réductions du temps de travail apparaissent inéluctables afin de faire face au chômage et de satisfaire une demande de temps libre qui ne l'est pas encore.

• Accroissement du nombre des divorces, qui a été multiplié par quatre depuis 1960 : 118 000 en 1997 contre 30 000 (avec un nombre de mariages artificiellement élevé, du fait de nouvelles dispositions fiscales favorables) ;

• Apparition de nouveaux modèles familiaux : familles monoparentales (enfants élevés par un seul

De la transition démographique...

Les démographes ont mis en lumière depuis un certain nombre d'années la « transition démographique », modèle d'évolution de la vie familiale suivi par l'ensemble des pays développés. Cette transition est marquée par plusieurs phénomènes que l'on a vu se produire à des moments différents en France et en Europe occidentale :

Photo Luc Choquer/Métis

La Coupe du monde fabuleuse

Le 12 juillet 1998, la France devenait championne du monde de football, au terme d'un parcours exemplaire. Cet événement sportif historique aura été véritablement fabuleux, au sens propre du terme ; il constitue en effet une aventure allégorique porteuse de plusieurs moralités. La première est que la France est encore capable de se retrouver au centre du monde et d'y occuper la première place, comme en témoigne l'audience record de l'événement et surtout son dénouement. Avec les années de crise, cette conviction avait quasiment disparu (en même temps que beaucoup d'autres) de la mentalité collective. Les Français, qui s'étaient convaincus que c'était mieux « avant » et « ailleurs », ont pu se rendre compte que ce pouvait être bien « maintenant » et « ici ».

La deuxième morale de l'histoire tient au caractère pluraliste de cette équipe de France, qui à partir de joueurs aux tempéraments et aux origines différentes a su fabriquer un « collectif » uni, fraternel et imbattable. Les Zidane, Desailly et Thuram ont sans doute fait davantage pour l'intégration sociale, la reconnaissance et l'acceptation des « différences » que les partis politiques les plus généreux en ce domaine ; ils ont infligé un cinglant camouflet à tous les apôtres de l'intolérance. Et ce n'est pas par hasard si, pour la première fois peut-être, les jeunes beurs et autres arrivants récents dans l'Hexagone portaient avec fierté les couleurs du drapeau national lors des fêtes d'après-match.

On a donc pu assister à une manifestation de joie dont l'ampleur égalait, pour ceux qui l'ont connue, celle de la Libération. Cette comparaison peut paraître exagérée ; pourtant, c'est bien d'une libération qu'il s'agissait. Après une vingtaine d'années de frustration, marquée par la montée du chômage et la détérioration du climat social, les Français ont retrouvé une confiance en eux (même si c'est par joueurs et entraîneur interposés) qui les avait abandonnés. Cette compétition a montré combien était grand leur besoin d'émotion, d'adhésion à un projet qui les dépasse et aussi de participation. C'est la troisième morale de la fable.

Pendant ces soirées magiques de juillet, les Français ont retrouvé le goût de la victoire. Ils ont redécouvert aussi celui du travail bien fait, qui est sans aucun doute la clé principale de l'exploit réalisé par l'équipe nationale. Or, cette importance accordée au travail et à l'effort, si souvent soulignée par Aimé Jacquet, avait été vivement critiquée par les médias (on se souvient de la campagne menée par l'Equipe) et beaucoup de Français avant la compétition. Elle est finalement apparue comme une clé nécessaire et préalable au bonheur, dans un monde où la compétition est omniprésente et croissante.

Il reste à souhaiter maintenant que les morales de la fable de juillet auront un effet durable sur l'état d'esprit des Français. Si le front du refus (de l'adaptation, de l'effort, de la tolérance) et de la peur (des autres, du changement, de l'avenir) a perdu une bataille, sa capacité de résistance reste importante. Mais la compréhension de l'opinion à son égard pourrait être désormais moins forte. Car elle a compris qu'on ne pouvait entrer dans la légende en se repliant sur le passé.

tions vivantes et connaîtront leurs arrières-petits-enfants ; la proportion n'était que de 26 % parmi les femmes nées en 1920.

... à la transition sociologique

Les transformations des sociétés développées intervenues depuis plusieurs décennies laissent penser qu'elles sont soumises à ce que l'on pourrait appeler une « transition sociologique ». La France n'a pas échappé à ce phénomène, amorcé au milieu des années 60. Dès cette époque, certains phénomènes, passés presque inaperçus, annonçaient déjà la « révolution des mœurs » et des modes de vie :

• Croissance du chômage ; entre les recensements de 1962 et 1968, le taux avait doublé, passant de 0,9 % des actifs à 1,8 % parmi les hommes et de 1,5 % à 2,8 % parmi les femmes ;

• Régression de la pratique religieuse, en particulier chez les jeunes ;

• Revendication de liberté individuelle, marquée par l'apparition du nu dans les magazines, dans les films (avec Brigitte Bardot et la Nouvelle Vague) et sur les plages ;

• Accroissement spectaculaire de la délinquance (le nombre des crimes et délits est passé de 600 000 en 1964 à 1 700 000 en 1972) ;

• Baisse de la productivité des entreprises dans l'ensemble des pays occidentaux, pour la première fois depuis vingt ans ;

• Hausse des coûts de santé et d'éducation ;

• Détérioration des rapports entre les Français et les institutions, avec notamment une désaffection

de leurs parents) ; enfants vivant dans les familles où les parents sont remariés, ayant des demi-frères ou des demi-sœurs ;

• Coexistence de quatre générations : on estime que, en l'an 2000, 44 % des femmes de 50 ans (nées en 1950) vivront dans une lignée de quatre généra-

Photo Luc Choquer/Métis

L'opinion publique

Les Français sont probablement le peuple du monde le plus consulté par les instituts de sondage (voir *Records et exceptions françaises*). Cette « sondomanie » témoigne d'une propension nationale à l'introspection. Elle est aussi révélatrice des hésitations des grands acteurs de la société (hommes politiques, entreprises...) qui préfèrent interroger les citoyens et les consommateurs, jugés ingouvernables et volatils, avant de leur faire des offres de services.

L'abondance des enquêtes d'opinion fournit en tout cas des informations intéressantes dans de nombreux domaines sur l'état des Français à la veille du changement de siècle. La sélection qui suit est présentée de façon alphabétique.

N.B. La plupart des enquêtes mentionnées ont été réalisées en 1997 ou au cours du premier semestre 1998. Elles n'intègrent pas les effets sur l'opinion de la reprise économique sensible depuis le début de 1998 et du changement de tonalité qu'elle a provoqué dans les médias. Elles n'intègrent pas non plus les effets de la Coupe du monde de football, qui a représenté un événement considérable pour l'ensemble de la population (voir p.15). Mais il est trop tôt pour savoir si ses incidences seront durables et ce qu'elles changeront dans les attitudes et les comportements.

croissante à l'égard de l'Eglise, l'armée, l'école, l'entreprise ou l'Etat.

Ces changements préfiguraient la contestation de Mai 68. Ils préparaient aussi le terrain de la crise économique des années 70.

Cette transition sociologique s'est également caractérisée par d'autres évolutions significatives. La plus importante est sans doute l'accroissement du temps libre, conséquence de la diminution régulière du temps de travail hebdomadaire, de l'allongement des congés payés, de l'avancement de l'âge de départ en retraite et des gains continus d'espérance de vie. On observait en même temps un moindre attachement aux valeurs « matérielles » (argent, consommation, objets...) et un désir croissante de vivre une vie personnelle et intérieure plus riche.

CHÔMAGE. *L'assistance en question*

41 % des Français considèrent que l'une des causes de la situation de l'emploi en France tient au fait que les chômeurs sont trop assistés. Mais 52 % ne sont pas de cet avis. Le clivage politique est ici encore très marqué : 60 % des électeurs de l'UDF et du RPR, 59 % de ceux du Front national sont convaincus du rôle néfaste de l'assistance aux chômeurs, contre seulement 14 % des électeurs du PC et 33 % de ceux du PS. (BFM-*Paris-Match*/BVA, janvier 1998)

CIVISME. *Les intentions progressent*

Pour améliorer la qualité de l'air, 74 % des Français se disent prêts à payer plus cher pour acheter une voiture moins polluante. La proportion de « bons citoyens » ne varie d'ailleurs pratiquement pas en fonction du revenu. Mais ces intentions ne sont pas obligatoirement mises en application, si l'on en juge par le nombre élevé de voitures polluantes en circulation dans l'hexagone. (BFM-*Paris-Match*/BVA, décembre 1997)

COHABITATION. *Les Français apprécient*

La cohabitation ne semble pas être responsable de l'écart entre la perception, négative, de la façon dont la France est gouvernée et la cote personnelle du Premier ministre. Les Français continuent en effet d'être en majorité favorables à cet équilibre des pouvoirs : 48 % contre 42 % en janvier 1998. Celle-ci leur apparaît sans doute comme un succédané de ce à quoi ils aspirent vraiment : un gouvernement d'union nationale, synthèse de l'ensemble des idéologies modérées.

Les électeurs de la majorité sont évidemment de loin les plus favorables à la cohabitation, qui leur a permis de voir leurs idées et leurs hommes arriver au pouvoir : 74 % au PS (20 % estiment au contraire que c'est une mauvaise chose pour la France), 57 % chez les écologistes (contre 37 %), 45 % au PC (contre 39 %). Les électeurs de la droite lui sont hostiles : 74 % de ceux du Front national (17 % pour) ; 64 % de ceux du RPR (29 % pour) ; 57 % de ceux de l'UDF (36 % pour). (*Paris-Match*/BVA, janvier 1998)

Le clivage gauche-droite demeure

Beaucoup de Français considèrent qu'il existe peu de différence entre la droite et la gauche, souvent pour les renvoyer dos à dos dans une même opprobre. On observe cependant des différences significatives de sensibilité et de valeurs entre les deux bords de l'échiquier politique. Les sympathisants de la gauche sont par exemple moins favorables à la peine de mort. Ils sont moins nombreux à estimer que la justice doit traiter les délinquants mineurs comme des adultes : 34 % contre 52 %. 70 % des sympathisants de droite sont favorables à la mise en place d'une sélection à l'entrée dans l'enseignement supérieur, alors que 51 % de ceux de gauche y sont opposés. 60 % des électeurs de l'UDF et du RPR, 59 % de ceux du Front national sont convaincus du rôle néfaste de l'assistance aux chômeurs, contre seulement 14 % des électeurs du PC et 33 % de ceux du PS. (BFM-*Paris-Match*/BVA, janvier 1998)
69 % des électeurs du PC, 69 % de ceux du PS et 77 % des écologistes pensent qu'un accident nucléaire grave est possible en France, contre 56 % des électeurs de l'UDF et 59 % de ceux du RPR (mais 80 % de ceux du FN). (TF1/BVA, avril 1996)
De même, l'image des deux bords politiques diffère. 46 % des Français pensent que la gauche est la plus capable de lutter aujourd'hui contre le racisme (la droite 16 %, les deux 6 %, ni l'un ni l'autre 19 %), 48 % de lutter contre l'exclusion (la droite 16 %, les deux 4 %, ni l'un ni l'autre 20 %). (Canal Plus/BVA, juin 1997)

CONFLITS SOCIAUX. *Des craintes pour l'avenir*

En novembre 1997, 72 % des Français estimaient qu'il y aurait des conflits sociaux importants dans les mois à venir (22 % non). La proportion était de 87 % en octobre 1996, deux mois avant la grève des routiers.

En janvier 1998, 77 % des Français estimaient qu'il existait un risque d'explosion sociale au cours des mois à venir, au vu du contexte économique et social du moment (31 % certainement, 46 % peut-être) ; 20 % étaient de l'avis contraire. 47 % estimaient qu'une remise en cause de l'euro était possible, 49 % non. 47 % estimaient que la chute du gouvernement était possible, 48 % non. (BFM-96,4 FM-*Paris-Match*/BVA, janvier 1998)

CONSERVATISME. *La faute du gouvernement*

74 % des Français pensent que c'est le gouvernement qui est responsable des blocages et du conservatisme de la société française qui avaient été dénoncés par Jacques Chirac en décembre 1996, devant l'administration (64 %), les chefs d'entreprises (58 %), les syndicats (57 %) et les Français en général (54 %). (BFM/BVA, décembre 1996)

En ce qui concerne le chômage, 40 % des Français estiment que la responsabilité de sa progression incombe d'abord au gouvernement, 39 % à la conjoncture économique mondiale, 14 % aux chefs d'entreprise. (Canal Plus/BVA, janvier 1997)

CORRUPTION.
Agacement et tentation

67 % des Français estiment que la décentralisation a favorisé le développement de la corruption et des clientélismes locaux (20 % non). Les partis les plus touchés sont, selon eux, le RPR (28 %), le PS (27 %), le FN (17 %), l'UDF (15 %), le PC (12 %), les écologistes (4 %). Mais 35 % reconnaissent que, s'ils étaient élus, ils profiteraient de leur situation pour favoriser leurs proches (62 % non). (Canal Plus/BVA, février 1997)

DÉLINQUANCE DES MINEURS. *L'opinion partagée*

43 % des Français estiment que la justice doit traiter les délinquants mineurs comme des adultes, mais 50 % ne sont pas de cet avis. Les différences de sensibilité politique sont nettes dans ce domaine : 52 % des électeurs de la droite, contre 34 % de ceux de la gauche.

Pour lutter contre la délinquance des mineurs, 59 % des Français sont partisans du rétablissement des maisons de correction. La droite est plus « répressive » que la gauche : 87 % des électeurs du Front national en sont partisans, contre 69 % au RPR, 51 % au PS et chez les écologistes, 47 % à l'UDF, 37 % au PC. Les femmes le sont moins que les hommes (54 % contre 63 %), les jeunes moins que les personnes âgées.

Les problèmes de racket à l'école sont considérés comme importants par 86 % des Français contre 10 %. 88 % seraient favorables à la présence, dans chaque collège ou lycée, de personnes chargées de surveiller l'entrée des établissements. (*Paris-Match*/BVA, décembre 1997)

EURO. *Deux Français sur trois convaincus*

64 % des Français estimaient en mars 1997 qu'il était nécessaire que la France fasse partie des pays qui adopteront la monnaie unique européenne en 1999 (32 % non). 64 % estimaient d'ailleurs que la France ferait partie de ces pays. (BFM/BVA, mars 1997)

FAMILLE. *La valeur première*

81 % des Français considèrent la famille comme un ingrédient essentiel du bonheur (*Grandes Lignes*/TMO, 1997). 87 % se disent prêts à risquer leur vie pour défendre leur famille. (*L'Express*/IFOP, octobre 1996)

FONDS DE PENSION. *Un préjugé favorable*

64 % des Français se disent favorables à la mise en place dans les entreprises d'un système d'épargne volontaire permettant aux salariés de constituer une retraite complémentaire, comme cela existe dans certains pays sous la forme de fonds de pension ; 29 % y sont hostiles.

La proportion de personnes favorables varie plus selon l'appartenance politique qu'en fonction du revenu : 36 % pour les sympathisants du PC ; 54 %

pour ceux du PS ; 75 % pour ceux de l'écologie ; 74 % pour ceux de l'UDF ; 80 % pour ceux du RPR ; 66 % pour ceux du FN. (BFM/BVA, novembre 1996)

GRÈVES. *Pour les mouvements « tournants »*

54 % des Français estiment qu'il ne faut pas interdire les grèves « tournantes » qui permettent aux salariés de faire grève successivement afin de limiter leurs pertes de salaires (63 % dans le public, 59 % dans le privé), 34 % y sont favorables (33 % dans le privé, 28 % dans le public). (*Paris-Match*-BFM/BVA, février 1998)

HEURES SUPPLÉMENTAIRES. *Le statu quo privilégié*

47 % des Français se disent favorables au maintien de la réglementation actuelle des heures supplémentaires (56 % parmi les salariés du secteur privé, 42 % dans le secteur public). 25 % se rallient à la réduction du nombre d'heures légal (31 % dans le public, 23 % dans le privé). 22 % prônent leur interdiction dans le cadre du débat sur les 35 heures (25 % dans le public, 17 % dans le privé). (BFM/BVA, février 1998)

INSTITUTIONS. *La méfiance généralisée*

• **Hommes politiques**. Les cotes des hommes politiques au pouvoir (ministres) sont depuis des années globalement peu élevées. Il faut cependant faire une exception pour Lionel Jospin, qui a conservé depuis sa nomination comme Premier ministre une proportion de citoyens satisfaits supérieure à celle des mécontents. Sa cote personnelle contraste avec le jugement porté sur son gouvernement, qui reste négatif. Elle a même atteint un record en juillet 1998, profitant de « l'effet Coupe du monde », à 70 % d'opinions favorables, contre 52 % en juillet 1997. Ce même effet explique la cote semblable du président de la République, brusquement remontée à 68 % (contre 48 % un an auparavant).

• **Ministres**. L'image des ministres du gouvernement varie selon leur « surface médiatique » : certains, comme Pierre Moscovici aux Affaires européennes, Alain Richard à la Défense, Hubert Védrine aux Affaires étrangères ou Marie-Georges Buffet à la Jeunesse et aux sports, ne sont pas connus par environ la moitié des Français, qui ne peuvent exprimer une opinion à leur propos. Parmi les ministres à plus forte notoriété, la proportion d'opinions favorables exprimées dépassait 50 % en juillet 1998 pour Martine Aubry (Emploi, solidarité, ville, 63 %), Elizabeth Guigou (Justice, 61 %), Catherine Trautmann (Culture et communication, 54 %), Dominique Strauss-Kahn (Economie et Finances, 52 %) et Dominique Voynet (Environnement, 51 %). Les femmes bénéficient donc d'une image globalement plus favorable que les hommes. (*Le Point*/Ipsos, juillet 1998)

• **Syndicats**. L'image des leaders des trois grandes centrales syndicales est contrastée : largement favorable pour Nicole Notat (CFDT) avec 49 % d'opinions favorables contre 29 %, elle est équilibrée pour Marc Blondel (FO, 39 % contre 39 %) et défavorable pour Louis Viannet (CGT, 23 % contre 32 %). (BFM-*Paris-Match*/BVA, novembre 1997)

• **Entreprises**. L'image des entreprises varie selon les entités qui les représentent. 68 % des Français ont une bonne image des patrons, 27 % une mauvaise. Ils ne sont en revanche que 42 % à avoir une bonne image du CNPF ; 37 % en ont une mauvaise. (BFM/BVA, octobre 1997)

68 % des Français considèrent que le regroupement ou l'alliance d'entreprises françaises avec d'autres est plutôt un atout pour s'adapter aux exigences de la construction européenne. Il est jugé comme un handicap par 20 %. Mais les effets sur la lutte contre le chômage apparaissent incertains : 42 % estiment que c'est un atout, 42 % un handicap. (BFM-*Paris-Match*/BVA, novembre 1997)

• **Médias**. Les Français sont partagés sur l'influence de la télévision sur le fonctionnement de la démocratie : 47 % trouvent son rôle positif ; 46 % le jugent négatif. Si 72 % estiment qu'elle remplit son rôle en matière d'information (25 % non), ils ne sont que 56 % en ce qui concerne le divertissement (38 % non). Seuls 37 % considèrent qu'elle remplit bien son rôle en matière d'éducation (57 % non). (Canal Plus/BVA, février 1997)

De manière générale, les Français pensent en majorité (58 % contre 35 %) que les médias ne sont pas indépendants du pouvoir politique. On retrouve les mêmes proportions en ce qui concerne la dépendance à l'égard du pouvoir économique. (Canal Plus/BVA, mars 1997)

MARCHÉS FINANCIERS. *Une influence prioritaire*

Lorsqu'on leur demande ce qui a le plus d'incidence sur l'activité économique, les Français citent en premier les marchés boursiers et financiers (29 %), devant les consommateurs eux-mêmes (20 %), les entreprises (18 %), le gouvernement (17 %) et l'Union européenne (8 %). (BFM-*Paris-Match*/BVA, octobre 1997)

MONOPOLES. *Des suppressions possibles*

En janvier 1998, 76 % des Français étaient favorables à la fin du monopole de France Télécom. 77 % étaient convaincus que la déréglementation du marché des télécommunications était une bonne chose pour les utilisateurs du téléphone (16 % étaient de l'avis contraire). (*Enjeux-Les Echos*-Publicis Consultants/BVA, février 1998)

Dans le même ordre d'idée, les Français sont plutôt favorables à la privatisation d'entreprises publiques soumises à la concurrence. Ainsi, 45 % estimaient en septembre 1997 que la décision de ne pas privatiser Air France était une mauvaise chose (39 % une bonne chose). (BFM-*Paris-Match*/BVA, septembre 1997)

La proportion de Français opposés à toute forme de privatisation d'entreprises comme le Crédit Lyonnais, Air France, le GAN, France Télécom, la SNCF, EDF/GDF et l'Aérospatiale était comprise entre 20 % (GAN) et 36 % (EDF/GDF). Les partisans d'une privatisation totale atteignaient 47 % dans le cas du Crédit Lyonnais et 27 % pour EDF/GDF. Les autres étaient favorables à une privatisation par-

Photo Luc Choquer/Métis

tielle, l'Etat restant actionnaire majoritaire (BFM-*Paris-Match*/BVA, juin 1997)

MORAL. *Des Français mal dans leur peau*

La note (de 0 à 10) que les Français donnent au moral des Français dans l'enquête barométrique BVA est inférieure à la moyenne (5) depuis le début de la guerre du Golfe, en janvier 1991. Cette faible note de satisfaction collective est associée à des cotes de popularité des dirigeants régulièrement peu élevées. Ce pessimisme récurrent a sans aucun doute des effets déprimants sur la consommation, l'économie et le dynamisme face à l'avenir.

Les ingrédients du moral

Il existe une corrélation étroite entre le « moral » des Français, tel qu'il est régulièrement mesuré par les instituts de sondages ou par l'INSEE et la cote des hommes politiques. Ceci montre que les Français attendent toujours beaucoup des hommes politiques, malgré leur désintérêt apparent, mais aussi qu'ils sont déçus des résultats obtenus.
On constate aussi, et ce n'est guère surprenant, l'importance des données économiques pour le moral des troupes. Les Français ne se sentiront pas bien dans leur peau tant que subsistera la menace du chômage sur leurs têtes et ses conséquences évidentes sur la vie et le climat social. La reprise économique n'a pas eu jusqu'ici les effets escomptés sur l'opinion publique, car celle-ci a le sentiment que la croissance du PIB ne profite pas aux individus ni aux ménages, du fait de l'augmentation continue, et très mal supportée, des prélèvements sociaux. Les augmentations indirectes des impôts, par l'intermédiaire de la CSG et de la RDS, sont en effet ressenties comme des mesures un peu insidieuses, voire perverses.

PEINE DE MORT. *Une hésitation croissante*

D'une façon générale, les Français sont partagés sur la peine de mort : 50 % y sont favorables, 46 % hostiles. Le taux d'adhésion a fortement chuté depuis une vingtaine d'années. En décembre 1980 (alors qu'elle existait encore), 61 % se déclaraient favorables, 32 % hostiles. En juillet 1984, trois ans après sa disparition, ils n'étaient plus que 55 %, contre 38 %. La décision politique a donc précédé, dans ce domaine, l'opinion publique.
En février 1998, l'exécution de l'Américaine Karla Tucker a suscité une émotion importante dans les

médias. 49 % des Français considéraient à cette date qu'elle était justifiée, 41 % non. (*Paris-Match*/BVA, février 1998)

Le fossé entre les générations

On observe dans l'opinion sur la peine de mort un clivage entre les générations. Plus on est jeune et plus on est hostile : 59 % des 15-24 ans contre 38 % des 65 ans et plus. Les cadres supérieurs, professions libérales et intermédiaires sont très majoritairement hostiles, alors que les ouvriers et les employés sont nettement favorables.
Il existe aussi un clivage politique : plus on se situe à droite et plus on est pour, selon une progression qui va du Parti communiste à l'extrême-droite.
Les personnes favorables à la peine capitale estiment surtout que c'est une sanction pour les crimes les plus révoltants comme les crimes d'enfants ; celles qui sont opposées pensent qu'accepter la peine de mort, c'est prendre le risque d'une erreur judiciaire irréparable et que la société se comporte comme les criminels qu'elle condamne.

Paris-Match/BVA, février 1998

PERSPECTIVES. *Un pessimisme dominant*

La morosité des Français n'est pas récente. Elle a progressé depuis le début de la crise économique et concerne la plupart des domaines de la vie collective. Elle est en revanche moins sensible lorsqu'on les interroge sur leur vie personnelle. Certains signes laissent cependant penser que la reprise économique récente ainsi que d'autres événements favorables (baisse du chômage, confiance accrue dans le gouvernement, effet Coupe du monde...) pourraient améliorer la perception générale.

• **Economie**. En janvier 1998, seuls 24 % des Français trouvaient la situation économique du pays bonne ou plutôt bonne ; 73 % la considéraient comme mauvaise ou très mauvaise. Ils étaient même 31 % à penser qu'elle allait encore se détériorer dans les mois à venir, 22 % seulement qu'elle allait s'améliorer.
Ce pessimisme collectif se retrouvait à un moindre degré au niveau individuel : 39 % des Français estimaient que leur situation économique personnelle et familiale s'était détériorée au cours des derniers mois, 7 % seulement qu'elle s'était améliorée (54 % qu'elle était restée stable). Leurs anticipations personnelles n'étaient pas plus optimistes : 26 % pensaient qu'elle allait se détériorer encore, 15 % qu'elle

allait s'améliorer (57 % qu'elle allait rester stable). (*Enjeux-Les Echos*-Publicis Consultants/BVA, janvier 1998)

• **Emploi**. En janvier 1998, 94 % des Français estimaient que la situation de l'emploi était mauvaise, 5 % seulement étaient de l'avis contraire. Ils n'étaient que 21 % à anticiper une amélioration dans ce domaine, alors que 41 % attendaient une nouvelle détérioration (36 % estimaient qu'elle allait rester stable). (*Enjeux-Les Echos*-Publicis Consultants/BVA, janvier 1998)

• **Patrimoine**. En janvier 1998, 24 % des Français estimaient que la valeur de leur patrimoine allait diminuer dans les mois à venir, 13 % qu'elle allait augmenter (60 % qu'elle allait rester stable). (*Enjeux-Les Echos*-Publicis Consulants/BVA, janvier 1998)

•**Prélèvements obligatoires**. En janvier 1998, 76 % des Français estimaient que le niveau des prélèvements (impôts, TVA, cotisations sociales...) allait augmenter dans les mois à venir, 5 % seulement qu'il allait diminuer (17 % qu'il allait rester stable). (*Enjeux-Les Echos*-Publicis Consultants/BVA, janvier 1998)

• **Climat social**. En janvier 1998, 78 % des Français estimaient que le climat social était mauvais, 20 % seulement étaient de l'avis contraire. (*Enjeux-Les Echos*-Publicis Consultants/BVA, janvier 1998)

POLITESSE. *Un besoin de civilité*

83 % des Français estiment que les adolescents d'aujourd'hui sont plus grossiers qu'avant ; la proportion est de 77 % en ce qui concerne les enfants.

Les pratiques jugées les plus grossières par les Français sont, par ordre décroissant : cracher dans la rue (95 %) ; ne pas offrir une place assise dans un bus à une personne âgée (91 %) ; doubler les gens dans une file d'attente (90 %) ; jeter des papiers par terre (89 %) ; laisser son chien faire ses besoins sur un trottoir (88 %) ; dire des gros mots (86 %) ; allumer une cigarette sans demander l'avis des gens (80 %) ; étaler sa richesse dans une conversation (78 %) ; ne pas tenir une porte à une dame (76 %) ; téléphoner sur son portable dans un lieu public fermé (63 %) ; faire remarquer à quelqu'un qu'il a grossi (60 %).

En revanche, moins de la moitié des Français estiment grossier de laisser fonctionner le moteur de sa voiture à l'arrêt (48 % contre 48 %), de laisser une femme payer son repas au restaurant (43 % contre

Photo Luc Choquer/Métis

53 %), de passer chez quelqu'un sans prévenir (42 % contre 54 %) ou de parler de ses problèmes de santé (17 % contre 80 %).

L'influence de la famille et de l'école sur les manières des gens est jugée positivement (79 % et 73 %). Au contraire, celle de la télévision et de la vie politique est jugée négativement : 63 % et 66 %. (*Quo*/BVA, décembre 1997)

POLITIQUE. *La France mal gouvernée*

En janvier 1998, 68 % des Français se disaient mécontents de la façon dont la France est gouvernée, 27 % seulement étaient satisfaits. Ce déficit d'opinion était évidemment très marqué auprès des sympathisants de l'opposition : 93 % au Front national,

82 % à l'UDF, 80 % au RPR. Mais les électeurs de gauche n'étaient pas pour autant favorables au gouvernement : 74 % de mécontents chez les écologistes, 69 % au PC, 46 % au PS.

Les citoyens ne se montraient guère convaincus par les promesses politiques. Ainsi, en avril 1997, deux ans après l'élection de Jacques Chirac, 44 % des Français estimaient que la « fracture sociale » s'était aggravée, 5 % seulement qu'elle s'était réduite, 44 % qu'elle n'avait pas évolué (BFM/BVA).

A l'inverse, la plupart estimaient qu'il y a une cassure entre les dirigeants politiques et les citoyens, attribuable pour 57 % au fait que les hommes politiques n'écoutent pas les Français, pour 23 % à un système politique qui ne permet pas aux Français de participer à la vie publique, pour 16 % au fait que les Français ne font pas d'efforts pour participer à la vie publique. (Canal Plus/BVA, mai 1997)

C'est sans doute pour cette raison qu'en septembre 1997, lorsque le ministre de l'Economie et des Finances, Dominique Strauss-Kahn, déclarait que le budget de 1998 se ferait sans augmentation globale du niveau des impôts, 59 % estimaient que cet engagement ne serait pas tenu, contre 35 %. (BFM-*Paris-Match*/BVA, septembre 1997)

Une grogne récurrente

L'attitude de méfiance à l'égard du gouvernement en place n'est pas récente ; depuis 1990, les mécontents ont toujours été plus nombreux que les satisfaits. L'écart s'est cependant creusé en 1997, avec des pointes à 80 % d'insatisfaits. Une situation évidemment préoccupante, qui entraîne des difficultés à gouverner et à réformer, qui ouvre la voie aux formes diverses de populisme (le Front national a fait du discours contre l'« établissement » politique l'un des axes de sa stratégie). Une situation, surtout, qui rend possibles à tout moment des explosions sociales. C'est ainsi que les mouvements de décembre 1995 dans le service public ou ceux de décembre 1996 et novembre 1997 chez les routiers ont trouvé un écho, voire une sympathie, auprès de l'opinion publique.

Paris-Match/BVA, janvier 1998

35 HEURES. *Intérêt et scepticisme*

60 % des Français se disent favorables à l'adoption de la loi fixant la durée légale du travail à 35 heures ; 32 % sont défavorables. La proportion est très élevée parmi les salariés du secteur public (82 %) et les

chômeurs (75 %), devant ceux du privé (60 %). Les indépendants sont majoritairement hostiles : 51 % contre 38 %. (BFM-*Paris-Match*/BVA, décembre 1997)

Mais les 35 heures sont bien davantage souhaitées à titre personnel pour travailler moins, dans la perspective de gagner autant (en septembre 1997, 60 % des Français estimaient que le passage aux 35 heures devrait se faire sans réduction de salaire, contre 37 %) que dans celle de la lutte contre le chômage. En janvier 1998, 47 % estimaient que la réduction du temps de travail à 35 heures allait augmenter les créations d'emplois (43 % un peu, 4 % nettement). Mais 26 % estimaient qu'elle aurait pour conséquence de les diminuer (14 % un peu, 12 % nettement) et 20 % pensaient que cela ne changerait rien. L'appartenance politique est déterminante dans les opinions : 76 % des électeurs du PC et 67 % de ceux du PS sont convaincus du bien-fondé des 35 heures, contre seulement 30 % de ceux de l'UDF

Photo : Luc Choquer/Métis

Les paris de l'an 2000

Une enquête inédite réalisée en 1994 par TMO fournit des indications sur la perception de l'an 2000 par les Français :

• 84 % pensent que le travail à temps partiel sera plus répandu (8 % de l'avis contraire).
• 81 % pensent que plus de personnes feront leur travail ou une partie de celui-ci chez eux sur un ordinateur (10 % de l'avis contraire).
• 72 % pensent qu'un nombre croissant d'étrangers viendront vivre en France (18 % non).
• 71 % pensent que plus de Français iront à l'étranger pour trouver du travail (19 % non).
• 66 % estiment que les divorces seront plus nombreux (22 % non).
• 66 % pensent que la culture française sera davantage dominée par la télévision et le cinéma américain (22 % de l'avis contraire).
• 50 % pensent que la scolarité sera rendue obligatoire jusqu'à 18 ans (37 % de l'avis contraire).
• 8 % considèrent que la délinquance s'accroîtra (15 % qu'elle diminuera, 22 % qu'elle restera stable).
• 46 % pensent que plus de personnes travailleront à leur compte (38 % non).

• 4 % pensent que le travail des femmes mariées sera moins répandu (45 % de l'avis contraire).
• 43 % estiment que les Français seront plus polis (43 % moins, 10 % autant).
• 41 % estiment que la participation à des activités bénévoles sera plus développée (17 % moins développée, 35 % comme actuellement).
• 37 % estiment que les Français seront plus travailleurs (10 % moins, 51 % autant).
• 36 % estiment que les Français seront plus heureux (42 % moins, 15 % autant).
• 35 % estiment que les Français consommeront plus d'alcool (41 % moins, 17 % autant).
• 34 % pensent que le nombre des naissances va à nouveau augmenter (50 % non).
• 34 % estiment que les Français seront plus « radins » et près de leurs sous (10 % moins, 51 % autant).
• 31 % seulement estiment que le taux de chômage sera plus bas qu'aujourd'hui (57 % de l'avis contraire).
• 30 % estiment que les Français seront plus patriotes (49 % moins, 12 % autant).

• 29 % pensent que les Français seront plus individualistes (9 % moins, 57 % autant).
• 29 % pensent que les Français seront plus généreux (55 % moins, 13 % autant).
• 27 % estiment que les Français seront plus tolérants (53 % moins, 17 % autant).
• 24 % estiment que les Français seront plus racistes (10 % moins, 60 % autant).
• 24 % estiment que les Français consommeront plus de drogue (13 % moins, 62 % autant).
• 22 % estiment que les Français seront plus inquiets (5 % moins, 69 % autant).
• 20 % estiment que les Français consommeront plus de médicaments (15 % moins, 63 % autant).
• 18 % pensent que l'assistance à un office religieux sera plus développée (38 % moins développée, 44 % comme actuellement).
• 17 % estiment que les Français consommeront plus de tranquillisants (9 % moins, 71 % autant).
• 16 % estiment que le marché commun européen aura disparu (66 % non).

TMO, 1994

et du RPR et 21 % de ceux du Front national. (BFM-96,4 FM-*Paris-Match*/BVA, janvier 1998)

Il faut ajouter que 73 % des Français estimaient en septembre 1997 que c'est aux entreprises elles-mêmes et non à l'État de prendre la décision de réduire le temps de travail à 35 heures selon les secteurs (24 % de l'avis opposé). (BFM-*Paris-Match*/BVA, septembre 1997)

L'HÉRITAGE

Une enquête exclusive Francoscopie/TMO

Pour dresser le bilan social du siècle de la façon la plus objective possible, on peut mesurer les évolutions qui se sont produites en matière démographique (natalité, mortalité, espérance de vie, population...) ou dans les modes de vie (conditions de travail, revenus, équipement des ménages, loisirs...). C'est l'approche qui a été privilégiée dans la première partie de cette synthèse (*Les grandes transformations*). Le bilan ainsi tracé peut être complété, expliqué ou illustré par la description des innovations qui se sont succédé tout au long du siècle. La liste en est impressionnante et constitue la toile de fond du changement social.

Mais le « progrès social » induit par le développement scientifique et technique n'a de sens que s'il est ressenti comme tel par les individus à qui il est en principe destiné. Il est donc essentiel de savoir comment est perçu l'« héritage » du XXᵉ siècle, celui qui est transmis aux jeunes générations par les plus anciennes. C'est l'objet de l'enquête exclusive menée avec l'institut TMO. Elle fait apparaître un décalage saisissant, voire inquiétant, entre l'évolution « objective » des modes de vie et le « vécu » individuel et collectif.

Un héritage très sévèrement jugé

La question posée aux Français en juin 1998 était la suivante : *Dans moins de deux ans, nous serons au vingt et unième siècle... Comment jugez-vous l'héritage qui est laissé aux jeunes Français par les générations plus âgées dans les domaines suivants...* Onze domaines étaient successivement abordés : l'emploi ; la liberté ; la solidarité ; la morale ; l'environnement ; l'égalité ; la qualité de vie ; la protection sociale ; la sécurité individuelle ; le pouvoir d'achat ; les conditions de travail.

Force est de constater que les Français ne sont pas du tout convaincus de la valeur de l'héritage qu'ils laissent à leurs enfants et aux générations futures. C'est au contraire le pessimisme qui domine dans la plupart des domaines évoqués, comme l'indique le graphique ci-après.

Méthodologie

L'enquête a été réalisée par TMO, société spécialisée dans les études marketing, sous la direction de Jean Oddou. Elle a eu lieu en face à face entre le 3 et le 11 juin 1998, dans une centaine de lieux différents en France métropolitaine. 999 personnes ont été interrogées, dont 480 hommes et 519 femmes, constituant un échantillon représentatif de la population française de 15 ans et plus, après redressement selon la méthode des quotas (région, sexe, âge, catégorie socioprofessionnelle...). La validité statistique des écarts entre les réponses est de plus ou moins 3 % par rapport aux pourcentages indiqués ; cela signifie par exemple qu'une proportion de 50 % est comprise entre 48,5 % et 51,5 % (avec une probabilité de 95 %).

Le droit à l'emploi bafoué

On n'est guère étonné de constater que la partie la plus mal perçue de l'héritage est l'emploi, avec 90 % de jugements défavorables et seulement 10 % de jugements favorables. On observe une réelle unanimité dans ce jugement, avec de faibles écarts entre les personnes interrogées.

Cette impression d'échec ne peut certes pas être contredite par les faits. Le chômage s'est effectivement accru dans des proportions considérables depuis les années 60, jusqu'à concerner plus de trois millions d'actifs. Mais il était élevé aussi au début du siècle, notamment pendant la grande dépression des années 30. On oublie surtout qu'il n'était pas indemnisé et qu'il pouvait conduire à une misère qui n'a sans doute pas d'équivalent aujourd'hui.

L'héritage empoisonné

« Dans moins de deux ans, nous serons au vingt et unième siècle... Comment jugez-vous l'héritage qui est laissé aux jeunes Français par les générations plus âgées dans les domaines suivants... » (pourcentages[1] et notes moyennes [2]) :

		Très ou plutôt positif (%)	Très ou plutôt négatif (%)	Note moyenne
Emploi	1 / 9 / 48 / 42	10	90	1,7
Morale	3 / 23 / 44 / 30	26	74	2,0
Pouvoir d'achat	2 / 24 / 53 / 21	26	74	2,1
Environnement	3 / 27 / 44 / 26	30	70	2,0
Sécurité individuelle	2 / 29 / 45 / 24	31	69	2,1
Egalité	2 / 31 / 43 / 24	33	67	2,1
Solidarité	3 / 33 / 44 / 20	36	64	2,2
Conditions de travail	3 / 37 / 40 / 20	40	60	2,2
Qualité de la vie	3 / 37 / 45 / 15	40	60	2,3
Protection sociale	6 / 47 / 33 / 14	53	47	2,5
Liberté	10 / 53 / 27 / 10	63	37	2,6

■ Très positif   □ Plutôt positif
■ Plutôt négatif   ■ Très négatif

(1) Calculés sur les réponses exprimées.
(2) La note 1 est attribuée pour la réponse « très négatif », 2 pour « plutôt négatif », 3 pour « plutôt positif », 4 pour « très positif ». On fait ensuite la moyenne pondérée.

Francoscopie/TMO, juin 1998

La morale introuvable

Trois Français sur quatre considèrent que la morale est à mettre au passif de l'héritage laissé aux jeunes générations. Les femmes sont plus sensibles que les hommes à cet aspect (73,4 % contre 69,4 %). La proportion de pessimistes croît très fortement avec l'âge : 81,7 % des 50 ans et plus, contre 69,3 % des 25-49 ans et 56,6 % des 15-24 ans.

On imagine ce que ce sentiment doit aux « affaires » qui touchent depuis des années certaines institutions et certains des hommes qui les animent. Pourtant, il est difficile d'affirmer qu'elles sont plus nombreuses et plus graves que celles qui ont existé plus tôt dans le siècle. Mais les médias ne disposaient pas alors du même pouvoir d'investigation pour les dénoncer ni de la même influence sur l'opinion.

Le pouvoir d'achat en berne

Trois Français sur quatre ont le sentiment que le pouvoir d'achat a diminué en même temps que le siècle vieillissait. Ce sentiment est d'autant plus répandu qu'on est âgé : 75,8 % chez les 50 ans et plus, 72,0 % chez les 25-49 ans, 61,6 % chez les 15-24 ans. Il est plus fort dans les petites agglomérations que dans les grandes : 73,8 % dans les communes rurales (moins de 2 000 habitants) contre 69,0 % dans les villes de plus de 100 000 habitants.

Il est cependant facile de démontrer que les pessimistes se trompent. Le pouvoir d'achat s'est au contraire accru de façon spectaculaire ; entre 1950 et 1970, celui du salaire moyen a doublé. Entre 1970 et 1990, le revenu disponible des ménages a encore augmenté de 60 % en francs constants. Il a poursuivi sa croissance au cours des années 90, mais à un rythme ralenti proche tout de même de 2 % par an.

Il faut cependant préciser que cet accroissement a moins profité aux jeunes qu'aux personnes plus âgées. Mais les effets de cette sélectivité par l'âge ont été amortis par le fait que les jeunes habitent de plus en plus longtemps chez leurs parents et par le très fort accroissement des transferts intergénérationnels (notamment en provenance des grands-parents) ; ceux-ci représentent environ 150 milliards de francs par an.

L'environnement menacé

La sévérité des jugements portés est plus grande chez les jeunes que chez les plus âgés. Elle concerne aussi davantage les cadres supérieurs et les travailleurs indépendants. La France du Sud est plus préoccupée que celle du Nord (hors Ile-de-France) : 70,4 % contre 64,0 %.

Les atteintes aux différentes espèces animales et végétales sont réelles et mesurables, de même que les effets de la pollution sur l'air et sur l'eau. Elles sont la rançon, coûteuse et inquiétante pour l'avenir, des développements industriels et de la généralisation des biens d'équipement qu'ils ont permis. Elles justifient la montée, lente mais régulière, de la fibre environnementaliste chez les Français.

La sécurité mal assurée

Le sentiment d'insécurité est très fort en France depuis des années. Il est d'autant plus sensible que l'on est âgé : 71,1 % des 50 ans et plus contre 58,8 % des 15-24 ans. Les zones rurales (moins de 2 000 habitants), mais aussi les grandes villes (plus de 200 000) sont moins concernées que les moyennes (entre 2 000 et 200 000) : respectivement 65,2 %, 64,2 % et 73,4 %.

Cette impression d'insécurité est alimentée par les faits divers et par un climat social peu propice à la sérénité. Les statistiques de la délinquance fournissent des arguments à ceux qui ont peur. Entre 1950 et 1997, le nombre des vols a été multiplié par 12 ; dans la même période, celui des infractions économiques et financières a été multiplié par 7, celui des

crimes et délits contre les personnes par 3. La crise économique et les problèmes d'insertion qu'elle a engendrés ont provoqué une forte croissance de la délinquance.

On a cependant assisté à un retournement de tendance entre 1984 et 1988, avec une baisse de 4 % par an, suivie d'une nouvelle dégradation. Au total, le nombre des délits a doublé entre 1973 et 1993. Il diminue depuis 1995, sans que les Français aient pour autant le sentiment d'être plus en sécurité.

L'égalité oubliée

Deux Français sur trois estiment que l'égalité fait aussi partie du passif de l'héritage laissé aux jeunes. Ce sont plus souvent les femmes que les hommes (67,2 % contre 61,3 %), les personnes modestes que celles qui ont des revenus élevés (68,4 % contre 60,6 %), les habitants du sud de la France que ceux du nord (65,6 % contre 59,6 %, hors Ile-de-France).

Les statistiques ne permettent guère d'approcher la réalité objective dans le domaine de l'égalité. On peut cependant vérifier que les écarts de revenu ont été largement réduits au cours du siècle, permettant de constituer dans les années 70 une vaste « classe moyenne » à laquelle les ouvriers et les agriculteurs ont peu à peu adhéré. De sorte que le sentiment d'appartenance à une classe sociale, surtout « inférieure », a beaucoup régressé.

La solidarité disparue

Comme l'égalité, l'évolution de la solidarité est jugée négativement par les deux tiers des Français. C'est entre 25 et 49 ans que l'impression est la moins favorable (64,5 % contre 58,2 % chez les 15-24 ans), de même que dans les communes rurales (66,9 % contre 58,8 % dans les villes de plus de 100 000 habitants).

Il n'existe pas d'indicateur véritable de la solidarité susceptible de permettre la mesure de son évolution au cours du siècle. On sait cependant que, si l'individualisme a progressé dans les esprits, de nouvelles formes de solidarité se sont développées, notamment à travers la vie associative : 43 % des Français déclaraient faire partie d'une association en 1997, contre 37 % en 1980 (CREDOC) ; on compte aujourd'hui environ 800 000 associations, contre 200 000 au milieu des années 70. Si les dons en argent diminuent, le bénévolat s'accroît (23 % des adultes sont concernés plus ou moins régulièrement) et les formes de parrainage se multiplient. De nouveaux liens sociaux se créent ; un nouveau civisme apparaît.

Les conditions de travail dégradées

60 % des Français estiment que les conditions de travail ne sont pas un acquis de l'héritage. Les femmes sont plus nombreuses que les hommes (61,7 % contre 54,1 %), ce qui tendrait à prouver que leur situation est plus difficile dans les entreprises et que la vie professionnelle empiète pour elles sur les activités non rémunérées (entretien de la maison, éducation des enfants). Les personnes aux revenus élevés apparaissent moins gênées que les autres. Les habitants des villes moyennes (2 000 à moins de 100 000 habitants) sont beaucoup plus sévères que ceux des grandes villes : 66,2 % contre 51,6 %.

L'analyse objective des conditions de travail, à travers des indicateurs comme la durée du travail, la pénibilité, les maladies, les accidents, les nuisances et autres contraintes, fait cependant apparaître une amélioration très sensible au cours du siècle. Le travail mécanisé des agriculteurs n'a plus rien de commun avec celui de leurs arrière-grands-parents. Les chaînes de travail des usines ne sont plus celles des *Temps modernes* de Charlot.

La qualité de la vie en question

60 % des Français considèrent que, tout bien pesé, l'héritage légué aux jeunes ne représente pas une amélioration de la qualité de vie. Ce sentiment s'accroît avec l'âge : 62,4 % des 50 ans et plus, contre 52,7 % des 15-24 ans. Il diminue en revanche avec le statut économique, ce qui montre qu'il reflète peut-être avant tout une opinion sur sa vie personnelle. Les habitants des villes moyennes (2 000 à moins de 100 000 habitants) sont aussi plus pessimistes que ceux des grandes villes (63,3 % contre 55,1 %), ce qui relativise l'attirance actuelle pour les villes à taille humaine.

La qualité de la vie est la résultante d'une multitude d'éléments distincts qui la favorisent ou au contraire lui nuisent. Il n'est pas étonnant que cette perception soit globalement négative, compte tenu de la sévérité des jugements qui précèdent sur le travail, la morale, le pouvoir d'achat, l'environnement, la sécurité, l'égalité ou la solidarité.

La liberté et la protection sociale, seuls acquis du siècle ?

Sur les onze domaines proposés dans l'enquête, deux seulement obtiennent une proportion de jugements positifs supérieure à celle des jugements négatifs : la protection sociale (53 % contre 47 %) et surtout la liberté (63 % contre 37 %).

En ce qui concerne la protection sociale, la France du Sud est plus sévère que celle du Nord (hors Ile-de-France) : 49,4 % seulement d'opinions favorables contre 54,4 %. C'est le cas aussi des ouvriers : 49,2 % contre 54,7 % des inactifs (un effet peut-être de l'accroissement sensible du pouvoir d'achat de ces derniers). On peut voir ici une illustration de l'attachement des Français aux acquis sociaux et leur crainte de les voir remis en question au cours des prochaines années.

La liberté est un autre acquis essentiel. Elle est jugée plus favorablement par les jeunes (69,0 % pour les 15-24 ans contre 57,1 % pour les 50 ans et plus) et par les habitants des grandes villes (63,7 % contre 57,7 % dans les communes rurales). Des trois composantes de la devise républicaine, la liberté est sans doute celle à laquelle les Français sont le plus attachés ; c'est peut-être pourquoi elle leur paraît être celle qui a été le mieux préservé.

Un fort sentiment de culpabilité chez les adultes

L'examen des résultats globaux de l'enquête, qui mélangent les réponses aux onze composantes de l'héritage mettent en évidence le pessimisme général. 78 % des femmes et 75 % des hommes jugent négativement cet héritage dans son ensemble.

Photo : Luc Choquer/Métis

Un héritage globalement négatif

Perception globale* de l'héritage laissé aux jeunes générations, selon les caractéristiques des personnes interrogées :

	Très négative	Assez négative	Assez positive	Très positive	Total négative	Total positive	Ensemble
Ensemble	12,6	63,9	22,6	0,9	76,5	23,5	100,0
Sexe :							
- Homme	13,5	61,5	23,6	1,5	75,0	25,0	100,0
- Femme	11,8	66,1	21,7	0,4	78,0	22,0	100,0
Age :							
- 15-24 ans	11,3	60,0	27,6	1,1	71,3	28,7	100,0
- 25-49 ans	11,9	63,9	23,1	1,2	75,7	24,3	100,0
- 50 ans et plus	14,1	65,8	19,6	0,5	80,0	20,0	100,0
Statut économique ** :							
- Bas	15,8	65,1	19,1	-	80,9	19,1	100,0
- Faible	13,4	63,6	22,3	0,7	77,0	23,0	100,0
- Moyen	12,7	62,1	23,1	2,1	74,8	25,2	100,0
- Aisé	9,6	64,9	24,8	0,7	74,5	25,5	100,0
Activité :							
- Actif	10,8	62,9	25,1	1,2	73,7	26,3	100,0
- Inactif	14,2	64,8	20,4	0,7	79,0	21,0	100,0
Profession du chef de famille :							
- Indépendant, cadre supérieur	10,2	66,2	23,1	0,5	76,4	23,6	100,0
- Cadre moyen, employé	12,3	56,5	29,8	1,3	68,9	31,1	100,0
- Ouvrier	13,8	66,5	18,9	0,8	80,3	19,7	100,0
- Inactif	13,5	66,2	19,3	0,9	79,7	20,3	100,0
Agglomération :							
- Moins de 2 000 habitants	17,1	59,9	22,2	0,9	76,9	23,1	100,0
- De 2 000 à 100 000 habitants	14,0	67,7	17,3	1,0	81,7	18,3	100,0
- Plus de 100 000 habitants	9,3	63,2	26,7	0,8	72,5	27,5	100,0
Région :							
- Ile-de-France	12,6	64,7	21,8	1,0	77,2	22,8	100,0
- France Nord	14,3	56,9	27,6	1,2	71,3	28,7	100,0
- France Sud	11,2	69,0	19,2	0,6	80,2	19,8	100,0

* Le score global représente la moyenne des pourcentages obtenus pour chacun des onze domaines étudiés.
** L'indicateur utilisé croise le revenu mensuel du foyer et la possession ou non de certains biens de consommation (deux voitures ou plus, micro-ordinateur, four à micro-ondes, lave-vaisselle, téléphone mobile, abonnement au câble ou à Canal Plus, etc...).

Il est significatif de constater que ce jugement est d'autant plus sévère que l'on est âgé : 80,0 % des 50 ans et plus contre 75,6 % des 25-49 ans et 71,3 % des 15-24 ans. Cet écart montre d'abord que les Français qui ont l'âge d'être parents ou grands-parents se sentent sans doute un peu coupables de ne pas transmettre un héritage plus favorable. Il montre aussi que les jeunes ne leur en tiennent pas trop rigueur et qu'ils sont prêts à « faire avec ». Les études portant sur les 15-25 ans montrent en effet que, s'ils sont désorientés, pessimistes, individualistes et blasés, ils sont aussi solidaires, tolérants et débrouillards. Leur réalisme devrait leur permettre de faire face aux difficultés qu'ils rencontreront dans leur vie et peut-être de laisser à leurs propres enfants un héritage plus appréciable.

LA QUADRATURE DU SIÈCLE

Une nouvelle civilisation

Les transformations aujourd'hui à l'œuvre dans la société française ne constituent pas de simples ajustements à des difficultés conjoncturelles. On voit émerger une volonté de vivre sa vie personnelle qui n'implique pas un individualisme forcené et que l'on peut baptiser « égologie ». Cette tendance lourde, qui fédère et commande toutes les autres, traduit à la fois la volonté de rompre avec le passé et celle d'inventer l'avenir. Elle porte en elle les germes d'une nouvelle société. Plus encore, elle est annonciatrice d'une nouvelle *civilisation*.

Ce mot ne saurait être utilisé à la légère. Le dernier changement dans ce domaine remonte à la fin du XVIIIe siècle. Ce qui se passe aujourd'hui est au moins aussi important en termes d'évolution des modes de vie, des mentalités et des valeurs. Cet avènement est d'ailleurs d'une nature semblable à celui qui s'est produit il y a deux siècles : une mutation sociale sur fond de révolution technologique.

La nouvelle civilisation en formation devrait reposer en particulier sur trois principes fondateurs, décrits ci-après. Chacun d'eux servira de point d'appui pour la refondation d'un système de valeurs qui s'est quelque peu estompé et atomisé pendant les années de crise.

Une vision individuelle du fonctionnement social

Cette vision remplacera celle, collective, qui a prévalu pendant des siècles. L'homme, dans son unicité, sera la mesure de toute chose et la justification de toutes les actions de la société. Dans la nouvelle civilisation, l'individu sera plus important que le groupe auquel il appartient, car son appartenance pourra être éphémère. Cette vision n'est pas incompatible avec le souci de la collectivité, la solidarité et l'humanisme.

Une société organisée autour du temps libre et non plus centrée sur le travail

Cette révolution aura des conséquences considérables sur les modes de vie, la consommation, le fonctionnement des institutions et des entreprises. La durée du travail continuera de diminuer, tandis que se développeront des formes d'activité indépendantes et des appartenances professionnelles multiples.

Une société de responsabilité plutôt que d'assistance

L'incapacité des institutions à résoudre les problèmes amènera les individus à se prendre en charge, à s'adapter en permanence aux changements et aux nouveaux défis.

Dans cette nouvelle civilisation, l'individu deviendra le centre de toutes les attentions et de toutes les décisions. Etre par nature multidimensionnel, il pourra exprimer librement ses différentes composantes, mais aussi ses contradictions. Les femmes y joueront un rôle particulier ; elles imprégneront le fonctionnement social de leurs valeurs spécifiques.

Nous sommes donc en train de vivre les derniers moments d'une civilisation qui disparaît, en même temps qu'une autre la remplace. Il faut s'attendre à ce que cette révolution s'accompagne de quelques soubresauts, surtout dans des pays comme la France qui ont tardé à mettre en place les ajustements favorisant cette transformation.

L'« égologie », fondement d'un nouvel humanisme

Dans un monde dur, dangereux et changeant, on assiste au découplage entre l'individu et la collectivité. Conscients de l'incapacité des institutions (partis politique, administrations, syndicats, école, Eglise...) à résoudre les grands problèmes du moment, les Français ont compris qu'ils ne pourront désormais compter que sur eux-mêmes et qu'ils devront prendre en charge leur propre destin. L'identité individuelle devient ainsi peu à peu la valeur suprême.

L'« égologie » traduit cette évolution en cours. Elle pose en principe que la personne est prépondérante par rapport au groupe, sans pour autant nier l'importance de celui-ci. Elle constitue un moyen de parvenir à l'autonomie, en passant du statut d'assisté à celui de responsable. La transformation des modes de vie à l'intérieur de la famille (on veut être heureux ensemble, mais aussi séparément) ou l'intérêt que les Français portent à leur corps sont quelques-unes des manifestations de ce mouvement. C'est le cas aussi du développement de l'économie domestique (bricolage, travaux divers d'autoproduction, services rendus à soi-même...).

Des incidences considérables sur les modes de vie...

La mise en œuvre de cette nouvelle civilisation entraînera bien sûr des changements importants dans les modes de vie. Le rapport à soi-même en sera d'abord transformé. L'autonomie de chaque individu constituera à la fois une chance et une contrainte. Les relations avec l'entourage en seront aussi profondément affectées. Chacun devra être à la fois responsable de son destin et conscient du rôle qu'il doit jouer dans la collectivité.

Cette double responsabilité pourra provoquer des conflits intérieurs : quelles parts de son énergie et de son temps consacrer à soi-même et aux autres ? Cette interrogation pourrait amener chacun à hiérarchiser son environnement humain : famille proche ; famille éloignée, amis ; relations professionnelles ; voisins ; inconnus ; étrangers... Avec les risques que cette sélectivité implique pour la solidarité nationale.

... et sur les rapports avec les institutions

Les relations avec les partis politiques, les administrations, les syndicats, les entreprises ou les médias pourraient aussi être transformées par cette prise en charge individuelle, accentuant ainsi le divorce en cours depuis quelques années. Au quotidien, la mise en place de cette nouvelle civilisation va modifier le rapport au temps, à l'espace, à l'argent, à la culture, à la connaissance, à la maison, à la consommation.

Pour la première fois dans l'histoire sociale, les individus dans leur ensemble seront véritablement

placés au centre de la société, qui s'efforcera de les écouter et de les satisfaire. Ils auront la possibilité de laisser s'exprimer leurs différentes facettes, montrant ainsi qu'ils sont des êtres multidimensionnels.

Une révolution est en marche. Les Français ont la chance d'en être en même temps les témoins et les acteurs. S'ils le veulent, ils peuvent en être aussi les bénéficiaires, de manière individuelle et collective.

Les grands débats

Un certain nombre d'options fondamentales, qui engagent l'avenir de la collectivité, vont devoir être portées sur la place publique et discutées au cours des prochaines années. La plupart portent sur des notions supposées contradictoires. C'est ainsi que dans l'esprit manichéen de beaucoup de Français, la nature s'oppose à la culture, la technologie à l'écologie, l'homme à la femme, l'enfant à l'adulte, le socialisme au libéralisme, le public au privé, l'individu à la collectivité, la région à la nation... On a d'ailleurs vu triompher alternativement certains de ces termes au cours des années passées.

Les principales oppositions sont décrites ci-après, comme autant de questions à poser, de débats à ouvrir ou à poursuivre d'urgence, sans passion excessive mais aussi sans appréhension.

Le passé et l'avenir

Beaucoup de Français pensent que « c'était mieux avant ». Ils cultivent la nostalgie, multiplient les commémorations et se laissent aller aux plaisirs de la régression, dans un souci inconscient de retour en enfance, au passé ou aux origines de l'humanité.

Dans ce contexte, l'avenir leur fait peur et ils ne sont guère enclins à l'inventer, pour le modeler à leur guise. Les hommes politiques, les leaders sociaux, les responsables économiques et bien sûr les intellectuels ne devraient-ils pas éclairer le futur, plutôt que se contenter de commenter ou critiquer le présent ?

Les jeunes et les personnes âgées

Les conflits entre les générations ne sont guère perceptibles aujourd'hui dans les familles, entre enfants et parents. Mais ils pourraient s'accroître demain, dans une société où les jeunes ont été récemment plutôt moins bien traités que les personnes âgées. Ils ont subi en effet une précarité croissante de l'emploi, n'ont pas bénéficié du même accroissement de pouvoir d'achat que les générations plus âgées et ont vu les avantages sociaux se raréfier. Ils savent en outre qu'il leur faudra financer une part croissante des dépenses de santé et des pensions des retraités. Si un nouvel équilibre n'est pas trouvé, une guerre des âges ne risque-t-elle pas d'éclater à terme ?

Les hommes et les femmes

L'égalité entre les sexes a considérablement progressé depuis plusieurs décennies. Les femmes ont obtenu (et largement utilisé) le droit de maîtriser leur fécondité, de travailler, d'accéder à l'indépendance financière, de ne pas se marier ou de divorcer. Si les hommes dans leur ensemble s'en félicitent, certains ont vu leur échapper une partie du pouvoir dont ils disposaient dans la famille, l'entreprise ou la vie sociale. Ils regardent avec une certaine crainte l'émergence des « valeurs féminines ». Va-t-on vers une harmonie plus grande entre les sexes ou vers un nouveau rapport de force ?

Les Français et les étrangers

La capacité, mais aussi la volonté d'accueil de la France à l'égard des étrangers ont été réduites par la crise économique et psychosociologique de ces vingt-cinq dernières années. Si la proportion d'étrangers dans la population a peu changé, c'est parce qu'un nombre important d'entre eux sont devenus des citoyens français. Mais la cohabitation, si chère aux Français dans le domaine politique, est beaucoup moins bien vécue en matière sociale. D'autant qu'elle implique l'acceptation de modes de vie, de croyances et de valeurs différents. Le modèle républicain, qui fonctionne par assimilation, est-il encore adapté à une demande d'intégration, de reconnaissance et d'acceptation des différences ?

Le public et le privé

Les salariés du secteur public ne vivent pas tout à fait dans le même monde que ceux des entreprises privées. Ils bénéficient de la garantie de l'emploi, d'avantages financiers et sociaux substantiels, notamment

au moment de la retraite. De leur côté, les salariés du privé sont menacés par le chômage, ont une obligation d'efficacité parfois difficile à assumer dans un contexte de concurrence économique exacerbée et souffrent du stress. Ne risquent-ils pas, à terme, de trouver choquants des écarts de traitement qui seront de plus en plus difficiles à justifier ?

La gauche et la droite

Les différences entre l'idéologie de la gauche modérée et de la droite républicaine se sont progressivement estompées depuis 1981. Jacques Chirac s'est fait élire en 1995 pour résoudre la « fracture sociale » et le gouvernement dirigé par Alain Juppé a préparé une loi pour lutter contre l'exclusion sociale. De son côté, la gauche au pouvoir depuis 1997 accepte le principe des privatisations ou celui des fonds de pension pour financer les retraites ; elle accorde une grande importance à la réduction des déficits publics. Cette convergence annonce-t-elle à terme la mise en place d'un gouvernement d'union nationale ou fait-elle le jeu des partis extrémistes qui pourraient tirer profit de cette pensée unique ? Mais cette évolution pose surtout une question centrale pour l'avenir : le libéralisme et le souci de protection et de justice sociale peuvent-ils converger définitivement pour donner naissance à une troisième voie politique originale, dont la France ou l'Europe serait l'inventeur, le modèle et le promoteur ?

Le pouvoir d'achat et l'emploi

La reprise économique récente a un effet positif sur l'emploi, sans pour autant résorber le chômage. En

Photo : Luc Choquer/Métis

Photo : Luc Choquer/Métis

nus du travail et la possibilité de travailler moins afin d'avoir une vie plus équilibrée. Cette question peut à son tour être formulée de plusieurs façons distinctes et complémentaires. Quel arbitrage peut-on proposer entre le temps libre gagné et le pouvoir d'achat abandonné ? Quelle répartition de cet abandon éventuel peut-on élaborer selon les niveaux de revenu ? Quel degré de liberté peut-on laisser à chacun pour décider de son temps de travail, donc en partie de ses revenus, tout au long de sa vie ?

L'écologie et la technologie

Le développement scientifique et technologique engendre des dégradations importantes de l'environnement. Les déchets ménagers polluent la nature et les campagnes. Les résidus radioactifs menacent l'avenir de la planète et de ses habitants. L'agriculture intensive détériore les terres et les nappes phréatiques. Les émissions de gaz et de particules des voitures, des camions et des usines mettent en danger le climat et la qualité de l'air. Les forêts sont touchées par les pluies acides qui en résultent, tandis que la déforestation participe à la dégradation de l'atmosphère. Le développement technique est-il au total un progrès pour l'humanité ou un risque insupportable pour son devenir ? Entre la nature dont ont hérité les hommes et la culture (au sens de capacité humaine à agir sur le patrimoine naturel), qui aura le dernier mot ?

La réalité et la virtualité

Par construction, l'homme ne peut pas accéder à la réalité absolue. Il ne peut l'appréhender que par ses cinq sens : vision, ouïe, toucher, odorat, goût. Elle est en outre souvent « mise en scène », modifiée ou recréée. Mais la réalité lui parvient de plus en plus sous forme « médiatisée », par le biais des instruments de communication comme le téléphone, la télévision, la radio, les livres, journaux et magazines ou l'ordinateur (éventuellement par un sixième sens, qui reste à identifier et à comprendre). Le mouvement de ces dernières décennies est indéniablement celui d'une substitution partielle de la vie réelle par une vie virtuelle (que l'on a étrangement baptisée « réalité virtuelle »). Ce mouvement de « déréalisation » est-il appelé à se poursuivre au cours des prochaines années, jusqu'à remplacer la réalité, donc en même temps la vérité qui en est l'une des formes ?

reconstruisant les marges des entreprises, elle incite salariés et syndicats à demander des augmentations de pouvoir d'achat. La mise en place de la loi sur les 35 heures sera bientôt l'occasion d'une autre forme de revendication, celle du maintien des salaires avec une diminution de la durée du travail. La question posée est en réalité la suivante : doit-on donner la priorité absolue à la création d'emplois pour mettre fin à la dichotomie entre ceux qui travaillent et les chômeurs, ou continuer de se battre pour l'accroissement du pouvoir d'achat des seuls actifs occupés ?

L'argent et le temps

Un autre volet de l'interrogation précédente concerne la préférence entre l'augmentation des reve-

La sédentarité et le nomadisme

Les Français fascinés par la réalité virtuelle pourraient être tentés de ne plus sortir de chez eux. Ils resteraient rivés à leurs écrans de « télordiphones » (appareils hybrides de télévision, ordinateur et téléphone), habillés de combinaisons, de gants et de casques dotés de capteurs sensoriels. Ils n'auraient plus alors de contact direct avec la « vraie vie ». Leur mobilité ne serait plus physique ; elle ferait place à une inertie annonciatrice de la mort physique. Mais certains signes laissent au contraire penser que les activités extérieures vont se développer : sorties entre amis, spectacles, sports de plein air, etc. Entre la tentation de la sédentarité favorisée par l'électronique et celle d'un nomadisme moderne, qui bénéficie aussi des outils de la modernité, quel mode de vie l'emportera-t-il ?

La réforme et le statu quo

Certains Français sont convaincus de la nécessité de réformes profondes dans la vie collective ; leurs souhaits concernent par exemple la refonte du système éducatif, celle de la justice ou de la santé publique. D'autres, plus nombreux, sont conscients de leur inéluctabilité ; ils sentent confusément que le monde converge, se globalise et que la construction de l'Europe entraînera une certaine homogénéité entre les nations qui la composent.

Mais le « front du refus » est encore puissant ; il compte parmi ses membres beaucoup de personnes qui ne comprennent pas les enjeux du futur ou qui ont peur de perdre quelques avantages dans le processus de changement. La question qui se pose pour les prochaines années n'est pas tant celle de l'occurrence des réformes que de leur rythme et leur ampleur. Leurs acteurs et leurs sympathisants sauront-ils faire l'effort de pédagogie nécessaire pour convaincre les partisans du statu quo que l'immobilisme prolongé conduit à la paralysie ?

Le nationalisme et le supranationalisme

La nation française n'est pas aussi atone qu'on le dit ou qu'on le croit. Si l'idée de patrie a reculé en même temps que les menaces de guerre et la disparition de la conscription, le sentiment d'appartenance à un ensemble à la fois géographique, politique et culturel dépassant chaque individu reste présent. On l'a vu ressurgir avec force lors de la Coupe du monde de football, avec les symboles que l'on croyait oubliés (la Marseillaise, les trois couleurs). On l'a vu se manifester de façon moins souriante dans les relations à l'égard des étrangers ou des immigrés vivant en France. Mais l'idée de mondialisation fait son chemin, notamment chez les jeunes. Les marques multinationales leur expliquent qu'ils appartiennent tous à la « petite planète » et Internet met en évidence l'existence d'un « village global ». Entre nationalisme et mondialisation, quel sera l'équilibre pour les Français du début du siècle prochain ? La question vaut aussi d'être posée entre l'adhésion nationale et régionale. Elle l'est surtout entre l'identité nationale et celle, en devenir, de la citoyenneté européenne.

La ville et la campagne

L'exode urbain qui se développe en France depuis une vingtaine d'années est le contrepoint de l'exode rural qui s'était produit depuis le milieu du XIXᵉ siècle. Il s'explique par la volonté de se rapprocher de la nature, d'échapper aux contraintes et aux nuisances propres aux grandes villes (circulation, pollution, bruit...). Il est aussi l'occasion de vivre plus lentement, d'avoir des relations humaines plus chaleureuses et authentiques.

Ce phénomène est favorisé par le développement des infrastructures et par la généralisation des équipements de « distanciation » (télévision, téléphone mobile, ordinateur, fax, Internet...) qui permettent de s'informer et de communiquer depuis son domicile ou de télétravailler. Ce mouvement va-t-il se généraliser ou se heurtera-t-il à l'instinct grégaire des êtres humains, de nouveau attirés par des villes reconfigurées, assainies et débarrassées de leurs inconvénients ?

Des choix plutôt défensifs

La France a fait au cours des années de crise des choix le plus souvent défensifs. Elle s'est davantage intéressée au passé qu'à l'avenir, cherchant plus à préserver qu'à innover. Elle a accordé la priorité en matière économique aux personnes âgées (qui ont vu leurs revenus augmenter dans des proportions importantes) plutôt qu'aux jeunes, dont le pouvoir d'achat a stagné. Dans le même esprit, elle a favorisé l'accroissement des revenus de la majorité plutôt que l'emploi pour tous. Elle a préféré reconnaître et assister les exclus plutôt que faire l'effort de les intégrer à la vie économique et sociale.

Il lui faudra sans doute demain modifier certains de ces choix, afin de les rendre plus offensifs, c'est-à-dire capables de préparer l'avenir et de renforcer la justice sociale. Les grands acteurs sociaux devront accepter de débattre sur les grandes questions, expliquer les enjeux, intégrer les attentes, susciter les propositions.

La réconciliation des contraires

Si elle n'est pas résolue, chacune des oppositions décrites ci-dessus représente pour l'avenir un risque d'affrontement : entre les sexes, entre les âges, entre les patrons et les employés, entre les régionalistes et les Européens, entre les citoyens et les institutions, entre le secteur privé et le public...

Mais les scénarios d'affrontement ne sont pas les plus probables. Les évolutions récentes montrent que l'économie se rapproche de l'écologie, l'art de la technique, l'école de l'entreprise, la science de la nature, l'utile de l'agréable, le préventif du curatif, l'esprit du corps, l'intérieur de l'extérieur... Les nouveaux matériaux répondent à la double contrainte (qui n'est plus contradictoire) de résistance et de légèreté. La vie professionnelle est de moins en moins séparée de la vie personnelle.

Plutôt que la logique d'opposition, celle de la réconciliation devrait donc prévaloir. Elle est sans doute la seule à permettre la résolution des problèmes actuels et futurs. La mise en place de l'euro (qui revêt une importance cruciale pour la poursuite de la construction européenne), la réforme de l'Etat, la lutte contre les inégalités et les déséquilibres (démographiques, économiques, structurels entre public et privé, culturels...) sont quelques-uns des grands enjeux pour réussir l'entrée dans le troisième millénaire.

Contrastant avec les années précédentes, marquées par les excès de toutes sortes, les prochaines années seront sans doute placées sous le signe d'une volonté de retour à l'équilibre dans de nombreux domaines : budgétaire (résorption des grands déficits) ; social (réduction des inégalités et lutte contre l'exclusion) ; alimentaire (prise en compte des préoccupations diététiques) ; sexuel (parité entre les hommes et les femmes dans tous les domaines), etc.

Les grands chantiers

A la veille du XXIᵉ siècle, les Français hésitent entre la tentation de faire la fête et celle de se mettre la tête sous l'oreiller ; comme les trois singes de la sagesse orientale, beaucoup préfèrent ne rien voir, ne rien entendre et (plus rarement) ne rien dire.

Pour comprendre leurs espérances, il faut d'abord se pénétrer de leurs inquiétudes. Celles-ci ne sont pas « millénaristes » ; elles sont nées pour la plupart dans les années 60 et ont mûri avec la crise. Les principales sont décrites ci-après ; elles constituent une sorte de cahier des doléances pour cette fin de siècle. Leur liste décrit en fait les « grands travaux » qu'il faudra mener au cours des prochaines années.

Résorber le chômage

La principale crainte actuelle des Français concerne bien sûr l'emploi. Le chômage est d'ailleurs à l'origine d'une part importante des difficultés sociales et économiques : délinquance ; xénophobie ; rejet des institutions ; usage de drogues ; suicides ; mal-être ; hésitation à consommer ; hausse de l'épargne, etc. Il explique la détérioration du climat social, plus forte en France que dans la plupart des autres pays d'Europe.

C'est essentiellement sur les résultats de la lutte contre le chômage que sera jugé le gouvernement. A cet égard, la mise en place de la loi sur les 35 heures

Photo : Luc Choquer/Métis

jouera un rôle déterminant. Sa réussite permettrait aux Français de se réconcilier avec leurs institutions et à la France de proposer une alternative sociale au libéralisme dominant. Son échec confirmerait les réserves exprimées par beaucoup d'entreprises, ferait perdre un temps précieux au pays et laisserait le champ libre à la pensée économique unique.

Maintenir le pouvoir d'achat

S'ils sont globalement plutôt séduits par la perspective du passage aux 35 heures, les Français s'interrogent sur les conséquences de cette diminution du temps de travail sur leurs revenus. Beaucoup craignent une baisse de leur pouvoir d'achat et se demandent comment ils vont financer le surcroît de temps libre dont ils disposeront.

Ce risque de baisse devrait être au moins partiellement compensé par une conjoncture favorable et par la croissance du nombre de ménages biactifs (dans lesquels les deux époux exercent une activité professionnelle rémunérée), qui est devenu majoritaire en France au cours des années 80. Sous réserve, bien sûr, d'une baisse du chômage.

Réduire les inégalités

Le système économique et social engendre des différences croissantes entre les individus en termes de revenus, de patrimoine, de sécurité et de pouvoir. Ces inégalités sont ressenties comme une plaie douloureuse, qui met à mal les grands principes républicains de justice et de solidarité. L'information qui s'est développée dans ce domaine favorise sans doute la transparence, mais elle engendre la frustration.

Il est à craindre que ces inégalités ne s'accroissent dans les prochaines années, car l'intégration et la réussite sociale demanderont de plus en plus d'atouts : culture générale ; connaissances ; santé ; revenus ; patrimoine ; réseaux relationnels... Les qualités personnelles devront être diversifiées : capacité de travail ; créativité ; aptitude à fonctionner au sein d'un groupe ; talent d'animation ; esprit de synthèse ; vision du monde ; qualités d'adaptation... Ceux qui n'en sont pas dotés éprouveront des difficultés croissantes à se maintenir et à progresser.

Expliquer la complexité

Les évolutions en cours et les problèmes collectifs sont d'autant plus angoissants qu'ils sont complexes.

Les citoyens ne parviennent plus à comprendre le monde dans lequel ils vivent ; ils ont donc tendance à penser qu'il n'a pas de sens, que ses mouvements sont chaotiques ou erratiques. Cette complexité sera demain accrue dans la vie quotidienne par la variété des choix qu'il faudra effectuer en permanence, notamment en matière de consommation (comment choisir aujourd'hui un ordinateur ou un téléphone portable sans ressentir de la frustration ?).

La peur de la complexité est favorisée en France par la difficulté à appréhender le réel, qui est l'une des dimensions de la mentalité nationale. Le fantasme remplace souvent la réalité et produit une sorte de schizophrénie. La peur du lendemain engendre une paranoïa qui se manifeste quotidiennement dans les comportements. L'irrationnel commande les jugements, il exacerbe les sentiments et rend l'objectivité difficile ou impossible.

Réduire l'instabilité

L'instabilité apparente du monde est une inquiétude corollaire de la précédente. Elle se traduit par les changements fréquents dans les attitudes et dans les comportements individuels. Elle favorise le « zapping » en matière de consommation, de vie conjugale ou de comportement électoral. La peur des changements est présente chez les principaux acteurs sociaux : hommes politiques ; boursiers ; leaders syndicaux ; chefs d'entreprise... Elle se transmet à l'opinion à travers les médias. Cette tendance à l'instabilité n'est pas inquiétante lorsqu'elle est désirée (elle est alors la conséquence d'un éclectisme croissant) ; elle devra être maîtrisée lorsqu'elle est subie.

Préserver les identités

Les changements passés et ceux à venir laissent craindre aux Français une perte d'identité à la fois personnelle et collective. L'Europe est ressentie comme une menace possible pour les cultures nationales ou régionales, de même que l'arrivée des étrangers. Les corporatismes et certains partis politiques se mobilisent donc pour former un front du refus au changement. Ils trouvent un écho favorable chez tous ceux qui ont peur de ne pas pouvoir s'adapter et qui préfèrent camper sur les « acquis », sans se rendre compte que leur combat n'a d'autre espoir que de retarder une échéance inéluctable et qui sera donc beaucoup plus mal vécue que si elle avait été choisie, préparée, négociée.

Respecter la vie privée

En même temps que se développe l'autonomie et l'individualisation de la société, chacun éprouve le sentiment désagréable que sa vie privée est moins bien respectée et que les entreprises cherchent à la pénétrer à des fins diverses. Cette impression est justifiée par les pratiques de certaines entreprises qui surveillent leurs salariés. Elle est renforcée par les perspectives ouvertes par la technologie : présence croissante des « cookies » sur Internet ; clonage humain ; organismes génétiquement modifiés (OGM), etc. Les Français craignent de plus en plus les risques de manipulation, qu'elle soit génétique, médiatique, politique ou informatique.

Respecter et restaurer l'environnement

La disparition d'espèces végétales ou animales est vécue comme annonciatrice de celle de l'homme, organisée en toute inconscience par les « apprentis sorciers » qui officient dans de nombreux domaines. La peur des catastrophes (nucléaires, écologiques, climatiques, démographiques, économiques, financières...) s'accroît dans un monde qui apparaît de plus en plus fragile malgré (ou à cause de) l'intelligence qui y est déployée. Sur le plan individuel, la crainte de la maladie se développe ; elle concerne aussi bien le cancer ou le sida que les maladies infectieuses, qui refont leur apparition, ou celles liées à l'environnement (asthme, allergies, stress...). Elle engendre une inflation des symptômes psychosomatiques comme le mal de dos, le mal de tête ou l'insomnie.

Aux principes de réalité et de plaisir décrits par les philosophes s'ajoute aujourd'hui le principe de précaution. Mais il semble mal respecté par des institutions ou des entreprises qui ne se donnent pas le temps nécessaire de la réflexion et de la vérification, dans un contexte de concurrence acharnée et d'accélération de l'innovation. Les consommateurs attendront demain de la science et de la technologie non seulement qu'elles se montrent respectueuses de leur environnement mais aussi qu'elles contribuent à sa restauration.

Recréer des liens sociaux

La solitude est, paradoxalement, devenue plus fréquente dans la société dite de communication. Mais celle-ci engendre beaucoup d'incommunication, parfois même l'« excommunication ». Des enquêtes montrent que les Français se parlent moins, qu'ils ont des relations moins nombreuses et plus limitées dans le cadre de leur vie professionnelle. L'information ne circule le plus souvent que dans un sens et l'interactivité n'est encore qu'un projet.

Rétablir la confiance

D'une façon générale, l'inquiétude des Français est nourrie par leur sentiment de ne pas comprendre l'évolution du monde. Surtout, ils ont l'impression fréquente et très inconfortable que la « vérité » est introuvable et que les points de repère ont disparu. Les hommes politiques sont déconsidérés par les affaires de corruption, mais aussi par leur incapacité à penser le présent et à inventer l'avenir. La religion, qui a « dit la morale » pendant des siècles n'est plus écoutée ; ses positions sur la contraception, le sida ou la place des femmes sont en décalage avec la vie quotidienne.

Les « experts » et les scientifiques de toute sorte n'apparaissent pas plus fiables. En matière d'alimentation, par exemple, ils affirment un jour que tel aliment est bon pour la santé puis, quelque temps après, qu'il est cancérigène. On trouve d'ailleurs presque sur tous les sujets des experts ayant des positions opposées. Quant aux médias, leur crédibilité est depuis quelques années à un bas niveau. Les entreprises connaissent la même désaffection que les institutions. Leur souci affiché d'éthique, de consumérisme ou d'humanisme est regardé avec suspicion par des consommateurs qui ont bien compris les règles du jeu économique et font preuve d'un cynisme croissant. Pour regagner la confiance perdue, les institutions devront s'efforcer de rendre la réalité moins floue et la vérité plus accessible. Elles devront pour cela faire preuve à la fois de pédagogie et de vertu.

Réformer l'Etat

Pour les citoyens, l'Etat est devenu une grosse machine lointaine et peu soucieuse de résoudre les problèmes des citoyens. Ils lui reprochent son inefficacité, qui conduit parfois au gaspillage de l'argent public, à une époque où de lourds sacrifices sont demandés aux contribuables. Il lui faudra donc mettre en place les réformes tant de fois annoncées afin de rétablir les grands équilibres (santé, retraite, dette publique, entreprises publiques...). Il devra aussi réconcilier les Français avec la justice et assurer la sécurité dans les villes et les banlieues.

Mais la justice implique l'égalité des citoyens. Elle commence dès l'accès à l'école et se prolonge jusqu'à la retraite, en passant par des aides adaptées et personnalisées dans les moments difficiles de la vie (chômage, maladie...). Elle ne sera pas complète tant que les salariés du secteur public (notamment non concurrentiel) bénéficieront d'avantages substantiels, parfois anachroniques, par rapport à ceux du secteur privé : revenus, garantie d'emploi, retraite, avantages divers...

Photo : Luc Choquer/Métis

Le dernier tabou

La réforme de l'Etat nécessitera de casser le dernier tabou français, celui des avantages acquis, qui sont en réalité des privilèges et des facteurs d'inégalité et d'injustice. On ne pourra le faire qu'en expliquant que, s'ils ont été obtenus et préservés au nom de la solidarité nationale, celle-ci est très sélective. On peut d'ailleurs facilement démontrer que la protection des uns est largement payée par les autres. Ainsi, les fonctionnaires contribuent seulement pour 20 % au financement de leurs pensions de retraite (qui sont en moyenne très supérieures à celles du privé, et pour une durée plus longue) contre 40 % pour les salariés du privé. De même, les avantages accordés aux travailleurs du secteur public entraînent parfois des perversions au sein des entreprises concernées : à la Poste, la plupart des nouveaux embauchés ont des contrats à durée déterminée, dépourvus des avantages associés du statut de fonctionnaire ; à Air France, la double échelle de salaires existe pour certaines catégories de personnel (hôtesses)...

Proposer des projets collectifs

Le passé récent a montré que les solutions traditionnelles ne fonctionnent généralement pas pour résoudre les problèmes nouveaux. Or, la France apparaît à ses habitants (et aux autres pays du monde) comme un pays qui n'invente plus assez, qui ne propose plus de nouvelles idées, qui ne mobilise plus autour de grands projets collectifs.

Cette panne créative est un handicap important dans un monde en mutation, qui cherche de nouveaux repères et de nouvelles certitudes. Les institutions sont paralysées par leurs déséquilibres et ne sont plus en mesure de se réformer, encore moins de proposer des solutions neuves. Les hommes politiques sont concentrés sur leurs contraintes internes, qui les empêchent de voir la réalité extérieure. Les intellectuels et les artistes se montrent eux aussi peu créatifs ; s'ils dénoncent régulièrement les dysfonctionnements du monde actuel, ils ne proposent guère de nouvelles idées pour le changer.

Construire l'Europe

Dans ce contexte, il est surprenant de constater que l'Europe n'apparaît pas comme le grand projet capable de mobiliser les individus et les peuples. Elle est pourtant porteuse de paix, d'efficacité économique et de puissance politique. Mais elle a été mal expliquée par ses responsables, qui sont apparus davantage comme des comptables, des législateurs ou des censeurs que comme des guides ou des visionnaires.

L'un des grands chantiers de l'avenir sera donc d'expliquer l'enjeu européen et de lui donner un contenu moins technocratique et plus romantique. Cela implique de créer à terme les ferments d'une véritable culture européenne, contrepoids à la culture américaine omniprésente. Ceci passe aussi par la proposition d'une alternative à un modèle libéral hégémonique dont les limites (notamment en matière d'égalité des chances) apparaissent aujourd'hui de plus en plus clairement, même à ses partisans les plus convaincus.

Remettre en marche la machine à intégrer

La société française a été pendant longtemps soumise à des forces centripètes : elle tendait naturellement à ramener en son centre tous ses membres. Elle est depuis une vingtaine d'années soumise à des forces centrifuges, qui tendent à rejeter vers les bords tous ceux qui n'ont pas les atouts nécessaires pour se maintenir au centre (éducation, santé, argent, réseaux relationnels, qualités personnelles, chance...). La machine à intégrer est devenue machine à désintégrer, à marginaliser, à exclure.

Les victimes de ce processus sont surtout des jeunes, des femmes, des étrangers ou des immigrés. Leur taux de chômage est supérieur à la moyenne et l'absence de travail peut être pour eux le facteur déclenchant d'une spirale infernale : pauvreté, divorce, maladie, exclusion sociale, misère. L'État n'est plus en mesure de résoudre aujourd'hui tous ces problèmes individuels. Il tend à se défausser en direction du monde associatif et encourage les initiatives régionales, locales et microsociales (sans toujours faciliter leur action).

Harmoniser l'emploi du temps de la vie

Le découpage ternaire de la vie, avec un temps pour apprendre (scolarité), un temps pour travailler (vie active) et un temps pour se reposer (retraite) ne prend pas en compte l'évolution spectaculaire intervenue depuis le début du siècle : le temps libre a été multiplié par cinq (16 années contre 3 pour une vie moyenne) alors que le temps de travail était divisé par deux (6 années contre 12).

Mais la répartition de ce temps tout au long de la vie n'est plus conforme aux nécessités économiques ; elle ne satisfait pas non plus les aspirations des Français. La formation initiale est trop en décalage par rapport aux besoins des entreprises et débouche de moins en moins sur les emplois espérés. L'activité est souvent mal vécue, car elle est génératrice de stress, de précarité et de frustration. L'inactivité n'est pas mieux acceptée, lorsqu'elle est synonyme de chômage ou de disparition sociale. La retraite intervient en moyenne vers 57 ans, c'est-à-dire trop tôt pour ceux qui ont envie de continuer à jouer un rôle économique ; elle entraîne alors une frustration individuelle et une perte pour la collectivité. Elle devient en outre impossible à financer (l'espérance de vie à cet âge est supérieure à vingt ans).

Il faudra bien un jour intégrer cette double évolution de l'offre et de la demande, d'autant qu'elle va dans le même sens. La retraite devra être reculée, pour tous ou de préférence pour ceux qui le souhaitent. Les périodes de travail devront alterner avec celles de formation et de perfectionnement. La vie professionnelle et la vie personnelle devront être davantage en harmonie.

LES FRANÇAIS
DANS LE MONDE

Le regard des autres

L'actualité politique, économique, sociale, sportive ou culturelle fournit régulièrement l'occasion à la presse étrangère de parler de la France. Elle le fait rarement de façon neutre, car l'Hexagone et ses habitants ne laissent guère les observateurs indifférents. Avec un clin d'œil à Montesquieu, beaucoup se demandent au fond : « Comment peut-on être français ? »

La francophobie est donc parfois présente sous la plume des journalistes. Elle ne concerne pas seulement la presse « tabloïd » britannique, pour qui l'exercice est devenu un jeu. On la trouve par exemple aux Etats-Unis, comme l'explique l'*International Herald Tribune* : « Comment être sûr de déclencher l'hilarité générale dans un dîner à Washington ? En racontant une blague sur les Français. Notre journal est inondé de lettres enthousiastes dès qu'il critique un tant soit peu la France. » Le Danemark n'est pas en reste : « Il est de plus en plus de bon ton d'être francophobe... Un complexe vieux de plusieurs siècles, dû sans doute à quelque évidente barrière linguistique, a transformé une animosité à l'égard de tout ce qui est français (hormis le vin rouge et le Tour de France) en une forme intellectuellement admise de racisme mesquin. » reconnaît *Politiken*, journal de Copenhague.

En analysant dans l'hebdomadaire *Courrier international* les articles étrangers consacrés à l'hexagone au cours des deux dernières années, on constate que les critiques sont plutôt plus nombreuses que les louanges. Les unes et les autres témoignent en tout cas d'un intérêt réel pour la France et pour ses habitants. Elles révèlent parfois une fascination mêlée d'incompréhension. Une synthèse en est donnée ci-dessous. Mais on observera que les mêmes thèmes peuvent faire à la fois l'objet de dénonciations violentes et de dithyrambes (voir les 35 heures).

LES CRITIQUES

La presse étrangère s'étonne régulièrement d'un certain nombre de singularités ou d'exceptions propres à la France et aux Français. Les thèmes les plus fréquemment évoqués sont les suivants (par ordre alphabétique) :

Administration

« Les préfets, " éminences bleues ", sont aussi français que la baguette de pain ou le défilé du 14 juillet. » (*Süddeutsche Zeitung*, Munich)

Chasseurs

« Les groupes de chasseurs ont réuni 150 000 d'entre eux pour manifester à Paris. A cette occasion, ils ont confirmé l'image que nombre de Parisiens ont de leurs cousins campagnards : des brutes grossières et des ivrognes. » (*The Daily Telegraph*, Londres)

« Le chasseur français tire sur tout ce qui passe devant son fusil, de préférence sur les oiseaux migrateurs, et il en est fier. En France, où l'on considère surtout la nature du point de vue de l'assiette, la chasse n'est pas qu'un hobby, c'est un mode de vie, une vision du monde, un programme politique, avec le puissant lobby que cela implique. » (*Frankfurter Allgemeine Zeitung*, Francfort)

Chômage

« La France s'enorgueillit d'avoir la population la plus cultivée du monde occidental... et un taux de chômage qui dépasse les 20 % dans cette tranche d'âge. C'est le résultat de la politique gouvernementale : pendant des années, on a aiguillé les étudiants sur des voies universitaires qui ont fait d'eux des spécialistes de Platon sans aucune capacité professionnelle. » (*Newsweek*, New-York)

Photo : Luc Choquer/Métis

larges capacités d'adaptation, devait mériter un traitement privilégié par rapport aux chômeurs de 40-50 ans, souvent plus expérimentés et mieux formés que les jeunes, avec une famille à charge. » (*Wprost*, Poznan)

ENA (Ecole nationale d'administration)

« Le favoritisme existe, c'est évident. Il donne à ceux qui ne sont pas bardés de diplômes adéquats le sentiment que les échelons les plus élevés des entreprises, tout comme ceux de la fonction publique, leur sont à jamais interdits. » (*Financial Times*, Londres)

Corse

« Cette région française, avec un revenu par tête inférieur de 30 % à la moyenne nationale, connaît comme principaux problèmes la pauvreté relative, le chômage et l'occupation de nombreuses parcelles de pouvoir par des organisations mafieuses, capables de mettre en danger les principes mêmes de la doctrine républicaine : l'égalité devant la loi et la fraternité solidaire de l'Etat. » (*El Pais*, Madrid)

Culture et télévision

« Les rares émissions culturelles qui survivent encore ne sont guère programmées avant 23 heures. Même Paris-Câble cède au provincialisme abyssal des Français, en supprimant peu à peu toutes les chaînes étrangères de son abonnement de base. Dans la lutte pour la survie que se livrent les chaînes, c'est l'Audimat qui dicte sa loi, et ce dans un pays qui défend ardemment le principe de l'exception culturelle. » (*Frankfurter Allgemeine Zeitung*, Francfort)

Emplois jeunes

« Voir de jeunes chômeurs, c'est triste (ils sont un véritable contre-symbole de l'espoir et de l'avenir de la nation). Mais il serait intéressant de savoir qui (et animé par quelle idée) a décidé qu'un jeune sortant de l'école, en pleine santé et disposant de

Etats-Unis

« M. Jospin sait que, sans idéaux et sans ennemis, les Français sont malheureux et qu'une petite dose d'antiaméricanisme peut être utile pour occulter les changements qui rapprochent inéluctablement la société française de la société américaine. » (*The New York Times*, New York)

Front national

« Un parti anti-immigrés, anti-européen et anti-américain (...) qui contribue à la banqueroute de la droite respectable, sans idées, sans énergie, sans nouveaux visages convaincants. » (*The Independant*, Londres)

« Les attaques du Front national contre le développement d'une France multiraciale, ses remèdes protectionnistes et racistes à l'incapacité française de créer de l'emploi et d'assurer la sécurité peuvent être considérés comme un écho perverti d'un instinct de rejet du changement, considéré par la classe politique démocrate et les intellectuels comme une menace pour l'identité française. » (*International Herald Tribune*)

Haute couture

« C'est peut-être dans le domaine de la mode que les Français ont pour la plupart compris que les choses bougent de l'autre côté de la Manche. Ils ont déjà admis les incursions de stylistes italiens et même japonais dans ces sanctuaires que sont les grandes maisons de mode, mais l'arrivée des Britanniques les a vraiment pris au dépourvu. Cependant, les John Galliano, Alexander McQueen et Stella McCartney ont justement été engagés parce qu'ils apportent une énergie, une originalité et un traitement de choc qui manquent à la France. » (*The New-York Times*, Paris)

Institutions

« Le caractère absolutiste du système présidentiel français convient de moins en moins au monde moderne, qui en tout état de cause, ne place plus l'Etat en son centre. » (*Die Zeit*, Hamburg)

Internet

« Comment la communication sur Internet, difficile à réglementer, axée sur une culture individualiste, nivelée, extrêmement mobile, peut-elle être adaptée au système plutôt statique, hiérarchisé et quelque peu dirigiste de la République ? » (*Frankfurter Allgemeine Zeitung*, Francfort)

Langue

« On remarquera que l'Académie française et tous ceux qui résistent à la féminisation des noms de fonction ne s'irritent que lorsqu'on touche aux mondes politique, diplomatique, judiciaire, universitaire ou culturel. Tout ce qui se passe plus bas dans l'échelle sociale ne les gêne apparemment pas. N'a-t-on pas utilisé dès l'entrée des femmes dans les usines le mot ouvrière (jusque-là réservé aux insectes) ? Ne dit-on pas un ou une secrétaire (mais gare à directeur et président-directeur général !), un instituteur ou une institutrice (attention à professeur, proviseur et recteur !), un infirmier ou une infirmière (mais docteur, c'est autre chose !), un chômeur ou une chômeuse... ? » (*Le Soir*, Bruxelles)

Papon

« Ce sont surtout les jeunes générations qui font un difficile apprentissage. Elles découvrent que la vision de l'Histoire qui leur a été transmise à l'école, fondée sur le mythe de la nation française entrée collectivement en résistance, ne " résiste " (littéralement) pas. La couverture du procès leur fait comprendre qu'il faut opérer une distinction entre les " mensonges nécessaires " de Charles de Gaulle et ceux du président François Mitterrand. » (*Die Welt*, Berlin)

Politique

« A l'aube du XXIe siècle, le système politique français doit être modernisé, afin d'enrayer la décomposition sociale dont se nourrit l'extrême droite. Mais il vaut mieux préserver une certaine dose de jacobinisme, intransigeant et républicain, plutôt qu'alimenter les tentations rédemptrices de Le Pen et de ses complices. » (*La Vanguardia*, Barcelone)

Routiers

« Dans une économie prête à faire face au XXIe siècle, il doit sûrement exister de meilleurs moyens de résoudre les conflits qu'en dressant des herses en travers des routes. Le véritable problème, c'est la nature anachronique des relations industrielles et l'échec de la gauche française à reconsidérer ses liens avec les syndicats. » (*The Independent*, Londres)

35 heures

« Nous somme convaincus qu'il existe un lien, certes flou, entre la culture morale et politique d'un peuple et le type de gouvernement qu'il se donne. Les Français, qui ne se souciaient guère d'entretenir aux frais du contribuable la maîtresse et la fille illégitime du président Mitterrand, en sont un bon exemple. S'ils se retrouvent aujourd'hui face à un gouvernement qui tente de combattre le chômage en recourant au mécanisme absurde d'une réduction du temps de travail imposée par la loi, c'est, entre autres, parce qu'ils ont amené leurs hommes politiques à croire qu'ils leur passeraient tout, sauf de tailler dans leurs avantages sociaux. L'indifférence a un coût. » (*The Wall Street Journal*, New-York)

LES LOUANGES

On trouve aussi dans la presse étrangère des articles favorables à la France et à ses habitants. Les sujets d'intérêt, voire d'admiration récents sont les suivants (par ordre alphabétique) :

Cinéma

« Quelque chose d'insolite et de merveilleux traverse aujourd'hui le cinéma français. Surgi de nulle part, ou presque, un formidable bouillonnement de réalisateurs au regard neuf, d'idées inédites et de bons films s'empare des écrans. » (*Los Angeles Times*, Paris)

Coupe du monde

« Cette victoire en Coupe du monde a donné au pays une occasion de crier sa fierté, de brandir le drapeau tricolore (une première pour bon nombre de jeunes Beurs) après l'avoir arraché des mains de l'odieux Jean-Marie Le Pen et de son parti raciste, le Front national. » (*The Independent*, Londres)

« On sent un soulagement profond dans le pays. Comme si, depuis bien longtemps, le peuple en avait eu assez de son accablement. Comme si, en réalité, celui-ci s'était déjà dissipé auparavant et n'avait plus existé que sous forme de phénomène médiatique. A bien des égards, la Coupe du monde a été une révélation. » (*Die Zeit,* Hambourg)

Dessins animés

« Observez donc les génériques de la plupart des dessins animés que regardent vos enfants et notez leur origine. Surprise : c'est la France qui domine... Quasi inexistante il y a dix ans, la production française est en train de conquérir l'Europe et vient de réussir quelques percées spectaculaires aux Etats-Unis. » (*L'Hebdo*, Genève)

Diplomatie

« Il est certain que les Français ont de l'intérêt national et des moyens de le garantir une conception très différente de celle des Etats-Unis. Ils ne se sentent pas obligés de constamment draper leurs ac-

tions de justifications moralisatrices. Ils ont tiré les leçons de Machiavel et savent que les règles morales qui régissent le comportement humain normal peuvent se révéler très dangereuses si elles sont adoptées par les grands de ce monde. » (*The Wall Street Journal*, New-York)

Francophonie

« La francophonie reste une organisation timide et fragile. Mais, en optant pour la coopération et la solidarité, en sortant des ghettos pour affronter le monde et en se dotant d'un secrétaire général qui parlera en son nom et affirmera sa vocation politique, la francophonie, plutôt que décliner (comme on cherche à le faire croire), prend du mieux. » (*Le Devoir*, Montréal)

Immigration

« Face à la forteresse européenne qui pousse dans la clandestinité bon nombre des nouveaux immigrés et qui dissuade de partir ceux qui le souhaitent parce qu'ils craignent de ne pas pouvoir revenir, ce projet (de codéveloppement) inaugure le concept de " mobilité circulaire ". Il vise à associer les pays concernés à la maîtrise des flux migratoires en échange d'une aide au développement » (*El Pais*, Madrid)

Jospin

« En vertu de quel instinct ce " sectateur " a-t-il deviné que son caractère était en phase avec les attentes de la société, lassée du flou et des intrigues d'appareil ? Alors que la frontière gauche-droite s'effaçait, qu'il devenait banal de substituer la technocratie aux convictions, il s'est attaché à montrer que la politique laissait une place au romantisme. » (*Itogui*, Moscou)

Modèle français

« L'idée testée aujourd'hui en France est la suivante : est-il possible (et, si oui, comment) de résister aux incessantes tentatives de ceux qui veulent imposer à l'Europe occidentale un nouveau genre d'exploitation ? Un genre fondé sur

Photo : Luc Choquer/Métis

le règne absolu du profit, le démantèlement de l'Etat-providence, la déréglementation du marché du travail et l'accroissement du fossé entre riches et pauvres, et généralement désigné sous le nom de modèle américain. » (*The Nation*, New-York)

« Le défi que lance actuellement la France (et l'Allemagne) à la doctrine économique américaine repose sur des conceptions morales et politiques : l'accroissement des bénéfices n'est pas le but de l'existence, ni même de l'existence économique. » (*International Herald Tribune*, New-York)

Rap

« Même si le hip-hop est devenu une poule aux œufs d'or, la France compte d'authentiques rappeurs, qui continuent de lever le poing et n'abandonnent pas la lutte. Le rap hexagonal tire sa force de sa structure sociale, de la rage et de l'espoir des exclus. » (*The Source*, New-York)

35 heures

« Si la décision de Jospin comporte des risques, elle a le mérite de rompre avec l'immobilisme et de mettre fin à une longue série de promesses non tenues, autrement dit de mensonges. Elle ouvre, semble-t-il, une brèche dans le mur du désespoir. » (*La Repubblica*, Milan)

Malgré les critiques, la France reste le premier pays où les Européens aimeraient vivre.

L'enquête Infratest Burke réalisée en 1997-1998 auprès de dix pays européens (Allemagne, Belgique, Espagne, France, Grèce, Italie, Pays-Bas, Pologne, Royaume-Uni, Suède) montre que le pouvoir d'attraction de la France demeure. S'ils avaient la possibilité de vivre dans un autre pays européen, indépendamment de toute considération financière ou linguistique, les Européens choisiraient en priorité la France : 13 % la citent comme leur premier choix, à égalité avec l'Allemagne, devant le Royaume-Uni (12 %), l'Espagne (11 %) et l'Italie (10 %). La France est également citée par 10 % des personnes interrogées comme deuxième choix (contre 6 % pour l'Allemagne) et par 8 % en troisième choix (contre 5 % pour l'Allemagne), de sorte qu'elle est au total le pays le plus recherché.

Cette enquête confirme celles qui ont été effectuées dans les années passées. Ainsi, l'étude de

TMO-INRA de 1994 plaçait la France en tête des pays dans lesquels les Européens souhaitaient vivre (voir *Francoscopie 1997* p.39-41). Elle est aussi confirmée par le fait que la France est depuis des années le pays le plus visité au monde ; elle a reçu 67 millions d'étrangers en 1997 (voir *Vacances*).

Un Français sur cinq a vécu plus de six mois à l'étranger

Contrairement à une idée reçue, les Français ne sont pas les Européens les moins mobiles. 19 % des habitants de 16 ans et plus ont vécu au moins six mois à l'étranger au cours de leur vie. Cette proportion les place en deuxième position parmi les Européens, juste derrière les Suédois (20 %), devant les Grecs (18 %) et les Belges (17 %).
Ce nomadisme peut s'expliquer en partie par la part des immigrés qui sont venus s'installer en France et qui ont été depuis naturalisés. Une confirmation en est donnée par la place importante des pays d'Afrique (24 %) dans la liste des pays dans lesquels ils ont vécu préalablement (voir tableau) ; elle arrive en deuxième position derrière le groupe Benelux-Allemagne-Autriche-Suisse (29 %), devant les Etats-Unis ou le Canada (18 %), l'Italie, l'Espagne ou le Portugal (16 %), le Royaume-Uni ou l'Irlande (16 %).

Infratest Burke

Records et exceptions françaises

La mondialisation en cours et la construction européenne laissent entrevoir une harmonisation des attitudes, des modes de vie et des systèmes de valeurs entre les pays développés. La convergence est d'ailleurs déjà sensible dans l'évolution des dernières décennies.

Mais cette harmonisation, si elle se poursuit, devrait rester partielle. Des différences, des singularités ou des exceptions demeureront. Certaines pourront même se renforcer dans un mouvement de résistance et de préservation de l'identité nationale ou régionale.

Les Français sont sans doute en Europe les plus grands amateurs de ces exceptions. Ils détiennent ainsi un certain nombre de « records » dans des domaines très divers. Chacun d'eux est révélateur d'un aspect de la mentalité, de la culture et de l'histoire hexagonale. Il est donc intéressant, significatif et parfois amusant d'en dresser une liste, qui ne saurait être exhaustive.

N.B. Les comparaisons internationales sont toujours difficiles à établir avec une fiabilité absolue, compte tenu des méthodes d'obtention des informations qui peuvent être différentes. Les chiffres peuvent ainsi varier assez largement selon les sources. Les classements peuvent en outre changer d'une année à l'autre. Les records « d'Europe » se rapportent ici à l'Union européenne à quinze.

SANTÉ

Longévité féminine

L'espérance de vie des Françaises à la naissance est la plus élevée d'Europe : 82,1 ans. Elles arrivent devant les Espagnoles (81,6 ans), les Suédoises (81,5) et les Italiennes (81,3). Les moins avantagées en Europe sont les Danoises (78,0), les Irlandaises (78,5) et les Portugaises (78,5). Dans le monde, les Françaises ne sont dépassées que par les Japonaises (83,0).

Surmortalité masculine

L'écart entre les espérances de vie des femmes et des hommes est de 7,9 ans, contre 6,5 en moyenne dans les pays de l'Union européenne. Il n'était que de 6,7 ans en 1960 et 3,6 ans en 1900.

Maladies cardio-vasculaires

Le taux français est le plus faible de l'Union européenne, avec 61 cas pour 100 000 habitants contre 200 en Grande-Bretagne. Le taux est de 176 aux Etats-Unis, 173 en Australie, 106 en Suisse, 94 en Italie.
Cette spécificité explique aussi le très faible taux de pontages aortocoronariens en France (30 pour 100 000 habitants), quatre fois inférieur à celui des Etats-Unis (130).

Cancers masculins

Le taux de cancer chez les hommes est de 311 pour 1 000 habitants (standardisé sur l'âge en prenant la population mondiale comme population de référence, 1990), ce qui représente l'incidence la plus élevée parmi les pays de l'Union européenne.

Accidents domestiques

Plus de 10 % des Français sont victimes au cours d'une année de quelque 8 millions d'accidents dans le cadre de leur vie courante, à la maison, à l'école pour les enfants et au cours des activités de loisirs. Cette proportion est la plus élevée d'Europe.

Appendicites

Le nombre d'opérations pratiquées chaque année est sans doute le plus élevé au monde. On compte 355 appendicectomies pour 100 000 habitants, soit 2,5 fois plus qu'aux Etats-Unis, qui occupent la deuxième position (141) et 3,6 fois plus qu'en Angleterre (97).

Alcool

Avec 14,1 litres d'alcool pur par an en moyenne, les Français (15 ans et plus) continuent d'être les plus gros consommateurs de l'Union européenne, devant les Portugais (13,1), les Allemands (12,1) et les Espagnols (12,0). Les Européens du Nord sont les plus sobres : Norvégiens (4,6) ; Islandais (4,7) ; Suédois (6,5) ; Finlandais (8,2).

Médicaments

Les dépenses de médicaments des Français ont triplé en vingt ans, alors que le nombre de produits achetés par personne ne faisait « que » doubler, passant de 18 à 33 boîtes par an. Une consommation bien supérieure à celle mesurée dans les autres pays développés : 6 boîtes aux Etats-Unis ou au Danemark, 10 en Belgique, 15 en Allemagne et en Espagne, 22 en Italie. La dépense de pharmacie par habitant est supérieure de 66 % en France à celle du Royaume-Uni et de 22 % à celle de l'Allemagne.
La dépense de pharmacie par habitant est supérieure de 66 % en France à celle du Royaume-Uni et de 22 % à celle de l'Allemagne. La part des médicaments génériques, copies moins chères de produits dont le brevet est tombé dans le domaine public, est inférieure à 5 % contre 35 % en Allemagne (10 % en moyenne dans l'Union européenne).

Psychotropes

La surconsommation française de médicaments est particulièrement spectaculaire en ce qui concerne les psychotropes (hypnotiques, somnifères, anxiolytiques...). Les Français consomment trois à quatre fois plus de médicaments psycholeptiques que les autres Européens (230 cachets par jour pour 1 000 personnes).

Remboursement

Avec un taux de remboursement des médicaments de 70,3 % contre 77 % en 1986 (hors mutuelles et compagnies d'assurances), la France se situe à la dernière place des pays de l'Union européenne ; le taux est par exemple de 93,7 % au Royaume-Uni, 91 % en Allemagne, proche de 90 % en Espagne, au Luxembourg, en Irlande, en Grèce et en Suède. Il est supérieur ou égal à 80 % en Belgique, en Autriche et en Finlande.

Photo : Luc Choquer/Métis

FAMILLE

Adoptions

La France est le premier pays au monde pour les adoptions par rapport à sa population, avec environ 3 700 enfants par an d'origine étrangère et 1 500 d'origine française. Près de trois adoptions sur quatre à l'étranger sont le fruit de démarches individuelles.

Bébés-éprouvette

La France est le pays du monde qui compte le plus de naissances par fécondation in vitro : sur les 150 000 enfants « bébés-éprouvette » nés dans le monde entre 1978 et 1996, 20 000 ont vu le jour en France, 16 000 aux Etats-Unis, 15 000 en Grande-Bretagne.

Cadeaux

Les Français sont les Européens qui dépensent le plus pour les achats de cadeaux destinés à leurs enfants : la moyenne est d'environ 2 000 F par an et par enfant. 60 % de cette somme sont dépensés au moment de Noël.

TRAVAIL

Taux d'activité féminin

De tous les pays de l'Union européenne, c'est la France qui présente le taux d'activité des femmes le plus élevé : 48 % de celles âgées de 15 ans et plus. C'est aussi en France que l'écart est le plus faible entre les taux d'activité féminin et masculin (celui-ci est de 62 %). Entre 1960 et 1990, le nombre des femmes actives a augmenté de 4,3 millions, contre seulement 900 000 pour les hommes.

Fonctionnaires

La France compte la plus forte proportion de fonctionnaires parmi les pays de l'Union européenne, avec plus de 5 millions de salariés répartis entre la fonction publique d'Etat, celle des collectivités territoriales et celle des hôpitaux publics. Ils représentent au total 28 % de l'ensemble des salariés (hors emplois précaires). Entre 1980 et 1995, l'emploi public a augmenté de 20 % en France, alors qu'il baissait de 25 % aux Pays-Bas et en Grande-Bretagne.

Syndicalisation

Le taux de syndicalisation est en France d'environ 7 % de la population active (contre 10 % en 1980 et 22 % en 1970) ce qui constitue le plus faible de l'Union européenne et même de l'ensemble des pays occidentaux. Il se compare à des taux supérieurs à 50 % dans les pays de l'Europe du Nord. La syndicalisation est plus développée dans le secteur public, où elle avoisine 20 %, contre environ 6 % dans le privé.

Formation

La part des dépenses de formation des entreprises dans leur masse salariale est de 3,3 %, ce qui constitue sans doute le record d'Europe et l'une des plus élevées du monde. Deux tiers des entreprises de plus de dix salariés assurent chaque année des actions de formation professionnelle, qui concernent un peu plus d'un tiers de leurs effectifs (36 %). Les proportions moyennes sont respectivement de moins de 60 % et 28 % dans l'ensemble des pays de l'Union européenne.

Retraite

La France est sans doute le pays développé du monde où la proportion d'actifs entre 50 et 60 ans est la plus faible ; elle n'est que de 50 % à 58 ans. Environ 60 % des actifs qui demandent la liquidation de leur retraite au régime général de la Sécurité sociale sont en fait déjà sortis de la vie active.

Impôts sur le revenu

Les Français sont ceux qui paient le moins d'impôts directs sur les revenus en Europe. 48 % des ménages fiscaux (13 millions sur 28 millions) n'en paient pas du tout, contre seulement 15 % des Britanniques.

CONSOMMATION

Cosmétiques

Les Français sont les plus gros acheteurs de produits cosmétiques d'Europe. Leurs dépenses de parfumerie ont atteint 32 milliards de francs en 1997 (+ 4,6 % par rapport à 1996), contre 20 milliards en 1989.

Hypermarchés

Les hypermarchés représentent 32 % des dépenses d'alimentation des Français, une part supérieure à celle mesurée dans les autres pays européens. On comptait 1 123 hypermarchés fin 1997.

À l'inverse, la part du petit commerce est la plus faible d'Europe : 10,3 % pour l'alimentation générale (y compris les boucheries-charcuteries).

Chèques

Les Français ont signé en moyenne 85 chèques par personne en 1996. Ceci les place au premier rang des pays de l'Union européenne, loin devant le Royaume-Uni (45), la Belgique (11) et l'Italie (11). Le chèque représente 48 % des moyens de paiement scripturaux (hors argent liquide) contre 20 % pour les cartes bancaires et 17 % pour les virements.

Diesel

Les voitures à moteur Diesel représentent 31 % du parc automobile en 1998 (contre 4 % en 1980 et 1 % en 1970), ce qui constitue le record européen. Longtemps réservé aux camions et aux taxis, le Diesel a conquis les particuliers, du fait de sa moindre consommation, de l'écart de prix important entre le supercarburant et le gazole, ainsi que de sa durée de vie plus longue. En 1997, la part des achats de voitures Diesel a cependant été supérieure en Autriche et en Belgique.

Eau de Javel

90 % des ménages utilisent ce produit pour l'entretien de la maison, ce qui constitue le record du monde.

Photo : Luc Choquer/Métis

LOISIRS

Animaux

La France est en Europe le pays qui compte le plus d'animaux familiers (16,3 millions de chiens et chats en 1997), devant le Royaume-Uni (14 millions) et l'Italie (12 millions). Ce nombre s'est surtout accru pendant les années 70 ; il est depuis resté stable aux environs de 25 millions. Au total, 52 % des foyers français possèdent un animal familier.

Chasseurs

On compte 1,6 million de chasseurs dans l'Hexagone, ce qui constitue le record d'Europe (1,3 million en Espagne, 1,2 million en Italie, 950 000 en Grande-Bretagne, 330 000 en Allemagne, 320 000 en Suède). 4 % des Français sont allés à la chasse au cours des douze derniers mois (6 % des hommes et 1 % des femmes), 4 % régulièrement.

Louvre

Depuis les travaux d'agrandissement et l'ouverture des nouvelles ailes, le musée du Louvre est devenu le plus grand du monde. Il a reçu 4,7 millions de visiteurs en 1997.

Vidéocassettes

Les Français sont les Européens qui louent le moins de cassettes vidéo : 3,3 par ménage en 1997 contre 7,4 en moyenne dans l'Union européenne. Mais ils en achètent plus que la moyenne : 3,0 contre 2,5 en moyenne (7,6 aux Etats-Unis). Les films américains ont représenté 45 % des achats en valeur, les dessins animés 30 %, les films français 12 %, les autres catégories 13 %.

Cinéma

La France occupe la première place parmi les pays de l'Union européenne en ce qui concerne la fréquentation des salles de cinéma, avec 2,6 séances par habitant en 1997. Elle est, avec la Grande-Bretagne et plus récemment l'Espagne, l'un des rares pays à avoir enrayé l'érosion liée au développement de la télévision.

La production cinématographique française reste également la plus importante d'Europe, avec 125 films d'initiative française en 1997 (dont 86 intégralement français) et 33 films en coproduction à majorité étrangère. Elle représente plus d'un tiers des entrées en France (35 %) contre 19 % en moyenne pour les films produits nationalement dans l'Union européenne (25 % en Italie, 15 % en Allemagne, 13 % au Royaume-Uni, 9 % en Espagne).

Télécartes

La France est le premier pays au monde en ce qui concerne l'utilisation des cartes téléphoniques. Elle en est également le premier fabricant, avec la société Gemplus.

Vols domestiques

Les Français sont les Européens qui voyagent le plus sur les lignes aériennes intérieures : un vol pour quatre habitants par an en moyenne.

Vacances

Depuis 1982, les salariés Français ont droit à cinq semaines de vacances. Mais, par le jeu de l'ancienneté ou de conventions particulières, 28 % des actifs disposent de plus de cinq semaines de congés payés annuels. De sorte que la France arrive en première position en Europe (et peut-être dans le monde) pour la durée des vacances.

Tourisme

La France a accueilli 67 millions de touristes étrangers en 1997. Elle est toujours la première destination mondiale, devant l'Espagne, les Etats-Unis, l'Italie et la Chine.

Tour de France

Cette compétition sportive est celle qui compte le plus de spectateurs au monde, avec environ 10 millions de personnes présentes au total pendant les étapes.

Casinos

La France possède 159 casinos, le nombre le plus élevé en Europe. Les 11 000 machines à sous installées dans 150 casinos autorisés ont représenté 88 % des revenus globaux en 1997.

AUTRES RECORDS

Photo : Luc Choquer/Métis

Communes

La France est le pays d'Europe qui possède de loin le plus grand nombre de communes : 37 000, soit presque autant que l'ensemble des pays de l'Union européenne.

Agglomération parisienne

Paris est au centre de la plus grande agglomération européenne, avec 9,3 millions d'habitants. Elle devance celle de Londres, qui en compte 7,4 millions.

Périphérique parisien

Le « périph » est la route la plus fréquentée d'Europe, avec 1,2 million de véhicules par jour.

Vitesse en train

Le TGV a battu en 1990 le record de vitesse en train, avec 515 km/h.

Taxes sur les carburants

Les taxes représentent les trois quarts du prix du litre de super sans plomb, record d'Europe.

Nucléaire

La part du nucléaire dans la production d'électricité est de 76 %, ce qui place la France au premier rang des pays d'Europe dans ce domaine.

Passeport

Le passeport français est le plus cher d'Europe : 350 F pour une validité de cinq ans.

Sondages

2 000 sondages environ sont publiés chaque année en France, ce qui constitue le record mondial. Cet intérêt témoigne à la fois de la volonté des acteurs politiques, économiques ou sociaux de prendre le pouls de l'opinion et d'un certain nombrilisme hexagonal. Il est entretenu par les médias, qui profitent de l'actualité pour interroger les Français sur tous les sujets (les sondages politiques constituent environ la moitié de la production).

LA CARTE D'EUROPE DES VALEURS

Une enquête inédite réalisée par Infratest Burke

L'histoire et la culture des peuples façonnent des systèmes de valeurs qui leur sont propres et qui animent la vie individuelle et collective. L'institut Infratest Burke a conduit en janvier 1998 une étude dans huit pays européens : Allemagne, Belgique, Espagne, France, Italie, Pays-Bas, Royaume-Uni, Suède. Elle apporte un éclairage particulièrement intéressant sur les ressemblances et sur les différences entre ces pays et entre les nations qui les composent.

18 principes de vie...

La comparaison a été réalisée à partir des motivations et des visions individuelles de la vie des personnes interrogées. Les personnes interrogées devaient d'abord classer 18 « principes de vie » proposés (critères de Rokeach) en fonction de l'importance qu'elles attachent personnellement à chacun d'eux :
• Une vie confortable (prospère) ;
• Une vie passionnante (stimulante, active) ;
• Un sentiment de satisfaction (contribution durable) ;
• Un univers en paix (sans guerre ni conflit) ;
• Un univers de beauté (de la nature, des arts) ;
• L'égalité (opportunités égales pour tous) ;
• La sécurité familiale (prendre soin des siens) ;
• La liberté (indépendance, libre arbitre) ;
• Le bonheur (contentement) ;
• L'harmonie avec soi-même (pas de conflit intérieur) ;
• L'amour adulte (intimité sexuelle et spirituelle) ;
• La sécurité nationale (à l'abri d'une agression) ;
• Le plaisir (vie agréable, tranquille) ;
• Le salut de l'âme (amour-propre) ;
• La reconnaissance sociale (respect, admiration) ;
• L'amitié véritable (un être proche) ;
• La sagesse (maturité, connaissance de la vie).

... et 18 qualités personnelles

Les personnes interrogées devaient également hiérarchiser les 18 qualités proposées en fonction de l'importance qu'elles leur attachent personnellement :
• Ambition (travail, désir de réussite) ;
• Tolérance (ouverture d'esprit) ;
• Aptitude (compétence, efficacité) ;
• Bonne humeur (entrain, joie de vivre) ;
• Propreté (netteté, ordre) ;
• Courage (défendre ses opinions) ;
• Indulgence (disposition au pardon) ;
• Serviabilité (contribution au bien-être d'autrui) ;
• Honnêteté (sincérité, véracité) ;
• Imagination (audace, créativité) ;
• Indépendance (confiance en soi, autonomie) ;
• Intelligence (réflexion) ;
• Logique (cohérence, rationalité) ;
• Affection (capacité d'aimer, tendresse) ;
• Obéissance (devoir, respect) ;
• Politesse (courtoisie, bonnes manières) ;
• Responsabilité (digne de confiance) ;
• Maîtrise de soi (retenue, autodiscipline).

Ces 36 principes de vie et motivations proposés sont le résultat d'une recherche qui a permis de vérifier qu'ils sont à la fois représentatifs de l'ensemble des valeurs existantes et qu'ils sont discriminants entre les individus (ils font apparaître des différences significatives).

Une carte des valeurs nationales

Le traitement statistique des réponses aux 36 questions précédentes (analyse en composantes principales) permet de faire apparaître sur une carte *(mapping)* une représentation en deux dimensions de l'espace représenté par ces mots dans l'ensem-

Infratest Burke

Cette enquête est issue de l'étude internationale *Euro life and living* réalisée par Infratest Burke, société spécialisée dans les études de marketing et dirigée en France par Gilles Hustaix. Créée en 1968, elle est présente en Europe, aux Etats-Unis et au Japon sur l'ensemble des secteurs d'activité.

L'étude, effectuée pour la première fois en 1990, a été actualisée en janvier 1998 dans huit pays d'Europe. Environ 5 000 personnes ont été interrogées, constituant des échantillons représentatifs des populations de 16 ans et plus (600 par pays) après redressements selon la méthode des quotas (sexe, âge, catégorie socioprofessionnelle...). La validité statistique des écarts des réponses entre deux pays est de 7 % (7 points), avec une probabilité de 95 % qu'ils ne soient pas dus au hasard.

Les questions portaient sur les opinions, les attitudes et les comportements dans de nombreux domaines de la vie quotidienne et notamment de la consommation. Elles comportaient aussi un volet prospectif sur la vision du XXIe siècle, enrichi par une étude qualitative et la consultation d'experts afin de faire apparaître des grandes tendances d'évolution pour l'avenir. L'étude France a été dirigée par Muriel Lecomte pour la partie quantitative, Béatrice Maccario et Sabri Solani pour la partie qualitative.

ble des pays étudiés. Chaque mot est situé par rapport à deux axes : l'axe horizontal oppose la recherche de l'ordre et celle de la liberté ; l'axe vertical oppose les notions d'individu et de collectivité.

La carte révèle ainsi une structure globale qui différencie les habitants des différents pays. On pourrait par un traitement similaire différencier les individus d'un même pays (typologie) ou chercher à relier les différents systèmes de valeurs à des comportements de consommation ou à des caractéristiques personnelles (sexe, âge, instruction, revenu, statut matrimonial...).

Mode de lecture de la carte

La distance entre les mots figurant sur la carte est proportionnelle à celle qu'ils ont dans l'esprit des personnes qui les ont classés (qui constituent des échantillons représentatifs de chaque pays). Ainsi, deux mots voisins sur la carte (par exemple *Vie excitante* et *Ambition* ou *Famille* et *Sécurité*) le sont également dans l'esprit des gens ; à l'inverse, deux mots éloignés sur la carte (par exemple *Imagination* et *Opulence*, ou *Vie confortable* et *Egalité*) le sont aussi pour les personnes.

La carte fait également apparaître certaines proximités d'attachement qui ne sont pas évidentes a priori ; c'est le cas par exemple de *Courage* et de *Reconnaissance sociale*, d'*Amour* et de *Sécurité nationale*, de *Discipline* et d'*Amitié*, d'*Accomplissement* et de *Tolérance*...

Une carte d'Europe des valeurs

Les classements des principes de vie et des motivations permettent, par un traitement statistique semblable à celui décrit ci-dessus, d'obtenir une carte positionnant les différents pays étudiés. Les points représentant chacun d'eux sont les centres de gravité des réponses obtenues sur les 36 critères définis précédemment.

Cela ne signifie pas, bien sûr, que tous les habitants d'un pays donné ont une même attitude par rapport à ces critères, mais que la composition de l'ensemble des réponses se situe à l'endroit indiqué sur le graphe. On retrouverait à l'intérieur d'une même société des écarts importants entre les individus qui la composent, de sorte que l'on pourrait identifier des groupes transversaux composés de Français, Allemands, Suédois, Espagnols, Belges... qui partagent une vision semblable de la vie, ont les mêmes motivations et vivent selon les mêmes principes.

Photo : Luc Choquer/Métis

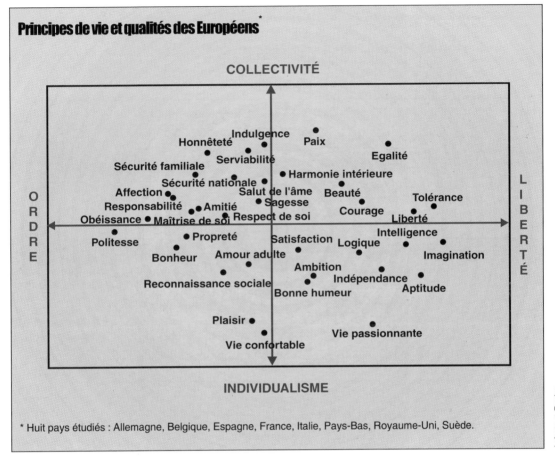

Principes de vie et qualités des Européens *

COLLECTIVITÉ

ORDRE — LIBERTÉ

Indulgence — Paix — Egalité — Honnêteté — Serviabilité — Sécurité familiale — Harmonie intérieure — Sécurité nationale — Salut de l'âme — Beauté — Tolérance — Affection — Sagesse — Courage — Liberté — Responsabilité — Amitié — Obéissance — Maîtrise de soi — Respect de soi — Intelligence — Politesse — Propreté — Satisfaction — Logique — Bonheur — Amour adulte — Imagination — Ambition — Reconnaissance sociale — Indépendance — Aptitude — Bonne humeur — Plaisir — Vie passionnante — Vie confortable

INDIVIDUALISME

* Huit pays étudiés : Allemagne, Belgique, Espagne, France, Italie, Pays-Bas, Royaume-Uni, Suède.

Infratest Burke

Une proximité inattendue entre Français et Suédois

La carte montre un voisinage « latin » attendu entre les Français, les Italiens et les Espagnols. Elle montre aussi une proximité peu étonnante entre des pays nordiques comme les Pays-Bas et l'Allemagne.

Mais elle fait apparaître des voisinages qui ne respectent guère la « géographie culturelle » habituelle. C'est ainsi que la proximité la plus forte des Français concerne les Suédois ; ceux-ci sont en effet plus proches sur la carte que ne le sont les Italiens ou les Espagnols.

Les Français opposés aux Allemands

On constate aussi que les Européens les plus éloignés des Français en termes de vision de la vie sont les Allemands. Les Français ont comme les Suédois, les Belges et les Britanniques une mentalité plutôt tournée vers l'individualisme, tandis que les Allemands, les Polonais et à un moindre degré les Italiens sont davantage portés à une vision collective de la vie. Ils affichent aussi avec les Italiens, les Suédois et les Espagnols un goût très fort pour la liberté, alors que les Allemands ont une préférence marquée pour l'ordre. Les Néerlandais, les Britanniques, les Belges et les Polonais sont, eux, plus hésitants entre ces deux pôles.

Les Français libertaires et individualistes

Il apparaît que le centre de gravité de la société française est clairement positionné dans le cadran associant la liberté et l'individualisme, comme la Suède (qui est cependant un peu moins attirée par

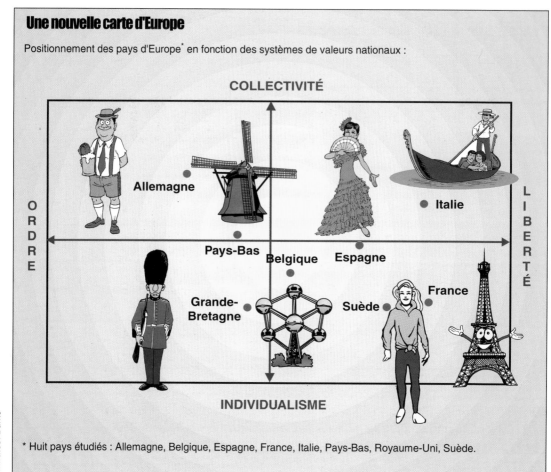

Une nouvelle carte d'Europe

Positionnement des pays d'Europe* en fonction des systèmes de valeurs nationaux :

COLLECTIVITÉ

ORDRE

LIBERTÉ

Allemagne

Italie

Pays-Bas   Belgique   Espagne

Grande-Bretagne   Suède   France

INDIVIDUALISME

* Huit pays étudiés : Allemagne, Belgique, Espagne, France, Italie, Pays-Bas, Royaume-Uni, Suède.

Infratest Burke

la liberté). La liberté est aussi la revendication principale des Italiens, qui hésitent entre collectivité et individu. C'est le cas également des Espagnols, qui sont aussi un peu moins attachés à la liberté que les Italiens et les Français.

Les Belges et les Britanniques se situent dans la partie individualiste de la carte, mais au centre de l'axe horizontal entre ordre et liberté. C'est aussi la situation des Néerlandais (qui ne choisissent pas clairement entre collectivité et individualité) et des Polonais, un peu plus attirés par une vision collective. Enfin, les Allemands se singularisent par leur désir d'ordre, associé à un fort attachement à la collectivité.

INDIVIDU

Photo : Luc Choquer/Métis

L' APPARENCE

Le corps

Les Français ont progressivement redécouvert leur corps depuis les années 60.

Pendant des siècles, l'enveloppe charnelle avait été délaissée au profit de l'esprit (pour les laïques) ou de l'âme (pour les religieux). On s'efforçait seulement de la soigner lorsqu'elle était malade. On lui ajouta progressivement des « prothèses » pour améliorer ses fonctions : outils de travail, robots ménagers, automobile... L'hygiène et le sport avaient plutôt mauvaise réputation.

La redécouverte du corps a commencé dans les années 60, avec la montée de l'individualisme, la demande libertaire (apparition du nu sur les plages) et la possibilité de maîtriser la fécondité chez les femmes. Chacun devint alors conscient que son corps lui appartenait, mais qu'il lui appartenait aussi de l'entretenir. Le sport, qui permet de le maintenir en forme et de le modeler, prit une place croissante dans la société au cours des années 80. Les Français importèrent les modes de vie californiens et s'adonnèrent au jogging, à l'aérobic et au body-building.

Aujourd'hui, on « habite » son corps comme sa maison.

Depuis le début des années 90, le sport est moins synonyme de performance que de plaisir ou d'utilité. Il s'agit d'être bien dans sa peau, mais aussi d'avoir l'air jeune et efficace dans sa vie professionnelle et sociale. Chacun se sent propriétaire de son corps (locataire s'il croit en la réincarnation !). Celui-ci est à la fois un outil pour agir, une vitrine pour donner une image de soi et un capital qu'il faut préserver.

On « habite » donc son corps comme son appartement ou sa maison. On le « meuble » avec des vêtements qui doivent traduire à la fois l'individualité, l'appartenance à un groupe social ou à une tribu, tout en s'inspirant de la mode du moment. On le « décore » avec des bijoux, des produits de ma-quillage, éventuellement des tatouages ou des *piercings*. On le protège en recourant à une alimentation diététique, à l'hygiène, à la prévention (vitamines, sels minéraux...), à la thalassothérapie, en pratiquant le sport. On le répare avec l'aide de la médecine (traditionnelle ou exotique et, de plus en plus souvent, l'automédication). On améliore son apparence grâce à la chirurgie esthétique.

Mêlant le rationnel et l'irrationnel, les Français cherchent en fait l'harmonie ; ils suivent sans le savoir le vieux précepte chinois : « Prends soin de ton corps, afin que ton âme ait envie de l'habiter. »

L'immortalité, une idée qui fait son chemin

L'espérance de vie a augmenté de 3 mois par an en moyenne depuis plus de dix ans. Le sentiment se répand aujourd'hui que la vie humaine pourrait être allongée de façon significative. L'idée d'une possible immortalité progresse même dans l'opinion. Elle est légitimée par les discours scientifiques ; certains gérontologues n'hésitent pas à qualifier de prématurés les décès qui se produisent avant l'âge de 120 ans ! Elle est aussi favorisée par l'apparition de produits présentés comme anti-vieillissement (DHEA, radicaux libres, hormones de croissance, mélatonine...) ainsi que par les perspectives ouvertes par la génétique, le clonage ou la cryogénie, sans oublier les promesses de vie éternelle propres à certaines religions.

Le corps participe largement à la communication.

On estime que 30 % seulement des messages oraux passent par les mots et par l'intonation ; l'essentiel de la communication transiterait donc par des signes non verbaux. Les gestes, notamment, en disent aussi long sur la personnalité que les paroles. Ils sont généralement inconscients et font souvent l'objet d'un décodage : la tête entre les mains signifierait la concentration ou le désespoir ; la main devant la bouche peut être un signe de perplexité, d'inquiétude ou de réflexion ; les jambes croisées ou les poignées de mains molles sont censées témoigner d'un manque d'assurance ; les bras croisés indiqueraient une position de fermeture...

Les expressions du visage sont bien sûr des moyens de communication essentiels. Ce que l'on dit est complété, parfois infirmé, par des attitudes, des sourires, des grimaces. Mais les gestes doivent être interprétés en fonction du contexte. Un même individu ne se comporte pas de façon identique sur son lieu de travail, dans son salon, dans un stade ou en vacances, selon qu'il est en famille, avec son patron ou avec des amis d'enfance.

Le tatouage et le piercing sont des messages adressés aux autres ou à soi-même.

Le tatouage concerne un nombre croissant de Français, notamment des jeunes de toutes apparte-nances sociales. Il n'est plus un moyen d'afficher un statut social (marin, militaire ou loubard), mais une façon de prouver son attachement à l'être aimé, de se souvenir, d'exprimer ses fantasmes, d'avoir sur soi un porte-bonheur. Il sert aussi à se différencier et à afficher une certaine distance par rapport à des conventions sociales jugées contraignantes et dé-passées.

Le pin's, apparu en France en 1988 lors de l'Open de tennis de Bercy, n'est plus à la mode. Mais les épingles sont toujours présentes avec le *piercing*, qui se pratique sur tous les endroits du corps (oreilles, nez, bouche, langue, seins, nombril...). Cet engoue-ment témoigne de la volonté de réconcilier la mode, phénomène de masse, avec l'expression in-dividuelle. Il ne concerne qu'une minorité, compo-sée principalement de jeunes soucieux de faire apparaître leur anticonformisme ou leur margina-lité.

On est tenté de rapprocher cette pratique de celles de certaines tribus, dans lesquelles le passage à l'âge adulte est marqué par des rites d'initiation qui vont laisser des traces sur le corps (mutilations volontaires) et démontrer le courage de ceux qui les subissent.

✦ *55 % des Français ont les yeux foncés (le plus souvent marron), 31 % les ont bleus (ou gris-bleu), 14 % gris.*

✦ *La proportion de gauchers dans la population est de 13 % parmi les 18-30 ans, contre seulement 6 % chez les plus de 60 ans, dont beaucoup ont été des gauchers « contrariés ».*

Corps à vendre

Les entreprises attachent une importance croissante à l'aspect corporel de leurs employés. Sans parler de la beauté physique, la taille et le poids, la façon de s'habiller ou de se coiffer, le port de la barbe ou de bijoux (chez les hommes comme chez les femmes) peuvent être des atouts ou des handicaps. Ils sont autant d'indices d'une personnalité qui convient ou non au poste, à la culture de l'entreprise ou aux attentes du supérieur hiérarchique. Ils jouent donc un rôle croissant, explicite ou implicite, dans le rejet ou l'acceptation d'un candidat. A tel point que l'on trouve aujourd'hui des conseillers spécialisés en apparence. Leur rôle est de transformer des postulants (souvent cadres) pour rendre leur apparence plus conforme à ce qu'ils sont ou, parfois, au personnage qu'ils souhaitent incarner.

Taille et poids

TAILLE. *Les Français mesurent en moyenne 1,73 m, les Françaises 1,62 m.*

La dernière enquête disponible sur la taille des Fran-çais est celle réalisée par l'INSEE en 1991. Elle pré-sente l'inconvénient d'être fondée sur des déclarations, de sorte que les écarts sont moins mar-qués que dans des études basées sur des mesures (comme celle de Renault en 1981-1982), les plus petits ayant tendance à se grandir, les très grands à indiquer une taille inférieure. Mais elle a l'avantage de pouvoir être comparée à celles effectuées de façon similaire en 1970 et 1980.

Une autre enquête, réalisée par le Laboratoire d'anthropologie appliquée, fournit des données pour 1991, qui concernent une population de 20 à 40 ans composée d'appelés du contingent et de personnels militaires. Elle indique une taille moyenne plus élevée que celle de l'INSEE pour les hommes (1,75 m), mais identique pour les femmes (1,62 m).

La taille des Français se situe dans la moyenne des pays développés.

Les comparaisons internationales sont difficiles à établir, car les études portent rarement sur des échantillons représentatifs de l'ensemble de la po-pulation et utilisent parfois des méthodes déclarati-ves. A âge égal et à date d'enquête voisine, la taille des Français apparaît cependant comparable à celle des Allemands (1,73 m pour les hommes, 1,62 pour les femmes entre 25 et 40 ans, 1975), des Italiens (1,72 m et 1,60 m entre 19 et 65 ans, 1980) et des Belges (1,76 m et 1,64 m entre 18 et 20 ans, 1980).

Elle est inférieure à celle des Américains (1,75 m et 1,62 m entre 18 et 74 ans, 1974), des Britanniques (1,74 m et 1,62 m entre 17 et 64 ans, 1980). Elle est supérieure à celle des Espagnols (1,67 m et 1,57 m entre 20 et 60 ans, 1975) et des Japonais (1,67 m et 1,53 m entre 30 et 39 ans, 1981).

Les plus jeunes sont les plus grands

Evolution de la taille moyenne par sexe en fonction de l'âge (en cm) :

	Hommes			Femmes		
	1970	1980	1991	1970	1980	1991
20-29 ans	172,5	174,1	176,4	161,6	161,9	163,8
30-39 ans	170,8	173,0	174,8	160,7	161,5	162,3
40-49 ans	170,0	171,2	173,2	160,7	160,7	161,9
50-59 ans	169,1	170,4	171,9	160,3	160,5	160,9
50-69 ans	168,1	168,8	170,1	160,1	159,7	160,4
70 ans +	167,8	168,1	169,0	159,0	158,6	158,9
Ensemble	170,1	171,6	173,1	160,4	160,6	161,5

INSEE

En un siècle, les hommes ont grandi de 8 cm et les femmes de 7 cm.

On estime que la taille moyenne au début du siècle était de 1,65 m pour les hommes et 1,55 m pour les femmes. Ce phénomène de grandissement n'est pas propre à la France. On constate une forte augmentation de la taille dans tous les pays qui sont passés d'une civilisation rurale agricole à une civilisation urbaine et industrialisée.

Les Français les plus grands sont les jeunes hommes de 20 à 22 ans, qui mesurent en moyenne 1,77 m. Les Françaises les plus grandes sont les jeunes femmes de 18 ans, qui mesurent 1,65 m. L'écart entre les générations s'est accru avec le vieillissement de la population et le tassement de taille qui en résulte ; celui-ci est estimé à 1,5 cm tous les dix ans à partir de 50 ans.

Malgré cette évolution de la taille moyenne, la taille la plus fréquente reste assez stable : 30 % des hommes mesurent entre 1,70 m et 1,74 m, 30 % des femmes entre 1,60 m et 1,64 m. L'écart entre la taille moyenne et la taille la plus fréquente s'explique par la diminution de la proportion des « petits » et l'augmentation de celles des « grands ».

Un jeune homme en fin de croissance mesure en moyenne 4,5 cm de plus que son père et 7,5 cm de plus que son grand-père.

La taille moyenne des hommes de 20 à 29 ans est passée de 1,70 m en 1950 (génération 1921-1930) à 1,76 m en 1991 (génération 1962-1971). Pendant la même période, les jeunes femmes n'ont grandi que de 3 cm, soit deux fois moins. Vers 1840, les conscrits mesuraient en moyenne 1,62 m. Leur taille était de 1,65 m en 1900, 1,68 m en 1940, 1,72 m en 1970. Ils mesurent aujourd'hui 1,76 m (enquête sur les jeunes militaires des trois armées).

Cette évolution s'explique par des conditions de développement physique plus favorables pour les enfants (meilleure hygiène, meilleure alimentation), qui permettent aux facteurs génétiques d'influer normalement sur leur croissance.

La taille dépend aussi de facteurs plus étonnants. Une étude publiée dans *Nature* a montré que les enfants nés au cours du premier semestre de l'année mesurent en moyenne 0,6 cm de plus que ceux qui naissent au second semestre. Cet écart serait lié à l'activité de la glande pinéale, qui dépend de la lumière et commande la production de mélatonine ainsi que d'hormones de croissance.

La hiérarchie de la toise reproduit celle de la société.

A âge égal, un homme cadre supérieur mesure en moyenne 4 cm de plus qu'un ouvrier ; l'écart est de 2 cm pour les femmes. Parmi les appelés du contingent, un étudiant mesure 4 cm de plus qu'un jeune agriculteur. Les disparités se retrouvent aussi dans la distribution des tailles : 28 % des hommes cadres dépassent 1,80 m contre 14 % des agriculteurs et 17 % des ouvriers. Les différences de taille entre les catégories socioprofessionnelles sont moins marquées chez les femmes.

✦ 11 % des Françaises mesurent moins de 1,54 m, 11 % plus de 1,69 m.

✦ Le Français le plus grand est Jean-Marie Hamel, né en 1950 ; il mesure 2,20 m.

Les différences régionales sont moins fortes que celles qui existent entre les professions ; elles ne sont d'ailleurs pas significatives pour les femmes. Les écarts plus importants constatés chez les hommes s'expliquent en partie par la structure de la pyramide des âges dans les diverses régions : on est plus jeune, donc plus grand, dans le Nord, région principalement urbaine, que dans l'Ouest, région essentiellement rurale.

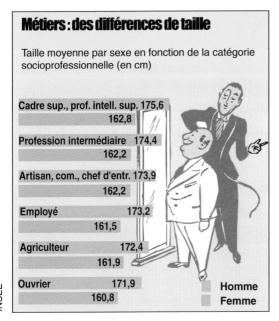

Métiers : des différences de taille

Taille moyenne par sexe en fonction de la catégorie socioprofessionnelle (en cm)

Cadre sup., prof. intell. sup. 175,6
162,8

Profession intermédiaire 174,4
162,2

Artisan, com., chef d'entr. 173,9
162,2

Employé 173,2
161,5

Agriculteur 172,4
161,9

Ouvrier 171,9
160,8

Homme
Femme

INSEE

POIDS. *Les hommes pèsent en moyenne 74 kg, les femmes 61 kg.*

L'enquête réalisée par l'INSEE en 1991 donne des résultats un peu supérieurs à ceux de l'enquête Renault de 1981-1982. Cet écart s'explique à la fois par l'évolution sur dix ans et par la méthode utilisée : la première était déclarative et incitait les personnes interrogées à se mincir, tandis que la seconde était effectuée par pesage.

A titre de comparaison, le poids moyen est de 77 kg pour les hommes et 62 kg pour les femmes aux Etats-Unis (18-74 ans, 1974), 74 kg et 62 kg au Royaume-Uni (17-64 ans, 1980), 68 kg et 62 kg en Suède (25-49 ans, 1969), 65 kg et 56 kg en Italie (19 à 65 ans, 1980) ; 59 kg et 50 kg au Japon (30-39 ans, 1981). Mais, comme pour celles concernant la taille, les comparaisons internationales de poids se heur-

Morphologies régionales

Les gens du Nord ont en général une taille haute, des cheveux et des yeux clairs, le crâne de type méso-brachycéphale (largeur presque égale à la hauteur). Dans l'Est, la taille et la forme du crâne sont semblables à celles du Nord, mais les cheveux et les yeux sont foncés. Dans le Sud, la taille moyenne est inférieure, les cheveux et les yeux sont foncés, le crâne est de type brachycéphale (largeur et hauteur très voisines). A l'Ouest, les Bretons sont aussi de petite taille et de type brachycéphale, leurs cheveux sont de couleur plutôt claire, ainsi que leurs yeux. A l'inverse, les Basques du Sud-Ouest ont une taille haute, des cheveux très foncés, des yeux clairs et un crâne de type brachycéphale. Les personnes originaires de la bande pyrénéo-méditerranéenne ont une taille moyenne, des cheveux et des yeux très foncés, un crâne de type méso-dolichocéphale (plutôt étroit et allongé). Mais les mélanges de plus en plus fréquents entre les origines tendent à estomper les caractères spécifiques.

tent à des difficultés liées aux méthodes et aux dates d'enquête ; pour les analyser, il faudrait en outre prendre en compte les écarts de taille existant entre les pays.

Le poids moyen augmente avec l'âge.

A l'inverse de la taille, qui est inférieure dans les générations anciennes, le poids moyen des hommes et des femmes augmente avec l'âge. Ce phénomène est lié à la diminution de l'exercice

La minceur est l'un des canons de la beauté actuelle.
Australie

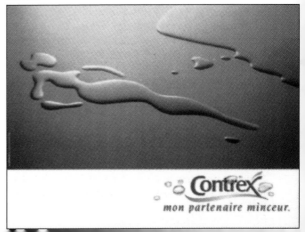

Contrex
mon partenaire minceur.

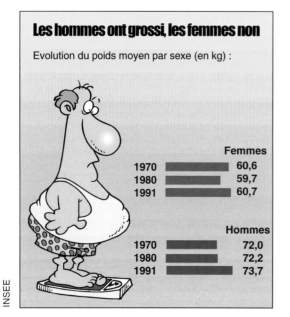

Les hommes ont grossi, les femmes non

Evolution du poids moyen par sexe (en kg) :

Femmes

1970	60,6
1980	59,7
1991	60,7

Hommes

1970	72,0
1980	72,2
1991	73,7

INSEE

physique, à des habitudes d'alimentation qui intègrent moins les notions de diététique. Il s'explique aussi par une attitude différente à l'égard de la nourriture et de l'apparence.

Entre l'âge de 20 ans et celui de 50 ans, la prise de poids représente environ 5 kg pour les hommes et 7,5 kg pour les femmes. Les statistiques montrent aussi que plus on est âgé, plus on est petit. C'est ce qui explique que le rapport poids/taille augmente avec l'âge.

L'accroissement de l'obésité concerne essentiellement les jeunes.

D'après l'INSERM, l'obésité intervient lorsque le surplus pondéral atteint 30 % par rapport à une valeur idéale, calculée à partir de l'indice de masse corporelle. Il concernerait 7 % des Français, dont 9 % de femmes et 5 % d'hommes. Il y aurait en France 3 millions d'obèses et 16 millions de personnes en surpoids.

On est cependant loin des proportions atteintes aux Etats-Unis (32 %) ou même en Allemagne (18 %) et en Grande-Bretagne (14 %). Il y aurait même une diminution de l'obésité en France si l'on compare le poids des individus avec celui, « idéal », calculé à l'aide de la formule de Lorentz (taille – 100 – ((taille – 150)/K), avec K = 2 pour les femmes et K = 4 pour les

hommes) : en 1991, seuls 22,4 % des femmes et 21,1 % des hommes dépassaient ce poids de plus de 20 %, contre respectivement 25 % et 24 % en 1970.

Mais certaines études laissent apparaître un accroissement inquiétant de l'obésité chez les enfants. Leur proportion atteindrait 10 %, en augmentation de 17 % sur vingt ans (28 % pour la grande obésité). La proportion serait de 30 % aux Etats-Unis, 21 % en Allemagne, 16 % en Italie, 11 % en Belgique et 6 % en Espagne. Cette évolution est liée à une alimentation déséquilibrée, à la pratique du « grignotage » et au manque d'exercice physique. 30 % seraient imputables à l'hérédité.

Plus d'une femme sur trois se trouve trop grosse

62 % des femmes de 15 ans et plus se disent satisfaites de leur poids, 37 % non. Ce qu'elles aimeraient améliorer en priorité est leur ventre (25 %), leurs jambes (14 %), leurs cuisses (12 %), leurs fesses (9 %), leur poitrine (7 %). 25 % souhaiteraient améliorer toute leur silhouette et non une seule partie de leur corps (21 % aucune partie).

Les méthodes les plus appropriées pour améliorer sa silhouette leur paraissent être de surveiller son alimentation (83 %), de pratiquer un exercice physique (72 %), de veiller à la circulation sanguine (8 %), de recourir à la chirurgie esthétique (3 %). Pourtant, la silhouette n'arrive pour elles qu'en quatrième position des atouts de séduction (23 %), derrière un caractère sympathique (60 %), le sens de l'humour (50 %) et l'intelligence (33 %).

Editions Archipel-Madame Figaro/BVA, mars 1998

Poids et mesures

Evolution du poids par sexe en fonction de la taille (en kg) :

Taille (en cm)	Hommes			Femmes		
	1970	1980	1991	1970	1980	1991
- 150 cm	}			53,2	52,3	53,2
150 à 154	} 62,0	61,8	60,7	55,7	54,9	56,2
155 à 159	}			58,2	57,0	58,3
160 à 164	66,2	65,8	66,6	61,0	59,9	60,3
165 à 169	69,4	68,9	69,9	63,8	63,3	62,9
170 à 174	73,0	72,0	72,4	67,4	65,8	66,2
175 à 179	76,4	75,4	75,8	}		
180 à 184	80,8	79,1	78,9	} 70,4	68,7	68,4
185 et +	84,4	82,9	83,6	}		

INSEE

Les hommes cadres supérieurs
pèsent 3 kg de moins que les agriculteurs,
les femmes 1 kg de moins.

Chez les hommes, les agriculteurs et ceux qui exercent des professions indépendantes pèsent en moyenne davantage que les salariés, à taille et âge proches. Les femmes cadres ou appartenant aux professions intellectuelles supérieures sont à la fois les plus grandes et les plus minces (en proportion de leur taille). On peut imaginer que les femmes qui cherchent à obtenir des postes élevés dans la hiérarchie professionnelle veillent plus que les autres à leur ligne. Les femmes cadres moyens ou techniciennes sont, semble-t-il, moins concernées, puisqu'elles pèsent près de 6 kg de plus que la moyenne, avec une taille inférieure. Ce sont les ouvrières qui présentent le rapport poids/taille le plus élevé.

Le poids des professions

Poids par sexe en fonction de la profession
(en 1991, en kg) :

	Poids moyen à âge comparable	Poids moyen à âge et taille comparables
Hommes		
- Cadre supérieur, profession intellectuelle supérieure	73,5	71,3
- Profession intermédiaire	74,2	72,4
- Artisan, commerçant, chef d'entreprise	75,3	73,9
- Employé	73,4	72,6
- Agriculteur	74,2	74,1
- Ouvrier	72,8	72,8
Femmes		
- Cadre supérieur, profession intellectuelle supérieure	57,8	56,9
- Profession intermédiaire	59,3	58,6
- Artisan, commerçante, chef d'entreprise	59,6	58,9
- Agricultrice	60,5	60,4
- Employée	61,3	60,6
- Ouvrière	62,5	62,5

INSEE

♦ *36 % des femmes se trouvent trop grosses*
(46 % des 50-64 ans, mais 29 % des 65 ans et plus),
4 % trop maigres (59 % comme il faut).

Hygiène et beauté

La propreté a été successivement
une obligation morale, une nécessité sociale
et un plaisir individuel.

L'hygiène est la face cachée de la beauté. C'est peut-être pourquoi elle n'a pas toujours occupé une place prioritaire dans les préoccupations nationales. Mais les habitudes de propreté des Français ont beaucoup progressé depuis quelques décennies, sous l'effet des pressions sociales, des produits mis sur le marché, de la redécouverte du corps et des modèles diffusés par les médias. 94 % des logements disposent aujourd'hui d'une baignoire et/ou d'une douche, contre 29 % en 1962, 48 % en 1968, 70 % en 1975. 89 % des Français déclarent se laver les mains avant de passer à table. 52 % disent se laver les cheveux 2 ou 3 fois par semaine, contre 30 % en 1984, 40 % en 1987.

Cosmétique ne signifie pas seulement superficiel.
Louis XIV

Des efforts restent cependant à réaliser. Ainsi, 59 % seulement des Français disent se laver systématiquement les mains après être allés aux toilettes ; 6 % ne le font jamais. L'hygiène buccale s'est nettement améliorée. On a constaté une diminution de moitié du nombre des caries chez les enfants de 12 ans entre 1987 et 1993 (2,1 contre 4,2).

Le niveau d'hygiène est comparable à celui des autres pays développés...

On a longtemps utilisé comme indicateur de la propreté la consommation de savon. Celle-ci n'est en moyenne que de 700 g de savon par personne et par an en France, contre 1 300 g au Royaume-Uni et 1 000 g en Allemagne. Mais elle ne prend pas en compte l'utilisation du savon de Marseille : environ 600 g par personne et par an, soit dix fois plus qu'en Grande-Bretagne ou en Allemagne (mais deux fois moins qu'en Italie et sept fois moins qu'au Portugal). Elle ne tient pas compte non plus du développement des produits spécifiques pour le bain ou la douche. Aujourd'hui, les Français n'ont rien à envier à leurs voisins européens en matière d'hygiène corporelle.

Contrairement aux idées reçues, on constate que les habitudes d'hygiène sont plus affirmées dans le sud que dans le nord du pays, du fait des conditions climatiques différentes. Les enquêtes font apparaître aussi que les femmes sont plus propres que les hommes et que les plus de 65 ans le sont davantage que les moins de 25 ans.

... mais des différences nationales demeurent.

Si le niveau global d'hygiène d'un pays augmente avec son développement économique, il reste influencé par les caractéristiques culturelles et climatiques. 97 % des Italiens, 92 % des Portugais et 42 % des Français possèdent ainsi un bidet dans leur salle de bains contre 6 % des Allemands et 3 % des Britanniques (la proportion était de 95 % en France il y a vingt ans). 64 % des Français se lavent avec un gant de toilette contre 63 % des Allemands avec les mains, 55 % des Espagnols et 54 % des Italiens avec une éponge. 86 % des Britanniques utilisent un déodorant contre 65 % des Français (76 % des Allemands, 75 % des Espagnols, 72 % des Italiens). Les Allemands consomment en moyenne 4,9 tubes de dentifrice par an contre 3,9 en France (4,5 en Espagne, 3,3 en Italie, 2,9 en Grande-Bretagne). Les Espagnols déclarent prendre en moyenne 4,7 douches par semaine, contre 4,4 en France et en Allemagne (3,8 en Italie, 3,7 en Grande-Bretagne). Les écarts entre les pays tendent cependant à s'estomper du fait des brassages de population, de la multiplication des produits d'hygiène et de leur diffusion.

La part des dépenses d'hygiène-beauté a doublé en trente ans.

Elles représentent aujourd'hui 2 % des dépenses des ménages, contre 1 % en 1960. Leur augmentation a été très forte au cours des années 60 et 70 ; elle est plus modérée depuis le début des années 90 mais reste supérieure à celle de la consommation globale. Il faudrait d'ailleurs leur ajouter toutes celles qui concernent l'entretien du corps : pratiques sportives, cures, chirurgie esthétique, etc.

Ces comportements ont été favorisés par l'importance de l'apparence physique dans la vie professionnelle et sociale. Ils ont également été induits par l'apparition de nouveaux produits comme les gels douche, les déodorants, les savons liquides ou les « deux-en-un » (shampooing-démêlant, gel-shampooing...). L'offre, qui concernait traditionnellement surtout les femmes, s'est étendue aux hommes et, plus récemment, aux enfants.

Les Français sont les plus gros acheteurs de produits cosmétiques d'Europe.

Les dépenses de parfumerie ont atteint 32 milliards de francs en 1997 (+ 4,6 % par rapport à 1996), contre 20 milliards en 1989. Leur progression a été en moyenne de 5,5 % par an au cours des dix dernières années. Les achats se font de plus en plus dans les grandes surfaces (53 % en valeur, plus en volume), loin devant la distribution sélective (parfumeries, 28 %), les pharmacies (9 %) et la vente directe (9 %).

Après le développement rapide des achats de bains moussants au cours des années 80, ce sont les produits pour la douche, apparus en 1985, qui connaissent une forte croissance. Les antirides, amincissants, produits solaires, produits de coloration et dépilatoires sont également recherchés. Le rouge à lèvres intransférable et le rasoir mécanique pour femme connaissent un fort engouement.

On observe une tendance à la « médicalisation » des produits de beauté. On cherche aussi à réconcilier les préoccupations écologiques et les innovations technologiques, avec la tendance au « nouveau naturel », apparue au début des années 90.

Les achats de parfums connaissent une certaine stagnation.

Il y a quarante ans, une femme sur dix se parfumait régulièrement ; on en compte aujourd'hui huit sur dix. Les ventes de parfums pour hommes se sont aussi accrues de façon spectaculaire depuis une vingtaine d'années (six hommes sur dix disent se parfumer). On constate cependant un ralentissement des achats depuis le début des années 90. L'attention croissante attachée au prix explique que les femmes achètent essentiellement des eaux de toilette et des eaux de parfum (au détriment des extraits), ainsi que des flacons de plus faible contenance.

Le parfum tend à devenir un produit de mode ; les femmes en changent plus fréquemment, choisissant parmi des produits de plus en plus nombreux. Il reste un produit magique, qui garde une aura particulière. Agissant autant sur l'inconscient que sur le conscient, il a un pouvoir d'évocation infini. Il permet un voyage dans le temps, en excitant la mémoire olfactive, et dans l'espace, en se faisant le support de l'exotisme. Le parfum est un moyen de s'unir à la nature et à l'univers tout entier.

L'odorat réhabilité

De tous les sens de l'homme, l'odorat est sans doute celui le sens qui a été le plus appauvri par la civilisation, au profit de la vue et de l'ouïe. On assiste aujourd'hui à sa réhabilitation.

Après s'être efforcé de chasser les mauvaises odeurs, on cherche à en diffuser d'agréables dans les maisons (cuisine, salle de bains, W-C, salon...), dans les bureaux ou dans les lieux publics. Les marques d'essence parfument ainsi les carburants. Des banques font flotter des odeurs de cuir dans leurs agences et parfument les chéquiers de leurs clients. Les constructeurs automobiles font de même avec les voitures. Les entreprises et les magasins ont compris que le « marketing olfactif » pouvait contribuer à l'accroissement des ventes.

Ce retour des odeurs correspond à une volonté d'améliorer la qualité de la vie. Il traduit également une attitude régressive, au sens psychanalytique, en renvoyant à l'état animal ; l'odeur est un moyen de marquer son territoire afin de se protéger, de manifester son existence et son identité.

Les hommes sont concernés par les produits d'hygiène-beauté.

Les freins psychologiques et sociaux à l'utilisation des produits de beauté par les hommes sont aujourd'hui moins forts que par le passé, d'autant que les valeurs féminines prennent une place croissante. Leurs tentatives s'étaient d'abord limitées à ce qui ne risquait pas, à leurs yeux, de diminuer leur virilité : crème pour les mains, eau de toilette, pommade pour les lèvres... Ils s'intéressent aujourd'hui à d'autres types de produits comme les crèmes pour le visage, les déodorants ou les parfums.

La part des produits masculins dans les dépenses d'hygiène-beauté ne représente encore que 10 %, mais elle s'accroît. Leur consommation est en réalité très supérieure, car les hommes empruntent souvent les produits des femmes : shampooings, produits pour la douche, déodorants, crèmes pour les mains, produits solaires...

Un homme sur quatre déclare choisir lui-même ses produits de soin ou de toilette. La part croissante

L'odeur participe à l'identité.

de la grande diffusion et des espaces en libre-service favorise cette évolution pour ceux qui hésitent à se rendre dans les magasins spécialisés. Les femmes restent cependant des prescripteurs essentiels et achètent encore la plupart des produits des hommes (sept parfums masculins sur dix).

Le recours à la chirurgie esthétique est de plus en plus fréquent.

Les produits de beauté permettent d'agir en surface, en embellissant le corps ou en rendant moins apparents les effets de son vieillissement. Mais les Français se tournent aussi vers des moyens d'agir en profondeur. Non contents de cacher leurs petits défauts physiques, ils cherchent à les faire disparaître, à remodeler leur corps selon leurs désirs, afin de lutter contre le vieillissement ou d'accroître leur pouvoir de séduction. 3 % d'entre eux ont déjà eu recours à la chirurgie esthétique, 9 % envisagent une intervention à l'avenir. Le nombre d'opérations est supérieur à 100 000 par an et s'accroît chaque année. Les femmes représentent 85 % de la clientèle.

Les quelque 4 000 médecins, gynécologues, parfois dentistes ou infirmières qui se sont lancés dans cette activité très lucrative ne sont pas tous compétents, ni parfois honnêtes. Les problèmes sont donc nombreux ; certaines opérations manquées laissent des traces beaucoup plus disgracieuses que les défauts qu'elles étaient censées supprimer.

Habillement

La part de l'habillement dans le budget des ménages a baissé de moitié en 30 ans.

Les ménages ont consacré 5,2 % de leur revenu disponible aux dépenses d'habillement en 1997, contre 11 % en 1960. La baisse concerne aussi bien les achats de vêtements que le recours aux services d'entretien-nettoyage ou la confection à domicile. Elle s'est amplifiée au cours des dernières années avec les changements intervenus dans les comportements de consommation.

Il faut préciser qu'il s'agit d'une baisse en valeur relative ; les Français ont utilisé l'accroissement de leur pouvoir d'achat (60 % en moyenne entre 1970 et 1990, en francs constants) pour augmenter en priorité leurs dépenses de santé, de logement ou de loisirs. De sorte que la part consacrée à l'habillement a diminué. Ce sont les catégories les plus modestes qui ont le plus réduit la part de leurs revenus consa-

Tout pour le corps

La frontière entre hygiène, beauté, santé, alimentation et habillement est de plus en plus floue. Car ces cinq domaines concernent en réalité une même préoccupation : vivre mieux dans son corps. Cette évolution est la conséquence de l'attachement des Français à leur état physique. Elle témoigne d'une vision plus globale du corps, qui contraste avec celle, partielle et spécialisée, qui a longtemps prévalu en Occident. Elle explique aussi l'engouement pour les médecines « parallèles » d'origine souvent asiatique. La frontière est de plus en plus souvent franchie, avec par exemple les produits de soin pour la peau contenant des vitamines ou des acides de fruits, les produits solaires qui protègent des mélanomes, les produits capillaires traitants. C'est le cas aussi avec ce qu'on peut appeler les « alicaments » (produits alimentaires ayant des vertus thérapeutiques ou préventives) ou les « médicollants » (collants agissant sur la circulation du sang ou la fatigue musculaire)... Signe des temps, les boutiques de parasanté vendent aujourd'hui des médicaments de confort, tandis que les pharmacies proposent un choix croissant de produits de beauté.

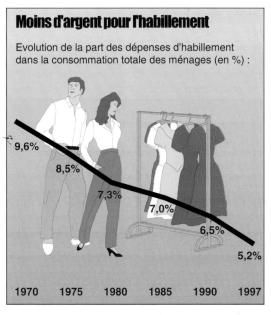

Moins d'argent pour l'habillement

Evolution de la part des dépenses d'habillement dans la consommation totale des ménages (en %) :

9,6%
8,5%
7,3%
7,0%
6,5%
5,2%

1970   1975   1980   1985   1990   1997

INSEE

165 milliards de francs

Evolution de la structure des achats d'habillement par sexe et par type de vêtements[*] :

	1980		1997	
	Part du rayon	Part des achats totaux	Part du rayon	Part des achats totaux
Hommes 15 ans et plus				
- Prêt-à-porter	55 %	20 %	51 %	17 %
- Petites pièces dessus	33 %	12 %	39 %	12 %
- Sous-vêtements et chaussants	12 %	5 %	11 %	3 %
Total habillement	**100 %**	**37 %**	**100 %**	**32 %**
Femmes 15 ans et plus				
- Prêt-à-porter	58 %	27 %	51 %	27 %
- Petites pièces dessus	17 %	8 %	25 %	13 %
- Sous-vêtements et chaussants	25%	12 %	23 %	12 %
Total habillement	**100 %**	**47 %**	**100 %**	**52 %**
Enfants 2-14 ans				
- Prêt-à-porter	51 %	7 %	43 %	6 %
- Petites pièces dessus	26 %	4 %	39 %	5 %
- Sous-vêtements et chaussants	23 %	3 %	19 %	2 %
Total habillement	**100 %**	**14 %**	**100 %**	**13 %**
Bébés 0-1 an				
- Layette	-	**2 %**	-	**3 %**

[*] La dépense totale des hommes s'élevait à 54 milliards de francs en 1997 contre 31 milliards en 1980. Celle des femmes était de 85 milliards en 1997 contre 41 en 1980. Celle des enfants était de 21 milliards en 1997 contre 11 en 1980. Celle des bébés était de 5 milliards en 1997 contre 2 en 1980.

crée à ce type de dépenses. Le rattrapage des catégories aisées par les plus modestes s'effectue lentement ; il l'est davantage chez les femmes que chez les hommes.

La dépense moyenne est de 11 000 F par ménage et par an, soit 4 400 F par personne (1997).

Ce budget comprend les vêtements, les chaussures, la mercerie (tissus, laine), les accessoires (sauf maroquinerie), les dépenses d'entretien (nettoyage, blanchisserie, réparation) ; il inclut les vêtements offerts aux personnes extérieures au foyer.

La baisse en valeur relative a touché toutes les catégories sociales, mais les dépenses restent très inégales : on peut les estimer pour 1997 à 6 000 F en moyenne pour les retraités, 9 000 F pour les ouvriers

et les employés, 10 000 F pour les agriculteurs, 19 000 F pour les cadres.

Les femmes représentent la moitié des dépenses (52 %), les hommes 32 %, les enfants 13 % et les bébés 3 %. C'est la situation inverse qui prévalait au début des années 50 : les hommes dépensaient 30 % de plus que les femmes pour s'habiller ; les dépenses concernant les filles étaient nettement inférieures à celles faites pour les garçons. Aujourd'hui, la garde-robe féminine comprend deux fois plus de vêtements que celle des hommes.

La part du budget consacrée à l'habillement diminue avec l'âge, avec un minimum au-delà de 65 ans (3 100 F par an pour une personne seule, contre 6 000 F si elle a moins de 65 ans). Elle est plus élevée dans les grandes villes que dans les zones rurales. Ce sont les célibataires de moins de 35 ans qui dépensent le plus pour s'habiller.

Le prix joue un rôle essentiel.

D'après une enquête du CTCOE de 1997, le prix constitue le premier critère d'achat d'un vêtement (avec une note de 5,3 sur 6), devant la composition (3,7) et les informations portées sur l'étiquette (3,3). La marque n'arrive qu'ensuite (2,6). La demande de confort et surtout de facilité d'entretien est croissante. Les acheteurs recherchent toujours les « bonnes affaires ». Les périodes de soldes représentent 40 % des achats de vêtements en volume et 30 % en valeur ; les circuits courts de distribution (magasins d'usine, dépôts-vente) prennent une place croissante.

Les grandes surfaces continuent d'accroître leur part (17 % des achats en 1996), mais les magasins indépendants restent le premier lieu d'approvisionnement, avec 26 %. Les grandes surfaces spécialisées jouent aussi un rôle croissant (12 %), devant les succursalistes (10 %), la VPC (9 %), les grands magasins et magasins populaires (6 %), les boutiques franchisées (6 %), les magasins de sport (5 %), les marchés et foires (5 %), les groupements d'achats (1 %) et les magasins d'usine (1 %).

La « légitime dépense »

La course aux prix bas semble avoir atteint un palier au profit de la recherche de produits présentant un rapport qualité/prix favorable. Les Français sont de plus en plus exigeants ; ils veulent des vêtements à la fois imperméables et respirants, chauds et légers, esthétiques et résistants, portables à la ville et à la campagne.

Cette évolution, ainsi que le déclin de la haute couture et de la création française, s'accompagne d'une arrivée d'enseignes étrangères de prêt-à-porter chic comme les Espagnols Zara et Mango, le Suédois H & M, l'Américain Gap. Le succès de ces marques réside dans un rapport qualité/prix attractif pour des produits de création véritable ou inspirés de la haute couture, bien mis en scène dans des boutiques sobres et raffinées.

La montée de l'individualisme et la crise économique ont réduit l'influence de la mode...

Dans un contexte d'individualisation des comportements, les Français ont résisté à l'uniformité et aux diktats imposés par les créateurs. Les pressions sociales ont beaucoup diminué et les différences se sont faites davantage dans les modes de vie que dans la façon de s'habiller. Le vêtement a donc perdu

Les hommes s'intéressent à leurs vêtements.
Gibraltar

son statut de signe extérieur de richesse, de « frime » ou de « look » ; il est devenu un moyen de chercher et d'affirmer sa propre identité. A ce changement d'attitude s'est ajoutée la difficulté croissante de décoder une mode devenue multiple, éclatée, contradictoire.

Le résultat est que les Français ont renouvelé moins souvent leur garde-robe, cherchant plus à s'insérer dans leur milieu social ou professionnel qu'à se faire plaisir ou à jouer avec leur apparence. Les femmes, notamment, se sont senties moins tenues de suivre la mode et d'acheter des vêtements coûteux.

... mais l'intérêt pour l'habillement s'est accru récemment.

L'évolution récente traduit une volonté de rupture avec les années passées. Après des années de frustration, les Français ont envie de se faire plaisir, de sortir de la torpeur, de l'austérité et de l'uniformité des années de crise. Le souci de séduction reprend de l'importance. Ainsi, les achats de prêt-à-porter féminin se sont stabilisés en 1997 (+ 0,6 % en francs courants) après quatre années consécutives de baisse.

Ceci se traduit par le retour, encore limité, des achats d'impulsion sur certains produits et une volonté nouvelle de s'affirmer socialement par sa tenue. Ce mouvement est renforcé par l'enrichissement de l'offre avec des vêtements moins basiques, plus colorés et créatifs, utilisant des matériaux aux propriétés nouvelles (Lycra, Lyocell, Tactel, Tencel, Rhovil'on Soft, Silfresh...).

Les Français recherchent des vêtements multifonctionnels.

Les vêtements destinés à la pratique sportive, qui s'étaient imposés à la fois comme vêtements de détente et de loisirs, de ville et de travail, connaissent aujourd'hui un palier. Ils sont remplacés par des vêtements multifonctionnels, portables dans la plupart des circonstances de la vie.

On observe dans certaines catégories (notamment les jeunes) un besoin de fantaisie, voire de rébellion, après des années de compromis et de retenue. C'est ce qui explique l'intérêt récent pour le kitsch, le mauvais goût volontaire, l'ordinaire et le populaire. Le moment est peut-être venu de casser les codes vestimentaires établis et de transgresser les interdits.

Tendances (Automne-hiver 1998/99)

FEMMES. La mode redevient *glamour*, avec une sophistication et une volonté de séduction affichées. Elle se décline en trois univers :

. Alice au pays des merveilles. Ligne près du corps et fluide dans des mélanges de matières et d'aspects très élaborés ; longs manteaux de ligne cocon ou à col peignoir, pantalon taille basse ou extra-large à carreaux, robe façon gitane ou patchwork, costume pantalon, gilet et bustier pailletés ou damassés, T-shirt à manches longues et motifs brodés, pailletés ou à plumes, robe et chemisier transparents et asymétriques. Palette de foncés profonds (grenat, carmin, pourpre, violet, bleu-noir) animés par des coloris intenses type vert luciole, turquoise, rose ou or.

. Carnaby street. Esprit ludique pour jeunes femmes anticonformistes avec des lignes étriquées et masculines, mais élancées. Pardessus 3/4 masculin avec taille descendue ou col fourrure, kilt et chemise à carreaux, bermuda d'hiver, pantalon fuselé ou géant à carreaux, coupe-vent raglan, costume caban, veste-châle, jupe tube, robe bustier fendue, top et robe en maille patchwork ou en panne de velours. Palette de teintes vives genre berlingot travaillées avec des pastels (vert amande, bleu myosotis, rose bruyère), des neutres ou des classiques foncés.

. Mégapole. Emprunts aux années 80, silhouette épurée avec des mélanges de volumes structurés et fluides. Sweat, jogging, robe ou veste-manteau croisée ou à boutonnage droit, manteau maxi-long de forme peignoir, pantalon tube ou baggy, parka à capuche, tailleur d'esprit masculin, tunique et jupe à découpes anatomiques, doudoune, manteau ou caban d'inspiration militaire. Blanc et noir, contrastes à base de bleu dur et de gris avec des neutres rosés, verdis, bleuis.

HOMMES. La rigueur reste la règle, mais la séduction reprend ses droits avec la montée en puissance de tenues plutôt sophistiquées pour la vie professionnelle. La silhouette est nette et structurée, la taille marquée. Les produits-phares sont la veste trois boutons à col Mao, le pantalon fuselé avec surpiqûres ou à rayures, le jean en cuir, l'imperméable maxi en gabardine ou cuir, le costume avec veste un ou deux boutons à col « pelle à tarte » et manches étuis, la veste-redingote ou longue à taille appuyée, le blouson zippé en Nylon ou maille compacte, le cardigan, le polo et le pull à col chemise, cheminée, la chemise à col effilé et/ou à découpes anatomiques. Couleurs classiques et raffinées dans les gris, marine, marron, noir,

avec des pointes de teintes vives comme les bleus francs et les jaune-orange.

Les tenues décontractées sont « chic », avec une silhouette bien construite et généralement près du corps, voire étriquée. Les produits-phares sont le caban et la redingote à col Danton, le blouson à col cuir ou poches treillis, la longue parka en gros drap ou cuir vieilli, le cardigan et pull à col camionneur en grosse jauge, la chemise en coton molletonné à carreaux ou en polaire, le pantalon large, le sweat-shirt à col polo. Les teintes sont bleutées et violacées, les tons terre brûlée et orangés, ou vert kaki, bronze et absinthe.

ENFANTS. Les matières sont technologiques (traitements antibactériens, antitaches...). Les formes sont fonctionnelles et mode. Superpositions de robe, cardigan et caleçon pour les filles, jupes plissées, robes chasuble ou en tricot, fausses fourrures. Sweat ou surchemise, gilet matelassé et pantalon *battledress* pour les garçons. Pour tous, polaires, velours (ras, ciselé, floqué), toiles, enduits protecteurs, cardigans raffinés, mailles chinées, carreaux de toutes sortes. Les couleurs sont vives et subtiles, traitées en demi-teinte.

Boutiques International, janvier 1998

◆ *La part de la confection domestique dans les dépenses d'habillement est passée de 10 % en 1953 à 3 % aujourd'hui. Dans le même temps, les dépenses de services extérieurs de réparations et nettoyage sont passées de 1 % à 10 %.*

◆ *Les Français ont acheté 45 millions de soutiens-gorge, 130 millions de slips, 23 millions de maillots de bain, 44 millions de vêtements de nuit, 247 millions de collants en 1996.*

◆ *Le sur-mesure ne représente plus que 1‰ des dépenses d'habillement contre 10 % en 1953.*

Les achats de lingerie féminine sont en progression.

La lingerie est l'un des rares secteurs de l'habillement à avoir été épargné par la crise. Les Françaises ont acheté en moyenne 4 slips ou culottes par an et 2 soutiens-gorge en 1996. Au cours des dernières années, la taille standard des soutiens-gorge est passée de 85 B à 90 B.

La dépense moyenne annuelle est un peu supérieure à 600 F par femme, dont la moitié pour la corseterie (soutiens-gorge, gaines...) ; elle varie fortement en fonction de l'âge : 820 F pour les 15-24 ans, 390 F pour les 65 ans et plus. La lingerie de jour (slips, culottes, combinaisons, bodies) connaît aussi un engouement croissant, avec une dépense moyenne de 200 F par an et par femme.

Ces achats sont portés par le courant récent de féminité et de séduction, dont le soutien-gorge ampliforme a été le signal. Cette motivation explique aussi l'intérêt pour les produits de maintien destinés à affiner la silhouette. Les femmes aiment changer de lingerie, en s'adaptant aux circonstances ; elles apprécient les microfibres, matières synthétiques aussi douces que la soie.

28 % des achats de lingerie sont effectués en grande surface, 24 % dans des magasins indépendants, 15 % dans des chaînes spécialisées, 15 % en VPC, 11 % dans des grands magasins et magasins populaires, 8 % dans d'autres circuits.

Le collant ne décolle plus

Après la forte croissance des années 80, les achats de collants ont connu une forte diminution depuis plusieurs années (moins de 250 millions de paires en 1997, contre 344 en 1988). Elle s'explique surtout par l'usage des nouveaux matériaux comme le Lycra qui ont prolongé la durée de vie des produits, ainsi que par la mode des jambières, chaussettes et mi-bas. On observe un intérêt croissant pour la transparence, avec un passage de l'opaque au semi-opaque.

Les jeunes ont des comportements vestimentaires différents de ceux des adultes.

L'importance de la mode se manifeste dès l'école primaire chez l'enfant et prend une importance considérable à l'entrée au collège. Tout ce qui peut permettre une identification à travers le vêtement ou l'accessoire est recherché : inscriptions, formes, matériaux et marques. Mais le poids des grandes marques diminue chez les jeunes comme chez les adultes, avec une tendance à mélanger les vêtements coûteux avec d'autres bon marché achetés éventuellement en grande surface. Le jean continue d'être la base de la garde-robe des jeunes : 80 % des 8-16 ans en achètent au moins un par an (20 % des 14-16 ans sans être accompagnés de leurs parents).

◆ 5 % seulement des vêtements sont confectionnés à la maison ; les deux tiers sont des tricots.

L'Atlantique à la mode.
Publicis / Grand angle

La musique et le sport sont les principales sources d'influence de la mode des jeunes.

Les modes vestimentaires des adolescents (12 à 18 ans) sont difficiles à saisir et fugaces, oscillant entre la « provoc' », la « récup' », le détournement et la dérision. Leurs deux principaux pôles de référence sont la musique et le sport, mais leurs goûts dans ces domaines évoluent très vite. La mode inspirée du snowboard est ainsi en train de changer : vêtements moins larges, tissus plus sobres. Mais elle continue de traduire un goût pour l'extrême et une volonté de rébellion.

Après quelques années de mode unisexe, la différenciation entre les filles et les garçons tend à s'accroître. Chez les filles, la robe a perdu du terrain au profit de la jupe. Les magasins de sport prennent une part croissante dans les achats de vêtements de ville.

CHAUSSURES. Les ménages dépensent en moyenne 1 600 F par an, soit 640 F par personne.

Les dépenses représentent un quart de celles consacrées aux vêtements, une proportion assez stable dans le temps. Leur montant varie en revanche largement en fonction des catégories sociales : 3 000 F pour les ménages cadres, 1 700 F pour les employés et les ouvriers, 1 500 F pour les agriculteurs, 900 F pour les retraités.

Un tiers des achats sont effectués dans des magasins de détail indépendants, 30 % dans des chaînes (*André, Eram...*) ou des magasins installés dans les périphéries des villes (*Halle aux chaussures...*) contre 22 % il y a dix ans, 15 % dans des grandes surfaces (en stagnation, malgré l'accroissement du nombre de points de vente), 4 % par correspondance, le reste dans les grands magasins, marchés, etc.

Les Français restent les plus gros acheteurs d'Europe.

Avec un peu moins de six paires par personne et par an (5,6 en 1997), les Français sont les plus gros acheteurs de chaussures de tous les pays de l'Union européenne. Ils se situent devant les Danois (5,1), les Irlandais (4,5) et les Allemands (4,3).

Les achats annuels représentent en moyenne environ deux paires de chaussures de ville, une paire de chaussures de sport, une paire de pantoufles et deux paires d'autres modèles (bottes en caoutchouc, sandales, espadrilles...).

54 % des Français déclarent avoir entre trois et cinq paires (chaussures de ville), 30 % en ont au moins six, 12 % en ont deux, 3 % une seule ; il faut y ajouter les autres types de produits (pantoufles, chaussures de sport...).

Les achats stagnent en valeur mais augmentent en volume, du fait de la baisse des prix moyens.

Après une baisse de 2,2 % en 1996, les dépenses de chaussures ont augmenté de 1 % en valeur en 1997, soit dans le même ordre que l'inflation. Comme dans leurs achats d'habillement, les Français s'intéressent plus à la qualité des produits, mais ils restent très attentifs aux prix. C'est ce qui explique que les achats augmentent en volume (nombre de paires), alors que les dépenses stagnent en francs constants.

La baisse des prix moyens s'explique par la part croissante des produits importés. Sur 1,1 milliard de paires produites en Europe en 1997, 70 % ont été fabriquées dans les pays du Sud (Italie, Espagne, Portugal) ; l'Italie en a fabriqué à elle seule 483 millions de paires. Mais la Chine a produit 4,3 milliards de paires.

Le phénomène a aussi été favorisé par le développement des circuits de distribution courts (magasins d'usine, soldeurs...) et la part croissante des promotions et des soldes dans les achats.

L'évolution récente va dans le sens d'un compromis entre confort et élégance.

A la ville, les femmes cherchent à concilier bien-être et féminité ; après les modèles massifs de ces dernières années, elles reviennent à des chaussures plus légères et simples, parfois *stretch*.

Les hommes ont abandonné les chaussures « bateau » apparues dans les années 1985-1986 pour s'intéresser d'abord au « classique chic » illustré par les modèles britanniques, puis aux produits offrant une élégance plus décontractée. Les boots restent à la mode.

L'influence des nouvelles créations se fait surtout sentir chez les jeunes et les adolescents. Le développement récent de la randonnée a profité aux chaussures de marche, dont certaines sont devenues des symboles, comme les Doc Martens. Avec les vêtements, les chaussures constituent pour les jeunes un moyen d'affirmer leur appartenance à un groupe, à une « tribu », alors qu'elles servaient auparavant surtout à se différencier des adultes.

Tendances automne-hiver 1998-99

La tendance des collections est à des produits plus « sauvages » et plus « voyants » que ceux des années précédentes, asymétriques, confortables. Le gris cherche à s'imposer aux côtés du noir. Le cuir (lisse ou granuleux) reprend l'avantage par rapport aux modèles en textile et en induction.

La tendance « opulente » se répand. Les modèles présentent des aspects changeants, irisés, transparents, ombrés, métallisés sur des matières lisses et brillantes. La tendance velours se confirme sur des supports fins ou plus rustiques : *stretch* lisse ou crispé, froissé, smocké, avec des motifs baroques floqués ou des reliefs tressés. Les matières poilues et les fausses fourrures reviennent.

La tendance technique est toujours d'actualité, avec des nylons travaillés et des microfibres, des tissus moussés thermoformés. Les coloris font appel à l'ocre ou la rouille ; ils sont mis en valeur par les brillances et les effets mordorés.

Bureau de style Chaussure Maroquinerie Cuir

✦ *S'ils devaient passer un entretien d'embauche, 72 % des Français accorderaient beaucoup d'importance à leurs chaussures, 25 % non. (Canal Plus/BVA, novembre 1996)*

La chaussure de sport exerce toujours une forte influence.

Après la vogue du jogging dans les années 70, puis celle de l'aérobic dans les années 80, c'est le basket américain qui avait connu un engouement spectaculaire en France. La chaussure de sport avait envahi les villes. Ce phénomène avait été entretenu par l'innovation technologique des grands fabricants comme Nike ou Reebok. Les exploits de Michael Jordan et de Magic Johnson au début des années 90 avaient aussi joué un rôle d'entraînement considérable.

On observe depuis quelques années un engouement pour des activités plus proches de la nature *(outdoor)*. Il a profité aux achats de chaussures de marche et de randonnée, qui ont atteint depuis 1996 un palier, au profit des *running, crosstraining* et basket.

Aujourd'hui, les chaussures de ville s'inspirent toujours de celles de sport, mais elles sont redevenues autonomes.

COIFFURE. Les Français vont chez le coiffeur en moyenne 7 fois par an.

Au milieu des années 70, un Français sur deux n'allait jamais chez le coiffeur. La proportion n'est plus aujourd'hui que d'un sur trois. Les femmes s'y rendent plus fréquemment que les hommes ; la moitié d'entre elles au moins une fois par mois, 21 % tous les deux mois, 19 % tous les trois mois, 6 % tous les six mois, 5 % tous les ans.

Le nombre des salons de coiffure est passé de 58 000 en 1980 à moins de 50 000 en 1997 (dont 56 % pour femmes, 22 % pour hommes et 22 % mixtes). Le nombre de salons franchisés ne cesse de s'accroître (Jean-Claude Biguine, Gérard Clémain, Jean-Louis David, Jacques Dessange...). On a vu apparaître depuis la fin des années 80 des coiffeurs à domicile ; on en compte environ 5 000. Leurs clients sont surtout des personnes âgées ou pressées.

On constate depuis quelques années un ralentissement des dépenses.

Le budget coiffure représente 0,6 % des dépenses totales des ménages. Les femmes qui vont chez le coiffeur dépensent en moyenne 190 F par mois, contre un peu moins de 100 F pour les hommes.

La baisse des dépenses constatée s'explique par la plus grande liberté individuelle concernant l'apparence, ainsi que par la mode des cheveux longs pour les hommes. Elle a été largement favorisée par les progrès des produits de coloration et de traitement des cheveux destinés au public et la mise sur le marché d'appareils comme les peignes soufflants. Sur les 12 millions de femmes qui se colorent les cheveux, 27 % le font elles-mêmes ; 55 % le font pour couvrir leurs cheveux blancs, 21 % pour renforcer leur couleur naturelle, 10 % pour « changer de tête ».

Un Français sur cinq perd ses cheveux

19 % des Français déclarent perdre leurs cheveux. C'est le cas de 28 % des hommes à partir de 35 ans et de 60 % des plus de 50 ans. On estime à 9 millions le nombre de Français qui ont une calvitie. 33 % la considèrent comme un handicap dans les relations avec l'entourage, 16 % dans la vie professionnelle, 10 % dans la vie sentimentale.

ACCESSOIRES. Le besoin de révéler sa personnalité va de pair avec la tentation de la transcender.

Outre le fait qu'il permet de personnaliser une tenue vestimentaire, l'accessoire contient une part de rêve. Il est un outil de séduction, mais il fait aussi partie de ces « petits plaisirs » achetés au gré de l'humeur. Dans un contexte de ralentissement des dépenses d'habillement, il permet à chacun de se façonner une silhouette et de se donner une identité. Les accessoires sont souvent utilisés pour changer d'apparence sans changer de vêtements. C'est pourquoi la distinction journée/soir tend à être plus fréquente.

La tendance est à une sophistication discrète et à une miniaturisation.

Le sac reste au premier rang des accessoires féminins : les mini-sacs, minicabas, minibesaces et mini-sacs à dos sont en forte croissance ; le cuir recule au profit des matières synthétiques comme le Nylon, le polyester, le PVC ou la fausse fourrure (utilisée pour les petits sacs à anses ou à bandoulière). Les chapeaux reviennent à la mode depuis plusieurs années. Ils prennent la forme de cloches ou de bonnets et sont souvent coordonnés avec des étoles. Chez les jeunes, qui restent fascinés par le modèle américain, la casquette est toujours à la mode.

s chapeaux, les gants font un nombre
adeptes parmi les femmes.

algie n'est pas absente de la mode ac-
c un retour apparent aux années 40, 60
écharpes en velours ou en patchwork et
de soie imprimés sont de plus en plus
portés, a l'inverse des serre-têtes en velours ou des
foulards en mousseline.

BIJOUX. *Les achats augmentent en volume, mais baissent en valeur.*

Entre 1990 et 1996, le nombre de bijoux achetés par
les Français est passé de 10 millions à 16 millions
d'unités. Mais le prix moyen est passé dans le même
temps de 1 200 F à 800 F. Cette évolution est due
pour partie à l'importation de produits à bas prix en
provenance d'Italie et de Thaïlande. Elle est liée
aussi à l'apparition des discounters (Leclerc, Tati...)
et à la part croissante des grandes surfaces, qui
représentent aujourd'hui 30 % des achats en volume
et 20 % en valeur ; avec ses 190 Manèges à bijoux,
Leclerc est devenu le premier bijoutier de France
(2,6 millions de pièces vendues en 1996, pour 1 milliard de francs).

Les objets en or représentent 62 % des achats de
bijouterie, devant ceux consacrés à l'horlogerie pré-
cieuse (29 %), l'argent et le plaqué (7 %) et les perles

L'accessoire joue un rôle essentiel.
Ateliers ABC

(2 %). L'or à 9 carats, autorisé depuis janvier 1994, ne
séduit pas les Français, malgré son prix moins élevé
(jusqu'à 40 % d'écart avec le 18 carats traditionnel).

60 % des achats sont effectués par des femmes.
On observe qu'une part croissante des bijoux sont
achetés pour soi-même plutôt que comme cadeau. Il existe cependant un sentiment de culpabilité à l'égard du bijou, jugé arrogant et superficiel
dans un contexte de crise économique et sociale.

LA SANTÉ

État de santé

L'état de santé des Français s'est largement amélioré au cours des dernières décennies.

La comparaison des indicateurs de santé montre que la France est bien placée par rapport à l'ensemble des pays développés. L'espérance de vie à la naissance a augmenté de quatre mois par an au cours des dix dernières années ; elle est aujourd'hui la plus longue des pays de l'Union européenne (voir *Temps*). L'espérance de vie sans incapacité a progressé encore plus vite : 2,8 ans pendant les années 80 contre 2,5 ans pour l'espérance de vie à la naissance. Les Français vivent donc plus longtemps et souffrent plus tardivement de maladies ou de problèmes liés au vieillissement.

La France occupe également une position favorable en ce qui concerne les maladies cardiovasculaires, moins fréquentes que dans la plupart des pays développés.

La mortalité a diminué dans de fortes proportions...

En un demi-siècle, la mortalité a connu une forte baisse : 9 ‰ habitants en 1997 contre 13 en 1950. Ces progrès sont dus principalement à trois révolutions : le développement des antibiotiques, complété par la médecine périnatale ; les thérapies cardio-vasculaires, qui ont notamment protégé les personnes âgées ; la réduction, plus récente, des « maladies de civilisation » et des cancers.

La régression sensible des maladies infectieuses explique notamment la chute spectaculaire de la mortalité infantile, passée de 162 décès pour mille naissances vivantes en 1980 à 4,9 en 1996. Mais les tumeurs ont progressé chez l'homme et arrivent en seconde position des causes de décès (quatrième en 1925). Après avoir progressé jusqu'en 1960, les maladies liées à l'alcoolisme ont régressé.

La baisse de la mortalité a plus bénéficié aux femmes qu'aux hommes. Un phénomène vérifié dans toutes les tranches d'âge, mais en particulier chez les 25-35 ans, du fait des accidents, des suicides et de l'apparition du sida, ainsi que chez les 55-65 ans, touchés par le cancer.

... mais les Français sont inquiets pour leur santé.

67 % des Français se déclarent préoccupés pour eux-mêmes et leur famille par les risques qui pèsent sur la santé (INSEE, juin 1997). Ils ont trouvé au cours des dernières années de nouveaux motifs d'inquiétude : apparition de la maladie de la « vache folle » et transmission probable à l'homme ; présence d'amiante dans les locaux professionnels et dans les logements ; accroissement de la pollution atmosphérique dans les villes ; insuffisance de la qualité de l'eau du robinet...

Plus d'un tiers de la population se sent ainsi moins en sécurité qu'il y a quelques années. C'est pourquoi 38 % déclarent boire le plus souvent de l'eau minérale, 18 % ont renoncé à prendre leur voiture en cas de pollution atmosphérique, 10 % ont arrêté de manger de la viande de bœuf lors de la crise de la « vache folle ».

Si les femmes vivent en moyenne plus longtemps que les hommes, on constate qu'elles sont plus pessimistes dans la perception de leur qualité de vie physique ou mentale (mais plus optimistes en ce qui concerne les risques d'incapacité).

Plus de 500 000 décès se produisent chaque année.

Les maladies de l'appareil circulatoire ont représenté 32 % des décès en 1996, devant les tumeurs (28 %) et les traumatismes et empoisonnements (8 %). Les causes de mortalité varient selon le sexe : depuis la fin des années 80, les tumeurs prédominent chez les hommes devant les maladies circulatoires, alors que ces dernières sont la première cause de décès des femmes, devant les tumeurs.

Le taux de mortalité varie de façon importante selon les régions. Il est toujours plus élevé dans le partant de Bretagne et aboutissant en Alsace, après avoir traversé le Pas-de-Calais, la Picardie et la Lorraine. La moitié des décès ont lieu hors de la commune de résidence ; ce phénomène est lié au fait qu'ils interviennent dans la moitié des cas en établissement hospitalier. Mais seuls 5 % des décès ont lieu hors de la région de résidence et 12 % hors du département.

La mortalité est globalement toujours maximale au cours des mois d'hiver (surtout janvier et février) et moindre en été, sauf chez les moins de 50 ans pour qui on constate l'inverse (du fait de la fréquence des accidents).

De quoi meurent les Français ?

Causes de mortalité par sexe (1996) :

	Hommes	Femmes
• Maladies de l'appareil circulatoire	79 585	93 592
dont : - *infarctus*	*26 121*	*21 155*
- *maladies vasculaires cérébrales*	*18 037*	*25 431*
• Tumeurs	89 194	58 527
• Accidents et autres morts violentes	26 279	17 402
• Maladies de l'appareil respiratoire	22 131	20 391
• Maladies de l'appareil digestif	13 924	12 509
• Autres causes	45 532	56 425
Total des décès	276 645	258 846

INSERM

Un quart des décès sont considérés comme prématurés.

La mortalité prématurée concerne les vies perdues à la suite de maladies ou accidents survenus avant l'âge de 65 ans, soit un quart de l'ensemble des décès (120 000 personnes par an), un taux supérieur à celui mesuré dans les autres pays développés. Les hommes sont beaucoup plus touchés que les femmes : 3,5 ‰ contre 1,5. Cette surmortalité masculine est due aux accidents (route, travail, maison), aux suicides, aux cancers et aux maladies liées à l'alcoolisme et au tabagisme.

40 000 personnes meurent en France chaque année à la suite de prises de risques individuels et

57 % des Français souhaitent une cérémonie religieuse lors de leurs obsèques et 10 % une bénédiction sans lieu de culte. 51 % ont une préférence pour l'enterrement (de préférence dans un caveau familial), mais 38 % envisagent l'incinération. Celle-ci ne représente actuellement que 15 % des cas. Le montant moyen des dépenses funéraires est de 26 000 F en cas d'inhumation (32 % pour le monument, 25 % pour le cercueil, 25 % pour les fleurs et articles funéraires, 18 % pour les soins du corps) ; il est de 16 000 F en cas de crémation. Le monopole communal en vigueur depuis 1904 a disparu depuis 1998, ouvrant la porte à la concurrence et à une baisse des prix.

Figaro Magazine-Salon funéraire/Sofres, octobre 1997

20 000 autres pourraient théoriquement être sauvées par une meilleure efficacité du système de soins. On estime que la moitié de ces décès seraient évitables. Avec le suicide des jeunes, ce problème représente un nouveau défi à relever pour la santé publique.

La pollution joue un rôle croissant sur l'état de santé.

Le progrès technique et l'accroissement du niveau de vie agissent sans aucun doute sur l'état de l'environnement. La pollution de l'eau est un problème dans certaines régions où les taux de nitrates dépassent les seuils autorisés. La pollution de l'air est devenue inquiétante dans les grandes villes.

Ainsi, on estime qu'une augmentation de 50 microgrammes par mètre cube d'air de dioxyde de soufre entraîne une hausse de 30 % des crises d'asthme et de 33 à 50 % des gênes respiratoires. On observe d'ailleurs que les visites à SOS Médecins pour cause d'asthme augmentent de près de moitié (46 %) les jours où le taux de dioxyde d'azote (polluant produit par les voitures) atteint la cote d'alerte, de 22 % les jours de pollution moyenne (un sur deux en été). Les enfants sont les plus vulnérables ; en été, les hospitalisations pour asthme augmentent de 25 % chez les moins de 14 ans lors des périodes de forte concentration de particules.

◆ *En cas d'urgence médicale, les Français feraient en priorité appel au Samu (35 %) ou aux pompiers (34 %), devant SOS Médecins (11 %) et l'hôpital (10 %).*

HANDICAPS. *Environ 5 millions de Français souffrent d'une incapacité ou d'une gêne dans la vie quotidienne.*

L'estimation du nombre des handicapés varie largement selon la définition utilisée. On estime qu'environ 10 % des Français « éprouvent une gêne ou des difficultés dans la vie quotidienne ». 2,2 millions souffrent de troubles moteurs, soit 4 % de la population. 1,6 million déclarent des déficiences visuelles (hors problèmes courants de la vision comme la myopie ou la presbytie qui peuvent être aisément corrigées). 750 000 sont atteints d'une déficience auditive prononcée. Plus de 800 000 souffrent de handicaps mentaux.

Ces handicaps rendent l'intégration sociale et professionnelle difficile. 580 000 adultes perçoivent une allocation spécifique pour handicapés, 370 000 une pension militaire d'invalidité et 270 000 une allocation compensatrice. 110 000 enfants handicapés sont pris en charge dans des établissements d'éducation spéciale, dont 84 000 pour retard mental ou déficience du psychisme, 10 000 pour déficience auditive ou visuelle, 6 000 polyhandicapés.

Une intégration insuffisante

On retrouve une proportion de personnes handicapées similaire dans d'autres pays d'Europe : Danemark, Espagne, Pays-Bas, Luxembourg. Elle serait supérieure en RFA (environ 12 %), inférieure en Irlande, en Grande-Bretagne et au Portugal.
On observe que les handicapés sont plutôt moins bien intégrés en France que dans d'autres pays, notamment de l'Europe du Nord. Ainsi, beaucoup de lieux publics leur sont peu accessibles. Les entreprises, qui sont tenues par une loi de 1987 d'employer des personnes handicapées dans la proportion de 6 % de leurs effectifs, préfèrent souvent s'acquitter de leurs obligations en versant une contribution financière à un organisme spécialisé.

Les diverses formes de handicaps peuvent être congénitales ou liées à des maladies, à des accidents ou à la vieillesse.

2 % des nouveau-nés sont porteurs d'une malformation, 2 ‰ d'une maladie héréditaire du métabolisme se manifestent dès le premier âge. Les autres handicaps physiques sont dus à des causes socio-économiques : accidents, maladies, conditions de vie n'ayant pas permis un développement normal de

Un Français sur dix

Déficiences déclarées par nature et par tranche d'âge (en % de la population concernée) :

	Ensemble	0 à 20 ans	21 à 59 ans	60 ans et +
- Auditive	1,3	0,3	0,6	4,6
- Visuelle	2,8	1,0	2,6	5,8
- Motrice	3,4	0,5	1,9	11,2
- Psychiatrique	0,6	0,2	0,6	0,9
- Intellectuelle	0,2	0,1	0,1	0,4
- Autre	1,5	0,5	1,0	4,5

SESI, 1992

l'individu. D'une manière générale, la vieillesse est un facteur important dans l'apparition des handicaps. Mais 23 % des handicapés pensionnés le sont depuis leur naissance.

Les handicaps mentaux sont liés à des névroses graves, à des psychoses chroniques, à l'alcoolisme, à la toxicomanie et aux formes graves de psychopathie. La durée de vie moyenne des handicapés mentaux est très inférieure à celle de la moyenne des Français. C'est ce qui explique que la plupart d'entre eux sont jeunes.

Un Français sur cinq souffre d'une maladie nerveuse au cours de sa vie. En 1996, les maladies du système nerveux et des organes des sens ont tué 12 929 personnes. La principale est la maladie de Parkinson (2 800 décès), qui touche principalement les personnes âgées.

Les maladies psychosomatiques sont de plus en plus fréquentes.

S'ils se considèrent pour la plupart plutôt en bonne santé par rapport aux personnes de leur âge, plus de la moitié des Français se disent fatigués. L'âge n'apparaît pas comme un facteur discriminant, puisque c'est le cas par exemple de 90 % des lycéens. On constate aussi une forte augmentation du nombre de personnes déclarant souffrir de mal de dos, de nervosité, de maux de tête, d'insomnie, ou d'état dépressif (voir encadré ci-après).

Les troubles de la raison sont également plus fréquents. Certains individus ne parviennent plus à conserver leur intégrité mentale ; d'autres glissent progressivement vers la folie. 800 000 Français sont aujourd'hui suivis par des « psys ». Le Conseil national

HCSP, 1996

de l'Ordre des médecins recense environ 10 000 médecins psychiatres, contre 2 600 en 1980, 72 en 1970 et 40 en 1950. Il faut y ajouter 1 000 à 5 000 psychanalystes ne relevant d'aucune institution spécialisée.

Les « médecins de l'esprit » sont aujourd'hui présents dans de nombreux domaines de la société : sport ; entreprise ; école ; médias. Les problèmes d'insertion et de maintien dans la vie professionnelle et sociale, la fragilité de la vie familiale et le délitement des liens sociaux expliquent cet accroissement considérable de la demande d'aide psychologique.

Les petites misères de la vie

45 % des Français souffrent d'un trouble de la vision : myopie, hypermétropie, astigmatie, presbytie (voir ci-après). Entre 1 et 4 ans, un enfant sur quatre est concerné, un sur sept entre 5 et 9 ans (l'apprentissage de la lecture servant souvent de révélateur), quatre personnes sur six entre 40 et 50 ans, neuf sur dix à partir de 60 ans.

6 millions de personnes souffrent d'une surdité au moins partielle. Seules 700 000 sont équipées d'appareils de correction (contour d'oreille, système intra-auriculaire, lunettes auditives, boîtiers).

51 % des Français se plaignent d'avoir mal au dos (contre 30 % en 1978), 44 % de nervosité (contre 32 %), 37 % de maux de tête (contre 31 %), 31 % d'insomnie (contre 19 %), 14 % d'état dépressif (contre 12 %). 13 millions de personnes déclarent avoir subi des affections telles que rhume, rhinopharyngite ou angine au cours des trois derniers mois.

A 18 ans, seule une personne sur cinq a encore toutes ses dents en bon état. 11 millions de Français portent un dentier.

57 % des femmes et 26 % des hommes se plaignent de problèmes de circulation veineuse dans les jambes. 7 millions souffrent d'hypertension artérielle, qui représente une pathologie à risque.

Les « maladies de société » sont des révélateurs de difficultés existentielles.

L'accroissement de la fatigue ou du mal de dos ne peut guère s'expliquer par une dégradation objective des conditions de travail ou de confort. Il est probablement la conséquence d'une somatisation liée au stress, à l'angoisse et au surmenage engendrés par la vie actuelle.

Le confort matériel issu du progrès technique et de l'accroissement du pouvoir d'achat s'est en effet accompagné d'un inconfort moral croissant. Le mal-être individuel peut pousser à mettre fin à ses jours (voir *Suicide*). Il peut aussi conduire à commettre des actes de violence à l'égard des autres, comme en témoignent les faits divers.

L'accumulation de problèmes ou de frustrations dans la vie professionnelle, familiale ou personnelle est l'une des causes principales de cette évolution. Chaque individu doit souvent jouer plusieurs rôles dans une même journée : employé ou patron, parent ou époux, élève ou professeur... L'obligation de résultat, la surcharge de travail, les problèmes de communication ou la solitude sont des contraintes difficiles à assumer dans une société qui ne pardonne guère les faiblesses et les erreurs. Les nuisances de l'environnement (bruit, pollution, agressivité ambiante) ajoutent encore à ces difficultés d'être.

49 % des Français portent des lunettes de correction.

28,6 millions de Français souffrent d'un problème de vue (44 % des hommes et 50 % des femmes). Leur nombre tend à s'accroître, du fait du vieillissement de la population et d'une plus grande attention accordée aux problèmes de vision. C'est le cas en particulier des enfants, du fait d'un meilleur dépistage scolaire. Après 55 ans, la généralisation de la presbytie (difficulté à voir de près) explique que 82 % des personnes portent des lunettes. Mais on estime que 90 % devraient être équipées à partir de 50 ans, soit 2,5 millions de plus que celles qui le sont.

Plus d'un adulte sur deux a un problème de vue.
Euro RSCG

En 1996, les Français ont acheté 7,5 millions de montures optiques et 18,4 millions de verres. Il faut y ajouter environ 13 millions de paires de lunettes de soleil. La forte croissance des achats des années passées a fait place à la stabilité. Les Français gardent en effet de plus en plus longtemps leurs lunettes : 3,6 ans en moyenne contre 3,3 il y a dix ans. Ils sont plus attentifs aux prix, mais aussi à l'esthétique et à l'ergonomie. Les verres progressifs continuent d'accroître leur pénétration.

1,7 million de Français portent des lentilles de contact. La proportion de la population française concernée est de 3 %, contre 8 % aux Etats-Unis. Mais on estime que 200 000 personnes troquent chaque année leurs lunettes contre des lentilles. Les Français ont acheté en 1996 un million de lentilles de contact traditionnelles et 14 millions de lentilles souples jetables ou à remplacement fréquent (15 jours à 3 mois). Les porteurs de lentilles perméables à l'oxygène les changent en moyenne tous les deux ans. Les femmes représentent les trois quarts des clientes ; leur motivation est principalement esthétique. Les lentilles colorées, qui permettent de modifier la couleur des yeux, sont de plus en plus utilisées.

Les femmes voient moins bien que les hommes

Les femmes âgées de 15 à 30 ans sont 20 % plus nombreuses que les hommes à avoir une correction de la vue. L'écart est de 10 % entre 30 et 50 ans. Ce phénomène ne peut s'expliquer par un meilleur suivi médical des femmes, car les hommes consultent aussi souvent qu'elles pour leur vue. Il n'est pas lié non plus à l'activité, car il se retrouve dans toutes les professions.
L'explication proposée est que les garçons mesurent en moyenne environ 10 centimètres de plus que les filles, la différence étant concentrée sur le tronc. Ceci leur permet d'avoir plus de recul à l'école ou chez eux pour lire, ce qui réduit la fatigue oculaire. De plus, la proportion de « grands lecteurs » est deux fois plus élevée chez les femmes. Leur vue serait donc fragilisée par une lecture plus fréquente effectuée à une distance plus réduite.

◆ 66 % des personnes ayant des lunettes les utilisent régulièrement, 34 % occasionnellement ; 33 % pour voir de près, 22 % pour voir de loin, 47 % pour les deux raisons.

◆ 23 % des Français ont au moins deux paires de lunettes de correction.

Maladies

MALADIES CARDIO-VASCULAIRES.
1,3 million de Français sont soignés chaque année pour des problèmes cardiaques, mais la France est l'un des pays les plus épargnés.

Ces maladies sont à l'origine d'un tiers des décès annuels. Elles constituent la première cause de mortalité pour les femmes (94 000 décès en 1996) et la deuxième pour les hommes, derrière les cancers. La moitié des décès concernent les arrêts cardiaques (47 000 ischémies) et le cerveau (43 500 décès dus aux maladies vasculaires cérébrales).

L'hérédité, mais aussi les modes de vie, sont les principaux facteurs de risque. Entre 35 et 65 ans, les hommes meurent trois fois plus de ces maladies que les femmes (deux fois plus entre 15 et 34 ans). L'infarctus du myocarde est l'une des premières causes de mortalité précoce ; sur plus de 100 000 cas recensés chaque année, la moitié sont mortels. Une victime sur deux a moins de 65 ans. Les progrès des techniques médicales ont cependant divisé par deux le nombre de décès en dix ans. L'amélioration de l'hygiène de vie des malades a permis d'éviter les rechutes.

La proportion constatée en France est l'une des plus faibles des pays développés : 61 cas pour 100 000 habitants contre 200 en Grande-Bretagne, 176 aux Etats-Unis, 173 en Australie, 106 en Suisse, 94 en Italie. Cette situation s'explique par une politique efficace de prévention, d'information et de dépistage des personnes à haut risque (en particulier les hypertendus). Les accidents vasculaires cérébraux ont ainsi diminué de 40 % entre 1975 et 1985 et leur part continue de baisser. Des études montrent que la consommation modérée de vin a aussi des effets bénéfiques.

CANCER. *Près de 200 000 personnes sont atteintes chaque année d'une tumeur ; 148 000 en sont mortes en 1996.*

Depuis 1990, le cancer est la première cause de mortalité chez l'homme et la deuxième chez la femme ; il était la cause de 28 % des décès en 1996. Les hommes sont 1,6 fois plus concernés que les femmes (345 cas pour 100 000, contre 260). La mortalité masculine a augmenté régulièrement depuis le début des années 70 jusqu'en 1985, avant de commencer à diminuer. Celle des femmes a au contraire baissé sans interruption, de sorte que l'écart de mortalité entre les sexes est aujourd'hui le plus important des pays de l'Union européenne.

Le cancer du poumon est la première cause de décès chez les hommes. Il devient aussi plus courant chez les femmes, qui fument davantage, mais reste loin derrière celui du sein et celui du col de l'utérus. Les mélanomes (cancers de la peau) ont connu une forte croissance liée à une plus forte exposition au soleil (1 600 décès en 1996).

Le tabac serait responsable d'un cancer sur quatre, le type d'alimentation interviendrait dans 20 à 30 % des cas, l'alcool dans 10 %. Le risque augmente à partir de 50 ans mais diminue à partir de 80 ans.

Un cancer sur quatre serait dû au tabac.
BDDP Conseil

Mort et tumeurs

Nombre de décès par cancer par sexe (1996) :

	Hommes	Femmes
Toutes tumeurs	**89 194**	**58 527**
dont :		
• Poumons, trachée, bronches	20 522	3 812
• Intestin	8 464	7 884
• Lèvres, bouche, pharynx	4 436	721
• Œsophage	3 858	714
• Estomac	3 528	2 264
• Pancréas	3 377	3 127
• Vessie	3 380	1 142
• Leucémies	2 605	2 192
• Prostate	9 380	-
• Sein	139	11 010
• Utérus	-	2 982
• Ovaire et annexes	-	3 285

Des taux de guérison très variables

Les chiffres des décès ne reflètent pas l'importance des différents types de cancer, du fait de leurs taux de guérison très variables : le taux de survie à cinq ans est ainsi de 10 % pour le poumon et l'œsophage (50 % pour les cancers du poumon opérables), 26 % pour la bouche et le pharynx, 44 % pour le rectum, 45 % pour le colon, 46 % pour le larynx, 65 % pour le col de l'utérus, 71 % pour le sein, 80 % pour la prostate. Le cancer du sein représente près de la moitié des cancers des femmes mais seulement 18 % de leur mortalité par ce type de maladie.

SIDA. *Fin décembre 1997, environ 20 000 personnes étaient atteintes de la maladie.*

La diminution amorcée en 1995 s'est confirmée. Le nombre de nouveaux cas diagnostiqués en 1997 était de 2 500 (pour un nombre de décès de 1 300) contre 5 700 en 1994. Cette amélioration est en partie due au fait que la période d'incubation augmente grâce aux thérapeutiques mises en œuvre.

Depuis l'apparition de la maladie en 1978, le nombre cumulé de cas est de 47 000, dont 39 000 hommes. Le nombre de décès est estimé à 36 000, en tenant compte du fait que 10 à 20 % des cas ne sont pas déclarés et qu'il existe un délai entre le diagnostic et la déclaration. Le nombre actuel des séropositifs serait de 110 000.

Le taux de mortalité global cumulé (nombre de personnes décédées par rapport au nombre de cas recensés) est de l'ordre de 60 %. Après dix ans, la moitié des personnes infectées développent la maladie ; parmi les autres, 25 % présentent une immunité nettement diminuée avec des infections mineures, et 25 % conservent une immunité satisfaisante.

Le sida n'est responsable que d'un décès sur cent, mais d'un sur cinq parmi les hommes âgés de 30 à 34 ans, et plus d'un sur dix parmi les femmes de 25 à 34 ans.

Le nombre de cas est de 115 pour un million d'habitants en Ile-de-France, 63 en Provence-Alpes-Côte d'Azur, mais seulement 10 en Franche-Comté. Il atteint 154 aux Antilles et en Guyane.

INSERM

HCSP, 1997

Centre européen pour la surveillance
épidémiologique du sida

La décrue confirmée

Evolution du nombre de nouveaux cas de sida
déclarés (redressés en fonction des délais de
déclaration) :

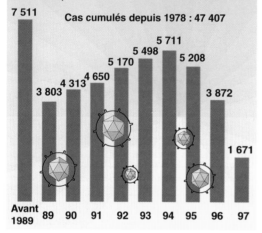

Cas cumulés depuis 1978 : 47 407

7 511	3 803	4 313	4 650	5 170	5 498	5 711	5 208		3 872	1 671
Avant 1989	89	90	91	92	93	94	95		96	97

Plus d'un malade sur deux
ne se savait pas séropositif

INSERM-MNEF/Sofres, octobre 1997

Les tests de dépistage ne sont pas encore
généralisés auprès des personnes à risques. Une
forte proportion de celles qui développent la maladie
ne savaient pas qu'elles étaient séropositives ; c'était
le cas en 1997 de 64 % des hommes et de 46 % des
femmes hétérosexuels, contre 22 % des hommes et
10 % des femmes usagers de drogues. La proportion
était de 45 % chez les homosexuels/bisexuels.
Par ailleurs, l'information sur la maladie et sur les
moyens de prévention reste insuffisante. 82 % des
jeunes de 16 à 28 ans s'estiment suffisamment
informés sur le sida (19 % non), 54 % sur les
maladies sexuellement transmissibles (46 % non).
C'est sans doute pourquoi 44 % déclarent ne jamais
utiliser un préservatif dans leurs rapports avec leur
partenaire ; seuls 39 % l'utilisent à chaque fois, et
11 % parfois.

Les femmes et les hétérosexuels
sont de plus en plus plus touchés.

79 % des décès liés au sida concernent des hommes, dont la plupart ont entre 25 et 45 ans. Les
célibataires de plus de 25 ans sont dix fois plus touchés que les hommes mariés. Mais la proportion de
femmes s'accroît ; 21 % des nouveaux cas en 1997,
contre 16 % en 1990 et 9 % en 1984. En Ile-de-France,

le nombre des femmes reconnues séropositives
dans les centres de dépistage a doublé entre 1998
et 1995, alors que celui des hommes n'a augmenté
que de 5 %. L'âge moyen au moment du diagnostic
augmente ; il est en moyenne de 38 ans contre
35,5 ans en 1986.

Entre 1990 et 1997, la proportion de personnes
contaminées dans des rapports hétérosexuels est
passée de 14 % à 35 %. Elle est passée de 49 % à
35 % dans le groupe des personnes homosexuelles
ou bisexuelles, de 25 % à 19 % chez les utilisateurs de
drogues, de 4,4 % à 1,1 % chez les transfusés. On
observe en 1997 une stabilité du nombre de nouveaux cas chez les usagers de drogues injectables,
une diminution chez les homosexuels et bisexuels et
une augmentation chez les hétérosexuels.

La protection encore insuffisante.
BDDP Conseil

♦ Le premier cas de sida avéré remonte à 1959 au
Zaïre. Mais les experts estiment que la maladie
serait apparue dix à quinze ans auparavant.

MALADIES INFECTIEUSES. *On assiste à une recrudescence de certaines maladies.*

Après avoir diminué au cours des décennies précédentes, le nombre des maladies infectieuses ou parasitaires tend à s'accroître, malgré les développements des antibiotiques et des vaccins. Hors sida, on a dénombré 7 420 décès dus à ces maladies en 1996. Plus des trois quarts concernaient des personnes âgées de plus de 65 ans. Les principales sont la septicémie (1 835 décès) et la tuberculose (692), devant les infections intestinales.

Le nombre de cas d'hépatites virales varie entre 30 000 et 100 000 par an et provoque environ 1 000 décès, dont les deux tiers entre 15 et 29 ans. Les hommes sont deux fois plus touchés que les femmes. La campagne de vaccination scolaire engagée depuis juin 1994 a permis de vacciner environ 9 millions de personnes. Environ 1 000 nouveau-nés sont contaminés chaque année.

L'incidence des maladies sexuellement transmissibles (MST) est difficile à mesurer. Il apparaît néanmoins que la syphilis (2 000 à 10 000 cas annuels, 4 décès en 1996) et la gonococcie (200 000 à 400 000 cas) sont en baisse depuis déjà une vingtaine d'années.

Dans certains pays, les virus entraînant des fièvres hémorragiques (Ebola, Larburg, Lassa, Dengue) se développent, en même temps que de nouveaux agents infectieux responsables des encéphalopathies subaiguës spongiformes.

Enfin, un nombre croissant de maladies semblent être dues, au moins partiellement, à la pré-sence de bactéries ou virus. C'est le cas notamment de l'ulcère de l'estomac, l'artériosclérose, l'angine de poitrine, l'infarctus, certains cancers (foie, utérus) ou même la dépression.

MALADIES NOSOCOMIALES. *Chaque année, 10 000 personnes meurent d'infections contractées à l'hôpital.*

Les maladies nosocomiales représentent un problème majeur de la santé publique. On estime que 5 à 10 % des malades hospitalisés sont contaminés au cours de leur séjour (soit environ 800 000 par an) et que 10 000 en meurent chaque année. 36 % des infections concernent l'appareil urinaire, 12 % les poumons, 11 % la peau et les tissus mous.

La proportion d'infections dans les services de pédiatrie varierait selon les cas de 23 à 35 %. Le contact des malades avec les mains du personnel soignant est le principal vecteur de ces infections, les règles d'hygiène étant insuffisamment respectées.

MALADIES PROFESSIONNELLES.
On a recensé 9 319 cas en 1996.

Les maladies professionnelles ayant fait l'objet d'une indemnisation ont progressé de 9 % en 1996. La plupart sont des affections pulmonaires provoquées par l'inhalation de poussières métalliques ou minérales (pneumoconioses) ou des affections de la peau (dermatoses).

La plus grande partie des décès est due à l'exposition, souvent ancienne, à l'amiante. Celle-ci serait responsable de la moitié des cancers professionnels, soit environ 900 décès par an. On constate une forte augmentation du nombre des affections provoquées par le bruit (environ 1 000 par an, contre 275 en 1975).

On observe par ailleurs un accroissement de troubles comme le stress, la fatigue, les problèmes musculo-squelettiques ou le vieillissement prématuré, signe d'une dégradation générale de la santé des actifs. On pourrait y ajouter des maladies de nature psychosomatique, qui ne sont pas prises en compte du fait de leur relation incertaine avec le travail : ulcères, maux gastro-intestinaux, troubles du sommeil, dépressions, bronchites, asthme, etc.

La peur des virus

A une époque où l'on croyait les grandes maladies éradiquées, la découverte du sida avait fait resurgir des peurs ancestrales. Plus récemment, le retour de la peste et du choléra et la maladie de la « vache folle » ont à nouveau frappé les esprits. Il faut ajouter les menaces liées à l'utilisation d'armes bactériologiques par des sectes, des terroristes ou des armées. C'est pourquoi la phobie des virus, parfois irrationnelle, se développe dans la population. La multiplication des échanges et des voyages, l'industrialisation de la production alimentaire accroissent les risques d'épidémies, tandis que l'utilisation massive des antibiotiques entraîne l'apparition de bactéries résistantes. L'hépatite virale est cent fois plus contagieuse que le sida et peut se transmettre par la salive aussi bien que par voie sexuelle ou par le sang.

✦ *Les transfusions à partir de sang contaminé ont concerné au total 7 000 personnes, dont 1 200 hémophiles.*

GRIPPE. *Plusieurs millions de Français sont touchés chaque année. 1 015 en sont morts en 1996.*

2,4 millions de personnes ont été atteintes au cours de l'hiver 1996-97. La grande majorité des décès concerne des personnes âgées de 60 ans et plus (96 % en 1996), le plus souvent des femmes. La prévention est cependant développée : plus de 10 % des Français se font vacciner à l'approche de l'hiver, 20 % des plus de 65 ans. Mais on estime que 60 % seulement des personnes qui peuvent se faire vacciner gratuitement le font effectivement.

Le nombre de décès est très variable selon les années. La grippe de Hongkong avait fait 30 000 morts en 1968-1969 en France et un million dans le monde. Mais la plus meurtrière a été celle de 1918-1919 : 20 millions de morts dans le monde, 400 000 en France.

La grippe est à l'origine, selon les années, de 10 à 30 millions de journées d'arrêt de travail. Elle coûte plusieurs milliards de francs à la collectivité.

MALADIES HÉRÉDITAIRES. *Environ 3 000 ont été recensées.*

La plupart des maladies héréditaires entraînent un avortement spontané. Mais d'autres n'empêchent pas l'enfant de naître. 15 à 20 % des grossesses connaissent des accidents dus à des problèmes chromosomiques. En 1996, les anomalies congénitales ont ainsi été à l'origine de 1 556 décès.

L'hémophilie touche un enfant (de sexe masculin) sur 7 000, la myopathie un sur 3 500 (l'espérance de vie d'un myopathe est limitée à une vingtaine d'années), la débilité mentale un sur 1 500. La mucoviscidose concerne un enfant sur 2 500.

La recherche dans ce domaine est très active ; elle a été aidée en France par les sommes considérables collectées lors des *Téléthons* organisés par France Télévision. Les chercheurs ont ainsi pu identifier les gènes responsables de la myopathie et de la mucoviscidose.

✦ *2 % de la population déclarent souffrir de terreurs nocturnes, 2 % de somnambulisme.*

L'avenir est-il écrit dans les gènes ?

La place croissante de la génétique dans la recherche et dans les discours actuels accrédite l'idée d'un poids dominant de l'hérédité dans les destins individuels. Plus de deux cents maladies héréditaires monogéniques ont ainsi été identifiées en quelques années. On parle aujourd'hui de gènes du diabète, de l'hypertension, du cancer, voire de l'obésité. Certains chercheurs affirment même qu'il existe des gènes de l'homosexualité, de la violence ou de la dépression. Comme ceux de la sociobiologie, ces travaux heurtent la sensibilité éthique et bousculent certains tabous.

En donnant une place privilégiée à l'inné par rapport à l'acquis, on met en cause les principes d'égalité à la naissance et la possibilité pour chacun de disposer de son libre arbitre. Si nul n'est responsable de son intelligence et de ses capacités individuelles, il ne l'est pas davantage de comportements éventuellement « déviants ».

Certaines découvertes, si elles étaient avérées, permettraient de déceler et de soigner des maladies génétiques à partir d'un diagnostic prénatal et d'améliorer les techniques de procréation médicalement assistée. Mais il existe aussi un risque de tomber progressivement dans une sorte d'eugénisme cautionné par la science.

Alcoolisme, tabac, drogue

Plus de 100 000 décès seraient chaque année liés à la consommation d'alcool ou de tabac.

La consommation excessive d'alcool est à l'origine de nombreux problèmes de santé : atteintes du système nerveux, maladies du foie et du système cardio-vasculaire, retards de développement du fœtus et de l'enfant, accidents de la route ou domestiques... On lui attribue un tiers des décès liés aux maladies de l'appareil digestif et aux troubles mentaux, 13 % des décès par cancer, 40 % des accidents mortels de la route. 8 954 personnes sont mortes en 1996 de cirrhose du foie. Les psychoses alcooliques et les cirrhoses représenteraient 6 % de la mortalité prématurée (décès évitables). L'alcool est aussi présent dans beaucoup de suicides et dans une part importante des homicides. Il entraînerait chaque année la mort d'environ 60 000 personnes, dont les trois quarts sont des hommes.

Le tabac serait de son côté responsable de 20 % des décès par cancer et par maladie de l'appareil respiratoire, soit près de 9 % de l'ensemble des décès.

Au total, la consommation excessive d'alcool et de tabac serait chaque année à l'origine de 100 000 morts, soit près d'un décès sur cinq.

ALCOOL. *La consommation est en baisse régulière, mais elle reste la plus élevée d'Europe.*

Avec 14,1 litres d'alcool pur par an en moyenne, les Français (15 ans et plus) continuent d'être les plus gros consommateurs de l'Union européenne, devant les Portugais (13,1), les Allemands (12,1) et les Espagnols (12,0). Les Européens du Nord sont les plus sobres : Norvégiens 4,6 ; Islandais 4,7 ; Suédois 6,5 ; Finlandais 8,2.

Après avoir atteint un maximum entre 1951 et 1957, la consommation moyenne a diminué régulièrement ; elle était encore de 22 litres d'alcool pur en 1970. Cette baisse est due essentiellement au vin : 65 litres par personne en 1996, contre 126 litres au début des années 50. Dans le même temps, la consommation de bière augmentait légèrement, dépassant 45 litres dans les années 1975 à 1979, avant de décroître (37 litres en 1996). Celle de spiritueux se maintenait à un niveau un peu inférieur à 3 litres par personne.

On estime que 2 millions de Français sont dépendants de l'alcool et que 5 millions subissent des difficultés d'ordre médical, psychologique et social liées à sa consommation.

Une tradition en perte de vitesse

Dans l'inconscient collectif national, l'alcool est associé à la fête, au plaisir et à la convivialité. Il est encore valorisé dans certains groupes sociaux où les hommes considèrent leur capacité à boire comme une marque de virilité.
Mais les modes de vie et les systèmes de valeurs ont changé. Les Français prennent moins souvent un apéritif avant les repas et un digestif après. Comme pour le tabac (voir ci-après), les campagnes d'information sur les risques et les augmentations de prix ont contribué à une meilleure prise de conscience et à une baisse de la consommation.
La tentation d'échapper à la réalité n'a cependant pas disparu, dans un contexte social difficile. Chez les jeunes, pour qui le vin a une image un peu vieillotte, elle se manifeste plutôt par le recours à d'autres supports comme le tabac ou la drogue.

Les habitudes varient selon l'âge, le sexe et la profession.

Les personnes les plus âgées sont les plus nombreuses à boire régulièrement ; 87 % des hommes de plus de 75 ans consomment au moins une boisson alcoolisée chaque jour. Mais c'est entre 45 et 54 ans que les hommes consomment les plus grosses quantités, entre 35 et 44 ans pour les femmes.

Les femmes sont beaucoup plus sobres que les hommes : 39 % seulement d'entre elles consomment régulièrement des boissons alcoolisées, contre 66 % des hommes. Parmi les consommateurs occasionnels, elles boivent trois fois moins que les hommes. Cet écart serait d'ailleurs l'une des principales causes de la surmortalité masculine.

Les métiers où l'on boit le plus sont ceux de l'agriculture, de l'artisanat et du commerce, où les traditions sont le plus solidement installées.

On constate une corrélation entre l'usage d'alcool, de tabac et de drogue. 68 % des consommateurs d'alcools forts fument, ainsi que 77 % des buveurs réguliers de bière. La moitié de ceux qui boivent régulièrement de l'alcool ont déjà consommé du haschisch.

L'ABUS D'ALCOOL EST DANGEREUX POUR LA SANTÉ, CONSOMMEZ AVEC MODÉRATION.

Les jeunes consomment moins d'alcool.
Jean & Montmarin

La consommation des jeunes tend à diminuer.

42 % des jeunes de 12 à 18 ans déclarent boire de l'alcool au moins une fois par semaine. Les deux tiers consomment moins de deux verres de boissons alcoolisées par semaine, soit quatre fois moins que l'ensemble de la population. La proportion atteint 54 % à 16 ans et 71 % à 18 ans. Les 18-24 ans semblent réduire aussi leur consommation, qui avait augmenté au cours des dernières années. Elle est aujourd'hui équivalente à celle des plus jeunes. 30 % d'entre eux ne boivent d'ailleurs jamais d'alcool.

C'est vers 15 ans que s'accroît la consommation, que des habitudes se prennent et que l'écart se creuse entre les garçons et les filles. Le fait que les parents consomment ou non de l'alcool joue un rôle important, plus que l'origine socioculturelle. Les adolescents sobres deviennent très rarement des buveurs immodérés à l'âge adulte. Au contraire, 60 % des hommes qui boivent plus de cinq verres par jour étaient déjà amateurs d'alcool entre 13 et 18 ans.

Ceux qui apparaissent comme les plus forts buveurs potentiels ont en commun un tempérament plutôt insatisfait, rebelle, radical, laxiste, hédoniste et marginal. Ils aiment les sorties dans les boîtes, ont des parents fumeurs et sont fumeurs eux-mêmes. Ils sont peu conscients des dangers de l'alcool et se montrent tolérants à l'égard des alcooliques. A l'inverse, ceux qui boivent peu d'alcool sont moins émancipés, plus équilibrés, plus heureux et d'une nature plus joviale. Ils consomment peu de café et sont sensibles aux risques liés à l'alcool en général.

Moins d'alcool

Evolution de la consommation annuelle d'alcool pur (en litres) par habitant :

16,1
14,9
13,3
12,6
11,5

1975   1980   1985   1990   1995

INSEE

TABAC. *La proportion de fumeurs est globalement en baisse.*

29,8 % des Français de 18 à 64 ans se déclaraient fumeurs en 1996 (8 millions d'hommes et 5,5 millions de femmes) contre 33,6 % en 1990. 21,6 % sont des ex-fumeurs, contre 17,4 % en 1990. 48,5 % n'ont jamais fumé, contre 49,0 %.

La baisse constatée est sans doute liée en partie aux campagnes antitabac qui ont été conduites depuis des années. Mais elle est due pour une large part à la hausse continue des prix des produits. Le prix du paquet de cigarettes a augmenté de 96,5 % entre septembre 1991 et décembre 1996, soit 74 points de plus que l'inflation.

Les attitudes évoluent vers un plus grand respect des non-fumeurs, qui sont concernés par les effets du tabagisme passif. Elles ont été favorisées par l'interdiction de la publicité pour le tabac, celle de fumer dans les lieux publics et l'obligation faite aux restaurateurs de prévoir une salle non-fumeurs (loi Evin de 1991).

Les hommes sont moins nombreux, mais la proportion de femmes s'accroît.

35 % des hommes fument, contre 38 % en 1991 et 46 % en 1980. Cette diminution est surtout sensible chez les hommes fumeurs réguliers, dont la part dans la population est passée de 47 % en 1980 à 35 % en 1996. A l'inverse, les femmes sont un peu plus nombreuses : 21 % contre 20 % en 1991 et 17 % en 1980.

On observe des écarts de même sens dans toutes les tranches d'âge, mais ils sont moins marqués chez les jeunes que chez les plus âgés. Un adolescent sur cinq (12-18 ans) est un fumeur régulier. La proportion est semblable chez les garçons et les filles.

Chez les hommes actifs, les ouvriers sont les plus nombreux à fumer : 50 % contre 44 % des employés et 30 % des cadres. Chez les femmes, 31 % des actives employées fument, contre seulement 25 % des ouvrières et 19 % des cadres (seule catégorie ayant réduit sa consommation). Les agriculteurs sont les moins concernés : 21 % des hommes et 11 % des femmes. Le chômage favorise le tabagisme : 53 % des hommes et 35 % des femmes dans cette situation sont fumeurs.

La consommation moyenne était de 1 411 cigarettes par habitant en 1997, contre 1 695 en 1990.

Après avoir connu une progression sensible jusqu'au milieu des années 60, puis entre 1965 et 1975, conséquence de son accroissement chez les femmes et chez les jeunes, la consommation de tabac a commencé à se tasser en 1992. Le mouvement s'est confirmé depuis. En 1997, les Français ont ainsi consommé 92 233 tonnes de tabac, soit 2,9 % de moins qu'en 1996. L'augmentation des ventes de cigares et cigarillos (+ 2,6 %) et de tabac à rouler (+ 4,5 %) a partiellement compensé la baisse de celles de cigarettes (− 3,6 %). La consommation moyenne par fumeur était de 19 cigarettes par jour en moyenne.

Les Marlboro représentaient 20 % des achats de cigarettes en 1997, devant les Gauloises brunes (16,6 %), les Winfield (7,2 %), les Gitanes brunes (6,8 %) et les Gauloises blondes (6,2 %).

On constate une corrélation entre la consommation de tabac et la sensibilité politique. On fume plus lorsqu'on est de gauche que de droite, et beaucoup plus si l'on se situe à l'extrême gauche ou à l'extrême droite.

Le tabac à rouler remplace parfois la cigarette.
Publicis Conseil

Fumeurs de tous les pays...

Consommation moyenne de tabac dans les pays de l'Union européenne en 1996 (15 ans et plus, en cigarettes par jour) :

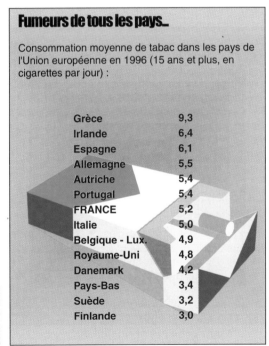

Grèce	9,3
Irlande	6,4
Espagne	6,1
Allemagne	5,5
Autriche	5,4
Portugal	5,4
FRANCE	5,2
Italie	5,0
Belgique - Lux.	4,9
Royaume-Uni	4,8
Danemark	4,2
Pays-Bas	3,4
Suède	3,2
Finlande	3,0

Seita-Eurostat

La consommation a baissé de 8,5 % entre 1991 et 1996, pendant que le prix du tabac doublait.

Les hommes fumeurs ont réagi aux mesures antitabac en réduisant leur consommation et en achetant des produits moins chers comme le tabac en vrac à rouler. Celui-ci représente aujourd'hui 7,4 % de la quantité totale, contre 4,8 % en 1991. La hausse en volume a été de 43 %, alors que les achats de cigarettes baissaient de 11,3 %.

A l'inverse, les cigarettes avec filtre, qui comptaient pour un tiers de la consommation totale à la fin des années 60, en représentaient 86 % en 1996. De même, la part des blondes est passée de 8 % en 1981 à 74 % en 1996. De sorte qu'au total, les dépenses globales ont fortement augmenté, passant de 45 milliards de francs en 1991 à 72 milliards en 1996. Les taxes représentent 76 % de ces dépenses.

La dépense moyenne de cigarettes est de 450 F par mois et par fumeur. Elle est de 340 F par mois pour les jeunes fumeurs de 18 à 25 ans.

◆ Une grossesse extra-utérine sur cinq serait due au tabagisme. Le risque de mort subite du nourrisson est quatre fois plus élevé chez les enfants de mères fumeuses.

◆ 85 % des personnes qui ont arrêté de fumer l'ont fait sans soutien médical ni recours à un produit de substitution.

DROGUE. *Environ 300 000 personnes sont des utilisateurs au moins occasionnels.*

Du fait de son illégalité, la consommation de drogue est difficile à estimer. Un certain nombre d'indicateurs montrent cependant que la toxicomanie (état de dépendance vis-à-vis d'une substance particulière) continue de s'accroître en France, comme dans tous les pays développés. Plus d'un Français sur dix a déjà fait l'expérience du haschisch. On estime que 160 000 personnes consomment de l'héroïne en produit principal, de façon prolongée et régulière.

Le nombre de décès par surdose a diminué depuis 1995 en même temps que la consommation d'héroïne (près des trois quarts des décès) ; il était de 228 en 1997, contre 350 en 1990. 60 % des personnes avaient entre 25 et 35 ans.

Mais ces chiffres ne rendent pas compte des effets de la drogue sur la santé, notamment sur la probabilité de contracter le sida ; on estime qu'un tiers des toxicomanes sont séropositifs. Les autres effets concernent les hépatites, les troubles infectieux, optiques ou dermatologiques, les accidents divers et la dégradation de l'état général.

Les trois quarts des utilisateurs sont des hommes.

La grande majorité des consommateurs de drogues, réguliers ou occasionnels, sont des hommes. On retrouve ici un phénomène comparable à celui constaté dans les autres comportements à risques : alcoolisme ; tabagisme ; conduite automobile ; pratique sportive ; suicide...

Comme pour le tabac ou l'alcool, la proportion de femmes consommant des drogues tend à augmenter ; elles représentent aujourd'hui environ un cinquième des toxicomanes et la consommation abusive de psychotropes et de stimulants les concerne autant que les hommes (elle accroît les risques en cas de grossesse).

Le nombre de personnes interpellées pour usage de drogues a augmenté de 20 % en 1997 (82 725 personnes, en comptant les usagers revendeurs). Le nombre des trafiquants interpellés a, lui, diminué, à 6 560 contre 8 412 en 1996.

✦ *82 % des Français se disent satisfaits de la qualité des services d'urgence des hôpitaux (13 % non), 80 % par l'accueil (16 % non), 51 % par le temps d'attente (43 % non).*

Les jeunes sont particulièrement concernés, mais l'âge moyen s'accroît.

64 % des jeunes de 16 à 28 ans déclarent ne jamais avoir fumé de haschisch, 23 % ont essayé mais ne fument plus, 10 % fument parfois, 3 % régulièrement. 85 % des utilisateurs réguliers ont moins de 30 ans, dont un tiers entre 25 et 29 ans. Mais l'âge moyen ne cesse de s'accroître depuis quelques années. Il varie cependant selon les substances utilisées : 24 ans pour le cannabis, 27 ans pour la cocaïne, 28 ans pour l'héroïne, 28 ans pour le crack. La moitié des personnes concernées sont dépendantes de leur entourage, beaucoup vivant chez leurs parents.

Cette situation est liée aux difficultés actuelles des jeunes. Les toxicomanes ont souvent une vie de famille difficile : un sur deux a des parents séparés ; 17 % ont perdu leur père, 7 % leur mère. 39 % ont fugué avant de se droguer, 38 % ont commis un délit.

Beaucoup connaissent en outre des difficultés scolaires ou professionnelles. A 18 ans, 16 % seulement sont encore scolarisés (contre 75 % de l'ensemble de la population). 60 % n'ont pas dépassé le niveau secondaire, ce qui explique que plus de la moitié soient chômeurs ou sans activité.

On constate que l'image que les jeunes drogués ont d'eux-mêmes est beaucoup moins favorable que celle des non-drogués. Le paradis artificiel ressemble fort à un enfer. Il n'y a pas de drogués heureux.

Le nombre des substances consommées s'élargit.

Environ 60 % des 23 000 toxicomanes suivis dans le système sanitaire et social en 1996 consommaient de l'héroïne comme produit principal, 20 % du cannabis, 10 % des médicaments psychotropes ; les deux tiers consomment plus d'un produit toxique.

La consommation, qui était limitée au cannabis, aux amphétamines et à l'opium dans les années 70, s'est étendue depuis aux solvants, à la cocaïne, aux barbituriques et à l'héroïne, responsable de la plupart des décès. 39 % des toxicomanes ont commencé par le cannabis, 21 % par l'héroïne. Mais la consommation d'héroïne est en diminution depuis 1996.

Le crack (cocaïne coupée avec du bicarbonate de sodium ou de l'ammoniac) est devenu un phénomène important dans les grandes villes. Les amphétamines (comme l'ecstasy, hallucinogène) sont de plus en plus consommées par les jeunes, notamment dans les boîtes de nuit. Les enfants et les adolescents consomment aussi les colles, les solvants et le cannabis.

Beaucoup utilisent aujourd'hui des mélanges de médicaments et d'alcool, par ailleurs plus faciles à obtenir. Les adultes font une large place aux médicaments psychotropes et aux stimulants.

L'accroissement de la demande est en partie la conséquence de l'élargissement de l'offre. La drogue est un marché, sur lequel les produits se sont diversifiés en même temps que le nombre de vendeurs.

L'ecstasy à la mode

La diffusion de l'ecstasy, encore appelé pilule d'amour, semble s'être accélérée depuis le début des années 90 dans le cadre d'un phénomène social et culturel (musique, *rave parties*...). En 1996, 4 % des jeunes conscrits de l'armée déclaraient l'avoir essayé et 1,2 % en consommaient régulièrement. Le profil des utilisateurs diffère largement de celui des adeptes d'autres drogues ; ils sont plus jeunes, mieux éduqués et intégrés socialement. 1 122 personnes ont été interpellées en 1997 pour son usage, soit 2 % du nombre total d'usagers.

Le discours social sur la drogue est en train de changer.

On parle aujourd'hui moins de drogués que d'utilisateurs ou consommateurs de substances toxiques. Les toxicomanes sont davantage considérés comme des malades que comme des délinquants. Les programmes de substitution par la méthadone ont démarré en France, même s'ils sont moins utilisés que dans d'autres pays comme les Pays-Bas, le Royaume-Uni, l'Italie, l'Allemagne ou la Suisse. L'objectif poursuivi est triple : aider à la désintoxication ; réduire dans de fortes proportions la mortalité (par héroïne ou par le sida) ; permettre un accès aux soins et une aide à la réinsertion sociale.

La banalisation de certaines substances renforce aussi la demande de légalisation des drogues « douces ». 32 % des jeunes de 16 à 28 ans se disent ainsi favorables à la dépénalisation du cannabis (67 % contre). Mais le débat se poursuit entre ceux qui considèrent que certaines drogues ne sont pas plus dangereuses pour la santé que l'alcool ou le tabac et ceux qui prônent une interdiction totale et une sévérité accrue envers les autres substances entraînant une dépendance.

Suicide

On a recensé 11 270 suicides en 1996 ; le nombre réel est sans doute plus élevé.

Entre 1950 et 1976, le décès par suicide concernait environ 15 habitants sur 100 000 ; la proportion est proche de 21 depuis le début des années 80, époque à laquelle s'est produite une forte augmentation. Depuis 1982, le nombre des suicides dépasse celui des décès par accident de la route. L'écart s'est creusé au cours des dernières années, du fait de la diminution des accidents mortels de la circulation et malgré une légère baisse du nombre des suicides.

Cette évolution est d'autant plus préoccupante que le nombre des suicides est sous-évalué. Certains sont camouflés par les familles en mort accidentelle ou en disparition. Dans les cas d'autopsies, les instituts médico-légaux sont tenus par le secret de l'instruction et ne transmettent pas les résultats aux services de l'INSERM. C'est ainsi que l'on recensait 2 745 décès à la suite d'« accidents non précisés » en 1996, ainsi que 2 012 « morts subites de cause inconnue ». On estime que le nombre de suicides réel est supérieur d'au moins 20 % au nombre officiel. Mais une enquête effectuée à Paris en 1990 a montré que trois suicides sur quatre n'avaient pas été recensés comme tels parmi les 15-44 ans.

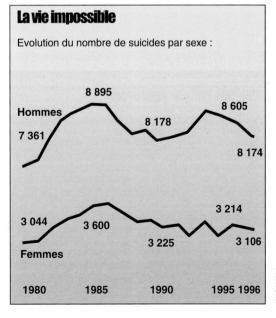

La vie impossible

Evolution du nombre de suicides par sexe :

Hommes
8 895
8 605
8 178
7 361
8 174

Femmes
3 044
3 600
3 225
3 214
3 106

1980   1985   1990   1995 1996

INSERM

L'accroissement du nombre des suicides concerne la plupart des pays développés, en particulier ceux du nord de l'Europe. Le taux le plus élevé est celui de la Finlande (46 pour 100 000 hommes et 11 pour 100 000 femmes) ; le plus faible est celui de la Grèce (respectivement 6 et 1,5 pour 100 000). Hors de l'Europe, le Japon est particulièrement concerné, avec un taux en forte croissance depuis quelques années, surtout chez les jeunes.

Le nombre des tentatives est estimé à plus de 150 000 par an.

On a compté en 1993 plus de 160 000 hospitalisations pour tentative de suicide (l'âge moyen était de 35,5 ans). 16 % des Français déclarent avoir déjà songé à mettre fin à leurs jours. Un quart d'entre eux disent avoir effectivement essayé, ce qui signifie que 4 % des Français auraient fait au cours de leur vie une tentative, soit environ 2 millions. A l'âge de 14 ou 15 ans, 10 % des filles et 6 % des garçons déclarent avoir assez souvent ou très souvent des idées de suicide. 10 % des admissions d'adolescents aux urgences concernent des tentatives de suicide. Parmi les quelque 40 000 jeunes de moins de 25 ans concernés chaque année, 37 % ont déjà fait au moins une tentative antérieurement.

On constate que les femmes sont deux fois plus nombreuses que les hommes. Cela tendrait à prouver que leur volonté de mourir est moins forte, ces tentatives étant le plus souvent des formes d'appel au secours. La proportion des suicides « réussis » n'est que de 4 % entre 15 et 24 ans, alors qu'elle est de 20 % chez les hommes de plus de 65 ans.

L'alcool, facteur aggravant

Les suicides se produisent le plus souvent de jour, en début de semaine et au printemps. Ils sont plus fréquents en hiver. La pendaison reste le moyen le plus utilisé (40 % des cas), devant l'arme à feu, les noyades et les chutes. L'absorption de médicaments est fréquente, mais elle n'entraîne la mort que dans 10 % des cas (mais 25 % chez les femmes). Les régions Nord et Ouest sont plus touchées proportionnellement que les régions méridionales. Mais c'est à Paris que l'on se suicide le plus.
Plus d'un tiers des suicidants sont en état d'ébriété avant une tentative. La corrélation avec la consommation d'alcool est établie. L'alcoolisme est également un facteur important de récidive.

Les hommes et les personnes âgées sont les plus concernés.

Le suicide est aujourd'hui près de trois fois plus fréquent chez les hommes que chez les femmes : 8 164 cas contre 3 106 en 1996. Le nombre de décès concernant les moins de 35 ans a été multiplié par trois depuis les années 60 : 2 394 en 1996 (dont 1 845 hommes). Il est la première cause de mortalité chez les 25-34 ans.

Mais la fréquence augmente régulièrement avec l'âge. Les suicides de personnes de 60 ans et plus représentaient 34 % du nombre total en 1996 (3 818 décès) pour 20 % de la population ; ceux de jeunes de moins de 20 ans en représentaient moins de 2 % pour 26 % de la population. L'arrivée à la retraite est souvent ressentie comme une déchéance, notamment par les hommes. Le décès de l'épouse est le traumatisme le plus sévère ; c'est dans l'année qui suit le décès du conjoint que le nombre des dépressions suivies de tentatives de suicide est le plus élevé.

Les catégories sociales sont diversement touchées. Entre 25 et 64 ans, le taux de suicide est de 13 pour 100 000 parmi les professions supérieures, 27 parmi les professions intermédiaires et 38 parmi les ouvriers-employés. L'écart est moins marqué chez les femmes, mais il s'est accru au cours des dernières années.

L'environnement familial est une cause majeure,...

La situation familiale joue un rôle essentiel. Le suicide est 2,3 fois plus fréquent chez les célibataires que dans la moyenne de population, 2,9 fois chez les divorcés et 3,6 fois chez les veufs (ces facteurs ont moins d'influence chez les femmes). L'appartenance à un milieu rural et modeste est également un facteur aggravant. Il semble aussi que certains facteurs héréditaires jouent un rôle ; le risque est 30 fois plus élevé chez les adolescents dont la mère a des problèmes psychologiques.

... de même que l'environnement social.

S'il constitue une démarche individuelle, le suicide relève aussi largement de causes socio-économiques. Comment ne pas mettre en relation la montée du taux de suicide avec les difficultés apparues depuis quelques années dans les pays développés : recherche d'identité et de valeurs dans un monde en mutation ; déclin des repères traditionnels apportés par les institutions (religion, Etat, école, justice...) ; craintes à l'égard de l'avenir (menaces écologiques, démographiques...) ; difficulté à trouver un premier emploi pour les jeunes ; angoisse du chômage et de l'avenir (bien que la relation avec le chômage ne soit pas établie) ; accroissement de la compétition et du stress dans la vie professionnelle ; importance de la vie matérielle et place centrale de l'argent ? Ces phénomènes se sont traduits par une montée des frustrations et des difficultés existentielles qui a parfois des conséquences dramatiques.

Accidents

TRANSPORTS. *7 989 personnes sont mortes dans des accidents de la circulation en 1997, contre 8 080 en 1996.*

Les 125 202 accidents corporels ont fait 169 578 blessés, dont 35 716 graves. Les deux roues sont davantage concernés que les voitures : la proportion de motocyclistes tués et blessés est de 19 ‰, celle des cyclomotoristes de 12 ‰, contre 4 ‰ en voiture. La proportion de tués parmi les motocyclistes a augmenté de 12 % (831 tués), du fait notamment de l'accroissement du parc de motos 125 cm^3 qui ne nécessitent plus l'obtention d'un permis. Celle des cyclomotoristes a baissé de 1,5 % (471 tués). Les décès de cyclistes se sont accrus de 9,7 % (329 tués).

La France occupe aujourd'hui la quatrième place parmi les quinze pays de l'Union européenne, avec une proportion de 146 décès par million d'ha-

Mise aux points

1 046 764 automobilistes se sont vu retirer des points sur leur permis en 1997, soit 3 % de plus qu'en 1996. Le nombre moyen de points retirés est de 2,7. 10 387 conducteurs ont perdu la totalité de leurs points au cours de l'année, contre 8 443 en 1996 et 5 213 en 1995. 635 532 ont recouvert leur capital initial de 12 points à l'issue de trois années sans infraction. Dans 43 % des cas, l'infraction est un non-respect des règles de vitesse, 24 % un non-port de la ceinture ou du casque, 13 % la violation de priorité, de feux ou de stop, 7 % un taux d'alcoolémie trop élevé. 81 % des conducteurs sanctionnés sont des hommes (ils couvrent 63 % du kilométrage total), dont près de 20 % ont moins de 25 ans.

bitants en 1996, derrière le Portugal (276), la Grèce (211) et le Luxembourg (174). La moyenne européenne est de 18 (22 aux Etats-Unis).

La France se situe au sixième rang si l'on considère le nombre de tués par rapport au nombre de véhicules : 280 en 1996.

L'amélioration est sensible depuis une vingtaine d'années...

Le nombre des tués est passé pour la première fois en dessous de la barre des 10 000 en 1987 (9 855). Mais il est remonté au-dessus entre 1988 et 1990, marquant un palier avant de fléchir à nouveau depuis 1991.

La nouvelle baisse constatée en 1997 est la neuvième consécutive et le chiffre atteint est le chiffre le plus bas depuis près de quarante ans. Par rapport à 1972, année la plus noire avec 16 617 morts, le nombre de tués a diminué de moitié, alors que celui des voitures a plus que doublé.

Ce progrès a pu être obtenu grâce aux différentes mesures prises depuis 1973 : amélioration du réseau routier ; obligation du port de la ceinture ; limitation de la vitesse en ville ; abaissement de la puissance moyenne des voitures ; instauration du permis à points... Les campagnes successives sur la sécurité routière et l'accroissement de la vigilance des policiers et des gendarmes y ont contribué.

L'évolution des comportements apparaît cependant fragile : on a constaté une recrudescence des accidents lors des périodes d'amnistie qui ont accompagné les élections présidentielles de 1988 et 1995. Lors de la mise en place du permis à points, on avait enregistré une diminution de la vitesse moyenne au cours des quatre premiers mois (juillet à novembre 1993). Puis les vitesses moyennes pratiquées ont augmenté sur tous les réseaux, de jour ou de nuit, quel que soit le véhicule.

... mais la route constitue toujours un risque majeur.

Entre 1987 et 1997, la route a fait 222 127 morts et 5 383 000 blessés. Un bilan inquiétant sur le plan humain ; avant l'âge de 45 ans, les accidents constituent la première cause de décès. Un bilan détestable aussi sur le plan économique ; chaque décès coûte environ 4 millions de francs à la collectivité. Le prix de revient total de l'insécurité routière est estimé à 119 milliards de francs.

Sécurité Routière

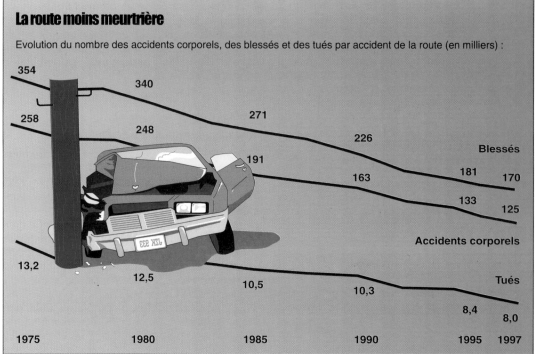

La route moins meurtrière

Evolution du nombre des accidents corporels, des blessés et des tués par accident de la route (en milliers) :

354
340
258
248
271
226
191
Blessés
163
181
170
133
125
Accidents corporels
13,2
12,5
10,5
10,3
Tués
8,4
8,0

1975   1980   1985   1990   1995   1997

Ministère de l'Equipement, des Transports et du Logement

La route est de loin la première cause de décès dans cette tranche d'âge chez les jeunes : 40 % des décès pour les hommes et 33 % pour les femmes entre 15 et 24 ans. Les accidents de moto sont particulièrement fréquents. Les nouveaux conducteurs de motos de 125 cm³ (qui n'ont plus besoin de passer un permis spécial) ont plus d'accidents que ceux qui ont dû passer le permis. Mais ceux qui arrivent à la 125 grâce à un permis voiture de plus de deux ans ont trois fois moins d'accidents que ceux qui viennent d'avoir un permis moto, sans expérience de la route.

Le risque de décès dans les transports varie selon le moyen utilisé. Il est de 8,53 par milliard de passagers-kilomètres pour les transports routiers, contre 0,45 pour le train et 0,32 pour l'avion.

augmenté de 4,0 % sur les autoroutes (446 tués), alors qu'il a diminué de 5,3 % sur les nationales et augmenté de 0,6 % sur les départementales. Dans les villes, le nombre d'accidents, de tués et de blessés a diminué respectivement de 0,4 %, 0,7 % et 1,0 %.

La proportion de tués par rapport au nombre de kilomètres parcourus reste cependant cinq fois plus élevée sur les nationales que sur les autoroutes. La circulation sur le réseau routier a augmenté de 3,2 %.

On a constaté globalement un certain relâchement pour la sécurité routière, notamment par rapport aux récentes mesures (abaissement du taux d'alcoolémie à 0,5 g/l, renforcement du système de retrait de points...).

Les autoroutes sont moins dangereuses que les routes nationales.

Le nombre des accidents corporels a diminué de 0,1 % sur les routes départementales et de 1,5 % sur les nationales en 1997. Mais il a augmenté de 6,4 % sur les autoroutes. De même, le nombre de tués a

Les causes des accidents sont essentiellement humaines.

2 % seulement des accidents seraient dus à des défaillances mécaniques. Un excès de vitesse est en cause dans la moitié des accidents mortels. Les vitesses moyennes pratiquées sont restées stables

de jour en 1997 ; elles ont baissé sur les autoroutes la nuit. Elles sont encore trop élevées par rapport aux limitations. Ainsi, 35 % des conducteurs dépassent la vitesse autorisée de 130 km/h sur autoroute (20 % de plus de 10 km/h), 50 % sur les routes nationales (26 % de plus de 10 km/h), 55 % sur les routes départementales à grande circulation (31 % de plus de 10 km/h). En agglomération, la vitesse moyenne enregistrée en 1995 était de 62 km/h en moyenne, au lieu de 50. Les infractions sont encore plus fréquentes au cours de la nuit.

La fatigue, l'inattention et l'assoupissement sont aussi à l'origine de près d'un tiers des accidents mortels. L'alcool joue bien souvent un rôle. On estime qu'il est présent dans 40 % des décès. Son importance est d'ailleurs sous-évaluée dans les statistiques, du fait de l'impossibilité de pratiquer l'alcootest sur les morts et les blessés graves.

Les femmes ont moins d'accidents que les hommes avant 30 ans, mais davantage après.

Entre 18 et 30 ans, les femmes ont beaucoup moins d'accidents que les hommes ; leur taux de responsabilité est de 121 pour 1 000 conductrices à 21 ans contre 159 pour les hommes, 94 contre 122 entre 21 et 25 ans, 79 contre 88 entre 25 et 30 ans.

A partir de la trentaine, la situation s'inverse. Les hommes causent moins d'accidents que les femmes : 61 hommes sur 1 000 conducteurs sont responsables d'au moins un accident matériel ou corporel dans l'année, contre 67 femmes. Mais le coût des accidents causés par les femmes, tous âges confondus, est inférieur de 17 % à celui des hommes (50 % avant 21 ans).

Ces écarts s'expliquent par le fait que les femmes circulent surtout en ville, où les accrochages sont plus nombreux et moins graves. Sur la route, elles respectent mieux la réglementation et sont plus sobres que les hommes.

Les accidents des femmes moins coûteux

Un accident de voiture provoqué par un homme de moins de 21 ans coûte en moyenne 29 200 F, contre 18 000 F pour une femme. L'écart est beaucoup plus faible après 30 ans : 15 300 F contre 14 900 F. Le nombre d'accidents matériels ou corporels est en moyenne de 142 par an pour 1000 hommes de moins de 21 ans, contre 109 pour les femmes. Après 30 ans, les femmes en ont en moyenne 62 contre 57 pour les hommes.

TRAVAIL. *1 306 387 accidents se sont produits en 1996 ; 654 050 ont entraîné un arrêt.*

Le nombre total d'accidents du travail a diminué de 4 % par rapport à l'année précédente. L'indice de fréquence (accidents pour 1 000 salariés) montre une nouvelle amélioration : 83 contre 85 en 1995 et 98 en 1991.

Après avoir été stable, aux alentours d'un million par an jusqu'en 1977, le nombre des accidents ayant entraîné un arrêt avait diminué de 30 % entre 1982 et 1987. La tendance s'était alors inversée jusqu'en 1994, à la suite de l'augmentation des effectifs des catégories vulnérables et moins protégées (intérimaires, contrats à durée déterminée, sous-traitants...). Elle remettait en question les progrès réalisés entre 1955 et 1986, période pendant laquelle le taux de fréquence (nombre d'accidents par million d'heures travaillées) était passé de 53 à 29, soit une baisse de près de moitié.

Pour la première fois depuis 1993, le nombre des accidents du travail ayant entraîné un arrêt de travail a diminué en 1996 : 654 050 contre 686 064. L'indice de fréquence des accidents avec arrêt s'établissait à 40 pour 1 000 salariés, contre 43 en 1995 et 50 en 1991.

Le nombre des accidents mortels est en diminution régulière.

On a compté 725 décès dus à des accidents du travail en 1996 contre 760 en 1995 et 1 244 en 1990. Après avoir fortement régressé entre 1970 et 1986 (978 contre 2 268), le nombre des personnes tuées par accident du travail avait augmenté de 23 % entre 1987 et 1990 par rapport à la période 1982-1986. Il est de nouveau en diminution sensible depuis 1991. Le nombre d'accidents du travail ou de maladies professionnelles ayant donné lieu à une incapacité permanente est estimé à 50 000 par an (il atteignait 110 000 en 1980 et 74 000 en 1990).

Le taux de fréquence des accidents avec arrêt est six fois plus élevé chez les ouvriers (les moins qualifiés sont les plus touchés) que chez les autres travailleurs : 57 pour un million d'heures travaillées, contre 9 pour les autres salariés. Les travailleurs étrangers sont plus touchés que les Français, du fait de leur forte présence dans le secteur exposé du bâtiment et des travaux publics (surtout les charpentes métalliques et les travaux souterrains), devant la fonderie, la métallurgie, le secteur du bois et du meuble et la mécanique. Le taux d'accidents est deux fois plus élevé dans les petits établissements que dans les grands.

Les jeunes et les travailleurs à statut précaire sont les plus touchés.

Les jeunes sont plus souvent victimes d'accidents avec arrêt, quel que soit le secteur d'activité : un quart du nombre total concerne des jeunes de moins de 25 ans, alors qu'ils ne représentent que 12 % des salariés. Ce phénomène est dû principalement à l'absence de qualification des jeunes et à leur faible ancienneté dans un poste. Le risque décroît ensuite avec l'âge, mais la gravité des accidents s'accroît, comme la durée moyenne d'incapacité, la fréquence des accidents avec incapacité permanente ou le taux moyen d'incapacité permanente.

Les intérimaires sont deux fois plus souvent victimes d'accidents du travail que l'ensemble des salariés et les accidents qui les concernent sont plus graves. Cet écart s'explique en partie par le fait qu'ils travaillent plus souvent dans les secteurs à risque (industrie et surtout bâtiment-travaux publics). Leur formation à la sécurité du travail est également moins complète. Enfin, ils sont souvent affectés aux postes les plus dangereux ou présentent de fortes contraintes de rendement.

124 502 accidents du trajet se sont produits en 1996 ; 79 682 ont donné lieu à un arrêt de travail.

Le nombre des accidents du trajet avec arrêt a fortement diminué depuis une quinzaine d'années ; il avait atteint 154 000 en 1979 et occasionné la perte de 6,7 millions de journées de travail. Il a encore baissé en 1996. La mise en place d'horaires flexibles dans les entreprises, qui a diminué la crainte d'arriver en retard au travail, explique en partie cette amélioration.

520 accidents du trajet ont entraîné un décès, contre 592 en 1995, confirmant la tendance à la diminution constatée depuis quelques années.

◆ Les accidents du travail ont entraîné en 1996 la perte d'environ 25 millions de journées.

◆ On estime que 40 % des véhicules sont en mauvais état.

VIE COURANTE. *Les accidents font chaque année environ 18 000 morts et 2 millions de blessés.*

Plus de 10 % des Français sont victimes au cours d'une année de quelque 8 millions d'accidents dans le cadre de leur vie courante, à la maison, à l'école pour les enfants et au cours des activités de loisirs.

46 % des blessés ont reçu des soins dans un hôpital en 1996, 31 % dans un cabinet de médecin, 14 % dans une clinique et 9 % seulement à domicile. 15 % des personnes doivent être hospitalisées, pour une durée moyenne de 6 jours.

61 % des accidents entraînent des lésions bénignes (hématomes, contusions, plaies ou brûlures superficielles...), 16 % des entorses, 15 % des plaies ouvertes, 15 % des fractures (avec possibilité de cumul).

Parmi les pays industrialisés, la France est l'un des plus touchés par les accidents de la vie privée. Cette situation est en partie liée à un trait de la mentalité collective, qui tend à valoriser le risque. On constate en outre que les effets bénéfiques du développement de l'activité physique sur la santé sont contrebalancés par un accroissement des traumatismes liés aux accidents.

Le nombre d'accidents mortels a diminué de plus d'un tiers en 15 ans.

La mortalité s'établit chaque année à environ 30 décès pour 100 000 personnes, soit 18 000 morts. Un nombre quinze fois plus élevé que celui des accidents du travail et deux fois plus que celui des tués sur la route. Pourtant, 0,2 % seulement des accidents sont mortels, contre 6,5 % dans le cas des accidents de la circulation.

La mortalité concerne beaucoup plus les hommes que les femmes : 40 décès pour 100 000 personnes contre 25. On a cependant enregistré une baisse de 24 % des décès par accident de la vie courante entre 1980 et 1987, puis de 14 % entre 1987 et 1994. Les progrès constatés sont comparables pour les deux sexes. Ce type de mortalité pourrait être encore sensiblement réduit en modifiant les attitudes.

60 % des accidents se produisent à la maison.

La moitié des accidents domestiques (47 %) sont dus à des chutes, 18 % à des chocs, 15 % à des brûlures, 15 % à des coupures. Les autres causes sont, par ordre décroissant d'importance, les piqûres, les morsures de chien, la pénétration d'objets dans le corps, l'intoxication, l'électrocution, l'étouffement ou l'explosion.

Dans la maison, c'est la cuisine qui est la plus dangereuse (un accident sur quatre s'y déroule), devant la cour ou le jardin (23 %), les escaliers et ascenseurs (10 %), la salle de séjour (8 %) et les chambres (7 %). La salle de bains et le garage ne représentent chacun que 4 % des cas, l'atelier de bricolage 3 %, comme les autres pièces de la maison.

La quasi-totalité des accidents de sport sont dus à des chutes (56 %) et à des chocs (40 %). C'est le cas aussi des accidents survenant pendant la pratique d'autres loisirs (respectivement 61 % et 24 %) et des accidents scolaires (60 % et 42 %). Dans 37 % des cas, ce sont les membres inférieurs qui sont touchés, dans 36 % des cas les membres supérieurs, dans 27 % des cas la tête ou le cou.

Les choses de la vie

Les risques d'accident de la vie courante varient en fonction de l'âge et des activités qui lui sont associées. Les jeunes enfants et les personnes âgées sont principalement exposés aux risques domestiques (chutes, chocs, brûlures, intoxications, coupures...). Entre 1 an et 16 ans, 15 % des enfants sont victimes d'un accident de la vie privée au cours d'une année, ce qui représente plus d'un million d'accidents donnant lieu à des soins de médecin. La proportion est maximale entre 2 et 4 ans : 21 % des garçons et 15 % des filles. Dans cette tranche d'âge, les intoxications sont responsables d'un accident sur quatre. Les médicaments et les produits d'entretien sont à l'origine de 60 % des cas.
A l'adolescence, le risque d'accidents de loisirs ou scolaires est nettement prépondérant. Il est deux fois plus élevé chez les garçons : entre 11 et 16 ans, 30 % sont touchés contre 14 % des filles. Le taux d'accidents domestiques diminue rapidement jusqu'à l'âge de 16 ans, au profit des accidents scolaires.

Les risques varient selon le sexe et l'âge.

55 % des accidents de la vie courante concernent des hommes. Ceux-ci sont davantage impliqués dans des accidents de loisirs ou à l'école pour les garçons. Les femmes sont en revanche plus touchées par les accidents domestiques. Ces différences de circonstances expliquent que les hommes se blessent en général plus gravement que les fem-mes. Ils pratiquent des sports plus dangereux et prennent plus de risques.

Les principales populations à risque sont les enfants de moins de 16 ans, devant les retraités et les inactifs. Parmi les actifs, les cadres sont les plus concernés, suivis des professions intermédiaires et des ouvriers (une hiérarchie inversée par rapport aux accidents du travail).

Dépenses

La France consacre 9 % de son PIB à la santé.

Les dépenses de soins et de biens médicaux ont représenté 717 milliards de francs en 1996 (hors dépenses de prévention et de recherche), soit 9,0 % du PIB. Un taux qui se situe parmi les plus élevés du monde : 6,9 % au Royaume-Uni, 7,2 % au Japon, 7,6 % en Espagne, mais 10,4 % en Allemagne et 14,2 % aux Etats-Unis (chiffres 1995).

La croissance des dépenses de soins hospitaliers a été réduite (3,0 % contre 5,0 % en 1995), de même que celle de la consommation pharmaceutique (2,4 %, contre 6,0 %). Les dépenses de soins ambulatoires ont connu une hausse de 2,8 % contre 3,2 % en 1995, mais la croissance en volume a été supérieure à celle de l'année dernière (1,9 % contre 0,7 %).

La part des dépenses de santé dans le PIB a doublé depuis les années 60.

La très forte croissance qui s'est produite jusqu'au début des années 90 s'explique par de nombreuses raisons. La progression du niveau de vie, le vieillissement de la population, les préoccupations croissantes pour la santé, l'apparition de nouvelles techniques médicales coûteuses et la généralisation de la couverture sociale ont entraîné une dérive des dépenses.

On a assisté jusqu'en 1984 (date de la mise en place du système de dotation globale remplaçant le « prix de la journée ») à un fort développement des soins hospitaliers, un accroissement des effectifs et des équipements, une intensification des soins, parallèlement à une réduction de la durée moyenne d'hospitalisation.

Entre 1980 et 1995, les dépenses médicales ont doublé en volume (+ 96 %) ; l'augmentation a été de 55 % pour les soins hospitaliers, 120 % pour les soins ambulatoires (196 % pour les dépenses d'auxi-

filières

Ministère du Travail et des Affaires sociales

La hausse en baisse

Evolution en volume de la consommation de soins et de biens médicaux (en %) :

	80/85	85/90	1992	1993	1994	1995	1996
• Soins hospitaliers et en sections médicalisées	3,6	2,5	3,7	3,2	1,9	1,6	1,2
- dont sections médicalisées	36,6	9,1	9,3	9,5	8,0	4,8	3,6
• Soins ambulatoires	6,9	6,9	3,7	2,6	- 0,5	- 0,1	1,8
• Médicaments	8,3	8,1	5,5	6,5	1,9	5,1	1,7
• Autres services (transports, prothèses)	6,8	6,0	5,5	2,3	3,9	- 0,2	1,9
- dont transports	8,3	4,2	6,2	2,6	2,7	1,3	0,4
Consommation de soins et de biens médicaux	**5,5**	**4,8**	**4,1**	**3,6**	**1,3**	**1,8**	**1,4**

liaires médicaux, 226 % pour celles d'analyses, 100 % pour celles de médecins), 180 % pour les médicaments, 120 % pour les prothèses et 128 % pour les frais d'ambulance. Entre 1970 et 1990, le nombre des médecins libéraux a plus que doublé. Enfin, la nature du système d'assurance maladie n'a guère incité à la responsabilisation individuelle et à l'économie.

La progression des dépenses s'est ralentie depuis quelques années.

Du milieu des années 70 au début des années 90, la quinzaine de plans de redressement qui se sont succédé n'a pas réussi à endiguer l'accroissement des dépenses. L'évolution a été différenciée selon les postes : la part consacrée aux soins hospitaliers a connu une nette diminution depuis le début des années 80, tandis que celle consacrée aux soins ambulatoires (consultations de médecins, dentistes, auxiliaires médicaux et frais de laboratoires d'analyses) a progressé, de même que celle des médicaments.

Les résultats sont plus apparents depuis 1993 (loi Teulade), grâce notamment à la mise en place d'une maîtrise médicalisée (références médicales opposables, codage des actes, objectifs nationaux de dépense négociés avec les médecins...). Le taux d'accroissement des dépenses de santé (2,9 % en 1996) reste supérieur à celui du PIB, mais il tend à ralentir. Il était de 17,3 % par an entre 1970 et 1975, 7,6 % entre 1985 et 1990, 4,5 % en 1995.

En 1996, chaque Français a dépensé 12 000 F pour sa santé, contre 8 700 F en 1990, 1 600 F en 1980, 900 F en 1970.

Les ménages ont consacré 10,3 % de leur budget aux dépenses de santé, contre 9,5 % en 1990, 7,7 % en 1980, 7,1 % en 1970, 5,0 % en 1960. Mais la dépense totale de santé est en réalité beaucoup plus élevée, car les ménages ne paient directement que 14 % des soins, le reste étant pris en charge par la collectivité (voir graphique).

La dépense totale représente un peu plus de 12 000 F par personne. La structure de ces dépenses fait apparaître le poids des soins hospitaliers (le prix moyen d'une journée d'hospitalisation est de 2 400 F), qui représentent la moitié de l'ensemble, autant que les soins ambulatoires et les frais de médicaments réunis.

La part des dépenses à la charge des ménages augmente.

Entre 1950 et 1980, la part de la Sécurité sociale dans le financement des dépenses de santé est passée de 44 % à 77 %. Dans le même temps, celle de l'Etat

La réforme en cours devrait s'achever par l'instauration progressive d'une « assurance universelle » qui harmonisera les contributions et les prestations propres aux différents régimes.

L'opinion des médecins

82 % des médecins estiment que le financement du système de santé est un des sujets les plus importants pour l'avenir de leur métier. 67 % pensent que les dispositifs de maîtrise des dépenses auront des conséquences négatives sur leurs revenus. 62 % se disent favorables à la prescription de médicaments génériques. 61 % sont favorables au carnet de santé. 74 % des spécialistes se déclarent opposés aux filières de soins avec passage obligé chez les généralistes, alors que 55 % de ces derniers et 52 % des médecins salariés hospitaliers y sont favorables.

Ordre des Médecins/Louis Harris, février 1998

1 000 F par mois pour la santé

Répartition des dépenses de santé par habitant (1996, en francs) :

• Soins hospitaliers (secteur public)	4 442
• Soins hospitaliers (secteur privé)	1 358
• Soins en sections médicalisées	161
• Médecins	1 613
• Dentistes	753
• Auxiliaires médicaux	528
• Analyses	326
• Cures thermales	106
• Médicaments	2 216
• Transports sanitaires	181
• Lunetterie	207
• Orthopédie	124
• Médecine préventive	261
Total	**12 276**

et des collectivités locales passait de 14 % à 3 %. La part des ménages a donc fortement baissé, de 37 % à 16 %.

Depuis 1980, le poids de la Sécurité sociale a au contraire diminué de 3 points, du fait de la réduction relative des soins hospitaliers, qui sont mieux couverts que ceux de la médecine de ville, et des mesures tendant à accroître la participation des assurés aux dépenses. Cette tendance est à l'origine du développement des couvertures complémentaires (mutuelles et assurances privées), qui représentent actuellement 12 % du financement.

Plus de consommation et moins de remboursement qu'ailleurs

Avec un taux de remboursement des médicaments de 70,3 % contre 77 % en 1986 (hors mutuelles et compagnies d'assurances), la France se situe à la dernière place des pays de l'Union européenne ; le taux est par exemple de 93,7 % au Royaume-Uni, 91 % en Allemagne, proche de 90 % en Espagne, au Luxembourg, en Irlande, en Grèce et en Suède. Il est supérieur ou égal à 80 % en Belgique, en Autriche et en Finlande.
Par ailleurs, la dépense de pharmacie par habitant est supérieure de 66 % en France à celle du Royaume-Uni et de 22 % à celle de l'Allemagne. La part des médicaments génériques, copies moins chères de produits dont le brevet est tombé dans le domaine public, est inférieure à 5 % contre 35 % en Allemagne (10 % en moyenne dans l'Union européenne).

Les trois quarts pour la Sécu

Financement des dépenses de santé (1996, en %) :

- Sécurité sociale	73,5
- Ménages	13,8
- Mutuelles	7,0
- Sociétés d'assurances	3,1
- Institutions de prévoyance	1,7
- Etat et collectivités locales	0,9

84 % des Français sont couverts par une assurance complémentaire maladie, contre 69 % en 1980.

Les Français sont aujourd'hui presque tous couverts par un régime d'assurance maladie. Plus de huit sur dix disposent d'une assurance complémentaire (contre un sur trois en 1960). C'est le cas de 96 % des salariés qui peuvent souscrire une assurance par leur entreprise, contre 78 % parmi ceux qui n'ont pas cette possibilité. Ces assurances complémentaires couvrent 10 % des dépenses totales de santé qui s'ajoutent aux remboursements de la Sécurité sociale. La consommation médicale des personnes disposant d'une assurance complémentaire est supérieure de 30 % à celle des personnes qui n'en ont pas.

La proportion de personnes concernées varie avec le revenu : 62 % des ménages disposant de moins de 45 000 F par an, contre 94 % de ceux qui perçoivent au moins 180 000 F. Les personnes les moins protégées sont les jeunes qui n'exercent pas d'activité professionnelle et ne sont plus couverts par les assurances de leurs parents, de même que les chômeurs (61 %) et les étrangers (50 %).

Aujourd'hui, 38 % des Français sont favorables à la mise en concurrence de la Sécurité sociale avec des systèmes d'assurance volontaire (27 % des sympathisants de gauche, 50 % de ceux de droite) ; 59 % y sont opposés.

Un équilibre difficile à trouver.
Audour, Soum & Associés

Les inégalités face aux soins tendent à s'accroître.

On avait assisté pendant une trentaine d'années à une réduction des inégalités de consommation médicale entre les différents groupes sociaux. Ce mouvement s'était traduit par un resserrement des écarts entre les salariés et un rattrapage des indépendants (agriculteurs, commerçants, artisans). Mais la nécessité d'une protection complémentaire et la diminution des taux de remboursement a réduit récemment l'égalité de l'accès au système.

Un Français sur quatre déclare aujourd'hui avoir déjà renoncé à des soins pour des raisons financières. Les restrictions les plus fréquentes portent sur les problèmes dentaires, devant les visites chez les médecins spécialistes, les examens, les lunettes, la kinésithérapie et les analyses biologiques. La dépense de soins de médecins (hors prescriptions) varie du simple au double (850 F à 1 700 F) selon les revenus.

La précarité croissante (qui concerne entre 12 et 15 millions de personnes) a sans aucun doute des effets sur la santé de la population. 31 % des salariés en contrat à durée déterminée ne bénéficient pas d'une assurance complémentaire, contre 9 % seulement de ceux qui ont un contrat à durée indéterminée.

✦ *La fraude et le gaspillage sont estimés à 120 milliards de francs par an (rapport du docteur Béraud, ex-médecin-conseil de la CNAM), soit l'équivalent de 4 points de CSG.*

Les écarts de dépenses concernent davantage les individus que les groupes sociaux.

On estime que 3 % des assurés absorbent 50 % des dépenses de santé, et que 1,4 % en absorbent 30 %. L'âge est évidemment un critère essentiel : la moitié des dépenses médicales concernent les personnes de 60 ans et plus, un tiers celles de 30 à 59 ans, un cinquième celles des moins de 30 ans. Mais l'état de santé ne dépend pas que de l'âge ; un quart des bénéficiaires du RMI se trouvent dans un état de santé insuffisant.

Les dépenses médicales restent en partie conditionnées par l'appartenance socio-culturelle, mais dans un sens qui n'est pas toujours conforme à la hiérarchie sociale. Ainsi, les taux d'hospitalisation sont plus élevés dans les catégories défavorisées, alors que le recours aux médecins spécialistes et aux médecins pratiquant les honoraires libres est davantage le fait des catégories à revenu élevé. Les écarts sont aussi liés aux comportements individuels et aux modes de vie (habitudes alimentaires, consommation d'alcool et de tabac, etc.).

Liberté, égalité, santé

Pour 72 % des Français, le remboursement des dépenses de santé doit être identique pour tous, quel que soit le niveau de revenus ; 20 % estiment qu'il devrait varier en fonction du revenu, 7 % qu'il devrait être réservé aux personnes dont les revenus n'excèdent pas un certain niveau.
(BFM-Paris-Match/BVA, septembre 1997.)
73 % ont le sentiment qu'en matière de santé, les pouvoirs publics privilégient aujourd'hui la limitation des dépenses, 20 % la santé des malades. 89 % sont favorables au maintien des petites maternités et des hôpitaux de proximité ; seuls 8 % sont de l'avis contraire.

Les Français sont les plus gros consommateurs de médicaments d'Europe.

Les dépenses de médicaments des Français ont triplé en vingt ans, alors que le nombre de produits achetés par personne ne faisait « que » doubler, passant de 18 à 33 boîtes par an. Une consommation bien supérieure à celle mesurée dans les autres pays développés : 6 boîtes aux Etats-Unis ou au Danemark, 10 en Belgique, 15 en Allemagne et en Espagne, 22 en Italie (voir encadré).

(Le Quotidien du médecin/BVA,

Cette situation peut s'expliquer par l'association, très forte dans la culture nationale, entre le nombre de médicaments prescrits par le médecin et l'état de santé. La densité élevée de médecins sur le territoire favorise cette attitude : certains ne résistent pas aux demandes des patients ; d'autres sont sensibles aux sollicitations des visiteurs médicaux.

La surconsommation française est peut-être aussi liée au prix peu élevé des médicaments en France par rapport aux autres pays développés, bien qu'il semble que le prix influe peu sur la demande. Enfin, une grande partie des produits sont stockés dans les armoires à pharmacie, conservés en cas de besoin jusqu'à la date de péremption, puis jetés.

Comme pour l'ensemble des médicaments, cette spécificité française tient sans doute aux prescriptions des médecins et aux prix pratiqués. On constate d'ailleurs que la consommation de psychotropes va de pair avec celle des autres médicaments. Il faut y ajouter le poids des habitudes, qui sont différentes d'un pays à l'autre. On constate ainsi en Belgique que les Wallons consomment plus de psychotropes que les Flamands. Les Allemands, eux, soignent leur stress avec des plantes.

L'usage des psychotropes est plus fréquent chez les femmes : 14 % de consommatrices régulières contre 9 % des hommes. Il est très fortement croissant avec l'âge : à partir de 80 ans, 32 % des hommes et 34 % des femmes en consomment, contre 0,1 % des hommes et 2 % des femmes entre 20 et 30 ans.

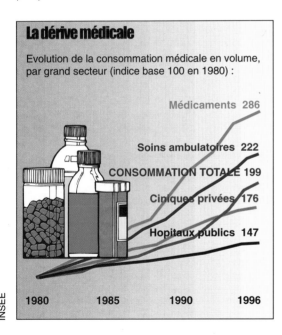

La dérive médicale

Evolution de la consommation médicale en volume, par grand secteur (indice base 100 en 1980) :

Médicaments 286

Soins ambulatoires 222

CONSOMMATION TOTALE 199

Cliniques privées 176

Hôpitaux publics 147

1980 1985 1990 1996

INSEE

Le bonheur sur ordonnance

Les Français achètent 15 fois plus de médicaments hypolipidémants (prévention des maladies cardio-vasculaires) par rapport aux Britanniques, 4 par rapport aux Italiens, 2,5 fois par rapport aux Allemands. On constate cependant que la mortalité liée à ce type de maladie est inférieure en France. Le ratio est de 3 pour les tranquillisants, antidépresseurs, neuroleptiques et autres psychotropes par rapport aux Allemands et aux Britanniques, 2,5 par rapport aux Italiens. Pour les antibiotiques, il est de 2,5 par rapport aux Allemands, 2 par rapport aux Britanniques et Italiens.
Seuls les anti-ulcéreux et les anti-inflammatoires non stéroïdiens sont un peu moins consommés qu'en Italie en au Royaume-Uni. Mais les comparaisons internationales sont peu fiables, du fait notamment des différences de méthodes d'estimation et de conditionnement.

OCDE

La consommation de médicaments psychotropes est la plus élevée du monde.

Les Français consomment trois à quatre fois plus de médicaments psycholeptiques que les autres Européens (230 cachets par jour pour 1 000 personnes). 11 % en prennent de façon régulière. Les antidépresseurs (qui agissent sur l'humeur) connaissent la plus forte croissance depuis 1990, devant les hypnotiques (qui provoquent le sommeil) et les neuroleptiques (destinés à soigner les problèmes nerveux). Les tranquillisants (ou anxiolytiques, qui calment l'angoisse) connaissent au contraire une stagnation.

Soins

Les Français consultent un médecin en moyenne huit fois par an.

En 1996, les Français ont vu en moyenne 4,8 fois un généraliste et 3,5 fois un spécialiste, soit au total 8,3 consultations et visites. Depuis 1970, ce nombre a presque triplé (il était de 3,2) ; il est stable depuis 1993. Les deux tiers des séances ont lieu au cabinet du médecin, une sur cinq à domicile, une sur dix à l'hôpital.

La fréquence des visites est supérieure en France à celle mesurée au Royaume-Uni (6) ; elle est très inférieure à celle de l'Allemagne (12 fois). On estime par ailleurs que la durée moyenne de la visite est de 14 minutes en France, contre 9 minutes en Allemagne et 8 minutes au Royaume-Uni.

Les femmes et les personnes âgées sont celles qui consultent le plus.

Les femmes ont plus de raisons particulières que les hommes de se rendre chez le médecin : périodes de grossesse, choix et suivi des méthodes contraceptives, ménopause, etc. Elles consultent un peu plus souvent des spécialistes (36 % des cas, contre 31 % pour les hommes), sont plus souvent hospitalisées et consomment davantage de médicaments. L'écart entre les sexes s'accroît depuis 1980 ; il est maximal entre 20 et 45 ans. Les personnes âgées consultent également plus souvent que la moyenne.

Parmi les actifs, les cadres et les employés sont ceux qui se rendent le plus souvent chez le médecin, à l'inverse des membres des professions libérales, agriculteurs et patrons. Le recours au médecin augmente avec le revenu. Les cadres supérieurs consultent davantage les spécialistes que les généralistes, au contraire des ouvriers non qualifiés.

La durée d'hospitalisation a été presque divisée par deux en 15 ans.

Les séjours en médecine duraient en moyenne 6,7 jours en 1996 contre 10,2 en 1983. La durée en chirurgie était de 5,3 jours contre 8,2 ; elle était de 57 jours en psychiatrie contre 90. Les femmes qui accouchent aujourd'hui passent 4 à 5 jours à la maternité, contre 26 jours en 1950.

Les hôpitaux sont aujourd'hui davantage des lieux d'intervention chirurgicale (environ 8 millions par an) que d'hébergement. Les opérations les plus fréquentes concernent l'ablation des amygdales et de l'appendice, les opérations de la cataracte et des hernies. 58 % sont effectuées dans des cliniques privées, 42 % dans des hôpitaux publics. On compte en moyenne 24 lits de chirurgie pour 10 000 habitants. Le forfait hospitalier (frais restant à la charge des malades) est passé de 31 F par jour en 1990 à 70 F en 1996.

✦ *On estime que 7 % des hospitalisations sont liées à des accidents dus aux médicaments.*

L'offre de soins est supérieure à la demande.

Fin 1996, on recensait 114 000 médecins libéraux, dont 61 000 généralistes et 53 000 spécialistes. Ce nombre est à comparer à un total de 68 000 en 1970. Malgré la limitation du nombre d'étudiants, celui des médecins continue de s'accroître à un rythme ralenti, de sorte que le nombre d'actes par praticien stagne. Il faut ajouter à ces effectifs ceux des auxiliaires médicaux : 45 000 infirmiers, 35 000 masseurs-kinésithérapeutes, 9 000 orthophonistes (rééducation du langage), 1 300 orthoptistes (problèmes de la vue). On recense par ailleurs 37 000 chirurgiens dentistes, contre 29 000 en 1980, mais leur nombre est stable depuis 1993.

Les hôpitaux offrent quant à eux 480 000 lits dans le secteur public, 200 000 dans le secteur privé. Une capacité d'accueil largement supérieure aux besoins, du fait des progrès réalisés en matière de soins chirurgicaux. On estime ainsi que 20 % des lits du secteur public en hospitalisation complète sont excédentaires. Une solution pourrait être d'en reconvertir une partie pour accueillir les vieillards, de plus en plus nombreux ; le taux d'occupation des lits en long séjour est proche de 100 %.

Les Français et l'hôpital

Au cours des cinq dernières années, 59 % des Français (18 ans et plus) ont connu l'hospitalisation, pour eux-mêmes ou un membre de leur famille (41 % non).
62 % considèrent qu'à l'hôpital on est sûr d'être bien soigné, 34 % non. 71 % estiment que le personnel des hôpitaux se montre suffisamment disponible avec les patients, 24 % non.
52 % estiment que certains hôpitaux sont dangereux et qu'ils devraient être fermés, 34 % non. Mais seuls 12 % pensent qu'il y a trop d'hôpitaux en France et qu'il faudrait, pour des raisons économiques, les fermer (80 % opposés).

Viva/Ipsos, janvier 1998

Les rapports entre les patients et la médecine se transforment.

Pendant longtemps, les Français ont considéré le médecin comme le détenteur unique d'un pouvoir magique, celui de guérir la maladie, de prolonger la vie. Mais leurs attitudes ont changé. Un malade sur trois met en concurrence le diagnostic de son médecin avec celui d'autres praticiens. Un sur trois ne suit pas les ordonnances à la lettre. Certains n'achètent pas tous les médicaments prescrits, d'autres n'en consomment qu'une partie.

Cette évolution s'inscrit dans une volonté générale d'autonomie. La confiance dans les institutions médicales a été par ailleurs ébranlée par le scandale du sang contaminé, par les révélations sur l'importance des maladies nosocomiales (infections contractées à l'hôpital) ou celles concernant les erreurs médicales. S'il n'est pas aujourd'hui très important (un peu plus de 1 000 pour 500 millions d'actes médicaux effectués chaque année), le nombre des réclamations de malades devant les tribunaux s'accroît.

Pour un nombre croissant de Français, la médecine doit devenir un service comme les autres. Les « patients » sont de plus en plus impatients ; ils se considèrent plutôt comme des clients. Ils attendent des soins de qualité, souhaitent connaître la vérité sur leur état de santé et entendent participer aux décisions qui les concernent.

Un Français sur trois recourt aux « médecines alternatives ».

L'une des conséquences de la transformation des relations entre médecins et malades est l'ouverture croissante de ces derniers aux médecines dites parallèles, douces, ou alternatives. 61 % y ont déjà recouru (11 % sont des utilisateurs réguliers), 38 % non. Parmi les utilisateurs, 78 % ont essayé l'homéopathie, 41 % l'acupuncture, 25 % l'ostéopathie, 13 % d'autres méthodes. 54 % disent avoir confiance en elles, 29 % non.

Le succès de ces médecines différentes peut s'expliquer par la montée des préoccupations écologiques et la volonté des Français d'être moins dépendants de leur médecin habituel. Il traduit aussi une volonté de lutter contre la surmédicalisation caractéristique des années récentes.

Enfin, la logique différente, souvent d'origine orientale, qui sert de fondement à ces médecines exerce une attirance croissante dans un pays où la rationalité scientifique a montré ses limites. Les médecines douces ont une vision plus globale de l'individu, et ne font pas la différence entre corps et esprit. Les médecins sont d'ailleurs de plus en plus nombreux à s'y intéresser. On compterait en France 20 000 homéopathes, 15 000 acupuncteurs.

L'automédication se développe.

73 % des Français décident au moins occasionnellement eux-mêmes des traitements à appliquer à leurs maladies, surtout lorsqu'elles ne présentent pas un caractère de réelle gravité. En 1997, les médicaments dits de médication familiale ou automédication (en vente libre et non remboursés) ont représenté 17 % des 2,9 milliards d'unités achetées par les Français, soit 3 milliards de francs. 59 % de ces produits concernaient des produits non remboursables, 41 % des produits remboursables non présentés au remboursement. Il faudrait y ajouter les médicaments remboursés que les patients réussissent à se faire prescrire par leur médecin.

54 % des Français souhaitent que les pharmaciens exposent davantage de médicaments vendus sans ordonnance, 28 % plus de médicaments homéopathiques, 25 % plus de produits de phytothérapie. La consommation de médicaments familiaux devrait s'accroître au cours des prochaines années, car elle est encouragée par les pouvoirs publics, les pharmaciens et certains laboratoires. Elle représente un moyen d'individualiser une partie des dépenses de santé.

L'entretien du corps occupe une place croissante dans la vie des Français.

Conscients de l'importance qu'il revêt dans leur vie professionnelle, sociale, familiale ou personnelle, les Français font des efforts pour être en bonne santé et rester en forme. L'hygiène, la diététique, la prévention, le sport, le recours aux médecins et aux médicaments tiennent donc une place de plus en plus grande.

Cette évolution entraîne une nouvelle conception du rapport au corps. Elle se traduit par une recherche du plaisir des sens, y compris de ceux qui ont été un peu oubliés jusqu'ici, comme l'odorat ou le toucher. Le besoin de sensations et d'émotions s'accroît. La vitalité, dont le corps est le vecteur, devient indispensable à un moment où il est de plus en plus nécessaire de maîtriser sa propre vie, d'être autonome et indépendant. La maladie est de moins en moins bien acceptée, de même que la douleur physique.

Plus que la santé au sens traditionnel, c'est la recherche du bien-être et de l'harmonie qui est à l'ordre du jour. Elle implique une vision globale (holistique) du corps, qui n'est plus séparé du cerveau, du cœur (centre des émotions), de l'esprit et de l'âme. C'est pourquoi les médecines alternatives, notamment d'origine asiatique, séduisent un nombre croissant de Français qui rejettent la fragmentation du corps et l'approche mécaniste propres aux médecines occidentales.

L'INSTRUCTION

Formation

Le niveau d'instruction moyen continue de s'accroître régulièrement.

En cinquante ans, la durée médiane des études (qui sépare la population en deux parties égales) a doublé, passant de 7 à 14 ans. En 1946, moins d'un jeune de 14 ans sur deux était scolarisé ; plus d'un sur deux poursuit aujourd'hui des études à l'âge de 20 ans. Entre 1946 et 1996, la proportion de titulaires d'un CAP ou BEP a triplé parmi les 25-34 ans ; la part des bacheliers est passée de 4 % à 60 %.

Les tests de raisonnement, logique et intelligence passés par les conscrits lors des « trois jours » (avant leur suppression en 1996) montrent également une forte progression du niveau général entre 1974 et 1995, avec une accélération (estimée à 24 %) depuis 1981. De plus, les disparités entre les plus forts et les plus faibles se sont considérablement réduites.

Cette évolution est due au fait que les jeunes générations sont beaucoup plus diplômées que les anciennes. Alors que les trois quarts des personnes nées entre 1916 et 1925 arrêtaient leurs études au CEP, les trois quarts des jeunes de 25 à 34 ans obtiennent désormais des diplômes secondaires ou supérieurs. Le taux de bacheliers a dépassé 50 % depuis la classe 1975 ; il est aujourd'hui supérieur à 60 %.

Les femmes des jeunes générations sont plus diplômées que les hommes.

Dans l'ensemble de la population de 15 ans et plus, les hommes étaient encore un peu plus diplômés que les femmes lors du recensement de 1990 : 54,9 % avaient un diplôme supérieur au certificat d'études, contre 48,4 % ; 22,7 % avaient au moins le baccalauréat, contre 21,4 %.

Mais cet écart entre les sexes s'est comblé très rapidement au cours des dernières années. Depuis la fin des années 80, le taux de scolarisation des femmes de 24-25 ans a dépassé celui des hommes.

A 20 ans, 62 % des filles sont scolarisées contre 54 % pour les garçons ; les proportions étaient de 3 % et 6,5 % en 1946. 37 % des femmes nées entre 1956 et 1964, âgées de 25 à 34 ans en 1990, détenaient au moins le baccalauréat ou un diplôme équivalent, contre 31 % des hommes.

Cette inversion est significative de la volonté et de la capacité des femmes de faire des études afin de pouvoir mener une carrière professionnelle. Elle implique à terme qu'elles prendront dans les entreprises et dans la société une place importante, en rapport avec leur formation et leur ambition.

Un clivage social important

Les différences d'attitudes, de comportements ou de valeurs sont de moins en moins expliquées par les variables sociodémographiques traditionnelles, notamment le sexe, le revenu ou le statut matrimonial. On s'aperçoit que le niveau d'instruction joue en revanche un rôle croissant.

C'est par exemple l'instruction qui détermine la connaissance et la compréhension des mécanismes économiques et conduit à accepter ou souhaiter la mise en œuvre des changements sociaux. Au contraire, les personnes qui ont un plus faible niveau de formation comprennent moins facilement les enjeux économiques et les contraintes qu'ils impliquent. Elles en éprouvent une frustration et tendent à rejeter en bloc les changements, continuant d'attendre de l'Etat une assistance permanente.

Les inégalités selon l'origine sociale se sont réduites...

Le prolongement de la scolarité et l'accroissement du niveau d'instruction ont profité à tous les milieux sociaux. Ils ont même été plus sensibles dans les familles modestes. En 1996, la moitié des enfants d'ouvriers âgés de 20 et 21 ans ont atteint le niveau du baccalauréat, contre un sur cinq en 1984. Le gain a été moins spectaculaire pour les enfants des milieux les plus favorisés (chefs d'entreprise, cadres, enseignants, professions intermédiaires). Ainsi, la probabilité d'accéder aux études supérieures a plus

Les Français de plus en plus instruits

Niveaux de diplômes de la population métropolitaine de 15 ans et plus*, par sexe (en %) :

	Hommes			Femmes			Ensemble		
	1982	1990	1997	1982	1990	1997	1982	1990	1997
• Aucun diplôme ou certificat d'études	56,8	45,1	27,4	63,3	51,6	26,9	60,2	48,6	27,2
• BEPC	7,0	8,9	6,3	9,6	11,5	8,6	8,4	10,2	7,4
• CAP, BEP	18,2	23,3	32,9	11,2	15,5	25,0	14,6	19,2	29,3
• BAC, BP	9,6	11,0	11,2	8,8	11,4	14,1	9,1	11,2	12,5
• BAC + 2	3,4	5,0	8,9	4,5	6,0	13,3	3,9	5,5	10,9
• Diplômes supérieurs	5,0	6,7	10,9	2,6	4,0	9,6	3,8	5,3	10,3
• En cours d'études initiales	-	-	2,4	-	-	2,5	-	-	2,4
Ensemble	100,0	100,0	100,0	100,0	100,0	100,0	100,0	100,0	100,0

* Aux recensements pour 1982 et 1990, lors de l'enquête sur l'emploi pour 1997.

INSEE

que triplé depuis 1984 pour les enfants d'ouvriers alors qu'elle a un peu plus que doublé pour l'ensemble des enfants.

... mais elles restent fortes.

La démocratisation qui s'est produite à l'école n'a pas empêché la reproduction des inégalités, qui se sont simplement déplacées vers le haut. En 1996, un jeune de 25-34 ans a toujours comme en 1970 deux chances sur trois d'être plus diplômé s'il est fils de cadre que s'il est issu d'un milieu modeste (ouvrier, agriculteur, employé). Parmi les bacheliers, la probabilité qu'un enfant de cadre et un enfant de non-cadre reproduisent la situation de leurs parents est deux à trois fois supérieure à la probabilité d'échange de leurs situations relatives.

L'égalité des chances n'est donc pas réalisée à l'école et le mérite personnel d'un enfant n'est en général pas suffisant pour compenser ses handicaps de départ. Dans un contexte d'accroissement du pouvoir d'achat et du bien-être, la stabilité des inégalités est par ailleurs perçue par les Français comme une dégradation, une « panne de l'ascenseur social ». Elle est sans doute l'une des causes de leurs relations difficiles, parfois conflictuelles, avec les institutions et avec l'école.

✦ 8 % des Français déclarent suivre des cours du soir.

L'école ne saurait être tenue pour seule responsable.

Les plus grandes disparités de réussite dans le système scolaire sont induites par le milieu familial. Elles ne sont pas seulement liées à la profession des parents, mais au mode de vie plus ou moins enrichissant : activités, discussions, rencontres, voyages, utilisation des médias... La transmission du « capital culturel » entre les générations au sein des familles revêt donc encore une importance considérable.

C'est entre 6 et 10 ans que se créent ou s'élargissent les différences. Constamment stimulé intellec-

La culture n'est pas seulement dispensée par l'école.
Euro RSCG

Plus de 2 millions d'illettrés

Sur les 37 millions de personnes de plus de 18 ans vivant en France métropolitaine, 2,3 millions (soit près d'une sur dix) sont illettrées, c'est-à-dire incapables de lire, écrire, éventuellement compter, mais aussi de communiquer dans les relations sociales ou professionnelles de la vie courante.

Près de la moitié d'entre elles (1,1 million) n'ont pas eu le français comme langue maternelle ; pour l'apprentissage de l'écriture, 650 000 enfants ne peuvent être aidés par leurs parents et connaissent une scolarité difficile. On compte aussi un peu plus de 500 000 personnes âgées, qui ont connu une scolarité trop courte, ont oublié les bases ou dont les capacités physiques et intellectuelles ont diminué. On estime que 700 000 autres adultes de langue maternelle française connaissent des difficultés.

Si l'analphabétisme a reculé à la faveur du développement de la scolarité obligatoire, une proportion non négligeable de jeunes est encore illettrée à la sortie de l'école : 8 % d'entre eux ne peuvent aller au-delà de la lecture d'une phrase simple ; 12 % ne comprennent pas totalement un texte de 70 mots en français courant, à la vitesse de la parole.

Toutes ces personnes se trouvent désarmées face à la « civilisation de l'écriture », qui reste prépondérante dans la société de l'image. Elles éprouvent beaucoup de difficultés à trouver un emploi et à s'insérer socialement.

mêmes moyens, tant financiers que culturels, pour aider leurs enfants.

La « reproduction sociale » est toujours d'actualité.

Si le lien entre l'origine sociale d'un enfant et sa scolarité est depuis longtemps établi, on connaît moins son influence sur sa destinée sociale. L'étude de l'INSEE montre que le système de « reproduction sociale » décrit en 1970 par Pierre Bourdieu reste largement en vigueur. Il apparaît que le diplôme, qui est aujourd'hui nécessaire pour trouver un emploi, est de moins en moins suffisant pour accéder au même statut économique que les diplômés issus de milieux plus favorisés, mais aussi que les générations précédentes.

Quels que soient la génération et le moment de la carrière professionnelle, la probabilité pour qu'un fils d'ouvrier devienne ouvrier ou qu'un fils de non-salarié devienne non-salarié est toujours plus de quatre fois supérieure à celle d'un échange des situations sociales (ouvrier devenant artisan, commerçant ou patron, fils d'artisan ou commerçant devenant ouvrier). On constate d'ailleurs une stabilité des inégalités scolaires et sociales depuis un quart de siècle.

tuellement dans certaines familles, l'enfant se retrouve au contraire seul face à ses devoirs dans d'autres familles, moins disponibles ou moins concernées. C'est à cette période que les écarts scolaires commencent à se creuser.

Les inégalités d'origine culturelle sont de plus en plus déterminantes pour l'avenir des enfants.

L'étude conduite en 1997 par l'INSEE (Dominique Goux et Eric Maurin) montre que les inégalités familiales de nature culturelle (éducation des parents) jouent un rôle croissant. Elles sont aujourd'hui plus importantes que les inégalités économiques (revenus des parents). Ce sont elles en effet qui conditionnent l'ambition des parents pour leurs enfants et les stratégies qu'ils déploient dans la recherche des meilleurs établissements scolaires, dont la fréquentation influera sur les capacités des enfants à se mouvoir plus tard dans l'univers professionnel et social.

Les parents appartenant aux catégories aisées consacrent beaucoup de temps et d'argent à la culture générale de leurs enfants et à l'aide scolaire : cours particuliers, stages linguistiques, livres, contrôle des devoirs et leçons, entretiens avec les professeurs, etc. Les autres ne disposent pas des

Etudier pour travailler

• Pour 68 % des Français, l'école doit servir en priorité à accéder au monde du travail (68 %). Son rôle est aussi de dispenser une culture générale (53 %), de réduire les inégalités dans la société (34 %), de former la réflexion et l'esprit critique (33 %).

• Pour les parents d'élèves, c'est le savoir et la connaissance qui symbolisent le mieux l'école (81 %), loin devant la laïcité (37 %), la réussite (35 %), le travail (34 %), l'égalité (30 %), l'intégration (23 %), la solidarité (15 %).

• Seuls 50 % des Français estiment que l'enseignement fonctionne bien (49 % de l'avis contraire).

INSEE

FSU/Sofres, octobre 1997

L'importance de l'origine sociale s'accroît tout au long de la vie professionnelle.

Dans le système très concurrentiel qui préside à l'obtention des postes les plus valorisants, rémunérateurs et porteurs de pouvoir, le milieu social d'origine peut être un atout ou un handicap. D'abord pour la conduite de la scolarité et l'obtention des diplômes. Puis dans la vie professionnelle ; l'influence du diplôme diminue alors, mais au profit de l'effet direct du milieu d'origine.

Les réseaux relationnels familiaux et les ressources financières mobilisables au profit des enfants renforcent le modèle « héréditaire » et freinent la mobilité sociale. On constate que la relation entre l'origine sociale d'un individu et son statut professionnel est deux fois plus forte en fin de carrière qu'au début (contre une fois et demie entre le diplôme et le statut en début et en fin de carrière). Le diplôme a donc une influence de moins en moins sensible au fur et à mesure de l'avancement dans la vie, contrairement à l'origine sociale.

Les inégalités dans les destinées ne se forgent pas seulement à l'école ; elles se renforcent aussi tout au long de la vie professionnelle. Le coût de la mobilité sociale apparaît d'autant plus élevé que le chemin à parcourir est important, chacun ayant a priori tendance à rester dans son milieu d'origine.

et dans leur métier. Fixée au départ à 0,8 % de la masse salariale, la contribution légale minimum des entreprises à la formation a progressivement augmenté ; elle est aujourd'hui de 1,5 %. Mais les entreprises dépensent en réalité plus du double : 3,3 % en moyenne, ce qui représente l'un des taux les plus élevés dans le monde.

Deux tiers des entreprises de plus de dix salariés assurent chaque année des actions de formation professionnelle, qui concernent un peu plus d'un tiers de leurs effectifs (36 %). Les proportions moyennes sont respectivement de moins de 60 % et 28 % dans l'ensemble des pays de l'Union européenne.

Entre 1988 et 1993, la formation continue a concerné 27 % des hommes et 24 % des femmes dans l'ensemble du secteur privé. Les proportions étaient respectivement de 28 % et 26 % dans le secteur public. Comparée aux autres pays de l'Union européenne, la proportion de salariés français concernés par la formation permanente arrive en quatorzième position, devant la Grèce.

... mais elle ne bénéficie pas également à tous.

La formation continue ne concerne d'abord que les actifs, et parmi eux essentiellement les salariés. Elle profite aussi davantage au personnel déjà qualifié et tend donc à renforcer les écarts liés à la formation initiale. Ainsi, 33 % des cadres étaient concernés en 1996, 31 % des employés administratifs, mais seulement 18 % des ouvriers qualifiés et 10 % des ouvriers non qualifiés.

Les jeunes sont également plus concernés que les plus âgés. Les inégalités entre les sexes tendent à s'estomper et ne s'expliquent plus que par les spécificités des emplois féminins : postes moins qualifiés, plus forte proportion d'actives à temps partiel. Enfin, les salariés des grandes entreprises (plus de 500 salariés) ont deux fois plus de chances de bénéficier d'une formation que ceux des entreprises de moins de 50 salariés.

Assimiler ou respecter les différences ?

51 % des Français estiment que, vis-à-vis des jeunes qu'elle accueille, l'école doit respecter les différences. 45 % pensent au contraire qu'elle doit s'efforcer de les assimiler quelles que soient leurs origines. Sur ce thème fondamental, les clivages sont multiples.

70 % des moins de 25 ans sont pour le respect des différences, 50 % des 50-64 ans sont pour l'assimilation. Les catégories aisées penchent pour l'assimilation (63 % des chefs d'entreprise, 54 % des cadres et professions libérales) alors que 59 % des ouvriers sont pour le respect des différences. Les sympathisants des « partis protestataires » (PC, écologistes, FM) sont, pour des raisons évidemment distinctes, plus favorables au respect des différences (respectivement 66 %, 60 %, 57 %), tandis que les sympathisants des « partis de gouvernement » (PS, UDF, RPR) penchent plutôt en faveur de l'assimilation (respectivement 46 %, 52 %, 46 %).

FSU/Sofres, octobre 1997

La formation continue est un moyen de réduire les inégalités...

L'instauration, en 1971, de la loi sur la formation continue (ou permanente) a permis à des millions de Français de progresser dans leurs connaissances

✦ *8 % des salariés se considèrent insuffisamment formés.*

La prime à la formation

On estime que la formation continue représente pour ceux qui en bénéficient une plus-value de 5 à 10 % du salaire. La moitié des salariés qui ont suivi un congé individuel de formation ont bénéficié d'une promotion. Un tiers ont obtenu une augmentation de leur rémunération. La moitié n'ont pas eu à contribuer financièrement à cette formation ; quatre sur cinq ont perçu l'intégralité de leur salaire pendant cette période. Ce n'est pas le fait de suivre une formation qui apporte en soi une augmentation de salaire ; celle-ci s'inscrit dans un processus plus général de reconnaissance du salarié par l'employeur, favorable à son maintien dans l'entreprise et à sa promotion ultérieure. Les salariés bénéficiant de formation quittent en effet plus rarement leur employeur et bénéficient d'une plus grande stabilité de l'emploi.

La formation continue (comme l'éducation en général) n'apporte pas seulement une connaissance et un savoir-faire immédiatement utilisables dans la vie professionnelle ; elle représente aussi pour l'entreprise un « signal » de la capacité d'un individu à maîtriser son environnement et donc à être efficace pour l'entreprise.

francophones. Des classes d'adaptation accueillent des enfants ayant des difficultés dans l'enseignement élémentaire. Des classes d'intégration scolaire ont aussi été créées pour les élèves présentant un handicap physique, sensoriel ou mental, mais pouvant tirer profit du milieu scolaire ordinaire. Ces trois types de classes accueillent environ 60 000 élèves.

Le système éducatif français

La scolarité est obligatoire en France entre 6 et 16 ans. Le système éducatif se compose de trois degrés :
• Premier degré. Enseignement préélémentaire (écoles maternelles) et élémentaire (écoles primaires). Scolarité en trois cycles : apprentissages premiers (petite, moyenne et grande section), fondamentaux (grande section, CP, CE1), approfondissements (CE2, CM1, CM2).
• Second degré ou enseignement secondaire dispensé dans les collèges (premier cycle, classes de 6e à 3e), lycées professionnels (deuxième cycle professionnel) et lycées (deuxième cycle général, classes de 2de à terminale, et technologique).
• Enseignement supérieur dispensé dans les lycées, écoles spécialisées, grandes écoles ou universités.

Études

PREMIER DEGRÉ. *La scolarisation des enfants est pratiquement totale à 3 ans (35 % à 2 ans).*

Le système éducatif français se distingue par un taux de scolarisation élevé avant l'âge où l'école est obligatoire (entrée au cours préparatoire à 6 ans). Entre 1950 et 1990, celui des enfants de 2 à 5 ans est passé de 50 % à 85 %. Il tend à stagner à l'âge de 2 ans depuis 1980 où il avait atteint le maximum de 36,3 %. Mais la proportion d'enfants de 2 ans scolarisés est en fait de 52 % si l'on tient compte du fait que seuls sont acceptés ceux qui ont 2 ans révolus avant la date de la rentrée. Les enfants concernés dès l'âge de 2 ans en retirent des avantages sensibles, tout au long de l'école primaire, sans distinction d'origine sociale. A l'âge de 3 ans, la scolarisation est aujourd'hui pratiquement de 100 %.

A la rentrée 1996-1997, 2 447 674 enfants étaient scolarisés au niveau préélémentaire, dont 12 % dans des écoles privées. 3 946 942 élèves étaient dans le cycle élémentaire (CP à CM2), dont 14,6 % dans le privé. Des classes d'initiation ont été créées pour recevoir des élèves de nationalités étrangères non

Plus de 80 % des enfants entrent au collège l'année de leur onzième anniversaire ou avant, contre 46 % en 1960.

18 % des enfants ont un an de retard en CM2 (plus de 30 % dans les zones d'éducation prioritaire). La durée moyenne de scolarisation dans les classes élémentaires est aujourd'hui de 5,1 ans, contre 6,1 ans en 1960. Les filles accèdent au collège plus jeunes que les garçons : 17 % ont plus de 10 ans, contre 22 % des garçons. Les enfants de cadres et de membres des professions intermédiaires effectuent leur scolarité en cinq ans ; les enfants d'ouvriers mettent en moyenne 0,3 année supplémentaire.

L'amélioration générale constatée est liée au développement de la scolarisation préélémentaire. Les taux de redoublement sont inférieurs dans le secteur privé, mais ceux du public ont diminué plus vite et tendent à s'en rapprocher.

✦ *57 % des Français trouvent que les périodes de vacances scolaires sont mal réparties (39 % de l'avis contraire).*

Les rythmes scolaires en question

36 % des Français estiment que les enfants des écoles primaires ont trop de vacances, 7 % qu'ils n'en ont pas assez, 55 % juste ce qu'il faut. 76 % seraient favorables à des journées moins longues (21 % non). 66 % seraient favorables à une semaine réduite à quatre jours (31 % non). 77 % estiment qu'il faut développer les activités sportives et artistiques, quitte à réduire le temps consacré aux enseignements classiques (21 % non). 74 % sont favorables à la généralisation de l'informatique à l'école primaire, même si cela accroît les dépenses publiques (24 % non).
(Europe 2/BVA, septembre 1997)

Les expériences d'aménagement des rythmes scolaires réalisées depuis septembre 1996 se traduisent par une satisfaction générale des enfants, qui préfèrent rentrer plus tard chez eux et avoir des activités, notamment sportives et manuelles. Les parents sont également satisfaits et constatent que leurs enfants ont plus de plaisir à aller à l'école. Il ne semble pas cependant que ces aménagements aient des effets mesurables sur les résultats scolaires.
(CREDOC, janvier et mars 1997).

Le dictionnaire, premier outil culturel.

SECOND DEGRÉ. *Les effectifs de l'enseignement secondaire diminuent, malgré une démographie favorable.*

5 523 100 élèves ont été scolarisés en métropole dans les classes du premier et du deuxième cycle du second degré en 1996-1997, contre 5 617 200 en 1993. La baisse constatée depuis trois ans ne s'explique pas par un déficit démographique, mais par une nouvelle baisse du taux de passage en troisième générale et technologique.

Cette évolution traduit d'abord une orientation plus marquée vers les filières professionnelles, conduisant notamment au baccalauréat professionnel. Elle s'est accompagnée d'une hausse sensible du nombre d'élèves ayant interrompu leur scolarité au sein de l'Education nationale à l'issue de la troisième et s'orientant vers d'autres établissements, l'apprentissage ou la vie active.

Depuis le début des années 70, la part de l'enseignement privé se maintient aux alentours de 20,5 % pour l'ensemble du second degré. 36 % des Français (et 34 % des parents d'élèves) pensent que l'enseignement public est de moins bonne qualité que l'enseignement privé ; 44 % estiment qu'il est de même qualité, 16 % de meilleure qualité. Les sympathisants de gauche ont une meilleure image du public, ceux de droite du privé (FSU/Sofres, octobre 1997).

56 % des élèves entrés en sixième en 1990 parviennent en terminale, contre 42 % de ceux de 1979.

Après avoir nettement progressé, les taux d'accès à la classe supérieure tendent à marquer le pas à l'issue des classes de cinquième et de troisième générale (voir tableau). Le taux d'accès en seconde est en baisse depuis cinq ans. La progression est stoppée depuis deux ans pour l'accès en troisième.

62 % des élèves poursuivent leurs études à l'issue du BEP, contre 29 % il y a dix ans. L'essor du baccalauréat professionnel a cependant stoppé l'accroissement de l'orientation vers le second cycle général et technologique, qui était revenue en-deçà de 20 % depuis 1988 ; on note cependant une reprise depuis 1995.

✦ *La probabilité d'accès à l'enseignement supérieur d'un fils de cadre supérieur est 20 fois plus grande que celle d'un fils d'ouvrier.*

Ministère de l'Education nationale

Passages

Taux d'accès à la classe supérieure dans le second degré (cycle d'enseignement général, public et privé) :

	1985	1990	1996
• De la 6e à la 5^e	95,6	98,0	99,0
• De la 5e à la 4^e	79,0	83,0	86,8
• De la 4e à la 3^e	96,2	97,3	94,2
• De la 3e à la 2^{de}	63,9	70,7	67,3
• De la 2de à la 1re	90,9	94,5	92,9
• De la 1re à la terminale	95,1	96,5	97,1

64 % des élèves arrivent au niveau du baccalauréat, contre 10 % à la fin des années 50.

Créé par Napoléon en 1808, le baccalauréat n'était obtenu en 1900 que par 1 % de la génération scolarisée. La proportion atteignait 5 % en 1950, 11 % en 1960, 20 % en 1970, et 26 % en 1980. La probabilité d'obtenir un baccalauréat a doublé depuis 1980. Elle s'est accélérée depuis 1984, avec la création du baccalauréat professionnel et l'afflux des lycéens dans les séries générales. On observe cependant une stabilisation en 1996 du taux d'accès au niveau du baccalauréat.

La probabilité d'obtenir un diplôme professionnel (CAP ou BEP) est proche d'un tiers depuis 1980 (elle a un peu diminué). On assiste à une stagnation des orientations vers le CAP, au profit du BEP. L'apprentissage bénéficie d'un regain d'intérêt notable depuis 1992. Il reste une voie d'accès importante au CAP, tout en s'ouvrant de plus en plus vers le BEP et les formations de niveau plus élevé.

77 % des candidats ont obtenu le baccalauréat en 1997.

606 000 candidats se sont présentés aux épreuves du baccalauréat, y compris professionnel, en juin 1997, et 467 000 ont été reçus (métropole). Le taux de succès était de 76,3 % pour les 343 000 candidats au baccalauréat général (76,5 % pour les séries littéraires, 76,3 % pour les scientifiques, 76,0 % pour les sciences économiques et sociales). Il était de 77,3 % pour les 170 000 candidats au baccalauréat technologique, 79,3 % pour les 93 000 candidats au baccalauréat professionnel.

En 1960, seuls 10 % des jeunes d'une génération étaient bacheliers et le taux de réussite ne dépassait pas 60 %. L'évolution constatée est due pour une large part au fort accroissement du taux de scolarisation : à 17 ans, 70 % des jeunes sont à l'école, contre 36 % en 1968. Elle est liée aussi à la création de la filière professionnelle et à son poids croissant. 16 % des bacheliers en étaient issus en 1997, contre 1 % en 1980. 30 % étaient issus de la filière technologique.

On compte encore trois fois plus de bacheliers parmi les enfants de cadres supérieurs et professeurs que parmi ceux d'ouvriers, mais le rapport était de 4,5 il y a vingt ans. Les disparités sont d'autant plus fortes que les séries sont plus prestigieuses.

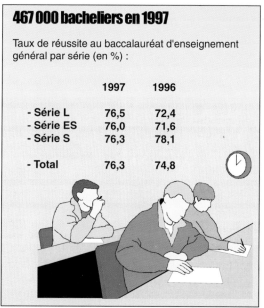

467 000 bacheliers en 1997

Taux de réussite au baccalauréat d'enseignement général par série (en %) :

	1997	1996
- Série L	76,5	72,4
- Série ES	76,0	71,6
- Série S	76,3	78,1
- Total	76,3	74,8

Ministère de l'Education nationale

Les filles réussissent mieux que les garçons.

Tout au long de leur scolarité (à l'exception de la maternelle) les filles sont plus nombreuses ; elles représentent 52 % des élèves de quatrième, 55 % de ceux de terminale, 56 % des étudiants de l'enseignement supérieur. Dès le CP, elles redoublent moins fréquemment que les garçons. De la sixième à la terminale, elles sont ainsi plus jeunes (39 % ont 16 ou 17 ans en terminale, contre 32 % des garçons). Elles réussissent aussi mieux qu'eux au baccalauréat ; elles représentaient 57 % des reçus en 1997.

Ministère de l'Education nationale

Le bac professionnel plus efficace contre le chômage

Cinq ans après la fin de leur formation initiale, 67 % des jeunes ont un emploi, 20 % sont au chômage et 13 % n'ont pas d'activité professionnelle. L'insertion professionnelle varie largement selon le diplôme obtenu. 30 % des jeunes ayant quitté l'école sans diplôme sont au chômage contre 18 % de ceux qui sont titulaires d'un BEP ou CAP, 13 % de ceux qui ont le baccalauréat général et 9 % de ceux qui ont le baccalauréat professionnel. Si ces derniers sont moins souvent sans emploi, ils sont plus fréquemment ouvriers ou employés que les titulaires du baccalauréat général ou technologique. La proportion est supérieure aux deux tiers parmi ceux qui ont le BEP ou le CAP.

Parmi les causes avancées, on peut citer leur plus grande maturité, leur meilleur « rendement scolaire » à capacités égales, dû à une plus grande application dans le travail et à leur volonté d'accéder à une vie professionnelle valorisante. Les femmes choisissent cependant davantage des filières offrant moins de débouchés, comme les lettres et les sciences médicales, alors que les hommes se dirigent vers les sciences et les mathématiques, plus valorisées par les entreprises.

ÉTUDES SUPÉRIEURES. *2 156 000 étudiants étaient inscrits dans l'enseignement supérieur à la rentrée 1997, deux fois plus qu'en 1980.*

L'obtention du baccalauréat est de plus en plus fréquente et la quasi-totalité des bacheliers généraux poursuivent leurs études dans l'enseignement supérieur, comme plus de 80 % des bacheliers technologiques (mais un tiers seulement des bacheliers professionnels). Au total, la part des jeunes de 19 à 21 ans poursuivant des études supérieures est passée de 19 % en 1982 à 38 % en 1997 (41 % des filles et 33 % des garçons).

Mais les formations courtes, comme celles dispensées par les IUT (instituts universitaires de technologie) et les STS (sections de techniciens supérieurs) connaissent un regain d'intérêt. De sorte que le nombre total d'étudiants a diminué légèrement depuis 1995, notamment dans les grandes filières (universités, IUT, classes préparatoires aux grandes écoles, sections de techniciens supérieurs).

En 1997, 56 % des entrants dans l'enseignement supérieur se sont inscrits à l'université, 26 % dans les STS, 10 % dans les IUT, 8 % dans les classes préparatoires aux grandes écoles.

Les universités comptaient 1 349 000 étudiants à la rentrée 1997.

L'orientation croissante vers les filières sélectives se fait au détriment de l'université, qui n'accueille plus que 53 % des nouveaux bacheliers généraux et technologiques. Les effectifs du premier cycle des universités tendent donc à diminuer (– 1,3 % en 1997).

La filière scientifique, qui représente 14 % des entrées, est la plus touchée par la diminution (– 9 %) ; elle subit la baisse du taux de réussite au bac S. Au contraire, la filière des sciences économiques et surtout AES (administration économique et

Plus de 2 millions d'étudiants

Répartition des étudiants de l'enseignement supérieur (1996-1997, en %) :

	Nombre	%
• Universités (hors IUT)	1 340 731	63,0
• Sections de techniciens supérieurs (STS)	230 346	10,8
• Instituts universitaires de technologie (IUT)	108 398	5,1
• Ecoles paramédicales et sociales	85 446	4,0
• Instituts universitaires de formation des maîtres (IUFM)	83 935	3,9
• Classes préparatoires aux grandes écoles (CPGE)	78 343	3,7
• Ecoles d'ingénieurs indépendants des universités	52 002	2,5
• Ecoles supérieures d'art et d'architecture	47 088	2,3
• Ecoles de commerce, gestion, vente et comptabilité	47 062	2,2
• Etablissements privés d'enseignement universitaire	22 327	1,1
• Ecoles juridiques et administratives	6 918	0,3
• Ecoles normales supérieures	3 065	0,2
• Autres écoles	18 347	0,9
Total France métropolitaine	**2 126 453**	**100,0**

Ministère de l'Education nationale

sociale) s'accroît de 5,9 %, profitant de la bonne réussite au bac ES ; elle représente 7 % de l'ensemble. Les entrées dans la filière santé (5 % de l'ensemble) diminuent de 2,6 %. Celles des filières lettres et sciences humaines (23 % de l'ensemble) ne profitent pas de la hausse du nombre de bacheliers littéraires et baissent de 0,5 %. Les STAPS (sciences et techniques des activités sportives et physiques, comptabilisées avec les sciences) poursuivent leur rapide développement, avec un nombre d'entrées en croissance de 13,7 %.

La proportion d'étudiants étrangers a diminué assez fortement dans la seconde moitié des années 80, avec la réduction du nombre d'Africains (qui représentent environ la moitié des effectifs). Elle était de 8,6 % en 1997, contre 13,6 % en 1985. L'Ile-de-France accueille 26 % des étudiants de métropole (14 % pour l'académie de Paris).

72 650 bacheliers sont entrés en 1996 dans les classes préparatoires aux grandes écoles.

95 % d'entre eux avaient obtenu un baccalauréat général, 72 % dans la série S, 12 % en L, 11 % en ES. Les deux tiers (49 000) ont choisi des classes scientifiques. Après dix années de croissance soutenue, les effectifs de ces classes avaient diminué de 1992 à 1994. Ils ont à nouveau progressé depuis 1996, après la réforme de la structure et des programmes des préparations scientifiques et commerciales, qui ont fait passer la durée de ces dernières à deux ans. Les filles ont représenté 37 % des effectifs, soit une proportion très inférieure à leur poids dans l'enseignement supérieur (56 %). Elles sont très minoritaires dans les classes scientifiques (un quart), mais largement majoritaires dans les classes littéraires (sept sur dix) ; elles représentent un peu plus de la moitié des classes économiques.

Faut-il supprimer les grandes écoles ?

50 % des Français estiment que les grandes écoles comme Polytechnique, l'ENA ou les Ecoles normales supérieures sont nécessaires pour former les élites de la France (53 % des femmes et 48 % des hommes). 44 % pensent qu'elles ne servent qu'à créer des castes qui dirigent la France (48 % des hommes et 45 % des femmes). Les jeunes apprécient peu l'existence de ces grandes écoles, alors que les personnes âgées les jugent plus favorablement. Les sympathisants de la gauche sont plus nombreux à les considérer comme des castes (51 %) ; ceux de la droite pensent « élite » à 60 %.

L'enseignement supérieur, sésame de la vie professionnelle.
YSA

59 % des étudiants inscrits à l'université accèdent au deuxième cycle, contre 46 % en 1987.

La hausse constatée est due à la rénovation des DEUG (diplômes d'études universitaires générales sanctionnant la fin du premier cycle de deux ans) qui a permis un taux de réussite plus élevé. Elle est liée aussi à la mise en place de formations professionnelles de second cycle. Mais on constate une stagnation depuis 1993 et même un fléchissement en 1997. Ce taux global recouvre des situations variées selon les filières et surtout selon la série de baccalauréat obtenue et l'âge de l'obtention. Ainsi, les deux tiers des bacheliers généraux accèdent au deuxième cycle (hors santé et IUT) contre un sur quatre parmi les bacheliers technologiques. La proportion est de 74 % pour les bacheliers ayant obtenu leur baccalauréat à l'âge normal contre 54 % pour ceux qui ont un an de retard. Il faut en moyenne 2,7 ans pour y accéder (un peu plus en droit).

Parmi les disciplines générales, 38 % des étudiants qui obtiennent une maîtrise prolongent par un DEA (diplôme d'études approfondies). 35 % de ceux qui obtiennent le DEA s'engagent dans un doctorat. On observe une stagnation du nombre de ces diplômes de troisième cycle : environ 26 000 DEA par an et 9 000 doctorats (soit près de 40 % du nombre de DEA obtenus trois ans auparavant pour les doctorats scientifiques et quatre ans pour les doctorats des autres disciplines). 17 % des DEA et 33 % des doctorats sont délivrés à des étudiants étrangers.

500 000 F pour une scolarité

La dépense moyenne d'éducation était de 34 900 F par élève en 1996 : 22 400 F en maternelle ; 47 200 F pour un étudiant.
Le coût total d'une scolarité moyenne menée sans redoublement est estimé à 486 000 F. Il est financé à 65 % par l'Etat, 20 % par les collectivités territoriales, 7 % par les ménages, 6 % par les entreprises, 2 % par les organismes de Sécurité sociale et les autres administrations. Compte tenu du phénomène de « reproduction sociale », ce sont les ménages les plus aisés qui bénéficient le plus de cette forme de redistribution de l'argent public.

Un peu moins de 500 000 jeunes sortent de l'enseignement avec au moins le niveau du bac...

Les jeunes qui terminent leur scolarité sont de plus en plus qualifiés, après des études de plus en plus longues. En 1996, 273 000 d'entre eux ont obtenu un diplôme du second ou du troisième cycle des universités, écoles de commerce ou d'ingénieurs, ou sont sortis de l'enseignement supérieur court avec un BTS, DUT, etc. La part des sorties à bac + 2 ou plus était de 39 %.

203 000 sont sortis avec le niveau du baccalauréat (terminale ou niveau équivalent, avec ou sans le bac, en ayant parfois fréquenté l'enseignement supérieur mais sans avoir obtenu de diplôme).

172 000 ont terminé la préparation d'un BEP ou CAP, mais ne sont pas tous diplômés ; un petit nombre sort de seconde ou de première.

... mais 8 % quittent l'école sans aucune qualification.

Parmi les 704 000 jeunes qui ont quitté le système éducatif en 1993, 53 000 n'avaient aucune formation professionnelle ; ils sortaient de l'enseignement spécial secondaire (SES, etc.), d'une classe du premier cycle ou avant la dernière année d'un CAP ou BEP.

Après avoir stagné au milieu des années 80, le nombre de ces jeunes sans qualification tend à diminuer ; il est passé en dessous de 100 000 depuis 1989. Leur taux de chômage est beaucoup plus élevé que celui des diplômés. Leurs chances d'accéder à l'encadrement ou à une profession intermédiaire sont sept fois moins grandes que celles des bacheliers ou des titulaires d'un diplôme supérieur. Leur seul recours est la formation continue.

L'école cristallise aujourd'hui beaucoup de mécontentements et de frustrations.

Après avoir été un lieu de relation et de libération, l'école républicaine a subi les soubresauts de Mai 68 et leurs effets sur les mentalités. Elle s'est raidie devant la concurrence croissante de la télévision et les attentes des familles. Les progrès de la scolarisation ont rendu les inégalités plus apparentes et moins supportables.

Les enseignants ressentent aujourd'hui un manque de considération de la part des élèves et des parents, eu égard à l'importance de leur mission. Dans certaines banlieues, cette incompréhension s'accompagne de violence. Ils se sentent aussi délaissés par l'administration, qui les rémunère assez mal (bien qu'une revalorisation des traitements soit en cours) et ne leur fournit pas les moyens pédagogiques nécessaires à l'exercice de leur métier.

La grogne

68 % des Français (63 % des parents d'élèves) trouvent le système éducatif insatisfaisant. Ils lui reprochent de ne pas accorder suffisamment d'importance aux souhaits des parents (55 %), à ceux des jeunes (73 %) et aux besoins des entreprises (77 %). 78 % estiment ainsi que les jeunes ne sont pas orientés vers les filières professionnelles du fait de leur mauvaise image, alors qu'elles offrent de nombreux débouchés. 35 % pensent que les bacheliers n'ont pas un niveau suffisant pour accéder à l'enseignement supérieur (60 % oui). L'insatisfaction est encore plus marquée chez les étudiants eux-mêmes et les catégories à hauts revenus.
71 % des Français considèrent que le renforcement des pouvoirs locaux (régions, académies, établissements) permettrait d'améliorer le fonctionnement de l'Education nationale (23 % non). 57 % sont favorables à la mise en place d'une sélection à l'entrée dans l'enseignement supérieur (40 % sont hostiles). Les jeunes y sont les plus opposés (55 %), de même que les sympathisants de gauche (51 %), alors que ceux de droite y sont favorables à 70 %.
Les principaux obstacles à une modernisation de l'Education nationale sont pour les Français le gouvernement (42 %), les syndicats enseignants (34 %) et les partis politiques (31 %), devant les parents d'élèves (20 %), les étudiants (12 %) et les établissements scolaires privés (10 %).

Assises nationales pour l'Education/BVA, mars 1997

Ministère de l'Education nationale

De leur côté, les élèves et les étudiants souffrent de conditions matérielles souvent insuffisantes, parfois indignes. Mais leur inquiétude essentielle concerne leur insertion dans la vie professionnelle et sociale.

Culture

Les Français restent très attachés à la culture.

On parle souvent à propos de la culture d'une « exception française ». Le débat sur le GATT et l'insistance de la France à demander que soient dissociés les biens culturels des autres types de production a illustré cette mentalité collective particulière. Il est vrai que la recherche de l'esthétique, de l'authentique ou de l'éthique concerne un nombre croissant de personnes en quête de points de repère. C'est ce qui explique le succès des livres de philosophie, des festivals, la pratique croissante des activités artistiques (musique, peinture, danse...) ou la fréquentation des grandes expositions.

Tous les Français ne sont sans doute pas disponibles pour la culture « majuscule », parce qu'ils manquent du bagage nécessaire pour la recevoir et la décoder sans effort. Mais beaucoup recherchent dans la connaissance et dans l'art une compréhension du monde et une émotion. Ils savent plus ou moins consciemment que la culture générale est un moyen de mieux vivre le présent et de moins redouter l'avenir. Leur quête est favorisée par le niveau croissant d'éducation.

La culture contemporaine a changé d'objet et de nature.

Les jeunes n'ont pas les mêmes connaissances ni les mêmes centres d'intérêt que leurs parents ou grands-parents. La plupart connaissent mieux les noms des chanteurs ou des champions sportifs que les dates des grandes batailles des siècles passés. Peu sont capables de réciter des vers de *l'École des femmes*, mais beaucoup savent converser avec un ordinateur et surfer sur Internet.

On peut s'interroger sur les mérites comparés de la culture classique et de la culture contemporaine. Les deux sont probablement nécessaires à la vie, tant personnelle que professionnelle ou sociale. Certaines activités artistiques populaires considérées comme mineures (le rap, le tag ou la bande dessinée) constituent un moyen d'expression et témoignent de l'état de la société.

Mais l'honnête homme du XXIe siècle ne pourra se contenter d'être bien informé ; il devra disposer des points de repère qui lui permettront d'analyser les situations afin de mieux les comprendre et de pouvoir y faire face. S'il veut trouver son identité, comprendre, agir et créer, il aura plus que jamais besoin des points de repère et de l'esprit critique apportés par la culture. Dans ce contexte, le débat entre les tenants du tout-culturel démocratique et ceux de la culture classique élitiste, qui a repris récemment de la vigueur, est un faux débat.

Perles de culture

• 56 % des élèves de seconde et 57 % des adultes de 35 à 49 ans sont convaincus que 5/3 est inférieur ou égal à 3/2.
• 52 % des adultes et 44 % des élèves classent l'homme en dehors du règne animal.
• 36 % des élèves estiment qu'un mètre cube pèse 1 kilogramme.
• 23 % des adultes croient que le soleil tourne autour de la terre.
• 23 % des adultes pensent que les spermatozoïdes apportent l'embryon dans l'ovule.

La culture passe de plus en plus par la famille...

Si la scolarité reste l'occasion privilégiée pour les enfants d'acquérir les connaissances de base dont ils auront besoin au cours de leur vie, le rôle joué par le milieu familial est essentiel. Il faut d'ailleurs noter qu'il existe un lien fort entre celui-ci et la réussite scolaire (voir *Formation*). Le taux de redoublement au cours préparatoire est ainsi trois fois plus élevé chez les enfants d'ouvriers spécialisés que chez ceux des cadres.

✦ *L'Ile-de-France regroupe 37 % des titulaires de diplômes d'un niveau au moins égal à la licence, alors qu'elle représente 19 % de la population métropolitaine.*

✦ *35 % des ménages ayant un enfant scolarisé à l'école primaire disposent d'un ordinateur personnel auquel l'enfant a accès (65 % non).*

✦ *En 1970, les trois quarts des actifs issus d'une famille d'ouvriers de paysans ou d'employés n'avaient pas dépassé le certificat d'études ; en 1990, la majorité ont au moins un diplôme professionnel et un sur cinq ont le baccalauréat.*

L'idée que l'enfant se fait de la société dépend davantage des situations vécues en famille que de la présentation formelle qu'en font ses professeurs à l'école. Il est clair que les différences de vocabulaire, de connaissances ou d'ouverture d'esprit jouent en défaveur des enfants des milieux modestes. A 7 ans, un enfant de cadre ou d'enseignant dispose d'un vocabulaire deux à trois fois plus riche qu'un enfant d'ouvrier.

Enfin, si l'on accepte l'idée que l'hérédité joue un rôle important dans le caractère d'un enfant et donc dans son attitude à l'égard de la culture, il faut reconnaître qu'elle renforce encore ces inégalités.

La télévision offre une culture de plus en plus diversifiée.
Bon Angle

... mais surtout par les médias.

Les médias jouent un rôle croissant dans la culture générale. L'information est devenue la matière première de la civilisation. Les Français passent environ six heures chaque jour à regarder la télévision, écouter la radio et lire (même s'ils peuvent parfois pratiquer d'autres activités en même temps). Les taux d'équipement des ménages en Minitel, magnétoscopes, câble, sa-

tellite, ordinateur, Internet, etc. s'accroissent très rapidement.

Mais cette explosion médiatique est de plus en plus inégalitaire. Ainsi, la télévision n'est plus comme par le passé porteuse d'un « tronc culturel commun » d'informations et de connaissances diffusées au même moment à tous. On trouve d'un côté ceux qui font un effort (ou disposent de l'instruction suffisante) pour choisir les programmes à fort contenu de formation et d'information : débats, documentaires, reportages, émissions scientifiques, littéraires, économiques, etc. On trouve de l'autre ceux qui cèdent à la facilité et se contentent de regarder des émissions de divertissement (fictions, variétés, jeux...). Ainsi, sept des dix premiers mots-clés utilisés sur le moteur de recherche Internet Yahoo sont liés au sexe, à l'érotisme et à la pornographie ; les autres sont « jeux » et « météo ».

Les Français s'interrogent de plus en plus sur l'influence des médias sur les modes de vie, les valeurs ou le fonctionnement de la démocratie. Beaucoup considèrent qu'ils jouent un rôle déterminant dans la montée de la violence, la morosité du climat social ou l'image peu favorable des institutions.

Les problèmes de déontologie (reportages truqués, invitations de complaisance, connivences avec le pouvoir...), les abus engendrés par la course à l'audience et les révélations sur les revenus des animateurs-producteurs expliquent sans doute cette défiance du public à l'égard des médias, qui constitue l'une des exceptions françaises.

Le réel et le médiatisé

Les Français s'intéressent aux médias. 70 % déclaraient suivre avec intérêt les informations en décembre 1997, une proportion qui varie entre 67 et 77 % depuis 1988. Mais cet intérêt n'implique pas la confiance. En ce qui concerne la presse, seuls 5 % estiment que « les choses se sont passées vraiment comme le journal les raconte », 42 % à peu près ; 43 % pensent qu'« il y a sans doute pas mal de différences entre la façon dont elles se sont passées et la façon dont le journal les raconte ». Au total, 47 % des Français ont plutôt confiance dans la presse et 47 % non. Ces proportions sont stables depuis 1990, après l'embellie de 1988 et 1989.

Les proportions sont plus favorables en ce qui concerne la radio, respectivement 59 % et 33 %, avec une plus grande stabilité (et des écarts moins marqués en 1989 et 1990). La confiance dans la télévision est comparable à celle de la presse (49 % dans les deux cas), mais elle évolue de façon plus heurtée.

La comparaison avec les principaux pays européens montre que la confiance dans la télévision est supérieure ailleurs : 74 % en Allemagne, 71 % en Espagne, 58 % en Grande-Bretagne, 51 % en Italie, 49 % en France. Elle est supérieure pour la radio en Allemagne (80 %), Grande-Bretagne (79 %) et Espagne (71 %), contre 59 % en France, mais inférieure en Italie (51 %). La hiérarchie est la même pour la confiance dans les journaux : 70 % en Allemagne, 60 % en Espagne, 48 % en Grande-Bretagne contre 47 % en France et 43 % en Italie.

La Croix-Télérama/Sofres, décembre 1997

Cette attitude critique à l'égard de l'un des outils essentiels de la démocratie illustre ses difficultés actuelles. Elle est l'un des révélateurs du malaise entre les citoyens et ceux qui détiennent les pouvoirs.

Le langage est l'une des composantes essentielles de la culture.

Pour la plupart des Français, la langue représente un élément important du patrimoine national et un aspect du rayonnement culturel de la France dans le monde. C'est pourquoi ils lui restent attachés, bien qu'ils aient le sentiment qu'elle a perdu de son influence.

Cet attachement n'est pas récent. L'ordonnance de Villers-Cotterêts de 1539 et la création de l'Académie française en 1635 ont été les premières tentations protectionnistes en ce domaine. Le ministère de la Culture engageait en 1994 une guerre contre le « franglais ». Ces initiatives, qui s'inscrivent

Imprononçable depuis 1445.

Hoegaarden
Bière blanche

Hoegaarden. La bière blanche originale.

Les mots sont les vecteurs de la communication.
Callegari Berville

dans un souci légitime de défense de l'identité nationale, ont en général le défaut de vouloir sanctionner plutôt que favoriser la nécessaire alliance entre protection et enrichissement de la langue. L'histoire de la langue française, vieille de mille ans, est en effet celle d'un long métissage, depuis le gaulois (celtique) jusqu'aux influences anglo-saxonnes, en passant par celles des langues indo-européennes. Sensibles au discours protectionniste, 47 % seulement des Français pensent que la langue française doit intégrer des mots étrangers à son vocabulaire, 52 % non ; 37 % estiment qu'il faut la simplifier, 60 % non (Canal Plus/BVA, novembre 1996).

Le français s'exporte plus difficilement.

Dans les pays de l'Union européenne, 26 % des non anglophones apprennent l'anglais à l'école primaire. Le français arrive cependant en deuxième position, mais il n'est enseigné qu'à 4 % des non francophones. Dans le cycle secondaire, 89 % des non anglophones apprennent l'anglais, 32 % le français, 18 % l'allemand, 8 % l'espagnol.

L'importance de la langue française tend à diminuer dans d'autres zones comme l'Asie, l'Afrique ou l'Amérique du Sud, où les élèves choisissent les langues étrangères davantage pour leur intérêt économique que culturel.

Surtout, le français est peu présent sur le réseau Internet. Avec 1,6 % des pages Web, il est la quatrième langue utilisée, derrière l'anglais (80 %), l'allemand (4 %) et le japonais (1,6 %), mais devant l'espagnol (1,1 %), l'italien (0,8 %), le portugais (0,7 %) et le suédois (0,6 %). Avec sa langue, ce seront non seulement l'image, les idées, mais aussi les produits et l'activité économique d'un pays qui transiteront demain par le « réseau des réseaux ».

L'unité linguistique a beaucoup progressé en France au cours des décennies passées.

Une étude menée par l'INED et l'INSEE en 1992 montre que l'utilisation d'autres langues que le français (y compris des dialectes) concerne aujourd'hui moins de 5 % des foyers de métropole. 16 % des personnes habitant en France déclarent que leurs parents leur parlaient une autre langue que le français lorsqu'ils étaient enfants.

L'arabe est la première des langues étrangères parlées à titre habituel, mais il concerne moins de 2 % des familles, en incluant celles qui déclarent

Les mots et la modernité

Les mots qui font leur entrée chaque année dans le *Petit Larousse* racontent le cheminement économique, social, politique, technique et culturel de la France.
En voici une sélection, depuis le début des années 80* :

- **1980** : bande-vidéo, défonce, extraterrestre, gratifiant, micro-ordinateur, overdose, régionalisation, somatiser, squattériser, valorisant.
- **1981** : après-vente, assurance-crédit, antihéros, antisyndical, bénévolat, bioénergie, bisexualité, centrisme, chronobiologie, consumérisme, convivial, deltaplane, demi-volée, dénucléariser, doudoune.
- **1982** : antitabac, biotechnologie, bureautique, charentaise, dealer, Dow Jones, géostratégie, incontournable, IVG, jogging, sponsoriser, walkman.
- **1983** : assisté, baba cool, clonage, coke, disquette, hyperréalisme, multimédia, must, péritélévision, piratage, santiag, skinhead, soixante-huitard, tiers-mondiste.
- **1984** : cibler, déprogrammer, déqualification, dévalorisant, fast-food, intoxiqué, mamy, méritocratie, papy, pub, réunionite.
- **1985** : aérobic, amincissant, automédication, crédibiliser, écolo, épanouissant, eurodevise, hypocalorique, look, monocoque, non-résident, recentrage, sida, surendettement, télétravail, vidéoclub.
- **1986** : clip, déréglementation, désyndicalisation, médiatique, Minitel, monétique, pole position, postmodernisme, progiciel, provisionner, rééchelonnement, smurf, sureffectif, téléimpression, turbo, vidéo clip, visioconférence.
- **1987** : aromathérapie, bêtabloquant, bicross, bioéthique, capital-risque, démotivation, désindexer, fun, non-dit, présidentiable, repreneur, unipersonnel, vidéogramme.
- **1988** : autodérision, bancarisation, Caméscope, cogniticien, dérégulation, domotique, franco-français, frilosité, handicapant, inconvertibilité,

interactivité, micro-ondes, raider, séropositif, vidéothèque.
- **1989** : aspartam, beauf, crasher (se), défiscaliser, désindexation, désinformer, eurocentrisme, euroterrorisme, feeling, fivete, franchouillard, high-tech, husky, ludologue, mercaticien, minitéliste, parapente, rurbain, sidatique, sidéen, technopole, top niveau, zapping.
- **1990** : Audimat, CD-Rom, CFC, délocalisation, glasnost, ISF, médiaplanning, narcodollar, numérologie, perestroïka, profitabilité, RMI, sitcom, surimi, téléachat, titrisation, transfrontalier, zoner.
- **1991** : AZT, bifidus, CD, cliquer, concouriste, déchetterie, démotivant, fax, dynamisant, lobbying, mal-être, multiracial, narcotrafiquant, ripou, VIH.
- **1992** : CAC 40, confiscatoire, écologue, imprédictible, jacuzzi, libanisation, multiconfessionnel, postcommunisme, postmoderne, rap, revisiter, tag, TVHD, vrai-faux.
- **1993** : accréditation, biocarburant, coévolution, déremboursement, écoproduit, graffeur, hypertexte, interleukine, maximalisme, minimalisme, négationnisme, Péritel, pin's, redéfinition, saisonnalité, suicidant, transversalité.
- **1994** : agritourisme, Air Bag, biodiversité, CD-I, cognitivisme, délocaliser, intracommunautaire, mal-vivre, monocorps, monospace, oligothérapie, prime time, rappeur, recadrer, SDF, subsidiarité, surinformation, télémarketing, télépéage, top-model.
- **1995** : biper, délocaliser, ecstasy, érémiste, hard, intégriste, parapentiste, réinscriptible, soft, télépaiement, zapper.
- **1996** : beurette, canyoning, compil, covoiturage, écobilan, karaoké, meuf, micro-trottoir, recapitaliser, refonder, speeder, vépéciste, vidéosurveillance.
- **1997** : autopalpation, basmati, communautarisme, cybernaute, écorecharge, élasthanne, eurosceptique, fun, internaute, keuf, manga, morphing, multiculturalisme, reconduite, surfacturation, vététiste.
- **1998** : antiprotéase, DVD, incivilité, instrumentaliser, OGM, prébiotique, rapper, routeur, taliban, wok.

* L'année indiquée correspond à l'édition correspondante du *Petit Larousse*.

l'usage simultané de l'arabe et du français. Le portugais est en voie de disparition rapide et n'est utilisé que dans 1 % des familles. Viennent ensuite l'alsacien (auquel on adjoint le mosellan, dialecte parlé dans la région de Metz et Strasbourg, 0,6 % au niveau national mais 25 % des familles de la région), le turc (0,4 %) et l'espagnol (0,2 %).

✦ *On compte en moyenne 103 femmes pour 100 hommes dans l'enseignement supérieur dans l'Union européenne (131 au Portugal, mais seulement 77 en Allemagne, 89 aux Pays-Bas, 92 en Autriche) et 110 femmes diplômées pour 100 hommes (170 au Portugal, mais 83 en Allemagne et 96 en Irlande).*

Le langage, vecteur principal de la « culture jeune »

La « culture jeune » est faite d'un ensemble d'attitudes et de comportements partagés, notamment par les adolescents. Elle passe d'abord par le langage et l'argot en est la pièce maîtresse. Celui-ci varie d'un endroit à un autre, selon les groupes et les « tribus ». Les mots et les expressions sont renouvelés au fur et à mesure qu'ils tombent dans le domaine public. D'autres comportements gestuels s'y ajoutent ; certains crachent pour démontrer leur virilité, d'autres font des gestes qui marquent leur appartenance. L'apparence vestimentaire complète ces attitudes d'adhésion, mais aussi de rejet. Car cette culture est souvent autant une anticulture qu'une contre-culture. Elle prend pour cible la société, fustige les hommes politiques et les institutions, dans le but d'exprimer des frustrations croissantes.

Le langage est un patrimoins national, mais aussi régional.
Z Groupe

Un Français sur deux ne parle aucune langue étrangère.

50 % des Français de 15 ans et plus estiment n'avoir aucune notion utilisable de langue étrangère (INSEE, 1996). 36 % ont des notions d'anglais, 14 % d'espagnol, 11 % d'allemand. L'espagnol a remplacé l'allemand comme deuxième langue dans les lycées et les collèges depuis la deuxième moitié des années 70.

La pratique varie beaucoup selon les groupes sociaux. Seuls 18 % des cadres et professions intellectuelles supérieures en activité estiment n'avoir aucune connaissance de langue étrangère utilisable, contre 75 % des ouvriers.

L'apprentissage des langues étrangères progresse rapidement avec la scolarisation. Il augmente aussi avec la fréquence des déplacements hors des frontières ; le nombre moyen de séjours des Français à l'étranger (au moins quatre jours) a triplé entre 1964 et 1994.

✦ *63 % des Français considèrent que la langue française est une langue d'avenir, 33 % sont de l'avis contraire.*

✦ *Dans tous les secteurs économiques, les grandes entreprises (au moins 500 salariés) forment chaque année environ 30 % de leurs effectifs, contre moins de 10 % pour les petites (moins de 10 salariés).*

✦ *95 % des Français sont favorables à ce que soient mis en place à l'école primaire des aides et des dispositifs spécifiques pour les enfants issus de milieux défavorisés, 90 % en ce qui concerne les enfants non francophones.*

✦ *19 % seulement des Français souhaiteraient un système éducatif qui mettrait les élèves en relation avec leurs professeurs au moyen d'une télévision et d'une caméra installées à domicile, de sorte que les enfants n'aient plus à se rendre physiquement à l'école (77 % de l'avis contraire).*

✦ *Un bachelier sur cinq obtient son diplôme avec mention assez bien (20 %), un sur vingt avec mention bien (5 %) et moins de 1 % avec mention très bien.*

LE TEMPS

Espérance de vie

L'espérance de vie à la naissance est de 74,2 ans pour les hommes et 82,1 ans pour les femmes (1997).

L'espérance de vie est « la moyenne des années de vie d'une génération imaginaire qui serait soumise toute sa vie aux quotients de mortalité par âge (nombre de décès dans un groupe donné pendant une année donnée par rapport à la population du groupe en début d'année) pendant l'année d'observation ».

Le gain d'espérance de vie n'a été que d'un peu plus de trois mois en deux ans (1996 et 1997), soit deux fois moins qu'au cours des années précédentes : 3,6 mois par an entre 1985 et 1990, 2,6 mois par an entre 1990 et 1995, comme au début des années 80. Ce sont les épidémies de grippe qui sévissent en début et en fin d'année qui freinent aujourd'hui l'accroissement de la durée de vie des personnes âgées.

Dans les conditions de mortalité constatées en 1997, marquées par une légère baisse, la moitié des femmes et le quart des hommes devraient atteindre 85 ans. De plus, à cet âge-là, les femmes pourraient espérer vivre encore 6,4 ans, les hommes 5,2 ans.

L'espérance de vie a augmenté de 30 ans depuis le début du siècle.

Par rapport à la fin du XVIIIᵉ siècle, l'augmentation a été de 54 ans pour les femmes et 46 ans pour les hommes. Cette évolution spectaculaire s'explique d'abord par la très forte baisse de la mortalité infantile, passée de 162 décès pour 1000 naissances vivantes en 1900 à 4,9 en 1996, après une baisse régulière au cours des dernières décennies : 36,5 en 1955, 10,0 en 1980, 7,3 en 1990. L'influence de la mortalité infantile est apparente lorsqu'on observe l'évolution de l'espérance de vie à divers âges ; en un demi-siècle, le gain de durée de vie à l'âge de 40 ans n'a été que de 6 ans pour les hommes et 8 ans pour les femmes, alors que le gain à la naissance était de 11 ans pour les hommes et 13 ans pour les femmes.

Depuis les années 60, l'accroissement de l'espérance de vie tient cependant moins à la baisse de la mortalité infantile qu'à celle de la mortalité aux autres âges, notamment élevés. Il est la conséquence des progrès réalisés dans la lutte contre les maladies infectieuses, cardio-vasculaires et bactériennes. En même temps, les modes de vie ont changé, avec la généralisation des habitudes d'hygiène, un meilleur équilibre de l'alimentation, une amélioration des conditions de travail et du confort dans la vie quotidienne.

Enfin, on constate que l'espérance de vie sans incapacité a encore plus augmenté que l'espérance de vie simple : à 65 ans, elle est de 10,3 ans pour les hommes et 12,4 ans pour les femmes, contre 8,8 et 9,8 ans en 1981.

L'allongement de la durée de vie moyenne devrait se poursuivre.

Les progrès considérables de la médecine et de la chirurgie ne sont pas arrivés à leur terme. Les traitements du cancer, du sida ou de certaines maladies génétiques progressent. On entrevoit aujourd'hui des possibilités de retarder les effets du vieillissement à l'aide de traitements hormonaux tels que la DHEA (travaux du professeur Baulieu).

Le temps qui passe et celui qui reste

Espérance de vie à divers âges en 1996, par sexe (en années) :

	Hommes	Femmes
• Naissance	74,1	82,0
• 1 an	73,5	81,3
• 20 ans	55,0	62,6
• 40 ans	36,4	43,3
• 60 ans	19,7	25,0
• 85 ans	5,2	6,4

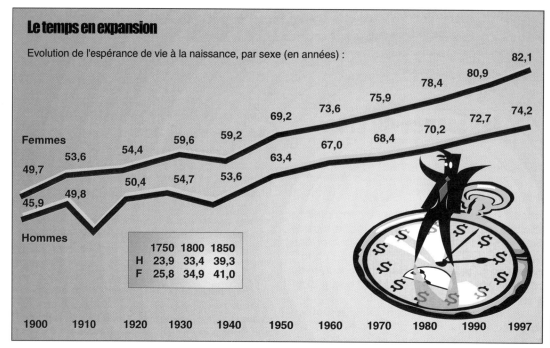

Le temps en expansion

Evolution de l'espérance de vie à la naissance, par sexe (en années) :

Femmes : 49,7 — 53,6 — 54,4 — 59,6 — 59,2 — 63,4 — 69,2 — 73,6 — 75,9 — 78,4 — 80,9 — 82,1

Hommes : 45,9 — 49,8 — 50,4 — 54,7 — 53,6 — 67,0 — 68,4 — 70,2 — 72,7 — 74,2

	1750	1800	1850
H	23,9	33,4	39,3
F	25,8	34,9	41,0

1900 1910 1920 1930 1940 1950 1960 1970 1980 1990 1997

INSEE

Surtout, la mortalité prématurée liée aux comportements individuels reste élevée. Un quart des décès annuels se produit avant l'âge de 65 ans (32 % des décès masculins et 14 % des décès féminins). On estime que la moitié sont liés à la consommation d'alcool, de tabac et aux comportements individuels (accidents, suicides, sida, surmenage...). Ils seraient donc évitables, d'autant qu'ils sont plus élevés en France que dans d'autres pays développés. L'amélioration du système de soins et de dépistage des maladies participera à cet allongement de la vie.

Un double record européen

Les Françaises bénéficient de la durée de vie la plus longue parmi les quinze pays de l'Union européenne. Elles arrivent devant les Espagnoles (81,6 ans), les Suédoises (81,5) et les Italiennes (81,3). Les moins avantagées sont les Danoises (78,0), les Irlandaises (78,5) et les Portugaises (78,5). Dans le monde, les Françaises ne sont dépassées que par les Japonaises (83,0). La France détient un autre record, beaucoup moins favorable, celui de la surmortalité masculine. L'écart entre les espérances de vie des deux sexes est en effet de 7,9 ans, contre 6,5 en moyenne dans les pays de l'Union. Il n'était que de 6,7 ans en 1960 et 3,6 ans en 1900. La durée de vie des hommes français se situe cependant dans la moyenne européenne. Cette spécificité nationale s'explique en partie par les comportements à risque des hommes (voir *Santé*) qui entraînent une mortalité prématurée très supérieure à celle des femmes. Entre 20 et 30 ans, il meurt trois fois plus d'hommes que de femmes. 80 % des victimes de la route et les trois quarts des suicidés sont des hommes. On constate par ailleurs que les femmes sont mieux suivies médicalement que les hommes.
Le « sexe faible » prend donc une revanche éclatante. Mais les modes de vie entre les sexes tendent à se rapprocher (alcool, tabac, conduite, vie professionnelle...), ce qui devrait à terme diminuer l'écart de mortalité.

Selon l'INSEE, l'espérance de vie à la naissance pourrait atteindre 82 ans pour les hommes et 90 ans pour les femmes en 2050. L'espérance de vie à 60 ans serait de 26 ans pour les hommes et de 32 ans pour les femmes.

A 40 ans, un enseignant a en moyenne 10 ans de plus à vivre qu'un manœuvre. worker (laborer)

L'espérance de vie reste très inégale selon la profession. Les plus favorisés sont les instituteurs, les cadres supérieurs et les membres des professions libérales ; entre 45 et

Une fille sur deux deviendra centenaire

D'après les estimations des démographes, la moitié des filles qui naissent aujourd'hui devraient parvenir à l'âge de 100 ans.

La France compte aujourd'hui environ 5 000 centenaires, contre 200 en 1950 et 3 en 1900. Leur nombre devrait encore s'accroître, sachant que 60 000 personnes avaient au moins 95 ans au recensement de 1990. Compte tenu de l'écart d'espérance de vie entre les sexes, particulièrement élevé en France, la plupart sont des femmes. Jeanne Calment, qui fut la doyenne de l'humanité, est décédée en 1997 à l'âge de 122 ans.

Plus de la moitié des centenaires actuels présentent un bon ou très bon état de santé : constantes biologiques comparables à celles des jeunes adultes (taux de globules rouges et blancs, glycémie, cholestérol, albumine...), tension artérielle normale. Les vertiges sont rares. Ils souffrent surtout d'incontinence, de troubles de la mémoire (40 % des cas), de chutes et d'isolement affectif. La poursuite d'une activité physique (marche, natation), intellectuelle, culturelle et sociale, l'absence de stress et la qualité du régime alimentaire apparaissent comme des facteurs importants dans l'explication de leur longévité.

54 ans, leur mortalité est trois fois plus faible que celle de l'ensemble des hommes. À l'opposé, celle des manœuvres est le double de la moyenne. Entre ces catégories extrêmes, la hiérarchie des longévités reproduit celle des professions.

Les écarts s'expliquent par des facteurs de risque différents selon les catégories. Les travailleurs manuels sont beaucoup plus souvent victimes d'accidents du travail que les autres. Ils ont aussi plus fréquemment des modes de vie pouvant entraîner des maladies mortelles. Enfin, leur surveillance médicale et leurs efforts de prévention sont moins importants que ceux des autres catégories.

Il faut noter que, en dehors des risques professionnels spécifiques, ce n'est pas le fait d'exercer un certain métier qui engendre une espérance de vie plus ou moins longue, mais l'ensemble des répercussions que ce métier a sur le style de vie en général : consommation de tabac et d'alcool, qualité de l'alimentation, poids, sédentarité, fatigue, etc.

✦ *Plus des trois quarts des personnes âgées de plus de 85 ans sont des femmes.*

L'activité et le mariage sont favorables à la longévité.

Il existe un lien entre le fait d'exercer une activité et la durée de vie. À 35 ans, les inactifs ont une espérance de vie moyenne inférieure d'environ 7 ans à la moyenne nationale. Les statistiques montrent que les inactifs sont plus sujets aux maladies et aux troubles psychologiques. Les hommes chômeurs et les femmes inactives consomment par exemple plus de médicaments psychotropes que les actifs ; les femmes concernées sont également moins suivies sur le plan médical.

On constate aussi que les personnes mariées vivent plus longtemps que les célibataires, divorcés ou veufs. À 50 ans, un homme marié a une espérance de vie supérieure de 5,5 ans à celle d'un veuf ; une femme mariée vit 2,7 ans de plus qu'une célibataire et 2,5 ans de plus qu'une veuve. À cet âge, une femme mariée a en moyenne 6,3 ans de plus à vivre qu'un homme marié et 11,8 ans de plus qu'un veuf. Ces écarts s'expliquent par le rôle protecteur du mariage, tant sur le plan psychologique qu'économique ou social.

Le temps n'est pas égal pour tous.
Conquest Advertising

L'espérance de vie est de moitié plus élevée en France qu'en Afrique.

L'espérance de vie à la naissance dans le monde est de 64 ans pour les hommes et 68 ans pour les femmes. Elle varie considérablement d'un continent à l'autre : respectivement 52 ans et 55 ans en Afrique (47 et 49 en Afrique orientale), 68 ans et 74 ans

La longévité héréditaire

Outre les facteurs de vieillissement liés au sexe, à l'âge ou à la profession, il existe de toute évidence des inégalités génétiques qui induisent une longévité potentielle. Les recherches effectuées sur les centenaires montrent qu'ils (ou, le plus souvent, elles) bénéficient d'une hérédité particulièrement favorable. Certains gérontologues estiment que le corps humain est programmé pour atteindre 120 ans, en l'absence d'accidents et de maladies graves. Les études portant sur certaines espèces animales (mouches, drosophiles) laissent cependant penser que, si le vieillissement est génétiquement programmé, le programme est susceptible de varier considérablement selon les individus. Certains individus pourraient donc théoriquement atteindre des âges considérés aujourd'hui comme inaccessibles.

en Amérique (65 et 72 en Amérique du Sud, mais 73 et 79 en Amérique du Nord), 64 ans et 67 ans en Asie (59 et 60 en Asie du centre-sud, mais 69 et 73 en Asie orientale), 71 ans et 76 ans en Océanie, 71 ans et 79 ans en Europe (hors Russie, 65 et 75 en Europe orientale, mais 74 et 81 en Europe occidentale).

Dans certains pays d'Europe orientale, l'espérance de vie a diminué depuis quelques années, contrairement à ce qui s'est produit à l'Ouest. Ainsi, en Russie, elle n'est plus que de 58 ans pour les hommes et 72 ans pour les femmes. L'alcoolisme, les conditions économiques défavorables, la mauvaise organisation des services de santé et leur manque d'équipement semblent en partie responsables de cette évolution.

On constate que les écarts d'espérance de vie s'accroissent entre les pays développés et les autres. Ces derniers cumulent les handicaps de la malnutrition, du manque d'hygiène, de l'insuffisance des soins et de l'inexistence de la prévention. La mortalité infantile y reste très élevée ; dans de nombreuses régions du tiers-monde, plus d'un enfant sur dix meurt avant le premier anniversaire, contre un sur deux cents en France.

L'allongement de la vie a rendu sa fin plus difficile à accepter.

La mort n'est plus considérée aujourd'hui comme un événement naturel. Ce changement d'attitude est lié aux progrès de la médecine et aux promesses de la science (greffes, clonage, cryogénie...). L'idée se

Les vies inégales

Espérance de vie à la naissance (en années) par sexe dans certains pays et mortalité infantile (pour 1 000 naissances)* :

	Espérance de vie à la naissance		Mortalité infantile
	Hommes	Femmes	
Union européenne (en 1996)			
• Suède	76,5	81,5	4,2
• Grèce	75,0	80,3	7,9
• Italie	74,9	81,3	5,8
• Pays-Bas	74,7	80,3	5,5
• Espagne	74,4	81,6	5,6
• Royaume-Uni	74,4	79,3	6,2
• FRANCE	74,0	81,9	5,0
• Autriche	73,9	80,2	5,0
• Belgique	73,5	80,2	6,1
• Allemagne	73,3	79,8	5,1
• Irlande	73,2	78,5	6,3
• Finlande	73,0	80,5	3,9
• Luxembourg	73,0	80,0	5,5
• Danemark	72,8	78,0	5,3
• Portugal	71,0	78,5	7,4
• Australie	75	81	5,8
• Canada	75	81	6,2
• Israël	75	79	7,2
• Etats-Unis	73	79	7,3
• Mexique	70	76	34,0
• Chine	68	72	31,0
• Algérie	66	68	44,0
• Turquie	65	70	47,0
• Inde	59	59	75,0
• Russie	58	72	18,0
• Afrique du Sud	54	58	53,0
• Mali	44	48	134,0

* données 1996 pour l'Union Européenne et les plus récentes disponibles pour les autres pays.

Eurostat, OCDE, ONU, INED

répand que l'issue fatale pourrait être retardée jusqu'à un âge très avancé ; tout décès avant l'échéance biologique tend à être considéré comme prématuré. Un certain désir d'immortalité se développe sur des bases plus rationnelles que religieuses.

La mort des proches est aussi moins apparente. Les générations d'une même famille habitent plus rarement ensemble qu'autrefois, de sorte que les enfants vivent de façon plus éloignée la période qui précède la disparition de leurs parents. 75 % des décès ont d'ailleurs lieu à l'hôpital ou dans une maison de retraite. 30 % des familles recourent à la thanatopraxie, méthode d'embaumement qui permet de conserver l'aspect naturel des traits du défunt et de rassurer l'entourage. Les cérémonies funéraires sont plus simples et intimes, moins spectaculaires. Enfin, le deuil est moins apparent extérieurement, comme si les morts ne devaient pas troubler les vivants.

La réflexion sur la mort progresse depuis quelques années.

Le décès de François Mitterrand, en janvier 1996, a été un révélateur de cette évolution. Celle-ci a fait surgir plusieurs interrogations d'ordre pratique ou philosophique : comment mourir ? Comment accompagner les mourants ? Que se passe-t-il après la mort ?

Les attitudes individuelles à l'égard de la mort changent aussi de façon sensible. 63 % des Français disent penser souvent ou parfois à la mort, contre 53 % en 1995 et 47 % en 1979. 37 % y pensent rarement ou jamais, contre 47 % en 1995 et 52 % en 1979. La proportion est plus forte chez les femmes, chez les catholiques pratiquants et se renforce avec l'âge.

On observe aussi une volonté croissante de « gérer sa mort » comme on souhaite gérer sa vie. En cas de maladie incurable, 84 % des Français sont favorables à la reconnaissance au malade du droit à être aidé à mourir (9 % opposés). Même les catholiques pratiquants y sont majoritairement favorables (74 % contre 16 %). 79 % des Français souhaitent pouvoir recourir à la mort volontaire le cas échéant, contre 12 %.

Emploi du temps

Le capital-temps des Français a plus que doublé depuis la fin du XVIIIe siècle.

L'espérance de vie à la naissance d'un homme était estimée à 33 ans en 1800, celle d'une femme à 35 ans, contre respectivement 74,2 ans et 82,1 ans en 1997. Cet écart considérable est dû pour une part importante à la forte

baisse de la mortalité infantile, aux progrès spectaculaires accomplis en matière de soins et de prévention, ainsi qu'aux changement de modes de vie (voir chapitre précédent).

Au XXe siècle, les gains d'espérance de vie ont représenté 30 ans à la naissance, dont 12 au cours des cinquante dernières années. Mesuré à l'âge de 40 ans, ce qui élimine les effets de la mortalité aux jeunes âges, le gain représente encore 7 ans depuis 1950.

L'accroissement spectaculaire de ce capital-temps a évidemment bouleversé les modes de vie des Français et le fonctionnement de la société. Ainsi, l'âge de la retraite ne signifie plus la fin de la vie, mais le début d'une nouvelle vie, qui dure en moyenne une vingtaine d'années. Mais le vieillissement général posera à terme de réels problèmes démographiques (renouvellement des générations) et économiques (financement des retraites par les actifs).

turned ups. de dans, disrupted

L'emploi du temps de la vie a été bouleversé au cours du siècle.

On peut répartir le temps de la vie en quatre grandes catégories : le temps consacré à un travail rémunéré, celui nécessaire aux fonctions physiologiques (alimentation, sommeil, soins...), celui de l'enfance et de la scolarité, celui des déplacements (professionnel et personnel). Le solde entre le temps disponible et celui représenté par toutes ces activités est le temps libre.

La comparaison sur deux siècles, établie à partir de travaux anciens, de ceux du sociologue Roger Sue et de la prise en compte des données actuelles, fait apparaître une très forte évolution de la part de chacune de ces composantes dans la vie d'un individu (voir graphique).

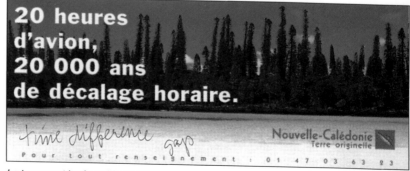

20 heures d'avion, 20 000 ans de décalage horaire.

time difference gap

Pour tout renseignement : 01 47 03 63 23

Nouvelle-Calédonie Terre originelle

Le temps est inséparable de l'espace.
Gibraltar

La révolution du temps

Evolution de l'emploi du temps de la vie d'un homme en deux siècles :

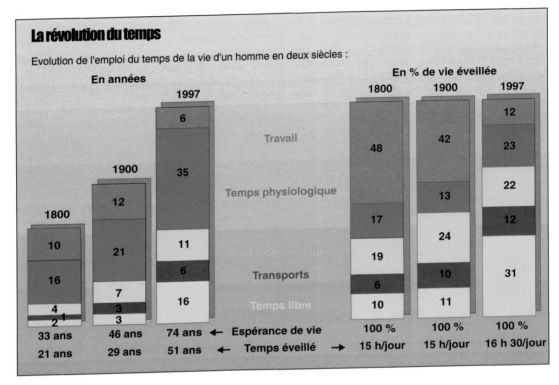

Les activités physiologiques représentent
la moitié du temps de vie total.

Un homme consacre 11 h 15 min par jour au sommeil
et aux autres activités de type physiologique (enquête INSEE sur l'emploi du temps), soit 35 années sur
une espérance de vie de 74 ans (47 % du temps
total).

Le temps de scolarisation est en moyenne de
19 années (auxquelles s'ajoutait autrefois le service
militaire, supprimé depuis 1996) ; il faut lui retrancher
le temps physiologique correspondant (47 %, soit
9 ans) ; il est donc de 11 années en ajoutant les
périodes de formation qui interviennent dans le
cours de la vie adulte. Le temps de transport est,
quant à lui, estimé à 6 ans sur l'ensemble de la vie.

Le temps de travail ne représente plus
que 8 années pleines sur une vie d'homme
de 74 ans.

Le temps consacré actuellement au travail rémunéré est en théorie de 39 heures par semaine pour
les salariés (85 % de la population), ce qui représente 1 550 heures par an compte tenu des vacan-

ces et des jours fériés (enquête BIT). Mais le temps de
travail effectif ne dépasse pas 1 400 heures par an si
l'on tient compte de l'absentéisme et des périodes
de chômage, sans intégrer encore le passage pré-
vu aux 35 heures.

La période active se situe entre l'âge de 21 ans
et celui de la retraite fixé officiellement à 60 ans (soit
39 ans de vie active), ce qui représente au total
54 600 heures, soit 6,2 années pleines de travail (une
année représente 8 766 heures). Il est intéressant de
constater que, depuis deux siècles, ce temps n'a
cessé de diminuer en valeur absolue ; il a été divisé
par deux au cours du XXe siècle), alors que l'espérance de vie s'accroissait de 60 %.

Par rapport au temps de vie éveillé,
le travail ne représente plus que 12 %,
contre 42 % en 1900.

Une autre façon de mesurer la diminution de la part
du travail dans la vie est de la considérer par rapport
au temps de vie « éveillé ». Des études récentes
montrent que le temps de sommeil moyen des Français est de 7 h 30 (contre 9 heures au début du

siècle), soit 31 % du temps de vie. Le temps de vie éveillé sur 74 ans est donc équivalent à 51 années (69 %). Dans cette hypothèse, les 6 années de travail représentent 12 % du temps de vie éveillé. A titre de comparaison, la proportion était de 42 % en 1900 et 48 % en 1800.

Depuis la fin de la Seconde Guerre mondiale, le temps de travail hebdomadaire des Français a été pratiquement divisé par deux (voir *Conditions de travail*). Dans le même temps, la durée de la vie active a été raccourcie de 10 ans, du fait de l'allongement de la scolarité et de l'avancement de l'âge de la retraite, malgré l'allongement de la durée de vie.

Bien sûr, ces calculs représentent des moyennes. Le temps de travail n'est pas le même pour tous ; il tend à augmenter avec les responsabilités (les cadres ont un temps de travail largement supérieur à celui des non-cadres). Mais la réduction de la part du travail dans la vie a concerné à des degrés divers toutes les catégories sociales.

Une tendance historique

Le processus de réduction du temps de travail a commencé dès 1814, avec la législation sur le chômage des dimanches et jours de fête catholiques. Pendant la révolution de 1848, le décret de Louis Blanc limitait la journée de travail à 10 heures à Paris et 11 en province. Il fallut cependant attendre 1912 pour que ces dispositions entrent dans les faits. La journée fut réduite à 8 heures en 1919, répondant ainsi à une demande apparue dès 1880.
Les pressions sociales pour réduire le temps de travail s'exprimèrent ensuite à l'échelle de la semaine, avec le droit au week-end. Puis elles concernèrent l'année, avec la mise en place des congés payés : 12 jours ouvrables en 1936, portés à 18 en 1956, à 24 en 1969, à 30 en 1982 (cinq semaines).
A l'échelle de la vie, il faut mentionner l'avancement de l'âge de la retraite, fixé pour l'ensemble du régime général à 65 ans vers 1950, puis à 60 ans en 1982. Mais les nouvelles dispositions de 1993, en augmentant le nombre de trimestres de cotisation nécessaires, ont considérablement restreint le nombre d'actifs qui pourront en bénéficier à cet âge.
L'histoire se poursuit avec la loi sur les 35 heures votée en 1998, qui devrait entrer en application en l'an 2000. Le XXIe siècle marquera sans doute le passage d'une civilisation centrée sur le travail à une autre, dans laquelle le temps libre sera prépondérant.

Le temps libre d'une vie a triplé depuis le début du siècle. Il est aujourd'hui presque trois fois plus long que le temps de travail.

Le temps libre total d'une vie est obtenu en faisant la différence entre l'espérance de vie moyenne à la naissance et la durée cumulée des quatre activités détaillées précédemment. Il représente aujourd'hui 16 années de la vie moyenne d'un homme, contre 3 années au début du siècle et 2 années en 1800.

Le temps libre compte donc pour près d'un tiers du temps de vie éveillé, contre un dixième au début du siècle. Il faut noter que la plus grande partie de ce temps n'est disponible (pour les actifs) que pendant la retraite. L'allongement de la durée des vacances et la diminution du temps de travail hebdomadaire représentent cependant des gains importants.

Temps subi et temps choisi : le difficile équilibre.
Alternative

L'emploi du temps de la vie a connu une véritable révolution.

Peu de Français sont conscients des changements qui se sont opérés dans les modes de vie au cours du XXe siècle. Le temps disponible s'est globalement « dilaté », mais les différentes parties qui le composent ont subi des déformations très différentes.

Au début du XIXe siècle, les Français vivaient en moyenne 33 ans et consacraient la moitié de leur vie éveillée au travail. Leur temps libre était donc extrêmement limité : 2 ans. Aujourd'hui, ils disposent de beaucoup plus de temps de vie, mais la part qu'ils consacrent au travail est beaucoup moins grande qu'en 1800. La période de l'enfance s'est étirée, du fait de l'allongement de la scolarité.

Le temps accordé au sommeil et aux divers besoins d'ordre physiologique a moins évolué ; on consacre plus de temps à son hygiène, mais sans doute un peu moins aux repas et l'on dort un peu moins en moyenne qu'il y a un siècle. Ce dernier phénomène s'explique par la moindre fatigue physique liée au travail, qui permet une récupération plus courte, ainsi que par la généralisation de la lumière et des équipements de loisirs (radio, télévision, consoles de jeux...) qui ont prolongé la durée de veille.

L'emploi du temps de la journée ne reflète pas celui de la vie.

La répartition du temps de travail, de la scolarité et du temps libre est loin d'être uniforme tout au long de la vie, compte tenu notamment du fait que la vie active est concentrée entre 20 et 60 ans. La dernière enquête disponible sur l'emploi du temps quotidien est celle réalisée par l'INSEE en 1985-1986. Elle montrait que les hommes actifs (adultes citadins) disposaient en moyenne de 50 minutes de plus de temps libre par jour que les femmes. Celles-ci travaillaient à l'extérieur en moyenne une heure de moins que les hommes, mais consacraient plus de 4 h 30 aux tâches domestiques contre 2 h 48 pour les hommes (durée journalière calculée sur 7 jours).

Chez les inactifs, les hommes étaient de plus gros dormeurs que les femmes. Celles-ci consacraient 6 h 53 au ménage et aux autres travaux domestiques, contre seulement 2 h 41 pour les hommes.

Les agriculteurs travaillaient deux heures de plus par jour que les citadins. En contrepartie, ils consacraient une heure de moins qu'eux aux travaux ménagers, dormaient davantage, passaient plus de temps à table (1 h 35 à domicile contre 1 h 20 en ville). Le temps de loisir était inférieur d'une demi-heure par jour en milieu rural.

✦ *Au cours d'une vie moyenne, un homme passe 30 ans debout, 25 ans couché, 17 ans assis, 7 ans à manger, 5 ans à conduire, 4 ans à rêver, 531 jours à s'habiller, 500 jours à faire la queue, 250 jours à lire, 180 jours à téléphoner, 159 jours aux toilettes, 110 jours à faire l'amour, 92 jours à se laver les dents...*

Entre 1975 (date de la première enquête) et 1985, le temps libre s'était accru de 35 minutes ; les trois quarts de cette augmentation (26 minutes) s'étaient portés sur la télévision. Les adultes citadins consacraient un quart d'heure de moins aux repas qu'auparavant.

Les Français n'ont jamais eu autant de temps libre, mais ils n'ont jamais eu autant l'impression d'en manquer.

Le temps dont on dispose varie de façon sensible en fonction des individus et des moments de la vie. Les deux tiers des Français n'ont pas d'activité professionnelle : enfants ; étudiants ; inactifs ; chômeurs ; retraités...

31 % des Français estiment ne pas avoir de temps libre : 36 % des femmes contre 26 % des hommes, 64 % des artisans-commerçants, 63 % des agriculteurs, 50 % des chefs d'entreprise (L'Observateur Cétélem, décembre 1997). 63 % estiment ne pas en avoir assez. Par ailleurs, 57 % se plaignent de ne pas avoir les moyens financiers pour faire ce qu'ils veulent de ce temps. Enfin, 12 % ne savent pas quoi faire de leur temps libre.

Ce paradoxe s'explique d'abord par le fait que le surcroît de temps libre ne profite pas à tous de la même façon et, surtout, qu'il n'est pas réparti uniformément au cours de la vie ; il est surtout concentré pendant la retraite. De plus, une partie croissante du temps libre est utilisée pour se rendre des services à soi-même, dans un souci d'économie, de satisfaction personnelle ou d'indépendance.

Mais le paradoxe du temps libre tient surtout au nombre des occasions de l'utiliser, qui s'est accru encore beaucoup plus vite que lui. Aucun individu ne peut aujourd'hui répondre à toutes ces sollicitations, faire toutes les expériences qui lui sont proposées. Ce déficit entretient l'impression d'un manque de temps ; il entraîne une frustration croissante des individus.

La vie moderne consiste souvent à gagner du temps...

La revendication du temps et de la rapidité est partout présente dans les actes de la vie courante. Les consommateurs deviennent de plus en plus impatients ; ils ne veulent plus faire la queue devant les cinémas, attendre aux caisses des supermarchés ou chez le médecin. Le temps moyen passé dans un

La journée des Français

• Au cours des dernières 24 heures, les Français de 15 ans et plus déclarent avoir fait les choses suivantes (les pourcentages donnés entre parenthèses correspondent au maximum et au minimum parmi les 40 pays des cinq continents concernés par l'enquête) :

• 94 % se sont lavé les dents (100 % à Singapour, 64 % en Grèce).

• 87 % ont regardé la télévision (98 % aux Philippines et au Japon, 82 % en Argentine).

• 72 % ont pris une douche (97 % en Colombie, 24 % en Ukraine).

• 70 % ont écouté la radio (84 % au Danemark, 35 % au Japon).

• 61 % ont lu un journal (81 % en Suisse, 29 % en Afrique du Sud).

• 56 % se sont sentis heureux (84 % en Australie, 23 % en Russie).

• 55 % ont fait des courses (70 % en Pologne, 13 % aux Philippines).

• 54 % se sont lavé les cheveux (94 % aux Philippines, 23 % en Ukraine).

• 52 % ont lu un magazine (60 % à Hongkong, 9 % en Ukraine).

• 45 % sont allés au travail (64 % à Singapour, 20 % en Finlande).

• 36 % ont fait un chèque sur leur compte (36 % en France, moins de 1 % en Russie et en Chine).

• 33 % se sont couchés après minuit (72 % en Argentine, 15 % en Ukraine).

• 30 % ont crié après quelqu'un (38 % en Turquie, 7 % aux Philippines).

• 22 % se sont levés avant 6 h du matin (62 % en Inde, 6 % en Espagne).

• 19 % ont fait la sieste (55 % en Arabie Saoudite, 17 % en Irlande et à Hongkong).

• 18 % ont payé avec une carte de crédit (18 % en France et en Australie, 0 % en Ukraine et en Russie).

• 18 % ont eu des relations sexuelles (30 % en Inde, 3 % en Chine).

• 17 % ont pris des transports en commun (80 % aux Philippines, 6 % aux Etats-Unis).

• 16 % ont pris un bain (100 % aux Philippines, 2 % au Brésil).

• 16 % se sont sentis tristes (38 % en Australie, 5 % à Hongkong).

• 10 % sont allés au restaurant (53 % à Hongkong, moins de 1 % en Ukraine et en Russie).

• 10 % se sont rendus à plus de 50 km de chez eux (68 % à Hongkong, 5 % en Ukraine et en Russie).

• 10 % se sont sentis chanceux (42 % en Belgique, 7 % en Grèce et en Chine).

• 9 % ont utilisé un ordinateur au travail (40 % à Singapour, 1 % en Ukraine).

• 7 % ont utilisé un ordinateur chez eux (29 % aux Pays-Bas, 1 % en Ukraine et en Inde).

• 6 % ont envoyé ou reçu des fax (26 % en Australie, moins de 1 % en Russie).

• 4 % sont allés à l'église ou dans un autre lieu de culte (27 % en Inde, 1 % en Chine et en Russie).

• 4 % se sont sentis coupables (19 % en Inde, 2 % en Grèce et en Chine).

• 3 % ont téléphoné à l'étranger (22 % à Hongkong, moins de 1 % au Brésil).

TMO/INRA, 1996

hypermarché était de 90 minutes en 1980 ; il n'est plus que de 50 minutes aujourd'hui, alors que le nombre de produits référencés a augmenté de 20 %. Le temps passé devant chaque rayon tend donc à diminuer : un achat sur quatre prend moins de 10 secondes.

Au contraire du proverbe américain qui dit que le temps est de l'argent, on pourrait prétendre aujourd'hui que c'est l'argent qui est du temps. La peur de vieillir ou le stress quotidien sont des manifestations de cette lutte permanente contre le temps qui passe.

... pour pouvoir le perdre.

Conscientes de cette demande en forte croissance, les entreprises ont multiplié au fil des années les offres de produits et de services : produits alimentaires prêts à consommer ou facilement consommables (en poudre, concentrés, congelés, surgelés, en conserve, lyophilisés, précuits...) ; services rapides (développement de photos, formules de restauration rapide, montage de lunettes, jeux instantanés...) ; équipements (machines à laver le linge ou la vaisselle, four à micro-ondes, fax, Minitel...) ; transports (avion, TGV, RER) ; vente par correspondance ; livraisons à domicile...

✦ *Les clients des hypermarchés consacrent 51 secondes en moyenne au rayon des biscuits sucrés pour prendre en main 1,8 produit, 24 secondes au rayon chocolat (1,4 produit pris en main), 21 secondes au rayon café (1,1 produit), 20 secondes au rayon céréales (1,4 produit).*

Vers un retour de la lenteur ?

L'hyperactivité entraîne le stress, l'impression de ne pas pouvoir maîtriser son emploi du temps peut conduire à l'ulcère, l'occupation engendre la suroccupation... puis la préoccupation. Il faudrait donc pouvoir se détendre, accepter le passage du temps, lui donner du temps... C'est pourquoi on peut imaginer à terme un retournement des tendances actuelles à l'égard du temps, qui consistent à faire les choses rapidement pour se donner l'impression de vivre intensément. Lassés de cette fuite en avant, les individus-consommateurs redécouvriraient la sagesse et les vertus de la lenteur.

A l'appui de ce scénario, on peut citer l'engouement actuel pour certaines pratiques comme le yoga, la marche, le bouddhisme, la sophrologie, les gymnastiques douces ou certaines thérapies destinées à désintoxiquer les « drogués » du temps. On observe aussi une attirance croissante pour la vie à la campagne, qui permet un rythme plus lent que celui des villes et davantage en harmonie avec celui de la nature. La sensation d'avoir le temps pourrait être le véritable luxe de demain.

Le temps gagné permet de multiplier et renouveler les émotions, qui tiennent parfois lieu de raisons de vivre. Mais il n'a pas pour unique objet le divertissement. Il donne à chacun la possibilité de gérer sa vie, de maîtriser son destin.

Pour beaucoup de Français, le temps passé est meilleur que le temps futur.

La crise morale que traverse la société française depuis une quinzaine d'années explique que le temps à venir est considéré avec plus d'inquiétude que le temps passé ou présent. Aujourd'hui est moins bien qu'hier mais mieux que demain... Les Français hésitent donc à faire des projets, craignant que l'avenir ne leur soit pas favorable. Surtout, ils craignent que le temps soit porteur de problèmes, voire d'accidents dans leur vie personnelle (santé, intégrité physique et mentale...), familiale (divorce, séparation...) ou professionnelle (licenciement, perte d'emploi...).

Pour ces raisons, ils considèrent moins le temps comme un allié sûr que comme un ennemi potentiel. En même temps, le rêve de chacun est de l'arrêter et de ne pas être concerné par ses effets sur la santé. Le vieillissement est ainsi mal vécu par les Français et l'idée de la mort leur est difficilement supportable. C'est pourquoi ils investissent de plus en plus dans les produits, services et activités qui sont susceptibles de les aider à vivre mieux et plus longtemps.

Le temps devient plus important que l'espace.

Les progrès considérables en matière de communication ont radicalement transformé la relation au temps et à l'espace dans les sociétés modernes. Le vieux rêve de l'ubiquité a été réalisé grâce aux moyens de transport et surtout à l'électronique, qui a rendu possible le déplacement instantané.

Le « temps réel » remplace donc l'espace tandis que le temps est lui-même devenu de l'information, matière première essentielle de cette fin de millénaire. Le « travail du temps » devient plus important que le temps de travail. L'accroissement de la vitesse des échanges et le raccourcissement du temps qui en résulte (« plus on va vite et plus le temps est court » selon la théorie de la relativité d'Einstein) posent des problèmes nouveaux, tant aux individus qu'aux démocraties. Après la « réalité virtuelle », le siècle prochain sera peut-être celui du « temps virtuel ».

Les consommateurs sont de plus en plus pressés.
Le nouvel Eldorado

Il existe une triple relativité du temps.

La théorie de la relativité d'Einstein s'applique très bien au temps vécu par chaque individu. Il est d'abord vécu différemment selon l'âge ; on est paradoxalement souvent plus pressé lorsqu'on est

L'horloge des saisons

La vie individuelle et collective reste largement réglée par le calendrier. La courbe des mariages présente chaque année une pointe fin juin-début juillet. Celle des naissances est plus marquée en mai et creuse en novembre. Même la mort a un caractère saisonnier, vers fin janvier-début février. Les suicides, eux, sont plus nombreux au printemps et se produisent plus fréquemment le lundi, traduisant « l'angoisse des recommencements ». Un phénomène qui explique peut-être aussi la plus grande occurrence des mouvements sociaux en septembre. L'alimentation, les achats, la lecture ou la pratique sportive sont aussi des activités étroitement liées aux saisons. L'humeur elle-même serait en partie dépendante de la lumière du jour. La violence, dont la relation avec les phases lunaires n'est pas démontrée, est maximale en octobre-novembre et limitée en juillet. Les fêtes, païennes ou religieuses, continuent de rythmer les saisons et la vie des Français, qui se sentent ainsi rattachés à l'Univers. On constate que l'année calendaire comporte au total huit moments critiques : les solstices d'été et d'hiver ; les équinoxes de printemps et d'automne ; les débuts des mois de février, mai, août et novembre. Les découvertes récentes de la chronobiologie montrent d'ailleurs que les Français vivent à contre-temps par rapport aux besoins de leur corps ; celui-ci a davantage besoin de repos en hiver (on dort moins en été), mais c'est pourtant en été que partent les vacanciers. Les rythmes sociaux ne sont donc pas tous adaptés aux nécessités biologiques.

entre deux positions. Cette vision a changé avec l'arrivée des montres digitales, dont l'écran fournit une heure « absolue » en chiffres ; on ne peut visuellement la relier à une autre heure et la notion de durée disparaît. Ce système a d'ailleurs été rejeté par la majorité des consommateurs. Il est mieux accepté par les jeunes, ce qui traduit leur attachement à l'instant présent plutôt qu'à la continuité entre présent, passé et futur.

La société reste centrée sur le travail...

C'est toujours la notion de travail qui structure le temps libre et qui lui donne sa valeur, à la fois par rapport à la société et l'individu. Ainsi, 42 % des chômeurs disent ne pas savoir quoi faire du temps libre forcé dont ils disposent, comme s'ils en avaient un peu honte (Observateur Cetelem, 1998). A l'inverse, le temps libre des inactifs apparaît plus légitime, car il a été mérité par une longue vie professionnelle. Entre les deux situations, les actifs ayant des horaires de travail décalés (week-end, nuit) se sentent marginalisés et frustrés.

Le temps libre est encore considéré comme l'envers du temps de travail. Celui-ci reste le support principal d'établissement des liens sociaux et de l'existence sociale. Il permet non seulement de gagner sa vie mais de se construire une identité, de s'exprimer et d'appartenir à la collectivité.

jeune que lorsqu'on est âgé. La perception varie aussi selon la profession ; les cadres apparaissent plus pressés que les employés ou les agriculteurs. Elle diffère enfin selon le système de valeurs ; certains ont une vision positive du temps qui s'écoule, d'autres (plus nombreux aujourd'hui) considèrent que chaque minute les rapproche de la mort...

Le temps est aussi relatif dans la mesure où sa « valeur » diffère selon l'utilisation qu'on en fait. Ainsi, les minutes passées à faire la queue pour acheter un ticket de cinéma valent moins que celles que l'on passe dans la salle ; ces dernières ont aussi une durée psychologique variable en fonction de l'intérêt que l'on porte au film.

Enfin, on peut observer que le temps a été pendant des siècles perçu de manière « relative » au moyen des outils de mesure. Les aiguilles de la montre ou de l'horloge se positionnent sur un cercle et permettent de situer le temps écoulé ou à venir

... mais d'autres revendications se font jour.

Le découpage traditionnel de la vie entre formation, travail et retraite apparaît de plus en plus artificiel. Il ne correspond pas plus à la demande sociale qu'aux nécessités économiques. Les Français souhaitent pouvoir alterner au cours de leur vie des périodes d'apprentissage, de travail et de loisirs. Au quotidien, ils veulent pouvoir faire leurs courses tard le soir ou le dimanche, utiliser les services publics sept jours sur sept, choisir les dates de leurs vacances et, pour ceux qui ont des enfants, ne pas dépendre du calendrier scolaire. Ceci implique une révision complète du temps social (fins de semaine, congés payés, mise à la retraite, etc.).

La lutte contre le chômage justifie par ailleurs la mise en place du travail à temps choisi. Celui-ci permettra non seulement de mieux partager l'emploi, mais aussi de rendre les gens plus motivés, donc plus efficaces et plus heureux.

La valorisation du temps libre sera l'un des principes fondateurs d'une nouvelle civilisation.

Le loisir prend une place croissante dans la vie des gens. Les pressions sociales se font moins fortes pour rendre l'activité (au sens de travail rémunéré) obligatoire. Il est aujourd'hui moins difficile socialement d'être chômeur ; il sera demain possible, voire valorisant, d'alterner des périodes de travail et d'activité non rémunérée, de s'épanouir par ses loisirs autant, sinon plus, que par son travail.

On voit donc s'esquisser le passage à une autre société, caractérisée par une plus grande harmonie entre les nécessités collectives et les aspirations individuelles. La vie des individus et des familles en sera transformée, comme la vie sociale et les mentalités. Cette révolution du temps est en réalité porteuse d'un véritable changement de civilisation. Elle en est l'un des principes fondateurs.

✦ *La décennie qui a le plus marqué les Français est celle des années 80 (25 %), devant les années 70 (20 %), 60 (20 %), 90 (18 %), 50 (8 %), 40 (6 %), 30 (1 %), antérieures (1 %).*

FAMILLE

LE COUPLE

Mariage

Le nombre des mariages a augmenté en 1996 et 1997... pour des raisons fiscales.

284 500 mariages ont été célébrés en 1997, soit une hausse de 1,4 % qui arrivait après celle de 10,2 % constatée en 1996. Après une baisse régulière pratiquement ininterrompue depuis plus de vingt ans, le taux de nuptialité est remonté à 4,9 mariages pour 1 000 habitants, ce qui place la France loin devant la Suède (3,8 ‰) avec qui elle partageait jusqu'ici la première place en matière de dénuptialité.

Cette croissance ne saurait cependant être interprétée comme le résultat d'une brutale évolution sociologique face au mariage. Elle semble due pour l'essentiel à la suppression en 1996 des dispositions fiscales qui avantageaient les couples non mariés. Pour un certain nombre de couples cohabitants composés de deux actifs ayant des enfants à charge et imposables, il devenait alors plus intéressant de se marier.

Mariages de raison

La rationalité économique n'est pas absente des décisions concernant la vie en couple. Il faut se souvenir que le mariage d'amour est une invention récente. Montaigne affirmait en son temps : « Un bon mariage, s'il en est, refuse la compagnie et condition de l'amour. » La « régularisation » des cohabitants arrivant à la cinquantaine s'explique par des raisons semblables ; le statut de veuf est financièrement plus protecteur que celui d'ancien concubin.
On avait déjà pu constater l'existence d'une corrélation entre les dispositions juridico-fiscales et le mariage dans d'autres pays : en Suède, une modification des règles de réversion des pensions, qui devenaient plus favorables aux couples mariés, avait provoqué une hausse de 146 % des mariages en 1989 ; en Autriche, les primes au mariage accordées ou projetées ont eu des incidences en 1972, 1983 et surtout 1987.

C'est ce qui explique que la moyenne d'âge des couples mariés s'est encore accrue. Les hommes et les femmes de plus de 30 ans ont été proportionnellement les plus nombreux à se marier ; en 1996, la hausse a été trois fois plus forte que la moyenne dans la tranche 37-41 ans. L'accroissement a été particulièrement marqué chez les hommes célibataires ayant eu 40 ans au cours de l'année, ainsi que chez les hommes et les femmes, célibataires ou divorcés, de 50 ans (la plupart étant des couples vivant en union libre depuis longtemps), comme si l'arrivée à un certain âge favorisait la prise de décision.

Le mariage, pour le meilleur...
Diamant Vert

La hausse récente intervient après une longue période de baisse, amorcée en 1973.

Le nombre maximum de mariages avait été atteint en 1972, avec 417 000 unions. Le taux de nuptialité avait ensuite chuté dans des proportions importantes : 4,8 pour 1 000 habitants en 1987 contre 8,1 en 1972. La tendance s'était ensuite inversée entre 1988 et 1990, avant une nouvelle baisse. On avait atteint en 1993 le niveau le plus bas du siècle, à l'exception des périodes des deux guerres mondiales. La baisse

Les mariages du siècle

Evolution du nombre annuel de mariages (en milliers) :

INSEE

avait été particulièrement forte en Ile-de-France, en Limousin et surtout dans le Nord-Pas de Calais et en Lorraine. Elle a touché l'ensemble des pays d'Europe.

Cette spectaculaire diminution doit cependant être ramenée à ses proportions véritables. Les années 1950 à 1970 apparaissent en effet comme des années de transition. Le nombre des mariages avait anormalement augmenté entre 1968 et 1972, sous l'influence de l'arrivée à l'âge du mariage des générations nombreuses de l'après-guerre (baby-boom), de l'accroissement des conceptions prénuptiales à une époque où la liberté sexuelle ne s'était pas encore accompagnée d'une large diffusion de la contraception et de pressions sociales fortes à l'encontre des naissances hors mariage. De plus, l'âge moyen au mariage avait augmenté pendant cette période, alors qu'il avait diminué entre 1950 et le milieu des années 70.

L'âge au premier mariage s'est accru de plus de 4 ans en quinze ans.

En 1996, les femmes célibataires se sont mariées en moyenne à 27,5 ans, contre 23 ans en 1980 et 22 ans en 1970. Les hommes célibataires se sont mariés à 29 ans, contre 25 ans en 1980 et 24 ans en 1970. 70 % des hommes épousent ainsi des femmes plus jeunes qu'eux. Ce phénomène est lié au prolongement de l'union libre. A 35 ans, plus d'une femme sur quatre ne s'est jamais mariée, une proportion qui a doublé en dix ans. Mais le report des mariages à des âges plus élevés ne compense pas le déficit enregistré chez les plus jeunes.

Ce vieillissement existe depuis les années 60 en Scandinavie et, depuis la seconde moitié des années 70, dans les pays du Sud de l'Europe. Mais les Portugaises se marient encore près de 5 ans plus jeunes que les Danoises et les Suédoises : 24,3 ans contre 29,0 ans.

On peut cependant observer qu'on se marie aujourd'hui presque au même âge qu'au XVIIIe siècle. L'âge moyen au premier mariage avait en effet baissé de deux ans en deux siècles ; il a augmenté d'autant, mais en quelques années.

♦ 90 % des hommes et des femmes nés pendant la première moitié du siècle se sont mariés.

Mariage et légitimation

Après une longue période de baisse, la proportion de mariages qui légitiment des enfants s'est accrue récemment. Ce phénomène a été particulièrement marqué avec la suppression en 1996 des dispositions fiscales qui avantageaient les couples non mariés avec enfants. Le nombre de mariages ayant légitimé un ou plusieurs enfants s'est accru de 37 % en 1996, alors que les mariages de couples sans enfants n'ont augmenté que de 2 %. La proportion de mariages légitimant plusieurs enfants est passée de 19 % en 1980 à 32 %. Elle traduit l'allongement de la durée de cohabitation des couples.

Cette évolution est aussi liée mécaniquement au fait que la proportion d'enfants nés hors mariage a quadruplé depuis 1980 (40 % contre 10 %). Cette augmentation spectaculaire explique que, si la part des mariages avec légitimation a doublé depuis 1980, la proportion d'enfants légitimés par un mariage continue de diminuer.

Noces tardives

Evolution de l'âge moyen au mariage par sexe (en années) :

	Année de mariage			
	1970	1980	1990	1995
HOMMES Etat matrimonial antérieur :				
- Célibataire	24,4	25,2	27,8	29,2
- Veuf	55,1	54,9	56,4	57,3
- Divorcé	40,3	38,1	41,4	43,5
- Ensemble	26,0	27,1	30,3	32,1
FEMMES Etat matrimonial antérieur :				
- Célibataire	22,4	23,0	25,7	27,2
- Veuve	48,1	46,8	47,2	48,5
- Divorcée	37,8	35,2	38,0	40,0
- Ensemble	23,8	24,6	27,8	29,5

INSEE

La proportion de mariages mixtes ou entre étrangers diminue.

L'augmentation des mariages constatée en 1996 et 1997 n'a pas concerné les couples comportant au moins un étranger. On n'a compté en 1996 que 24 000 unions mixtes (un Français et un étranger) ; leur nombre avait fortement augmenté de 1988 à 1991, avant de décliner jusqu'en 1995. Celui des unions entre deux étrangers a continué de diminuer : moins de 5 000 contre près de 9 000 en 1991. Il avait lui aussi augmenté de 1989 à 1991, pour représenter 3,2 % de l'ensemble des mariages, contre moins de 2 % en 1996.

Au total, le nombre des mariages comportant au moins un époux étranger a été inférieur à 29 000 en 1996, contre le maximum de 42 000 enregistré en 1991. Il ne représente plus que 10,1 % du nombre total de mariages, contre 13,6 % en 1990, 7,9 % en 1980 et 6,2 % en 1970.

La baisse constatée apparaît liée aux mesures prises en 1993 pour limiter les entrées d'étrangers et celles modifiant les conditions de séjour et d'accès à la nationalité française. Elle concerne surtout les personnes originaires du Maghreb, ainsi que d'autres pays d'Afrique et d'Asie. Mais les nationalités africaines représentent encore 42 % des mariages mixtes ou étrangers, contre 37 % pour les nationalités européennes (deux tiers il y a une vingtaine d'années).

Un mariage sur dix comporte au moins un étranger

Evolution de la proportion des mariages mixtes ou de deux étrangers (en % du nombre total de mariages) :

Epoux étranger, épouse française — 4,7 %

Epoux français, épouse étrangère — 3,7 %

Deux étrangers — 1,7 %

2,8 %
1,7 %

1970   1996

✦ *62 % des hommes du Liechtenstien et 43 % des femmes épousent un étranger.*

Qui se ressemble s'assemble.
Australie

L'endogamie, qui mesure la propension à se marier entre personnes géographiquement proches, est en diminution mais reste répandue. Sur 100 couples dont le mari est né dans une commune de moins de 5 000 habitants, 53 épouses sont nées dans la même catégorie de commune. Le taux augmente avec la taille de la commune : 34 % dans celles de 5 000 à 50 000 habitants, 45 % dans celles de 50 000 à 200 000 habitants, 55 % dans celles de plus de 200 000 habitants (45 % en 1959), 50 % dans l'agglomération parisienne.

Les lieux de rencontre des futurs époux changent.

16 % des couples mariés se sont rencontrés dans un bal, 13 % dans un lieu public, 12 % au travail, 9 % chez des particuliers, 8 % dans des associations, 8 % pendant leurs études, 7 % au cours d'une fête entre amis, 5 % à l'occasion d'une sortie ou d'un spectacle, 5 % sur un lieu de vacances, 4 % dans une discothèque, 3 % par connaissance ancienne ou relation de voisinage, 3 % dans une fête publique, 1 % par l'intermédiaire d'une annonce ou d'une agence (INED, Michel Bozon et François Héran).

On constate depuis une trentaine d'années une nette diminution de l'importance des bals publics, des rencontres de voisinage et des fêtes familiales. Les clubs de vacances, les rencontres entre amis, les discothèques, cafés et autres lieux publics jouent en revanche un rôle croissant, tandis que celui des lieux

Les couples se choisissent souvent au sein du même groupe social et de la même commune.

Qui se ressemble s'assemble. L'homogamie, qui désigne la propension des individus à se marier avec une personne issue d'un milieu social identique ou proche, reste à un niveau élevé. Ainsi, la moitié des filles de cadres épousent des cadres. Plus de la moitié de celles d'ouvriers restent en milieu ouvrier ; moins de 6 % vivent avec un cadre.

Les individus issus des milieux modestes ont d'autant plus de chances d'épouser une personne issue d'un milieu plus élevé qu'ils sont plus diplômés et qu'ils ont moins de frères et sœurs. Les catégories sociales les plus fermées aux autres sont celles des non-salariés : professions libérales, gros commerçants, industriels, artistes, agriculteurs. Les plus ouvertes sont les techniciens, les employés de bureau ou de commerce, dont les enfants épousent plus souvent des représentant(e)s d'autres catégories.

Les Martin beaucoup plus nombreux que les Dupond

Martin est le nom de famille français le plus courant depuis 50 ans, avec une fréquence de 400 sur 100 000 habitants, soit environ 250 000 personnes portant ce nom. Il arrive devant Bernard (200), Durand (168) et Richard (163). Dupond arrive seulement à la 28e position (102).
On trouve au total environ 400 000 noms de famille différents. Certains ont une forte implantation régionale (Fabre dans le Sud-Est, Schmitt dans l'Est, Marie dans le Cotentin...).
A Paris, on recense 220 000 noms différents, contre 3 500 en Lozère. Beaucoup de patronymes disparaissent, faute de descendance masculine. L'érosion est estimée à 151 000 en un demi-siècle, mais elle est compensée par l'apparition de nouveaux noms.

INSEE

de travail et d'études reste stable, malgré l'allongement de la scolarité et la réduction du temps de travail.

Le « rendement matrimonial » des divers moyens de rencontres est très variable : si les fêtes de famille sont des événements beaucoup plus rares que les bals ou les soirées entre amis, elles se traduisent plus souvent par une union.

Le mariage a un parfum de tradition.
Loeb et Associés

Le mariage est moins souvent religieux...

Moins d'un couple sur deux se marie aujourd'hui à l'église, contre plus de trois sur quatre il y a trente ans (78 % en 1965). A l'instar des autres sacrements, celui-ci n'est plus considéré comme indispensable par les jeunes couples, ni par leurs parents. On se marie plus facilement devant les hommes que devant Dieu, comme si l'on hésitait à donner à cette union un caractère solennel et définitif.

La contrepartie de cette évolution est que ceux qui se marient à l'église le font au terme d'une démarche plus réfléchie, plus personnelle que par le passé. La cérémonie religieuse prend alors pour eux un sens plus profond.

... mais les traditions restent présentes.

Après une période pendant laquelle on se mariait dans la simplicité et dans l'intimité, on observe aujourd'hui un retour à un mariage plus traditionnel et festif. Les repas de mariage sont l'occasion de ren-

contres avec des membres souvent éparpillés de la famille. 68 % des Français déclarent aimer se rendre, d'une façon générale, à des mariages (31 % non). La proportion diminue avec l'âge : 82 % des 18-24 ans, 55 % des 65 ans et plus.

60 % des mariages sont célébrés entre juin et septembre, avec deux fortes pointes en juin et septembre. Ils sont plus étalés dans les villes que dans les campagnes, où les interdits et les coutumes d'origine religieuse suggèrent d'éviter la période de carême, entre Mardi gras et Pâques (« noce de mai, noce de mort », « mois des fleurs, mois des pleurs ») ou novembre (« mois des morts »). Plus de 80 % sont célébrés le samedi (dont 4 % pour le dernier samedi de juin).

Les dépenses de mariage sont estimées à 11 milliards de francs pour 1997, soit une dépense moyenne proche de 40 000 F par mariage. Les Françaises sont totalement rétives à la location de la robe de mariée. Les voyages de noces, mais aussi les produits culturels complètent de plus en plus les cadeaux de mariage traditionnels (vaisselle, meubles, équipement ménager...). Certains couples constituent une épargne avec les sommes recueillies sur la liste.

Si ça vous arrivait...

Si, le jour de leur mariage, leur partenaire disait non devant M. le Maire, invoquant des incompatibilités d'humeur, 70 % des hommes et 70 % des femmes considéreraient que s'il en est ainsi, il est préférable de ne pas se marier, 14 % des hommes et 21 % des femmes seraient anéantis et quitteraient la salle, 11 % des hommes et 5 % des femmes essaieraient de le faire changer d'avis.
S'ils réalisaient qu'ils vont faire une terrible erreur le jour de leur mariage, 60 % des hommes et 66 % des femmes se rétracteraient parce qu'il ne faut pas se marier à contrecœur, 27 % des hommes et 19 % des femmes se marieraient parce qu'ils se sont engagé(e)s vis-à-vis de l'être aimé, 4 % des hommes et 6 % des femmes se marieraient par peur du qu'en-dira-t-on et parce que toute la cérémonie est déjà organisée.

✦ *En Grèce, le nombre de mariages est plus faible au cours des années bissextiles, du fait de superstitions.*

TF1/Sofres, mai 1997

UNION LIBRE. *Un nouveau mode de vie en couple s'est développé dans les années 70.*

Depuis la guerre, la vie en couple a connu en France plusieurs phases successives. Les années 50 et 60 ont été celles d'une nuptialité intense et précoce. Dans les années 60, la grande majorité des cas de « concubinage » (85 %) concernaient des veufs ou des divorcés. 1972 a marqué une rupture, avec le développement de la « cohabitation juvénile », qui a entraîné des mariages moins fréquents et plus tardifs.

L'« union libre » s'est ensuite imposée, non plus comme une période préalable au mariage, mais comme un véritable mode de vie. L'évolution progressive du vocabulaire à laquelle on a assisté n'est pas anodine. Elle reflète une évolution sociale majeure dans les attitudes des Français comme dans les comportements.

Environ 15 % *des couples vivent ensemble sans être mariés.*

12,4 % des couples déclaraient vivre en union libre au recensement de 1990, contre 3,6 % en 1975. 20 % des jeunes de 18 à 24 ans étaient concernés. Ces proportions ne tiennent pas compte des couples mariés qui ont commencé leur vie commune en dehors du mariage. Différentes enquêtes permettent d'estimer aujourd'hui la proportion de couples non mariés à environ 15 %.

Outre l'accroissement spectaculaire du nombre des unions libres, il faut ajouter qu'environ neuf couples sur dix aujourd'hui commencent leur vie commune sans se marier ; la proportion n'était que d'un sur dix en 1965. De même, parmi les couples qui se marient, environ 60 % ont vécu ensemble avant le mariage, alors qu'ils n'étaient que 8 % pendant la période 1960-1969.

L'attachement à l'union libre varie selon les caractéristiques personnelles.

Alors qu'un homme sur quatre parmi les couples cohabitants avait au moins 60 ans dans les années 60, les jeunes sont de plus en plus nombreux aujourd'hui. Dans la majorité des cas, les cohabitants sont tous deux célibataires (57 % en 1990). La proportion est supérieure à 80 % lorsque l'homme a moins de 35 ans.

L'union libre est plus répandue dans les grandes villes. Dans les campagnes, les agriculteurs se mon-

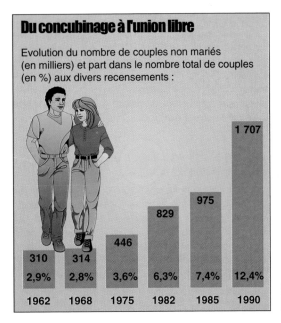

Du concubinage à l'union libre

Evolution du nombre de couples non mariés (en milliers) et part dans le nombre total de couples (en %) aux divers recensements :

310	314	446	829	975	1 707
2,9%	2,8%	3,6%	6,3%	7,4%	12,4%
1962	1968	1975	1982	1985	1990

INSEE

trent plus réticents à ce mode de vie, du fait des difficultés qu'il présente lors de la transmission du patrimoine. C'est à Paris que la cohabitation est la plus fréquente et aussi la plus longue.

L'union libre concerne cinq fois plus les non-croyants que les croyants. Elle est trois fois plus fréquente parmi les personnes diplômées que chez les non-diplômés. Les jeunes femmes sont plus nombreuses que les hommes à la préférer au mariage ; cette solution leur apparaît en effet plus égalitaire, plus souple et moins contraignante.

L'union libre est une véritable alternative au mariage.

A ses débuts, la cohabitation était une sorte de vie commune prénuptiale, un « mariage à l'essai » qui se substituait à la période traditionnelle des fiançailles. La perspective de l'arrivée d'un enfant constituait alors une forte incitation au mariage. Pour d'autres, elle se justifiait par des raisons matérielles (coût financier du mariage ou d'un éventuel divorce ultérieur) ou pratiques (suppression des formalités administratives).

L'union libre s'est développée avec l'allongement de la durée des études (notamment pour les jeunes femmes) et la difficulté d'intégrer la vie professionnelle. Elle répond aussi à une exigence croissante de liberté individuelle dans le couple. De plus, la généralisation de la contraception et la libéralisation de l'avortement ont réduit le nombre des « mariages-réparation ». D'autant que la législation prévoit depuis 1993 que l'autorité parentale est automatiquement exercée en commun par les deux parents s'ils reconnaissent l'enfant avant l'âge d'un an et vivent ensemble à cette date.

Les pressions sociales en faveur du mariage ont pratiquement disparu.

Le mariage n'est plus considéré par la société et par les familles comme la seule façon acceptable de vivre en couple et de fonder un foyer. 62 % des Français condamnaient ou trouvaient choquante l'union libre en 1976 ; ils sont très minoritaires aujourd'hui. L'acceptation des naissances hors mariage (40 % en 1997) s'est aussi considérablement accrue ; on ne parle plus aujourd'hui d'enfants « illégitimes ». On observe la même tolérance envers les familles monoparentales, les couples qui décident de ne pas avoir d'enfants ou ceux qui divorcent.

C'est pourquoi il n'apparaît plus nécessaire de « régulariser » sa situation lorsqu'on vieillit ou lorsqu'on a des enfants. Seules des incitations financières comme les changements de fiscalité (voir l'augmentation des mariages en 1996 et 1997) semblent avoir aujourd'hui un effet sur les comportements matrimoniaux.

La signification symbolique, religieuse ou sociale du mariage s'est donc beaucoup amoindrie au fil des années. Il n'est plus considéré comme un élément fondateur du couple, qui existe généralement avant le mariage, à travers la cohabitation.

Le « vrai » célibat gagne du terrain.

Outre le fait que les Français se marient de moins en moins, la proportion de célibataires (non mariés et ne vivant pas en couple) s'est considérablement accrue depuis une vingtaine d'années. Elle représente aujourd'hui un adulte sur trois (32 %). Ce chiffre comprend 18 % de personnes n'ayant jamais été mariées, 8 % de veufs ou veuves non remariées et ne vivant pas en couple et 6 % divorcées ou séparées.

La proportion de ces vrais célibataires est plus grande chez les hommes que chez les femmes. Chez les premiers, les taux de célibat les plus élevés se rencontrent dans les catégories sociales modestes. On constate la tendance contraire chez les femmes : ce sont les femmes diplômées qui se ma-

rient le moins. A niveau scolaire égal, les femmes issues d'un milieu aisé se marient moins que celles qui ont été élevées dans un milieu modeste. L'augmentation du nombre de célibataires se vérifie partout en Europe.

Vie de couple

L'évolution de la condition féminine a entraîné une redéfinition de la vie de couple.

Très longtemps, les femmes s'étaient contentées de leur condition de mère et d'épouse, vivant une vie sociale par procuration. Durkheim affirmait déjà il y a un siècle que « la société conjugale, désastreuse pour la femme, est au contraire bénéfique pour l'homme ». Cette conception de la vie féminine a été largement modifiée par la révolution du féminisme.

La principale conquête a bien sûr été celle de la contraception. Avant la disponibilité de la pilule et sa reconnaissance légale, en 1967, la vie de la femme était rythmée par la succession des grossesses. En devenant capable de maîtriser sa fécondité, elle pouvait accéder à une vie professionnelle plus riche, à un rôle social plus important, à une vie de couple plus épanouie. Pour la première fois de son histoire, la femme n'était plus déterminée par sa fonction de procréation. Elle devenait un être à part entière, capable de conduire sa vie hors des limites

Le bénéfice de l'âge

35 % des femmes estiment qu'au sein d'un couple, il est préférable que l'homme soit plus âgé que la femme, 28 % que les deux conjoints aient le même âge, 1 % que la femme soit plus âgée que l'homme. 34 % pensent que les différences d'âge sont sans importance.
53 % trouvent choquant un couple au sein duquel l'homme a trente ans de plus que la femme (45 % non). La proportion est de 64 % dans la situation inverse (contre 35 %). 48 % estiment qu'une telle différence d'âge est plutôt néfaste pour les enfants, 11 % qu'elle est plutôt enrichissante (37 % sans importance). 42 % pensent que ces couples sont voués à un échec rapide (51 % non). 13 % considèrent qu'elles pourraient vivre avec un homme qui aurait au moins trente ans de plus qu'elles, 84 % non.

étroites que la nature (largement aidée par les hommes) lui avait imposées. Cette révolution féminine a transformé les relations au sein des couples.

Le modèle de la femme au foyer est en train de disparaître...

Aujourd'hui, plus des trois quarts des femmes de 25 à 54 ans sont actives. Le modèle du couple biactif est devenu majoritaire depuis la fin des années 80. La participation des femmes au budget des ménages s'accroît ; il est de plus en plus fréquent que les deux partenaires disposent de revenus comparables.

Le modèle de la femme au foyer, qui était dominant depuis l'entre-deux-guerres, apparaît donc obsolète. Entre 20 et 59 ans, on ne compte plus qu'un peu plus de 3 millions de femmes au foyer parmi celles vivant en couple, soit 30 %, contre 5,5 millions en 1968 (60 %). Le profil-type est celui d'une femme mariée à un cadre supérieur ou un ouvrier et mère de trois enfants.

Les femmes qui ne travaillent pas dès la fin de leurs études sont de plus en plus rares. Les maternités entraînent beaucoup moins souvent un retrait de la vie active, sauf à partir du troisième enfant, mais celui-ci est devenu peu fréquent.

... mais les femmes ont parfois des difficultés à trouver un équilibre entre leurs différentes fonctions...

L'image de la femme a changé. Les magazines, la littérature et l'imagerie publicitaire des années 80 célébraient la « superwoman ». On observe aujourd'hui une certaine tendance de la publicité ou du cinéma à montrer des femmes « vamps », bombes sexuelles mangeuses d'hommes. La place prise par les *top models* dans les médias pourrait être considérée comme un retour à la « femme-objet ». Mais le fait qu'on leur donne la parole témoigne en même temps que les femmes sont devenues un « sujet » essentiel dans le débat social. Les « valeurs féminines » sont en train d'imprégner la société française (voir *Valeurs*).

L'équilibre entre les sexes n'est certainement pas encore atteint, mais la situation des femmes a considérablement progressé au cours de la dernière génération. C'est pourquoi elles sont conscientes aujourd'hui que le droit à l'égalité ne doit pas toujours remplacer le droit à la différence.

L'homme propose, mais la femme dispose.
Dassas

... et les hommes éprouvent des difficultés à trouver leur place dans ces nouveaux rapports.

L'émergence des femmes dans la vie sociale et familiale entraîne de nouvelles relations entre les sexes. Certains hommes s'en félicitent. Ainsi, 52 % souhaitent que la tendance des femmes à être de plus en plus libres et à s'assumer seules se poursuive (contre 48 % des femmes). 62 % des hommes se déclarent attirés par ces femmes libres et indépendantes (76 % des moins de 34 ans, 41 % des 65 ans et plus). Mais 17 % les craignent et 46 % souhaitent que l'on revienne à des valeurs plus familiales (Paris-Match/BVA, juillet 1997).

Certains hommes vivent mal la transformation actuelle des images respectives de l'homme et de la femme. Les qualités dites féminines (intuition, sens pratique, modestie, générosité, pacifisme, douceur...) sont de plus en plus valorisées, alors que les caractéristiques souvent associées aux hommes (compétition, domination, agressivité...) sont dénoncées. 49 % des hommes considèrent qu'il est plus

✦ *Le nombre de couples dans lesquels le mari et le père de la femme exercent tous deux une profession libérale est 10,1 fois plus grand que si les couples se formaient purement par hasard. Le rapport est de 9 pour les gros commerçants, 8,4 pour les industriels, 5,9 pour les professeurs.*

difficile d'être un homme aujourd'hui que pour la génération de leur père (46 % non) ; la proportion atteint 56 % chez les 18-24 ans (Sélection/CSA, avril 1998).

L'assimilation du mâle et du mal explique les difficultés actuelles des hommes, qui sont de plus en plus nombreux à se rendre chez les psychanalystes ou même les sexologues. Contrairement à ce que prétendait Freud, le continent noir ne serait pas aujourd'hui la femme, mais l'homme.

TÂCHES DOMESTIQUES. *Les hommes participent davantage...*

Les femmes actives ont aujourd'hui moins de temps, mais aussi moins de goût pour les tâches domestiques. Les jeunes, surtout, ont d'autres ambitions dans la vie que d'être de parfaites femmes au foyer. Après des siècles d'inégalité officielle (l'homme à l'usine ou au bureau, la femme au foyer) les rôles des deux partenaires se sont rapprochés, que ce soit pour faire la vaisselle... ou l'amour.

Les contributions masculines semblent un peu plus fréquentes : entre 1975 et 1986, les hommes avaient augmenté de 11 minutes par jour le temps qu'ils consacraient au travail domestique, tandis

que les femmes l'avaient réduit de 4 minutes. Les salariés (en particulier les cadres supérieurs) se montraient mieux disposés que les indépendants, commerçants, chefs d'entreprise, professions libérales ou agriculteurs. On constatait que, plus le revenu de la femme était élevé par rapport à celui du mari, plus celui-ci participait. Le rééquilibrage des tâches a encore progressé depuis, comme le montre une enquête européenne réalisée en 1990 (voir tableau).

... mais le déséquilibre reste important.

Les femmes consacrent encore 4 h 38 par jour en moyenne aux tâches domestiques, les hommes seulement 2 h 41. En 1990, plus de la moitié des hommes (58 %) déclaraient n'accomplir aucune des principales tâches domestiques : faire les achats pour la maison, la vaisselle, la cuisine, le ménage, habiller ou transporter les enfants en bas âge. Cette proportion était corroborée par les déclarations des conjointes, dont 61 % estimaient que leur époux ne participait à aucune de ces tâches.

La situation de la France apparaît dans la bonne moyenne par rapport aux autres pays d'Europe : 42 % des hommes se disaient concernés par les tâ-

Un partage encore inégalitaire

Nature des tâches domestiques effectuées par les hommes qui disent "faire quelque chose", d'après leurs déclarations et celles de leurs conjointes dans les douze pays de l'Union européenne (1990, en %) :

	D'après les conjointes						D'après eux-mêmes					
	Marché achats	Vais-selle	Véhicu-ler les enfants	Habiller les enfants	Cuisine	Ménage	Marché achats	Vais-selle	Véhicu-ler les enfants	Habiller les enfants	Cuisine	Ménage
- Ex-RFA	70	46	30	21	22	34	72	50	28	24	23	33
- Belgique	49	55	35	26	29	29	45	58	37	24	34	33
- Danemark	39	55	23	32	36	26	42	53	26	32	26	26
- Espagne	48	25	42	57	30	29	*	*	*	*	*	*
- FRANCE	48	48	49	38	37	35	54	44	49	31	27	24
- Grande-Bretagne	51	72	26	37	48	42	*	*	*	*	*	*
- Grèce	91	16	16	22	20	13	88	13	23	25	17	12
- Irlande	16	18	72	14	10	7	*	*	*	*	*	*
- Italie	69	5	39	30	23	12	58	10	45	19	17	11
- Pays-Bas	53	66	6	28	28	34	59	65	8	22	31	38
- Portugal	75	37	36	55	39	26	*	*	*	*	*	*
Moyenne	**59**	**42**	**35**	**31**	**30**	**29**	**61**	**41**	**37**	**26**	**25**	**25**

* Effectifs de l'enquête trop réduits pour calculer une proportion fiable.

Eurobaromètre

ches domestiques en 1990 (et 39 % des conjointes en témoignaient) contre environ 30 % en Grande-Bretagne, Espagne, Portugal, 40 % en Belgique et en Allemagne, mais près de 50 % au Danemark, aux Pays-Bas et en Grèce.

La participation des hommes reste spécialisée : faire des courses, laver la vaisselle ou la voiture, effectuer des opérations demandant de la force physique, etc. Certaines tâches sont « négociables » : cuisiner, laver les vitres, passer l'aspirateur ou balayer, préparer la table avant les repas... D'autres sont plus rarement pratiquées comme le repassage.

L'inertie culturelle

La réticence des hommes au changement n'est pas seulement due à leur mauvaise volonté ou leur égoïsme. Elle tient aussi au fait que chaque conjoint (homme ou femme) reproduit inconsciemment le rôle que tenait son père ou sa mère, selon le principe de l'« inertie culturelle ». On constate que celle-ci est d'autant moins forte que le niveau d'instruction des époux est élevé : plus l'homme est diplômé, plus il prend en charge les tâches féminines ou négociables. L'accroissement du niveau moyen d'éducation et l'effet de génération devraient favoriser le processus d'égalisation au sein du couple. Mais il faudra sans doute encore quelques années pour que les habitudes changent et qu'une nouvelle culture du couple s'installe, qui sera ainsi transmise aux enfants.

Les décisions concernant la vie de famille sont mieux partagées que les tâches domestiques.

L'égalité dans le couple se fait dans le sens d'un accroissement de l'influence de la femme dans les domaines importants. De plus en plus de décisions sont prises en commun, qu'il s'agisse des vacances, des invitations à dîner ou de l'éducation des enfants (bien que, dans ce domaine, l'empreinte de la mère reste forte).

Couples non cohabitants

La vie de couple n'implique pas obligatoirement la cohabitation. En 1997, environ 1 % des couples mariés et 8 % des couples non mariés déclaraient avoir toujours conservé des résidences distinctes ; les proportions étaient voisines en 1986 (2 % et 7 %).
16 % des couples n'habitent pas ensemble en permanence au début de leur vie commune. Dans les deux tiers des cas, cette séparation est imposée par des contraintes familiales ou professionnelles (études, mutations...).
Ces comportements peuvent s'expliquer par la prudence : volonté de vérifier la solidité de l'union ; choix d'un mode de vie qui respecte l'autonomie de chacun. Mais peu de couples résistent à une séparation résidentielle durable : cinq ans après le début de l'union, 12 % seulement existent toujours et gardent deux domiciles ; les autres se sont installés ensemble (74 %) ou ont rompu sans même avoir cohabité (12 %).
Pour les couples qui finissent par habiter ensemble, la période de non cohabitation médiane est de 8 mois. Ceux qui ont toujours eu deux adresses, puis ont rompu, sont restés ensemble 18 mois. Ceux qui continuent de vivre en couple séparément le font depuis 3 ans.

Population/Catherine Villeneuve-Gokalp, février 1998

L'avis de l'homme reste prépondérant dans le choix du lieu d'habitation ou de certains équipements technologiques. Mais on constate que c'est la femme qui, le plus souvent, décide de l'acquisition des biens culturels (livres, œuvres d'art), sauf pour les disques, qui sont achetés ensemble. Son poids est déterminant lorsqu'il s'agit de choisir l'ameublement, la décoration de la maison ou l'équipement électroménager.

L'influence des femmes dans les décisions de consommation s'accroît rapidement. Elles ne se contentent plus de choisir la couleur de la voiture familiale, mais effectuent aujourd'hui 40 % des achats. Elles sont également de plus en plus présentes dans les achats de bricolage ou d'équipements de sport. De sorte que les entreprises doivent repenser leurs produits pour tenir compte de cette évolution.

SEXUALITÉ. *En un demi-siècle, l'âge au premier rapport s'est abaissé de plus de 3 ans pour les femmes et de plus de 1 an pour les hommes.*

En cinquante ans, l'âge au premier rapport est passé de 21,3 ans à 17,9 ans pour les femmes ; pour les hommes, il est passé de 18,4 ans à 17,1 ans. Cet abaissement s'est produit surtout au cours des années 1940-1960 pour les hommes ; il avait commencé plus tôt pour les femmes, entre 1920 et 1950. La moitié des jeunes femmes nées dans les années 70 ont eu un premier rapport avant l'âge de 18 ans.

L'âge moyen s'est stabilisé depuis une vingtaine d'années. L'apparition du sida ne semble pas avoir eu une forte incidence sur le report des premiers rapports chez les personnes de 18 ans et plus.

L'écart entre les sexes était beaucoup plus élevé au début du siècle (plus de 3 ans) ; il est aujourd'hui inférieur à un an chez les 20-34 ans.

La sexualité est moins cachée.

La « révolution sexuelle » des années 70 semble avoir plus modifié les attitudes que les comportements.

Liberté, égalité, sexualité. Les années 70 ont modifié l'image de la sexualité en la faisant entrer dans les discussions familiales, dans les médias et, plus timidement, à l'école. L'érotisme n'était plus clandestin.

La diminution de la pratique religieuse explique la disparition des vieux tabous. Mais c'est la généralisation de la contraception qui a joué le rôle essentiel dans la libération des mœurs sexuelles. Les femmes et les adolescents ont été les principaux bénéficiaires de cette transformation en forme de révolution.

L'enquête réalisée par l'INSERM en 1991 et 1992 a montré que les pratiques sexuelles ont assez peu changé depuis 1970, date de publication du rap-

✦ *14 % des femmes de 25 à 49 ans déclarent avoir été infidèles (7 % une fois, 7 % plusieurs fois), 82 % jamais. 19 % ont déjà été tentées par une aventure en dehors de leur couple, 76 % jamais.*

Les grandes dates de la libération

1956. 22 femmes créent « la Maternité heureuse », association destinée à favoriser l'idée de l'enfant désiré et à lutter contre l'avortement clandestin par un développement de la contraception.
1967. L'éducation sexuelle se vulgarise. On projette *Helga*, la vie intime d'une jeune femme, film allemand. Ménie Grégoire, sur RTL, réalise sa première émission. La loi Neuwirth légalise la contraception.
1970. Le MLF est créé. Les sex-shops commencent à se multiplier au grand jour.
1972. Procès de Bobigny, où maître Gisèle Halimi défend Marie-Claire Chevalier, jeune avortée de 17 ans. Avant son passage à l'Olympia, Michel Polnareff s'affiche nu et de dos sur les murs de Paris.
1973. Hachette publie *l'Encyclopédie de la vie sexuelle*, destinée aux enfants à partir de 7 ans aussi bien qu'aux adultes. Elle sera vendue à 1,5 million d'exemplaires et traduite en 16 langues. L'éducation sexuelle est officiellement introduite à l'école.
1974. Remboursement de la contraception par la Sécurité sociale et contraception possible pour les mineures sans autorisation parentale.
1975. Loi Veil légalisant l'interruption volontaire de grossesse (IVG). La pilule contraceptive est remboursée par la Sécurité sociale. Réforme du divorce prévoyant la séparation de fait et le consentement mutuel. Les prostituées revendiquent un statut, sous la conduite d'Ulla.
1976. Les films pornographiques ne sont plus interdits, mais présentés dans un réseau de salles spécialisées, avec la classification X.
1978. L'industrie de la pornographie s'essouffle. La fréquentation des salles chute, mais elle sera bientôt relayée par les cassettes vidéo. Naissance de Louise Brown, premier bébé-éprouvette (la première en France sera Amandine, en 1982).
1980. Loi sur la répression du viol. Les criminels, qui étaient auparavant redevables de la correctionnelle, sont jugés par un tribunal d'assises.
1981. *Avenir* présente Myriam, qui, après avoir enlevé le haut, tient sa promesse d'enlever le bas.
1983. L'IVG est remboursée par la Sécurité sociale. La majorité des femmes en âge de procréer utilisent un moyen contraceptif. Le virus du sida est identifié par le professeur Montagnier.
1984. Début du Minitel rose.
1986. Les chaînes de télévision diffusent des émissions érotiques.
1987. Canal Plus diffuse son premier film X. La publicité pour les préservatifs est autorisée.
1990. Antenne 2 diffuse une série controversée sur « l'Amour en France ».
1992. Loi sur le harcèlement sexuel. Enquête INSERM sur la sexualité des Français.

Activité sexuelle

Activité sexuelle des Français au cours des douze derniers mois selon le sexe, l'âge et la situation matrimoniale (1993, en %) :

	Sans activité sexuelle		Monopartenaire				Multipartenaire			
			Hétérosexuel		Homosexuel		Hétérosexuel		Homosexuel et bisexuel	
	H	F	H	F	H	F	H	F	H	F
Age :										
• 18-19 ans	13,0	35,4	60,6	54,6	0	0	25,9	9,9	0,5	0
• 20-24	9,9	11,2	64,2	78,4	0,4	0	24,4	10,0	1,1	0,3
• 25-29	6,8	10,5	77,9	82,7	0,4	0,1	14,1	6,3	0,8	0,3
• 30-34	1,9	2,7	84,7	90,7	0,3	0,1	11,8	6,2	1,2	0,2
• 35-39	2,3	2,5	85,6	90,0	0,5	0,2	10,7	6,9	0,9	0,4
• 40-44	1,9	4,0	86,6	91,0	0,3	0,3	11,0	4,6	0,3	0,1
• 45-49	4,0	7,4	83,8	86,5	0,3	0,2	11,2	5,5	0,8	0,4
• 50-54	4,4	6,8	86,1	89,5	0	0	8,8	3,7	0,6	0
• 55-59	2,4	13,9	91,5	83,2	0,4	0	5,2	2,9	0,5	0
• 60-64	15,5	27,9	76,3	70,8	0	0,1	8,0	1,2	0,2	0
• 65-69	14,5	41,3	80,7	58,7	1,1	0	2,0	0	1,7	0
Situation matrimoniale :										
• Marié cohabitant	1,5	2,8	91,6	94,4	0,2	0	6,4	2,7	0,3	0,1
• Non marié cohabitant	1,7	0	84,2	92,8	0,8	0,1	12,2	6,9	1,1	0,2
• En couple non cohabitant	0	6,0	81,3	83,3	0,4	0,7	16,0	9,1	2,4	0,9
• Non en couple	18,0	35,0	55,6	54,6	0,3	0,2	24,7	9,9	1,4	0,3

INSERM

port Simon. Le nombre de partenaires ou de rapports sexuels a peu varié. Les écarts mesurés peuvent s'expliquer par le fait que les hommes et surtout les femmes répondent plus facilement et plus franchement aux questions concernant leur sexualité.

Les pratiques sexuelles sont plus diversifiées.

96 % des hommes et 95 % des femmes de 18 à 69 ans déclarent avoir eu au moins un rapport sexuel dans leur vie. L'enquête de l'INSERM révèle un léger accroissement de l'ensemble des pratiques sexuelles, qu'il s'agisse de la masturbation, des rapports bucco-génitaux ou de la pénétration anale. On constate aussi que les 30-50 ans pratiquent davantage les relations à plus de deux partenaires et que la sodomie hétérosexuelle est plus fréquente. Les expériences de toutes sortes apparaissent moins subversives, mais elles restent le fait de petites minorités. Le multipartenariat concerne un peu moins de 15 % des hommes et 6 % des femmes. Les différences de comportements sont marquées selon l'appartenance sociale, le niveau d'instruction et l'importance attachée à la religion.

70 % des Français considèrent aujourd'hui que le sexe a une place importante dans leur vie, 26 % non. Les mots qui correspondent le mieux à l'idée qu'ils se font de la sexualité sont : amour (61 %) ; plaisir (55 %) ; fidélité (51 %) ; préservatif (24 %) ; liberté (13 %), sida (11 %), péché (1 %) (Canal Plus/BVA, avril 1997).

✦ *L'homme le plus sexy pour les femmes est Kevin Costner, devant Paul Newman, Mel Gibson, Tom Cruise, Harrison Ford, Francis Huster, Richard Gere, Michaël Douglas, Georges Clooney, Bruce Willis, Brad Pitt, Alain Delon, Vincent Perez, Robert de Niro, Hugh Grant, Samy Frey, Al Pacino, Yannick Noah, Gérard Depardieu. (Paris-Match.BVA, février 1997)*

Tout ce que vous avez toujours voulu savoir sur le sexe...

N.B. Sauf indication contraire, les chiffres qui suivent portent sur la population de 18 à 69 ans.

Premier rapport
6,5 % des hommes ont eu leur premier rapport avec une prostituée.
18 % des hommes et 34 % des femmes ont eu leur premier rapport sexuel au moment de leur mise en couple (mariage ou union libre).
91 % des femmes et 67 % des hommes étaient amoureux lors de leur premier rapport ; 9 % des femmes et 33 % des hommes ne l'étaient pas du tout.

Fréquence
La fréquence des rapports varie de 13 par mois pour les couples formés depuis moins d'un an à 7 pour ceux qui ont plus de 15 ans de vie commune.

Partenaires
Les hommes ont eu en moyenne 11,3 partenaires dans leur vie, les femmes 3,4.

Pratiques
5,4 % des femmes ont eu au moins un rapport hétérosexuel multipartenaire au cours des douze derniers mois.
10 % des hommes et 2 % des femmes ont eu des rapports sexuels avec deux personnes en même temps.
4 % des hommes et 1 % des femmes ont déjà pratiqué l'échange de partenaires entre couples.
4,4 % des femmes et 0,8 % des hommes disent avoir eu des rapports sexuels imposés par la contrainte (8 % des 20-24 ans).

Homosexualité
4,1 % des hommes et 2,6 % des femmes déclarent avoir eu au moins un rapport homosexuel (5,9 % et 4,1 % parmi les habitants de la région parisienne, 1,6 % et 1,2 % dans les communes rurales). Les proportions sont de 6,1 % et 3,9 % chez les personnes de 35 à 44 ans. 1,1 % des hommes et 0,3 % des femmes ont eu ce type de pratique au cours des douze derniers mois.

Prostitution
Au cours des cinq dernières années, 3,3 % des hommes ont eu recours à la prostitution : 5,4 % des 20-24 ans, 2,2 % des 65-69 ans. C'est le cas de 2,2 % des hommes mariés, 4,2 % de ceux qui vivent en couple non marié.

Messageries roses
10 % des hommes et 3 % des femmes ont déjà utilisé une messagerie rose ou un numéro de téléphone érotique.
29 % des femmes et 8 % des hommes déclarent avoir subi des conversations ou des appels téléphoniques à caractère pornographique.

Satisfaction
99 % des hommes et 84 % des femmes se disent très ou assez satisfaits de leur vie sexuelle actuelle, 10 % des hommes et 13 % des femmes peu ou pas du tout satisfaits. 89 % des hommes et 75 % des femmes déclarent avoir atteint l'orgasme au cours de leur dernier rapport.
INSERM, sondages divers

Le partage des rôles est plus égalitaire.

Qu'il s'agisse de l'acte sexuel ou des étapes qui le précèdent (rencontre, séduction), les femmes sont aujourd'hui moins passives. Une redéfinition des rapports amoureux s'est donc opérée dans un sens plus égalitaire.

L'enquête de l'INSERM fait cependant apparaître que certaines déclarations des femmes (concernant par exemple la masturbation) sont probablement inférieures à la réalité, car elles ne sont pas acceptées par une majorité de la population.

A l'inverse, les hommes tendent à surestimer leur vie sexuelle passée. Ils déclarent ainsi plus de partenaires que les femmes (2,9 au cours des cinq dernières années contre 1,6). L'écart est encore plus flagrant au niveau de la vie : les hommes disent avoir eu en moyenne 11,3 partenaires, les femmes 3,4 !

Les risques liés au sida ont été pris en compte tardivement.

Face au sida, beaucoup de Français continuent de prendre des risques considérables. Lors de l'enquête INSERM de 1993, 54 % des hommes et 42 % des femmes déclaraient avoir utilisé un préservatif au cours de leur vie sexuelle ; la proportion était de 64 % chez les 20-24 ans, particulièrement exposés. Parmi les multipartenaires, 39 % des hommes et 58 % des femmes n'en avaient jamais utilisé.

La prise de conscience a progressé depuis, mais elle reste insuffisante : 20 % des hommes et 12 % des femmes déclaraient en octobre 1997 avoir changé leur comportement sexuel depuis l'apparition du sida (MNEF/Sofres). Mais moins de 50 % des 15-24 ans avaient utilisé un préservatif lors de leur premier rapport sexuel et 65 % seulement de ceux qui ont plusieurs partenaires disaient l'utiliser. 31 % des jeunes

MANIX 0.02
Less latex, more sex.

L'amour doit être protégé.
BDDP & Fils

filles et femmes de 16 à 28 ans déclaraient n'utiliser que rarement ou jamais un moyen contraceptif. La consommation moyenne est de 4 préservatifs par personne et par an parmi les 16-45 ans (110 millions par an), contre 6 en Allemagne et au Royaume-Uni, 9 en Espagne.

L'homosexualité est de mieux en mieux tolérée.

D'après diverses enquêtes, on peut estimer le nombre d'homosexuels entre 500 000 et 2 millions. Près d'une personne concernée sur trois vit en couple, la grande majorité (80 %) en cohabitation. La durée moyenne de vie commune est de l'ordre de sept ans pour les homosexuels exclusifs. Les relations hétérosexuelles sont cependant fréquentes, ce qui indique l'existence d'une forte bisexualité.

La reconnaissance de l'homosexualité a été favorisée par un militantisme multiforme : Gay Pride (200 000 personnes à Paris en 1997, contre 60 000 en 1995) ; pétitions d'intellectuels ; lobbying juridique en faveur de la dépénalisation, de l'interdiction du fichage, etc.

Les médias ont aussi largement contribué à ce changement d'image. Le film *Gazon maudit* a été vu par 4 millions de spectateurs en 1995. La multiplication des nouveaux modes de vie familiaux (familles monoparentales, éclatées, mononucléaires...) a aussi banalisé l'homosexualité, qui n'était plus que l'un des aspects de la transformation des mœurs.

Cette évolution est la conséquence d'une plus large acceptation des différences et d'un refus des discriminations. L'apparition du sida, surnommé le « cancer gay » dans les années 80, n'a fait que retarder le processus en cours. Les notions de marginalité et de normalité sont aujourd'hui en voie de redéfinition. Elles n'ont cependant pas fait l'objet d'un véritable débat social.

Des gens comme les autres ?

55 % des Français estiment désormais que l'homosexualité constitue « une manière acceptable de vivre sa sexualité », contre 41 % en 1984, 29 % en 1981, 24 % en 1973. Seuls 23 % considèrent qu'elle est « une maladie que l'on doit guérir » (contre 42 % en 1973) et 17 % « une perversion sexuelle que l'on doit combattre » (22 % en 1973).
S'ils apprenaient que leur fils est homosexuel, 65 % des Français se montreraient tolérants (qu'ils éprouvent ou non de la peine, ils le laisseraient vivre comme il veut) contre 19 % en 1973, 42 % en 1987. 33 % seraient choqués et feraient tout pour le faire changer (contre 72 % en 1973).
La tolérance est inversement proportionnelle à l'âge (85 % des 18-24 ans, contre 27 % des 65 ans et plus). Elle est plus marquée chez les sympathisants de gauche : 61 % contre 48 % de ceux de droite.

Le Nouvel Observateur/Sofres, juin 1997

Les modes de vie contemporains ne sont pas tous favorables à l'accroissement de la libido.

Certains sexologues croient déceler depuis quelques années une atrophie générale du désir, qui concernerait une fraction importante de la population (de 15 à 20 %). Certaines personnes ont transféré ce désir sur d'autres activités, en particulier professionnelles ; ils ont cherché dans la réussite sociale une satisfaction qu'ils jugent supérieure à la jouissance physique. La soif de liberté sexuelle propre aux années 70 aurait donc laissé place à un détachement, parfois même à un désintérêt vis-à-vis des choses du sexe. Les phénomènes largement médiatisés comme le Minitel rose ou le téléphone érotique seraient en réalité des pratiques très minoritaires (mais on constate que la consultation des sites érotiques ou pornographiques occupe une place importante sur Internet).

Cette diminution de la libido pourrait aussi s'expliquer par le manque de temps et l'accroissement du stress. La prolifération des attributs de la sexualité dans l'imagerie collective (publicité, émissions de

Tout ce que vous avez toujours voulu savoir sur l'amour...

Sentiment amoureux
64 % des Français se sentent amoureux actuellement, 34 % non.

Amour et âge
95 % estiment que l'on peut tomber amoureux à n'importe quel âge (4 % non).

Amour de soi
69 % pensent que l'on ne peut bien aimer quelqu'un que si l'on s'aime soi-même (29 % non).

Amour toujours
68 % estiment que pour qu'un couple dure il faut qu'il sache changer sa façon d'aimer (26 % non).

Amour et bonheur
65 % pensent qu'il faut être amoureux pour être vraiment heureux (33 % non).

Amour et sexe
93 % trouvent indispensable ou utile d'avoir une bonne entente sexuelle pour réussir sa vie de couple (4 % trouvent cela sans importance).
47 % trouvent indispensable ou utile d'avoir eu plusieurs expériences amoureuses auparavant (46 % trouvent cela sans importance).

Amour et milieu social
41 % trouvent indispensable ou utile d'être du même milieu social pour réussir sa vie de couple (56 % trouvent cela sans importance).

Rapports amoureux
50 % estiment que dans les relations amoureuses, il y a toujours un dominant et un dominé (47 % non).

Aimer aujourd'hui
49 % trouvent qu'aimer est aujourd'hui plus difficile qu'autrefois (47 % non).

Amour pluriel
41 % considèrent que l'on peut être amoureux de deux personnes à la fois (56 % non).

Amour aveugle
En amour, 24 % des hommes et 19 % des femmes seraient capables d'accepter d'être isolés de leur entourage familial ou amical. 19 % des hommes et 15 % des femmes seraient capables d'accepter d'être

trompés. 8 % des hommes et 5 % des femmes seraient capables d'accepter de perdre leur personnalité.

Conseils d'amis
Si une amie leur présentait son ou sa fiancée et que celle-ci ou celui-ci se montrait très désagréable envers lui (elle) et envers eux pendant le dîner, 47 % des hommes et 33 % des femmes ne diraient rien à leur ami(e), considérant que c'est son problème. 43 % des hommes et 54 % des femmes lui donneraient leur avis sans hésiter. 6 % des hommes et 8 % des femmes s'efforceraient de le (la) convaincre de rompre.

Amour exclusif
6 % des hommes et 6 % des femmes estiment que la jalousie pourrait les entraîner jusqu'au harcèlement dans la vie professionnelle de leur partenaire, 5 % des hommes et 10 % des femmes jusqu'à l'espionnage et la filature, 3 % des hommes et 8 % des femmes jusqu'à la crise d'hystérie.

Amour sincère
36 % des hommes et 30 % des femmes estiment que le mensonge par amour est plutôt inévitable, 34 % des hommes et 45 % des femmes qu'il constitue une trahison, 19 % des hommes et 16 % des femmes qu'il est une preuve d'amour.
Par amour, 45 % des hommes et 36 % des femmes seraient prêts à accepter que leur partenaire s'invente un passé tumultueux, 17 % des hommes et 11 % des femmes à accepter la dissimulation d'un enfant, 15 % des hommes et 10 % des femmes à accepter une vie professionnelle fabriquée.

Amour fou
Si leur partenaire leur expliquait qu'elle (il) a décidé d'aller vivre dans un autre pays et leur demande de partir avec elle (lui) immédiatement sans réfléchir, 47 % des hommes et

39 % des femmes feraient tout pour le (la) ramener à la raison. 24 % des hommes et 38 % des femmes accepteraient de le (la) suivre car ils l'aiment sans limite. 22 % des hommes et 19 % des femmes refuseraient, considérant qu'il (elle) aurait dû leur en parler avant, quitte à le (la) perdre.

Amours planétaires
A l'heure de la mondialisation, 42 % des hommes et 23 % des femmes sont prêts à « internationaliser » leurs amours d'été.

Amours d'été
7 % des hommes et 4 % des femmes pourraient quitter leur conjoint pour un coup de foudre de l'été.
19 % des hommes accepteraient que leur compagne parte en vacances avec un autre homme si elle les autorisait à faire la même chose, 78 % non. 13 % des femmes accepteraient que leur compagnon parte en vacances avec une autre femme s'il les autorisait à faire la même chose, 85 % non.

Histoires d'amour
Pour les Français, la plus belle histoire d'amour vraie est celle de Grace et Rainier de Monaco, devant Pierre et Marie Curie, Yves Montand et Simone Signoret, Raymond et Lucie Aubrac, Alain Delon et Romy Schneider, le duc et la duchesse de Windsor, Humphrey Bogart et Lauren Bacall.
La plus belle histoire d'amour au cinéma est celle d'*Autant en emporte le vent*, devant *Pretty woman*, *Love story*, *Docteur Jivago*, *Angélique, marquise des Anges*, *Out of Africa*, *Bonnie and Clyde*, *Un homme et une femme*.
La plus belle histoire d'amour de la littérature est *Roméo et Juliette*, suivie de *La dame aux camélias*, *Le grand Meaulnes*, *L'amant*, *Paul et Virginie*, *La chartreuse de Parme*, *Le diable au corps*, *La princesse de Clèves*, *Anna Karénine*.

Sondages divers

télévision, cinéma, magazines...) a pu aussi réduire le désir en le banalisant. C'est sans doute pourquoi on observe à la fois une demande accrue pour les aphrodisiaques de toutes sortes et, en même temps, une tendance à la chasteté.

Doubles vies conjugales

En même temps qu'à l'accroissement de l'union libre, des divorces, des remariages, des familles monoparentales, des enfants illégitimes et des familles recomposées, on assiste depuis quelques années à une augmentation du nombre des personnes menant une double, parfois triple, vie sentimentale. Ce sont surtout des hommes âgés de 40 à 55 ans, de toutes classes sociales, qui sont concernés. C'est ce qui explique que les clients des détectives privés soient dans une large majorité des femmes.

L'allongement de la durée de vie moyenne, le besoin de changement et la volonté de concilier la stabilité du mariage avec le piment de la vie extraconjugale sont des explications à ces comportements de polygamie clandestine. Le besoin de transgression s'accompagne souvent d'une réelle volonté d'assumer, affectivement et sentimentalement, cette situation.

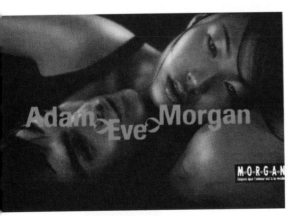

L'idée du péché originel est encore présente.

La fidélité reste une valeur et un but.

93 % des Français estiment qu'il est indispensable ou utile d'être fidèle pour réussir pleinement une relation amoureuse (5 % pensent que c'est sans importance). 84 % trouvent qu'il faut faire des efforts et des concessions (4 % sans importance).

Bien que l'on assiste à une convergence entre les hommes et les femmes dans la perception de la vie du couple, les pratiques s'inscrivent dans des systèmes de normes, explicites ou implicites, qui restent distincts. Ainsi, les femmes sont plutôt moins tolérantes que les hommes à l'égard de l'infidélité conjugale. Elles ont aussi davantage tendance qu'eux à associer l'acte sexuel et les sentiments.

La notion d'engagement à l'égard du partenaire semble donc plus forte chez les femmes, même si les jeunes semblent parfois se démarquer de cette attitude, incitées peut-être par une certaine presse féminine « moderne », qui prône la liberté et l'égalité par l'infidélité.

Divorce

Le nombre des divorces a quadruplé depuis 1960.

La diminution spectaculaire du nombre des mariages qui s'est produite depuis 1973 aurait dû logiquement entraîner celle des divorces. On a assisté au phénomène contraire, avec un doublement du nombre des divorces entre 1970 et 1980. Celui-ci a presque triplé entre 1970 et 1985.

On a compté 42 divorces pour 100 mariages en 1996 (avec un nombre de mariages artificiellement élevé, du fait des nouvelles dispositions fiscales) contre 12,0 en 1970, 22,3 en 1980, 32,1 en 1990. La proportion est encore plus élevée en Belgique (58,1), en Suède (53,9), en Finlande (49,0), en Angleterre et en Norvège (46,0). Elle est en revanche beaucoup plus faible dans les pays du Sud de l'Europe : 8,0 en Italie, 16 au Portugal, 17,0 en Espagne.

La loi du 11 juillet 1975, qui reconnaît le divorce par consentement mutuel, ne semble pas avoir eu d'incidence notable sur cet accroissement, déjà très sensible à partir de 1965. Si la situation actuelle se prolonge dans les prochaines décennies, plus d'un mariage sur trois se soldera par un divorce.

On a prononcé 117 716 divorces en 1996, contre 120 027 en 1995.

Le nombre des divorces dépasse 100 000 depuis 1984. La stabilisation qui était intervenue entre 1985 et 1990, un peu au-dessus de 100 000 par an (avec une baisse en 1987, la première depuis des décen-

Le divorce en Europe

Evolution de la proportion de divorces pour 100 mariages dans les pays de l'Union européenne :

	1970	1980	1990	1995
- Allemagne	-	-	-	33,0
• Allemagne de l'Ouest	12,2	22,7	29,2	-
• Allemagne de l'Est	20,7	32,0	23,5	-
- Angleterre - Galles	16,2	39,3	42,5	46,0
- Autriche	18,2	26,2	32,8	38,3
- Belgique	9,6	20,8	31,9	58,1
- Danemark	25,1	39,3	42,8	40,9
- Espagne	-	-	8,0	12,0
- Finlande	17,1	27,3	42,7	49,0
- FRANCE	12,0	22,3	32,1	38,7
- Grèce	5,0	10,8	12,0	17,0
- Italie	5,0	3,2	8,0	8,0
- Luxembourg	9,7	27,0	36,0	33,0
- Norvège	13,4	25,1	42,9	46,0
- Pays-Bas	11,0	25,7	29,1	37,0
- Portugal	1,0	11,0	11,9	16,0
- Suède	23,4	42,2	44,1	53,9

Eurostat, statistiques nationales

Les partenaires du couple veulent être heureux ensemble... et séparément.

Les chiffres du divorce ne traduisent pas un rejet de la vie de couple mais au contraire un attachement grandissant à sa réussite et une exigence croissante quant à sa qualité. Plus que jamais, les Français recherchent l'amour et l'harmonie, au point de ne plus accepter de les vivre imparfaitement. Au nom du réalisme, ils revendiquent le droit à l'erreur. Le divorce s'inscrit dans la même logique que l'union libre. Chacun des partenaires s'efforce de concilier les avantages de la liberté individuelle avec ceux de la vie de couple. Cette aspiration à plus de liberté ne s'accompagne pas d'un recul de la vie affective.

nies) avait été remise en cause par l'augmentation ininterrompue de 1991 à 1995.

La légère baisse de 1996 n'indique pas obligatoirement un renversement de tendance. Elle pourrait, si elle était confirmée, s'expliquer en partie par la baisse des mariages qui s'est produite depuis les années 70 et qui réduit le nombre potentiel des divorces.

Le divorce est particulièrement fréquent en Ile-de-France (un pour deux mariages à Paris) et dans les grandes métropoles régionales. La France apparaît coupée en deux par une ligne allant de Caen à Marseille en passant par Lyon. Il est plus rare à l'ouest de la ligne, notamment en Bretagne, en Auvergne et dans la région Midi-Pyrénées, zones de forte tradition religieuse ou rurale. Mais les écarts régionaux tendent à se réduire.

✦ *70 % des Français trouvent qu'en France on divorce trop facilement pour un oui ou pour un non (26 % non). 72 % pensent que le divorce devrait être plus difficile lorsque les époux ont des enfants en bas âge (27 % non). 46 % estiment que l'infidélité est une raison suffisante pour divorcer (48 % des femmes et 44 % des hommes), 52 % non. (Paris-Match/BVA, octobre 1997)*

L'instabilité générale de l'environnement social, économique ou professionnel pousse à l'instabilité individuelle. De plus, l'allongement considé-

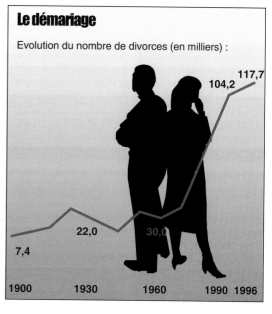

Le démariage

Evolution du nombre de divorces (en milliers) :

117,7
104,2
22,0
30,0
7,4

1900   1930   1960   1990 1996

Ministère de la Justice

rable de l'espérance de vie fait que la durée potentielle des couples qui se marient aujourd'hui est d'environ 45 ans, contre 17 ans au XVIIIe siècle et 38 ans en 1940. C'est pourquoi la succession de plusieurs vies conjugales au cours d'une même vie est de plus en plus fréquente.

De la même façon que la cohabitation, le divorce est aujourd'hui accepté par la société. Il est considéré comme un recours normal lorsqu'il y a constat d'échec au sein d'un couple marié. Les enfants de divorcés sont aujourd'hui considérés comme les autres enfants.

Des remariages plus tardifs

15 % des personnes qui se sont mariées en 1996 étaient divorcées. Après avoir augmenté au cours des années 80 (10 % en 1980), cette proportion s'est stabilisée depuis 1989. L'âge moyen au remariage est passé pour les hommes de 38,1 ans en 1980 à 43,5 ans en 1996 ; il est passé pour les femmes de 35,2 ans à 40,0 ans. Cet accroissement apparaît comme une conséquence logique de celui de l'âge au premier mariage, qui a gagné 5 ans pour les femmes et les hommes depuis 1970.

Les hommes divorcés se remarient une fois sur deux avec une femme célibataire, mais 40 % épousent une divorcée. Cette propension à épouser un divorcé quand on l'est soi-même est encore plus marquée chez les femmes (49 % des remariages). La présence d'enfants auprès de la mère est sans doute une explication à ce phénomène.

On recense environ trois femmes divorcées non remariées pour deux hommes. Entre 25 et 44 ans, plus de la moitié des femmes divorcées vivent sans conjoint avec des enfants, une sur trois vit en couple. On constate enfin que les unions libres sont de plus en plus fréquentes chez les divorcés, mais elles aboutissent parfois à un remariage.

Le divorce intervient plus tôt, mais la durée moyenne des mariages rompus augmente.

Les ruptures se produisent surtout au début du mariage et atteignent leur maximum plus tôt qu'auparavant, vers la quatrième année. Les époux hésitent en effet moins que par le passé à constater leur désaccord. Ce constat est facilité par un environnement familial et social plus tolérant, ainsi que des procédures juridiques accélérées.

Après ces premières années difficiles, la fréquence des ruptures a tendance à chuter rapidement à mesure que la durée de l'union augmente. La conséquence, paradoxale, de ce nouveau modèle est que la durée moyenne du mariage avant rupture tend à s'allonger : elle est d'environ 14 ans aujourd'hui, contre 11 ans en 1975. L'âge moyen des femmes au moment du divorce est de 37 ans contre 40 ans pour les hommes.

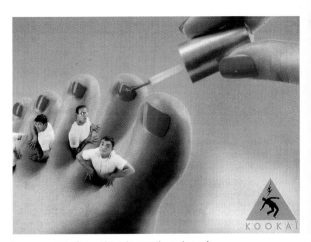

Le rapport de force dans le couple a changé.

✦ *Un couple où la femme est employée et le mari ouvrier a 2 fois plus de risques de divorcer que si les deux sont employés, mais un peu moins que s'ils sont tous deux ouvriers.*

✦ *Un patron de l'industrie ou du commerce a 3 fois plus de risques de divorcer si son épouse est cadre supérieur que si elle est également patron, 4 fois plus si elle est cadre moyen, 7 fois plus si elle est employée.*

Plus de la moitié des divorces se font par consentement mutuel.

Si c'est encore traditionnellement l'homme qui fait la demande en mariage, ce sont les femmes qui sont le plus souvent à l'origine des demandes de divorce (73 % des cas en 1996). Mais cette part diminue au fil des dernières années, au profit des demandes conjointes, qui représentent aujourd'hui 40 % des cas.

Le divorce par consentement mutuel est particulièrement fréquent pour les mariages récents : les deux tiers environ interviennent avant 5 ans. A partir de 20 ans de vie conjugale, c'est le divorce pour faute qui est prépondérant, avec plus de la moitié des cas. La rupture de la vie commune joue également un rôle croissant dans les mariages de longue durée ; elle est à l'origine de plus d'un divorce sur dix après 35 ans.

Malgré sa plus grande facilité, le divorce reste souvent un traumatisme.

L'idée d'un divorce sans conflit est séduisante, mais elle ne correspond pas vraiment à la réalité. Pour ceux qui le vivent, le divorce est rarement un moment banal. Il est le constat d'une faillite et laisse toujours des cicatrices chez ceux, adultes et enfants, qui le vivent.

90 % des divorces pour faute sont prononcés aux torts partagés. Mais chaque année, environ 70 000 divorcés retournent en justice pour un litige avec leur ancien conjoint : près de 40 000 se rapportent aux pensions alimentaires, plus de 15 000 ont trait à l'autorité parentale et au lieu de résidence principal de l'enfant, 10 000 concernent un différend sur le droit de visite des enfants.

L'idée d'un divorce civil pour les cas de consentement mutuel a été lancée en 1997, dans le but de faciliter la procédure et de désengorger les tribunaux. Mais il est difficile, peut-être dangereux, de banaliser le divorce. Car les personnes concernées ont souvent le désir, parfois inconscient, de voir les fautes commises reconnues par la justice.

✦ Une centaine de divorces sont prononcés chaque année pour altération des facultés mentales.

✦ Un couple formé d'une employée et d'un agriculteur a 50 fois plus de risques de divorcer qu'un couple d'agriculteurs.

✦ Entre 1914 et 1959, un mariage sur cinq concernait des conjoints originaires de la même commune ; la proportion n'était plus que d'un sur sept entre 1959 et 1983.

✦ Si les femmes adoptaient au cours de leur vie les mêmes comportements de nuptialité par âge que ceux constatés en 1995, la moitié d'entre elles resteraient définitivement célibataires, contre une sur dix il y a vingt ans.

Les deux tiers des couples qui divorcent ont des enfants.

Parmi les couples qui mettent fin à leur union, près de deux sur trois (29 %) ont un enfant, 35 % en ont au moins deux. Au cours des années 80, la proportion de couples sans enfant mineur a augmenté ; elle est proche de 40 % contre 31 % en 1982. Le fait d'avoir un enfant mineur est un facteur de rapprochement, ou de plus grande tolérance, pour les couples ; certains attendent que leurs enfants arrivent à la majorité pour divorcer. On constate également que la proportion de couples qui divorcent diminue avec le nombre d'enfants qu'ils ont.

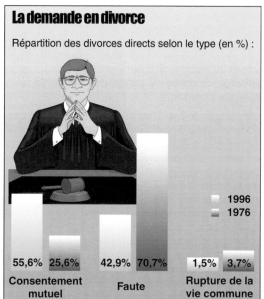

La demande en divorce

Répartition des divorces directs selon le type (en %) :

1996
1976

55,6% 25,6%   42,9% 70,7%   1,5% 3,7%

Consentement mutuel   **Faute**   **Rupture de la vie commune**

Ministère de la Justice

85 % des enfants de parents divorcés vivent avec leur mère.

Est-ce parce que les enfants ont davantage besoin de leur mère ou parce que neuf juges aux affaires familiales sur dix sont des femmes que la garde des enfants est le plus souvent attribuée à la mère ? La situation évolue cependant. Ainsi, lorsque les positions des parents sont opposées, l'autorité parentale est confiée à la mère seule dans 44 % des cas, au père seul dans 34 % et aux deux parents dans 22 %.

Au milieu des années 80, seul un enfant sur trois voyait son père si celui-ci n'avait pas la garde de son enfant ; la proportion est aujourd'hui de un sur deux.

Les juges fixent de plus en plus souvent un jour de visite dans la semaine, en plus du partage des week-ends et des vacances. Il est aujourd'hui de plus en plus fréquent qu'il soit alternativement hébergé chez le père et la mère. Mais cette résidence alternée peut être déstabilisante pour les enfants concernés. Elle fait aussi courir le risque d'en faire des juges ou des arbitres entre leurs deux parents.

✦ *42 % des Français pensent que les femmes sont plus douées pour aimer, 9 % les hommes, 39 % autant les uns que les autres.*

✦ *59 % des Français trouvent indispensable ou utile d'avoir des caractères proches pour réussir leur vie de couple (34 % trouvent cela sans importance).*

✦ *Les hommes ont été amoureux en moyenne 4,5 fois au cours de leur vie, les femmes 3,0 fois.*

✦ *62 % des Français de 15 ans et plus vivent en couple (35 % sans enfant, 27 % avec un ou plusieurs enfants).*

LES JEUNES

Démographie

NATALITÉ. *On a enregistré*
725 000 naissances en 1997,
contre 735 000 l'année précédente.

L'accroissement de la natalité constatée en 1995 et 1996 n'a pas été confirmé en 1997, mais le niveau atteint reste supérieur à celui de 1993 et 1994, qui était le plus bas jamais constaté depuis la Seconde Guerre mondiale.

La fécondité la plus élevée reste celle du Nord-Pas-de-Calais, mais le « croissant fertile » du Nord tend à se rapprocher des autres régions. La plus faible se trouve dans le Sud-Ouest, avec un mini-mum dans le Limousin ; la baisse a été favorisée par les traditions de transmission du patrimoine en milieu paysan qui cherchent à limiter le morcellement des terres.

La fécondité des citadines est désormais supérieure à celle des femmes vivant à la campagne. Entre 1975 et 1990, le nombre moyen d'enfants est passé de 1,78 à 1,82 dans l'agglomération parisienne, tandis qu'il diminuait dans l'ensemble de la France métropolitaine : 1,78 contre 1,95. La présence des familles étrangères dans les grandes villes explique en partie ce phénomène.

L'indicateur conjoncturel de fécondité s'est établi à 1,71 en 1997.

Cet indicateur est obtenu en additionnant les taux de fécondité des femmes en âge de procréer (15 à 49 ans) au cours d'une année donnée. S'il est au-dessus du niveau historiquement bas atteint en 1993 (1,65), il reste largement en retrait par rapport aux décennies précédentes : 2,47 en 1970, 1,95 en 1980, 1,78 en 1990. Depuis le milieu des années 70, il variait entre 1,8 et 1,95. Il avait baissé régulièrement sans interruption depuis 1987, avant de remonter en 1995.

La France se situe à la sixième place en Europe, derrière l'Islande (2,09), l'Irlande (1,91), la Finlande (1,76), le Luxembourg (1,76) et le Danemark (1,75). La fécondité est particulièrement basse en Europe du Sud (1,15 en Espagne, 1,22 en Italie, 1,31 en Grèce, 1,40 au Portugal), ainsi qu'en Europe de l'Est (1,18 en République tchèque, 1,24 en Bulgarie, 1,30 en Roumanie, 1,33 en Russie). Le taux moyen des pays de l'Union européenne est de 1,44, comme celui du Japon, mais très inférieur à celui des Etats-Unis (2,06).

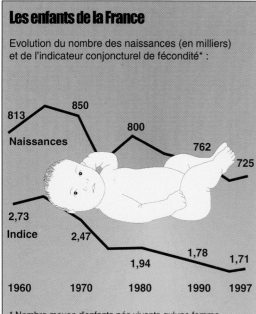

Les enfants de la France

Evolution du nombre des naissances (en milliers) et de l'indicateur conjoncturel de fécondité* :

813
850
800
762
725
Naissances

2,73
2,47
1,94
1,78
1,71
Indice

1960 1970 1980 1990 1997

* Nombre moyen d'enfants nés vivants qu'une femme pourrait mettre au monde durant sa vie si pendant ses années de fécondité elle avait eu le nombre d'enfants correspondant aux taux de fécondité par âge.

✦ *La descendance finale ne dépassait pas deux enfants pour les femmes nées à la fin du XIXᵉ siècle.*

✦ *A 15 ans, 60 % des conceptions se terminent par un avortement (10 % à 25 ans, 45 % à 40 ans).*

INSEE

Les enfants de l'Europe

Evolution du nombre moyen d'enfants par femme
(indice synthétique de fécondité) :

	1970	1980	1990	1996
- Allemagne	2,03	1,56	1,45	1,29
- Autriche	2,29	1,65	1,45	1,42
- Belgique	2,25	1,68	1,62	1,59
- Danemark	1,95	1,55	1,67	1,75
- Espagne	2,85	2,20	1,36	1,15
- Finlande	1,83	1,63	1,78	1,76
- FRANCE	2,47	1,95	1,78	1,72
- Grèce	2,38	2,22	1,39	1,31
- Irlande	3,96	3,24	2,15	1,91
- Italie	2,38	1,64	1,33	1,22
- Luxembourg	1,97	1,49	1,60	1,76
- Pays-Bas	2,57	1,60	1,62	1,52
- Portugal	2,71	2,20	1,51	1,40
- Royaume-Uni	2,43	1,90	1,83	1,70
- Suède	1,92	1,68	2,13	1,61

Le mystère de la baisse de 1965

La chute de la natalité intervenue entre 1965 et 1975 peut être interprétée comme le retour à la tendance séculaire, qui avait été interrompue par le *baby-boom*. Elle s'explique aussi par la diminution des naissances non désirées rendue possible par la contraception moderne. Mais il faut noter que la baisse avait commencé avant la légalisation de la pilule contraceptive (loi Neuwirth de décembre 1967) ou celle de l'avortement (loi Veil de janvier 1995). Elle avait également précédé la baisse du nombre des mariages, qui n'a commencé qu'en 1973. Elle reste donc difficile à expliquer, d'autant qu'elle peut difficilement être corrélée à des changements qui seraient intervenus dans l'environnement économique ou social.

Le mouvement de baisse a commencé brutalement en 1965.

Entre 1946 et 1995, la France a été l'un des pays les plus féconds d'Europe occidentale ; les femmes nées vers 1930 sont celles qui ont eu le plus d'enfants au cours du siècle. Cette période contraste avec le XIXe siècle, pendant lequel la France a eu la natalité la plus faible du monde.

Pendant le *baby-boom* de l'après-guerre, l'indicateur conjoncturel de fécondité avait atteint 3,0 entre 1946 et 1949 et dépassé 2,6 de 1946 à 1967. Il a chuté de façon spectaculaire à partir de 1965 comme dans l'ensemble de l'Europe, puis s'est stabilisé autour de 1,8 depuis 1975.

Cette quasi-stabilité depuis vingt ans s'explique par des mouvements opposés qui se compensent : baisse de la fécondité au-dessous de 25 ans, fluctuations entre 26 et 28 ans et remontée au-delà de 28 ans.

Partout en Europe du Nord, la baisse de la fécondité a commencé vers le milieu des années 60. Entre 1965 et 1975, la plupart des pays ont atteint une zone basse. Les pays du Sud ont connu ce phénomène avec une dizaine d'années de retard. Ces pays, qui comptaient autrefois le plus de familles nombreuses, connaissent aujourd'hui la fécondité la plus basse.

Fille ?   Garçon ?

- A la question du sexe des anges, Pampers
répond par une couche.

Les petits anges sont moins nombreux.
Saatchi & Saatchi

La fécondité des femmes étrangères ou immigrées tend à se rapprocher de celles des Françaises.

Un peu plus d'une mère sur dix est étrangère (le père étant aussi le plus souvent étranger), mais la proportion est de 30 % à Paris. La fécondité des étrangères est supérieure à celle des Françaises (un peu plus de 3 enfants par femme en moyenne contre moins de 2). Leur présence atténue la baisse globale de la natalité, mais leur apport est faible : 0,1 enfant par femme.

13 % des naissances sont dues à des couples comptant au moins un étranger, une part presque deux fois plus importante que le poids des étrangers dans la population totale (7 %).

La fécondité des femmes étrangères varie cependant avec la nationalité. Leur fécondité tend à se rapprocher de celle des Françaises au fur et à mesure de l'accroissement de leur durée de résidence en France.

Les pères de plus en plus impliqués.

Quatre naissances sur dix se produisent hors du mariage, contre une sur dix en 1980.

La proportion de naissances survenant en dehors du mariage a beaucoup augmenté en France : 37,2 % en 1996, contre 30,1 % en 1990, 11,4 % en 1980, 6,8 % en 1970. Elle est cependant inférieure à celle mesurée dans les pays d'Europe du Nord : 61,2 % en Islande, 51,6 % en Suède, 47,6 % en Norvège, 46,5 % au Danemark. Elle est proche de 30 % en Grande-

Bretagne et aux Etats-Unis. Elle reste inférieure en Allemagne et aux Pays-Bas (17 %). Elle est pratiquement nulle au Japon.

Les naissances « naturelles » les moins fréquentes sont celles enregistrées dans les départements de la Loire, de la Vendée, du Haut-Rhin et du Bas-Rhin et de la Moselle. A l'inverse, les plus fréquentes ont lieu dans l'Ariège, la Charente-Maritime et les Pyrénées-Orientales.

La fréquence varie selon le milieu social : elle est de 39 % pour les enfants de mères ouvrières, 27 % pour ceux de cadres, 14 % pour ceux d'agriculteurs. Elle est de 18 % pour les enfants de mères étrangères, mais de 32 % dans la communauté espagnole, 27 % dans l'italienne, 10 % marocaine, 7 % tunisienne, 4 % turque.

Les deux tiers des enfants concernés sont reconnus par le père lors de la déclaration à la mairie, une proportion en augmentation régulière. Mais ils sont de moins en moins légitimés par le mariage ultérieur des parents ; depuis 1990, moins du tiers des 1,2 million d'enfants nés en dehors du mariage ont été ainsi légitimés. Dans 11 % des mariages, l'épouse est enceinte. C'est le cas le plus souvent de jeunes filles ou d'étrangères.

L'arrivée du premier enfant est plus tardive...

L'indice conjoncturel le plus souvent utilisé pour mesurer l'évolution de la fécondité est en fait la synthèse des comportements d'une trentaine de générations. Il ne reflète donc pas la situation présente et encore moins future en ce qui concerne le remplacement des générations. C'est pourquoi il est utile de s'intéresser à la descendance finale des femmes, qui représente le nombre d'enfants qu'elles ont eu au terme de leur vie féconde.

Le calendrier de la fécondité des femmes s'est transformé. L'âge moyen des mères ayant eu un enfant en 1996 était de 29 ans, contre 28 ans en 1990 et 27 ans en 1980. Mais il faut noter que l'âge moyen

✦ *Les enfants nés aujourd'hui dans les pays de l'Union européenne pourraient avoir une espérance de vie de 87 ans pour les filles et de 83 ans pour les garçons en 2050, soit 20 ans de plus en moyenne que ceux des générations nées au début du XXe siècle. Avec un taux de 5 décès au cours de la première année pour 1 000 naissances vivantes en 1996, la France se situe nettement derrière les pays scandinaves (3,5 en Suède, 3,9 en Finlande, 4,0 en Norvège).*

à la maternité avait diminué jusqu'en 1977, de sorte qu'il est aujourd'hui très proche de celui de 1946 : 28,8 ans.

Les causes de cette évolution résident dans l'allongement de la durée des études, la difficulté de trouver un premier emploi ou un travail stable et la généralisation de l'activité chez les femmes. La maîtrise de la fécondité a aussi permis aux femmes de faire coïncider l'arrivée des enfants avec les circonstances de la vie personnelle et familiale.

... mais c'est le cas aussi du dernier.

Sur l'indice de fécondité moyen de 1,72 enfant de 1996, 0,77 était dû à des femmes ayant 30 ans et plus, contre 0,53 en 1980. Le fait que les femmes aient des enfants plus longtemps compense donc en partie le fait qu'elles commencent plus tard à en avoir. On constate en effet que le recul de l'âge à la maternité a peu d'incidence sur la descendance finale des femmes qui ont terminé leur période féconde. La dernière génération de femmes dans ce cas est celle née en 1955. Elles ont eu en moyenne 2,11 enfants, c'est-à-dire suffisamment pour assurer le renouvellement des générations.

C'est le cas aussi de celles qui sont nées dans les années 50 et n'ont pas encore terminé leur période féconde ; elles ont déjà assuré leur remplacement en ayant eu à l'âge de 40 ans près de 2,1 enfants en moyenne.

La maîtrise de la fécondité a fait diminuer le nombre des familles nombreuses.

La diffusion des méthodes contraceptives à partir des années 60 et la légalisation de l'avortement ont permis aux couples de décider du nombre de leurs enfants et du moment où ils les mettent au monde. De sorte que le nombre d'enfants non désirés est aujourd'hui trois fois moins élevé qu'en 1965.

Les familles nombreuses sont devenues rares, même en milieu ouvrier où elles étaient autrefois fréquentes. Moins de 3 % des femmes nées entre 1940 et 1949 ont eu six enfants et plus, contre plus de 7 % de celles nées entre 1892 et 1916. Même les familles de quatre enfants ou plus ne représentent plus que 13 % pour les générations 1940-1949, contre 26 % pour celles de 1925-1929.

Le niveau d'éducation est un facteur explicatif de cette évolution. Dans une catégorie sociale donnée (déterminée par la profession du conjoint) les femmes ont d'autant moins d'enfants qu'elles sont plus diplômées. Mais les couples où le mari est cadre représentent une exception ; les femmes les plus diplômées ne sont pas celles qui ont le moins d'enfants, car elles disposent d'une aisance financière qui leur permet de poursuivre une carrière tout en ayant des enfants.

Générations pilule

La législation de 1967 sur la contraception et la diffusion des moyens contraceptifs a bouleversé les données de la natalité. L'utilisation massive de la pilule chez les adolescentes de 15 à 18 ans a commencé entre 1970 et 1975 ; on constate que c'est au moment où ces jeunes filles sont arrivées à l'âge de procréer que la chute de la natalité s'est accentuée. La généralisation des méthodes de contraception a touché toutes les catégories sociales et les descendances de quatre enfants ou plus sont devenues rares.

En 1994, 65 % des femmes de 20 à 49 ans utilisaient une méthode de contraception, 4 % avaient été stérilisées. Seules 3 % des femmes exposées au risque d'avoir un enfant n'étaient pas protégées. Parmi les autres, 57 % utilisaient la pilule, 25 % le stérilet, 7 % les préservatifs (45 % lors des premiers rapports). Le nombre des cas où aucune contraception n'est utilisée est en recul, du fait de la prise de conscience des risques liés au sida ; de plus, l'utilisation du préservatif s'est accrue, sans être encore généralisée. Les différences entre les groupes sociaux se sont aussi considérablement réduites.

Environ 220 000 avortements seraient pratiqués chaque année.

Le nombre d'avortements légaux (déclarés) est d'environ 170 000 par an, soit environ un avortement pour quatre naissances vivantes (23 %), un chiffre stable depuis une quinzaine d'années. On estime cependant que le nombre réel est supérieur d'au moins 30 % aux déclarations. Il se situerait donc aux alentours de 220 000 par an, contre 250 000 en 1976. L'âge moyen lors de l'intervention est en augmentation ; il est de 29 ans.

La légalisation de l'avortement n'a pas provoqué son augmentation, mais la maîtrise de la fécondité par la contraception n'a pas non plus réduit sensiblement le nombre d'avortements. Les grossesses refusées ne sont en effet pas toutes accidentelles ; elles peuvent l'être du fait des pressions de l'entourage. De plus, la maîtrise de la contraception entraîne un refus plus fréquent des échecs dans ce domaine.

A partir de 23 ans, la fréquence des avortements est plus grande chez les femmes qui vivent seules que chez celles qui vivent en couple. Quel que soit leur âge, les femmes mariées avortent moins que celles qui ne le sont pas. Le nombre de femmes qui ont avorté au moins une fois diminue : 40 % contre 60 % au milieu des années 70. Mais le nombre de celles qui ont des avortements répétés augmente. Le taux de mortalité par avortement est de 3 pour un million.

La Russie détient le record mondial, avec 180 avortements pour 100 naissances vivantes, soit 2,4 millions en 1995 (et 4,1 millions en 1970). On en compte 142 en Ukraine, 135 en Bulgarie.

La famille de deux enfants est devenue une sorte de norme implicite.

La proportion de couples avec deux enfants (de préférence garçon et fille) s'accroît, tandis que le nombre de familles nombreuses ne compense plus celui des familles sans enfant. Le modèle dominant concerne 38 % des mères nées en 1940-1944, contre 28 % de celles nées en 1925-1929. Cette norme s'est développée au détriment des familles nombreuses, alors que la part des familles avec un enfant unique se maintient à 21 %.

L'hésitation à avoir un troisième enfant s'explique en partie par le coût financier qu'il occasionne. Le prix à payer est encore plus élevé lorsque la mère doit cesser son activité professionnelle. Plus de la moitié des mères de famille de trois enfants et plus restent au foyer, alors que la proportion n'est que d'un tiers pour l'ensemble des mères de famille.

Les problèmes de garde peuvent également jouer un rôle dans les décisions. Enfin, les ambitions des parents pour leurs enfants se sont accrues et concernent aujourd'hui l'ensemble des catégories sociales. Dans ce contexte, beaucoup préfèrent donc avoir moins d'enfants, afin de leur consacrer le temps et l'argent nécessaires pour leur donner toutes les chances de bien démarrer dans la vie.

A terme, on estime que 12 % des familles pourraient rester sans enfant, une proportion voisine de celle que l'on constatait dans les générations 1940-1944 (10 %), mais très inférieure à celle des générations nées au début du siècle : un quart des femmes nées en 1900 n'ont pas eu d'enfants.

La reproduction des générations

Pour que le remplacement des générations s'effectue à l'identique (nombre des enfants égal à celui des parents), il faut que chaque femme ait en moyenne 2,1 enfants au cours de sa vie. Ce chiffre est supérieur à 2 afin de compenser le fait que la proportion de filles est inférieure à celle des garçons dans chaque génération ; il naît invariablement 95,2 filles pour 100 garçons. Il compense aussi la mortalité entre la naissance et l'âge de la maternité (en moyenne 28 ans). On aboutit ainsi à un seuil de remplacement de 2,08 enfants par femme, arrondi à 2,1. A titre de comparaison, il était de 2,2 enfants en 1950, compte tenu de la plus grande mortalité.

La descendance finale des femmes des jeunes générations est difficile à prévoir.

Il est trop tôt pour savoir ce que sera la fécondité des femmes nées depuis le début des années 60, dont beaucoup peuvent encore avoir des enfants. On sait cependant qu'à 28 ans, les femmes nées en 1966 ont eu en moyenne 1,0 enfant, alors que celles nées en 1950 en avaient 1,4 au même âge. On sait aussi qu'à 30 ans, la génération née en 1964 a eu un peu plus de 1,3 enfant, contre 1,6 pour la génération 1954.

Un rattrapage est encore possible, mais il apparaît que la fécondité des femmes de 40 ans, si elle a augmenté depuis 1980, est nettement inférieure à ce qu'elle était à la Libération et même avant 1975 : sur 1 000 femmes de 40 à 44 ans, 26 étaient devenues mères en 1948, 14 en 1970, 8 en 1993. Quant à la fécondité des femmes de 45 ans et plus, elle stagne depuis le début des années 80. Pourtant, le désir d'enfant ne semble pas être remis en cause ; le nombre d'enfants souhaité par les familles reste stable.

✦ Il naît environ 2 000 enfants par jour. Les naissances ont lieu de moins en moins souvent le dimanche, mais aussi le samedi et les jours fériés. Les femmes accouchent le plus souvent le mardi. Les mois de mai à juillet sont ceux qui comptent le plus de naissances.

✦ Le nombre de jumeaux est proche de 10 000 par an, soit environ 14 % du nombre de naissances.

*La France est peut-être entrée
dans une nouvelle phase
de la transition démographique.*

Le *baby-boom* qui avait suivi la Seconde Guerre mondiale apparaît de plus en plus comme un accident. Le taux de fécondité actuel n'est guère plus bas que celui qui prévalait avant la guerre (inférieur à deux enfants par femme). La France est peut-être entrée comme d'autres pays développés dans une phase nouvelle de la transition démographique commencée à la fin du XVIIIe siècle.

On peut penser que la tendance actuelle à avoir des enfants à des âges plus avancés ne sera pas suffisante pour compenser le fait que le premier enfant arrive plus tard. Mais les politiques familiales mises en place par les gouvernements peuvent avoir une incidence sur la fécondité, comme le montrent les exemples des pays de l'Europe du Nord.

Par ailleurs, la fécondité est probablement liée à une vision de la vie et de l'avenir, même si la baisse qui s'est produite à partir de 1965 a précédé l'apparition de la crise économique (1974) et que la montée du chômage n'a pas entraîné une nouvelle baisse de la fécondité. Des changements dans la situation économique et le climat social (reprise de la croissance, fin de la période de pessimisme collectif, transformations des systèmes de valeurs...) pourraient avoir des effets importants sur la fécondité future.

La famille nombreuse reste présente dans les esprits et dans l'imagerie collective.

Toutes les études montrent que, malgré la dénatalité ou le divorce, la famille reste une valeur centrale qui rassure, protège et donne un sens à la vie. S'ils étaient libres de toute contrainte économique, 12 % des Français souhaiteraient avoir quatre enfants, 8 % cinq. La succession des ruptures et des unions dans une même vie pourrait faire augmenter le nombre d'enfants par personne ; 15 % des familles de quatre enfants et 22 % de celles de cinq enfants ou plus sont aujourd'hui des familles recomposées.

✦ *La France est le premier pays au monde pour les adoptions par rapport à sa population, avec 3 700 enfants par an d'origine étrangère et 1 500 d'origine française. Près de trois adoptions sur quatre à l'étranger sont le fruit de démarches individuelles.*

Les enfants sont plus rares mais plus gâtés.
15e Avenue

On constate par ailleurs que les familles actuelles font une place croissante aux amis des enfants, notamment pendant les week-ends. L'intérêt des Français pour le monospace, le fait que la publicité tend aujourd'hui à surestimer le nombre d'enfants dans son imagerie sont peut-être les signes d'un prochain accroissement de la fécondité...

Moins de 15 ans

*L'une des conséquences de la chute
de la natalité est la diminution de la part
des jeunes dans la population.*

15,1 millions de Français ont moins de 20 ans (janvier 1998). Leur part dans la population ne représente plus que 25,8 % contre 30,6 % en 1980. A l'inverse, on observe un accroissement de la part des personnes âgées de 60 ans et plus : 20,4 % en 1998 contre 17,0 % en 1980. La part des jeunes avait augmenté entre la fin de la Seconde Guerre mondiale et 1970, du fait du nombre important des naissances pendant la période du *baby-boom* ; sa diminution est perceptible depuis le début des années 70.

L'allongement de la durée de vie et l'arrivée à l'âge mûr des générations nombreuses de l'après-guerre ont également largement contribué à cette évolution. L'âge moyen de la population française a augmenté de trois ans en trois décennies ; il est aujourd'hui un peu supérieur à 38 ans, contre moins de 35 ans en 1970.

INSEE

Plus de vieux que de jeunes en 2015

Evolution de la part des moins de 20 ans et des 60 ans et plus dans la population (en %) :

Moins de 20 ans

34,3
30,1
32,3
25,9
24,2   26,8
22,7

60 ans et plus

22,8
20,3
16,7
14,2
12,7

1900   1930   1960   1997   2010 2020

Les moins de 7 ans connaissent plusieurs phases successives.

Les 4,7 millions d'enfants de ne constituent pas un groupe homogène. Entre 0 et 3 ans, six sur dix passent leurs journées à la maison. Les autres sont confiés à une crèche ou à une nourrice. A 2 ans, plus d'un enfant sur trois (35 %) est scolarisé. L'école commence vraiment à 3 ans ; à cet âge, la quasi-totalité des enfants sont scolarisés.

Entre 4 et 5 ans, la moitié ont des mères actives. La vie se déroule alors pour eux hors de la maison et les journées durent souvent 12 à 13 heures. Les enquêtes montrent que les mères actives compensent leur moindre présence en s'occupant davantage de leurs enfants lorsqu'elles sont chez elles.

C'est entre 6 et 7 ans que les enfants font véritablement l'apprentissage de « l'extérieur » (la rue, les magasins) et découvrent les sollicitations liées à la consommation. A la maison, la télévision occupe très vite une place essentielle : les 4-7 ans passent plus de temps devant la télévision qu'à l'école (1 000 heures contre 800).

✦ 84 % des 8-13 ans lisent au moins un magazine pour jeunes.

✦ Plus du tiers des personnes qui visitent les grandes surfaces ont entre 8 et 10 ans.

Entre 8 et 14 ans, les enfants s'intéressent au monde des adultes.

Les 8-14 ans représentent 9 % de la population française (5,3 millions). Les plus jeunes (8-10 ans) acquièrent peu à peu une certaine autonomie au sein du foyer et à l'extérieur : ils se rendent seuls à l'école, commencent à recevoir et à dépenser de l'argent, ont accès au réfrigérateur familial.

La socialisation commence vers 8 ans. C'est l'âge où l'on passe progressivement de l'objet aux individus, des perceptions concrètes à la pensée conceptuelle. A partir de 11 ans, les centres d'intérêt évoluent. L'audiovisuel tient une place croissante dans les loisirs, avec la télévision et, pour les garçons, les jeux vidéo. Les 11-14 ans connaissent les doutes de la préadolescence, ceux liés à l'intégration au groupe et au développement de la personnalité.

Les jeunes enfants tendent à maîtriser de plus en plus tôt leur vie sociale. Les anniversaires jouent un rôle important dans cette évolution. Les enfants choisissent leurs invités et donnent à ces événements un caractère assez formel, imitant les pratiques des adultes (invitations écrites ou téléphonées, préparation de la réception, respect de certaines règles...).

Un enfant sur trois est gardé

31 % des ménages ayant des enfants de moins de 11 ans font appel à une garde rémunérée de façon régulière ou ponctuelle (45 % lorsque la mère est active). Le recours à une garde payante est plus fréquent depuis dix ans, mais la dépense moyenne diminue du fait de la prise en charge partielle par l'Etat et de la réduction de la durée moyenne : 900 F par mois par ménage concerné en 1995, contre 1 100 F en 1984 (en francs de 1995).

La consommation est l'un des éléments de structuration de la personnalité.

L'argent dont disposent les enfants leur permet d'être très tôt des consommateurs à part entière. Il constitue un moyen d'accès au monde réel et un mode d'apprentissage de la vie. Les économies des 4,6 millions d'enfants de 8 à 13 ans sont estimées à 5 milliards de francs, soit plus de 1 000 F par enfant.

Avec leur argent de poche, 50 % des 8-10 ans achètent le plus souvent des sucreries, 62 % des livres ou des bandes dessinées, 43 % des vêtements.

57 % des fournitures scolaires. Vers 10 ans, ils s'intéressent aux biens d'équipement familial. Entre 10 et 13 ans, les jouets perdent de l'importance au profit des journaux et magazines, ainsi que des vêtements.

L'âge de 11 ans marque une rupture essentielle, avec l'entrée dans le secondaire. Entre 11 et 14 ans, un désir d'autonomie se manifeste dans l'habillement, l'alimentation, la communication. C'est l'âge de la surconsommation du téléphone pour parler aux copains. A partir de 14 ans, la presse devient le premier poste de dépenses, devant les sucreries, les vêtements et les jeux. Toute la période de l'adolescence est placée sous le signe de l'ambivalence ; l'enfant cherche en même temps à trouver son identité et à s'intégrer au groupe.

Les enfants prescripteurs

Les enfants exercent une influence croissante sur les achats du ménage. Celle-ci varie avec l'âge : bonbons et sucreries jusqu'à 6 ans ; produits pour le petit déjeuner de 7 à 12 ans ; boissons à 13-14 ans ; produits d'hygiène-beauté à 15-16 ans. Leur influence est sensible sur environ 40 % des dépenses totales des familles. Elle est estimée à 52 % pour les vêtements de sport entre 4 et 7 ans, 67 % entre 8 et 10 ans, 76 % entre 11 et 14 ans.

Le jeu occupe une place importante dans la vie des moins de 15 ans.

Plus d'un enfant sur trois dispose d'une console de jeux vidéo, sans compter les jeux multimédias disponibles sur ordinateur. On constate une stagnation des jeux scientifiques, très concurrencés par le multimédia, à forte dimension ludique. Les jeux créatifs connaissent au contraire un fort engouement : jeux éducatifs électroniques, jeux d'activités manuelles, maquettes, puzzles, jeux de plein air. Les poupées mannequins, rigides et sophistiquées, se vendent moins bien ; elles deviennent plus légères, personnalisables, avec des corps mous ressemblant à ceux des vrais bébés.

A 14 ans, les jeux et jouets sont achetés deux fois plus souvent par des garçons que par des filles, à l'inverse des vêtements, achetés quatre fois plus souvent par des filles, et des produits de beauté (dix fois plus). Les filles sont aussi moins sensibles aux jouets que les garçons et veulent de vrais objets, comme des bijoux, des produits de beauté, etc.

Les héros des 6-12 ans sont d'abord issus pour les plus jeunes des séries télévisées (Batman, Superman, Dragon Ball Z...), devant les héros plus traditionnels (Tintin, Obélix, Astérix...) et ceux liés à l'actualité cinématographique (Le Roi Lion, Aladdin...). Pour les plus âgés, les stars du cinéma prennent une place croissante : Schwarzenegger, boys bands...).

Pour les enfants, la vie est un jeu.
B2L

Les différences de comportement entre garçons et filles tendent à s'estomper.

On observe depuis quelques années une convergence croissante, tant dans l'éducation dispensée par les parents que dans les modes de vie des enfants. Les équipements possédés, les activités pratiquées ou les produits consommés sont de plus en plus proches. Les filles continuent de recevoir un peu moins d'argent de poche que les garçons, mais les écarts diminuent.

Certains loisirs restent assez largement distincts, en particulier les pratiques sportives. De même, le souci de la tenue vestimentaire apparaît plus tôt chez les filles, vers le CM1.

On observe par ailleurs une homogénéisation des attitudes et des comportements par rapport aux enfants dans les diverses catégories socioprofessionnelles. Le montant de l'argent de poche, les types de consommation ou la pratique des médias deviennent moins discriminants en fonction du revenu des familles.

15-25 ans

Les 15-25 ans sont les « enfants de la crise ».

On compte 8,2 millions de jeunes de 15 à 25 ans, soit 15 % de la population française. Les plus âgés sont nés en 1973, première année d'une crise économique qui a accompagné toute leur vie. Leur adolescence a donc été largement placée sous le signe des excès des années 80.

En matière de valeurs, de rapports parents-enfants, ils ont subi les conséquences de la « révolution » de Mai 68 à laquelle ont été mêlés leurs parents. Mais ils ne l'ont connue qu'à travers les descriptions, probablement floues, que ceux-ci ont pu leur en fournir et grâce aux images d'archives des médias.

Leur vision de la société est influencée par les contradictions contemporaines : confort matériel et inconfort moral ; protection au sein de la famille et menaces du monde extérieur ; augmentation du pouvoir d'achat et accroissement des inégalités...

Contrairement aux plus jeunes, les 15-25 ans ont des statuts très diversifiés. Si la majorité sont scolarisés, certains sont encore dans l'enseignement secondaire, d'autres dans le supérieur. Parmi les autres, environ 1,5 million ont un emploi à plein temps, 800 000 sont au chômage, 700 000 ont un contrat aidé par l'Etat, 440 000 travaillent à temps partiel, 320 000 ont un contrat à durée déterminée, 250 000 font leur service militaire, 150 000 sont stagiaires.

La génération transition

Les jeunes de 15 à 25 ans ont été appelés génération X aux Etats-Unis. En France, ils ont été successivement baptisés bof-génération, boss-génération, génération sacrifiée, génération morale, génération conformiste, génération consensus ou génération galère. Ils constituent peut-être plus simplement la génération transition. Transition entre deux siècles et, expérience rare, entre deux millénaires. Transition entre deux appartenances géographiques : nés Français, les jeunes vivront leur vie d'adulte en tant qu'Européens et, peut-être, citoyens du monde. Transition, surtout, entre deux systèmes de valeurs ; la vision collective de la vie s'efface au profit d'une vision individuelle.
L'« égologie » se combine à l'écologie pour exprimer l'inquiétude non seulement quant à la préservation de l'environnement mais aussi en ce qui concerne la survie de l'espèce humaine. Transition, enfin, entre deux civilisations : celle de la consommation et des loisirs est en passe de remplacer celle du travail.
Une mutation à la fois quantitative et qualitative dont les jeunes seront à la fois les acteurs et les témoins.

Les jeunes sont adolescents plus tôt, mais ils deviennent adultes plus tard.

Grâce à l'omniprésence des médias et à l'apparition de modèles familiaux plus ouverts, les enfants parviennent plus vite à l'adolescence que les générations précédentes. En un demi-siècle, l'âge de la puberté s'est d'ailleurs abaissé en moyenne de deux ans, passant de 13 à 11 ans.

Mais ils acquièrent rapidement le sentiment que l'intégration au monde des adultes sera difficile. La scolarité se prolonge, pour conduire à des diplômes plus élevés mais aussi parfois pour retarder l'échéance de la recherche du premier emploi. Pour ces raisons, la mise en couple est également plus tardive que par le passé, d'autant que l'indépendance financière n'est pas assurée.

Malgré l'avancement de l'âge de la majorité, les jeunes deviennent donc adultes plus tard. Ils en sont d'ailleurs conscients : 38 % des 20-24 ans déclarent qu'ils ne sont pas adultes, contre 13 % des 25-29 ans

✦ *74 % des jeunes de moins de 20 ans sont titulaires d'un livret A. Ils possèdent en moyenne 2 000 F avant 17 ans et 4 000 F à 20 ans.*

✦ *20 % des jeunes de 15 ans, 36 % de ceux de 16 ans, 53 % de ceux de 17 ans et 67 % de ceux de 18 ans ont déjà eu des relations sexuelles. 28 % des 15-19 ans et 5 % des 20-24 ans n'en ont jamais eu.*

✦ *18 % des étudiants habitent seuls un logement. 6 % partagent un logement avec des amis.*

et 11 % des 30-35 ans (Forum Ré-Générations/BVA, octobre 1996). Pour eux, l'indépendance financière est la première condition pour le devenir (66 %), loin devant le fait d'avoir des enfants (32 %).

Entre 20 et 24 ans, 60 % des hommes et 49 % des femmes vivent encore chez leurs parents (1995) contre 51 % et 38 % en 1982.

La difficulté à devenir adulte se traduit par le fait que les enfants restent de plus en plus longtemps au foyer parental. A 28 ans, 12 % des hommes et 5 % des femmes sont encore dans cette situation (INED, 1994). Le départ du foyer parental est d'abord motivé par la vie en couple ; ceci explique que les femmes partent plus tôt que les hommes car elles se marient plus jeunes. Mais la proportion des 20-24 ans qui vivent en couple est passée de 31 % à 19 % entre 1982 et 1995. La poursuite des études dans une école éloignée du domicile et l'obtention du premier emploi sont les autres causes principales de départ. La volonté d'indépendance ou la mésentente avec les parents sont des raisons peu fréquentes.

Le départ de la maison est souvent progressif. Un jeune sur cinq rentre chez ses parents tous les week-ends, pendant au moins les six premiers mois. 14 % retournent vivre provisoirement chez leurs parents dans les cinq années suivant leur départ, après la fin de leurs études, un échec sentimental ou un problème professionnel.

Les valeurs des jeunes diffèrent de celles de leurs parents.

On observe chez les jeunes une certaine opposition au monde des adultes et une volonté de vivre avec leurs propres codes, leurs propres valeurs. Si la patrie, la religion ou la politique sont éloignées de leurs préoccupations, la famille et le travail restent pour eux des valeurs sûres. Mais ces mots n'ont plus tout à fait le même sens que pour les adultes des générations précédentes. Ainsi, le travail qu'ils réclament n'a plus la valeur mythique que lui attribuaient les anciens. C'est d'un « autre » travail qu'il s'agit, par lequel ils veulent à la fois gagner leur vie et s'épanouir, sans lui consacrer pour autant la totalité de leur énergie ni de leur temps.

Pour la première fois sans doute dans l'histoire sociale, les perspectives des générations nouvelles sont moins assurées que celles de leurs parents, en

matière de sécurité d'emploi ou de pouvoir d'achat. C'est pourquoi la majorité estiment qu'à âge égal, les choses sont aujourd'hui plus difficiles pour eux que pour leurs parents en ce qui concerne les revenus (62 %), la vie professionnelle (61 %), le logement (53 %), les études (53 %) et la communication entre les gens (51 %), après l'enquête Forum Ré-Générations/BVA d'octobre 1996. Ils considèrent en revanche qu'elles sont plus faciles en ce qui concerne les loisirs (55 %), les relations avec les parents (54 %) ou même la sexualité (50 %). Pourtant, 86 % des 20-24 ans se disent heureux (12 % non). Mais 60 % se disent inquiets en pensant à leur avenir personnel et professionnel (39 % confiants).

Les valeurs n'attendent pas le nombre des années.
Side Car

Leurs préoccupations ont des incidences sur leur santé.

La santé des jeunes de moins de 25 ans présente certains aspects inquiétants. 19 % des 15-25 ans ont des conduites violentes régulières, 17 % prennent des médicaments contre la nervosité et l'insomnie (22 % de ceux qui sont à la recherche d'un emploi), 14 % fument régulièrement, 12 % boivent régulièrement de l'alcool, 12 % sont régulièrement absents de l'école, 9 % ont des idées suicidaires, 7 % ont déjà fait une tentative de suicide, 7 % présentent des troubles dépressifs majeurs (INSERM, 1994).

44 % des 16-28 ans disent avoir traversé des périodes de grande anxiété et d'angoisse au cours de l'année écoulée. Chez les appelés de 17 à 27 ans, on constate que la consommation d'alcool et, sur-

tout, de drogue a augmenté. Les cas de myopie ont aussi quadruplé en quatre ans et le taux d'asthmatiques a triplé en dix ans.

Ce mal-être n'est pas seulement la conséquence de la crise de l'adolescence. Il est en partie lié au relatif effacement des modèles familiaux, au chômage et à un environnement social défavorable. Il est d'autant plus difficile à vivre que l'adolescence a tendance à se prolonger. Pour échapper à la réalité, beaucoup de jeunes se réfugient dans d'autres univers et finissent par se mettre en danger.

Leur jugement sur les institutions est généralement sévère.

Les jeunes ont une attitude très réservée à l'égard des institutions nationales. L'école ne leur paraît pas apte à leur ouvrir les portes des entreprises, ni même à leur fournir des conditions matérielles d'études satisfaisantes. L'Eglise ne représente pas à leurs yeux un point d'appui, ni même une référence morale. La justice leur paraît mal assurée (voir encadré). Les mouvements syndicaux ne paraissent utiles qu'à 69 % des 20-24 ans, les mouvements politiques à 50 %, les mouvements religieux à 39 %. Si 36 % d'entre eux se disent plutôt de gauche et 25 % plutôt de droite, 37 % refusent de se classer politiquement.

Pourtant, si les jeunes rejettent les institutions telles qu'elles sont aujourd'hui, ils ne souhaitent pas leur disparition. Ils se montrent davantage réformistes que révolutionnaires. Contrairement à leurs parents qui ont « fait » Mai 68, ils ne souhaitent pas casser la société ; ils cherchent au contraire à pouvoir s'y intégrer. Les manifestations des lycéens et des étudiants sont surtout des prétextes pour exprimer leur désarroi face à l'héritage légué par les adultes : chômage, pauvreté, sida, drogue, risques écologiques, prolifération nucléaire, etc.

La consommation tient une place essentielle dans la vie des moins de 25 ans.

Le budget moyen disponible des jeunes de 16 à 19 ans est d'environ 700 F par mois, en tenant compte de l'argent de poche et de toutes les autres rentrées d'argent. Les 18-24 ans, dont une partie ont une activité professionnelle, disposent en moyenne de 3 400 F par mois. Tous influencent aussi une grande partie des achats de leur entourage familial.

Les études internationales montrent que les attitudes et les comportements des jeunes sont semblables dans les pays développés. Celle conduite par le cabinet Experts en 1997 montre qu'ils alternent entre consommation outrancière et critique de la société de consommation. Ils hésitent entre la volonté de marquer leur différence et celle d'appartenir à un groupe. Plus pragmatiques que révoltés, plus réalistes qu'idéalistes, ils recherchent la liberté de mouvement (sensible par exemple dans les pantalons « baggy » des surfers ou les baskets énormes des rappeurs) et les émotions renouvelées. Ils sont adeptes des produits nouveaux et des marques branchées. Ils « craquent » facilement devant les innovations et sont sensibles au design, à l'esthétique et aux matières. Mais ils s'efforcent de dérouter ceux qui veulent les récupérer (créateurs de mode, marques...) en détournant les produits. Ils ne supportent pas la démagogie et sont modérément sensibles aux discours « citoyens », qui ne leur apparaissent pas toujours sincères.

Les jeunes et la justice

• 50 % seulement des jeunes de 15 à 24 ans estiment que la justice remplit bien sa mission de protection des mineurs (48 % non). 74 % ont le sentiment que leurs droits de citoyen sont respectés dans leur vie quotidienne, 26 % non. 71 % estiment que la justice doit avant tout mener une action de prévention, 18 % de répression. Mais 67 % considèrent que, dans la réalité, l'action de la justice est plutôt basée sur la répression, 25 % sur la prévention.
• 51 % estiment qu'ils ne connaissent pas bien leurs droits et devoirs de citoyen (49 % de l'avis contraire). 61 % ont le sentiment que les jeunes de leur âge ne sont pas respectueux de la loi (39 % de l'avis contraire). 33 % disent avoir déjà été victimes de vol, 17 % de violences physiques dans la rue, 11 % de violences physiques dans un établissement scolaire, 10 % de racket. Mais 74 % pensent que les personnes de leur âge ont plus de droits que leurs parents n'en avaient au même âge (21 % non). Seuls 34 % aimeraient un jour exercer un métier dans le domaine de la justice (juge, avocat, éducateur...), 66 % non.

Sofres, 1997

Les jeunes aiment appartenir à des « tribus ».

Ils se regroupent dans des lieux spécifiques (par exemple, le Trocadéro ou les Halles à Paris) et s'approprient les innovations technologiques comme les téléphones mobiles, les *pagers*, les consoles vidéo ou Internet. Le rap et le verlan restent pour beaucoup des points d'ancrage forts qui leur permettent d'exprimer la violence contenue en eux, ainsi que leur besoin de dérision.

Le sport, la musique et le look occupent une place importante dans leur culture et dans leurs références. Ils aiment la « glisse », sous toutes ses formes : skate, surf, ski, rollers... Ce mot résume d'ailleurs peut-être leur mode de vie, leur soif de liberté et leur goût de la tolérance. Coca-Cola, Levi's, Nike, McDonald's et plus récemment Adidas ou Calvin Klein sont des marques qu'ils se sont appropriées.

Les jeunes sont peut-être les mutants qui préparent une génération planétaire, fondée sur une culture sans frontières, à mi-chemin entre le réel et le virtuel, qui refuse les contraintes et la réflexion au profit du plaisir et de l'émotion.

Le réalisme des jeunes devrait les aider à assumer leurs responsabilités futures.

Désorientés, pessimistes, individualistes, blasés mais solidaires et tolérants, c'est ainsi que l'on peut définir les 15-25 ans. On peut ajouter qu'ils sont pour la plupart pragmatiques, éclectiques, hédonistes et amateurs de dérision.

Leur désarroi actuel ne signifie donc pas qu'ils ne seront pas en mesure d'assumer les responsabilités qui les attendent. Face aux grandes menaces et aux grandes mutations de cette fin de siècle et de millénaire, ils devront inventer des modes de vie et des systèmes de valeurs nouveaux. Leur réalisme et leur volonté de s'en sortir devraient constituer des leviers pour soulever le monde, en tout cas pour le changer.

Réussir sa vie

Les éléments qui paraissent indispensables ou très importants aux jeunes de 15 à 25 ans pour réussir leur vie sont, par ordre décroissant d'importance : réussir sa vie de famille (91 %) ; avoir un métier intéressant (91 %) ; être entouré d'amis fidèles (84 %) ; s'engager au service des autres (57 %) ; gagner beaucoup d'argent (41 %) ; vivre longtemps (36 %) ; avoir une vie spirituelle (24 %) (*Pèlerin Magazine*/Sofres, juillet 1997).
Dans la hiérarchie des valeurs des 20-24 ans, la liberté arrive à la première place (47 %), devant la solidarité (38 %), l'égalité (37 %), la justice (34 %), la sincérité (32 %). Le mérite est placé loin derrière (8 %), ainsi que l'ordre (4 %). (Forum Ré-Générations/BVA, octobre 1996.)

Relations parents-enfants

Les indicateurs concernant la famille sont au rouge...

Statistiquement, la famille ne ressemble plus guère au modèle traditionnel. Le nombre de mariages a diminué de plus d'un tiers depuis 1975, au profit de l'union libre ou du célibat. Dans le même temps, le nombre de divorces a doublé. La natalité a atteint en 1993 le niveau le plus bas du siècle en temps de paix. Les familles monoparentales et complexes se sont multipliées.

On pourrait ajouter à cela le fait que les enfants voient moins leurs parents, car la majorité des couples sont biactifs. Ils voient aussi moins leurs grands-parents, qui sont plus éloignés géographiquement du fait de la « décohabitation » des générations.

... mais la famille reste une valeur essentielle.

Malgré la mutation qui s'est produite au cours des dernières décennies, la famille reste une valeur sûre pour les Français de tout âge. Elle est le lieu où s'effectue la transmission de la vie. Elle est celui de l'amour et de la tendresse, au sein du couple comme entre les parents et les enfants. Elle est aussi le centre de la solidarité entre les générations. Dans une société sans repères, elle est le creuset où se transmettent les valeurs et où se forgent celles de l'avenir. C'est pourquoi la famille n'est pas menacée, mais plébiscitée par les Français. Mais elle est aussi vécue et pensée différemment.

Les changements démographiques ont eu des incidences importantes.

L'accroissement spectaculaire de l'espérance de vie fait qu'il est de plus en plus fréquent qu'une famille comporte quatre générations vivantes. Parmi les femmes nées en 1950, on estime que 44 % vivront, à partir de l'âge de 50 ans, dans une lignée de quatre générations et connaîtront leurs arrière-petits-enfants. La proportion n'était que de 26 % parmi celles qui sont nées en 1920. Ce changement implique une charge à la fois affective et financière, donc des conflits potentiels. Cette charge sera d'autant plus forte à l'avenir qu'elle sera répartie sur un faible nombre d'enfants.

Une autre conséquence de la faible natalité est la diminution du nombre d'oncles et de tantes, de

"POUR IKEA ET MOI... MES PARENTS SONT D'ACCORD".

Des rapports intergénérationnels plutôt satisfaisants.
Richard Peyrat & Associés

ce mariage coexiste de plus en plus avec des modèles nouveaux. Le développement de la cohabitation a entraîné celui des enfants hors mariage : près de 40 % des naissances aujourd'hui. L'accroissement des divorces a provoqué celui des familles monoparentales ; 9 % des enfants vivent avec un seul de leurs parents. Les remariages ont multiplié les situations dans lesquelles des enfants vivent avec d'autres enfants issus d'un ou plusieurs mariages précédents : 11 % des enfants vivent ainsi dans des familles « recomposées » (voir encadré).

Il faut ajouter enfin les cas de cohabitation de personnes du même sexe (homosexuels), d'amis ou de communautés. Enfin, l'allongement de la durée de vie (et du veuvage) et du nombre de célibataires explique la croissance du nombre des mono-ménages ; 29 % des ménages français ne comptent qu'une personne. Toutes ces situations autrefois marginales se sont développées au cours des dix dernières années. Elles sont à l'origine de nouveaux modes de vie.

cousins et de cousines ; les relations affectives collatérales seront donc plus rares, au contraire des relations verticales (ascendants-descendants).

Cette évolution entraîne pour les plus jeunes la perspective de devoir prendre en charge les personnes âgées, dans un contexte démographique déséquilibré entre actifs et inactifs. Une étude conduite en 1996 par l'INED (Brigitte Baccaïni et Léon Gani) auprès des lycéens des classes terminales montre que les jeunes ont un sentiment de solidarité, notamment affective, envers les générations précédentes. Mais ils estiment devoir être prioritaires en matière d'emploi par rapport aux aînés : seuls 16 % sont d'accord avec l'idée que les personnes âgées ont leur place sur le marché du travail (51 % ne sont pas d'accord, 33 % sont partagés). 34 % estiment que c'est à la société de prendre en charge les personnes âgées, 17 % à la famille, 49 % aux deux.

L'ouverture, la liberté et le pragmatisme sont à l'ordre du jour.

On observe depuis quelques années le développement d'un nouveau modèle familial, que l'on peut qualifier de « famille ouverte ». Chacun peut exister au sein de la cellule familiale en tant qu'individu et manifester son autonomie. Les repas, les achats de produits d'hygiène sont ainsi de plus en plus diver-

De nouveaux modèles familiaux sont apparus.

Le modèle traditionnel de la famille comportant un couple marié et des enfants issus de

Le couple privilégié

On observe depuis une dizaine d'années une tendance à placer le couple au centre de la famille, au détriment parfois des enfants et des ascendants. Au nom de l'exigence du bonheur à deux, les ruptures et les divorces se sont multipliés, et avec eux les familles recomposées. Le recensement de 1990 a montré que 1 460 000 jeunes de moins de 25 ans vivaient dans 660 000 familles de ce type, c'est-à-dire sans leurs deux parents biologiques. 15 % des familles de quatre enfants de moins de 25 ans étaient dans ce cas. Dans la moitié des cas, aucun des enfants n'est issu du couple actuel. Dans l'autre moitié, on trouve des enfants du couple et d'autres issus d'une autre union de l'un des parents.

85 % des enfants de divorcés connaissent l'expérience d'une nouvelle union de leur père et/ou de leur mère (le quart des mariages célébrés chaque année concerne un couple dont l'un au moins des époux a déjà été marié). 66 % se retrouvent avec un ou plusieurs demi-frères ou demi-sœurs et bien sûr les familles correspondantes : beaux-grands-parents, demi-oncles et demi-tantes, demi-cousins, etc. La recomposition des familles est l'un des phénomènes majeurs de cette fin de siècle. Elle s'inscrit dans un mouvement plus général d'instabilité et de changement.

sifiés. Chacun consomme son propre café ou sa pizza, son propre shampooing ou dentifrice. Les enfants bénéficient d'une assez grande liberté, afin de faire leurs propres expériences, mais ils sont soutenus à chaque instant par les parents.

Le modèle de la « famille pragmatique » connaît aussi un développement rapide. Il est fondé sur l'adaptation et l'autonomie. L'objectif poursuivi est de construire et de vivre une expérience commune dans le respect de la personnalité de chaque membre. Il part du principe que tout individu, pour s'épanouir, doit se prendre en charge. Les enfants sont donc considérés comme des êtres mûrs et raisonnables, capables de faire un bon usage de l'autonomie qui leur est laissée.

Ces deux modèles tendent à remplacer celui de la « famille tradition », considérée comme le lieu privilégié de la transmission des valeurs des parents : morale, sécurité, ordre... On observe aussi une diminution du poids de la famille « cocon », refuge face aux agressions et aux dangers extérieurs de toutes natures, dans laquelle le but de l'éducation est d'aider les enfants à avoir plus tard une vie harmonieuse autour d'une famille unie.

Les relations entre parents et enfants sont plutôt bonnes.

Les années 80 avaient marqué une sorte de trêve dans le conflit traditionnel entre les générations. Pour de nombreux enfants, la famille est un nid douillet dans lequel il fait bon vivre. Les enquêtes montrent que les relations avec les parents sont satisfaisantes ; l'âge ne semble pas modifier sensiblement ce sentiment. Les enfants parlent plus volontiers à leurs parents (à la mère en particulier) qu'à leurs professeurs, même si les amis restent les interlocuteurs privilégiés. Ils vivent d'ailleurs de plus en plus longtemps au domicile des parents. Certes, les difficultés économiques expliquent largement cette cohabitation prolongée, mais elle ne serait sans doute pas possible en cas de mésentente.

✦ L'argent de poche des 15-18 ans se monte en moyenne à 160 F par mois.

✦ 70 % des utilisateurs de Tatoo et plus de 50 % de ceux de Tam-Tam (radiomessagerie de poche) ont moins de 25 ans.

✦ Les 11-19 ans écoutent la radio plus de trois heures par jour en moyenne.

Il faut dire que les parents font des efforts importants pour l'éducation de leurs enfants. Les cadeaux tiennent une place croissante dans les relations, avec une dépense moyenne d'environ 2 000 F par an et par enfant pour les achats de jouets (près de 60 % pour Noël) ; la France détient d'ailleurs le record d'Europe dans ce domaine. Ce chiffre témoigne d'un investissement à la fois financier et affectif à l'égard des enfants.

La famille élargie aux amis

Les réseaux de convivialité tendent aujourd'hui à englober à la fois la famille proche et les amis. La famille n'est donc plus un univers fermé, défini par des liens formels, mais un groupe de base ouvert qui recrute à l'extérieur.
Ainsi, les parents invitent de plus en plus souvent les amis de leurs enfants, les emmenant parfois en week-end ou en vacances. On observe aussi une tendance à sélectionner les membres de la famille que l'on fréquente, n'hésitant pas parfois à exclure certains parents proches avec lesquels les relations ne sont pas bonnes.

Les solidarités familiales se développent, mais elles renforcent les inégalités.

L'Etat ne parvient plus aujourd'hui à assumer sa fonction de régulation pour aider chaque citoyen à s'intégrer dans la société. La famille prend donc en charge une part croissante de la solidarité nationale.

L'entraide familiale s'exerce surtout à l'égard des jeunes. Beaucoup connaissent à leur sortie du système scolaire des difficultés d'insertion dans la vie professionnelle. La famille joue alors un rôle de filet protecteur, retardant le moment où les enfants sont dans l'obligation de se prendre en charge, moralement et financièrement.

Mais cette pratique tend à renforcer les inégalités, car les possibilités sont différentes selon les familles, en fonction de leurs moyens financiers et de leurs réseaux de relations.

L'aide prend des formes très diverses selon les cas.

Entretien du linge, prêt d'une voiture, aide aux démarches administratives, courses, cuisine, accueil des petits-enfants sont quelques-uns des multiples

Le conditionnement par le milieu

Les conditions familiales qui prévalent pendant l'enfance ont une incidence considérable sur la probabilité de se retrouver un jour sans domicile fixe. Une enquête de l'INED menée à Paris en 1995 montre qu'environ une personne sans domicile fixe sur dix a perdu son père avant l'âge de 16 ans, une sur dix sa mère. Un quart des SDF ne vivaient à 16 ans ni avec leur père ni avec leur mère. L'absence de famille se traduit le plus souvent par une carence affective et/ou matérielle, une scolarité manquée, une absence de réseau de connaissances pour trouver un emploi ou un logement. A Paris, 24 % des SDF sont nés en Ile-de-France, 37 % dans le reste de la France, 39 % à l'étranger, contre respectivement 37 %, 34 % et 29 % pour les Parisiens ayant un logement. Un sur quatre déclare travailler, le plus souvent de façon précaire. La plupart des SDF ont connu des ruptures dans leur vie (séparations, problèmes financiers ou liés aux migrations...), se sont heurtés au racisme ou à la difficulté de régulariser leur situation.

Les pères plus présents, mais moins autoritaires.
DMB&B

◆ *Les deux tiers des 45-60 ans habitent à moins de 20 km de leurs enfants.*

◆ *En région parisienne, trois adultes sur dix ont au moins un parent ou beau-parent dans le même département ; six sur dix au moins un enfant. 30 % habitent le même quartier, 12,5 % la même rue, 7 % le même immeuble.*

◆ *Un jeune de 11 à 19 ans sur trois dispose d'un magnétoscope dans sa chambre.*

services rendus par les parents à leurs enfants. Ils s'accompagnent souvent de cadeaux en espèces (donations, argent donné aux petits-enfants à l'occasion de fêtes ou d'anniversaires...) ou en nature (fourniture de légumes du jardin, services divers).

L'aide peut aussi être affective, dans le cas par exemple où un enfant connaît des problèmes sentimentaux ou conjugaux ; 70 % des femmes qui déménagent à la suite d'une rupture sont ainsi hébergées par leur famille.

64 % des parents ayant des enfants majeurs déclarent continuer de les aider matériellement. Les jeunes adultes vivent de plus en plus longtemps avec leurs parents. L'âge médian d'accès à l'emploi a été repoussé de deux ans entre la génération de 1963 et celle de 1967, du fait de l'allongement de la durée des études et de la difficulté de trouver un emploi.

Le poids du « piston »

Les relations familiales jouent souvent un rôle déterminant dans la recherche d'un travail. Un Français sur cinq a été aidé pour trouver un emploi, un sur trois parmi les moins de 35 ans. Dans huit cas sur dix, c'est la famille qui est à l'origine de l'aide. Celle-ci peut aller du simple « coup de pouce » pour signaler un emploi disponible à l'entrée pure et simple dans l'entreprise familiale (parfois pour succéder au père) en passant par le « piston » auprès de relations influentes.
Cette aide est de plus en plus déterminante à une époque où les jeunes trouvent difficilement un premier emploi. Elle constitue un facteur d'aggravation des inégalités dans la mesure où elle est plus répandue et plus efficace dans les milieux favorisés, et où elle s'ajoute souvent à une inégalité de formation.

Les difficultés ne sont pas absentes des relations familiales.

L'éclatement du noyau parental est parfois une source de difficulté pour les jeunes. Il peut se traduire par des problèmes affectifs et pratiques liés aux divorces, à l'absence d'un des deux parents (en général, le père) dans les familles monoparentales, à l'acceptation d'une belle-mère, d'un beau-père ou de demi-frères et demi-sœurs dans les cas de remariages.

Les conséquences peuvent être nombreuses. Le nombre des fugues est estimé entre 50 000 et

300 000 par an ; elles sont souvent liées à des problèmes familiaux, les motifs scolaires ou sentimentaux venant très loin derrière. On observe que l'usage de la drogue est souvent un substitut à la mauvaise qualité des relations familiales.

Enfin, il y aurait en France quelque 50 000 enfants maltraités (châtiments corporels, sévices sexuels, carences nutritionnelles ou affectives...), dont plusieurs centaines meurent chaque année. Les victimes sont souvent des bébés non désirés ou des prématurés séparés de leur mère dès la naissance. Tous les milieux familiaux sont concernés.

L'autorité, notamment paternelle, tend à diminuer.

Les juges pour enfants, policiers ou assistantes sociales constatent que ce phénomène est particulièrement sensible dans les banlieues difficiles. Privés de l'autorité parentale, les enfants font la loi, battent parfois leurs parents et se livrent à la délinquance.

Cette forme de démission concerne des parents incapables d'aider financièrement ou culturellement leurs enfants ou soucieux de faire preuve de libéralisme. Les parents immigrés sont le plus vulnérables. L'absence du père, ou son autorité insuffisante, a des incidences sur le développement des enfants. Ceux-ci sont le plus souvent confiés aux femmes (mères, institutrices, baby-sitters...).

Ces situations expliquent peut-être que, lorsqu'on demande aux enfants de 7 à 14 ans de se projeter dans l'avenir (en l'an 2020), 76 % d'entre eux souhaitent être plus attentifs à leurs enfants que leurs propres parents et 70 % plus sévères.

✦ *Les parents dépensent en moyenne 18 000 F pour un enfant pendant l'année de son départ, dont la moitié en espèces, l'autre moitié sous forme d'aides diverses (logement, voiture, équipement...).*

✦ *75 % des 11-20 ans ont vu un généraliste au moins une fois dans l'année, 23 % un ophtalmologiste, 21 % un dermatologue, 18 % un médecin scolaire, 9 % un gynécologue, 7 % un pédiatre, 5 % un pneumologue, 4 % un psychiatre.*

Les trois pères

Depuis quelques années, l'évolution des modes de vie et des sciences biologiques a abouti au développement de formes nouvelles de paternité : polyandrique (plusieurs pères se succèdent pour élever un même enfant) ; monoparentale (un seul parent élève un enfant) ; orthospermatique (conception réalisée à partir de spermatozoïdes sélectionnés et traités, avec ou sans donneur, avec ou sans rapports sexuels) ; cryospermatique (à partir de sperme congelé) ; homosexuelle (un couple de femmes homosexuelles élève un enfant obtenu par l'intermédiaire d'un donneur).

Ces récentes évolutions ont fait éclater la fonction paternelle en trois fonctions distinctes ; le géniteur, le père affectif et l'éducateur. Ces fonctions sont de moins en moins souvent remplies par une seule et même personne.

L'ambition parentale peut être destructrice.

Les enfants ont de moins en moins le temps de vivre leur jeunesse. Très vite, leurs parents les mettent en garde contre la dureté des temps et les difficultés qui vont se dresser devant eux : chômage ; compétition implacable entre individus, entreprises, pays ; menaces écologiques, démographiques, éthiques... Face à ce tableau apocalyptique du monde et de la société, largement relayé par les médias, les résultats scolaires prennent une place considérable et tous les moyens sont bons pour tenter de les améliorer.

L'une des conséquences de cette situation est que l'on n'apprend pas aux enfants à mesurer leur « réussite » future par rapport à leurs propres désirs et à leurs capacités, mais à partir de critères matériels et uniformes : position professionnelle, revenus, progression dans la hiérarchie sociale... Ce « gavage intellectuel », qui s'ajoute au discours alarmiste sur l'avenir, explique l'inquiétude des jeunes. C'est même d'angoisse qu'il faut parler à propos de ceux qui, malgré l'aide et les encouragements parentaux, ont des difficultés à être à la hauteur des ambitions que l'on a pour eux.

LES PERSONNES ÂGÉES

Démographie

Un Français sur cinq est âgé d'au moins 60 ans.

12 millions de Français avaient 60 ans et plus au 1er janvier 1998, contre 10 millions en 1982. La proportion est de 20,4 % de la population, contre 12,7 % au début du siècle. Elle représente un adulte sur trois.

Ce vieillissement est dû à la conjonction de trois phénomènes : la chute de la fécondité ; l'allongement de la durée de vie moyenne ; la forme de la pyramide des âges qui fait qu'il y a plus de personnes dépassant 60 ans depuis les années 80 qu'au cours des décennies précédentes (les classes creuses de 1914-1918 ont eu 60 ans entre 1974 et 1978).

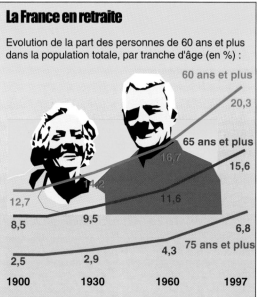

La France en retraite

Evolution de la part des personnes de 60 ans et plus dans la population totale, par tranche d'âge (en %) :

60 ans et plus
20,3
65 ans et plus
16,7
15,6
14,2
12,7
11,6
8,5 — 9,5
6,8
75 ans et plus
4,3
2,5 — 2,9

| 1900 | 1930 | 1960 | 1997 |

INSEE

Les mots pour le dire

Le nombre des « personnes âgées » varie très largement selon la définition retenue. C'est souvent l'arrivée à 60 ans qui conditionne le passage dans cette catégorie. D'autant que c'est à cet âge que les actifs sont théoriquement à la retraite. Mais le mot retraité est restrictif, car il ne s'applique qu'aux personnes qui ont eu une activité professionnelle, ce qui exclut de nombreux Français, notamment des femmes. De plus, l'âge de la retraite varie considérablement selon les catégories d'actifs et les individus.

La vogue du « socialement correct » interdit de parler aujourd'hui de « vieux », un mot devenu à la fois imprécis et péjoratif dans une société qui a plutôt le culte de la jeunesse. Le mot « ancien » présente aussi l'inconvénient d'être opposé dans l'inconscient collectif à « moderne ».

L'expression « troisième âge » est tout aussi imprécise. Elle a été remplacée depuis quelques années par le terme de « senior ».

Pourtant, la définition qui est généralement donnée des seniors (personne de 50 ans et plus) est éminemment contestable. D'abord, beaucoup de personnes concernées sont encore actives et ne peuvent être assimilées à celles qui sont à la retraite ou qui sont beaucoup plus âgées. Par ailleurs, le mot senior est aujourd'hui très souvent associé à l'idée de « marché » et cette dimension mercantile peut être mal ressentie par les personnes concernées. Après la « ménagère de moins de 50 ans », le « senior de plus de 50 ans » n'apparaît pas un meilleur outil proposé aux entreprises pour comprendre les consommateurs.

Le terme « aîné » pourrait être une meilleure appellation, à la fois respectueuse des individus, non liée au statut professionnel et non connotée sur le plan économique et commercial.

Le déséquilibre structurel de la population française s'est beaucoup accru au fil du temps. Il y avait cinq jeunes de moins de 20 ans pour un « vieux » de plus de 65 ans en 1789 ; il y en a moins de deux aujourd'hui.

L'Union européenne est la région du monde qui compte la population la plus vieille.

Le phénomène de vieillissement de la population concerne l'ensemble des pays de l'Union européenne. Conformément à son nom, la « vieille Europe » est la région du monde qui compte la plus forte proportion de personnes

La vieille Europe

Evolution de la part des personnes de 65 ans et plus dans la population des pays de l'Union européenne (en %) :

	1995	1960
- Suède	17,5	11,7
- Italie	16,4	9,0
- Royaume-Uni	15,8	11,8
- Belgique	15,7	12,0
- Allemagne	15,4	10,9
- Grèce	15,4	8,1
- Danemark	15,3	10,6
- Espagne	15,1	8,2
- Autriche	15,0	12,2
- FRANCE	15,0	11,6
- Portugal	14,5	-
- Finlande	14,1	7,3
- Luxembourg	14,0	10,7
- Pays-Bas	13,2	9,0
- Irlande	11,5	10,9

âgées. 15 % de ses habitants ont aujourd'hui au moins 65 ans, contre 14 % au Japon, 13 % aux Etats-Unis, 12 % en Australie, 6 % en Chine, 5 % en Amérique latine, 4 % en Amérique centrale et en Inde, 3 % en Afrique. Vers 2030, les quinze pays de l'Union européenne (à l'exception de l'Irlande) compteront plus de personnes de 65 ans et plus que de personnes de moins de 15 ans.

A partir de 75 ans, les femmes sont deux fois plus nombreuses que les hommes.

Si les femmes sont minoritaires à la naissance (il naît 105 garçons pour 100 filles), elles représentent 55 % de la population entre 60 et 74 ans. A partir de 75 ans, elles comptent pour 65 %. La proportion dépasse les trois quarts parmi les personnes de plus de 85 ans. Si l'on place la barre de la vieillesse à 60 ans, la population concernée est constituée de 6,9 mil-

✦ Les plus de 80 ans représentent près de 4 % de la population de l'Union européenne ; leur part a plus que doublé au cours des trente dernières années.

✦ On compte actuellement 21 millions d'actifs pour 36 millions d'inactifs (enfants, personnes sans activité, retraités, chômeurs).

lions de femmes et de 5,1 millions d'hommes. A 65 ans, on compte 3,5 millions d'hommes et 5,3 millions de femmes.

La part croissante des femmes avec l'âge s'explique par l'écart d'espérance de vie entre les sexes, qui est particulièrement élevé en France (8 ans, record d'Europe). Il explique notamment que l'on compte cinq fois plus de veuves que de veufs parmi les personnes de 60 ans et plus.

Les retraités sortent de leur retraite.
Dufresne & Corrigan

L'âge moyen de cessation d'activité est de 57 ans (record du monde).

L'âge moyen de la demande de liquidation des droits à la retraite était de 61 ans à la fin des années 80, contre 64,5 en 1970. Mais environ 60 % des actifs qui demandent la liquidation de leur retraite au régime général de la Sécurité sociale sont en fait déjà sortis de la vie active. La moitié d'entre eux sont chômeurs ou préretraités. L'autre moitié est composée de personnes qui se sont volontairement retirées du monde du travail (essentiellement des femmes) et d'autres qui bénéficient d'une convention spéciale (voir encadré). La France est sans doute le pays du monde développé où la proportion d'actifs entre 50 et 60 ans est la plus faible ; elle n'est que de 50 % à 58 ans. Le résultat est que le nombre de retraités a beaucoup plus augmenté que celui des personnes de 60 ans et plus.

Cette situation pourrait évoluer à l'avenir, car, si l'âge légal de la retraite est toujours fixé à 60 ans, le

Jeunes retraités

Si l'âge de la retraite est officiellement fixé à 60 ans pour les salariés, celle-ci peut être prise bien avant dans certains secteurs d'activité, notamment dans le secteur public, du fait de l'existence de conventions spéciales : après 15 ans de service pour les militaires non officiers ou les femmes mères d'au moins trois enfants à EDF-GDF ou à la Banque de France ; à 40 ans pour les artistes de l'Opéra ; à 50 ans pour les femmes artistes du chant de l'Opéra ou pensionnaires de la Comédie-Française, les marins ayant 25 ans de service, les officiers ayant entre 15 et 25 ans de service ou les mineurs ayant 20 années de fond et 30 ans de service ; à 52 ans et demi pour les marins ayant 37,5 ans de service ; à 55 ans pour les hommes artistes de la Comédie-Française, machinistes, électriciens, régisseurs de la Comédie-Française et de l'Opéra, marins, mineurs, agents de la SNCF, fonctionnaires et agents des collectivités locales, d'EDF et de la RATP ayant accompli au moins 15 années en catégorie active...

Par ailleurs, un nombre important de salariés ont bénéficié de la préretraite, depuis sa création en 1972. D'abord fixée à 60 ans, elle garantissait les ressources jusqu'à l'âge de la retraite légale aux salariés privés de leur emploi. Elle a été avancée à 55 ans en 1980, puis repoussée à 57 ans en 1986. Environ 400 000 personnes en bénéficient aujourd'hui. Ils perçoivent une allocation moyenne de 7 000 F par mois.

naissait de nouvelles avancées au siècle prochain, comme le laissent espérer certains spécialistes. La lutte contre les décès accidentels, les cancers ou les maladies génétiques devrait en effet progresser, comme la mise à disposition de traitements hormonaux préventifs contre le vieillissement.

Il n'y aura plus qu'un actif pour deux retraités en l'an 2000, contre dix en 1950.

En 1950, trois ans après la mise en œuvre des régimes de retraite par répartition, environ dix actifs cotisaient pour un retraité, le plus souvent depuis l'âge de 18 ans jusqu'à 65 ans. L'espérance de vie était alors de 63 ans pour les hommes et 69 ans pour les femmes, de sorte que les pensions de retraite n'étaient pas versées très longtemps.

nombre d'années de cotisation nécessaires pour l'obtenir est passé de 37,5 ans à 40 ans. Une disposition qui touchera tous ceux, de plus en plus nombreux, qui n'ont commencé à travailler qu'à 24 ou 25 ans ou qui ont connu des interruptions au cours de leur carrière.

Le vieillissement devrait se poursuivre au cours des prochaines décennies.

Entre 1970 et 1998, la proportion de jeunes de moins de 20 ans est passée de 33,2 % à 25,8 %. Dans le même temps, celle des 60 ans et plus passait de 18 % à 20,4 %. Même si le taux de fécondité de la population augmentait dans les prochaines années, le vieillissement se poursuivrait pendant plusieurs décennies.

Avec une hypothèse de fécondité de 1,8 enfant par femme (un peu supérieure au taux actuel), les personnes de 60 ans et plus devraient être plus nombreuses que les moins de 20 ans vers 2012. Elles représenteront le quart de la population totale en 2015. Sans modification notable de la fécondité ou des flux migratoires, l'écart continuera ensuite à se creuser. Entre 1990 et 2050, le nombre des 60 ans ou plus devrait avoir doublé, celui des 75 ans ou plus triplé, celui des 85 ans et plus quintuplé.

La part des personnes de 60 ans et plus pourrait être encore plus élevée si l'espérance de vie con-

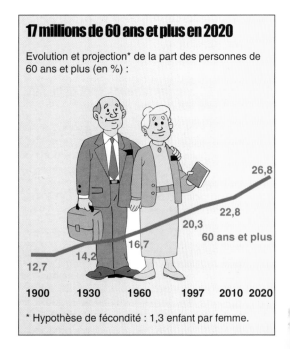

17 millions de 60 ans et plus en 2020

Evolution et projection* de la part des personnes de 60 ans et plus (en %) :

26,8
22,8
20,3
16,7
60 ans et plus
14,2
12,7

1900   1930   1960   1997   2010 2020

* Hypothèse de fécondité : 1,3 enfant par femme.

Les conditions actuelles sont totalement différentes: on ne compte plus aujourd'hui que 2,1 actifs cotisants pour un retraité ; l'espérance de vie s'est allongée de plus de 10 ans depuis 1950 ; l'âge légal de la retraite a été avancé à 60 ans.

C'est ce qui explique le déséquilibre du système de répartition. Les actifs versent chaque année plus de 1 400 milliards de francs aux retraités. Or, ces derniers ne devraient percevoir que 900 milliards de francs, compte tenu des cotisations qu'ils ont versées pendant leur vie active. La différence de 500 milliards de francs est à la charge des actifs.

Le déséquilibre démographique pose des problèmes à la fois économiques et sociaux.

Les générations du *baby-boom* arriveront à l'âge de la retraite à partir de 2005 (si celui-ci est maintenu à 60 ans). Mais elles seront en fait progressivement inactives à partir du début du siècle, compte tenu du décalage de quelques années entre la cessation d'activité et la demande effective de liquidation des droits à la retraite (voir ci-dessus).

Cette évolution, qui semble inéluctable, pose au moins deux questions essentielles pour l'avenir de la société. Comment donner aux plus âgés les moyens de bien vivre une retraite qui sera de plus en plus longue ? Comment faire pour que les plus jeunes n'aient pas un trop lourd tribut à payer ? Les réponses à ces questions nécessiteront sans doute une remise en cause en profondeur du fonctionnement de la société.

La « guerre des âges » ne devrait cependant pas avoir lieu.

La perspective, annoncée par certains, d'une guerre des âges entre les jeunes pauvres et les vieux riches sous-estime probablement la capacité d'adaptation sociale.

D'abord, les mesures prises en 1993 (augmentation de la durée de cotisation, calcul moins favorable du montant des pensions...) vont faire reculer de fait l'âge de la retraite et diminuer le montant des pensions, surtout si elles sont un jour appliquées au secteur public. Mais la généralisation des couples biactifs permettra de maintenir ou même d'accroître le pouvoir d'achat des ménages de retraités. D'autant que l'accroissement spectaculaire des patrimoines au cours des trente dernières années permettra de dégager des revenus supplémentaires (il accroîtra aussi les inégalités entre les ménages).

Parallèlement, les systèmes de retraite par capitalisation individuelle vont se développer, afin d'apporter le complément de revenu nécessaire aux futurs retraités et de rééquilibrer le système de répartition.

Enfin, le découpage ternaire actuel de la vie (formation, travail, retraite), qui ne correspond ni aux aspirations individuelles ni aux contraintes économiques, sera probablement remis en question et modifiera les données du problème.

La solidarité intergénérationnelle se développe.
DDB Advertising (photo : Geoffroy de Boismenu)

Santé

L'espérance de vie à 60 ans est aujourd'hui de 25 ans pour les femmes et de 20 ans pour les hommes. Elle a doublé depuis 1950.

La durée du « troisième âge » est aujourd'hui plus longue que celle de l'enfance. Les gains récents d'espérance de vie ne sont pas dus à la réduction de la mortalité infantile ou de la mortalité prématurée liée aux comportements à risque ; ils reflètent une sensible baisse de la mortalité chez les personnes âgées, notamment les plus de 75 ans.

La perspective de vie des personnes arrivant à la retraite à 60 ans est donc aujourd'hui totalement différente de ce qu'elle était il y a quelques décennies. Les 20 ou 25 années restant aujourd'hui à vivre en moyenne pour les hommes et les femmes de

60 ans permettent d'avoir des activités nombreuses et de plus en plus variées. Ce temps devrait être encore augmenté d'au moins 5 ans pour les personnes qui sont nées vers 1970 et qui auront 60 ans à partir de 2030.

25 ans de retraite en 2030

Evolution de l'espérance de vie au moment de la retraite (à 60 ou 65 ans) pour un homme (en années) :

	Espérance de vie à 60 ans	Espérance de vie à 65 ans
Retraités actuels Hommes nés en :		
- 1910	17,6	14,5
- 1920	19,1	16,9
- 1930	20,5	17,1
Futurs retraités Hommes nés en :		
- 1940	21,8	18,3
- 1950	23,0	19,3
- 1960	24,0	20,3
- 1970	25,0	21,1

L'état de santé des personnes âgées s'améliore régulièrement...

L'espérance de vie sans incapacité a davantage augmenté que l'espérance de vie générale. En 1994, la première était de 10,2 ans pour les hommes et 12,2 ans pour les femmes à 65 ans, contre respectivement 8,8 ans et 9,8 ans en 1981, soit des gains respectifs de 1,4 an et 2,4 ans. Cet allongement dépasse de plus de 6 mois celui de l'espérance de vie à la naissance. L'une des conséquences est une moindre dépendance des personnes âgées (voir encadré ci-après). Les écarts d'espérance de vie sans incapacité entre hommes et femmes sont d'ailleurs moins importants que ceux concernant l'espérance de vie classique.

✦ Environ 80 % des personnes de 60 ans et plus perçoivent le remboursement intégral des soins.

✦ 500 000 personnes souffrent de troubles graves de la mémoire.

Certes, l'âge accroît la fréquence et la gravité des problèmes de santé. Les handicaps sont aussi plus nombreux : 11 % des personnes de 60 ans et plus déclarent des difficultés motrices, 6 % des difficultés visuelles, 5 % des problèmes auditifs, 1 % des difficultés d'ordre intellectuel ou psychiatrique, alors que les taux ne dépassent guère 1 % chez les moins de 60 ans (2 % pour les difficultés visuelles).

... mais il est très variable selon l'âge et les individus.

Les plus de 60 ans ne constituent pas un groupe homogène. Pour certains, la « dernière ligne droite » de la vie peut être une période de bonheur, dont chaque instant prend une saveur particulière. Elle est au contraire vécue par d'autres comme une « prolongation » douloureuse dont la fin est parfois attendue comme une délivrance.

La fréquence des maladies augmente avec les années. Un tiers des personnes seules âgées de 75 ans et plus ont des difficultés pour sortir de chez elles, la moitié pour monter un escalier. Le taux d'hospitalisation s'accroît rapidement avec l'âge, de même que la durée des séjours. 1 % des personnes ayant environ 60 ans sont atteintes de la maladie d'Alzheimer, 5 % de celles de 75 ans, 15 % de celles de plus de 85 ans (au total, 350 000 personnes).

1,5 million de personnes dépendantes

Moins de 3 % des 65-74 ans et moins de 12 % des 75 ans et plus déclarent avoir besoin d'une aide pour se déplacer à l'intérieur ou à l'extérieur de leur domicile.
Le taux de dépendance ou d'incapacité est proportionnel à l'âge. 4 % des personnes de plus de 65 ans souffrent d'une forte incapacité qui les oblige à rester au lit ou dans un fauteuil, 20 % ont une incapacité moyenne qui les empêche de sortir de chez elles. Près de la moitié des plus de 90 ans sont confinés dans leur lit ou dans un fauteuil ou ont besoin d'une aide pour sortir.
Dans 55 % des cas, la prise en charge des personnes âgées à domicile est assurée par le conjoint. Mais une personne dépendante sur quatre habite seule. L'entrée en institution (foyer, maison de retraite, hospice, communauté religieuse) est le plus souvent la conséquence d'une aggravation de la dépendance ; elle concerne 5,6 % des personnes de 60 ans et plus, avec un âge moyen de 82 ans. Les trois quarts sont des femmes.

INSEE

Ministère du Travail et des Affaires sociales

Le niveau socio-économique individuel est un autre facteur important. On constate par exemple, à âge égal, que les personnes ayant arrêté leurs études à l'école primaire présentent un vieillissement prématuré de 3 ans par rapport à celles qui ont fait des études supérieures.

La lutte contre le vieillissement, une préoccupation croissante.
Crehalet Pouget Poussielgues

Les personnes âgées font de plus en plus d'efforts pour préserver leur santé.

Pour lutter contre les effets du vieillissement et se maintenir en bonne forme physique, les plus de 60 ans pratiquent les mêmes activités que les plus jeunes. Ils sont de plus en plus nombreux à faire du sport: marche, gymnastique, natation, mais aussi tennis ou golf. Ils surveillent leur santé en se rendant régulièrement chez le médecin. Ils s'intéressent à la prévention, notamment en matière alimentaire, en consommant par exemple des produits diététiques. Beaucoup s'efforcent de prendre de nouvelles habitudes de vie, excluant par exemple le tabac et l'alcool.

L'âge biologique et l'âge psychologique sont souvent inférieurs à celui indiqué par l'état civil.

L'âge d'un individu est déterminé par sa date de naissance. Mais l'âge biologique, mesuré par l'usure physique ou cérébrale, peut différer considérable-ment entre des individus nés la même année. Il varie aussi selon les époques ; on estime que l'âge de 75 ans correspond aujourd'hui biologiquement à celui de 60 ans entre les deux guerres. Mieux encore, les personnes de 80 ans aujourd'hui sont dans un état de santé comparable à celui des personnes de 70 ans il y a vingt ans.

Il existe aussi un âge psychologique. C'est celui que chaque individu s'attribue en fonction de son caractère, de son humeur, de son état de santé et de l'image que lui renvoie son entourage. Ainsi, 63 % des plus de 50 ans se sentent moins âgés que leur état civil ; le décalage représente en moyenne environ 15 ans.

Au XVIIIe siècle, Montesquieu écrivait: « C'est un malheur qu'il y a trop peu d'intervalle entre le temps où l'on est trop jeune et le temps où l'on est trop vieux. » La situation actuelle est fort différente, du fait de l'allongement de la durée de vie moyenne, notamment sans incapacité.

L'âge social

Au-delà de l'âge défini par l'état civil, il existe un âge social décidé par les institutions et utilisé tout au long de la vie dans certaines situations. Il y a ainsi un âge pour entrer à l'école (3 ans), pour en sortir (au moins 16 ans), pour faire son service militaire (jusqu'en 1997), pour se marier ou ouvrir un compte en banque (15 ans dans certaines conditions), pour voter (18 ans), pour se présenter à une élection (de 18 à 35 ans selon les postes), pour partir à la retraite (60 ans).
Tout au long de l'Histoire, l'Etat, l'école, l'Eglise ou l'armée ont ainsi défini pour les citoyens des seuils ou des limites à ne pas dépasser qui ne correspondent pas toujours (ou plus) à une réalité objective.

✦ *Les femmes de 50 ans et plus représentent 48 % des utilisatrices de crèmes pour les mains, 45 % de celles de crèmes pour le visage, 35 % de celles de fonds de teint, 31 % de celles de rouges à lèvres, 27 % de celles de laits démaquillants. 58 % des ménages de plus de 50 ans ont un magnétoscope, contre 71 % ; 46 % ont un four à micro-ondes, contre 55 % ; 11 % ont un micro-ordinateur, contre 19 %.*

✦ *60 % des plus de 50 ans estiment qu'il y a trop de choix lorsqu'on achète un produit.*

✦ *Un tiers des dépenses de jouets sont effectuées par des personnes de 50 ans et plus.*

Modes de vie

Pour beaucoup de personnes, le troisième âge est une deuxième vie.

La retraite ou la vieillesse n'est plus obligatoirement synonyme de mort sociale. Dans une société où l'attachement au travail est moins fort et où la vie personnelle prend une place croissante, l'image des retraités a beaucoup changé, au point de susciter parfois l'envie.

Pour les anciens actifs, la retraite est souvent perçue comme un soulagement, un terme aux menaces de chômage et au stress lié à la compétition à l'intérieur des entreprises. La rupture de la vie professionnelle est moins souvent totale, car elle est compensée par d'autres formes d'activité, bénévoles ou non.

Le temps dont disposent les personnes âgées s'est beaucoup accru avec l'espérance de vie. Il en est de même de leurs ressources financières. De sorte que cette période est une occasion de bien vivre, parfois mieux que pendant les années qui l'ont précédée.

Des centres d'intérêt de plus en plus diversifiés.
Senioragency

✦ *Dans plus d'un ménage sur deux, les personnes qui étaient actives ont gardé le contact avec leurs anciens collègues de travail.*

Les personnes arrivant aujourd'hui à la retraite ont en moyenne 25 années de vie à vivre.

Avec un âge moyen de cessation d'activité de 57 ans, contre 68 ans en 1960, les actifs arrivent aujourd'hui à la retraite avec un « capital-temps » de 23 ans pour les hommes et 28 ans pour les femmes. La durée de la retraite a en effet doublé en trente ans.

Il est donc possible dans ces conditions de faire des projets, même à long terme. La plupart des retraités n'en manquent pas ; ayant connu tardivement l'ère de la consommation et des congés payés, ils apprécient d'autant mieux les possibilités qui leur sont offertes aujourd'hui. Ils sont en outre de plus en plus sollicités par les entreprises, qui voient dans le « papy-boom » un marché considérable.

Le revenu moyen des inactifs est supérieur de 8 % à celui des actifs...

Le revenu annuel moyen disponible des ménages retraités est de 110 000 F. Il est supérieur d'environ 8 % à la moyenne nationale, alors qu'il était inférieur de 20 % en 1970. Ceux qui ont eu une carrière professionnelle complète (37,5 années de cotisation) ont reçu en moyenne une rémunération très proche de 8 000 F par mois en 1997. Les retraites de base (Sécurité sociale et retraite complémentaire) représentent plus de 90 % du montant des pensions. A ces pensions s'ajoutent d'autres revenus, du capital ou du travail, représentant 20 % des sommes perçues.

Le revenu des inactifs a profité de l'augmentation des salaires qui s'est produite au cours des Trente Glorieuses (1945-1975) et de celle, très forte, du minimum vieillesse. Bien que le rythme d'augmentation ait diminué au cours des vingt dernières années, il a continué d'être supérieur à celui des revenus des actifs. La présence de deux retraites dans le couple est aussi de plus en plus fréquente, du fait de l'activité professionnelle des femmes. La pension moyenne des femmes retraitées est de 4 400 F par mois, contre 5 200 F pour celles qui ont eu une carrière complète ; elle est inférieure d'un tiers à celle des hommes.

Le pouvoir d'achat des retraités a été cependant amputé au cours des dernières années par le relèvement des cotisations sociales (CSG). Il s'est traduit par une baisse de pouvoir d'achat annuelle pour les retraités non exonérés de ces cotisations (1,6 % en 1996).

... mais les disparités restent fortes.

15 % des ménages de retraités perçoivent les deux tiers de la masse des retraites. Un million de personnes âgées ne perçoivent que le minimum vieillesse (3 433 F par mois début 1998 pour une personne seule, 6 158 F pour un couple). Des centaines de milliers de veuves n'ont qu'une retraite de réversion (54 % de celle de leur défunt mari). Le rapport entre les 10 % de revenus les plus élevés et les 10 % les moins élevés est de 3,5 (pensions et autres revenus, ceux du capital notamment) contre 3,1 pour les actifs.

Si l'on fixe à l'indice 100 le revenu disponible moyen des ménages de 60 ans et plus par unité de consommation (une unité pour le premier adulte, 0,7 pour les autres, 0,5 pour les enfants à charge) le revenu moyen est de 102 pour les ménages de 60-64 ans (personne de référence), 106 pour ceux de 65-69 ans, 103 pour ceux de 70-74 ans, 98 pour ceux de 75-79 ans et 90 pour ceux de 80 ans et plus (CERC, 1990).

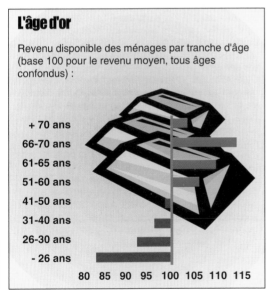

L'âge d'or

Revenu disponible des ménages par tranche d'âge (base 100 pour le revenu moyen, tous âges confondus) :

+ 70 ans
66-70 ans
61-65 ans
51-60 ans
41-50 ans
31-40 ans
26-30 ans
- 26 ans

80 85 90 95 100 105 110 115

Les retraités détiennent environ 40 % du patrimoine total des Français.

Ils possèdent aussi 46 % du patrimoine de rapport, alors qu'ils représentent 36 % de la population. 30 % des 60-70 ans détiennent un portefeuille de valeurs mobilières, contre 18 % des 20-40 ans. Ramenée à l'échelle individuelle, la fortune des personnes âgées de 65 ans et plus est environ le double de celle des moins de 65 ans. Plus de la moitié des contribuables payant l'impôt sur les grosses fortunes sont des ménages de plus de 60 ans.

Ces patrimoines ont été constitués grâce à l'épargne accumulée pendant la vie active, à raison de plus de 10 % des revenus disponibles annuels. Ils ont bénéficié de la hausse des prix de l'immobilier dans les années 70 et 80, de celle des valeurs mobilières ainsi que des héritages. Les ménages âgés continuent d'ailleurs d'épargner davantage que la moyenne nationale.

Comme pour les revenus, la répartition n'est pas égalitaire : 40 % des ménages d'inactifs disposent d'un capital de moins de 100 000 F, alors que 15 % dépassent le million de francs. Ces inégalités sont encore plus fortes que celles des revenus et elles risquent de s'aggraver au cours des prochaines années. Dans un contexte où les pensions pourraient stagner ou diminuer, elles auront des incidences très grandes sur les modes de vie.

Le confort des logements s'améliore, mais reste inférieur à la moyenne nationale.

La plupart des personnes âgées vivent dans leur propre logement. 10 % des plus de 60 ans habitent chez un membre de leur famille, contre 20 % il y a trente ans. L'hébergement collectif ne concerne qu'une faible minorité des personnes âgées : 6 % des plus de 65 ans et 16 % des plus de 80 ans.

Malgré les progrès importants réalisés au cours des vingt dernières années, les personnes âgées occupent souvent des logements anciens et insalubres, surtout en milieu rural. 15 % de ceux dont la personne de référence a au moins 60 ans ne disposent ni de baignoire ni de douche ; la proportion atteint 29 % chez les personnes de 75 ans et plus. Elles sont respectivement 8 % et 12 % à ne pas disposer de WC intérieurs.

Au total, 71 % des 60 ans et plus (mais seulement 62 % des 75 ans et plus) ont dans leur logement à la fois des WC intérieurs, une douche ou une baignoire et un chauffage central, contre 76 % de la population.

Le déséquilibre est encore plus marqué en ce qui concerne l'équipement du logement. Les aînés sont beaucoup moins nombreux que les plus jeunes à disposer d'un lave-vaisselle (20 % après 60 ans, contre 60 % vers 40 ans) ou d'un magnétoscope (25 % des plus de 65 ans contre 71 % de la population). 70 % des ménages dont la personne de référence a entre 60 et 74 ans ont une voiture et 35 % à partir de 75 ans, contre 76 % en moyenne.

Les activités des personnes âgées sont de plus en plus nombreuses...

L'état d'esprit des personnes âgées a considérablement évolué depuis quelques années. L'augmentation continue de leur pouvoir d'achat n'est pas étrangère à ce changement, car elle leur permet de vivre mieux et de façon plus active.

Les activités sont d'abord domestiques : bricolage, jardinage, travaux ménagers, couture, entretien, réparations, etc. joue un rôle particulièrement important chez les retraités.

Les activités professionnelles, bénévoles ou non, tendent aussi à se développer. Au total, l'activité domestique des plus de 60 ans est estimée à 15 milliards d'heures par an, soit 30 % du travail domestique national.

Le taux de pratique sportive a été multiplié par sept en quinze ans (par deux pour les 40-59 ans). Le taux d'adhésion à des associations a doublé, alors qu'il n'augmentait que d'un tiers pour les 40-59 ans. 25 000 clubs du troisième âge ont été créés en vingt ans, regroupant plus de 2 millions de membres plus ou moins réguliers.

Certaines pratiques culturelles restent cependant limitées. Les personnes âgées ne vont guère au cinéma ou au théâtre, écoutent moins de musique que les plus jeunes. Mais un effet de génération fait que les retraités récents ont des attitudes, des systèmes de valeurs et des comportements très proches de ceux des plus jeunes et assez éloignées des retraités plus âgés. Le « fossé » entre les générations se rétrécit en permanence.

... mais une proportion importante souffre d'isolement.

La vie en couple est de plus en plus fréquente chez les personnes âgées, du fait de l'allongement de l'espérance de vie. Mais l'écart de longévité entre les sexes explique que les femmes sont beaucoup plus fréquemment veuves (et seules) que les hommes. La solitude est alors d'autant mieux vécue que la mobilité physique et l'intégrité intellectuelle sont préservées. La proximité, géographique et relationnelle, de l'entourage familial est un autre facteur important.

Or, l'enquête réalisée par le CERC en 1990 a montré que 13 % des personnes de 60 ans et plus n'avaient pas de contacts téléphoniques avec leur famille, que 7 % n'en avaient pas avec leurs amis (10 % après 75 ans), que 52 % d'entre elles pouvaient être considérées comme isolées. C'est le cas de 45 % des personnes âgées vivant en couple, 49 % des veuves et 67 % des veufs.

On peut cependant penser (et espérer) qu'une enquête plus récente ferait apparaître une certaine amélioration dans ce domaine, du fait du changement des mentalités (voir ci-dessus). Des sondages de 1996 indiquent que 60 % des enfants rendent visite à leurs parents au moins une fois par semaine (mais ceux qui habitent à plus de 600 km les voient seulement une fois par an). 40 % des personnes ayant des petits-enfants de moins de 12 ans les gardent pendant les vacances ou au cours de l'année.

La sexualité prolongée

L'activité sexuelle des Français se poursuit de plus en plus tard dans la vie. 41 % des 60 ans et plus disent avoir eu des rapports sexuels au cours des douze derniers mois (56 % des 60-69 ans, 36 % des 70 ans et plus) ; parmi eux, 42 % en ont eu au moins une fois par semaine.

Cette évolution semble devoir beaucoup aux femmes, qui sont davantage conscientes que la poursuite de la vie sexuelle permet de vieillir moins vite et n'hésitent pas à prendre l'initiative. Leur attitude a été favorisée par l'apport des traitements hormonaux substitutifs, qui concernent aujourd'hui environ 20 % des femmes à la ménopause. Entre 1970 et 1992, la proportion de femmes mariées de 60 ans et plus se disant très satisfaites de leur vie sexuelle a triplé.

Il n'y a donc pas de déclin inéluctable du désir et celui-ci n'est pas seulement lié à une capacité de séduction qui serait propre à la jeunesse. La tendresse, la fidélité et l'amour sont les mots-clés de la relation dans le couple.

Les personnes âgées ont un poids croissant dans la consommation.

Entre 1980 et 1995, les foyers de plus de 65 ans ont multiplié par 3,0 leurs dépenses en francs constants, contre 2,6 en moyenne nationale. Plus de 50 % d'entre eux partent en vacances, contre 36 % en 1975. Ils dépensent de plus en plus pour leur alimentation, leur santé, les voyages, etc. 60 % des acheteurs de croisières ont plus de 60 ans. En matière de consommation, ils privilégient plus que les autres la qualité, la durabilité, le confort, la sécurité (physique, psychologique, financière...), l'information, la considération. Cet intérêt pour la consommation est de plus en plus encouragé par l'offre de produits et de services qui leur sont spécifiquement destinés (voir encadré).

Prudentes à l'égard de la nouveauté, les personnes âgées sont cependant réceptives aux innovations qui leur apportent des bénéfices perceptibles. Elles sont davantage que les plus jeunes intéressées par celles qui protègent l'environnement, cherchant à concilier technologie et écologie. L'informatique les séduit moins, dans la mesure où elle a rarement été pour elles un outil habituel dans leur vie professionnelle ; de plus, leur inquiétude sur l'évolution des niveaux de retraite pourrait freiner leurs investissements. Mais on trouve pourtant un nombre croissant de « cyberpapys » intéressés par les possibilités infinies d'information, d'échange et de loisirs offertes par Internet.

Les seniors, des consommateurs de plus en plus courtisés.
Senioragency

Leur rôle social est de plus en plus apparent.

Les personnes âgées ont servi d'amortisseurs à la crise économique. On estime que 35 % d'entre elles aident financièrement leurs enfants ou petits-enfants et contribuent ainsi à l'équilibre familial. L'allongement de la durée de vie moyenne fait qu'il est de plus en plus fréquent qu'un enfant connaisse ses arrière-grands-parents, ce qui constitue une innovation sociologique.

Seniormania

Les entreprises ont découvert récemment le « marché des seniors ». Leur définition englobe généralement les 18 millions de Français de 50 ans et plus, dont le pouvoir d'achat actuel représente 800 milliards de francs. Ils détiennent 60 % du patrimoine des ménages, 75 % des avoirs boursiers et achètent la moitié des voyages organisés. 38 % acquièrent une voiture neuve tous les deux ans. Leur surconsommation est sensible pour des produits comme les lave-linge, les produits frais, les whiskies haut de gamme et certains produits d'hygiène-beauté. Leur nombre devrait continuer de s'accroître, surtout à partir de 2005 ; en 2020, il pourrait représenter 37 % de la population. Il s'agirait donc du nouvel eldorado. Pourtant, cet engouement pour les seniors ne tient guère compte de la très grande disparité des situations qu'elle recouvre, entre les actifs de 55 ans et les vieillards dépendants. De plus, à revenu égal, les seniors dépensent environ 5 % de moins que la moyenne des ménages. Les biens d'équipement les intéressent plutôt moins que les autres : 58 % seulement ont un magnétoscope contre 70 % de l'ensemble de la population ; 46 % ont un four à micro-ondes contre 60 % ; 11 % ont un ordinateur contre 20 %. De plus, leur pouvoir d'achat pourrait stagner au cours des prochaines années. D'ailleurs, 56 % pensent en 1997 que leurs conditions de vie vont se dégrader (39 % en 1994), contre 16 % seulement des 18-30 ans (20 % en 1994).
Enfin, il est illusoire de considérer que le marché des « seniors » est homogène. Les attitudes et les comportements de consommation diffèrent assez largement selon l'âge et le statut professionnel ; les actifs de 50 à 60 ans n'ont pas les mêmes modes de vie, les mêmes besoins que les retraités de 60 ou 70 ans. Il existe aussi un phénomène sensible de génération, qui explique que les personnes de 75 ou 80 ans n'ont pas la même vision de la vie ou le même système de valeurs que celles qui sont un peu plus jeunes.

CREDOC, divers

Les aînés sont des acteurs de la vie locale et participent largement à la solidarité nationale par le bénévolat. Ils assurent l'équilibre territorial par l'animation des campagnes et favorisent la conservation du patrimoine national. Ils constituent la mémoire vivante d'un siècle riche en événements et en mutations de toute nature. Ils sont détenteurs d'une expérience de la vie qui peut être transmise avec profit aux nouvelles générations. Ils portent des valeurs qui sont dans l'air du temps : famille ; humanisme ; convivialité ; solidarité.

La solidarité entre les générations s'est inversée.

Traditionnellement, l'entraide familiale était exercée par les enfants adultes à l'égard de leurs parents âgés. On assiste depuis quelques années à une inversion de cette pratique. Sur un montant d'aide entre les membres d'une même famille que l'on peut estimer à 140 milliards de francs par an, la plus grande partie (plus de 100 milliards) est dépensée par les ascendants au profit des descendants, c'est-à-dire des parents aux enfants et des grands-parents aux petits-enfants. Les transferts destinés aux ascendants ne représentent que 10 milliards de francs et concernent des personnes très âgées. C'est autour de 40 ans que se produit l'inversion ; de bénéficiaire, on devient donateur.

Cette inversion est la résultante de l'accroissement du pouvoir d'achat des personnes âgées, de leur volonté d'aider leurs enfants dans une vie familiale et professionnelle plus précaire. Elle est un moyen pour les aînés de continuer à jouer un rôle social important et d'éviter les conflits intergénérationnels potentiels.

✦ *400 000 personnes cumulent emploi et retraite, soit environ 4 % des retraités (7 % des hommes et 3 % des femmes). 60 % d'entre eux cumulent une retraite et une activité indépendante. C'est le cas de 21 % des agriculteurs exploitants, de 15 % des cadres et professions intellectuelles supérieures.*

✦ *55 % des Français estiment que lorsqu'il y a un secret important dans une famille, il vaut mieux ne pas le révéler pour ne pas remuer le passé. 33 % pensent qu'il vaut mieux le révéler au bout d'un certain temps, quand les personnes concernées ont disparu.*

LA VIE QUOTIDIENNE

Logement

56 % des ménages habitent une maison individuelle, contre 48 % en 1992.

Cette augmentation s'explique par la construction de 2 millions de maisons individuelles au cours des années 80, contre seulement 460 000 appartements. Depuis, le mouvement s'est ralenti en même temps que la construction neuve, laquelle s'est réorientée vers le collectif. Les logements construits depuis 1993 se répartissent à peu près également entre maisons (52 %, contre 56 % entre 1988 et 1992) et appartements (48 %, contre 44 %).

Les ménages qui habitent une maison sont en moyenne plus âgés que ceux qui habitent un appartement. Ils ont plus fréquemment des enfants et sont plus aisés. On y trouve davantage de retraités et moins d'employés.

Au sein de l'Union européenne, c'est en Irlande que la proportion de ménages vivant en maison individuelle est la plus élevée (91 %), devant la Belgique (75 %) et le Royaume-Uni (80 %). Les plus faibles se trouvent en Italie (32 %), en Espagne (37 %) et en Allemagne (38 %).

Près d'un ménage sur cinq habite une HLM.

Les habitations à loyer modéré hébergeaient 18 % des ménages en 1996, contre 16 % en 1984. Leur part atteint 26 % pour les ménages de 28 à 31 ans. L'âge moyen des locataires de HLM est de 46,6 ans contre 44,1 ans en 1984, soit un vieillissement moyen plus marqué que celui de l'ensemble des ménages (1,2 an).

Un quart des ménages candidats à la location a déposé une demande pour habiter une HLM. 14 % des demandes datent de plus de trois ans. La mobilité vers le parc HLM est moindre que celle à destination du parc privé : 1,0 million de ménages nouveaux ont été accueillis en HLM entre 1992 et 1996, contre 1,7 million dans le secteur libre. Les occupants des HLM sont en effet nettement moins mobiles que les autres locataires. Leur ancienneté moyenne est de huit ans et trois mois, contre quatre ans et sept mois dans le parc locatif privé. La proportion de familles d'immigrés y est forte, ainsi que celle des ménages avec enfants.

La plupart des HLM sont situées dans des immeubles collectifs, mais le quart de celles construites depuis 1981 l'ont été dans le secteur individuel.

Les Français rêvent toujours de maison.
Bates France

Le nombre de foyers croît plus vite que la population.

Fin 1996, la France comptait 23,3 millions de résidences principales, soit une augmentation de 290 000 par an depuis fin 1992. Depuis 1990, le parc de logements se renouvelle de moins en moins, du fait de la baisse du nombre de constructions neuves. L'évolution récente est moins liée à la croissance démographique qu'à des modifications dans la composition des ménages. Ainsi, les étudiants sont plus nombreux ; s'ils tendent à rester plus longtemps au foyer parental, un nombre croissant d'entre eux deviennent autonomes, bénéficiant de l'allocation logement. La mise en couple se fait également plus tardivement, et les couples constitués se séparent plus fréquemment, ce qui implique l'utilisation d'un plus grand nombre de logements. De plus, les ménages âgés sont plus longtemps autonomes et peuvent donc habiter dans leur propre domicile, plutôt qu'avec leurs enfants ou dans des institutions.

Pour toutes ces raisons, le nombre de ménages augmente plus rapidement que la population, surtout parmi les jeunes. Sur les 2,2 millions de ménages apparus entre 1992 et 1996, 71 % ont une personne de référence de moins de 30 ans ; une sur cinq est étudiante ; les trois quarts sont constitués d'une seule personne.

Moins de logements vacants

En 1996, on comptait 7,4 % de logements vacants, contre 7,9 % en 1992. Cette diminution représente une inversion de tendance par rapport à la hausse constatée entre 1972 et 1992. Les logements concernés sont souvent des maisons en mauvais état que leurs propriétaires n'ont pas les moyens de restaurer. Certains proviennent d'héritages faisant l'objet d'une procédure de succession en cours. D'autres appartiennent à des propriétaires qui hésitent à vendre à cause de l'état du marché immobilier ou ne souhaitent pas les proposer à la location par crainte de difficultés avec les locataires.

INSEE

Les trois quarts des Français habitent dans des zones urbaines.

En 50 ans, la population urbaine de la France a doublé, alors que la population totale n'augmentait que d'un tiers. Trois habitants sur quatre vivent aujourd'hui en ville, contre un sur deux en 1936.

L'espace à dominante urbaine regroupe 41 millions d'habitants, soit près des trois quarts de la population française. Il est composé de 361 aires urbaines. A l'intérieur de ces aires, 34 millions d'habitants vivent dans des pôles urbains. Les autres (7 millions) vivent dans des couronnes péri-urbaines.

L'espace à dominante rurale représente 70 % de la superficie totale et les deux tiers des communes. Il ne regroupe que 13 millions d'habitants, soit un quart de la population française.

A partir de 1975, la population rurale a augmenté plus vite que la population urbaine. Mais il s'agissait surtout d'une nouvelle forme d'urbanisation du

territoire. Les communes rurales situées autour des grands centres urbains sont devenues urbaines, ce sont celles dont la population a le plus augmenté.

Métropoles	
Agglomérations urbaines de plus de 500 000 habitants (recensement de 1990) :	
- Paris	9 318 821
- Lyon	1 262 223
- Marseille-Aix-en-Provence	1 230 936
- Lille	959 234
- Bordeaux	696 364
- Toulouse	650 336
- Nice	516 740

INSEE

De l'exode rural à l'exode urbain

La diminution rapide et continue du nombre des agriculteurs a commencé en France vers 1850. Interrompu par les deux guerres mondiales, l'exode rural a repris de la vigueur dans les années 50, avec l'industrialisation qui a touché l'agriculture. Il a concerné en particulier les jeunes, qui ont d'abord gagné les villes proches puis les grandes agglomérations. En 1850, la population française était à 75 % rurale ; en 1990, elle était à 85 % urbaine.

Les chiffres du recensement de 1982 avaient indiqué pour la première fois depuis la fin du XIXe siècle un arrêt de la croissance urbaine et une attirance grandissante pour les communes rurales. Le recensement de 1990 a confirmé cette inversion. La recherche d'une vie plus calme et plus équilibrée est la cause première de ce mouvement, qui se traduit notamment par l'érosion de la population de l'Ile-de-France.

✦ *Les 50 départements français de plus de 500 000 habitants représentent 77 % de la population totale et 43 % du territoire (densité moyenne 170 hab/km²). Les 50 départements de moins de 500 000 habitants n'en regroupent que 23 % sur 57 % du territoire (densité moyenne 38 hab/km²).*

✦ *7,2 % des ménages sont logés gratuitement dans les zones rurales contre 5,5 % dans les zones urbaines. La proportion atteint 8,7 % à Paris (4,7 % seulement en banlieue).*

Les zones péri-urbaines poursuivent leur développement.

Le phénomène de péri-urbanisation concerne toutes les grandes villes, mais son ampleur est variable : 9,5 % de la population de l'aire urbaine à Paris, 8,5 % à Marseille, 16,3 % à Lyon. Dans certaines villes moyennes comme Rennes ou Caen, la couronne urbaine représente plus de 40 % de l'aire urbaine.

Après s'être densifiées pendant les années 60, les villes se sont étalées dans les années 70. Aujourd'hui, les Français souhaitent toujours quitter les centres-ville saturés et leurs banlieues pour s'installer dans les périphéries. Ce phénomène s'explique à la fois par une concentration de l'emploi dans les pôles urbains qui deviennent d'autant plus attractifs et par un besoin d'espace croissant de la part des ménages. L'une des conséquences est l'intensification des déplacements domicile-travail, qui implique souvent la disposition de deux voitures.

L'« exode urbain » pourrait être favorisé à l'avenir par la recherche d'un cadre de vie plus agréable et plus proche de la nature. D'autant que les conditions de vie dans les grandes villes sont de plus en plus difficiles, avec l'accroissement de la pollution, du bruit et de la circulation. Il sera aussi facilité par le développement des outils de communication électroniques (ordinateur, fax, réseaux...) qui favoriseront la « distanciation » et notamment le télétravail.

L'Ile-de-France regroupe un quart de la population française.

L'Ile-de-France représente aujourd'hui 19 % de la population nationale, contre 7 % au milieu du XIXe siècle, 12 % au début du XXe, 17 % au milieu du XXe. Entre les recensements de 1975 et 1982, sa population n'avait augmenté que de 2 %, contre 3,2 % au plan national. Entre 1990 et 1995, la croissance a été de 0,5 % par an, identique à celle de l'ensemble de la population. La région compense largement l'érosion de ses résidents par un fort excédent des naissances sur les décès, mais sa population croît moins vite. Paris intra-muros connaît une érosion régulière : 0,2 % par an entre 1990 et 1995 du fait des mouvement migratoires au profit de la petite couronne (+ 0,3 % par an) et surtout de la grande couronne.

96 % des habitants de l'Ile-de-France vivent en zone urbaine, alors que celle-ci ne couvre que la moitié de la région. La région de France la moins urbanisée est le Poitou-Charentes ; un habitant sur deux seulement réside en ville. Les autres régions rurales sont la Bretagne, la Basse-Normandie et le Limousin. En Corse, seules trois communes ont été intégrées dans un périmètre urbain.

Sur les 32 agglomérations de plus d'un million d'habitants que compte l'Union européenne, quatre seulement se trouvent en France : Paris, Lyon, Marseille, Lille. Mais Paris est au centre de la plus grande agglomération européenne, avec 9,3 millions d'habitants, devant Londres (7,4 millions).

La maison, une valeur refuge.
Euro RSCG

Les modes de vie sont moins différenciés entre ville et campagne.

Le développement de la péri-urbanisation (banlieues et couronnes successives des grandes villes) puis plus récemment de « pôles ruraux » (agglomérations de petites communes rurales) a transformé le territoire et rendu plus complexe la distinction traditionnelle entre ville et campagne, entre modes de vie urbains et ruraux.

Ainsi, les paysans ne sont plus les seuls habitants des zones à dominante rurale : 90 % des ménages de ces zones ne comptent aucun travailleur agricole et les emplois agricoles ne représentent plus que 20 % des emplois ruraux, même si les familles restent les principaux propriétaires fonciers. L'industrie a mieux résisté dans ces zones rurales ; les ouvriers représentent 35 % de leur population active.

Les « néoruraux » s'implantent dans ces zones rurales, cherchant une meilleure qualité de vie sans abandonner leurs habitudes de confort urbain. Les urbains de leur côté sont attirés par l'offre croissante d'activités de loisirs et de vacances des zones urbaines et disposent souvent de résidences secondaires.

L'homogénéisation des modes de vie entre villes et campagnes est favorisée par le développement des moyens de transport et de communication, l'implantation des grandes surfaces et la décentralisation administrative. On observe un accroissement de la mobilité (déplacements quotidiens entre lieu de travail urbain et domicile rural).

Les néoruraux sont en phase avec les grandes aspirations de l'époque (authenticité, autonomie, proximité de la nature...) et donc porteurs de valeurs d'avenir. On peut les regarder comme les « nouveaux modernes ».

54 % des ménages sont propriétaires de leur résidence principale...

Depuis le début des années 80, plus d'un Français sur deux est propriétaire, contre 47 % en 1975, 41 % en 1962 et 36 % en 1954. 38 % sont aujourd'hui locataires, 6 % logés gratuitement (le plus souvent par leur employeur ou des parents). 2 % sont locataires ou sous-locataires d'un logement meublé ou résident à l'hôtel.

La proportion de propriétaires est très variable selon les professions et l'âge. Trois propriétaires sur quatre ont plus de 40 ans, contre moins d'un locataire sur deux. La transition s'effectue à partir de 30 ans. La plus forte proportion se trouve entre 50 et 64 ans. A 65 ans, les trois quarts des ménages sont propriétaires ; on constate ensuite une diminution.

... mais leur part stagne depuis 1993.

Contrairement au développement continu constaté depuis 1945, la proportion de ménages propriétaires a peu varié au cours des dernières années : 54,1 % en 1996, contre 53,6 % en 1988 (propriétaires occupants). Pour la première fois dans le logement neuf, les propriétaires sont moins nombreux que les locataires.

Les jeunes accèdent moins souvent à la propriété que leurs parents au même âge. Ce ralentissement s'explique par leur difficulté à emprunter dans un contexte d'emploi précaire et de frilosité des banques, ainsi que par leur hésitation à s'endetter à long terme. Les locataires d'HLM sont également

moins nombreux à devenir propriétaires. Cependant, le nombre de propriétaires a crû de façon non négligeable en valeur absolue, du fait de l'accroissement du nombre de ménages.

La majorité des achats de résidences principales concerne des logements construits depuis plus de quatre ans : 71 % en 1996 contre 47 % en 1984. Le neuf ne représente plus que 29 % de l'ensemble, contre 53 % en 1984. 26 % des acquisitions récentes concernent l'habitat collectif, contre 22 % en 1984. Les ménages propriétaires de leur logement sont moins endettés. Près d'un sur trois n'a plus d'emprunt immobilier en cours, contre un sur quatre en 1984.

La propriété fait moins rêver

L'ambition de devenir propriétaire n'apparaît plus comme une priorité pour les ménages qui envisagent de déménager : elle est déclarée par 41 % des ménages, contre 49 % en 1988. 30 % des locataires qui souhaiteraient accéder à la propriété pensent ne pas pouvoir réaliser ce projet, principalement pour des raisons économiques.

Les perspectives de plus-value apparaissent aussi plus aléatoires et l'immobilier est en concurrence d'autres formes de placement en période de faible inflation. Par ailleurs, le statut de propriétaire est moins valorisant qu'autrefois. Le « pavillon de banlieue » n'exerce plus la même fascination qu'au cours des décennies passées.

Enfin, l'augmentation des loyers s'est ralentie au cours des dernières années, passant de 5,3 % en 1993 (5,7 % à Paris) à 1,5 % en 1997 (1,3 % à Paris), soit moins que l'augmentation des prix à la consommation (1,8 %). Les hausses ont été plus élevées dans le secteur HLM (2,7 %) que dans le secteur libre (1,1 %).

✦ Un peu plus de 100 000 logements ont disparu chaque année entre 1990 et 1995 du fait des destructions, de la transformation de logements en bureaux. A l'inverse, on a compté en moyenne environ 80 000 nouveaux logements par an pendant cette période par transformation de bureaux en logements.

✦ Dans l'agglomération parisienne, plus d'un logement sur trois a une surface inférieure à 50 m². Les loyers sont en moyenne 40 % plus élevés que ceux des autres grandes agglomérations (plus de 70 % d'écart dans le secteur libre).

✦ Fin 1996, le loyer mensuel moyen était de 2 046 F plus 462 F de charges.

38% de locataires

Evolution du statut des ménages à l'égard du logement (en %) :

	Octobre 1984	Octobre 1988	Novembre 1992	Décembre 1996
Propriétaires	50,7	53,6	53,8	54,3
- Sans emprunt	26,3	27,4	30,3	32,1
- Accédants	24,4	26,1	23,5	22,2
Locataires d'un local loué vide	39,0	37,2	37,7	38,1
- HLM	14,6	15,0	15,3	15,7
- Autre logement social	1,9	2,0	1,8	1,9
- Loi de 1948	3,5	2,5	2,0	1,4
- Secteur libre	19,0	17,7	18,6	19,1
Autres statuts	10,4	9,1	8,4	7,6
- Meublés, sous-locataires	1,9	1,5	1,5	1,6
- Fermiers ou métayers	0,6	0,4	0,2	0,2
- Logés gratuitement	7,9	7,2	6,7	5,8
Ensemble	100,0	100,0	100,0	100,0

INSEE

Les Français sont de moins en moins mobiles.

On observe une baisse régulière de la mobilité résidentielle depuis une trentaine d'années : 8,6 % des ménages avaient changé de logement entre les recensements de 1982 et de 1990, contre 9,4 % entre 1975 et 1982 et 9,7 % entre 1968 et 1975. La baisse du rythme de la construction de logements est l'un des facteurs explicatifs, l'autre étant probablement la crainte du changement et des frais entraînés par un déménagement dans une période économique difficile.

Fin 1996, 18 % des ménages déclaraient vouloir changer de logement, la même proportion qu'en 1992, mais un peu moins qu'au cours de la période 1984-1988. La mobilité concerne surtout les jeunes : 40 % des ménages dont la personne de référence a entre 20 et 29 ans, 30 % de ceux entre 30 et 39 ans ; la proportion baisse ensuite rapidement. Les chômeurs sont plus mobiles que les actifs, les étrangers plus que les Français.

La motivation principale est le souhait d'augmenter (ou parfois de diminuer) la taille du logement, à la suite d'une naissance, d'une rupture, d'un décès. Mais la recherche du confort et de la qualité demeure importante (cités par 43 % des ménages), comme l'éloignement du bruit (27 %). Lorsqu'ils déménagent, les Français qui ont le choix se montrent héliotropes ; ils préfèrent aller vers le sud, à la recherche du soleil et d'un climat agréable. L'Auvergne et le Limousin continuent de se dépeupler. Mais la mobilité est souvent de proximité ; entre 1982 et 1990, 5,6 % des ménages avaient changé de commune, 2,6 % de département, 1,6 % de région.

12 % des Français disposent d'une résidence secondaire.

La résidence secondaire a connu un engouement dans les années 70, jusqu'au début des années 80 : 11,5 % en 1982, contre 9,4 % en 1975, 7,8 % en 1968, 6,7 % en 1962, 3,3 % en 1954 et 1,7 % en 1946. Le taux de possession a ensuite plafonné (11 % des ménages en possédaient une en 1984), avant de connaître un regain d'intérêt au début des années 90. Il tend plutôt à diminuer depuis 1992. Il s'agit dans 80 % des cas d'une maison, presque toujours pourvue d'un jardin. 56 % de ces habitations sont situées à la campagne, 32 % à la mer et 16 % à la montagne.

La désaffection actuelle tient au désir de changement des individus, incompatible avec une résidence fixe et à l'accroissement du nombre des maisons avec jardin comme résidences principales... De plus, un certain nombre de nouveaux ménages (notamment des jeunes et des étudiants) s'installent dans des résidences secondaires familiales, qui deviennent ainsi principales. Des ménages de retraités quittent aussi leur résidence principale pour s'installer dans leur résidence secondaire. A l'inverse, les ménages retraités aisés apprécient d'avoir deux résidences.

On constate en revanche que le nombre de logements occasionnels s'accroît. Ce sont souvent des pied-à-terre utilisés pour des raisons professionnelles, qui se situent à mi-chemin entre la résidence secondaire et les logements vacants ; on en comptait environ 300 000 en 1996 (1 % du nombre total de logements).

✦ *27 % des résidences principales sont occupées par une personne seule ; la proportion atteint 48 % à Paris.*

✦ *90 % des contrats de location se font sous forme d'un bail écrit, mais 28 % des locataires ne reçoivent pas de quittances de loyer.*

Confort

Les ménages consacrent 30 % de leur budget au logement et à son équipement, contre 27 % en 1970.

Depuis 1991, le logement est le premier poste de dépense des ménages, dépassant l'alimentation. Ces dépenses comprennent les loyers (mais pas le prix d'achat pour les propriétaires ni le gros entretien, qui ne sont pas considérés comme des dépenses mais comme des investissements) ainsi que les charges d'eau, d'électricité et de chauffage. Elles ont représenté 22,2 % du budget des ménages en 1996.

Il faut y ajouter les dépenses d'équipement et d'entretien (meubles, équipement électroménager, articles de ménage et d'entretien), qui représentaient 7,3 % du budget des ménages en 1996. Au total, les Français consacrent donc à leur logement 29,5 % de leur revenu disponible, contre 27 % en 1970, 21 % en 1960.

Le rapport au logement a changé.
Audour, Soum & Associés

Le foyer est le lieu privilégié de la vie familiale et personnelle.

La part croissante du logement dans le budget des ménages s'explique en partie par l'accroissement des charges et des dépenses d'entretien. Elle est due surtout à l'importance croissante du foyer dans les modes de vie. Avec l'augmentation du chômage, l'allongement de la durée des études et celui de la vie, les Français y passent en effet de plus en plus de temps ; ils trouvent dans le cocon familial la sécurité, la quiétude et la convivialité dont ils ont besoin. Ils se sentent protégés des menaces du monde extérieur, tout en étant reliés à lui par les moyens de communication électronique (téléphone, Minitel, radio, télévision...). La famille reste la valeur centrale de la société et le foyer est le lieu privilégié de la convivialité, des loisirs et du repos.

Plus de huit logements sur dix disposent de tout le confort, contre un sur trois en 1970.

Le niveau de confort des logements s'est considérablement amélioré au fil des décennies. Fin 1996, plus de huit ménages sur dix disposaient de « tout le confort » au sens de l'INSEE (W.-C. intérieurs, douche ou baignoire et chauffage central), contre sept sur dix en 1984. Ils n'étaient que 63 % dans ce cas en 1982, 48 % en 1975. 10 % des logements sont pourvus d'au moins deux salles de bains, 17 % de deux W.-C. La proportion est de 85 % dans les appartements, contre 76 % dans les maisons, mais la pro-

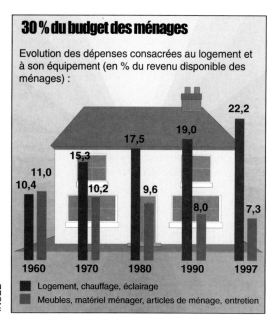

30 % du budget des ménages

Evolution des dépenses consacrées au logement et à son équipement (en % du revenu disponible des ménages) :

22,2
19,0
17,5
15,3
11,0
10,4
10,2
9,6
8,0
7,3

1960   1970   1980   1990   1997

■ Logement, chauffage, éclairage
■ Meubles, matériel ménager, articles de ménage, entretien

INSEE

♦ 44 % des ménages déclarent posséder des meubles de style rustique. 27 % sont principalement meublés en ancien, 24 % en style contemporain.

gression a été plus rapide dans les zones rurales que dans les zones urbaines, de sorte que les différences se sont estompées. Les logements des propriétaires sont plus confortables (82 %) que ceux des locataires du secteur libre (75 %), mais moins que ceux des HLM (84 %). L'influence du niveau de revenu sur celui de confort est plus apparente dans l'habitat individuel (46 % des ménages les plus pauvres ne bénéficient pas du chauffage central) que dans le collectif.

Les logements inconfortables sont plus nombreux à la campagne.

Seuls 4 % des logements ne disposent pas du minimum (W-C. intérieurs et une douche ou une baignoire) contre 15 % en 1984 et 10 % en 1988. Il s'agit surtout de ceux construits avant 1949.

Les logements dépourvus de sanitaires sont plus nombreux à la campagne (10 %) qu'à la ville (5 %). Ils appartiennent le plus souvent à des propriétaires ruraux anciens ou à des locataires parisiens.

Les maisons les plus anciennes sont les moins confortables : 16 % de celles qui ont été construites avant 1949 sont « sans confort » contre 2 % de celles construites entre 1949 et 1974, et 0,3 % de celles d'après 1974.

La surface moyenne augmente, essentiellement dans les maisons individuelles.

La surface moyenne des résidences principales était de 88 m² en 1996, contre 82 m² en 1984. Elle est restée stable pour l'habitat collectif (66 m²), alors qu'elle a augmenté de façon sensible pour l'habitat individuel, passant de 86 m² en 1984 à 105 m² en 1996.

✦ Les trois quarts des logements ayant au moins deux salles de bains ont aussi au moins deux W-C.

✦ 65 % des logements possèdent un jardin ou un balcon.

✦ 94 % des maisons disposent d'un jardin, d'une surface moyenne de 980 m². 79 % ont un garage, contre 37 % des appartements.

✦ 30 % des Français estiment qu'ils passent plus de temps à la maison qu'il y a cinq ou six ans (24 % moins, 40 % autant).

35 m² par personne

Evolution de la surface et peuplement des résidences pricipales :

	1984	1988	1992	1996
PAR LOGEMENT				
- Surface moyenne (en m²)	82,0	85,0	86,0	88,0
• individuel	96,0	100,0	102,0	105,0
• collectif	65,0	66,0	66,0	66,0
- Nombre moyen de pièces	3,8	3,9	4,0	4,0
• individuel	4,4	4,6	4,7	4,8
• collectif	3,0	3,1	3,0	3,0
- Nombre moyen de personnes	2,7	2,6	2,5	2,5
• individuel	2,9	2,9	2,8	2,7
• collectif	2,4	2,3	2,2	2,2
PAR PERSONNE				
- Surface moyenne (en m²)	31,0	32,0	34,0	35,0
• individuel	33,0	35,0	37,0	39,0
• collectif	27,0	29,0	30,0	30,0
- Nombre moyen de pièces	1,4	1,5	1,6	1,6
• individuel	1,5	1,6	1,7	1,8
• collectif	1,3	1,3	1,4	1,4

INSEE

L'accroissement de la surface se traduit par celui du nombre de pièces par logement, qui est passé de 3,1 en 1962 à 4,0 en 1992 (4,8 dans les maisons, 3,0 pièces dans les appartements). L'évolution est encore plus spectaculaire lorsqu'on la ramène au nombre de personnes, car la taille moyenne des ménages diminue régulièrement, du fait de la décohabitation des générations ainsi que de la baisse de la natalité et de l'augmentation des monoménages ; elle est ainsi passée de 2,7 personnes en 1984 à 2,5 en 1996. De sorte que la surface moyenne par personne est passée de 31 m² à 35 m², tandis que le nombre moyen d'habitants par pièce est passé de 1,01 en 1962 à 0,88 en 1992. L'accroissement est plus notable en maison individuelle (+ 18 %) qu'en appartement (+ 11 %).

Un logement sur dix est surpeuplé, deux sur trois sont sous-peuplés.

2,4 millions de ménages ayant un domicile fixe, soit 10,5 % de la population, sont considérés en situation de surpeuplement. La norme d'occupation est calculée de la façon suivante :

- Une pièce de séjour pour le ménage ;
- Une pièce pour chaque personne de référence d'une famille ;
- Une pièce pour chaque personne hors famille non célibataire ou célibataire de 19 ans et plus ;
- Une pièce pour les célibataires de moins de 19 ans ;
- Une pièce pour deux enfants de moins de 7 ans ou qui sont de même sexe, une pièce par enfant dans les autres cas ;
- Il y a surpeuplement si le logement a au moins une pièce de moins que la norme et sous-peuplement si le logement compte au moins une pièce de plus que la norme.

Si le surpeuplement est rare dans les maisons individuelles (80 % sont en situation de sous-peuplement), il concerne plus d'un ménage sur cinq dans les appartements ; 40 % des familles d'au moins cinq personnes auraient besoin d'au moins une pièce supplémentaire pour ne plus vivre dans des conditions de surpeuplement. Ce sont les ménages les plus nombreux, les plus modestes (locataires) et ceux habitant les grandes villes qui sont les plus concernés.

La diminution du surpeuplement constatée au cours des dernières décennies, liée à la réduction de la taille moyenne des ménages et à l'accroissement de la taille des logements, semble aujourd'hui interrompue.

Deux ménages sur trois sont exposés à des nuisances...

Parmi ceux qui habitent en agglomération (hors agglomération parisienne), 43 % se plaignent du bruit (56 % à Paris), 36 % du vandalisme (44 % à Paris), 18 % de la pollution (26 % à Paris), 17 % des vols de voitures (25 % à Paris), 4 % des cambriolages du logement (5 % à Paris).

✦ Seuls 1,5 % des ménages français sont équipés de la climatisation, soit 350 000 logements.

✦ 18 % des habitants de maisons ont un temps de trajet compris entre une demi-heure et une heure contre 24 % de ceux qui habitent un appartement ; 8 % un temps supérieur à une heure, contre 10 %.

✦ Sur les 36 551 communes françaises, 85,5 % comptent moins de 2 000 habitants. Elles n'abritent que 26 % de la population.

Les ruraux sont beaucoup moins exposés à ces nuisances : 23 % se disent gênés par le bruit, 16 % par les actes de vandalisme, 14 % par la pollution, 7 % par les vols de voiture, 2 % par les cambriolages. Quelle que soit leur zone d'habitation, les jeunes sont plus souvent concernés ; avec l'âge, les ménages ont davantage les moyens (et le désir) de s'installer dans des quartiers moins exposés.

... mais les trois quarts sont satisfaits de leur logement.

73 % des ménages se disent satisfaits de leurs conditions de logement, 21 % les trouvent acceptables et 6 % sont mécontents. Ce taux de satisfaction est d'autant plus élevé que le logement est récent. Il n'était que de 71 % en 1992, 68 % en 1988 et 64 % en 1984 (enquêtes logement de l'INSEE). Il est plus élevé parmi ceux qui habitent une maison individuelle (79 %, contre 64 % en appartement). Il l'est aussi davantage pour les propriétaires (85 %) que pour les locataires (59 %). Il est de 70 % pour les ménages logés gratuitement.

Ceux qui se plaignent le plus habitent des appartements construits pendant la période 1949-1967. On remarque que les personnes âgées et les habitants des communes rurales sont souvent satisfaits de leur logement, même lorsqu'ils sont peu confortables.

AMÉNAGEMENT. *Le logement doit aujourd'hui remplir de nouvelles fonctions.*

L'évolution démographique, économique et sociologique fait que les Français passent de plus en plus de temps dans leur maison. L'espérance de vie a en effet augmenté et les personnes âgées finissent plus souvent leur vie chez elles. La durée du travail a diminué et les périodes d'inactivité sont plus fréquentes à cause du chômage.

Les loisirs à domicile se sont aussi multipliés avec les équipements électroniques (télévision, Minitel, ordinateur, matériel hi-fi...), de même que la possibilité de travailler chez soi. Enfin, les enfants restent plus longtemps au domicile des parents, du fait de l'allongement de la scolarité, de celui de l'âge au mariage et des difficultés économiques liées à l'entrée dans la vie active.

Outre ses fonctions traditionnelles (repos, nourriture, hygiène, protection, accueil, rangement, stockage...), la maison doit donc assurer aujourd'hui de nouvelles fonctions : communication ; information ; sécurité ; distanciation et « virtualisation » ; apprentissage ; culture ; expression personnelle ; travail ; gestion ; achats à distance et livraisons ; soins du corps ; individualisation ; modularité...

La maison doit aussi pouvoir s'adapter aux changements de plus en plus fréquents qui interviennent dans la vie des familles. Ces évolutions des besoins impliquent une remise en cause de la conception des logements, de leur aménagement et de leur décoration.

Le foyer, un lieu de convivialité et de confort.
Audour, Soum & Associés

La convivialité est une attente importante...

Le salon est en principe la pièce destinée à cette fonction, mais la présence de la télévision rend plus difficile les échanges entre les membres de la famille ou avec les amis. La salle à manger est moins systématiquement destinée aux seuls repas ; elle sert parfois de bureau. Elle est plus rarement séparée, afin d'élargir l'espace du salon.

Dans ce contexte, l'importance de la cuisine s'est accrue. Elle s'est agrandie afin que la famille puisse y prendre facilement ses repas (80 % des ménages). L'habitude du grignotage fait que l'on s'y retrouve souvent en dehors des heures de repas. Il est de plus en plus fréquent d'y recevoir à dîner, ce qui permet à la maîtresse de maison d'être davantage présente. Elle est de mieux en mieux équipée afin de faciliter le travail culinaire. Les quatre fonctions de stockage, préparation, cuisson, lavage sont agencées de façon optimale. La tendance est au « tout sous la main », les étagères rivalisant de plus

en plus avec les placards. Cette évolution se fait au détriment de la cuisine « laboratoire » ou « high-tech ».

... mais l'espace privé prend une importance croissante.

On constate aussi un déplacement d'intérêt des pièces de « représentation sociale » comme le salon ou la salle à manger vers des pièces d'usage privé. La salle de bains ne joue plus seulement un rôle fonctionnel ; elle devient une véritable pièce à vivre. Longtemps réduite au minimum, sa taille tend à s'accroître : environ 4 m² en moyenne. Mieux éclairée, meublée et décorée, elle intègre en plus de la fonction traditionnelle d'hygiène d'autres fonctions plus nouvelles, liées à la forme et au bien-être. Elle est le lieu privilégié dans lequel on peut s'occuper de soi.

Cette évolution traduit le cheminement des mentalités, moins tournées vers l'image que l'on donne de soi aux autres que vers la recherche de sa propre identité. Elle témoigne d'une nouvelle conception de l'hygiène, moins contrainte et socialisée, plus harmonieuse et personnelle. Une conception à la fois physique, sensuelle et psychologique. Le lavage du corps est aussi un lavage de cerveau ; il s'agit d'être propre extérieurement et intérieurement.

Le bureau à domicile

Le logement n'est plus seulement un lieu de repos et de loisir. On y travaille de plus en plus souvent. Un Français sur quatre rapporte des documents le soir ou en fin de semaine. 30 % des cadres supérieurs disposent d'une pièce bureau et beaucoup de ménages ont un coin de leur chambre ou de la salle à manger aménagé.
La présence d'un bureau devrait être de plus en plus fréquente à l'avenir, avec le développement du télétravail et de toutes les activités pratiquées à domicile. Les ménages ressemblent en effet de plus en plus à des petites entreprises, avec ce que cela implique comme tâches de gestion.

Les ménages ont réduit leurs dépenses d'ameublement.

Après des années de baisse, les achats de meubles ont encore reculé de 2,9 % en valeur en 1997. Cette situation s'explique par la faible mobilité des Français et par une tendance générale à renouveler moins souvent les gros équipements, comme on le constate avec l'automobile.

Par ailleurs, le meuble est moins que par le passé un bien porteur de statut social. Les jeunes ménages privilégient aujourd'hui l'équipement de loisir (notamment audiovisuel) par rapport au mobilier ; une télévision grand écran peut prendre la place d'un buffet, une chaîne hi-fi remplacer un petit meuble de rangement. Enfin, la désaffection à l'égard du meuble est entretenue par l'absence d'innovations importantes et par une offre qui ne répond pas toujours aux attentes des acheteurs.

Les ménages recherchent des meubles pluri-fonctionnels, déplaçables, légers, si possible modulables, pliables, empilables, escamotables, afin de libérer un espace de plus en plus précieux. Les jeunes sont attirés par l'exotisme. Le style « créateur » concerne surtout les ménages à revenus élevés et qui se piquent de modernisme.

Lorsqu'ils achètent des meubles, 65 % des Français privilégient la solidité et la durabilité. 51 % apprécient le Made in France. Le prix n'arrive qu'en troisième position (50 %).

L'art de la table participe à l'art de vivre.

La meilleure façon de dormir...

La literie est moins touchée par la baisse des achats que les autres meubles, car elle répond à des préoccupations de confort et de santé qui sont prioritaires. 44 % des femmes et 27 % des hommes disent en effet souffrir de troubles du sommeil (une progression moyenne de 6 % depuis 1987) et 53 % disent avoir mal au dos au réveil, contre 46 % il y a dix ans.

Pour dormir, 58 % des Français sont adeptes de la couette, mais 59 % préfèrent une couverture (certains utilisent les deux). 94 % ont un oreiller ou un traversin, 28 % les deux. 69 % dorment avec un oreiller classique (77 % des moins de 35 ans, 75 % des Parisiens, 76 % des habitants du Nord-Est). 46 % préfèrent un polochon (53 % des 65 ans et plus, 56 % des habitants de l'Ouest, 62 % du Sud-Est). 8 % utilisent un oreiller anatomique (13 % des Parisiens).

Courrier du meuble et de l'habitat

La demande se porte sur des meubles fonctionnels, légers, modulables.

Les meubles « meublants » (tables, armoires, buffets...), les salons (sièges) et les meubles de cuisine, qui représentent les trois quarts des dépenses, sont les plus sensibles à la conjoncture. Les petits meubles sont moins touchés et on note un intérêt pour les produits modernes de moyenne gamme. Le kit a pris une place croissante.

On observe une tendance à la « déstructuration », avec moins d'ensembles composant une même pièce, au profit de mélanges. Cette tendance est renforcée par le fait qu'il est difficile d'afficher une unité de style lorsque les occupants d'un même logement (parents, enfants) n'ont pas les mêmes goûts.

ÉQUIPEMENT. *Presque tous les ménages sont équipés des gros appareils électroménagers.*

Les taux d'équipement en réfrigérateur, cuisinière, lave-linge ou aspirateur approchent ou dépassent 90 % (voir tableau ci-après). Les ménages qui n'en ont pas sont le plus souvent des célibataires qui ne sont pas encore installés, des ménages marginaux ou des personnes âgées qui n'en ont pas l'usage. Le sèche-linge indépendant est encore peu répandu (20 %) à cause de la place supplémentaire qu'il nécessite et de sa consommation d'électricité.

Le lave-vaisselle n'est présent que dans 42 % des foyers (1996) et il a progressé relativement lentement depuis le début des années 70. Les disparités sont ici très marquées entre les catégories sociales. On le trouve beaucoup plus fréquemment chez les ménages aisés et les familles avec enfants, où il est évidemment plus nécessaire.

Chaque ménage possède en moyenne une douzaine de petits appareils ménagers (fer à repasser, sèche-cheveux, couteau électrique...).

Les arts ménagers

Taux d'équipement des ménages (1996, en %) :

Fer à repasser	98
Aspirateur	97
Sèche-cheveux	83
Cafetière électrique	79
Mixer	78
Grille-pain	67
Four à micro-ondes	52
Préparateur culinaire	46
Friteuse électrique	35
Four à encastrer	25

Les différences d'équipement entre les catégories sociales sont de moins en moins marquées.

Les ménages les moins bien équipés sont les plus jeunes, ceux qui disposent de faibles revenus ou qui sont composés d'une seule personne. Les disparités les plus fortes concernent le lave-vaisselle.

Les taux de multi-équipement (plusieurs appareils de même type) varient selon les biens : 15 % des ménages pour le réfrigérateur, 5 % pour le lave-linge. Il en est de même des équipements domestiques de loisirs (télévision, ordinateur..., voir *Médias*). L'âge moyen est de 9 ans pour les réfrigérateurs, 8 ans pour les congélateurs, 7 ans pour les lave-linge, 6 ans pour les lave-vaisselle.

Les prix des équipements ménagers ont encore baissé de 0,8 % en 1997, ce qui a favorisé les achats en volume (+ 3,5 %). Entre 1986 et 1997, les prix des appareils ont diminué de 2,2 % en francs courants, alors que l'indice des prix à la consommation de l'ensemble des biens et services augmentait de 32 %.

Les fées du logis

Evolution des taux d'équipement des ménages en gros appareils électroménagers (en %) :

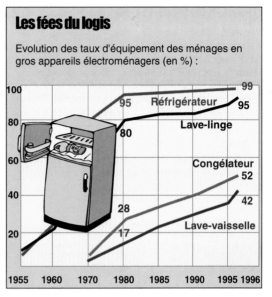

INSEE, GIFAM

La domotique n'a pas encore vraiment pénétré dans les foyers.

Né dans les années 80, le concept de domotique n'a pas encore décollé en France, où moins de 100 000 logements sont équipés. Les services proposés sont encore peu connus et coûteux. Ils mélangent souvent les fonctions utiles et les gadgets.

Une demande existe cependant pour des services qui facilitent la vie, qui font gagner du temps, qui épargnent des efforts et permettent des économies : ouverture ou fermeture automatique des portes ou des volets ; arrosage du jardin et des plantes d'intérieur ; commande à distance du chauffage, de l'éclairage, de l'électroménager ou de l'audiovisuel ; optimisation et comptabilisation des dépenses d'énergie ; protection contre les intrus ; alerte en cas de fuite d'eau ou de gaz ; connection aux services de police, médecins, pompiers, etc.

✦ *En 1997, les Français ont acheté 2,1 millions de réfrigérateurs, 2,0 millions de lave-linge, 1,4 million de fours à micro-ondes, 980 000 tables de cuisson, 870 000 cuisinières, 750 000 hottes aspirantes, 740 000 congélateurs, 440 000 sèche-linge, 420 000 fours à encastrer.*

✦ *Neuf ménages sur dix possèdent au moins une plante ; la moyenne est de 7 plantes par foyer (contre 23 en Allemagne, 16 en Autriche).*

TMO, 1996

Les promesses de l'an 2000

- 81 % des Français souhaiteraient pouvoir se procurer en l'an 2000 des panneaux solaires installés sur le toit, qui fourniraient la majeure partie de l'énergie destinée au chauffage et à l'éclairage de la maison (17 % ne le souhaiteraient pas).
- 57 % souhaiteraient pouvoir se procurer un robot domestique qui passerait l'aspirateur et nettoierait la maison (41 % non).
- 43 % des Français souhaiteraient pouvoir se procurer une serre miniature d'intérieur qui leur permettrait de faire pousser des légumes, des fruits et des aromates destinés à leur consommation personnelle (41 % non).
- 38 % des Français souhaiteraient pouvoir se procurer un robot de cuisine capable de faire la cuisine et de préparer les repas (60 % ne le souhaitent pas).

Alimentation

Les ménages ne consacrent plus que 18 % de leur budget à l'alimentation, contre 33 % en 1960.

Le budget alimentation, tel qu'il est pris en compte par l'INSEE, comprend les dépenses alimentaires (nourriture et boissons) ainsi que celles de tabac. Il inclut la production « autoconsommée » par les ménages d'agriculteurs et par ceux qui possèdent des jardins, mais pas les dépenses des repas pris hors du domicile (restaurant, cantine d'entreprise...).

La baisse continue de la part du budget consacrée à l'alimentation constatée depuis plus de 30 ans doit être comprise en valeur relative ; les dépenses ont en effet continué d'augmenter en francs constants, mais à un rythme inférieur à la croissance du pouvoir d'achat. Celui-ci a en effet été utilisé pour financer d'autres types de dépenses, notamment de logement, santé, transports, loisirs.

Cette baisse relative du budget alimentaire est aussi liée à une augmentation modérée des prix d'un certain nombre de produits alimentaires et, plus récemment, aux nouveaux comportements des consommateurs. On constate un phénomène de même nature dans la plupart des pays de l'Union européenne, mais la part de l'alimentation dépasse encore 30 % en Irlande, en Grèce ou au Portugal.

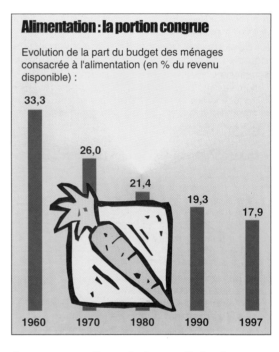

Alimentation : la portion congrue

Evolution de la part du budget des ménages consacrée à l'alimentation (en % du revenu disponible) :

33,3 — 1960
26,0 — 1970
21,4 — 1980
19,3 — 1990
17,9 — 1997

La consommation calorique a diminué et les pratiques se sont rapprochées.

Avec la diminution des métiers manuels et l'amélioration des conditions de travail, les besoins énergétiques ont fortement diminué ; la ration moyenne est passée de 3 000-3 500 calories par jour au début du siècle à 1 700-2 000 aujourd'hui (voir encadré).

On observe un net rapprochement des habitudes alimentaires entre les différents groupes sociaux. La dilution du sentiment de classe chez les ouvriers et, dans une moindre mesure, chez les agriculteurs a entraîné la disparition de certaines habitudes, comme la soupe quotidienne ou l'influence des saisons sur le choix des menus.

Mais des différences sensibles existent encore dans les dépenses en fonction des revenus et du statut social. Les ouvriers et les paysans continuent de consommer plus d'aliments de base (pain, pommes de terre, pâtes, vin ordinaire, etc.) que les catégories les plus aisées, qui achètent plus de produits « de luxe » (crustacés, pâtisserie, confiserie, vins fins, plats préparés...).

✦ *Plus de 70 variétés de pommes de terre sont commercialisées en France. 40 % des Français ne connaissent pas le nom de celles qu'ils achètent.*

Les Français au régime ?

Une enquête auprès de Français âgés de 45 à 65 ans a montré que leur alimentation quotidienne représentait en moyenne 2 322 kilocalories pour les hommes, au lieu des 2 700 conseillées, et 1 788 pour les femmes au lieu de 2 000. Le taux de cholestérol moyen est de 2,4 g/l chez les hommes et 2,3 chez les femmes, des chiffres élevés qui placent la France dans le peloton de tête. Or, les maladies cardio-vasculaires sont plutôt moins fréquentes qu'ailleurs.

Le temps consacré aux repas diminue.

En 1965, les Français passaient en moyenne deux heures à table chaque jour ; ils n'y restent plus qu'une heure vingt minutes aujourd'hui. Cette diminution concerne surtout le déjeuner et le dîner qui durent en moyenne respectivement 33 et 38 minutes. Les déjeuners pris à l'extérieur durent aussi moins longtemps : 27 minutes par jour en moyenne pour l'ensemble des Français. A l'inverse, le petit déjeuner reprend de l'importance dans l'apport nutritionnel quotidien. Le temps qui lui est consacré est en moyenne de 19 minutes contre 10 minutes en 1980 et 5 minutes en 1965.

Cette évolution s'inscrit dans une volonté plus globale de ne pas perdre de temps. Elle a été favorisée par la généralisation de la journée continue (le temps disponible au déjeuner a diminué) et par le travail des femmes. On la retrouve dans la réduction des temps de préparation des repas ; la moyenne est aujourd'hui de 30 minutes par jour. Ce phénomène a été favorisé par l'accroissement des taux d'équipement des ménages en congélateurs (52 % début 1997, auxquels il faut ajouter les compartiments congélation des réfrigérateurs) et en fours à micro-ondes (52 % également).

Les repas sont de moins en moins structurés.

La façon de manger a évolué en même temps que la durée des repas ou leur contenu. Les menus comportent de moins en moins souvent la suite traditionnelle entrée-plat principal-légumes-fromage-dessert. Les horaires sont aussi moins rigides. Ils varient en fonction des obligations individuelles, ce qui explique que dans une même famille enfants et parents ne mangent pas toujours ensemble. Le grignotage s'est généralisé, d'abord chez les enfants, puis chez les adultes ; on mange à toute heure de la journée et en tout lieu, en fonction de la faim ou de l'envie de se faire plaisir, à l'américaine (*mood food*). 12 % des adultes disent prendre un en-cas dans la matinée, 20 % un goûter dans l'après-midi.

Les Français restent cependant attachés à un certain formalisme alimentaire. Ils continuent de manger à table, même si c'est plus souvent celle de la cuisine que de la salle à manger. Les plateaux-repas à l'américaine ou les *TV dinners* ont peu d'adeptes et la livraison à domicile reste marginale.

L'influence méditerranéenne reste forte.
Dassas

Les repas quotidiens sont de plus en plus différenciés des repas de fête.

Si les repas quotidiens tendent à raccourcir, ce n'est pas le cas des repas de fête, qui sont des moments importants de plaisir et de convivialité. L'objectif n'est plus alors de gagner du temps, tant pour la préparation que pour la consommation, mais de partager un moment de détente, de plaisir partagé en famille ou entre amis.

La cuisine peut alors devenir un véritable loisir (notamment pour les hommes). Les produits utilisés sont généralement de meilleure qualité, plus traditionnels ou au contraire parfois plus exotiques. Le vin est en général présent, choisi avec soin. Le repas est souvent « mis en scène » par la vaisselle utilisée, le linge de table, la décoration des plats et l'ambiance visuelle (éclairages, décoration) ou sonore (musique), de façon à ce que le plaisir partagé soit polysensuel.

L'équilibre nutritionnel devient de plus en plus important...

La montée de l'individualisme a favorisé une attitude générale d'autonomie ; chacun se sent aujourd'hui responsable de sa propre santé et s'efforce de l'entretenir par une alimentation équilibrée. On observe donc une volonté croissante d'être en forme, de ne pas grossir et de mieux vieillir en restant en bonne santé. Cette attitude est renforcée par des pressions sociales non exprimées, notamment sur le plan professionnel, qui tendent à privilégier les personnes minces et en bonne condition physique.

Un nombre croissant de Français connaissent aujourd'hui des rudiments de diététique et sont capables d'éviter les excès et les erreurs passés. Ils sont aidés par les médias, notamment les magazines féminins qui vulgarisent les informations et proposent des régimes. Les jeunes et les femmes sont les plus attentifs et les plus compétents.

C'est pourquoi les achats de compléments alimentaires connaissent une forte croissance. Les promesses de ces produits sont multiples : améliorer la mémoire, avoir l'air jeune, faciliter le transit intestinal, mieux dormir... La double dimension alimentaire et thérapeutique (ou préventive) de ces produits fait qu'on peut les baptiser « alicaments ».

... en même temps que le plaisir gustatif...

La gourmandise n'est cependant plus considérée comme un vilain défaut. On retrouve en matière alimentaire la traduction d'une recherche plus générale de plaisir, même s'il faut pour cela transgresser les interdits (cette attitude peut être en elle-même une source de plaisir) ou commettre quelques excès. Pour 86 % des Français, manger est d'abord un plaisir (Danone/Ifop, 1996). Les enquêtes réalisées par le CREDOC depuis 1988 font apparaître un accroissement notable de l'intérêt pour le goût des aliments et les saveurs. Cette demande se traduit par exemple par la consommation de sucreries à tout moment de la journée ; celle de glaces a par exemple augmenté de 50 % en volume entre 1986 et 1994. Au risque d'accroître l'obésité (voir Apparence).

On constate que les fonctions non nutritionnelles de l'alimentation jouent un rôle croissant dans les comportements. On ne mange pas seulement pour ingérer les calories et les nutriments nécessaires à la survie, mais pour rester en bonne santé et vieillir le mieux possible. Cette fonction est d'autant plus importante qu'elle apparaît moins facilement satisfaite aujourd'hui, avec les interrogations sur la sécurité alimentaire.

... et la variété.

La France est le pays des 400 fromages. Le besoin de diversité des consommateurs a incité les industriels de l'agroalimentaire à multiplier les nouveaux produits. Un grand nombre de ceux-ci sont d'ailleurs des reproductions de plats du patrimoine culinaire national ou régional.

Mais la demande se développe aussi vers des produits exotiques, qui permettent d'accroître la palette des expériences gustatives : café du Brésil ou de Colombie, riz de Siam ou du Pakistan, thé de Chine, eau minérale d'Italie, produits tex-mex, etc. La croissance des achats de ces produits venus d'ailleurs est estimée à 30 % par an. Si les Français ont dans leur ensemble adopté (et parfois adapté) certains plats étrangers comme la pizza, le couscous, la paella ou le hamburger, les jeunes se montrent plus ouverts que leurs parents. On assiste à un métissage croissant de la cuisine française avec d'autres cuisines.

Un an de nourriture

Evolution des quantités de certains aliments consommés par personne et par an (en kg ou litre) :

	1995	1980	1970
- Pommes de terre (kg)	64,1	68,0	95,6
- Légumes frais (kg)	89,7	68,5	70,4
- Bœuf (kg)	16,7	18,5	15,6
- Volaille (kg)	22,6	17,1	14,2
- Œufs (kg)	15,5	14,7	11,5
- Poissons, coquillages, crustacés (frais et surgelés, en kg)	16,4	13,4	10,8
- Lait frais (litre)	74,4	74,0	95,2
- Huile alimentaire (kg)	12,8	11,5	8,1
- Sucre (kg)	8,9	15,0	20,4
- Vins courants (litre)	40,6	77,1	95,6
- Vins AOC (litre)	25,5	11,3	8,0
- Bière (litre)	37,4	44,2	41,4
- Eaux minérales et de source (litre)	108,2	47,4	39,9

Les Français recherchent avant tout la sécurité.

La crise de la « vache folle » est venue amplifier les craintes des consommateurs à l'égard des produits industriels en général, alimentaires en particulier. 10 % des Français disent avoir arrêté de manger de la viande de bœuf lors de cette période (INSEE, juin 1997) ; la consommation de bœuf a effectivement baissé de 8 % en 1996 (2 % pour la viande en général).

L'arrivée en 1997 des produits transgéniques (fruits ou légumes auxquels on ajoute des gènes résistant à certaines maladies ou conférant à la plante des qualités particulières) a fourni aux consommateurs de nouveaux motifs d'inquiétude. De sorte que la demande de sécurité en matière alimentaire est plus forte que jamais. L'engouement pour les produits « bio » (fruits, légumes, céréales, produits laitiers...) en est une manifestation. Mais, si 10 % des Français disent acheter régulièrement ces aliments et 38 % épisodiquement, ils représentaient en 1997 moins de 1 % des dépenses alimentaires des ménages.

Les Français sont cependant conscients que le risque zéro n'existe pas. La peur de la « vache folle » n'est sans doute pas pire que celle des « vaches maigres », annonciatrice de famine, qui a prévalu pendant des siècles.

Le rationnel et l'irrationnel

Les Français attendent des informations précises sur les produits qu'ils consomment, sur leur contenu nutritionnel et leurs effets sur la santé. Mais les aspects irrationnels ne sont pas absents de leur relation aux aliments, qui sont des produits très particuliers. D'abord parce qu'ils sont porteurs de la vie ou de la survie individuelle. Ensuite parce qu'ils sont ingérés (« incorporés ») et qu'ils ont donc une intimité particulière avec le corps. L'alimentation se rapproche en cela de la sexualité.

La superstition est également très présente dans les attitudes et les comportements alimentaires. Ainsi, les produits vitaminés, compléments minéraux ou oligo-éléments jouent un rôle comparable à celui des amulettes et des porte-bonheur d'autrefois. Ils sont censés conjurer la maladie, le vieillissement, peut-être la mort.

Qualité rime avec sécurité.
Euro RSCG

La « praticité » est une demande croissante.

Les contraintes de la vie courante font que le temps dont disposent les consommateurs est limité. La plupart préfèrent d'ailleurs le consacrer à d'autres tâches que la préparation des repas quotidiens. Il existe donc une forte demande de produits pratiques à acheter, stocker, préparer, consommer, éliminer.

Cette attente explique notamment la croissance de la consommation annuelle de surgelés, passée de 2 kg en 1965 à 29 kg en 1997 (dans le même temps, le taux d'équipement en congélateurs passait de 10 % à 52 % ; celui de micro-ondes de 1 % à 52 %).

✦ *Au petit déjeuner, 36 % des Français boivent du café noir, 23 % du café au lait, 14 % du thé, 11 % du jus de fruits. 6 % ne prennent pas de petit déjeuner.*

✦ *95 % des ménages d'agriculteurs disposent d'un jardin potager, d'un verger ou d'un élevage.*

On observe une montée en gamme dans les achats.

La diminution, en valeur relative, des dépenses d'alimentation, n'empêche pas que les choix se portent vers des produits moins basiques, plus sophistiqués et coûteux. Ainsi, les Français mangent moins de pain (160 g par jour et par personne, contre 265 en 1960) mais ils s'intéressent de plus en plus aux spécialités (pain complet, aux raisins, aux noix...). Les achats de pommes de terre ont été divisés par trois en trente ans. Ceux de sucre, d'abats ou de triperie se sont effondrés au profit de produits plus élaborés.

La part des produits laitiers a dans le même temps fortement augmenté, du fait de la consommation des produits frais ; 95 % des ménages achètent des yaourts, contre 75 % en 1980 et 45 % en 1965, un mouvement encouragé par l'arrivée des yaourts vitaminés, « bio », allégés, etc.

On trouve le même phénomène avec le riz (proposé en variétés thaï, vietnamienne, pakistanaise, basmati...) ou les pâtes (aux germes de blé dur, au saumon, aux champignons, aux noix, en forme de sapin de Noël...). La consommation de vin AOC s'accroît alors que celle de vin de table diminue. La semoule de couscous est devenue une céréale d'accompagnement. En même temps que l'évolution de l'offre, la meilleure connaissance des avantages nutritionnels des sucres lents a transformé l'image « pauvre » de ces produits.

Le froid et le frais

La réticence initiale des Français à l'égard des produits surgelés a beaucoup diminué au fil des années. Les efforts des fabricants et des distributeurs ont accru la confiance dans la chaîne du froid, dont le seul maillon faible est aujourd'hui le transport des produits surgelés par les ménages du magasin à leur domicile. Le taux de pénétration des surgelés en France dépasse 90 % ; 81 % estiment que ce sont de bons produits (CIPS/Sofres, 1996).

Pourtant, les produits frais restent la référence absolue. Il n'est donc guère surprenant que l'érosion des achats de produits surgelés enregistrée en 1996 pour la première fois depuis plusieurs décennies ait coïncidé avec une forte croissance de ceux de produits frais et surtout ultra-frais (21 % pour les jus de fruits, 8 % pour les compotes, 7 % en valeur pour les desserts, 4 % pour la crème et les yaourts).

La consommation de vin a diminué de moitié en trente ans.

Les Français ont consommé en moyenne 60 litres par personne et par an en 1997, contre 127 litres en 1963. Ils figurent toujours parmi les plus gros consommateurs au monde, mais ils sont dépassés par le Portugal et l'Italie.

L'évolution au cours des dernières années montre une diminution du nombre des consommateurs réguliers au profit des occasionnels. Le vin devient une boisson plus festive que quotidienne, comme en témoigne le fort accroissement de la consommation de « vins fins » (type AOC ou VDQS) au détriment des vins de table.

Le vin reste un produit convivial, impliquant, sain, naturel, porteur de plaisir et d'histoire. Mais les jeunes, et dans une moindre mesure les femmes, éprouvent des difficultés à entrer dans cet univers complexe et traditionnel, peu en phase avec leurs attentes. Aujourd'hui, la moitié des Français déclarent ne jamais boire de vin, contre 39 % en 1980.

Le recul du vin a profité à d'autres boissons.

La consommation de bière avait progressé en France jusqu'au milieu des années 70, atteignant 49 litres par personne en 1976. Elle a ensuite diminué régulièrement, pour se stabiliser vers 39 litres.

Taureau ailé, toujours plus loin dans le goût.

TAUREAU AILÉ

GRAINE DE COUSCOUS goût ÉPICÉ

Graine moyenne pour l'accompagnement de viandes ou poissons
500 g

Graine de couscous goût épicé.

L'exotisme est de plus en plus recherché.
Vista

Parmi les boissons non alcoolisées, l'eau minérale a largement profité de la diminution de consommation de vin. Avec 103 litres par personne, les Français restent, comme pour le vin, parmi les premiers consommateurs du monde.

La consommation de jus de fruits a connu une progression spectaculaire. Elle a été multipliée par près de huit en quinze ans : 15 litres par personne en 1997 contre 2 litres en 1980 (6 litres en 1988). Mais elle reste inférieure à celle des Américains (45 litres), des Allemands (35 litres) ou des Britanniques (20 litres).

La consommation de Coca-Cola s'accroît également ; les Français en ont bu en moyenne 14 litres en 1997. Elle reste très inférieure à celle des Américains (72) ou des Allemands (45).

Consommer avec modération

Des études américaines et françaises montrent qu'une consommation modérée de vin protège contre les maladies cardio-vasculaires *(french paradox)*. Selon une étude de l'INSERM, une consommation régulière de deux à trois verres de vin par jour réduirait la mortalité globale de 30 % et celle due au cancer de 20 %. Une autre étude montre cependant qu'une consommation plus forte (trois à cinq verres par jour) accroît le risque de cancer du sein chez les femmes.

Les jours sans pain

Evolution de la consommation de pain (en grammes par jour et par personne) :

900 g
500 g
265 g
193 g
163 g

1900   1945   1960   1980   1995

Un repas sur cinq est pris à l'extérieur du domicile.

Les dépenses de nourriture hors foyer représentent environ 20 % du budget alimentation global des ménages (2,6 milliards de repas en 1996) contre 16 % en 1980 et 10 % en 1965. Après une longue période de croissance, la part des restaurants commerciaux a diminué en 1996, au profit des restaurants d'entreprise, scolaires ou universitaires. Les restaurants de hamburgers ont été touchés par la crise de la « vache folle ».

L'érosion des « bistrots » traditionnels a été spectaculaire : moins de 50 000 contre 200 000 en 1960 et 80 000 en 1985. Elle a profité d'abord à la restauration rapide et, plus récemment, aux restaurants thématiques.

Depuis 1984, les chaînes de restauration commerciale ont triplé le nombre de leurs restaurants (3 381 en 1997 pour 71 chaînes) et quadruplé leur chiffre d'affaires, qui représente aujourd'hui près de 20 % de l'ensemble. Les cafétérias représentent une unité sur cinq. En 1997, les fast-foods ont représenté 27 % des dépenses de restauration commerciale, devant les sandwicheries (26 %), les enseignes de viande-grill (11 %), les pizzerias (10 %), les restaurants traditionnels (6 %), les brasseries (3 %) et les restaurants de poissons (2 %). Mais les Français achètent, toutes provenances confondues, huit fois plus de sandwiches que de hamburgers.

Les jeunes ont des habitudes alimentaires différentes de celles de leurs parents.

Chez les 15-19 ans, le hamburger arrive en troisième position des plats préférés (derrière le steak-frites et le couscous), alors qu'il occupe la dernière chez les plus de 60 ans, dont les préférences vont au pot-au-feu (78 %), au gigot (76 %) et à la blanquette (72 %). 21 % des jeunes boivent du Coca-Cola au cours du déjeuner et 18 % au dîner (Chez Margot/Ipsos, novembre 1995). Deux sur cinq grignotent des gâteaux et sucreries pendant la matinée. Les nutritionnistes

✦ *On compte en France plus de 155 000 restaurants, dont 120 000 servant à table (29 000 sont situés dans des hôtels), 32 000 snacks (2 000 fast-foods), 1 500 self-service, 1 400 restaurants de loisir (campings, parcs d'attractions), 370 restaurants de transport (gares et aérogares, trains, avions).*

✦ *59 % des Français boivent de l'eau du robinet tous les jours.*

estiment qu'un quart des jeunes ont acquis de mauvaises habitudes alimentaires avant 24 ans. Elles pourraient entraîner à terme un problème d'obésité semblable à celui qui touche aujourd'hui les Etats-Unis.

Les jeunes semblent aussi moins concernés par la gastronomie que leurs parents. Les sondages montrent que leurs connaissances culinaires ne sont pas toujours très solides. Les jeunes femmes préfèrent aujourd'hui suivre une scolarité prolongée que d'apprendre à faire la cuisine. La transmission entre les générations apparaît donc difficile. On peut alors s'interroger sur la façon dont les jeunes vont s'alimenter au cours des prochaines décennies. La tradition gastronomique française survivra-t-elle à l'uniformisation des habitudes alimentaires ?

Les différences avec les autres pays s'estompent, mais les traditions nationales et régionales demeurent.

Comme l'ensemble des modes de vie, les habitudes alimentaires des différents pays développés tendent à se rapprocher. Ce phénomène de convergence est particulièrement sensible à l'intérieur de l'Union européenne. La consommation de ketchup, de céréales pour le petit déjeuner ou d'eau minérale a augmenté partout. Celle de vin et de bière s'est développée dans les pays où elle était faible et réduite dans les pays où elle était élevée. Le goût pour les produits exotiques, porteurs de nouvelles sensations, se développe partout, signe d'une ouverture des frontières et des esprits.

Pourtant, les traditions nationales et régionales demeurent. Les corps gras solides (beurre, margarine, saindoux) restent largement utilisés pour la cuisson dans les pays du Nord, tandis que les pays méditerranéens continuent de préférer l'huile d'olive. La France appartient aux deux cultures gastronomiques : le beurre et la bière sont surtout consommés au nord de la Loire, l'huile et le vin au sud.

✦ 73 % des Français déjeunent chez eux en semaine, 81 % le week-end.

✦ 11 % des femmes boivent du vin tous les jours, contre 28 % des hommes.

✦ On estime que la production autoconsommée représente 8 % de la consommation alimentaire totale des ménages : 37 % pour les agriculteurs, 7 % dans les petites villes et 1,5 % dans la région parisienne.

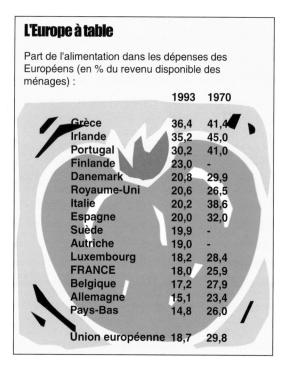

L'Europe à table

Part de l'alimentation dans les dépenses des Européens (en % du revenu disponible des ménages) :

	1993	1970
Grèce	36,4	41,4
Irlande	35,2	45,0
Portugal	30,2	41,0
Finlande	23,0	-
Danemark	20,8	29,9
Royaume-Uni	20,6	26,5
Italie	20,2	38,6
Espagne	20,0	32,0
Suède	19,9	-
Autriche	19,0	-
Luxembourg	18,2	28,4
FRANCE	18,0	25,9
Belgique	17,2	27,9
Allemagne	15,1	23,4
Pays-Bas	14,8	26,0
Union européenne	18,7	29,8

Transports

La part des transports dans les dépenses des ménages a augmenté de moitié depuis 30 ans.

En 1997, les Français ont consacré 16,3 % de leur revenu disponible aux dépenses de transport, contre 11 % en 1960, ce qui représente le troisième poste du budget, derrière le logement et l'alimentation. Après leur forte croissance constatée entre 1960 et 1980, ces dépenses tendent à stagner en proportion des revenus, ce qui signifie qu'elles s'accroissent au même rythme que le pouvoir d'achat.

Le temps moyen de déplacement des Français est d'une heure par jour. En 1994, ils ont effectué 172 millions de déplacements par jour, soit une moyenne de 3,2 par personne (dont 2,03 en voiture, 0,75 à pied, 0,29 en transports en commun, 0,13 en deux-roues), un nombre identique à celui mesuré en 1982. La distance moyenne par déplacement est de 9 km, contre 7 km en 1982. Le temps de déplacement est de 19 minutes, soit une moyenne de 62 minutes par personne et par jour.

Les déplacements des Français

Evolution des transports personnels des ménages :

Origine / Destination	Part des différents moyens de locomotion (en %)						Vitesse moyenne (en km/h)	
	Deux-roues		Voiture		Transports en commun*			
	1994	1982	1994	1982	1994	1982	1994	1982
Centre - Centre	6	15	75	70	19	15	13,4	13,4
Centre - Banlieue	4	11	74	60	22	29	22,6	20,0
Centre - Périphérie	2	4	88	84	10	12	38,0	35,8
Banlieue - Banlieue	7	12	83	77	10	11	22,0	19,7
Banlieue - Périphérie	2	11	90	78	8	11	41,8	40,0
Périphérie - Périphérie	9	20	87	72	4	8	28,1	20,7
Rural - Rural	8	12	89	86	3	2	25,9	23,3
Autres déplacements	1	2	91	86	8	12	52,2	45,0
Ensemble	**6**	**13**	**82**	**74**	**12**	**13**	**29,7**	**24,3**

* Y compris les parcours mixtes.

INSEE

La voiture est de plus en plus privilégiée...

82 % des déplacements motorisés à moins de 80 km du domicile (à vol d'oiseau) se font en voiture, une progression de plus de 30 % depuis 1982. Les déplacements à pied ont diminué de 30 % et ceux effectués en deux-roues de près de 50 %. C'est ce qui explique que la vitesse moyenne des trajets quotidiens a augmenté de 25 % en dix ans.

En Ile-de-France, les deux tiers des habitants utilisent leur voiture chaque jour de semaine pour se déplacer à l'intérieur de la région ; seuls 31 % prennent les transports en commun ; 60 % des transports professionnels sont effectués en voiture.

Les transports individuels motorisés (achat, utilisation et entretien des voitures et autres véhicules) représentent un peu plus de 80 % des dépenses totales de transport des ménages.

... au détriment des transports collectifs.

Le budget consacré aux transports collectifs représente près du quart des dépenses de transports (23 %). On constate depuis quelques années une tendance à la baisse, conséquence de la place prioritaire prise par la voiture dans les modes de vie. Elle est aussi liée à l'image globalement peu favorable des transports en commun, aggravée par les inconvénients occasionnés par les grèves. En Ile-de-

France, on a assisté à une baisse après le renouveau des années 80 lié à la mise en service du RER et à l'extension des réseaux de la région parisienne et de province.

12 % seulement du trafic sont assurés par les transports en commun, ce qui est inférieur à la part mesurée dans la plupart des autres pays européens. Les collectivités locales s'efforcent de promouvoir les transports urbains et péri-urbains en créant ou en modernisant des lignes de métros, tramways ou trolleybus, en mettant en place de nouvelles politiques de transports qui prennent davantage en compte les revendications de confort, rapidité, sécurité, convivialité, service des « usagers ». Mais les disparités entre villes sont fortes : Strasbourg et Rouen, qui ont fait des efforts importants dans ce domaine, connaissent des fréquentations en croissance. A l'inverse, Lille, Marseille ou Bordeaux enregistrent des reculs importants.

Le train a connu une certaine désaffection, au contraire de l'avion.

Le trafic de la SNCF connaît une stagnation depuis plusieurs années, aux environs de 750 millions de voyageurs par an. Il avait été fortement touché par les grèves de décembre 1995, puis par les modifications à répétition des politiques tarifaires. Depuis, la SNCF s'efforce de convaincre les Français de « préférer le train ». Le TGV représente aujourd'hui la moitié du trafic (236 villes sont desservies sur cinq zones).

Depuis 1980, l'utilisation de l'avion s'est beaucoup plus développée que celle des autres modes de transports collectifs. Son taux de croissance sur dix ans a été de 60 %, contre 17 % pour le train et 9 % pour les autres transports terrestres (urbains, routiers, taxis). Il a profité des baisses de prix successives provoquées par la concurrence accrue. La France est le premier pays européen en ce qui concerne la densité de fréquentation des vols domestiques ; Air Inter a transporté près de 20 millions de passagers en 1997. Pourtant, 40 % des Français n'ont encore jamais pris l'avion.

79 % des ménages possèdent une voiture, 28 % en ont au moins deux.

Le taux de possession d'une voiture a beaucoup augmenté depuis une quarantaine d'années ; il n'était que de 30 % en 1960 (58 % en 1970). Avec une voiture pour deux habitants (470 pour 1 000), la France se situe au troisième rang des pays de l'Union européenne, derrière l'Italie et l'Allemagne.

Le taux d'équipement apparaît assez peu dépendant du revenu : 98 % des agriculteurs sont concernés, entre 88 et 90 % des autres catégories professionnelles, à l'exception des employés (75 % seulement). L'âge est en revanche un facteur important : seuls 72 % des retraités disposent d'une voiture. Il en est de même de l'habitat : 63 % des habitants de l'agglomération parisienne sont équipés, contre 88 % dans les communes rurales.

Le taux de multi-équipement s'accroît plus rapidement : 26 % des ménages disposent d'au moins deux voitures, contre 17 % en 1980 ; 6 % d'entre eux en ont au moins trois. Les ménages les plus aisés sont davantage multi-équipés ; 55 % des cadres supérieurs contre 26 % des ouvriers, mais 38 % des agriculteurs.

14 000 km par an

Le kilométrage moyen des ménages a augmenté légèrement depuis quelques années. Il était de 14 400 km en 1996, contre 13 600 en 1990 pour les voitures de tourisme (14 670 pour les hommes, 12 300 pour les femmes). Il dépasse 16 000 km pour les cadres supérieurs et professions intellectuelles supérieures, les artisans, commerçants et chefs d'entreprise et les professions intermédiaires. Il est presque deux fois plus élevé pour les voitures Diesel que pour les voitures à essence : 21 300 km contre 11 600 km.
L'évolution du prix du carburant (multiplié par trois en francs courants entre 1975 et 1985) ne semble pas avoir eu d'incidence notable sur l'utilisation de la voiture. Mais la consommation moyenne d'essence par voiture a diminué depuis 1973, date du premier choc pétrolier, du fait des efforts des constructeurs et de la diminution de la puissance du parc des véhicules. Elle était de 8,36 l pour les voitures à essence en 1996 et de 6,79 l pour les Diesel. Les automobilistes parisiens consomment 12 % de plus que ceux de province.

La cylindrée moyenne du parc diminue régulièrement.

Les achats de voitures de très grosse cylindrée avaient été multipliés par près de six entre 1984 et 1989, mais on a assisté depuis 1990 à une inversion de tendance. La part des véhicules de plus de 10 CV dans le parc global est ainsi passée de 10,2 % en 1980 à 4,6 % en 1996). La part des moyennes cylindrées (de 6 à 10 CV) est passée de 62 % à 58 %. Celle des petites cylindrées (moins de 6 CV) a fortement augmenté, de 28 % à 38 %. La part importante des voitures Diesel, dont la cylindrée est inférieure, explique en partie cette évolution.

Le parc automobile français est ainsi concentré dans les gammes inférieure et moyenne inférieure. En 1996, ces deux gammes ont représenté 73 % des immatriculations de voitures neuves, contre 64 % en moyenne européenne (UE). La gamme supérieure

Le prix, un argument de vente important.
Diamant vert

n'a représenté que 8 %, contre 14 % en moyenne (41 % en Suède, 22 % en Allemagne et au Luxembourg, mais 4 % au Portugal, 5 % en Grèce et en Irlande).

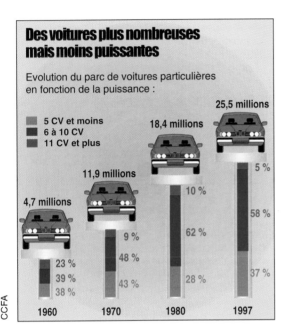

Des voitures plus nombreuses mais moins puissantes

Evolution du parc de voitures particulières en fonction de la puissance :

- 5 CV et moins
- 6 à 10 CV
- 11 CV et plus

25,5 millions

18,4 millions

11,9 millions

4,7 millions

1960	1970	1980	1997
		5 %	
		10 %	5 %
9 %		62 %	58 %
23 %	48 %		
39 %	43 %	28 %	37 %
38 %			

CCFA

Les Diesel représentent 31 % du parc automobile en 1998, contre 4 % en 1980 et 1 % en 1970.

Les immatriculations de voitures Diesel ont représenté moins de 42 % du total en 1997, ce qui confirme la baisse constatée depuis 1995. Mais la part des achats de voitures Diesel en 1997 était supérieure en Autriche et en Belgique. Malgré cela, la France détient toujours le taux de diésélisation du parc le plus élevé d'Europe.

Longtemps réservé aux camions et aux taxis, le moteur Diesel a conquis les particuliers, du fait de sa moindre consommation, de l'écart de prix important entre le supercarburant et le gazole et de sa durée de vie plus longue. Mais son avenir apparaît incertain, du fait de la pollution qu'il engendre ; les nouvelles normes antipollution vont entraîner des surcoûts élevés et les voitures françaises sont actuellement les moins équipées d'Europe en pots catalytiques. De plus, la fiscalité très favorable du gazole pourrait être revue à la hausse, ce qui réduirait l'intérêt des acheteurs.

Le Diesel en question

Evolution de la part du diesel dans les immatriculations de voitures neuves (en %) :

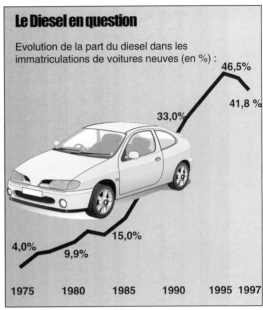

46,5%

41,8 %

33,0%

15,0%

4,0%

9,9%

| 1975 | 1980 | 1985 | 1990 | 1995 | 1997 |

CCFA

Les Français achètent deux fois plus de voitures d'occasions que de neuves, de sorte que le parc vieillit.

L'âge moyen des voitures en circulation a atteint 7,0 ans en 1998, contre 6,2 ans en 1982. Depuis cette date, le nombre des véhicules âgés de 5 à 20 ans est supérieur à celui des véhicules de moins de 5 ans. Avec la crise, les acheteurs ont été amenés à garder leur voiture plus longtemps, quitte à mieux l'entretenir. Ce souhait a été favorisé par l'amélioration de la qualité des moteurs et des carrosseries.

Les ventes de voitures neuves, qui renouvellent et rajeunissent le parc automobile, sont en baisse depuis 1990, malgré les diverses aides gouvernementales. Le sursaut de 1994 avait été suivi d'une baisse de 2 % en volume en 1995. 1997 a été une année de forte baisse (18 %), liée à la suppression des primes en septembre 1996.

Beaucoup de Français préfèrent acheter des véhicules d'occasion : environ 4 millions par an, soit deux fois plus que les voitures neuves (2,5 fois plus en

✦ *57 % des Français se disent prêts à renoncer de leur plein gré à utiliser leur voiture en cas de pic de pollution (62 % des résidents de Paris intra-muros). 31 % se disent prêts à le faire si on les contraint (31 % également à Paris).*

1993, année de forte déprime sur le marché du neuf). L'achat d'une deuxième voiture se fait aussi plus souvent sur le marché de l'occasion. Le résultat est que 37 % seulement du parc sont composés de voitures de moins de 5 ans, contre 52 % en 1990.

Le prix de l'évasion

Evolution du prix de revient des voitures par poste :

	1997*	1987	Variation (en %)
- Achat	12 593	8 151	+54,5
- Frais financiers	3 412	4 057	−15,9
- Assurance	3 250	4 112	−20,9
- Carburants	6 743	4 477	+50,6
- Entretien, pneus, lubrifiants	5 930	3 852	+53,7
- Garage	7 190	4 849	+48,3
- Vignette	528	415	+27,2
- Péage	974	438	+122,3
Total	40 620	30 351	+33,8

* Le calcul a été fait pour l''achat d'une Renault Clio 5 CV.

Fédération française des automobiles-clubs

La part des immatriculations de voitures étrangères a atteint 44,1 % en 1997, contre 23 % en 1980.

28,6 % des voitures neuves achetées en 1997 étaient des modèles commercialisés par le groupe PSA (16,5 % pour Peugeot, 12,1 % pour Citroën), 27,3 % étaient des Renault.

La pénétration des marques étrangères a atteint un nouveau record, à 44 %. Elles ne représentaient en 1983 que le tiers des immatriculations, mais elles avaient gagné dix points de part de marché entre 1983 et 1986, avant de se stabiliser à un niveau

✦ 62 % des Français souhaiteraient pouvoir se procurer en l'an 2000 une voiture électrique que l'on recharge pendant la nuit en la branchant dans son garage ou sa maison (34 % ne le souhaitent pas).

✦ Le prix moyen des transports en commun à Paris (bus, métro, RER, train) est de 3,90 F, contre 9 F à New-York, 8 F à Londres et 6 F à Berlin. Il représente un tiers du prix de revient réel.

d'environ 40 %. Les quatre principaux constructeurs présents sur le marché français sont VAG-Volkswagen (11,2 % des ventes en 1997), Ford (8,0 %), General Motors (6,9 %), Fiat (6,7 %). Les autres marques étrangères sont moins bien implantées : BMW-Rover (3,1 %), Mercedes (1,5 %), Volvo (0,5 %). Les voitures japonaises ont représenté ensemble 4,5 % des immatriculations, contre un peu moins de 3 % en 1990.

Prix : le grand écart européen

Les écarts de prix des automobiles peuvent atteindre 70 % entre les pays de l'Union européenne (novembre 1997). Ils s'expliquent par les différences de taxes, les fluctuations des taux de change et les politiques commerciales des constructeurs qui vendent en général leurs modèles plus cher sur leur marché national. Sur 75 modèles comparés, les Pays-Bas sont le pays le moins cher pour 24 d'entre eux, le Royaume-Uni est le plus cher pour 54. La France et l'Allemagne ont l'une et l'autre 11 des modèles les plus chers. L'écart dépasse 40 % pour 16 modèles. Le plus élevé concerne l'Alfa Roméo 145 (73 % plus chère au Royaume-Uni qu'aux Pays-Bas).

Commission européenne

La part des berlines diminue au profit des voitures plus familiales, notamment des monospaces.

Les berlines représentent encore 90 % des achats de voitures en France, contre 81 % en moyenne dans les pays de l'Union européenne. Mais elles sont de plus en plus concurrencées par des voitures à vocation plus familiale, comme les monospaces. Ceux-ci constituent en France une catégorie récente, inaugurée par Renault dans les années 80 avec l'Espace. Ils représentent une rupture avec les modèles traditionnels et se caractérisent par leur modularité et leur convivialité.

Les breaks bénéficient aussi d'une esthétique beaucoup plus affinée que par le passé, d'une motorisation performante et d'un niveau d'équipement élevé, avec des prix souvent comparables. Leur pénétration en France est faible : 4 %, contre 31 % en Suède, 18 % en Allemagne. Elle devrait s'accroître au cours des prochaines années, en même temps que la demande pour des véhicules de loisir.

Les berlines sont aussi en concurrence croissante avec d'autres modèles de « niche » comme les coupés, les cabriolets, les roadsters ou les 4 X 4. Elles le seront peut-être demain avec d'autres « voitures récréatives » comme les *light-trucks* américains (voitures utilitaires avec plate-forme arrière). Ou avec des modèles rétro mythiques, comme la nouvelle Coccinelle de Volkswagen ou la Mini rénovée de Rover.

La voiture change de sexe

L'irruption des valeurs féminines dans le design et dans la conception des produits explique la tendance récente à la rondeur. Elle est particulièrement apparente dans la forme des nouveaux modèles automobiles. Après une longue période où les acheteurs ont privilégié la puissance et la virilité, la voiture se fait à nouveau séductrice. Le confort, la douceur, le silence et la simplicité sont des revendications d'importance croissante. Elles expliquent le succès du monospace, concept typiquement féminin, qui s'oppose à celui du 4 X 4, essentiellement masculin.

Cette féminisation de la voiture a obligé les constructeurs à privilégier les aspects pratiques, la facilité de conduite, l'espace pour les enfants, le volume du coffre pour les courses, les bacs et les tablettes de rangement.

Les mégaventes de la Mégane

Palmarès des dix voitures les plus vendues en 1997* (en % des ventes totales) :

	Nombre	% des ventes totales
1. Renault Mégane	143 821	8,4
2. Renault Clio	119 844	7,0
3. Peugeot 306	96 509	5,6
4. Renault Twingo	82 315	4,8
5. Peugeot 106	81 757	4,8
6. Renault Laguna	66 290	3,9
7. Peugeot 406	63 245	3,7
8. Citroën Saxo	62 246	3,6
9. Volkswagen Polo	58 463	3,4
10. Opel Corsa	53 209	3,1

* soit 48,3 % du total des 1 713 106 voitures neuves vendues.

La sécurité est plus importante que la performance.

Si la valeur d'usage d'un véhicule reste importante, elle n'est plus au centre de la décision d'achat. Les nouvelles réglementations, les difficultés de circulation et l'émergence des valeurs féminines ont relégué l'idée de vitesse au second plan. D'autant que les performances mécaniques se sont dans le même temps banalisées et qu'elles sont de toute façon rarement utilisables.

Le confort et la sécurité jouent en revanche un rôle croissant. Les progrès de l'électronique ont permis notamment de développer la sécurité active, qui assiste le conducteur en cas de problème (freins ABS, tenue de route...).

La conception intérieure joue un rôle déterminant. L'habitacle de la voiture doit être conçu comme une véritable pièce à vivre. Pour l'améliorer, les constructeurs ont augmenté la surface vitrée. Beaucoup prévoient un équipement ou pré-équipement radio (+ 14 % en 1994). On commence à voir apparaître en série des lecteurs de disques compacts et même des téléphones. La baisse des prix des climatisations devraient les rendre plus accessibles. Les systèmes de guidage ont commencé à faire leur apparition.

La voiture tend à devenir une résidence secondaire.

Dans les années 50, Roland Barthes voyait dans la voiture un objet magique « consommé dans son image, sinon dans son usage » (*Mythologies*). A la fin des années 60, Jean Baudrillard la décrivait comme « une sphère close d'intimité mais douée d'une intense liberté formelle, d'une fonctionnalité vertigineuse » (*le Système des objets*). La « démassification » des années 80 a donné lieu à des types d'utilisation différenciés : voiture passe-partout des villes encombrées ; voiture-épate des « gagnants » ; voiture-look de ceux qui se voulaient différents ; salon-roulant des inconditionnels du confort ; tapis-roulant de ceux qui voulaient s'évader ou fuir.

Comme toutes les machines inventées par l'homme pour son usage, la voiture est une prothèse. Mais elle n'est plus aujourd'hui achetée seulement pour ses performances, ni même pour son confort ou sa sécurité. Elle doit remplir de nouvelles fonctions : convivialité entre les passagers ; information (radio, téléphone, télévision, ordinateur, fax...) ; distraction ; jeu ; travail ; etc. Elle n'assure plus la transition entre l'intérieur et l'extérieur, mais devient le prolongement de la sphère domestique, du « chez soi ». La voiture est une résidence secondaire.

Les automobilistes citoyens

Lors des pics de pollution, 93 % des Français se disent favorables à la réduction des tarifs dans les transports en commun (6 % défavorables), 82 % à l'encouragement au covoiturage pour limiter le nombre de véhicules en circulation (16 % non), 67 % à la réduction de la vitesse maximale autorisée (31 % non), 62 % à l'autorisation de circulation des seules voitures électriques ou munies d'un pot catalytique (36 % non), 57 % au bridage des moteurs pour rendre impossibles les vitesses supérieures à 130 km/h (41 % non), 46 % à l'instauration d'une circulation alternée en fonction du numéro d'immatriculation des véhicules (51 % non), 21 % à l'augmentation du prix du gazole (77 % non).

Libération/BVA, septembre 199

DEUX-ROUES. *Les achats de motos ont connu une très forte hausse depuis 1996.*

Les achats de motos avaient diminué de moitié entre 1981 et 1985, puis ils se sont redressés jusqu'en 1990. Ils ont connu ensuite une rechute rapide, confirmée en 1995. La création de nouveaux permis correspondant à de nouvelles classifications administratives avait notamment porté un coup très dur à la catégorie des 125 cm^3 ; les achats étaient passés de 75 000 en 1980 à 18 000 en 1995.

Le changement de législation intervenu en juillet 1996 autorise désormais la conduite de ces motos à tous ceux qui détiennent le permis automobile. Il est à l'origine d'une relance spectaculaire des achats depuis 1996. Les cylindrées supérieures ont aussi tiré parti de cette évolution, avec une progression favorisée par les baisses de prix pratiquées par les marques japonaises.

Les 125 cm^3 dopées par la nouvelle législation.
Diamant vert

147 890 motos ont été immatriculées en 1997, ce qui représente un record depuis 1980. 97 % des motos neuves sont étrangères. Yamaha, Honda et Suzuki constituent le trio de tête et représentent 69 % des importations. Peugeot et MBK sont les deux seules marques françaises ; leurs ventes ont représenté respectivement 2 785 et 1 093 véhicules en 1997.

On constate un intérêt croissant pour les motos anciennes. Ce sont surtout les quadragénaires qui sont concernés, par nostalgie, par goût de l'authenticité ou par souci d'échapper à la banalisation des deux-roues modernes.

Le scooter bénéfice aussi de l'engouement récent pour les deux-roues.

1996 a été une année de reprise pour le scooter, avec 14 500 immatriculations, essentiellement des modèles de 125 cm^3.

Le grand retour de la moto

Evolution des immatriculations et du parc de motos :

	1980	1985	1990	1995	1997
Immatriculations - neuves	135 000	73 331	123 129	84 793	147 890
- occasion	-	237 833	273 930	250 000*	
• Part des marques étrangères	-	95,3 %	94,6 %	94,7 %	97,4 %
• Motos en circulation (au 31/12)	715 000	695 000	746 000	970 000	1 037 000

* Estimations

Chambre syndicale des importateurs d'automobiles et de motocycles

Mais on est encore loin des ventes des années 70. Des modèles de 100 cm^3 sont apparus en 1997 en remplacement des 80 cm^3 boudés par les acheteurs.

La clientèle concernée est surtout composée de cadres urbains, qui ne sont pas imprégnés de la « culture motard » mais cherchent à circuler plus facilement dans les villes. Leurs choix se portent donc davantage sur le confort, le service, le design et le rapport qualité-prix que sur la marque.

Le vélo reste peu utilisé en France comme moyen de locomotion. L'intérêt dont il avait été l'objet lors des mouvements de grèves de décembre 1995 ne lui a pas permis d'entrer véritablement dans les mœurs citadines, malgré les menaces concernant la pollution et les discours écologistes.

Le cyclomoteur continue sa chute régulière depuis plus de dix ans : 150 000 achetés en 1995 contre un million en 1974, 500 000 en 1982.

Animaux

52 % des foyers possèdent un animal familier.

28 % des ménages possédaient au moins un chien en 1997, 26 % au moins un chat, 10 % au moins un poisson, 6 % au moins un oiseau, 5 % au moins un rongeur. 45 % avaient au moins un chat et un chien, 31 % un seul animal (chien, chat, hamster ou oiseau...), 27 % au moins deux (enquête FACCO/Sofres 1997).

La France est en Europe l'un des pays qui comptent le plus d'animaux familiers (16,3 millions de chiens et chats en 1997), devant le Royaume-Uni

L'aquariophilie en hausse

On constate depuis quelques années une progression du nombre de foyers équipés d'un aquarium. On estime le nombre de poissons à plus de 20 millions. Plus de la moitié se trouvent chez les jeunes foyers dont la personne de référence a entre 10 et 35 ans. Cet engouement a plusieurs causes : les poissons demandent moins de temps que les chiens ou chats ; leur entretien coûte en principe moins cher ; les équipements se sont sophistiqués ; les boutiques sont plus nombreuses ; les poissons proposés sont plus variés et exotiques. Enfin, l'aquariophilie a une dimension esthétique et reposante qui déborde le seul intérêt pour les animaux.

(14 millions) et l'Italie (12 millions). Ce nombre s'est surtout accru pendant les années 70 ; il est depuis resté stable aux environs de 25 millions d'animaux.

Les foyers les plus concernés sont ceux des agriculteurs (81 % ont au moins un chien ou un chat) devant les commerçants, artisans, chefs d'entreprise (65 %), ouvriers (57 %), employés (47 %), professions intermédiaires (44 %), cadres supérieurs et professions libérales (37 %) et inactifs (36 %).

Les animaux du monde

Proportion de chiens et de chats dans divers pays (pour 100 habitants) :

	Chiens	Chats
Etats-Unis	21	23
Belgique	18	18
Irlande	17	11
FRANCE	13	14
Danemark	12	10
Finlande	12	10
Royaume-Uni	11	12
Espagne	9	8
Italie	9	11
Portugal	9	13
Pays-Bas	8	13
Autriche	7	17
Grèce	7	7
Allemagne	6	7
Japon	7	6

AFIRAC

Les chats sont aujourd'hui plus nombreux que les chiens.

Pendant longtemps, les chiens ont été majoritaires dans les foyers français. Les chats sont depuis quelques années plus nombreux : 8,4 millions contre 7,9 millions de chiens en 1997. On observe par ailleurs une diminution de la taille moyenne des chiens ; 43 % pèsent moins de 10 kg.

Cette évolution s'explique d'abord par la concentration urbaine ; l'absence d'un jardin rend plus difficile la possession d'un chien. De plus, le rythme de vie des citadins ne leur permet guère de consacrer du temps à la promenade d'un chien, d'autant que la pollution canine est de plus en plus mal perçue. Une autre raison est l'augmentation du nombre de foyers de personnes seules ; le chat, plus indépendant, est bien souvent pour elles le compagnon idéal. Enfin, le coût d'entretien d'un chat est inférieur à celui d'un chien.

Le choix du chat ou du chien comme animal de compagnie n'est peut-être pas lié seulement à des considérations de place ou de coût. Le chat est le symbole de la liberté et de l'indépendance, valeurs auxquelles sont particulièrement attachés les intellectuels, les enseignants ou les fonctionnaires. Le chien est plutôt celui de la défense des biens et des personnes ainsi que de l'ordre, valeurs souvent jugées importantes dans des catégories comme les commerçants, artisans, policiers, militaires, contre-maîtres...

30 millions d'amis/BVA, mai 1998

Les Français et les animaux

Parmi une liste proposée de cinq animaux sauvages, les Français ont une préférence pour le dauphin (50 %), devant le tigre (17 %), l'éléphant (12 %), le loup (10 %); l'ours arrive en dernière position avec 9%).
Parmi une liste proposée de races de chiens, ils préfèrent le labrador (51 %), devant le berger allemand (21 %), le caniche (15 %), le yorkshire (6 %) et le pitbull (2 %).
4 % de ceux qui n'ont pas de chien ou de chat n'aiment pas les animaux. Les autres (96 %) les aiment, mais ne peuvent ou ne veulent en avoir ;
48 % ne sauraient pas quoi en faire en cas d'absence prolongée, 35 % n'auraient pas asssez de temps à leur consacrer, 30 % auraient peur d'être tristes quand l'animal disparaîtra, 29 % n'ont pas assez de place, 11 % vivent avec une personne qui ne veut pas en avoir, 8 % ont un budget insuffisant
29 % de ceux qui ont un chien ou un chat dorment parfois avec lui, 27 % lui offrent des cadeaux pour Noël ou son anniversaire, 15 % lui achètent des aliments tels que gigot, entrecôte, saumon, crevettes, 14 % lui laissent la lumière, la télévision, la radio ou d'autres appareils allumés pour qu'il se sente moins seul, 13 % lui confient des secrets, 7 % lui parlent au téléphone.
Si leur conjoint n'acceptait pas leur chien ou leur chat, 60 % se sépareraient de leur animal, 21 % de leur conjoint.

Les animaux familiers sont plus fréquents en milieu rural.

44 % des chiens et 39 % des chats vivent en zone rurale. 18 % des chiens et 15 % des chats se trouvent dans des communes de 2 000 à 20 000 habitants, 11 % et 11 % dans des communes de 20 000 à 100 000 habitants, 20 % et 22 % dans des villes de plus de 100 000 habitants. 8 % et 12 % seulement sont en agglomération parisienne. C'est la raison pour laquelle 73 % des chiens et 66 % des chats vivent dans des maisons individuelles, 18 % et 25 % en appartement.

Les régions comptant la plus forte densité se situent au Nord, à l'Ouest et au Sud-Ouest, au con-

traire de l'Est et de l'Ile-de-France. L'agglomération parisienne ne compte que 7,6 % des chiens et 11,6 % des chats. 56 % des chiens et 49 % des chats vivent dans des foyers de 3 personnes et plus. La présence d'un animal croît régulièrement avec la taille de la famille.

Les animaux jouent un rôle affectif auprès des enfants et des adultes.

Chez les enfants, les chiens, chats, hamsters ou tortues sont un moyen de faire éclore des sentiments de tendresse qui pourraient être autrement refoulés ; ils participent à leur développement. Les adultes considèrent les animaux comme des compa- gnons avec lesquels ils peuvent communiquer et partager parfois leur solitude. Les chiens jouent aussi un rôle sécuritaire ; ils sont utilisés comme moyen de défense ou de dissuasion contre la délinquance. La motivation écologique n'est pas absente, car le contact avec les animaux permet de se sentir plus proche de la nature et des autres espèces.

L'intérêt des enfants pour les animaux se manifeste aussi par le nombre croissant des animaux en peluche. Cet engouement concerne aussi de plus en plus les adultes, qui manifestent ainsi un besoin d'affection, de tendresse et de compagnie. Des études montrent que la présence d'animaux familiers peut améliorer la qualité de la vie humaine et avoir dans certains cas une influence thérapeutique ou socio-éducative (enfants autistes, malades mentaux, personnes âgées, marginaux et délinquants en cours de réhabilitation...).

✦ 70 % des non-possesseurs d'animaux ne souhaitent absolument pas en posséder à l'avenir, mais 27 % seraient prêts à en avoir.

✦ Les ménages possesseurs de chiens achètent en moyenne 11,5 kg de sucre par an contre 7,6 kg pour ceux qui n'en possèdent pas.

Le Tamagotchi ou l'animal virtuel

Le jeu est pour les enfants une façon de mimer la réalité tout en la transcendant. Ils peuvent aller encore plus loin avec le Tamagotchi, « bio-jeu » japonais créé par Bandai et commercialisé en Europe depuis 1997. Celui-ci contient une « créature » mystérieuse et virtuelle que son propriétaire doit « élever », de sa naissance à sa mort (en fait un logiciel logé dans un objet portable en forme d'œuf).

Les choix effectués par l'enfant déterminent l'évolution du Tamagotchi, qui « vit » en moyenne une quinzaine de jours. Ce type de jeu illustre la disparition progressive de la frontière entre réalité et virtualité. Il ouvre la voie à de nouveaux modes de vie, à de nouvelles valeurs, s'inscrit dans une nouvelle civilisation.

Les Français dépensent plus de 30 milliards de francs par an pour leurs animaux.

Les propriétaires de chiens consacrent en moyenne 2 500 F par an à l'achat de produits industriels, ceux de chats 700 F. En vingt ans, les dépenses ont été multipliées par quinze ; elles tendent à se stabiliser aujourd'hui (11 milliards de francs en 1997) mais représentent un million de tonnes par an. Il faudrait y ajouter les achats d'alimentation pour humains destinés aux animaux. Ainsi, la nourriture des chats est composée pour moitié de produits industriels, pour un tiers de produits frais et complétée par les restes de table. 95 % des foyers possesseurs de chats et 95 % des possesseurs de chiens achètent des aliments préparés.

Du fait de leur prix environ trois fois moins élevé à contenu nutritionnel égal, les achats d'aliments secs augmentent plus vite que ceux d'aliments humides, qui représentent encore plus de la moitié des achats.

Les dépenses concernant l'achat des animaux dépassent 6 milliards de francs par an. Celles d'accessoires (niches, cages, aquariums, jouets, laisses, etc.) se montent à 1,5 milliard de francs, tandis que les dépenses de santé et de toilettage représentent environ un milliard de francs, les assurances 500 millions de francs.

Les chiens sont à l'origine de certaines nuisances.

On enregistre chaque année environ 500 000 morsures. Plus de 40 % des accidents dus aux chiens concernent des enfants de moins de 15 ans, une fois sur six un enfant de moins de 5 ans. Dans 78 % des cas, il s'agit de morsures, dans 10 % des cas de chutes ou de chocs (mais 22 % chez les plus de 65 ans). Neuf fois sur dix, l'enfant présente une plaie ouverte, la plupart du temps au visage. La moitié des victimes gardent une cicatrice, plus de 60 000 doivent être hospitalisées. On estime que, chaque année, 4 000 facteurs sont mordus au cours de leur tournée.

Les excréments canins sont aussi un problème pour les citadins comme pour les municipalités. C'est le cas notamment à Paris (200 000 chiens) où ils représentent plus de 10 tonnes par an sur les 2 700 km de trottoirs et sont à l'origine de plus de 600 hospitalisations.

Les chats plus nombreux que les chiens.
Mc Cann Erickson

✦ *91 % des possesseurs d'animaux pensent que ces derniers occupent une place « très » ou « assez » importante dans leur vie.*

✦ *36 % des possesseurs de chiens les considèrent comme des « membres de la famille ».*

La frontière entre les hommes et les animaux est de moins en moins nette.

Les chats et les chiens sont de mieux en mieux traités. En Ile-de-France, le nombre de cabinets vétérinaires a triplé en vingt ans. Des cliniques pour animaux (certaines équipées de scanners) sont ouvertes nuit et jour. Des ambulances animalières équipées d'oxygène, des taxis canins, des centres de kinésithérapie proposant des bains et des exercices pour chiens obèses, des « dog-sitters », des cimetières pour chiens, des agences matrimoniales ou même des voyantes spécialisées ont fait leur apparition. Ce phénomène, sensible en France, concerne la plupart des pays développés.

Il semble que certains possesseurs d'animaux tentent d'établir avec leurs compagnons des relations qu'ils ne peuvent avoir avec leurs semblables ou parfois avec leur famille. Certains affirment que l'on est toujours trahi par les humains, jamais par les chiens...

Tout se passe en fait comme si l'homme, reconnu aujourd'hui coupable de détruire la nature, cherchait à retrouver sa place parmi les mammifères. La morale de cette fable contemporaine est que les hommes dits civilisés de la fin du millénaire sont devenus moins fréquentables que les animaux et que la modernité ne saurait être confondue avec le progrès.

SOCIÉTÉ

Photo : Luc Choquer/Métis

LA VIE SOCIALE

Groupes sociaux

La profession n'est plus un critère suffisant pour identifier les catégories sociales.

La classification la plus courante de la société française est celle des catégories socioprofessionnelles (CSP) définie par l'INSEE en 1954 et remaniée en 1982. Cette grille d'analyse a le mérite de reposer sur des informations objectives et facilement mesurables. Mais, si elle reste utile pour mesurer des évolutions, elle ne rend plus compte de façon suffisamment précise du changement social, surtout lorsqu'on l'utilise au niveau agrégé (découpage en huit groupes), ce qui est le cas le plus fréquent.

Elle ne fait pas non plus la distinction entre les travailleurs du secteur public et ceux du privé, entre les étrangers et les Français, alors que ces critères peuvent avoir une influence déterminante sur les modes de vie. Elle intègre mal les nouveaux métiers et les nouvelles fonctions apparus depuis une vingtaine d'années. De plus, les professions de la liste définissent beaucoup moins qu'avant les frontières des « milieux sociaux », car ceux-ci sont de moins en moins homogènes au sein d'une même profession.

Enfin, cette classification est centrée sur la vie professionnelle, alors que le temps libre représente aujourd'hui environ 40 % du temps d'une vie (voir *Le temps*). Les 22 millions d'actifs ne représentent d'ailleurs que 38 % de la population française ; les autres figurent dans le groupe indifférencié des « inactifs ».

Catégories socioprofessionnelles

Structure de la population de 15 ans et plus selon la catégorie socioprofessionnelle et le sexe (1997, en %) :

	Hommes	Femmes	Total
- Agriculteurs exploitants	2,2	1,0	1,6
- Artisans, commerçants, chefs d'entreprise	5,2	2,1	3,6
- Cadres, professions intellectuelles supérieures	9,2	4,3	6,6
- Professions intermédiaires	12,2	9,5	10,7
- Employés	7,8	23,5	15,9
- Ouvriers (y compris agricoles)	24,6	5,8	14,8
- Autres actifs	1,6	0,9	1,2
- Retraités	22,0	20,9	21,4
- Autres inactifs	15,2	32,0	24,2
Effectif total (milliers)	**22 603**	**24 399**	**47 002**
Effectif total (%)	100,0	100,0	100,0
dont actifs	*62,3*	*38,0*	*44,6*

Les appartenances sociales reposent davantage sur des critères personnels que professionnels.

Les critères sociodémographiques traditionnels sont de moins en moins indicatifs ou prédictifs des attitudes et des comportements. Un cadre et un employé peuvent avoir des modes de vie beaucoup plus proches que deux cadres ou deux employés pris au hasard. Le sentiment d'appartenir à une « classe sociale » est d'ailleurs en forte diminution, notamment chez les ouvriers mais aussi, plus récemment, chez les agriculteurs ou les cadres. Parmi les critères traditionnels, il faut cependant indiquer que l'âge reste un élément de différenciation dans de nombreux domaines.

On trouve une bonne illustration de cette évolution en matière de consommation. Ainsi, les acheteurs qui se rendent fréquemment dans les magasins de maxidiscompte ou chez Tati ne sont pas comme on pourrait le penser essentiellement ceux qui ont les revenus les plus modestes. Ce qui les unit est davantage une vision commune de la vie, une volonté de résister à la société de consommation et de rationaliser leurs dépenses. Les acheteurs de voitures, les sportifs ou les téléspectateurs ne peuvent pas non plus être décrits précisément à l'aide des critères sociodémographiques traditionnels.

Les individus sont multidimensionnels.

Chaque individu présente aujourd'hui plusieurs facettes qui se complètent ou s'opposent selon les moments de la vie, de l'année ou même de la journée. Tour à tour adulte ou enfant, actif ou oisif, moderne ou conservateur, satisfait ou révolté, responsable ou assisté, il change de personnage en fonction de son humeur et de son environnement (professionnel, familial, social, médiatique...). Dans tous les compartiments de sa vie, il est amené à jouer successivement, parfois simultanément, des rôles différents et apparemment contradictoires : élève et professeur ; exécuteur et décideur ; parent, enfant et amant ; acheteur et vendeur ; utilisateur et prescripteur ; citoyen, arbitre ou juge... S'il adhère à un système de valeurs cohérent (bien que changeant), il n'a pas les mêmes réactions ni les mêmes attentes selon qu'il se trouve sur son lieu de travail, chez lui ou en vacances.

L'infidélité apparente est une manifestation d'éclectisme.

Ce comportement de « zappeur » peut s'observer dans tous les compartiments de la vie. La vie conjugale est faite d'une succession de vies conjugales. La vie professionnelle est constituée d'une succession d'emplois, de métiers et d'entreprises. Les pratiques de loisirs apparaissent comme une succession de centres d'intérêt. La consommation est de plus en plus marquée par des changements de produits, de marques, de types de magasins, d'enseignes.

Mais cette infidélité apparente ne doit pas être mise sur le compte de l'instabilité ou de la versatilité. Elle est au contraire la manifestation d'un éclectisme croissant et d'une volonté d'enrichissement personnel.

Les femmes jouent un rôle croissant dans la vie sociale.

On ne peut plus aujourd'hui définir la structure sociale à partir de la profession des « personnes de référence » des ménages (anciennement les « chefs de famille »), qui restent le plus souvent les hommes. Les femmes sont en effet aujourd'hui plus nombreuses que les hommes à faire des études supérieures. Elles ont pour la plupart une activité professionnelle,

donc une autonomie financière. Leur poids dans le couple s'est sensiblement accru, comme dans la consommation ou la vie institutionnelle.

Pour 53 % des Français, les relations entre les hommes et les femmes se sont améliorées (56 % des hommes, 49 % des femmes), pour 10 % elle se sont dégradées (Madame Figaro/Sofres, mai 1997). Pour 41 %, leur situation par rapport aux enfants et à la vie de famille s'est améliorée (37 % des hommes et 44 % des femmes), dégradée pour la même proportion (43 % des hommes et 38 % des femmes).

D'autres systèmes de classification font apparaître de nouveaux groupes sociaux.

Les styles de vie (approche développée dans les années 70 par le Centre de communication avancé) regroupent les Français en fonction de leurs manières d'être, de leur vision de la société et du monde. Ils sont issus d'enquêtes quantitatives et matérialisés par une carte (*mapping*) où figurent les différentes mentalités, positionnées par rapport aux axes qui expliquent le mieux les écarts mesurés.

On peut aussi représenter l'ensemble de la société de façon intuitive. Le sociologue Henri Mendras la voit comme une toupie dont le corps est constitué d'une constellation centrale, d'une constellation populaire, d'indépendants et de divers, entre l'élite située en haut et la pauvreté placée à la base. Pierre Bourdieu la conçoit comme un mobile à la Calder, dans lequel « de petits univers se baladent les uns par rapport aux autres dans un espace à plusieurs dimensions ».

Les systèmes d'appartenance (familiale, sociale, ethnique, religieuse, professionnelle, idéologique...) prennent une importance croissante. Selon Emmanuel Todd, les structures familiales (types de rapports entre parents et enfants ou entre frères...) sont les déterminants des comportements individuels et collectifs.

Chacun de ces systèmes de représentation et d'analyse est porteur d'une part de l'explication du changement social, mais il ne peut prétendre l'expliquer seul. C'est en multipliant les approches que l'on peut décrire et comprendre l'état de la société française et son évolution.

✦ *62 % des Français (68 % des hommes, 55 % des femmes) estiment que la reconnaissance des compétences des femmes s'est améliorée depuis vingt ans, 7 % seulement qu'elle s'est dégradée, 30 % qu'elle n'a pas changé.*

Le tribalisme réinventé

La forte revendication libertaire apparue depuis le milieu des années 60 a obligé le système social à reconnaître les individus, leurs spécificités et leurs différences. Chacun peut aujourd'hui décider de ce qui est bon pour lui. Les systèmes de valeurs sont devenus relatifs et les modes de vie échappent à un modèle dominant. Les classes sociales traditionnelles se sont donc effondrées.

Mais le besoin d'appartenance n'a pas disparu pour autant. Il a provoqué l'apparition de nouvelles formes grégaires, qui s'apparentent davantage au tribalisme qu'à la vie en société. Les individus se choisissent en fonction de leurs centres d'intérêt et forment des tribus modernes, souvent en rupture avec les institutions de la République et les pratiques sociales majoritaires. Les jeunes sont les plus concernés par ces nouvelles formes d'appartenance, qui peuvent être multiples et changeantes.

La « classe moyenne » est en train d'éclater, faisant place à un nouveau découpage social.

Comme la plupart des pays développés, la France avait constitué dans les années 70 un groupe social central numériquement important, aux attitudes et comportements homogènes. Ses membres pensaient, consommaient, se divertissaient ou votaient de façon relativement semblable et en tout cas prévisible. Leur vie personnelle, familiale, professionnelle et sociale obéissait à des motivations claires et communes. Cette classe moyenne était considérée comme le symbole d'une réussite économique et

La société se transforme.
Publicis Cachemire

politique qui s'était poursuivie durant les « Trente Glorieuses » (1945-1975).

Le sentiment d'appartenir à cette classe moyenne reste fort aujourd'hui, surtout parmi ceux qui viennent de la classe ouvrière (voir tableau). Mais un nouveau découpage social se met en place, résultat des mutations économiques, technologiques et culturelles de ces trente dernières années. Cette recomposition est aussi liée aux transformations de la vie familiale, avec le développement de la cohabitation, des naissances hors mariage, des divorces, des familles monoparentales ou recomposées.

La hiérarchie sociale traditionnelle a été bousculée.

Des changements importants se sont produits en quelques décennies dans la composition socioprofessionnelle : diminution spectaculaire de la part des agriculteurs dans la population active (4 % en 1996, contre 16 % en 1962) ; diminution sensible de la part des ouvriers (26 % contre 40 %) ; poids croissant des employés et des membres des professions intermédiaires (techniciens, contremaîtres, agents de maîtrise, instituteurs...) qui comptent ensemble pour la moitié de la population active ; fort accroissement du nombre de cadres et « professions intellectuelles supérieures » (professeurs, professions de l'information, des arts et du spectacle, ingénieurs et cadres techniques...).

Dans le même temps, les notables d'hier (médecins, enseignants, petits commerçants, avocats, hommes politiques...) ont perdu une partie de la considération et des privilèges dont ils bénéficiaient. Poussés par la crise et la mondialisation, les cadres ont dû se mettre à l'heure de l'efficacité et découvrir l'incertitude. A l'inverse, certains métiers manuels, indépendants et rentables, se sont revalorisés : plombier, restaurateur, boulanger, viticulteur, garagiste, kinésithérapeute... Des professions nouvelles sont apparues, souvent liées à la technologie et à la communication.

Le pouvoir est aux mains d'une nouvelle aristocratie du savoir (« cognitariat »).

Au-dessus de la société plane toujours ce qu'il est convenu d'appeler « l'élite » de la nation ou protocratie (de *protos*, premier). Cette *nomenklatura* à la française tient les rênes du pouvoir politique, économique, intellectuel, social. Ses membres sont pa-

Changement de classe

Evolution du sentiment d'appartenance à une classe sociale (en % de la population de 18 ans et plus) :

	Novembre 1966	Décembre 1994
Avez-vous le sentiment d'appartenir à une classe sociale ?		
- Oui	61	61
- Non	30	38
A quelle classe sociale avez-vous le sentiment d'appartenir ? (% parmi les oui)		
- la classe moyenne	21	38
- la classe ouvrière	39	22
- les cadres	2	7
- les travailleurs, les salariés	5	5
- la paysannerie, les agriculteurs	5	4
- la bourgeoisie	7	3
- les pauvres	4	3
- les commerçants	1	1
- les classes dirigeantes	0	0
- autres réponses	11	12
- sans réponse	5	5
Ensemble	100	100

Sofrès

trons, cadres supérieurs, professions libérales, gros commerçants, mais aussi hommes politiques, responsables d'associations, syndicalistes, experts, journalistes, etc.

Ils constituent une aristocratie moderne qui ne se reconnaît plus par la naissance mais par la réussite, le pouvoir ou l'influence. Leur force principale est de détenir l'information et la connaissance, qui sont les deux matières premières de cette nouvelle ère. On assiste donc à la naissance d'un « cognitariat » qui bénéficie de l'avantage insigne d'accroître son pouvoir avec le temps et l'expérience. Les heureux élus ne sont donc guère menacés par la crise, qui les rend au contraire indispensables. Ils sont au maximum 3 millions à détenir une parcelle de ce pouvoir récent mais essentiel.

✦ *73 % des Français considèrent que le chômage favorise la montée du racisme en France (24 % non).*

Un protectorat s'est constitué à l'abri de la crise économique.

Il est composé de fonctionnaires, de certaines professions libérales non menacées, d'employés et cadres d'entreprises des secteurs non concurrentiels ou protégés. Il faut ajouter à ce groupe la plupart des retraités et préretraités, dont la situation financière n'a jamais été aussi favorable, bien qu'une minorité dispose encore de faibles revenus.

Au total, ce protectorat regroupe 17 à 20 millions de Français qui n'ont pas senti les effets de la crise, mais qui n'ont pas non plus réalisé qu'ils étaient privilégiés.

La classe moyenne a engendré vers le bas un néoprolétariat aux conditions de vie précaires...

La grande centrifugeuse sociale a projeté vers les marges de nombreux membres de la classe moyenne qui étaient dans l'incapacité de se maintenir, par manque de bagage culturel, de qualification professionnelle, de santé... ou de chance.

On peut distinguer dans cette nouvelle classe sociale deux sous-groupes. Le premier est un néoprolétariat composé de quelque 10 millions de gens modestes, dont la situation a été rendue précaire par la crise. Alternant des périodes de travail, généralement courtes et mal rémunérées, et des périodes de chômage, ils éprouvent des difficultés à vivre et sont dans l'impossibilité de faire des projets d'avenir.

... et plus récemment une catégorie d'exclus (ectocratie).

L'autre catégorie regroupe les « nouveaux pauvres », exclus de la vie professionnelle, culturelle, sociale. Ils forment ce qu'on peut appeler une « ectocratie » (du préfixe *ecto* signifiant « en dehors »), forte de 6 ou 7 millions de membres. On pourrait dire aussi, par référence au système de castes en vigueur en Inde, qu'ils sont des « intouchables ». Si les Français évitent souvent de les regarder, c'est bien davantage par impuissance que par mépris. Car beaucoup savent que la spirale de l'exclusion peut s'abattre sur n'importe qui ; les médias ont montré que des cadres, même « supérieurs », pouvaient en quelques mois descendre toutes les marches de la pyramide sociale.

Les autres Français appartiennent à la néobourgeoisie.

Ce dernier groupe est numériquement important ; on peut estimer sa taille à un peu moins de 20 millions de personnes. Commerçants, petits patrons, employés ou même ouvriers qualifiés, ainsi que certains représentants de professions libérales en difficulté (médecins, architectes, avocats...), ils ont un pouvoir d'achat acceptable ou confortable, mais restent vulnérables à l'évolution de la conjoncture économique.

L'émergence de la néobourgeoisie a été favorisée d'abord par l'urbanisation du pays (par définition les bourgeois habitent les villes) mais aussi par le vieillissement général, car les valeurs bourgeoises sont plus compatibles avec l'âge mûr qu'avec la jeunesse.

La morale néobourgeoise se caractérise par la recherche d'une morale applicable dans la vie courante, un désir d'ordre, un souci d'économie, un repli sur la sphère domestique et son corollaire, la recherche du confort. Le moindre attachement aux modes et aux modèles est un autre signe de l'embourgeoisement contemporain. C'est le cas aussi du passage progressif d'une culture plutôt élitiste au « tout culturel » des années 80, dans lequel l'esprit néobourgeois se sent plus à l'aise. La désaffection croissante pour l'affectation et la « frime », très sensible dans l'évolution de la consommation, vont aussi dans le sens de cet avènement.

Climat social

Le climat social s'est dégradé depuis une quinzaine d'années.

Les Français sont mal dans leur peau. Plusieurs indicateurs témoignent de ce malaise : augmentation du taux de suicide, en particulier chez les jeunes ; troubles du sommeil attestés par la consommation de tranquillisants et de somnifères ; montée du racisme et de la xénophobie ; sentiment d'insécurité ; inquiétudes croissantes vis-à-vis de l'avenir...

Cette dégradation a été particulièrement sensible dans les grandes villes, où les habitants subissent à la fois le stress urbain, la délinquance et les difficultés de cohabitation avec les minorités ethniques ou religieuses. Les peurs se sont généralisées : chômage ; conflits sociaux ; délinquance. Les mots de la vie courante, même les plus « positifs » en appa-

rence, sont aujourd'hui porteurs de menaces ; l'amour est mortel, la politique corrompue, l'Europe floue, l'air vicié, l'eau polluée, la science incontrôlée, l'école inégalitaire, les aliments peu sûrs, les villes surpeuplées, les banlieues risquées, la religion inadaptée, le travail rare, les hôpitaux dangereux, etc. A ces craintes objectives s'ajoutent des peurs irraisonnées, comme celle de la fin du siècle et du millénaire. Les Français ont perdu les repères traditionnels et se retrouvent sans boussole pour orienter leur vie.

Le paysage social est donc traversé de tensions croissantes : entre Français et étrangers, entre actifs et inactifs, entre fonctionnaires et salariés du privé, entre jeunes et personnes âgées.

Fin 1997, si 44 % des Français considéraient l'avenir avec espoir, 21 % l'envisageaient avec peur, 20 % avec révolte, 8 % avec indifférence ; seuls 7 % se disaient enthousiastes (Observateur Cetelem, décembre 1997).

Les Français communiquent moins fréquemment entre eux.

La « société de communication » ressemble fort à un mythe. L'étude conduite en 1997 par l'INSEE sur les relations privées directes (hors téléphone) entre les Français fait apparaître une baisse sensible de la sociabilité par rapport à la précédente effectuée en 1983. Ainsi, les discussions avec les amis ont diminué de 17 % pendant ces années, celles avec les voisins et parents de 7 %.

Les relations avec les commerçants (échanges sur des sujets non liés à la relation commerciale) se sont encore plus réduites (26 %), du fait sans doute du poids croissant des grandes surfaces dans les achats des ménages, au détriment des petits commerces de proximité.

La proportion de salariés ayant eu dans la semaine une conversation extra-professionnelle avec un collègue (cinéma, politique, sport...) a diminué de 12 %. Le souci d'efficacité et de productivité dans les entreprises, qui se traduit par une réduction des « temps morts », explique en partie cette évolution, de même que l'accroissement du chômage.

Au total, les Français discutent chaque semaine avec 9 interlocuteurs différents, avec qui ils ont en moyenne 26 conversations. L'intensité des relations amicales diminue avec l'âge. Les femmes en ont un peu plus que les hommes, surtout chez les jeunes.

On peut voir dans cette baisse de la convivialité les effets d'une montée de l'individualisme aussi bien

Ministère de la Justice/BVA, mars 1997

que d'un manque de temps lié à la multiplicité des activités. On remarque cependant que les relations avec la parenté proche (parents, enfants...) résistent mieux que celles avec des parents plus éloignés, tant sur le plan géographique que psychologique (oncles, cousins, neveux).

Une société de communication... et d'excommunication.
15ᵉ Avenue

Les « incivilités » se multiplient.

Les manifestations de cette dégradation des relations entre les citoyens sont variées : cabines téléphoniques cassées ; tags et graffitis sur les immeubles ou les transports en commun ; injures et comportements agressifs des automobilistes ou des motards ; chiens déposant leurs déjections sur le trottoir sous l'œil approbateur de leur maître ; utilisation abusive du téléphone portable dans certains lieux publics ; non-respect des horaires ou des engagements ; etc.

Tous ces actes témoignent de la moindre importance attachée à la politesse et au savoir-vivre dans les situations sociales. Les règles explicites ou implicites de la vie en société sont oubliées ou bafouées par des individus qui ne les connaissent pas ou ne veulent pas les appliquer. La volonté de transgresser les codes d'un « contrat social » auquel on ne veut pas adhérer engendre ce que certains appellent la « société barbare ».

Les jeunes et l'incivilité

Proportion de jeunes de 15 à 25 ans estimant que les pratiques suivantes sont graves :
• Conduire en état d'ivresse (99 %, contre 1 %) ;
• Voler de l'argent à quelqu'un (99 %, contre 1 %) ;
• Voler dans un magasin (90 %, contre 10 %) ;
• Tenir des propos racistes (88 %, contre 11 %) ;
• Fumer du haschisch (66 %, contre 34 %) ;
• Faire des graffitis ou des tags sur un mur (56 %, contre 44 %) ;
• Resquiller dans les transports en commun (47 %, contre 52 %) ;
• Faire du bruit tard le soir (34 %, contre 66 %).

Un climat de violence se développe dans certaines catégories de la population.

Si l'indifférence aux autres et l'incommunication s'accroissent, le sentiment extrême de « haine » a fait son apparition dans les banlieues difficiles (voir le film de Matthieu Kassowitz). Il concerne le plus souvent des jeunes particulièrement touchés par la crise.

En s'inscrivant dans la compétition européenne et planétaire, l'économie française s'est contrainte à une productivité toujours accrue. Ceux qui ne peuvent, pour des raisons diverses, satisfaire aux exigences que cela implique sont progressivement écartés de la compétition, parfois de la société. Ils se replient alors sur le monde qui les entoure (la banlieue, les copains, les idoles...) et manifestent leur ressentiment en cassant, en injuriant, en agressant.

Il paraît probable que la médiatisation de la violence, qu'elle concerne la réalité (informations, faits divers) ou qu'elle soit virtuelle (films, séries, jeux vidéo...), entretient ces comportements de crainte et de haine ; elle semble même parfois les provoquer. C'est le cas aussi des discours radicaux et intégristes, politiques ou religieux, qui trouvent auprès de ces personnes une audience croissante.

L'individualisme s'est développé sur les décombres de la vie sociale et institutionnelle.

En laissant se transformer en ghettos les quartiers à risque et, surtout, en laissant se développer le chômage, principale plaie de cette fin de siècle et source de la plupart des autres, la démocratie française a failli à sa tâche. Les mécanismes régulateurs de l'Etat se sont montrés impuissants à empêcher ou réduire les dérives et les inégalités. Cette incapacité des institutions a provoqué l'affaissement des points d'appui traditionnels de la société. Elle a accéléré le lent mouvement d'individualisation amorcé depuis la fin du XVIIIe siècle.

C'est pourquoi on a vu se développer de nouvelles formes de pauvreté, conséquence des grandes mutations qui se sont opérées. L'exclusion, qui sanctionne l'incapacité à jouer un rôle dans la société, concerne aujourd'hui plus de 6 millions de Français ; 13 millions ne vivent que grâce aux minima sociaux (allocations de solidarité, RMI, minimum vieillesse...).

La société centrifuge

La société d'hier était centripète : elle s'efforçait d'intégrer la totalité de ses membres. Celle d'aujourd'hui est centrifuge : elle tend à exclure ceux qui ne parviennent pas à se maintenir dans le courant, parce qu'ils n'ont pas la santé, l'éducation, la culture ou les relations nécessaires.

L'inégalité sociale s'est accrue et avec elle la conscience de cette inégalité. Selon l'expression de Pierre Bourdieu, la « misère de position », qui est liée à la conscience d'être pauvre dans un pays riche, est au moins aussi grave que la « misère de condition ». On peut ajouter que la douleur morale est parfois plus éprouvante que la misère physique ou matérielle ; elle peut conduire à la drogue ou au suicide.

Le copinage, le « piston », le népotisme et les corporatismes se sont développés comme autant de réseaux parallèles qui favorisent la reproduction sociale et accroissent les inégalités. Plus d'un tiers des emplois sont aujourd'hui obtenus par « relation », sans faire l'objet d'offres accessibles à tous. La cooptation est érigée en système. Les avantages, sinécures, prébendes et privilèges se sont développés, notamment dans le secteur public. Chez ceux qui n'en bénéficient pas, ces pratiques ont entraîné des frustrations.

En même temps, de nouvelles solidarités se développent, à travers notamment la vie associative.

Face à l'appauvrissement de la communication et au développement de la solitude, des formes nouvelles d'échange ont commencé à se développer. 43 % des Français déclaraient faire partie d'une association en 1997, contre 37 % en 1980 (CREDOC). On compte aujourd'hui environ 800 000 associations, contre 200 000 au milieu des années 70.

L'écart de participation entre les sexes diminue : 47 % des hommes et 39 % des femmes sont concernés, contre 44 % et 31 % en 1980. On assiste à une forte croissance de la présence des aînés : 40 % des hommes de 60 ans et plus en 1997 contre 26 % en 1980, 38 % des femmes, contre 20 % en 1980. L'adhé-

sion est plus fréquente dans les milieux aisés : 61 % des cadres contre 35 % des ouvriers. Les jeunes sont également plus nombreux : 45 % des moins de 25 ans sont impliqués, contre 32 % en 1983.

L'association représente un niveau intermédiaire entre le public et le privé, un « tiers secteur » qui doit de plus en plus souvent se substituer à l'Etat défaillant. Elle est un outil de solidarité et de démocratie à échelle humaine.

Les dons en argent diminuent...

La forme de solidarité la plus simple et la moins implicante est sans doute le don effectué à une personne ou à une association. Les Français semblent devenus moins généreux ; 45 % déclaraient avoir donné de l'argent à des organisations en 1996, contre 54 % en 1993. Le montant des sommes recueillies a diminué de 20 % en trois ans, passant de 14,3 milliards de francs à 11,1 milliards. Le don moyen est également en baisse, à environ 600 F par foyer donateur.

Cette évolution s'explique par les doutes croissants sur la façon dont sont gérés les fonds recueillis. Ils ont été alimentés par des scandales comme celui de l'ARC. On observe d'ailleurs que, si les

Les Français associés

Ce sont les associations ayant un lien avec l'épanouissement personnel qui se développent le plus. C'est le cas notamment du sport (21 % de la population concernés contre 15 % en 1980) et surtout de la culture et des loisirs (20 % contre 12 %).

A l'inverse, celles qui ont une dimension militante ou de défense des intérêts collectifs sont moins recherchées. Le recul est particulièrement net pour les syndicats et les associations de parents d'élèves, passés tous deux de 10 % à 7 % de la population entre 1980 et 1997.

Les associations de type confessionnel restent stables (5 %), de même que les associations à vocation environnementale (3 %).

dons aux œuvres diminuent, ceux destinés aux Restos du cœur augmentent régulièrement. La médiatisation des œuvres et les garanties qu'elles offrent sur l'efficacité et la transparence de leur gestion sont des éléments déterminants dans les attitudes des donateurs.

Le don de soi se développe plus que le don d'argent.
Conquistador

... au profit du bénévolat.

La baisse des dons est compensée par la forte croissance du bénévolat : 23 % des adultes sont concernés plus ou moins régulièrement, soit 10,4 millions de personnes contre 9 millions en 1993. Il ne s'agit plus ici de donner un peu de son argent, mais de son temps et de son énergie. L'une des motivations des bénévoles est, bien sûr, d'utiliser leur temps libre. Mais ils entendent aussi aider les plus défavorisés dans leur environnement social immédiat.

Si le secteur sportif et les loisirs arrivent en première position, l'action sociale se situe juste derrière.

Ce souci est dicté par le sentiment que les problèmes ne peuvent être résolus aujourd'hui à l'échelon national et la conviction que chacun doit agir au niveau micro-social.

On constate que ceux qui s'engagent ont souvent connu des difficultés personnelles (chômage, surendettement...) ; ils se sentent plus solidaires et mieux armés pour aider les autres à s'en sortir. Enfin, la logique du donner-recevoir n'est plus la seule ; des groupes de personnes ayant des difficultés semblables se forment pour s'entraider. La plupart de ces activités ne sont pas structurées. C'est ce qui fait à la fois leur force, mais aussi leur fragilité.

Les actions de parrainage se diversifient.

Le parrainage est l'une des nouvelles voies ouvertes dans les rapports humains. On peut aujourd'hui parrainer un enfant du tiers-monde, un chômeur, un sans-papier, un SDF, un apprenti, une entreprise nouvelle ou une manifestation culturelle.

Le parrainage apparaît comme une forme efficace de solidarité, de partage d'expériences et de continuité entre les générations. Elle constitue une voie moyenne entre la prise en charge (par exemple l'adoption d'un enfant), qui est plus implicante et définitive, et l'indifférence. 13 000 jeunes à la recherche d'un emploi ont ainsi été parrainés en 1997, dont un tiers issus de l'immigration ; 62 % d'entre eux ont accédé à un emploi ou à une formation.

De nouveaux liens sociaux se créent ; un nouveau civisme apparaît.

Les liens sociaux, qui étaient jusqu'ici centrés sur la famille et sur le travail, tendent à se placer aujourd'hui sur un autre plan. Ils concernent des communautés de personnes qui se choisissent à partir de centres d'intérêt communs. Dans ce contexte, le secteur quaternaire (associations, actions de solidarité) est sans doute appelé à un développement important. Il joue un rôle de structuration de la société et répond à un besoin d'appartenance aujourd'hui insatisfait ; l'idée de la nation est en déclin, tandis que le sentiment d'appartenance à l'Europe ou à la planète est encore peu développé.

Ce développement témoigne aussi de l'incapacité des institutions à résoudre les problèmes individuels ou locaux. L'Etat ne peut plus aujourd'hui répondre à toutes les demandes d'aide sociale, qu'il s'agisse de l'emploi, du logement ou d'autres formes d'assistance. De plus, les Français sont lassés des discours et des idéologies. Il ne s'agit plus aujourd'hui de refaire le monde, mais de faire avec lui. L'efficacité est donc plus importante que la méthode, le « faire » plus que le « dire ».

L'action immédiate et proche paraît à beaucoup de citoyens plus efficace que celle décidée au niveau national, même si elle est plus limitée dans ses ambitions. Un nouveau civisme s'invente peu à peu.

Au total, les Français sont heureux individuellement, mais malheureux collectivement.

Les dernières années ont été marquées dans l'opinion par l'idée d'un découplage entre l'abondance et le bien-être. On peut gagner sa vie correctement ou même être aisé tout en ayant le sentiment de rater sa vie, au moins partiellement. C'est ce qui explique l'accroissement du stress ou de la consommation de médicaments psychotropes dans toutes les catégories de la population. Cette situation a été aggravée par le fait que les Français ont la conviction, largement infondée, que leur pouvoir d'achat a diminué depuis le début de la crise économique.

Malgré ces difficultés, les enquêtes font apparaître que les Français se trouvent en majorité heureux. Mais, si les taux de satisfaction individuelle dépassent souvent 80 % dans les domaines de la sphère privée (santé, vie sentimentale, famille, travail, logement, vie sociale, épanouissement personnel...), ils sont beaucoup moins élevés lorsqu'ils concernent l'ensemble de la collectivité (climat social, vie politique, vision de l'avenir de la France et du monde...).

Il existe donc un découplage entre le collectif et l'individuel. Il s'explique en grande partie par la perception dramatisée que chacun a de la nation dans son ensemble. En se concentrant sur « les trains qui arrivent en retard », les médias jouent évidemment un rôle dans la diffusion d'une vision exagérément pessimiste de la réalité.

Les Français vus d'ailleurs

Vue par les Japonais, la France est un pays sophistiqué, conservateur, voire archaïque, mais c'est le pays de l'élégance et de l'art de vivre ; les Français leur apparaissent bruyants, brutaux et négligés, mais chaleureux et patients. Les Américains ont ajouté à l'image traditionnelle du béret et de la baguette de pain les innovations technologiques (TGV, Ariane, Minitel...) et reconnaissent le talent des créateurs, mais ils trouvent les Français fermés, froids et méfiants. Pour les Néerlandais, la France reste le pays du respect des droits de l'homme et de la culture ; ils sont l'un des rares peuples à trouver ses habitants accueillants, ouverts au monde et à l'Europe, mais leur jugement s'est récemment dégradé.

Les Danois et les Anglais s'étonnent du manque d'organisation hexagonal et de l'agressivité ambiante.

Polonais et Suédois considèrent les Français comme des bavards invétérés, exubérants, impatients, distants et peu hospitaliers.

En Suisse, la France est considérée comme un pays peu sûr, miné par la petite délinquance.

Les Allemands rêvent toujours de vivre comme Dieu en France.

Les Belges perçoivent leurs voisins comme brouillons, inefficaces, imbus d'eux-mêmes.

Les Brésiliens, quant à eux, pensent que les Français n'aiment pas les enfants...

Partout, le mot arrogance revient dans la bouche des étrangers pour qualifier les Français. L'histoire, le patrimoine et la culture sont les premiers attraits touristiques du pays, avec la qualité des infrastructures et la diversité des sites. L'image de prestige, de luxe et de tradition reste forte ; elle est véhiculée par la gastronomie, les parfums et la mode. Paris en est le centre incontesté, même si certaines régions françaises ont une identité vues de l'étranger, à travers leurs monuments, leurs spécialités culinaires ou leurs festivals.

Étrangers

La France compte environ 4 millions d'étrangers.

Au recensement de 1990, le nombre total d'étrangers était de 3,6 millions, soit 6,3 % de la population. Parmi eux, 700 000 étaient nés en France. Le chiffre avancé par le ministère de l'Intérieur est plus élevé : 4,5 millions. Les estimations du nombre d'étrangers clandestins en France varient entre 300 000 et un million.

La proportion d'étrangers est faible dans l'Ouest (moins de 1 % en Bretagne) et dans les communes rurales (2 %). Elle est élevée en Ile-de-France, où sont concentrés près de 40 % d'entre eux, dont 343 000 pour la ville de Paris. 33 % des immigrés vivent dans l'agglomération parisienne, contre 16 % de la population.

La part de la population étrangère de la France se situe dans la moyenne européenne. Elle est inférieure à celle du Luxembourg (32 %, en grande majorité Européens), de la Belgique et de l'Allemagne (7,5 %). Les plus faibles sont celles de l'Espagne (0,3 %), du Portugal (0,6 %) et de la Grèce (0,7 %).

Les immigrés ne sont pas tous étrangers

Dans les conversations, les médias ou les discours politiques, on confond souvent les immigrés (qui sont nés à l'étranger avant de venir en France, mais qui peuvent être français) et les étrangers, qui sont des immigrés n'ayant pas la nationalité française. Le nombre des immigrés était ainsi de 4,2 millions en 1990, dont 2,9 millions d'étrangers nés hors de France et 1,3 million de personnes nées hors de France mais françaises par acquisition. Un tiers des immigrés recensés en France en 1990 ont acquis la nationalité française.

La proportion d'étrangers est stable depuis 1975 ; elle est comparable à celle des années 30.

Entre 1975 et 1990, le nombre d'étrangers a progressé de 66 000, soit seulement un peu plus de 4 000 par an. Ce chiffre ne tient pas compte évidemment des immigrés clandestins. Cette stabilité apparente est le résultat des flux d'entrée et de sortie, des décès et des acquisitions de la nationalité française. Ainsi, environ 100 000 étrangers obtiennent chaque année la nationalité française : 109 823 en 1996, contre 92 410 en 1995, 126 337 en 1994, 98 170 en 1993. On estime que près de dix millions de Français ont au moins un parent ou un grand-parent né hors de France.

Le nombre de demandeurs d'asile est passé en France de 20 415 en 1995 à 17 153 en 1996. Cette baisse de 16 % concerne surtout les ressortissants de l'ex-Yougoslavie. Les demandes sont aujourd'hui supérieures à celles des années 80 (environ 10 000) mais inférieures à celles enregistrées à la fin des années 80 (60 000 en 1988). L'Allemagne a reçu en 1996 117 333 demandes, le Royaume-Uni 29 642, les Pays-Bas 29 642, la Suisse 17 936.

✦ *Les personnes originaires du Portugal, d'Algérie, d'Italie, du Maroc et d'Espagne représentent 60 % de la population immigrée.*

✦ *20 % des immigrés sont au chômage, contre 12 % pour la moyenne nationale.*

Etrangers et immigrés

Situations des étrangers et immigrés résidant en France métropolitaine au recensement de 1990 (en millions) :

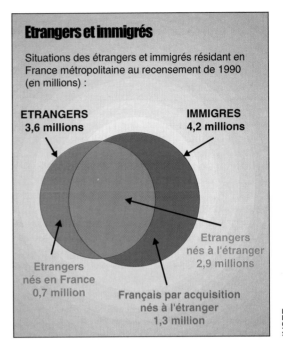

ETRANGERS
3,6 millions

IMMIGRES
4,2 millions

Etrangers nés à l'étranger
2,9 millions

Etrangers nés en France
0,7 million

Français par acquisition nés à l'étranger
1,3 million

INSEE

Un siècle d'immigration

Evolution de la part de la population non française de naissance (métropole) dans la population totale* au cours du xxᵉ siècle :

Année de recense-ment	Population totale (milliers)	Part de la population totale (en %)		
		Nés hors métropole	Français par acquisition	Etrangers
1901	38 451	2,7	0,6	2,7
1906	38 845	2,8	0,6	2,7
1911	39 192	3,2	0,6	3,0
1921	38 798	4,1	0,7	3,9
1926	40 228	6,1	0,6	6,0
1931	41 228	7,1	0,9	6,6
1936	41 183	6,2	1,3	5,3
1946	39 848	5,8	2,1	4,4
1954	42 781	6,2	2,5	4,1
1962	46 459	8,2	2,8	4,7
1968	49 655	10,2	2,7	5,3
1975	52 599	10,9	2,6	6,5
1982	54 296	11,1	2,6	6,8
1990	56 625	11,0	3,1	6,3

* Jusqu'en 1946, population présente sur le territoire ; depuis 1954, population résidente en métropole.

INSEE

Les grandes périodes d'immigration ont été l'entre-deux-guerres et les années de prospérité économique.

Après la Première Guerre mondiale, qui avait décimé les jeunes hommes, l'insuffisance de main-d'œuvre avait amené l'Etat à encourager l'immigration. Le mouvement s'est intensifié à la fin des années 50, marquées par une forte prospérité économique. En même temps, la décolonisation provoquait l'entrée de près d'un million et demi de rapatriés à partir de 1956, dont 650 000 d'Algérie en 1962. La politique d'immigration officielle était interrompue en 1974, à cause du ralentissement de l'activité économique.

Depuis, l'immigration s'est fortement ralentie, mais elle ne s'est pas arrêtée du fait du regroupement familial des travailleurs immigrés. Les restrictions mises en place depuis quelques années auraient réduit de moitié les arrivées légales : 45 000 par an depuis 1995, contre 90 000 en 1991-1992.

En cinquante ans, la part de la population née hors de la métropole est passée de 6 à 11 %. Plus de la moitié des actifs étrangers sont ouvriers et moins de 7 % sont cadres supérieurs. Parmi les ouvriers non qualifiés, la proportion d'étrangers est deux fois plus élevée que dans l'ensemble de la population.

La part des Africains a beaucoup augmenté au détriment de celle des Européens.

La part des différentes nationalités dans la population immigrée s'est beaucoup modifiée depuis les années 50. Ce sont les Maghrébins qui ont fourni l'essentiel des nouveaux arrivants, alors que le nombre d'étrangers en provenance des pays d'Europe diminuait. La France compte aujourd'hui environ un million de beurs (Français nés de parents maghrébins).

En 1990, un tiers des étrangers seulement (36 %) étaient originaires des autres pays de l'Union européenne (à douze), contre 54 % en 1975 et 43 % en 1982. On constate que la proportion de femmes a fortement augmenté parmi la population étrangère hors Europe, du fait des regroupements familiaux ; on recense aujourd'hui 73 femmes pour 100 hommes, contre 61 en 1982.

✦ *La polygamie des hommes d'Afrique noire occidentale concerne 3 500 ménages (presque tous d'ethnie mandé) sur un total de 232 000.*

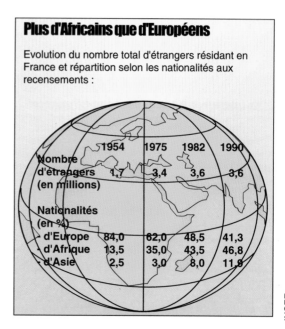

Plus d'Africains que d'Européens

Evolution du nombre total d'étrangers résidant en France et répartition selon les nationalités aux recensements :

	1954	1975	1982	1990
Nombre d'étrangers (en millions)	1,7	3,4	3,6	3,6
Nationalités (en %)				
d'Europe	84,0	62,0	48,5	41,3
d'Afrique	13,5	35,0	43,5	46,8
d'Asie	2,5	3,0	8,0	11,9

La cohabitation avec certaines populations immigrées est jugée difficile par les Français...

Au fil des années de crise économique, l'attitude des Français envers les étrangers (mais aussi les immigrés) s'est radicalisée. Certains les accusent d'être responsables de la montée du chômage ou de celle de la délinquance. D'autres leur reprochent de ne pas s'adapter aux modes de vie et aux valeurs de leur pays d'accueil. Beaucoup craignent pour l'avenir de l'identité française. Ces reproches s'adressent surtout aux personnes d'origine maghrébine, dont la culture, la religion et les habitudes sont les plus différentes des habitudes et pratiques nationales.

Le véritable débat sur l'immigration a été longtemps esquivé par les partis et les hommes politiques, à l'exception du Front national qui en a fait son fonds de commerce. Il s'est véritablement amorcé à partir de 1990, sous l'impulsion des partis d'opposition et des médias, sur fond d'actes racistes et xénophobes. A travers ce débat, ce sont toutes les peurs et les contradictions d'un peuple qui s'expriment. Ainsi, 42 % des Français pensent que tous les êtres humains font partie de la même race (Canal Plus/BVA, décembre 1996). 32 % estiment qu'il y a plusieurs races d'êtres humains qui sont toutes égales entre elles. 18 % estiment qu'il y a plusieurs races d'êtres humains qui ne sont pas égales entre elles.

... mais elle est le résultat des conditions de vie défavorables de certaines catégories d'immigrés.

Les statistiques montrent que les étrangers ou les Français d'origine étrangère sont plus fréquemment responsables d'actes de délinquance (vols, usage et vente de drogue...). Elles montrent aussi que les jeunes Maghrébins ou les beurs réussissent moins bien leurs études que les Français de souche ou même que les étrangers d'autres origines. Mais ces chiffres, qui servent à alimenter la xénophobie latente, sont rarement assortis des analyses et des explications nécessaires.

Ils n'intègrent pas, en particulier, le fait que les conditions de vie des enfants d'étrangers sont nettement moins favorables que celles des autres enfants. Les parents arabes sont plus souvent issus de milieux ruraux et analphabètes que les autres parents. Si moins d'un quart des beurs obtiennent le baccalauréat contre 40 % en moyenne nationale, c'est parce qu'ils cumulent les handicaps et les retards dès l'école primaire. Cela explique aussi que le taux de chômage des jeunes d'origine algérienne soit deux fois plus élevé que celui des jeunes Français.

L'intégration, un défi social et culturel.

Les Français sont plus favorables à l'assimilation qu'à la construction d'une société pluriculturelle.

Les enquêtes récentes ne font pas apparaître une montée générale du racisme et de la xénophobie en France, contrairement à ce qui s'était produit

L'intégration progresse

L'étude conduite par l'INED en 1994 a fourni pour la première fois des chiffres sur la population étrangère ou d'origine étrangère. Elle montre notamment que l'intégration des étrangers d'origine maghrébine est plus rapide et réelle qu'on ne le croit généralement : la moitié des garçons et le quart des filles d'origine algérienne vivent aujourd'hui avec un conjoint ou ami français de souche. 87 % des jeunes ayant des parents algériens ont le français comme langue maternelle. 24 % des petits-enfants d'Algériens parlent arabe, contre 69 % des enfants. 68 % des hommes de 20 à 29 ans et 58 % des femmes nés en France de deux parents nés en Algérie sont sans religion ou non pratiquants ; c'est le cas de 87 % des hommes et 81 % des femmes nés en France d'un seul parent né en Algérie (contre 70 % et 55 % des Français).

INED

vers la fin des années 80. Mais un nombre croissant de Français affichent une préférence pour l'assimilation des étrangers. Ils ne croient pas à la possibilité de mettre en place une société pluriculturelle et sont majoritairement hostiles à l'affirmation des convictions religieuses à l'école, notamment celles des musulmans, dans une société qui se veut laïque.

Cette attitude s'explique en partie par le poids du modèle républicain qui a toujours été plutôt assimilateur. L'échec apparent du modèle américain en matière d'intégration des minorités ethniques est peut-être une autre raison. L'immigration, qui a souvent été une chance pour la France au cours de son histoire, apparaît aujourd'hui comme un problème pour les Français.

Délinquance

Le nombre des délits a baissé depuis 1995.

Pour la première fois en six ans, on avait assisté en 1995 à une diminution (6,5 %) du nombre de crimes et délits constatés par les services de police et de gendarmerie. Cette baisse a été confirmée en 1996, avec 3 559 617 constats (– 2,9 %), soit 61 pour mille habitants.

Cette baisse a été d'abord sensible dans le domaine des infractions économiques et financières (– 12,9 %), devant les vols (– 2,9 %). Les crimes et délits contre les personnes ont en revanche augmenté de 3,6 % et les autres infractions (dont les stupéfiants) de 0,4 %.

La délinquance sur la voie publique (vols, cambriolages, destructions et dégradations) représente plus de la moitié des faits constatés (56 %) ; elle est en recul de 0,6 %, confirmant la baisse intervenue depuis 1994, alors que ce type de délinquance avait fortement progressé entre 1987 et 1993.

Sur les 22 régions françaises, 14 ont enregistré des baisses, 8 une hausse. Quatre régions enregistrent à elles seules plus de la moitié (54,3 %) de la criminalité totale en France métropolitaine : Ile-de-France, Nord-Pas-de Calais, Rhône-Alpes, Provence-Alpes-Côte d'Azur. L'Ile-de-France en concentre le quart (26 %).

Les faits et les chiffres

Les statistiques de la délinquance cumulent deux phénomènes distincts : des délits faisant l'objet de plaintes ou de déclarations et d'autres que seuls les services concernés peuvent enregistrer (usage de stupéfiants, étrangers en situation irrégulière, infractions diverses...). Ils ne sont donc pas de même nature et dépendent de l'activité déployée par la police et la gendarmerie. Ainsi, une diminution des délits constatés en matière de stupéfiants ne traduit pas obligatoirement un recul de la toxicomanie. De plus, on ne fait guère la distinction entre les tentatives et les infractions réelles.

Le nombre de crimes et délits est donc l'addition d'éléments très différents dont les évolutions sont diverses et les gravités peu comparables. Ils globalisent des faits enregistrés par la gendarmerie et la police, mais ne comprennent pas les infractions de la circulation routière, les fraudes fiscales ou douanières, celles du travail ou des services vétérinaires.

De même, les comparaisons dans le temps ne sont pas toujours fiables, car les méthodes utilisées pour comptabiliser la délinquance varient. Les changements de la législation peuvent aussi avoir des incidences sur le nombre des délits enregistrés ; c'est le cas par exemple des chèques sans provision, dont l'émission a été dépénalisée en décembre 1991. L'interprétation des chiffres globaux de la délinquance est donc délicate.

La délinquance, une menace largement ressentie.
Alice

✦ *49 % des Français estiment que la mère de famille qui avait volé de la nourriture pour ses enfants dans un supermarché en février 1997 devait être poursuivie en justice afin de ne pas légitimer implicitement le vol. 49 % pensent que cela n'était pas justifié en raison des circonstances (41 % des 18-24 ans, 56 % des 65 ans et plus).*

L'aggravation de la délinquance a accompagné le développement de la société de consommation....

Les profondes mutations de la vie économique et sociale ont eu pour conséquence une poussée de la délinquance. Entre 1950 et 1962, la hausse enregistrée a été de 28 %, soit une moyenne annuelle de 2,1 %. Mais l'évolution dans le temps n'a pas été uniforme ; on note une décroissance régulière entre 1950 et 1955, suivie d'une remontée constante jusqu'en 1962. Entre 1963 et 1971, le nombre de délits a plus que doublé (+ 127 %, soit 10,8 % de croissance moyenne par an).

Cette hausse n'est pas un phénomène propre à la France. On la retrouve dans tous les pays de l'Union européenne depuis le milieu des années 50. Avec un taux de criminalité de 61 pour 1 000 habitants, la France occupe aujourd'hui une position moyenne. Mais les comparaisons internationales doivent être considérées avec prudence, car les méthodes de comptabilisation ne sont pas identiques d'un pays à l'autre.

... et la crise économique.

La crise économique et les problèmes d'insertion qu'elle a engendrés ont provoqué une forte croissance du nombre des délits. Entre 1972 et 1977, l'augmentation a atteint 25 % (+ 4,6 % par an en

Une baisse récente mais fragile

Evolution du nombre de crimes et délits (en milliers) :

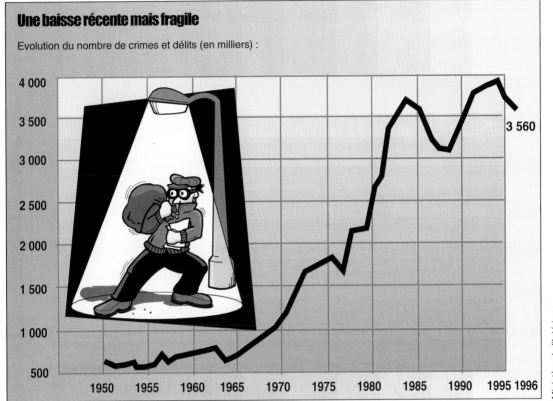

3 560

Ministère de l'Intérieur

moyenne). Entre 1978 et 1984, elle a enregistré un taux deux fois plus élevé (9,4 % par an en moyenne, soit une hausse de 71 % en sept ans).

On a ensuite assisté à un retournement de tendance entre 1984 et 1988, avec une diminution de 15 % (– 4 % par an). Mais la situation s'est à nouveau dégradée à partir de 1989, jusqu'en 1994 (+ 25 % sur la période, soit 4,2 % par an) avec cependant une diminution du rythme d'accroissement entre 1992 et 1994.

Au total, le nombre des délits a doublé entre 1973 et 1993 : 3 564 000 contre 1 763 000. Entre 1950 et 1996, il a été multiplié par six, alors que la population augmentait de 40 %. La conséquence est que le taux de criminalité est passé de 13,7 pour 1 000 habitants à 61,1.

◆ *83 % des crimes et délits sont commis dans les départements de plus de 500 000 habitants.*

◆ *Sur 100 vols de deux-roues à moteur, on compte 48 scooters, 40 cyclomoteurs, 12 motocyclettes.*

La hausse du nombre des délits s'explique surtout par l'explosion du nombre des vols et des cambriolages.

Depuis 1950, le nombre des vols a été multiplié par 12. Dans la même période, le nombre des infractions économiques et financières a été multiplié seulement par 7, celui des crimes et délits contre les personnes par 3. La grande délinquance (homicides, infanticides, coups et blessures, crimes et délits contre les personnes) a beaucoup moins augmenté que la petite.

La criminalité liée aux stupéfiants a également connu une très forte hausse ; les faits constatés sont passés de quelques centaines jusqu'en 1968 à 80 000 en 1995. Il faut d'ailleurs noter que cette forme de délinquance en induit beaucoup d'autres ; les utilisateurs sont souvent contraints de voler pour se procurer les fortes sommes d'argent dont ils ont besoin pour s'approvisionner.

C'est l'évolution de la petite délinquance qui expliquait l'accroissement général constaté entre

10 000 délits par jour

Evolution du nombre de délits par grande catégorie :

	1950	1960	1970	1980	1990	1995	1996
• Vols (y compris recels)	187 496	345 945	690 899	1 624 547	2 305 600	2 400 644	2 331 000
• Infractions économiques et financières	43 335	71 893	250 990	532 588	551 810	357 104	310 910
• Crimes et délits contre les personnes	58 356	53 272	77 192	102 195	134 352	191 180	198 155
• Autres infractions, dont stupéfiants	285 102	216 656	116 540	369 178	500 950	716 392	719 552
TOTAL	**574 289**	**687 766**	**1 135 621**	**2 627 508**	**3 492 712**	**3 665 320**	**3 559 617**
• Taux pour 1 000 habitants	13,73	15,05	22,37	48,90	61,69	63,17	61,10

1973 et 1984, puis son ralentissement. La moyenne délinquance (vols, cambriolages) a été la cause principale de la hausse entre 1989 et 1994. C'est sa diminution qui est à l'origine de la baisse globale constatée depuis 1995.

Les deux tiers des délits constatés aujourd'hui sont des vols.

65,5 % des délits enregistrés en 1996 étaient des vols. La moitié concernaient des vols de voitures ou de deux-roues à moteur. Ceux-ci ont poursuivi leur baisse (respectivement 1,7 % et 3,8 %), ce qui explique la baisse globale de 2,9 % du nombre total de vols. Les vols à main armée et avec violence (commis ou tentés avec des armes à feu) représentent 3 % de l'ensemble des vols ; ils ont connu une hausse de 3 % (5 % pour ceux perpétrés contre des établissements industriels ou commerciaux). Les vols commis sans arme à feu ont eux aussi augmenté (7 %).

Les cambriolages sont restés globalement stables, mais ceux concernant les résidences principales ont diminué de 1,5 %. Les vols simples au préjudice des particuliers ont diminué de 4,1 %, ceux commis contre des professionnels de 2,7 %.

Au total, la délinquance sur la voie publique, qui regroupe les infractions les plus durement ressenties par la population (cambriolages, vols de voitures, vols à la roulette, destructions et dégradations, vols avec violence et à main armée), est en recul depuis 1994, après la hausse ininterrompue entre 1987 et 1993.

Moins de voitures volées

Le nombre des vols de voitures récentes (moins de deux ans) a diminué de 36 % au cours des trois dernières années. L'une des explications tient à l'équipement croissant en systèmes d'antidémarrage. Sur les 279 183 voitures volées en 1996, 198 784 ont été retrouvées, soit 71 %. Les voitures les plus recherchées en 1996 étaient les Ford Fiesta (18 311, dont 94 % retrouvées), les Peugeot 205 (17 806, dont 68 % retrouvées) et les Clio Renault (14 640, dont 65 % retrouvées). Environ 50 % des voitures volées restent sur le territoire français, 20 % partent sur le continent africain, 20 % dans les pays de l'Est, 10 % dans d'autres régions du monde.
La fréquence des vols est de 5 voitures pour 100 assurées à Paris, 4 en Seine-Saint-Denis, Val-d'Oise, Bouches-du-Rhône, Rhône. Elle n'est que de 7 ‰ dans les Vosges, la Manche et les Deux-Sèvres.

✦ Sur 100 enquêtes menées par les assureurs sur des accidents automobiles jugés douteux, 70 fraudes à l'assurance ont été découvertes.

Moins de vols

Evolution du nombre des vols :

	1995	1996	Variation
• Vols à main armée	9 147	9 428	+ 3,1 %
• Autres vols avec violence	65 400	70 031	+ 7,1 %
• Vols avec entrée par ruse	17 005	16 012	- 5,8 %
• Cambriolages	433 266	436 414	+ 0,7 %
• Vols liés à l'automobile et aux deux-roues à moteur	1 198 555	1 148 722	- 4,2 %
• Autres vols simples au préjudice de particuliers	496 862	469 158	- 4,1 %
• Autres vols simples (étalage, chantiers...)	137 710	146 911	- 2,7 %
• Recels	42 699	34 324	- 6,5 %
Total des vols	**2 400 644**	**2 331 000**	**- 2,9 %**

Ministère de l'Intérieur

Les infractions économiques et financières poursuivent leur diminution.

La diminution de 13 % constatée en 1996 est la résultante de plusieurs baisses distinctes. Parmi les escroqueries, faux et contrefaçons, on a constaté une baisse de 7 % des escroqueries et abus de confiance, de 3 % des falsifications et usages de chèques volés et surtout de 50 % des délits de fausse monnaie. La délinquance économique et financière (fraudes fiscales, urbanisme, prix et concurrence, achats et ventes sans facture, travail clandestin...) a diminué fortement (39 %). Les infractions à la législation sur les chèques ont en revanche augmenté de 14 %, mais elles ne représentent que 7 % de ces délits (une dépénalisation des chèques sans provision est intervenue en décembre 1991).

Malgré la baisse du nombre des délits, la fraude fiscale coûte encore très cher à la collectivité. Elle est estimée à 150 milliards de francs par la Direction générale des impôts et à plus de 200 milliards par le Syndicat national unifié des impôts. Des études montrent cependant que le contribuable français, contrairement à une légende tenace, n'est pas plus mauvais citoyen que son homologue anglais, allemand, américain ou surtout italien (en Italie, le montant d'impôts payé est quatre fois inférieur à ce qu'il devrait être).

Les crimes et délits contre les personnes augmentent.

On a dénombré 198 155 atteintes aux personnes en 1996, ce qui représente une hausse de 3,7 % en un an. Mais cette délinquance ne représente plus que 5,6 % de l'ensemble des cas recensés, contre 10 % il y a une dizaine d'années. Le nombre d'homicides a diminué globalement de 12 %, mais ceux perpétrés par des mineurs de moins de 15 ans a progressé de 6 %. Les tentatives d'homicide sont en diminution (1 %).

Les autres formes de délinquance contre les personnes ont en revanche augmenté : 6 % pour les coups et blessures volontaires (mais ceux suivis de mort ont diminué de 12 %) ; 2 % pour les autres atteintes volontaires (8 % de croissance pour les menaces et chantages) ; 1,7 % pour les atteintes aux mœurs (mais une baisse de 2,2 % des viols et de 11 % des affaires de proxénétisme) ; 3,4 % pour les infractions contre la famille et les enfants (14 % pour les violences, mauvais traitements et abandons d'enfants, mais cette augmentation est due en partie à celle du nombre des déclarations des victimes).

On a relevé 10 cas de violences racistes et antisémites en 1996, contre 51 en 1993 et 71 en 1990. La baisse s'est poursuivie en 1997, avec 8 actions recensées.

Un besoin de sécurité général.
Publicis Soleil & Atlantique

✦ *Entre 1974 et 1992, le nombre d'infractions à la législation sur les stupéfiants avait été multiplié par plus de 20, passant de 3 200 à 66 700.*

Ministère de l'Intérieur

Plus de violence

Evolution du nombre de délits contre les personnes :

	1995	1996	Variation
• Homicides	1 336	1 171	- 12,3 %
• Tentatives d'homicides	1 227	1 214	- 1,1 %
• Coups et blessures volontaires	71 095	75 425	+ 6,1 %
• Autres atteintes volontaires contre les personnes	51 700	52 765	+ 2,0 %
• Atteintes aux mœurs	29 132	29 628	+ 1,7 %
• Infractions contre la famille et l'enfant	36 690	37 952	+ 3,4 %
TOTAL	**191 180**	198 155	**+ 3,6 %**

Les dégradations et destructions de biens sont en hausse.

468 515 délits de ce type ont été enregistrés en 1996, soit une progression de 6,3 %. Les principales hausses concernent les incendies volontaires contre les lieux privés (11,6 %) ou publics (11,4 %). Les attentats par explosifs contre les biens privés ont également connu une hausse de 3,9 % (401 cas), alors que ceux perpétrés contre des biens publics ont diminué de 4,4 % (217 cas).

Les autres types de délits sont pratiquement tous en baisse, à l'exception des infractions à la législation des stupéfiants (usage-revente et usage sans revente, respectivement 2,7 et 5,7 %), mais ces chiffres traduisent essentiellement l'activité des services de police concernés. Indépendamment des délits qui lui sont propres, on estime que la drogue est à l'origine de la moitié de la criminalité.

On note au contraire une très forte diminution du nombre de fraudes alimentaires et infractions à l'hygiène (70 %), des délits de courses et de jeux (48 %), des faux documents de circulation des véhicules (41 %), des délits d'interdiction de séjour (39 %), de pêche, chasse et atteintes à l'environnement (18 %), de faux documents d'identité et administratifs (18 %).

✦ *On compte deux fois plus de vols et de cambriolages à Paris qu'à New York, mais deux fois moins d'agressions et de meurtres.*

La délinquance reste un phénomène essentiellement masculin ; les étrangers sont plus concernés.

804 000 personnes ont été mises en cause en 1996 à la suite d'indices graves et concordants qui faisaient présumer qu'elles avaient commis ou tenté de commettre des infractions. Parmi elles, 73 834 ont été écrouées, soit 9,2 %. 86 % des personnes mises en cause étaient des hommes, 14 % des femmes.

La part des étrangers était de 17,7 % (alors que leur part dans la population n'est que de 6 %) ; elle a cependant diminué de 7 % en un an (19,2 % en 1995). Il faut préciser que cette forte proportion s'explique en bonne partie par le nombre des « délits à la police des étrangers ». La part des étrangers est néanmoins de 14 % pour les vols, 12 % pour les infractions économiques et financières, 12 % pour les crimes et délits contre les personnes.

Victimes et responsables

Un nombre croissant de Français se sentent persécutés par un système social et économique qui les met à l'écart. Ces personnes vivent dans la peur du lendemain, parfois dans la haine des autres. La délinquance est l'une des conséquences possibles de ce sentiment d'exclusion, qui peut conduire au ressentiment.

Mais, face à cette victimisation générale, le nombre des personnes qui se sentent responsables de leur propre destin s'accroît. Conscientes que les institutions ne pourront pas les aider à s'assumer, elles se prennent davantage en charge. Certaines sont même prêtes à aider les autres à s'assumer, comme en témoigne la recrudescence du mouvement associatif, du bénévolat ou des pratiques de parrainage. Entre victimes et responsables, le fossé est peut-être en train de se creuser.

La part des mineurs s'accroît de façon inquiétante.

Les mineurs représentaient 18 % des personnes mises en cause en 1996, contre 16 % en 1995 et moins de 10 % en 1972. Cette croissance s'est poursuivie en 1997, avec 15 791 incidents de violences urbaines commis par des mineurs, soit près de cinq fois plus qu'en 1993 (3 466). Parmi les actes de délinquance urbaine, 60 % des vols de deux-roues à moteur sont le fait de mineurs, 41 % des vols et violences sans arme à feu, 33 % des cambriolages, 31 % des destructions et dégradations de biens, 18 % des ports et détentions d'armes prohibées, 14 % des vols à main armée.

De nouvelles formes de délinquance sont apparues depuis quelques années.

A côté des formes traditionnelles de la délinquance (vols, cambriolages, homicides, etc.), des pratiques plus modernes se sont développées. Certaines d'entre elles font parfois la une de l'actualité et représentent des dangers pour l'avenir de la démocratie. C'est le cas du trafic et de l'usage de stupéfiants, du terrorisme, du piratage informatique ou du vandalisme. Des zones de non-droit se sont ainsi multipliées dans les banlieues.

Le mal de vivre, et souvent la difficulté de survivre, sont aussi à l'origine de nombreux troubles de la raison. Les psychiatres et les psychanalystes sont de plus en plus consultés. Le nombre d'incidents sérieux a triplé en cinq ans dans les transports en commun. Des individus tirent sur des gens dans la rue, d'autres jettent des pierres sur des autoroutes, d'autres encore tuent toute leur famille avant de se suicider. On a même assisté à des meurtres dans des salles de classe. Parmi ces jeunes délinquants, certains ont à peine 13 ou 14 ans.

La criminalité informatique constitue un danger préoccupant pour l'avenir de la société.

Si le vandalisme n'est jamais un acte gratuit pour la collectivité, il est rarement profitable à ceux qui s'y adonnent. C'est pourtant le cas avec les nouvelles technologies de piratage à but lucratif. Les ordinateurs sont la cible favorite de cette forme récente de délinquance. Sur 100 pannes survenant à des ordinateurs, 20 seraient dues à des fraudeurs, qui pénètrent dans des programmes pour en tirer un profit.

Bien que seulement 10 % seulement des cas de criminalité informatique soient révélés aux services de police par les entreprises qui en sont victimes, on estime qu'ils ont représenté un coût de 8 milliards de francs en 1997, contre 4,5 milliards en 1990. Le coût

des accidents informatiques (hors malveillance) est estimé, lui, à 5 milliards de francs, ce qui signifie que 60 % de l'ensemble des sinistres sont dus à la malveillance. Dans 80 % des cas, les délits sont commis par des employés de l'entreprise ou avec des complices internes. Le développement des connexions sur Internet augmente considérablement les risques de ce « vandalisme en col blanc ».

Au total, moins d'un délit sur trois est élucidé.

En 1996, un peu moins d'un tiers (30,2 %) des faits constatés ont été élucidés. Le taux d'élucidation (responsables retrouvés) est très variable selon les infractions : 93 % pour les infractions économiques et financières ; 77 % pour les crimes et délits contre les personnes ; 14 % pour les vols (y compris recels) ; 42 % pour les autres infractions.

Si l'on retrouve les véhicules volés dans environ 70 % des cas, on n'arrête les auteurs que dans un cas sur dix. Le taux est de 12 % pour les cambriolages, 35 % pour les vols à main armée. Il atteint 73 % pour les homicides, 75 % pour les coups et blessures volontaires contre les personnes. Les infractions à la législation sur les stupéfiants sont considérées comme toutes élucidées, puisqu'elles sont soit constatées soit ignorées de la police. En 1996, un peu plus d'un million de faits ont été élucidés et 805 000 personnes mises en cause.

Que fait la police ?

85 % des Français font plutôt confiance à la gendarmerie pour faire face aux problèmes d'insécurité qui se posent dans la région où ils vivent (14 % plutôt pas), 74 % à la police nationale (24 % plutôt pas), 71 % aux CRS (24 % plutôt pas), 57 % aux polices municipales (38 % plutôt pas), 44 % aux sociétés privées de gardiennage et de sécurité (47 % plutôt pas).
69 % sont favorables à ce que les communes aient leur propre police municipale (28 % non). 60 % estiment qu'elles devraient être placées sous l'autorité de la police nationale, 35 % qu'elles devraient rester indépendantes.

Ipsos, mars 1998

LES INSTITUTIONS

État

Le poids prépondérant de l'Etat reste l'une des spécificités françaises.

L'Etat exerce en France une influence plus forte qu'ailleurs sur la vie des citoyens. Il est présent dans la quasi-totalité des services d'intérêt général : poste ; chemins de fer ; télécommunications ; énergie... Il intervient dans toutes les circonstances de la vie des citoyens.

Depuis sa création par Bonaparte, en 1800, le secteur public a connu une croissance impressionnante. Il représente aujourd'hui 30 % de la population active (en incluant les collectivités territoriales) contre 12 % en 1970, 6 % en 1936, un peu plus de 5 % en 1870.

La nébuleuse publique

Les effectifs du secteur public comprennent d'abord ceux de la *fonction publique*, qui présente cinq composantes : territoriale (communale, intercommunale, départementale et régionale) ; hospitalière (hôpitaux et maisons de retraite publics) ; personnels des ministères (civils et de la Défense) ; exploitants publics (La Poste et France Télécom) ; établissements publics inclus ou apparentés à la fonction publique d'Etat (CNRS, CEA, ANPE, CROUS, Caisse des dépôts et consignations...).
Le *secteur public* comprend en outre les entreprises publiques (à statut d'établissement public comme la SNCF, la RATP, EDF-GDF...) et les sociétés nationales, nationalisées ou d'économie mixte (contrôlées majoritairement par l'Etat ou les collectivités locales).
Les *administrations publiques*, de leur côté, comprennent la fonction publique moins La Poste et France Télécom, plus les organismes privés d'administration locale, les hôpitaux privés participant au service public hospitalier, les autres organismes dépendant des assurances sociales (ASSEDIC, retraites complémentaires...), la Sécurité sociale, l'enseignement privé sous contrat et les organismes privés d'administration centrale.

Cette croissance s'explique par les besoins liés à la reconstruction qui suivit la Seconde Guerre mondiale. Elle a été favorisée par le progrès social, qui a augmenté le nombre des tâches improductives laissées à l'Etat. Elle s'appuie sur une culture jacobine qui explique le poids des administrations dans la politique industrielle.

Les entreprises nationales cherchent à reconquérir leurs clie
Callegari Berville

Les relations des Français avec les institutions se sont fortement dégradées.

La plaie du chômage, l'accroissement des inégalités, l'absence de « grand projet » collectif et la multiplication des « affaires » ont lourdement entamé le crédit de l'Etat et des institutions. Les Français les considèrent aujourd'hui comme des entités lointaines et inefficaces. Ils mettent bien davantage en cause leur fonctionnement que leur existence, à laquelle ils restent attachés.

74 % des Français pensent ainsi que c'est d'abord le gouvernement qui est responsable des blocages et du conservatisme de la société française, tels qu'ils avaient été dénoncés en décembre 1996 par Jacques Chirac (BFM/BVA). Les autres fau-

tifs sont pour eux l'administration (64 %), les chefs d'entreprise (58 %), les syndicats (57 %) et les Français en général (54 %). On peut donc penser que la principale « fracture sociale » est celle qui sépare aujourd'hui les citoyens des institutions.

Les Français ne font plus confiance à la justice.

66 % des citoyens ont une mauvaise image de la justice (70 % des femmes et 62 % des hommes) ; 33 % en ont une bonne. 87 % la trouvent vieillotte, 77 % coûteuse, 19 % seulement accessible à tous. Au total, 57 % ne lui font pas confiance, contre 42 %, et 69 % estiment qu'elle fonctionne mal, contre 29 % (Sofres, avril 1997). La multiplication des faits divers politico-financiers les a confortés dans cette impression d'une justice à plusieurs vitesses, en tout cas bien trop lente et dépendante du pouvoir politique pour 82 % d'entre eux.

Ces critiques constituent sans doute un exutoire au mécontentement des citoyens à l'égard des institutions en général. Les Français attendent aujourd'hui de plus en plus de la justice, qui ne devrait plus être un recours exceptionnel mais un moyen d'arbitrage permanent. C'est vers elle qu'ils se tournent pour régler les litiges entre les individus et l'ensemble des dysfonctionnements sociaux. C'est à elle qu'ils demandent de résoudre les problèmes d'insécurité et d'inégalité. C'est d'elle qu'ils attendent la mise en place de protections contre les dangers de la « modernité » : clonage humain ; atteintes à la vie privée ; dérives sur Internet...

Le principal reproche adressé à l'Etat est sa mauvaise gestion.

Le poids du secteur public et son mode de gestion particulier ont entraîné des dérives. Les rapports de la Cour des Comptes dénoncent chaque année des abus ou des scandales dont le coût se chiffre en dizaines de milliards de francs. Le Centre de conférences international de Paris (800 millions de francs), la gare TGV de Lyon-Satolas (800 millions), le vélodrome Gourde-Liane de la Guadeloupe (121 millions), le port-musée de Douarnenez (75 millions), la « maison de l'industrialité » de Scionzier (50 millions) ou l'« Éléphant de la mémoire » de Lille (40 millions) sont quelques-uns des multiples exemples. Ils témoignent de l'incapacité de l'Etat ou des collectivités locales à prévoir, estimer, faire respecter les délais ou les devis et gérer l'argent des contribuables.

Le gaspillage de l'argent public apparaît d'autant plus inacceptable aux citoyens qu'ils sont de plus en plus sollicités pour rembourser les dettes et « boucher les trous » (RDS, CSG). S'ils dénoncent la mauvaise gestion des institutions, les Français sont cependant plutôt satisfaits des services publics, comme La Poste, l'EDF ou France Télécom.

Les « secrets d'Etat » mal perçus

30 % des Français estiment qu'on leur cache de plus en plus de choses (35 % des hommes et 25 % des femmes), 25 % pensent qu'on leur en cache moins, 36 % autant. Les domaines les plus concernés par le secret sont pour eux : l'utilisation de l'argent public (76 %), le financement des partis politiques (59 %), les conséquences de la pollution (44 %), le nucléaire (40 %), la situation économique du pays (35 %), l'immigration (27 %), la qualité de la nourriture (26 %), la santé (23 %), la défense nationale (19 %).
Les révélations les plus marquantes de ces dernières années ont été selon eux : l'affaire du sang contaminé (91 %), la contamination par la maladie de la « vache folle » (54 %), les financements illégaux des partis politiques (40 %), la gestion des HLM de la ville de Paris (25 %), les salaires de certains animateurs de télévision (24 %), les écoutes téléphoniques de l'Elysée (14 %), les révélations sur François Mitterrand (Vichy, sa fille naturelle, sa maladie..., 14 %).

L'Express/Sofres, octobre 1996

Les efforts de protection sociale n'ont pas permis de résoudre les problèmes de fond.

La crise économique et les transformations démographiques qui se sont produites depuis une vingtaine d'années ont fortement accru les déséquilibres sociaux. Elles sont notamment à l'origine de l'inexorable montée du chômage et de l'explosion des dépenses de santé et de retraite.

Face à cette situation et aux difficultés qu'elle a engendrées, les citoyens se sont tout naturellement tournés vers l'Etat providence. Mais celui-ci, malgré la mise en place de filets de protection (indemnisation du chômage, RMI, prestations diverses...) n'a pas su répondre à leurs attentes. Le taux des prélèvements obligatoires a atteint un niveau record (45 % du PIB en 1997) et la dette publique s'est alourdie sans que le chômage diminue.

✦ Le délai moyen des tribunaux administratifs pour juger une affaire est de 18 mois.

Les mouvements sociaux récents révèlent l'ampleur des frustrations.

Plusieurs conflits d'envergure se sont développés depuis quelques années : secteur public en décembre 1995 et octobre 1996 ; enseignants en septembre 1996 ; internes des hôpitaux en avril 1997 ; routiers en novembre 1997 ; chômeurs en décembre 1997. On a pu constater à chaque occasion un assez large soutien des Français à ces grèves et manifestations. Cette sympathie spontanée, malgré les gênes souvent importantes subies, s'explique par le peu de crédit des institutions et des hommes politiques depuis des années. Tout se passe comme si les grévistes étaient considérés comme les porte-parole de l'ensemble des mécontentements sociaux.

Par rapport aux autres pays européens, la France apparaît plus agitée, plus angoissée, plus explosive. Elle est partagée entre le désir de changements profonds et la crainte du coût social et économique qu'ils représentent. Dans ce contexte, la reprise économique peut être un facteur de retour au calme ou, au contraire, l'occasion de revendiquer avec plus de force la baisse du chômage, la réduction des inégalités et la hausse du pouvoir d'achat. La mise en place des 35 heures pourrait être le prétexte à ce débat.

Les Français souhaitent une nouvelle répartition des pouvoirs politiques.

Malgré leur conservatisme apparent et récurrent, beaucoup de Français sont conscients de la nécessité de restaurer les grands équilibres économiques et sociaux. Ils savent que l'on ne pourra retarder longtemps encore les réformes concernant le travail, l'éducation, la fiscalité ou le financement des retraites. Les enquêtes montrent qu'ils sont prêts à accepter des sacrifices.

Mais la déception accumulée depuis des années les a rendus très méfiants. Ils estiment que les efforts doivent être répartis de façon équitable entre les citoyens. Ils considèrent aussi que les pouvoirs publics devront montrer l'exemple en réduisant les dépenses de fonctionnement, en devenant meilleurs gestionnaires et en se montrant irréprochables sur le plan de la morale.

Si 42 % des Français pensent que l'État a suffisamment de pouvoir, 26 % pensent qu'il en a trop, 23 % pas assez (BFM-*Paris Match*/BVA, février 1998). Ils sont en revanche 36 % à penser que l'Union européenne n'a pas assez de pouvoir (31 % suffisamment, 16 % trop). Les Français n'ont pas cependant perdu leur fibre jacobine. S'ils souhaitent « moins d'État », ils attendent surtout « mieux d'État ». Cela passe notamment par une plus grande décentralisation : 44 % estiment que leur département n'a pas assez de pouvoir (38 % suffisamment, 6 % trop) ; ils sont 45 % à le penser pour la région (38 % suffisamment, 5 % trop).

Politique

L'histoire électorale des vingt dernières années est la conséquence d'une longue série de déceptions.

Au début de la crise économique (1974), les Français avaient placé au pouvoir un homme du centre droite, Valéry Giscard d'Estaing, dans la continuité des élections qui avaient eu lieu depuis l'arrivée du général de Gaulle en 1958.

Déçus de constater que la France n'avait pas réussi à maintenir la crise hors de ses frontières, ils provoquèrent l'alternance en 1981, offrant à la gauche sa première chance depuis 23 ans.

Une nouvelle déception les amenait à provoquer une première cohabitation en 1986. En 1988, ils reconduisaient François Mitterrand (pour la première fois dans l'histoire de la Ve République) mais dans un contexte d'inversion idéologique entre une droite jugée trop moderniste et aventureuse et une gauche opportunément devenue conservatrice.

Le gouvernement d'ouverture qui suivit ne trouva pas plus que les précédents grâce à leurs yeux. Ce fut donc à nouveau l'alternance et la cohabitation (1993). Après quatorze ans de mitterrandisme, ils élisaient en 1995 un nouveau président de droite.

L'élection de Jacques Chirac en 1995 s'est jouée sur sa promesse de réduire la « fracture sociale »...

Le problème douloureux du chômage, la montée des inégalités et des craintes à l'égard de l'avenir expliquent que les élections nationales se gagnent depuis 1981 sur le terrain du social. L'élection présidentielle de 1995 n'a pas échappé à la règle. Avant même d'être connu et après le retrait de Jacques Delors de la compétition, le candidat socialiste paraissait hors jeu au terme des deux septennats de François Mitterrand. Entre Edouard

Balladur et Jacques Chirac, les deux candidats RPR, les Français ont choisi celui qui avait fait de la réduction de la « fracture sociale » le slogan et le résumé de son programme.

Mais les électeurs ont eu très vite le sentiment que les actes du gouvernement dirigé par Alain Juppé n'étaient pas en accord avec leurs attentes. La cote du Premier ministre et celle du président ont donc rapidement chuté. Fin 1995, le projet de réforme de la Sécurité sociale fut l'occasion pour les Français d'exprimer leurs craintes sur le fond, mais surtout leur agacement quant à la méthode.

... mais les élections législatives anticipées de 1997 ont mis en évidence une nouvelle déception des électeurs.

La droite n'avait pas mesuré depuis fin 1995 la portée du mécontentement des Français, qui venait après de nombreux autres. Le taux de chômage restait désespérément élevé, tandis que les inégalités semblaient continuer de s'accroître. Les Français avaient l'impression (fausse au demeurant pour la plupart d'entre eux) de continuer à s'appauvrir, tandis que les prélèvements s'alourdissaient, malgré les promesses de baisse des impôts.

Le même mouvement de dépit qui avait marqué les comportements électoraux jouait donc une

nouvelle fois et la gauche, emmenée par Lionel Jospin, obtenait une nette majorité. Une nouvelle cohabitation débutait, inversée par rapport à celle de 1986. Une cohabitation qui n'est d'ailleurs pas considérée par les Français comme une situation transitoire, mais plutôt comme la forme imparfaite mais acceptable d'un gouvernement d'union nationale qu'ils appellent inconsciemment de leurs vœux.

Les Français ne sont guère révolutionnaires.
Loeb & Associés

Démocratie et opinion

Les sondages jouent un rôle croissant dans le fonctionnement démocratique. Dans un pays qui occupe probablement la première place au monde en ce qui concerne leur nombre (environ 2 000 par an) et leur variété, les décideurs s'engagent rarement dans des réformes sans avoir pris le pouls d'une opinion qu'ils savent difficile à convaincre, encore plus à contrer.
Si la fiabilité technique des sondages est le plus souvent acquise (taille de l'échantillon, intitulés des questions, administration de l'enquête...), les résultats obtenus ne sont pas exempts de défauts. Le plus important est probablement le fait que beaucoup de sondages sont effectués « à chaud », lorsqu'un événement a mis en évidence un problème ou une polémique : on demande aux Français s'ils sont pour ou contre la peine de mort après un attentat ou s'ils sont favorables au nucléaire après Tchernobyl...
Certains pays comme la Grande-Bretagne ou les Etats-Unis ont essayé d'améliorer la fiabilité de ces enquêtes en créant des « sondages délibérants » qui permettent à des citoyens de s'informer auprès d'experts et de débattre entre eux avant d'exprimer une opinion. On peut s'attendre à un renforcement de la démocratie directe avec le développement de l'interactivité dans les médias et celui des réseaux électroniques comme Internet (qui propose déjà de nombreux forums de réflexion d'initiative privée). L'innovation technique devrait ainsi favoriser l'innovation sociale et, probablement, la démocratie. Avec les risques de dérive et de manipulation de l'opinion que cela implique.

Les élections régionales de mars 1998 ont confirmé le déclin de la droite modérée...

Le résultat des régionales, confirmé par les cantonales qui se tenaient en même temps, peut être considéré comme un succès par la gauche « plurielle » (PS et PC), dans la mesure où elle n'a pas été sanctionnée comme c'est généralement le cas pour les partis au pouvoir. Mais il est à relativiser par le très fort taux d'abstention constaté (42 %) et par l'audience obtenue par l'extrême gauche (plus de 4 %).

Ce résultat est surtout l'illustration des difficultés de la droite à reconquérir ses électeurs traditionnels. Elle n'avait en effet pas encore absorbé le choc des législatives de 1997, ses querelles internes étaient encore trop vives et ses idées sur l'avenir trop floues. Les élections houleuses des présidents de région et des conseillers généraux qui ont suivi ont mis en évidence le désarroi de la droite, son éclatement avant une nécessaire recomposition, engagée avec plus ou moins de succès depuis lors.

... et le trouble engendré par la présence du Front national.

Les raisons de l'implantation confirmée de l'extrême droite (environ 15 % des voix aux dernières élections) ne sont pas mystérieuses ; elles apparaissent assez clairement dans les sondages. Pour 63 % des Français (Sofres, septembre 1997), la première est le sentiment d'insécurité et de montée de la délinquance dû à la trop grande concentration d'immigrés sur certaines parties du territoire (53 %), devant le chômage et les difficultés économiques (50 %), la crainte d'une perte d'identité de la France (26 %), les inégalités sociales (23 %), la corruption de certains responsables politiques et économiques (20 %).

Le FN a profité de la crise économique et sociale qui sévit en France depuis une quinzaine d'années. Le sentiment de précarité, les incertitudes concernant l'emploi, l'accumulation des frustrations dans la vie personnelle, le sentiment que l'État et les partis traditionnels ne font plus leur travail ont entraîné un divorce de certains citoyens avec les institutions et un ressentiment à l'égard des étrangers ou Français d'origine étrangère. La montée de la délinquance dans les banlieues et les actes terrorismes perpétrés par des extrémistes se réclamant de l'islam ont achevé de faire basculer ces catégories dans une attitude protectionniste et hostile au monde extérieur. Pour eux, le Front national apparaît comme le seul parti capable de frapper fort, d'imposer un « ordre moral » nécessaire. Le vote FN est un moyen d'exprimer sa colère, d'adresser une mise en garde aux « technocrates » et à « l'établissement » qui portent une lourde responsabilité dans le climat social actuel.

✦ *32 % des Français trouveraient acceptable que le FN ait des ministres dans un gouvernement dans les prochaines années (62 % non).*

Le racisme ne progresse pas

51 % des Français sont d'accord avec l'idée qu'il y a une inégalité entre les races (46 % non), 50 % avec l'idée qu'en France, aujourd'hui, on ne se sent plus chez soi (49 % non). 28 % trouvent normal de donner à l'embauche la priorité aux Français sur les immigrés, mais 69 % pensent que c'est la qualification, la compétence et le sérieux qui doivent être pris en compte et non les origines.
Les études sociologiques montrent pourtant que les sentiments de xénophobie et de racisme ne progressent pas depuis le début de la décennie dans l'ensemble de la société. 66 % des Français jugent Jean-Marie Le Pen dangereux, 58 % le trouvent raciste, 34 % démagogue. 48 % estiment que ses positions sur les grands problèmes sont inacceptables, 36 % excessives, 9 % seulement justes. Mais 25 % estiment qu'il dit la vérité, 16 % qu'il est courageux, 7 % compétent. Ce sont des personnes appartenant à des catégories sociales particulièrement vulnérables et inquiètes d'un avenir qu'elles ne parviennent pas à imaginer avec sérénité.

Le centre politique reste introuvable.

Pascal disait de l'infini que c'est un cercle où la circonférence est partout et le centre nulle part. Il en est de même de la vie politique ; la moindre pertinence du clivage gauche-droite n'a pas profité au centre, qui recueille spontanément moins d'une voix sur cinq lorsqu'on demande aux Français de se situer sur l'échiquier.

Le centre n'apparaît plus aujourd'hui comme un lieu idéologique distinct, mais comme le point de rencontre du socialisme et du libéralisme, tous deux portés à parts inégales par la gauche et la droite. L'avenir dira s'il est le point Oméga de la politique auquel tout aboutit, ou une position d'attente en période de vide idéologique.

L'électorat est de plus en plus instable.

Lorsqu'ils pensent à la politique, 25 % seulement des Français éprouvent de l'intérêt, contre 34 % en 1988 (Quotidiens régionaux/Sofres, septembre 1997) ; 61 % éprouvent de la méfiance ((48 % en 1988) et 19 % ressentent même du dégoût (8 % en 1988). 50 % des hommes et 36 % des femmes déclarent s'intéresser beaucoup ou assez à la politique, mais 49 % des hommes et 63 % des femmes s'y intéressent peu ou pas du tout (Canal Plus/BVA, mars 1997). Enfin, si 61 % des Français estiment que la politique

Sociologie de l'électorat

Caractéristiques des électeurs lors des élections législatives d'avril 1997 (en %) :

	Parti communiste	Extrême gauche	Parti socialiste	Divers gauche	Vert Ecologie	Autres écologistes	RPR UDF	Divers droite	Droite indépendante	Front national	Divers inclassable
• **Ensemble des électeurs (100 %)**	**10**	**2,5**	**26**	**2**	**4**	**3**	**31**	**2,5**	**3**	**15**	**1**
• **Sexe :**											
- Homme	11	2	26	2	3	3	29	2	3	18	1
- Femme	9	3	26	2	5	3	33	3	3	12	1
• **Age :**											
- 18-24 ans	11	4	28	1	4	4	28	3	1	16	0
- 25-34 ans	10	2	28	2	5	4	23	2	3	19	2
- 35-49 ans	11	4	29	3	5	4	23	2	3	15	1
- 50-64 ans	10	3	23	2	3	1	36	3	3	15	1
- 65 ans et plus	8	0	22	2	3	1	44	4	4	12	0
• **Situation professionnelle de l'interviewé :**											
- Travaille à son compte	6	0	17	2	3	5	44	3	5	12	3
- Salarié	11	3	30	2	6	4	23	2	2	16	1
dont : salarié du secteur public	*13*	*3*	*32*	*3*	*6*	*4*	*22*	*1*	*3*	*12*	*1*
salarié du secteur privé	*10*	*3*	*28*	*1*	*5*	*4*	*24*	*3*	*2*	*19*	*1*
- Chômeur	8	6	32	3	4	5	17	1	5	15	4
- Inactif	9	2	23	2	3	2	39	3	3	14	0
• **Profession du chef de ménage**											
- Agriculteur	5	0	26	0	0	0	57	0	6	3	3
- Commerçant, artisan, chef d'entreprise	5	2	15	4	3	4	38	2	6	20	1
- Cadre, profession intellectuelle	7	4	30	2	8	2	31	4	3	7	2
- Profession intermédiaire, employé	12	4	30	2	5	5	23	1	3	14	1
dont : profession intermédiaire	*14*	*3*	*32*	*1*	*6*	*4*	*22*	*2*	*3*	*11*	*2*
employé	*9*	*5*	*28*	*3*	*3*	*7*	*24*	*0*	*3*	*18*	*0*
- Ouvrier	14	3	28	2	4	3	20	2	1	23	0
- Inactif, retraité	9	1	23	2	3	2	39	3	3	14	1
• **Niveau de diplôme**											
- Sans diplôme	11	4	22	3	4	2	28	3	2	20	1
- Certificat d'études	11	1	26	2	2	2	36	3	3	14	0
- BEPC, CAP, BEP	10	2	27	2	3	4	28	1	3	20	0
- Baccalauréat	11	3	29	2	5	4	30	2	4	9	1
- Enseignement supérieur	7	4	25	2	7	3	33	3	3	10	3
• **Religion :**											
- Catholique pratiquant régulier	2	0	14	1	3	3	58	4	6	7	2
- Catholique pratiquant occasionnel	4	5	22	1	3	3	43	3	4	12	0
- Catholique non pratiquant	10	1	28	2	4	3	27	3	3	18	1
- Autres religions	11	0	32	2	5	2	29	4	2	13	0
- Sans religion	20	5	32	3	6	3	12	0	1	17	1

SOFRES

est une activité honorable, 35 % sont de l'avis opposé. Ces chiffres témoignent de la désaffection des Français pour la chose politique et, plus encore, pour ceux qui l'incarnent. L'accroissement continu du taux d'abstention en est une illustration.

Les caractéristiques socio-démographiques (âge, sexe, profession, revenu...) ne jouent plus un rôle aussi déterminant qu'autrefois dans les votes. Seule la pratique religieuse est encore corrélée au vote de droite, mais son poids électoral est de plus en plus faible, comme celui qu'elle a dans la vie quotidienne des Français.

On assiste en politique à une évolution comparable à celle qui prévaut en matière de consommation ; les programmes et les hommes sont considérés comme des produits que les électeurs essaient et dont ils changent s'ils ne sont pas satisfaits.

La part des femmes dans la vie politique s'est accrue.

79 % des femmes et 68 % des hommes pensent qu'il faut voter des lois imposant aux partis politiques de présenter plus de femmes aux élections ; 29 % des hommes et 18 % des femmes ne sont pas de cet avis (Canal Plus/BVA, mars 1997). La méthode des « quotas » appliquée par le PS a en tout cas permis que la proportion de femmes parmi les députés passe de 6 % à un peu moins de 11 % à l'occasion des élections législatives de juin 1997. Elle était inférieure à 2 % entre 1958 et 1973.

Si leur conjointe décidait de se présenter à une élection, 45 % des hommes l'encourageraient (27 % des femmes dans le cas inverse), 9 % lui déconseilleraient (22 % des femmes), 2 % lui interdiraient (4 % des femmes), 41 % n'interviendraient pas (42 % des femmes).

Aujourd'hui, 84 % des Français seraient favorables à ce qu'une femme soit élue présidente de la République, 14 % y seraient opposés (Madame Figaro/Sofres, mai 1997).

Médiapouvoir

Les Français souhaitent l'entrée de représentants à forte notoriété de la « société civile » aux postes-clés du pouvoir politique. C'est le cas notamment des femmes. Interrogées en janvier 1997 sur la composition idéale du gouvernement, elles plaçaient Christine Ockrent en deuxième position pour le poste de ministre des Affaires étrangères avec 19 % des suffrages, derrière François Léotard (27 %), mais devant Dominique Baudis (18 %, ancien journaliste de télévision) et Jean-Pierre Chevènement (18 %) ; Catherine Deneuve (10 %) précédait même Elisabeth Guigou (8 %).

De la même façon, c'est Jean-Marie Cavada qui apparaissait comme leur ministre de l'Education idéal (28 %), devant le comédien Gérard Klein (25 %), François Bayrou (24 %), le prix Nobel Georges Charpak (15 %), l'académicienne Hélène Carrère d'Encausse (8 %) et le présentateur Michel Field (7 %).

Pour la nomination au poste de ministre du Travail et des Affaires sociales, François de Closets arrivait juste derrière Michel Rocard, mais devant Nicole Notat et Robert Hue (18 %), Jacques Barrot (15 %) et sœur Emmanuelle (11 %). Les résultats étaient de même nature pour les postes de ministre de la Santé (le professeur Cabrol) ou de la culture (Bernard Pivot n'était battu que d'une courte tête par Jack Lang).

Effet de lassitude ou de dérision à l'égard des hommes politiques professionnels ou difficulté à séparer le pouvoir des médias et celui de la politique ? L'une des explications de ces choix est sans doute un fort besoin de renouvellement de la classe politique.

Paris Match/BVA, janvier 199...

Les idéologies en présence ne rendent pas compte de la réalité.

Après la chute du communisme, on s'aperçoit que le libéralisme dominant ne permet pas de résoudre les problèmes qui se posent en cette fin de siècle et de millénaire. Dans un monde de plus en plus riche et global, les inégalités s'accroissent, tant entre les pays ou les régions qu'entre les individus au sein d'un même pays. La place de la technologie et du savoir, l'évolution des valeurs et la montée du chômage impliquent de repenser le travail. Le partage, la fiscalité, la réduction du coût des bas salaires sont quelques-uns des leviers évoqués.

Dans les démocraties modernes, le rôle de l'Etat devra être redéfini. Doit-il peser davantage sur les politiques économiques, favoriser le développement d'une économie « quaternaire » fondée sur les associations ? Doit-il créer un revenu universel d'existence ?

L'économie, la politique, la sociologie, mais aussi la philosophie et la morale sont les composantes d'une vaste réflexion à mener pour inventer les nouvelles régulations collectives nécessaires.

✦ *51 % des hommes estiment qu'ils votent en général comme leur conjoint, mais seulement 40 % des femmes.*

EUROPE

Les Français sont en majorité favorables à la poursuite de la construction européenne...

Les avantages qu'ils y voient concernent d'abord la sécurité. Ainsi, 59 % estiment que la construction de l'Europe aura des conséquences positives sur la lutte contre le terrorisme ; 20 % estiment qu'elles seront négatives, 16 % inexistantes (*Pèlerin Magazine*/ Sofres, février 1997). Pour 53 %, l'Europe aura des conséquences positives sur la capacité des entreprises à faire face à la concurrence internationale (30 % non, 11 % aucune). Ils ne sont en revanche que 39 % à espérer un effet bénéfique sur la lutte contre l'immigration clandestine (35 % non, 21 % aucun), 36 % sur l'emploi en France (38 % non, 21 % aucun), 30 % sur la protection sociale (41 % non, 24 % aucun).

Le soutien à la cause européenne est donc globalement tiède. La crainte que l'Etat abandonne une partie de sa souveraineté et de ses habitudes interventionnistes est à peine compensée par la perspective d'une paix durable et d'une économie européenne plus forte face au reste du monde.

Les résistances politiques sont nombreuses ; elles sont concentrées au Parti communiste et au Front national, mais elles traversent aussi la droite et la gauche modérées. C'est ce qui explique en partie l'absence d'un vrai débat sur ce thème qui ferait apparaître des clivages internes.

La France reste attachée à l'Europe du Sud.
Apache Conseil

... mais ils s'interrogent sur l'avenir de leur identité nationale.

Depuis son démarrage en 1957, la construction européenne a été jalonnée de crises. Ces crises impliquaient jusqu'ici les ministres ou les fonctionnaires européens. Celle qui se développe depuis 1993 est d'une autre nature, car elle concerne les citoyens. Le doute s'est en effet installé dans leur esprit quant à l'utilité de l'Europe. L'incapacité à intervenir dans le conflit yougoslave ou à aider les pays membres à résoudre le problème du chômage a été douloureusement ressentie. Le traité de Maastricht, l'élargissement à de nouveaux pays et la perspective de la monnaie unique n'ont pas provoqué l'enthousiasme, ils ont avivé les craintes quant à l'avenir des identités nationales ou régionales.

D'une manière générale, les Français sont partagés sur les effets de la mondialisation en marche : 49 % pensent qu'il s'agit d'une bonne chose, car cela va ouvrir de nouveaux marchés à nos produits et à nos entreprises ; 48 % pensent que c'est une mauvaise chose, car c'est une grave menace pour nos emplois et nos entreprises (*L'Expansion*/Sofres, mars 1997). Cette hésitation s'applique à l'Europe. Comme beaucoup d'Européens, les Français craignent que leur pays perde un peu de son âme dans le processus engagé d'unification. Ils reprochent en outre à l'Union d'être trop technocratique.

Opportunités et menaces

65 % des Français estiment que la construction européenne est un facteur de paix en Europe (26 % non), 57 % dans le monde (32 % non).
44 % considèrent que l'harmonisation des législations sociales (retraites, santé...) dans l'Union européenne sera un facteur de régression sociale pour les Français ; 35 % pensent que ce sera un facteur de progrès social.
Les plus grandes menaces qui pèsent sur l'Union européenne sont pour les Français : la concurrence économique des pays asiatiques (54 %), l'intégrisme musulman (47 %), la montée des nationalismes (26 %), la puissance des Etats-Unis (19 %), l'instabilité en Russie (14 %).

Canal Plus/BVA, janvier 1997

✦ *Le pays où les Français préféreraient vivre est la Suisse (29 %), devant l'Italie (17 %), l'Espagne (16 %), la Suède (11 %), l'Allemagne (10 %), l'Angleterre (8 %).*

Les valeurs des Européens

Liste des valeurs auxquelles les habitants de cinq pays de l'Union européenne sont le plus attachés[*] (en %) :

	Europe	Italie	France	Allemagne	Espagne	Grande-Bretagne
• **Justice**	49	51	47	49	51	47
• **Travail**	47	56	46	48	56	44
• **Liberté**	44	42	44	38	42	45
• **Tolérance**	36	31	38	48	31	33
• **Egalité**	33	37	33	34	37	30
• **Solidarité**	29	41	42	25	41	4
• **Argent**	21	14	13	23	14	44
• **Ordre**	15	14	18	18	14	9
• **Tradition**	9	3	8	8	3	14
• **Patriotisme**	6	3	8	3	3	10

[*] Choix des trois préférées parmi la liste de dix valeurs proposée.

IPSOS, février 1998

Un certain nombre de valeurs communes commencent à apparaître.

L'enquête réalisée en février 1998 dans les cinq plus grands pays de l'Union européenne par Ipsos fournit des indications sur ce qui rapproche les Européens. La justice, le travail et la liberté sont les trois valeurs prioritaires (voir tableau). Dans les cinq pays, au moins deux de ces valeurs arrivent en tête. La justice est citée en premier par les Allemands, les Britanniques et les Français. Elle est plébiscitée surtout par les générations les plus anciennes et les personnes proches de la droite modérée.

On observe une relation entre la richesse (au niveau national et individuel) et l'attachement au travail ; celui-ci est plus fort dans les pays les moins riches et, au sein de chacun d'eux, dans les milieux modestes. Les plus aisés privilégient davantage la liberté, qui est sans doute davantage un luxe pour ceux qui ont du travail. Chez les jeunes, les Français sont les seuls à opter pour la solidarité et l'égalité ; les Italiens et les Allemands leur préfèrent la liberté et la justice.

On n'est guère étonné de constater que les Britanniques sont ceux qui se différencient le plus des autres pays ; les jeunes choisissent le travail, devant la liberté et surtout l'argent. C'est aussi en Grande-Bretagne que les valeurs conservatrices (tradition et patriotisme) sont les plus prisées, au détriment de l'ordre et surtout de la solidarité, qui obtient un niveau très bas d'adhésion (4 %).

Pour mobiliser ses citoyens, l'Europe devra combler son déficit démocratique.

L'évolution récente des attitudes des Européens est une leçon pour les responsables. Elle montre clairement la nécessité de refonder un projet sur de nouvelles valeurs, de redonner un sens (en même temps qu'une direction) à l'Europe, de la recentrer sur des problèmes concrets comme l'emploi, l'éducation ou la paix.

L'Europe peut devenir en effet un « grand projet » pour ses 350 millions d'habitants. Elle constitue déjà un modèle, voire un idéal pour ses voisins immédiats : elle est la seule région du monde ayant réussi malgré les difficultés à associer l'économique et le social.

Pour les Français, l'Europe n'a de sens que si elle permet de réduire le chômage et si elle respecte les cultures nationales. Leur crainte est un nivellement par le bas des acquis sociaux. La perspective de la monnaie unique est surtout considérée comme une source de difficultés pratiques.

L'opinion européenne n'est guère favorable à un élargissement ultérieur.

L'entrée dans l'Union européenne de nouveaux pays membres n'est pas ressentie comme une opportunité, mais comme une contrainte supplémentaire et un frein aux futures décisions communes. Elle implique sans doute une révision des institutions pour rendre l'Europe plus souple, peut-être même à « géométrie variable ».

Il faudra aussi à ses avocats plus d'enthousiasme et de lyrisme pour expliquer et faire rêver. Où sont les Victor Hugo, Monnet, Schuman et autres visionnaires qui éclairaient autrefois l'avenir des peuples ? Au moment où elle devient une réalité, il manque au fond à l'Europe de ne pas avoir été une utopie.

La monnaie unique sera une étape essentielle et symbolique.

L'entrée en vigueur de l'euro est une mesure importante sur le plan économique, puisqu'elle donne une unité (monétaire) à l'Union. Elle l'est aussi sur le plan symbolique ; pour la première fois, les citoyens pourront être conscients d'une appartenance supranationale vérifiable dans leur vie quotidienne, à travers notamment les gestes de la consommation.

Il est donc essentiel que la mise en place de l'euro se fasse sans traumatisme. Les jeunes auront probablement plus de facilité à vivre en euros. On remarque que leur sentiment d'appartenance à l'Europe est plus fort que celui des adultes. Leur attitude sera déterminante, car ils seront demain les acteurs de la vie économique, sociale, politique, scientifique ou artistique.

L'adaptation sera sans doute plus difficile pour les aînés. Ces derniers n'affichent pas d'hostilité, mais une prudente réserve : pour 72 % des plus de 50 ans, l'euro sera avant tout un facteur de paix sur le continent. 63 % estiment qu'il renforcera la cohésion entre les Européens, 30 % non. Mais 52 % pensent qu'il entraînera une perte d'identité nationale (contre 41 %). 50 % pensent qu'il favorisera la croissance de l'emploi, 45 % sont de l'avis contraire (Sofres, janvier 1998).

✦ *Le pays où les Français préféreraient travailler en Europe est la Suisse (30 %), devant l'Allemagne (22 %), la Suède (11 %), l'Espagne (9 %), l'Italie (9 %), l'Angleterre (8 %).*

LES VALEURS

Transition sociologique

Une grande mutation sociale a commencé au milieu des années 60.

Comme la plupart des sociétés développées, la société française est à la recherche d'une nouvelle identité. Elle a engagé depuis trente ans un effort de contestation, puis d'adaptation à un monde en mutation.

Dès 1965, certains phénomènes, passés presque inaperçus, annonçaient déjà la « révolution des mœurs ». La natalité commençait à chuter, le chômage à s'accroître. La pratique religieuse régressait, en particulier chez les jeunes. Le nu faisait son apparition dans les magazines, dans les films et sur les plages. La délinquance connaissait une très forte croissance à partir de 1964 ; le nombre des crimes et délits passait de 600 000 à 1 700 000 en 1972. Dans l'ensemble des pays occidentaux, la productivité des entreprises diminuait pour la première fois depuis vingt ans, tandis que les coûts de la santé et de

Une société en quête de sécurité et d'assurance.
Jean & Montmarin

l'éducation amorçaient leur ascension, préparant le terrain de la crise économique des années 70.

Les rapports des Français avec les institutions commencèrent aussi à se détériorer. L'Eglise, l'armée, l'école, l'entreprise, l'Etat connurent tour à tour la contestation.

En un peu moins de trente ans, la société française a connu sept chocs importants.

Chacun d'eux a été l'occasion d'une prise de conscience, en même temps qu'il annonçait une forme de rupture avec le passé, la fin d'une époque :
- **1968** fut avant tout un choc *culturel* ; les Français descendirent dans la rue pour dénoncer la civilisation industrielle et les dangers de la société de consommation. Le goût de plus en plus affirmé pour la liberté allait provoquer la levée des tabous qui pesaient depuis des siècles sur la société. Avec, en contrepoint, la remise en cause des valeurs traditionnelles. La « révolution introuvable » de Mai 68 aura été un moment essentiel de l'histoire contemporaine. Elle reste inachevée. Fin des utopies.
- **1973**, choc *économique*, sonna le glas de la période d'abondance, annonçant l'avènement du chômage et la redistribution des cartes entre les régions du monde. Mais il fallut dix ans aux Français pour s'en convaincre. Fin de la croissance.
- **1982** a été un choc *social,* plus important au regard de l'histoire de la société que celui, politique, de 1981. La gauche, et avec elle tous les Français, découvrait l'existence d'une dépendance économique planétaire et l'impossibilité pour un pays de jouer seul sa partition. La peur s'emparait de la société civile, suivie bientôt par le retour du réalisme. Fin des idéologies.
- **1987**, choc *financier*, mit en évidence les déséquilibres économiques, les limites de la coopération internationale, l'insuffisance des protections mises en place depuis 1929, l'impuissance des experts à prévoir et à enrayer les crises. Fin de la confiance.
- **1991** a été un choc *psychanalytique*, provoqué bien sûr par la guerre du Golfe. Mettant un terme à la période d'angélisme inaugurée en 1989 par la

chute du mur de Berlin et la libération des pays d'Europe de l'Est qui suivit, il apportait la preuve que le monde reste dangereux et la coexistence avec les pays arabes, précaire. Fin d'une certaine vision du monde.

- **1993** fut un choc *européen*, avec le développement d'une crise qui, pour la première fois depuis 1957, ne concernait pas les institutions européennes, mais les citoyens. Ceux-ci se demandaient si la poursuite de la construction européenne était souhaitable et si l'identité nationale n'allait pas se dissoudre dans celle, à définir, de l'Union. Fin d'une vision technocratique de l'Europe. 1993 a été aussi marquée en France par le retournement de l'opinion en matière de solidarité ; pour la première fois, une majorité des Français se disaient prêts à partager le travail *et* les revenus pour lutter contre le chômage. Fin d'une civilisation organisée autour du travail.

- **1995** est le dernier choc en date. Les grèves de décembre ont paralysé le pays comme celles de mai en 1968. Mais les deux mouvements étaient de nature différente. Dans le premier cas, les jeunes et les travailleurs, solidaires, refusaient la société industrielle et revendiquaient davantage de liberté individuelle. Dans le second, les grévistes du secteur public s'efforçaient au contraire de préserver les acquis du passé ; plus qu'un véritable rejet du plan de réforme de la Sécurité sociale ou qu'une réelle solidarité entre les travailleurs du privé et ceux du public, c'est le divorce avec les institutions et le mécontentement à l'égard du gouvernement qui expliquent ce mouvement de colère. Il s'agit peut-être de la fin de cette période de transition commencée au milieu des années 60.

Ces chocs répétés ont été d'autant plus forts qu'ils se sont produits sur fond de mutation technologique. Ils ont engendré des décalages entre les

Des Trente Glorieuses aux Dix Peureuses

L'histoire contemporaine depuis la fin de la Seconde Guerre mondiale peut être divisée en trois périodes distinctes :

• **1945-1974 : Les Trente Glorieuses**. Ainsi baptisées par Jean Fourastié, ces années furent marquées par une prospérité économique ininterrompue. La forte croissance du PIB s'est traduite par un accroissement important du pouvoir d'achat qui a profité à toutes les catégories sociales et qui a permis de réduire fortement les écarts sociaux. Jusqu'à l'arrivée du premier choc pétrolier.

• **1975-1984 : les Dix Paresseuses.** Englués dans le confort accumulé, les Français ont refusé pendant cette période de voir la crise économique en face, continuant de penser que le monde tournait autour de la France comme la Terre autour du Soleil. Pendant que les autres pays développés prenaient des dispositions pour s'attaquer au problème nouveau du chômage, ils continuaient de revendiquer (et d'obtenir) un accroissement de leur pouvoir d'achat.

• **1985-1994 : les Dix Peureuses.** Après s'être longuement admirés dans le miroir déformant que leur tendaient les partis politiques, les syndicats et les médias, les Français connurent un réveil d'autant plus brutal qu'il était tardif. La crainte s'installait dans la société ; celle du chômage, du sida, de l'insécurité sous toutes ses formes, réelles ou fantasmatiques. Le foyer se transformait en une bulle stérile, refuge contre les agressions extérieures. La société de communication ressemblait fort à une société d'excommunication. Certains indicateurs laissent penser que cette période de déprime collective et de déconstruction des institutions et des modes de pensée s'est achevée à partir de 1993-1994 (voir plus haut). Les grèves de 1995 constituent alors peut-être le baroud d'honneur d'un individualisme frileux, mâtiné de corporatisme. Car la nécessité des réformes apparaît à chacun et la société d'assistance commence à laisser place à une société de responsabilité, dans laquelle chacun devra prendre en charge son propre destin, tout en participant au nécessaire effort de solidarité. On peut souhaiter en tout cas que les années qui viennent restent dans l'histoire sociale comme les *Dix Courageuses*...

catégories sociales, préludes à la recomposition en cours (voir chapitre *Groupes sociaux*). Chacun d'eux a accéléré l'évolution des mentalités et a contribué à la mise en place progressive d'un nouveau système de valeurs. Nous sommes aujourd'hui arrivés au terme de cette période de transition, et au début d'une phase de reconstruction sociale.

✦ *S'ils étaient filmés par hasard et à leur insu à l'occasion d'un reportage télévisé dans la rue mais dans une situation gênante pour leur entourage (par exemple accompagnés de quelqu'un d'autre que leur conjoint), 51 % des Français estiment que ce serait une atteinte à leur vie privée car leur image aurait été diffusée à leur insu. 45 % pensent que ce ne serait pas une atteinte à leur vie privée car ils étaient dans la rue qui est un lieu public.*

Ce qu'on a pris pour la fin de l'Histoire n'est en fait que la fin de la « modernité ».

On peut considérer que l'ère moderne est née à fin du XVIIIe siècle, avec la Révolution industrielle. Elle reposait sur un postulat, rarement formulé mais largement accepté, selon lequel la croissance économique et le développement technologique engendrent le bien-être, tant individuel que collectif. La société industrielle était caractérisée par la recherche du confort et l'accumulation des objets de la modernité. Elle était centrée sur l'argent, devenu seul étalon de mesure de la valeur des choses et des gens.

Les dernières années ont fait voler en éclats ce rêve matérialiste. Beaucoup de Français sont aujourd'hui conscients des inégalités engendrées par l'abondance économique, entre les pays mais aussi à l'intérieur de chacun d'eux. L'écologie a montré que le progrès scientifique et ses applications techniques sont à l'origine des menaces qui pèsent sur la survie de la planète.

A l'idée de « fin de l'Histoire » proposée par Fukuyama, qui n'est en fait que le constat de l'usure des alternatives politiques au libéralisme démocratique, on est donc tenté de préférer celle d'une « fin de la modernité », qui rend mieux compte du grand mouvement de recentrage, voire de régression, qui est à l'œuvre depuis quelques années en France et dans les pays développés.

La corrélation entre progrès (économique ou scientifique) et bien-être ne paraît plus évidente.

Au cours des années récentes, les Français ont eu le sentiment que l'augmentation de leur niveau de vie s'était accompagnée d'une diminution de leur qualité de vie. Une impression paradoxale, qui remettait brutalement en cause le postulat sur lequel est fondé la civilisation occidentale.

L'idée d'un découplage entre abondance et bien-être (voire liberté) est aujourd'hui partagée par un nombre croissant de Français. Certains sont convaincus que l'accroissement du confort matériel a entraîné celui de l'inconfort moral. L'énorme succès des *Visiteurs* en 1993 (14 millions de spectateurs en salles), puis de la suite (*Les couloirs du temps*) en 1998, est significatif de cette nouvelle disposition d'esprit ; débarqués brutalement de leur Moyen Age, les deux héros constatent combien l'euphorie moderniste du XXe siècle est pitoyable.

Le rationalisme du XVIIIe siècle et le scientisme du XIXe, qui plaçaient dans la science tous les espoirs de l'humanité, ont donc fait place au scepticisme.

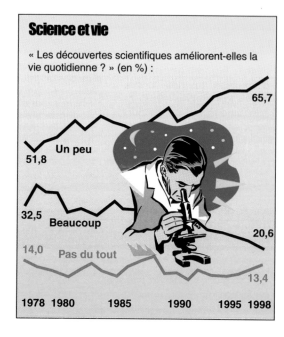

Science et vie

« Les découvertes scientifiques améliorent-elles la vie quotidienne ? » (en %) :

65,7
Un peu
51,8
32,5
Beaucoup
20,6
14,0   Pas du tout
13,4
1978 1980   1985   1990   1995 1998

Les Français sont aujourd'hui plus réservés à l'égard de la science et de la technologie.

Les citoyens ont compris que la science n'est pas bonne ou mauvaise en elle-même, mais que son influence dépend avant tout de l'utilisation qui en est faite par les hommes. Il n'y a pas d'indépendance de la science ; il n'y a pas non plus de fatalité de la catastrophe. 50 % des Français estiment que la science apporte à l'homme plus de bien que de mal, 6 % sont de l'avis contraire et 43 % pensent qu'elle apporte autant de bien que de mal (Sciences et Avenir/Sofres, avril 1997). 77 % pensent que le progrès technique accroît le chômage. 74 % pensent que les savants ont, par leurs connaissances, un pouvoir qui peut les rendre dangereux.

Chacun est certes reconnaissant à la science d'avoir combattu l'obscurantisme, l'ignorance et, plus récemment, amélioré les conditions de vie et de travail, vaincu certaines maladies. Mais tous sont aussi de plus en plus conscients des risques qu'elle fait peser sur les hommes et des menaces qu'elle représente pour leur avenir.

Dans de nombreux domaines, la recherche scientifique et technologique franchit aujourd'hui un nouveau pas, qui la place au-delà de ce qu'était il y a peu la science-fiction. L'alimentation, la santé, la communication, le transport, le logement, les loisirs sont progressivement gagnés par ces technologies aux possibilités à la fois fascinantes et angoissantes.

Les craintes environnementales se généralisent.

Les accidents liés au développement technologique ont provoqué en France, comme dans d'autres pays industrialisés, une montée des inquiétudes concernant l'environnement, apparente dans toutes les enquêtes. Ainsi, 59 % des Français estiment qu'il faut agir en priorité contre la pollution de l'air, 39 % contre celle de l'eau, 20 % en faveur de l'élimination des déchets, 20 % contre les risques du nucléaire, 17 % pour la sauvegarde des plantes et des animaux, 13 % pour la protection des paysages, 12 % contre le bruit. Seuls 11 % estiment qu'il faut continuer à construire des centrales nucléaires, contre 67 % de l'avis contraire. 48 % pensent que l'eau potable manquera un jour en France, 47 % non. L'écologie est devenue une dimension incontournable de la vie sociale, politique, industrielle et philosophique.

Pourtant, les fantasmes et les craintes sont peut-être excessifs. D'après le ministère de l'Environnement, la qualité de l'air s'est globalement améliorée entre 1991 et 1997. Les émissions de dioxyde de soufre ont diminué de 20 %, la teneur en plomb est passée de 0,71 microgramme par mètre cube à 0,28. En revanche, les émissions de dioxyde de carbone ont augmenté de 2 %.

L'inquiétude concernant la sécurité alimentaire s'est accrue...

La crise de la « vache folle » a été le révélateur des risques liés à l'industrialisation de l'alimentation. Le fait de transformer des bovins herbivores en carnivores, qui est à l'origine de l'affaire, est apparu aux Français comme une transgression dangereuse des lois de la nature. Cette peur est aujourd'hui renforcée par l'arrivée des OGM (organismes génétiquement modifiés).

Ces modifications (ou manipulations, pour les plus pessimistes) ne concernent pas seulement le monde végétal. Les clonages d'animaux sont possibles, même à partir de cellules non embryonnaires

comme l'a montré la naissance de l'agneau Dolly. Pour beaucoup de Français, il ne fait guère de doute que l'homme, ultime étape du monde vivant, sera le prochain champ d'expérience. Avec tous les risques de dérive que cela implique.

La crainte est alors que la logique de marché, et la compétition qu'elle engendre entre les grandes entreprises mondiales, favorisent une vision à court terme, peu compatible avec le doute scientifique et le principe de précaution. C'est pourquoi certains se tournent aujourd'hui vers les aliments biologiques, supposés moins dangereux.

La sécurité alimentaire, une revendication croissante.
Gibraltar

... comme celles concernant la vie privée.

Dans les entreprises, la surveillance électronique se développe, avec les caméras indiscrètes et les cartes d'accès qui permettent de suivre le parcours des employés. Dans les magasins, les cartes de paiement ou de crédit laissent une trace détaillée des achats effectués. A la maison, l'ordinateur branché sur Internet est surveillé par les *cookies*, mouchards enregistrant les habitudes et les centres d'intérêt des utilisateurs et pouvant servir à établir un profil de consommateur potentiel pour des produits ou des services. Ils pourront être présents demain dans les téléphones, les voitures ou les équipements électroménagers.

Les progrès de l'électronique et de l'informatique laissent craindre l'avènement d'un *Big Brother* capable de surveiller tous les individus. 91 % des

Français considèrent ainsi que la présence de caméras de surveillance dans les magasins et les parkings constitue une atteinte à leur vie privée (17 % seulement dans le cas des caméras de surveillance dans les centres-ville).

Les peurs ont été renforcées par leur médiatisation.

Depuis des années, le « mal français » fait la une de tous les médias. La télévision, la presse, l'édition ou le cinéma déclinent la crise et la misère dans leurs multiples aspects, nationaux ou planétaires, économiques ou sociaux. Cette propension à montrer les dysfonctionnements et les menaces a accéléré une prise de conscience qui était nécessaire. Mais elle a fini par convaincre le public que tout allait mal, créant un sentiment d'angoisse généralisé.

On peut mesurer les effets du « noircissement » médiatique dans les sondages d'opinion. La perception que les Français ont de la situation générale est toujours plus défavorable que celle de leur propre situation. Ce sentiment d'être plutôt heureux dans une société qui ne l'est pas renforce la crainte du lendemain. Il explique le pessimisme ambiant et la montée de craintes souvent irrationnelles. Il pousse au repli sur soi, interdit la remise en cause de l'existant et nuit à la créativité.

La résistance aux excès de la modernité commence à s'organiser.

Elle se manifeste notamment par une transformation profonde des comportements en matière de consommation, sensible depuis 1991. Les valeurs matérielles sont devenues moins prioritaires, les besoins plus intériorisés, les comportements d'achat plus rationnels, les acheteurs moins fidèles. Le succès des produits est moins lié à la mode. Dans toutes les couches de la société, la « néophilie » est en régression et les « néomaniaques » (ceux qui considèrent que tout ce qui est nouveau est beau) constituent une espèce en voie de disparition.

Le contrôle social de l'activité scientifique apparaît aussi de plus en plus nécessaire. Les Français considèrent que la science est une chose trop importante pour être laissée aux seuls scientifiques.

✦ *Les véhicules sont responsables de 60 % des émissions de monoxyde et de dioxyde d'azote.*

Leur bonne conscience apparaît en effet parfois comme de la naïveté, leurs certitudes comme de l'arrogance. C'est pourquoi les citoyens estiment de plus en plus nécessaire d'être consultés ou représentés dans les débats sur les applications des recherches, voire sur la nature même de ces recherches. Mais ils ne font pas davantage confiance pour cela aux hommes politiques qu'aux savants.

L'instinct de « conservation » se développe.

Cette résistance à la modernité se traduit aussi par une volonté farouche dans certaines catégories sociales de préserver les avantages acquis et accumulés. Un instinct de « conservation » s'est développé, qui a incité les Français à se tourner vers le passé et à refuser le présent. C'est ce qui explique par exemple l'intérêt pour les commémorations ou l'engouement récent pour la philosophie.

On peut voir dans ces attitudes des marques évidentes de régression, aux deux acceptions du terme. D'abord, comme sentiment que le progrès n'est plus synonyme d'amélioration de la qualité de la vie, mais qu'il a parfois des effets inverses. Ensuite, au sens psychanalytique, avec une tendance marquée au retour en enfance ou à l'état sauvage. Cette régression est particulièrement sensible dans les rapports que les Français entretiennent avec les animaux. Tout se passe comme si l'homme, qui se sent aujourd'hui coupable de détruire la nature, tentait de se racheter en traitant les animaux comme des semblables (voir *Animaux*). Il cherche inconsciemment à retrouver sa place parmi les mammifères.

Les Français prêts à agir

Pour lutter contre la pollution en ville, 96 % des Français se disent favorables au développement des transports en commun (3 % non), 93 % à la création de parkings obligatoires à l'entrée des villes, desservis par des navettes (7 % non), 90 % à la réduction de l'espace réservé aux voitures au profit des autres modes de déplacement (9 % non), 75 % à la création de services de taxis collectifs (22 % non), 60 % à l'interdiction des voitures Diesel ou sans pot catalytique en centre-ville (36 % non), 50 % au gazole au prix de l'essence sans plomb (42 % non), 45 % à la circulation alternée toute l'année (53 % non), 41 % à l'interdiction de la voiture en centre-ville (58 % non), 9 % à l'instauration d'un péage à l'entrée des villes (89 % non).

Le Nouvel Observateur/Sofres, octobre 1997

La protection de l'environnement apparaît comme une nécessité croissante.

L'écologie était apparue en France au début des années 70, comme une suite logique de l'esprit de Mai 68, dont elle fut peut-être le dernier sursaut. Mais la crise économique allait mettre au premier plan des préoccupations plus immédiates, comme le chômage. L'écologie fut alors considérée comme un luxe hors de saison. Il aura fallu l'accident de Tchernobyl (1986) et les grandes campagnes de sensibilisation médiatique sur la fissure de la couche d'ozone, l'effet de serre ou la disparition de la forêt amazonienne pour qu'elle fasse un retour remarqué, dans les mentalités plus que dans les urnes.

S'ils accusent volontiers les industriels, les politiques et les scientifiques de ne pas avoir suffisamment protégé la nature, les Français n'ont cependant pas tous encore le réflexe, à l'échelon individuel, de participer à cet effort. Même s'ils se déclarent concernés.

Gardons cet espace propre.

"ensemble,

RATP

L'environnementalisme progresse.
BDDP Corporate

✦ En avril 1996, 67 % des Français estimaient qu'un accident nucléaire grave est possible en France (contre 81 % en avril 1990). 26 % étaient de l'avis contraire (contre 12 %).

✦ 87 % des Français estiment que la catastrophe de Tchernobyl a encore aujourd'hui des conséquences sur l'environnement, 6 % non.

Valeurs actuelles

La crise économique a entraîné celle des valeurs.

L'ampleur et la rapidité des transformations qui se sont produites dans la société depuis une trentaine d'années (voir pages précédentes) expliquent l'interrogation actuelle sur les valeurs. La famille n'est plus vécue de la même façon. La patrie n'a plus le même sens, dans un contexte de construction européenne et de mondialisation. Le travail est devenu un bien rare, en même temps qu'il a perdu de son importance sociale et individuelle. Le nihilisme a progressé en s'appuyant sur la crainte collective et la déprime individuelle.

La revendication majeure des années 70 était celle de la liberté individuelle. Les années 80 ont été marquées par une demande matérialiste ; l'argent a pris une importance croissante pour devenir l'étalon de la réussite et la condition du bonheur. La décennie 90 est davantage marquée par une demande d'identité et de sens.

Dans un monde plus complexe et plus incertain, les individus cherchent des points de repère pour mieux vivre. Ils ne sont plus aujourd'hui fournis par l'école, l'Eglise ou les institutions. Le succès des livres de philosophie (ceux qui proposent des principes de vie) atteste de ce besoin non satisfait. Autant que l'accord sur les valeurs elles-mêmes, c'est la difficulté de vivre en conformité avec elles qui est en cause.

La dilution des valeurs collectives a d'abord fait le jeu de l'individualisme.

La prépondérance de l'individu, cellule de base et finalité de toute société démocratique, avait été reconnue dès le siècle des Lumières. Elle avait amené la révolution de 1789 et abouti à la *Déclaration des droits de l'homme*. L'histoire sociale depuis deux siècles n'est en fait que la poursuite de ce processus d'individualisation, avec des moments forts comme Mai 68.

Le mouvement s'est accéléré dans les années 80. Il s'est manifesté dans tous les domaines de la vie quotidienne : redécouverte du corps ; déclin des sports collectifs au profit des disciplines individuelles ; volonté de réussir la vie de couple ensemble, mais aussi séparément ; diminution de l'adhésion aux syndicats ; désintérêt à l'égard des partis politiques ;

Les fondations renversées

L'évolution du système social et celle des mentalités se sont prodigieusement accélérées au cours des trente dernières années. Elles ont abouti à ce qui a d'abord semblé être un effondrement des valeurs. Il s'agissait en réalité d'une spectaculaire inversion des principes sur lesquels reposait jusqu'ici la société. Aux caractéristiques fondatrices de l'identité se sont substituées des valeurs opposées :

• L'importance du lignage s'est affaiblie avec le développement de la famille éclatée ;
• Le lieu de naissance n'est plus un facteur de stabilité, du fait des déracinements, de plus en plus fréquents, liés aux contraintes professionnelles ;
• La transcendance a été remplacée par une vision matérialiste de la vie et de l'Univers.

Les principes fondateurs de la société ont, eux aussi, connu un véritable retournement :

• La solidarité, vertu des sociétés traditionnelles, a fait place à l'individualisme ;
• Le sacré a été peu à peu remplacé par le profane ;
• Le présupposé de continuité a été mis en question par la généralisation des ruptures ;
• Le principe d'autorité, sur lequel reposaient les sociétés antérieures, a été refoulé par l'idéologie libertaire, avec sa dimension économique, l'économie de marché et le libéralisme.

Enfin, les privilèges fondateurs des rapports sociaux ont été balayés par les conceptions de la modernité :

• La notion de qualité, liée au statut social de l'individu, a cédé la place au principe d'égalité ;
• La séniorité, qui traduisait le respect pour l'expérience des personnes âgées, s'est transformée en culte de la jeunesse ;
• Le privilège de masculinité tend à se transformer en un éloge de la féminité et des qualités qui lui sont associées. La fin du deuxième millénaire aura donc défait en quelques décennies ce que les siècles précédents avaient patiemment construit, entretenu et préservé. Ces transformations ont abouti à un décalage profond entre la rapidité du progrès et la lenteur de son assimilation par la société. Elles sont à l'origine de la difficulté de vivre à une époque où la civilisation vacille sur ses bases. Elles constituent les fondements d'une nouvelle civilisation qui commence à se mettre en place.

Jean Poirier, Histoire des mœurs

Les années 90 ont vu resurgir des revendications de solidarité, de morale et de vertu.

L'individualisme triomphant des années 80 a engendré de nombreux excès sur le plan social, politique et économique : croissance de la délinquance ; développement de la corruption dans la politique, le sport, les entreprises, les médias ou même les associations. Après avoir été longtemps « centripète » (soumise à des forces qui tendaient à ramener en son centre l'ensemble de ses membres), la société française est aujourd'hui devenue « centrifuge » ; elle tend à rejeter ceux qui ne peuvent se maintenir dans le courant social, par manque de formation, de santé, de combativité, de relations ou de chance (voir Climat social).

Le sentiment d'un accroissement des inégalités et des injustices a fait prendre conscience aux Français d'une dérive. On assiste depuis le

---

moindre importance des phénomènes de mode, etc.

La patrie, la religion et l'idéal politique ont régressé, tandis que les valeurs centrées sur la sphère privée progressaient. L'idée a émergé que chacun a plus de droits (notamment celui d'avoir un travail) que de devoirs. La crise, la montée du libéralisme et l'économie de marché ont favorisé la concurrence entre les individus. La notion de performance est devenue centrale dans la vie professionnelle, mais aussi familiale et sociale. La volonté de faire mieux que les autres a parfois remplacé le désir de se dépasser soi-même. Cette lutte permanente est à l'origine de l'accroissement du stress et de la dépression.

La pesanteur et la grâce

L'histoire de ces deux dernières décennies est celle d'un découplage entre les individus et la société, qui rappelle la distinction établie par la philosophe Simone Weil entre la pesanteur (qui est celle de la collectivité) et la grâce (propre à la personne). L'écart entre la vie personnelle et la vie collective n'a en effet jamais été aussi grand. Cette attitude a des incidences parfois regrettables. Certains se sont ainsi forgé une morale personnelle fondée sur la « débrouille ». La volonté de préserver la quiétude et le confort individuels entraîne parfois l'intolérance à l'égard des autres, considérés comme des menaces potentielles. La xénophobie et le racisme ont trouvé là un terrain favorable, de même que la résistance au changement.

début 1992 à un retour des opinions favorables à la solidarité et aux politiques de redistribution sociale. Il témoigne d'une volonté de réconciliation entre l'individu et la collectivité. Longtemps bannis du vocabulaire de la modernité, des mots comme morale ou vertu trouvent aujourd'hui un écho de plus en plus large dans l'opinion. Les médias et les intellectuels les emploient sans craindre de passer pour conservateurs, réactionnaires ou « ringards ». Le débat sur l'éthique a été lancé depuis plusieurs années ; il concerne les politiciens, les scientifiques, les entreprises, les publicitaires, les médias...

L'individualisme est en train de faire place à l'« égologie ».

Le passage d'une vision collective à une vision individuelle de la vie et de la société n'implique pas le triomphe de l'égoïsme ou de l'égocentrisme. Pour la première fois dans l'histoire de la société française, il donne la priorité aux personnes et reconnaît leur nature multidimensionnelle. Tout se passe comme si chaque individu, après avoir refoulé pendant des siècles certaines facettes de son être, avait enfin la possibilité de les libérer. Conscient de son unicité, chacun s'efforce aujourd'hui d'apparaître comme tel dans tous ses faits et gestes. C'est pourquoi il s'éloigne des modèles qui lui sont proposés, ne pouvant avoir par définition d'autre modèle que lui-même.

Conscients de l'incapacité des institutions (partis politiques, administrations, syndicats, école, Eglise...) à résoudre les grands problèmes du moment, les Français ont compris qu'ils ne peuvent compter que sur eux-mêmes et qu'ils doivent maîtriser leur destin. La société d'assistance tend à laisser place à une société de responsabilité individuelle. L'« égologie » traduit cette évolution en cours vers l'autonomie, qui est une forme positive de l'individualisme. Elle porte en elle les germes d'un nouvel humanisme et pourrait être le principe fondateur d'une nouvelle civilisation.

L'écologie et l'égologie pourraient bien être les deux revendications majeures de cette fin de siècle. La ressemblance entre ces deux attitudes ne s'arrête pas à celle des mots qui les qualifient. Toutes deux se caractérisent par une volonté de retour à la nature. Mais c'est à la nature humaine que l'égologie s'intéresse. Elle peut être l'aboutissement, le concept fédérateur des valeurs « postmatérialistes » identifiées par Inglehart (paix, tolérance, qualité de vie, convivialité, liberté individuelle, attachement

aux idées plutôt qu'aux objets, etc.). Les Français cherchent à faire cohabiter le « moi » et le « nous ».

Les Français cherchent à réconcilier les contraires.
Alternative

Les valeurs matérielles reculent au profit de valeurs humanistes.

Les Français constatent avec regret la régression ou la disparition de certaines valeurs comme la politesse, l'honnêteté, la justice, le respect du bien commun, l'esprit de famille, le sens du devoir ou l'égalité. Ils dénoncent à l'inverse l'importance considérable prise par la réussite matérielle, qu'ils placent en première position des valeurs gagnantes des années 80 et au dernier rang de celles qu'il faut sauvegarder. D'une manière générale, les valeurs d'essence matérialiste ou économique (réussite matérielle, compétitivité, esprit d'entreprise) sont considérées avec plus de suspicion.

La vogue de l'humanitaire est la conséquence de la perception d'un accroissement des inégalités ; 76 % des Français estiment que dans une société moderne, les inégalités sociales sont inacceptables, 22 % qu'elles sont un mal nécessaire (L'Expansion/Sofres, mars 1997). Elle traduit aussi la volonté des individus de lutter contre les injustices, voire la barbarie.

✦ *35 % des femmes et 28 % des hommes disent s'investir dans la prise en charge bénévole de personnes en difficulté.*

✦ *20 % des Français participent à la vie de leur commune (26 % des 45-54 ans).*

Valeurs et politique

Classement des valeurs selon la proximité politique (en %) :

% de très positif	Préférence partisane						
	Ensemble des Français	Parti commu- niste	Parti socialiste	Ecolo- gistes	UDF	RPR	FN
• La famille	79	75	78	80	90	89	81
• Le travail	61	68	56	55	74	70	72
• La république	39	43	39	30	53	52	36
• La nation	36	41	27	25	55	54	55
• Le progrès	36	30	43	27	37	40	31
• La patrie	34	31	30	22	52	46	52
• La citoyenneté	30	39	27	25	30	36	45
• La laïcité	28	47	36	27	20	19	20
• L'identité nationale	27	32	25	16	28	31	52
• La construction européenne	16	7	19	17	15	22	9
• La religion	15	7	12	12	25	21	26

Sofres, mars 1997

L'idée de partage fait son chemin.

Elle est la conséquence d'une double prise de conscience. Celle, d'abord, d'un renforcement des inégalités, alors que l'on avait cru pendant longtemps que le progrès technique avait pour conséquence de les réduire. Celle, aussi, de l'impossibilité de résoudre les problèmes d'aujourd'hui en maintenant les avantages acquis. Chacun sait aujourd'hui que la croissance seule ne permettra pas de résorber le chômage. La solution apparente est donc de partager l'emploi d'une façon plus juste. Avec, en contrepartie, une autre répartition des revenus.

Cette notion de partage s'applique à bien d'autres domaines. Celui des tâches se développe entre les hommes et les femmes, entre l'Etat et les régions, entre la France et l'Europe. Celui des connaissances est la condition du développement, tant individuel que collectif ; des réseaux se créent, qui permettent d'échanger des compétences et du temps. Celui de l'information a commencé à se mettre en place avec l'explosion des médias. Il facilite celui des idées et de l'innovation, aussi bien technique que sociale.

Enfin, le partage de l'espace devient une question cruciale dans un monde de concentration et de déséquilibre démographique.

Transferts

Les Français consacrent chaque année environ 4 % de leurs revenus pour aider financièrement d'autres ménages (le plus souvent dans le cadre de la solidarité intergénérationnelle), soit une somme globale de 100 milliards de francs. Il faudrait y ajouter environ 50 milliards de francs d'aides en nature : bricolage, jardinage, entretien du linge, ménage, préparation des repas, courses, garde des enfants, démarches administratives... L'aide affective, non quantifiable, joue évidemment un rôle important.

✦ *87 % des Français se disent prêts à risquer leur vie pour défendre leur famille. 55 % des Français pensent que les organisations humanitaires doivent avant tout porter leurs efforts en France, 15 % à l'étranger (28 % tant en France qu'à l'étranger).*

Les valeurs féminines imprègnent la société.

Les femmes devraient jouer un rôle croissant au cours des prochaines décennies. Elles obtiennent de meilleurs résultats que les hommes au baccalauréat et elles sont plus nombreuses qu'eux à accéder à l'enseignement supérieur. Leur formation les amènera donc naturellement à accroître leur influence sur la vie économique. Les Français estiment d'ailleurs dans leur majorité que c'est par elles que se feront les changements nécessaires à l'évolution de la société.

Cette conviction est liée à l'importance sociale croissante des qualités plus spécifiquement féminines comme le sens pratique, la capacité relationnelle, la souplesse, le sens de la nuance, le respect de la vie, le pragmatisme, la modestie, l'honnêteté, l'intuition, la sensibilité, la douceur, la persévérance, la sagesse, l'équilibre ou la générosité. A l'inverse, les qualités typiquement masculines comme la force, la volonté d'imposer, la rationalité pure sont jugées moins nécessaires aujourd'hui.

Il apparaît que ces qualités féminines sont de plus en plus utiles pour inventer un nouveau modèle de civilisation. Car elles peuvent conduire à une société plus juste, plus sereine et plus humaine.

L'avenir de l'homme

- 68 % des Français considèrent que les femmes sont plus proches des gens que les hommes (65 % des hommes et 71 % des femmes), 1 % qu'elles le sont moins, 31 % autant.
- 64 % considèrent qu'elles sont plus combatives que les hommes (60 % des hommes et 68 % des femmes), 4 % moins, 32 % autant.
- 59 % considèrent qu'elles ont plus le sens des réalités que les hommes (51 % des hommes et 65 % des femmes), 2 % moins, 39 % autant.
- 57 % considèrent qu'elles sont plus ouvertes aux idées nouvelles que les hommes (54 % des hommes et 60 % des femmes), 1 % moins, 42 % autant.
- 45 % considèrent qu'elles sont plus courageuses que les hommes (39 % des hommes et 51 % des femmes), 2 % moins, 53 % autant.
- 41 % considèrent qu'elles sont plus honnêtes que les hommes (43 % des hommes et 39 % des femmes), 1 % moins, 58 % autant.
- 38 % considèrent qu'elles sont plus ambitieuses que les hommes (36 % des hommes et 41 % des femmes), 11 % moins, 51 % autant.
- 25 % considèrent qu'elles sont plus efficaces que les hommes (20 % des hommes et 29 % des femmes), 6 % moins, 69 % autant.
- 24 % considèrent qu'elles sont plus compétentes que les hommes (18 % des hommes et 29 % des femmes), 3 % moins, 73 % autant.
- 22 % considèrent qu'elles sont plus disponibles que les hommes (24 % des hommes et 20 % des femmes), 22 % moins, 56 % autant.

Madame Figaro/Sofres, mai 1997

On observe une volonté de faire disparaître les frontières, de réconcilier les contraires.

Après avoir longtemps fait preuve d'une approche simplificatrice, parfois manichéenne de la vie, les Français ont acquis le sens des nuances. Ainsi, ils n'opposent plus de façon aussi nette le bien et le mal, l'homme et la femme, l'enfant et l'adulte, le travail et le loisir, la nature et la culture, l'inné et l'acquis. La crise a eu des vertus pédagogiques, montrant que rien n'est jamais tout blanc ou tout noir, que les solutions sont souvent complexes et que tout ou presque peut se discuter. C'est pourquoi la société accepte plus facilement les différences et cherche à réconcilier les propositions antagonistes.

L'une des manifestations de cette évolution est la tentation androgyne observable depuis des années. Un nombre croissant d'individus ne se veulent ni hommes ni femmes et cultivent l'ambiguïté ou la bisexualité. Les produits unisexes se multiplient dans le domaine des parfums (CK1 de Calvin Klein), des vêtements (Jean-Paul Gaultier, Comme des garçons) ou des voitures (la 106 Peugeot).

La féminité
on la porte en soi
1·2·3

La femme est-elle l'avenir de la société ?
Vista

Les « frontières » tendent à disparaître, au propre comme au figuré. Cette absence de certitudes amène à une plus grande humilité et à une tolérance croissante. Mais elle est aussi à l'origine d'un certain inconfort.

Le modèle biologique

Le fonctionnement de la société est aujourd'hui moins linéaire, avec des réseaux de causalité moins apparents. Il s'apparente davantage à un modèle biologique, dans lequel le principe d'incertitude joue un rôle essentiel et le désordre apparaît comme l'état normal de la matière et de la société.
Les progrès scientifiques (physique, biologie, informatique notamment) ont popularisé une vision différente, globale, complexe, cybernétique, dans laquelle les réseaux remplacent les relations linéaires. Le bionome, l'hypertexte, le multimédia, le clonage des animaux, les plantes transgéniques, le développement d'Internet, la théorie du chaos, celles des « fractales », les textiles « intelligents », le « réchauffement global » ou les « logiques floues » ont eu raison du rationalisme et transformé l'appréhension du monde et de la vie.

Une société plus libérale que permissive ?
Side car

L'autorité est de moins en moins bien acceptée...

On constate aujourd'hui une crise générale de l'autorité, qui se manifeste aussi bien dans la famille que dans l'entreprise, l'école, les institutions ou la religion. Les rapports avec les enfants, les élèves, les salariés ou les citoyens sont de plus en plus difficiles. La violence s'accroît et les « incivilités » se multiplient dans la vie quotidienne (voir *Climat social*). La désobéissance civile se développe chez les usagers et les citoyens. Des zones de non-droit se sont créées dans certaines banlieues ou régions (Corse, Côte d'Azur). Le nombre des niveaux hiérarchiques s'est réduit dans les entreprises, où les « chefs » disparaissent au profit des « animateurs ».

Cette contestation de l'autorité est apparue dans les années 60, avec la vague libertaire. Elle tient en partie à la perte de crédibilité de ceux qui sont en situation de faire les lois ou de les faire respecter. L'image des hommes politiques est minée par les affaires de corruption. Celle des parents est ternie par l'héritage qu'ils laissent à leurs enfants. On reproche à l'école et donc à ses maîtres de ne pas donner avec les diplômes le moyen d'intégrer le monde du travail. On accuse la justice de fonctionner trop lentement et à plusieurs vitesses.

... au profit du respect des individus et de leurs différences.

Les modes de vie, de pensée ou même vestimentaires ne peuvent plus être imposés, car ils sont jugés contraires à l'expression et à la liberté individuelles. L'idée s'est répandue peu à peu que toute interdiction, toute norme était répressive. L'idéal démocratique moderne est centré sur la personne plus que sur le groupe. Il implique que chacun soit responsable de ses actes mais aussi qu'il se confectionne ses propres règles, sa propre morale. Au risque, bien sûr, de se sentir au-dessus des règles et de la morale communes. Ce mouvement est entretenu par le discours ambiant, souvent hypertolérant et individualiste, qui incite les jeunes à être « eux-mêmes », c'est-à-dire uniques.

Dans ce contexte, le modèle républicain apparaît décalé, réactionnaire. Tout projet de réforme est menacé par le risque de l'impopularité ou, pire, du refus. Les hommes politiques et les grands acteurs sociaux sont donc condamnés à avancer avec précaution ; ils préfèrent consulter, sonder plutôt que d'imposer.

Mais cette situation engendre auprès de certaines catégories sociales un fort besoin d'ordre et de sécurité. Celui-ci profite aujourd'hui au Front national, qui a fait de la restauration de l'autorité et de la répression l'un de ses chevaux de bataille.

✦ *81 % des Français considèrent la famille comme un ingrédient essentiel du bonheur.*

Le tribalisme et le nomadisme sont des tentatives de réinvention de la vie sociale.

Le morcellement de la société et l'explosion de la classe moyenne ont favorisé la naissance de « tribus », qui se rassemblent par affinités ou centres d'intérêt. Les jeunes sont les plus concernés par ces formes nouvelles d'appartenance. Comme celles de l'Antiquité, les tribus modernes sont souvent nomades. Leurs membres se déplacent ensemble dans des lieux où s'exercent leur activité (stades, lieux de spectacles, centres commerciaux...).

Ces nouveaux modes de vie contemporains ne concernent pas que les jeunes. Le tourisme en est une forme plus générale, de même que les pèlerinages (religieux ou athées) ou les départs professionnels à l'étranger. Le nomadisme peut être également virtuel. Le développement d'Internet permet ainsi de « naviguer » ou de « surfer » dans des lieux réels ou imaginaires. L'errance du nomade est symbolique de celle des valeurs.

Les Français vus par les Français

La première qualité que s'attribuent les Français par rapport aux habitants des autres pays européens est la créativité (47 %), devant le niveau culturel (34 %), le niveau de qualification (31 %), les qualités de la jeunesse (30 %), le caractère travailleur (25 %), la capacité d'adaptation (24 %), le dynamisme (24 %). La qualité des élites arrive en dernière position, avec 10 %.

Le plaisir tend à être réhabilité.

Les Français ont vécu deux décennies de crise économique et morale pendant lesquelles ils ont eu (à tort ou à raison) l'impression de se priver. Ce sentiment de frustration était renforcé par la tonalité des médias et par l'offre commerciale. Ainsi, les distributeurs se battaient essentiellement sur les prix et inventaient les « magasins de crise » (maxidiscomptes, Crazy George's, Cash Converters, Troc dans l'Ile...). Les produits alimentaires étaient allégés, d'autres dépourvus de certaines substances supposées nocives : produits « sans » alcool, sans colorant, sans sucre, sans caféine, sans calories... souvent aussi sans goût.

L'embellie économique récente devrait se traduire par une réhabilitation de l'hédonisme et de l'épicurisme. On constate un intérêt croissant pour les « petits plaisirs » liés aux achats d'impulsion ou au grignotage à n'importe quel moment de la journée. Le succès du livre de Philippe Delerm, *La première gorgée de bière et autres plaisirs minuscules* (L'Arpenteur), est une illustration de ce cheminement. Pour les Français, le bonheur passe aujourd'hui par une succession de petites satisfactions, d'émotions fugitives et de sensations agréables.

UN JOUR LA TENDRESSE S'ÉTENDRA SUR LE MONDE

(cacharel)

Le rêve d'un monde harmonieux demeure.

La disparition des tabous entraîne un désir de retour à l'ordre moral.

Les interdits disparaissent progressivement du champ social. Le discours sur la drogue se fait plus libéral, avec l'ouverture du débat sur sa dépénalisation. L'homosexualité est de plus en plus présente dans les médias. Les bornes qui permettaient de distinguer jusqu'ici le bien du mal, l'acceptable de l'inacceptable, la dérision du mauvais goût tendent à être repoussées.

La contrepartie de cette montée de la tolérance et de la transgression est la volonté affichée par une partie des Français d'un retour à l'ordre moral. Elle est symbolisée par exemple par les plaintes à l'encontre de certaines publicités et de la violence à la télévision ou par la mise en cause de l'avortement. Les Français acceptent mal aussi que des zones de non-droit se développent dans les banlieues ou en Corse, que les lois ne soient pas appliquées contre les immigrés ou contre les sectes.

Le conservatisme réapparaît donc sous ses diverses formes : protectionnisme, nationalisme, régionalisme ou intégrisme. Aux doutes permanents et inconfortables, on cherche à substituer de nouvelles certitudes, de nouvelles règles du jeu susceptibles de servir de guides dans la vie quotidienne.

La recherche de l'autonomie apparaît comme l'une des tendances lourdes de l'avenir.

Depuis le début de la crise économique et morale de l'Occident, l'utopie collective a été mise à mal. Elle tend à être remplacée par une utopie individuelle. A défaut de pouvoir « changer la vie », on s'efforce de changer sa vie. On cherche en tout cas à maîtriser son destin en dépendant le moins possible des autres, de l'Etat ou des institutions, en refusant l'existence de modèles qui seraient imposés à tous.

La prise de pouvoir du consommateur est l'une des manifestations de cette volonté d'autonomie. Elle s'accompagne d'une tentation de supprimer les intermédiaires (Etat, institutions, prestataires de services). Une illustration en est donnée par le développement d'Internet, qui permet une interactivité avec les autres individus (communication écrite, orale ou visuelle, forums de discussion...) et donne la

Les ménages-entreprises

La recherche de l'autonomie concerne aussi bien les ménages que les personnes. Les Français s'efforcent de gérer leur vie de famille, leurs dépenses, leurs activités ou leur temps et ils le font avec une compétence croissante. Ils sont de plus en plus nombreux à se rendre des services à eux-mêmes en bricolant ou en jardinant. Ils pratiquent l'automédication, fabriquent leurs propres programmes de télévision en « zappant » et en utilisant leur magnétoscope. Ils se regroupent en associations. Ils inventent des solutions aux difficultés personnelles, familiales ou sociales et multiplient les initiatives locales de solidarité.

possibilité de choisir ses interlocuteurs, le moment et la durée des contacts. Le village global promis par McLuhan se met en place. Il est un moyen de transcender les frontières et les autorités.

Croyances

75 % des Français de 15 ans et plus disent avoir une appartenance religieuse.

Dans l'enquête réalisée en 1996 par l'INSEE, 79 % des femmes et 70 % des hommes de 15 ans et plus déclaraient une appartenance religieuse (avec ou sans pratique). On observe une légère diminution depuis la précédente enquête de 1987 : 78 % des Français se disaient alors religieux contre 75 % en 1996. A l'inverse, la proportion de personnes se déclarant sans appartenance religieuse est passée en moins d'une décennie de 22 % à 25 %. Mais cette évolution est compensée par une augmentation de la proportion de personnes pratiquantes (voir ci-après).

L'appartenance religieuse est plus forte chez les femmes que chez les hommes. Elle varie assez largement selon les catégories sociales ; les ouvriers, cadres et membres des professions intellectuelles supérieures sont moins souvent croyants que les agriculteurs, commerçants, artisans et inactifs. Elle diminue surtout régulièrement avec l'âge : 40 % des 15-24 ans se disent sans appartenance religieuse, contre 14 % des personnes âgées de 60 ans et plus.

Les trois quarts des adultes croyants sont catholiques.

Comme la proportion de personnes déclarant une appartenance religieuse, celle des catholiques varie selon la population prise comme référence. Parmi les adultes (18 ans et plus), elle est d'environ 75 % et tend à diminuer depuis le début des années 80. Elle est inférieure si l'on considère la population de 15 ans et plus, du fait de la forte proportion de jeunes se disant sans religion. Elle est encore plus faible si l'on considère l'ensemble de la population française, qui inclut les étrangers (un peu plus de 6 % de l'ensemble), dont une part importante est musulmane.

Les autres religions représentées en France sont essentiellement l'islam, le protestantisme et le judaïsme. Les chrétiens orthodoxes sont très peu nombreux ; la majorité sont des Russes blancs émigrés après la révolution de 1917 et installés dans l'Ouest parisien.

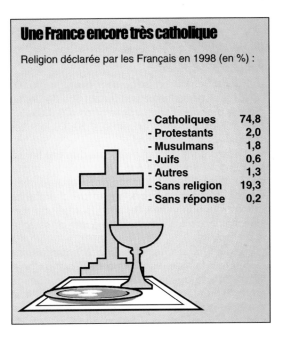

Une France encore très catholique

Religion déclarée par les Français en 1998 (en %) :

- **Catholiques**	74,8
- **Protestants**	2,0
- **Musulmans**	1,8
- **Juifs**	0,6
- **Autres**	1,3
- **Sans religion**	19,3
- **Sans réponse**	0,2

La France compte environ 4 millions de musulmans.

L'islam est la seconde religion de France, loin derrière le catholicisme, mais largement devant les autres religions présentes. La majorité des 3 à 5 millions de musulmans présents dans le pays n'ont pas la nationalité française ; la plupart sont des immigrés non naturalisés en provenance des pays du Maghreb. Parmi ceux qui sont originaires d'Algérie, environ 600 000 sont cependant français (principalement les familles harkies et leurs enfants nés depuis 1962).

Plus de 90 % des musulmans sont sunnites ; ils se réclament du courant majoritaire de l'islam qui s'appuie sur la

sunna, ensemble des paroles et actions de Mahomet et de la tradition qui les rapporte. Les autres sont pour la plupart chiites.

On trouve parmi les musulmans de France une majorité de personnes de condition modeste, mais aussi des intellectuels, des membres des professions libérales. Tous ne sont pas pratiquants et les principes du Coran sont interprétés différemment selon les communautés concernées. Il semble que l'intégrisme soit peu présent, y compris dans les banlieues où est implanté l'islam.

On estime le nombre de protestants à 800 000.

Les protestants représentent un peu moins de 2 % de la population, mais 3 % des Français se disent proches des valeurs de cette religion. Comme les autres chrétiens, les protestants croient aux vérités du Credo : un seul Dieu en trois personnes (le Père, le Fils et le Saint-Esprit). Ils acceptent le Credo de Nicée (qui exclut la subordination du Verbe au Père) mais rejettent les dogmes concernant l'Assomption de la Vierge ou l'Immaculée Conception. Pour eux, les saints ne sont que des grands témoins de la foi et des modèles, non des médiateurs entre Dieu et les hommes.

La Fédération protestante de France réunit 16 Eglises ou unions d'Eglises réparties en quatre réseaux : Eglises réformées (400 000 membres) ; Eglises luthériennes (260 000 membres) ; Eglises pentecôtistes (100 000 membres) ; Eglises évangéliques et

Les valeurs protestantes en hausse

Si les protestants sont très minoritaires, les valeurs qu'ils représentent imprègnent de plus en plus la société française. L'austérité, la simplicité, le dépouillement, l'authenticité tendent à devenir aujourd'hui des vertus. Les Français se sont aussi ralliés à l'économie de marché, ainsi qu'à l'individualisme, l'éthique et la décentralisation, qui appartiennent davantage à la culture protestante que catholique.

Cette évolution est significative d'un changement de culture, qui transforme notamment les rapports que les Français entretiennent avec le monde des affaires et avec l'argent. Après avoir longtemps pensé que le profit réalisé par les entreprises était un péché, ce qui correspond à la lecture que l'on fait des Evangiles dans les pays catholiques, celui-ci est aujourd'hui réhabilité.

Sur le plan religieux, la diversité, le fonctionnement décentralisé et démocratique, la place laissée au libre arbitre individuel par le protestantisme contrastent avec les principes plus rigides de l'Eglise catholique et séduisent les Français. Les désaccords avec les catholiques restent en effet profonds quant à la morale personnelle (avortement, contraception...) et à la discipline des Eglises : le mariage des prêtres et l'ordination des femmes, pratiqués par les protestants, sont toujours refusés par le Vatican.

baptistes (22 000 membres). Pour les luthériens et les calvinistes, le Christ est le seul chef de l'Eglise (pour les catholiques, c'est le pape et le collège épiscopal) ; les anglicans ont cependant conservé une structure proche du catholicisme, accordant un rôle primordial à l'archevêque de Canterbury. Les protestants ne reconnaissent que deux sacrements (le baptême et l'eucharistie) contre sept chez les catholiques. Environ 60 % des protestants ne se rendent jamais au temple.

La religion, un moyen d'accéder à l'essentiel.
Callegari Berville

La France compte environ 600 000 juifs.

De tous les pays d'Europe occidentale, c'est la France qui compte la plus importante minorité juive. On estime que la moitié vit à Paris. Beaucoup d'ashkénazes (de culture et de langue yiddish) sont arrivés d'Europe centrale entre les deux guerres ; ils ont été suivis par les séfarades (juifs des pays méditerranéens) venus d'Afrique du Nord après la décolonisation. On recense 80 rabbins, 40 ministres du culte et une centaine de ministres adjoints.

✦ *63 % des Français pensent que l'islam jouera un rôle plus important au XXIe siècle (21 % moins important). Il arrive devant le bouddhisme (38 % contre 36 %), le catholicisme (36 % contre 40 %), le protestantisme (15 % contre 53 %) et le judaïsme (15 % contre 50 %).*

Avec un peu plus de 1 % de la population, la France est le pays de l'Union européenne qui compte proportionnellement le plus de juifs. La proportion est proche de 1 % au Royaume-Uni ; elle n'est que de 0,1 % en Allemagne (ex-RFA).

Le bouddhisme est l'objet d'un intérêt croissant.

La France compterait aujourd'hui quelque 600 000 adeptes du bouddhisme, soit autant que de juifs. La grande majorité d'entre eux (environ 400 000) sont des réfugiés du Sud-Est asiatique et 50 000 sont des immigrés d'origine chinoise.

Le pouvoir de séduction du bouddhisme tient à son caractère multiple ; à la fois philosophie, mode de vie et religion. La tolérance, le souci de la compassion, la nécessité du partage et la recherche de satisfactions non matérielles sont des idées qui font leur chemin dans une société en quête de sérénité et de sagesse.

Le dalaï-lama, chef religieux et en même temps représentant en exil d'un Tibet annexé par la Chine, est un personnage respecté des Français, comme en témoigne le succès de ses visites en France et des livres qui lui sont consacrés. Cet engouement s'est concrétisé par la création de 90 instituts de formation et 300 centres de prière.

Chez les catholiques, la pratique religieuse a fortement diminué entre le milieu des années 60 et la fin des années 80...

Jusqu'au début des années 70, les Français se mariaient presque tous à l'Eglise (95 % en 1970) ; ce n'est plus le cas que d'un couple sur deux (50 % en 1995). De la même façon, les enfants ne sont plus systématiquement baptisés : 58 % en 1995, un nombre croissant d'entre eux étant baptisés après leur première année. Dans le même temps, la population ecclésiastique a diminué de façon sensible, du fait de la baisse des ordinations.

Cette désaffection n'est pas seulement la conséquence d'un mouvement historique long. Elle s'est alimentée récemment du divorce entre les Français et les institutions, dont l'Eglise fait encore partie malgré sa séparation de l'Etat en 1905.

Les catholiques pratiquants réguliers habitent plus fréquemment en Lorraine et dans l'Ouest. Ceux qui se disent sans religion ont un niveau d'études plus élevé que la moyenne, habitent plus souvent

Pratique et profil social

Pratique religieuse en fonction de certains critères socio-démographiques (1996, en %) :

	Pratique religieuse régulière	Pratique religieuse occasionnelle	Pas de pratique, mais le sentiment d'appartenir à une religion	Ni pratique ni sentiment d'appartenance	Total
• **Sexe :**					
- Homme	10,7	21,8	37,2	30,3	100,0
- Femme	19,6	25,5	33,6	21,3	100,0
• **Age :**					
- 15-24 ans	7,6	20,2	32,3	39,9	100,0
- 25-39 ans	8,1	21,8	35,2	34,9	100,0
- 40-59 ans	13,9	27,0	37,2	21,9	100,0
- 60 ans et plus	27,5	24,3	34,7	13,5	100,0
• **Résidence :**					
- Rural	18,2	29,3	31,9	20,7	100,0
- Urbain	14,7	22,1	36,3	26,9	100,0
• **Catégorie socioprofessionnelle :**					
- Agriculteur exploitant	23,8	36,3	30,2	9,7	100,0
- Commerçant, artisan, chef d'entreprise	11,2	25,8	37,0	26,0	100,0
- Cadre, profession intellectuelle supérieure	12,2	21,2	32,8	33,8	100,0
- Profession intermédiaire	12,8	22,5	32,7	32,0	100,0
- Employé	10,5	24,9	39,6	25,1	100,0
- Ouvrier	10,0	23,1	36,0	31,0	100,0
Ensemble des actifs	*11,5*	*23,8*	*35,9*	*28,9*	*100,0*
- Retraité	25,3	24,0	35,9	14,8	100,0
- Autre inactif	15,7	23,8	30,8	29,7	100,0
• **Nationalité**					
- Français	14,8	23,7	35,5	26,0	100,0
- Etranger	31,0	26,5	29,8	12,8	100,0
• **Ensemble**	**15,6**	**23,8**	**35,2**	**25,4**	**100,0**

INSEE

l'agglomération parisienne et les régions méditerranéennes.

... mais le mouvement semble s'être stabilisé depuis quelques années.

L'enquête conduite par l'INSEE en 1987 et 1996 fait apparaître un accroissement de la pratique religieuse régulière (toutes religions confondues) qui passe de 13 % à 16 %. Il faut noter qu'il n'y a pas dans ces enquêtes de critère objectif mesurant la pratique, tel que la fréquence d'assistance à un office religieux ; le caractère régulier ou occasionnel est laissé à l'appréciation des personnes interrogées.

Le retournement apparent de tendance indiqué par ces chiffres s'explique essentiellement par l'accroissement de la proportion de personnes âgées de 60 ans et plus déclarant une pratique régulière, de 21 % à 28 %. Celle-ci est au contraire stable ou en légère baisse chez les moins de 60 ans, à un niveau très inférieur : 8 % pour les 15-39 ans, 14 % pour les 40-59 ans. De plus, les immigrés ou étrangers, qui sont pris en compte dans l'étude, sont plus souvent pratiquants que les Français d'origine.

INSEE

L'épiscopat estime que 10 % des Français se rendent à la messe chaque semaine et 20 % seulement à l'occasion des grandes fêtes religieuses.

Plus on vieillit, plus on devient pratiquant

On constate que la déclaration d'une pratique religieuse régulière est plus fréquente pour une même personne au fur et à mesure qu'elle vieillit. Ainsi, elle concernait 10 % des générations nées entre 1948 et 1962 en 1996, contre 8 % de ces mêmes générations en 1987. L'augmentation est encore plus sensible chez les personnes âgées : plus de 20 % des 40-59 ans étaient des pratiquants réguliers en 1996, contre 15 % en 1987. Les plus jeunes font cependant exception à cette évolution ; la proportion de personnes n'ayant ni pratique ni appartenance religieuse est passée de 33 % en 1987 (ils avaient alors entre 14 et 24 ans) à 37 % en 1996 (ils avaient entre 23 et 33 ans). Il est évidemment difficile de prévoir aujourd'hui l'évolution des attitudes de ces générations lorsqu'elles vont continuer de vieillir. Leur détachement à l'égard de la religion va-t-il se confirmer, ou au contraire la croyance et la pratique vont-elles s'accroître comme pour les générations plus anciennes ?

La pratique religieuse est assez largement héritée.

La pratique régulière n'est guère influencée par la catégorie sociale (à l'exception des agriculteurs), le diplôme ou le revenu, trois notions qui sont évidemment loin d'être indépendantes. Elle apparaît en revanche très corrélée au degré de pratique des parents. Ainsi, plus de 40 % de ceux qui ont eu des parents pratiquants réguliers le sont eux-mêmes, alors que 7 % seulement déclarent n'avoir aucun sentiment religieux malgré l'exemple familial. L'héritage de l'athéisme est encore plus frappant : 85 % des Français ayant eu une mère non croyante sont dans la même situation ; seuls 3 % se disent pratiquants réguliers.

Cette transmission familiale de la religion explique aussi la proportion plus forte de femmes ayant une pratique régulière (deux fois plus que les hommes) et celle des étrangers (deux fois plus élevée que celle des Français, 31 % contre 15 %).

✦ 16 % seulement des Français pensent qu'il n'y a qu'une seule religion qui soit vraie, 78 % sont de l'avis contraire.

✦ 89 % des Français estiment qu'il n'est pas nécessaire d'avoir une religion pour bien se conduire, 10 % sont de l'avis contraire.

On constate que les pratiquants réguliers se marient plus tôt que les autres (mais pas plus en proportion) et qu'ils ont davantage d'enfants. Ils sont aussi plus nombreux à adhérer à des associations de parents d'élèves et à vocation humanitaire, politique ou culturelle. Ils sont enfin plus nombreux à voter lors des consultations électorales.

Les catholiques se rendent dans les églises pour les grands moments de la vie.

Si la fréquentation des églises a globalement diminué, les Français catholiques restent nombreux à s'y rendre lors des baptêmes, mariages, décès. Une proportion importante de non-croyants font encore baptiser leurs enfants, même s'ils le font plus tard. De même, les trois quarts des Français souhaitent être enterrés religieusement.

Mais les fêtes religieuses du calendrier perdent de leur signification première. Ainsi, Noël n'évoque la commémoration de la naissance du Christ que pour 41 % des Français ; c'est le cas de 28 % des 18-24 ans et 50 % des 50 ans et plus (Figaro Magazine/Sofres, décembre 1996). Cette évocation religieuse arrive loin derrière la fête de famille (84 %), à égalité avec le plaisir de recevoir des cadeaux (45 %).

L'érosion se poursuit

Indicateurs de l'activité religieuse (catholique) :

	1970	1987	1993	1995
- Baptisés (%)	84	64	61	58
- Mariages religieux (%)	95	55	52	50
- Prêtres	45 259	34 522	30 199	28 694
- Diacres	-	410	850	1 166
- Ordinations	264	104	121	122*

* 1997.

L'influence de la religion sur les modes de vie s'est beaucoup réduite.

Le pouvoir et l'influence de la religion catholique ont régulièrement diminué depuis la fin du XIXe siècle. La fonction d'assistance aux plus défavorisés, traditionnellement assumée par l'Eglise, s'est trouvée peu à peu transférée à l'Etat. L'Eglise a donc perdu deux de ses rôles essentiels : proposer (et défendre) un système de valeurs servant de référence commune ; contribuer à l'égalisation de la société. Dès lors, son utilité est apparue avec moins d'évidence à l'ensemble des catholiques.

EDEN
...s besoin d'une vie de sacrifices pour y aller

den voyages. Le paradis au prix juste.

Les Français cherchent le paradis sur terre.
Vista

Au cours de ces trente dernières années, la société a essayé de s'affranchir de la vieille morale chrétienne qui met en avant la famille, le travail et la nation et qui considère la sexualité comme un sujet tabou. La religion n'est plus considérée par la plupart des Français comme le guide ultime de la morale. Les discours de l'Eglise exercent une importance de plus en plus faible sur leurs attitudes et leurs comportements. Lorsque le pape se prononce contre le divorce, la pilule ou l'avortement, plus des trois quarts des catholiques (et plus de la moitié des pratiquants) déclarent ne pas en tenir compte. C'est pourquoi les déclarations de l'épiscopat français acceptant l'utilisation du préservatif pour lutter contre la transmission du sida ont été accueillies avec soulagement par beaucoup de Français.

Deux siècles de « désenchantement »

Depuis le XVIIIe siècle, l'histoire de la France se confond avec celle du passage d'un Etat religieux à un Etat laïque. La séparation du temporel et du spirituel, décidée une première fois pendant la Révolution, était confirmée au tout début du XXe siècle (1905). Elle était consommée au cours des années 60, en vue de « libérer l'individu » et d'en finir avec les derniers tabous de la société judéo-chrétienne : l'argent, les loisirs, la sexualité. Nietzsche a affirmé la mort de Dieu et la société est devenue littéralement désenchantée. Mais le besoin de sacré n'a pas disparu ; la nature humaine ne se satisfait guère du « faux sacré » qui lui est proposé par les médias ou par les institutions.

Les rapports entre les individus et l'Eglise ont changé...

La proportion des Français qui déclarent croire en Dieu reste stable, un peu au-delà de 60 %. La crise de la religion n'est donc pas celle de la foi, mais plutôt de sa manifestation dans la vie quotidienne. La religion est devenue une affaire personnelle, que l'on n'est plus obligé de partager avec d'autres.

De nouveaux courants spirituels sont apparus. Alors que les catholiques intégristes s'opposaient de plus en plus ouvertement au Vatican, jusqu'à provoquer un schisme, de nouveaux courants spirituels apparaissaient, comme le Renouveau charismatique. Ils tentent d'élaborer de nouvelles façons de vivre sa foi, en autorisant des aménagements personnels avec l'Eglise.

... mais le besoin de transcendance et de sacré tend à s'accroître.

Les « valeurs républicaines » n'ont pas comblé le vide religieux. La loi n'est qu'une expression particulière de la morale, qui varie selon les pays et selon les époques. L'actualité quotidienne montre en outre que la politique n'est pas toujours vertueuse. Les Français se demandent donc aujourd'hui s'il faut restaurer les valeurs judéo-chrétiennes ou celles de la République. Beaucoup considèrent qu'il faut plutôt inventer un nouveau système de valeurs adapté à la société actuelle.

Dans une société qui se veut laïque et qui pense avoir détruit ses derniers tabous, le besoin de transcendance n'a pas disparu. La culture et les modes de vie des Français restent fortement imprégnés des valeurs chrétiennes.

On a pu constater, lors des Journées mondiales de la jeunesse de l'été 1997, combien l'attente d'un lien spirituel était forte, même si elle est assortie chez les jeunes d'une volonté de garder un libre arbitre à l'égard des principes moraux. « Une société sans religion est comme un vaisseau sans boussole », affirmait Napoléon. C'est dans le même esprit que Malraux aurait prédit que « le XXIe siècle sera spirituel ou ne sera pas ».

L'intérêt pour l'irrationnel tend à se développer.

Si la religion ne répond pas aux nouveaux défis de la vie quotidienne, la science ne donne pas non plus une explication satisfaisante du monde. La crise des valeurs et la proximité de l'an 2000 expliquent sans doute le besoin, ressenti par beaucoup de Français, de chercher de nouvelles attaches, de nouvelles explications du monde, de nouvelles visions de l'avenir.

Les exemples de cet engouement ne manquent pas. On recense environ 50 000 astrologues et voyants, soit deux fois plus que de prêtres ; 10 millions de Français ont déjà utilisé leurs services. Des entreprises font appel à eux pour recruter leurs employés ou leurs cadres ; elles n'hésitent pas à recourir à la numérologie, voire au spiritisme. En 1996, l'affaire des incendies de Moirans, dans le Jura, a montré que les explications irrationnelles et surnaturelles sont souvent préférées à la réalité simple.

A travers la recherche spirituelle et la quête du sens, c'est au fond un énorme besoin d'harmonie qui se manifeste dans la société actuelle. Harmonie vis-à-vis de la nature avec l'écologie, du cosmos par l'intermédiaire de la transcendance, mais aussi à l'égard de soi-même et des autres à travers la philosophie et la morale.

Les sectes compteraient environ 400 000 adeptes.

Les sectes récupèrent une partie des déçus du rationalisme. D'après le rapport établi en 1996 pour le gouvernement, on compterait en France 172 sectes, qui posséderaient environ 800 « filiales ». La plus importante est celle des Témoins de Jéhovah, qui regroupe plus de 100 000 membres. Une quinzaine d'autres sont considérées comme dangereuses, le plus souvent pour les individus, parfois pour la collec-

tivité. Quatre sont « autodestructrices » (Methernita, Maev-Oméga, le Logis de Dieu et Tabitha's Place), leurs gourous pouvant ordonner des suicides collectifs, comme celui du Temple solaire en Suisse.

On estime que le nombre d'adeptes des sectes a doublé en une douzaine d'années. Ce sont pour la plupart des personnes en difficulté morale ou spirituelle, en quête de nouvelles formes de religiosité ou cherchant à échapper à la solitude. Toutes les catégories sociales sont concernées.

La déstabilisation mentale, la rupture avec l'environnement d'origine (notamment familial), les atteintes à l'intégrité physique et l'embrigadement des enfants sont quelques-unes des méthodes couramment utilisées. Les personnes ainsi recrutées doivent le plus souvent faire don de tous leurs biens. A travers l'influence qu'elles exercent sur les individus, les sectes cherchent aussi à infiltrer le pouvoir économique ou politique.

Le phénomène Nouvel Age a révélé un besoin de mélanger religion, écologie et humanisme.

Inspirée par l'astrologie, l'idée centrale du Nouvel Age a pour point de départ le passage du Soleil dans le signe du Verseau, après vingt siècles dans le signe des Poissons. Le monde serait donc entré dans une ère de grande mutation (pour une durée de mille ans) qui verra l'homme retrouver l'harmonie avec la nature, avec le cosmos et avec lui-même. L'âge de l'« être » remplacerait celui de l'« avoir ».

Il s'agit donc de réunifier la science et la conscience, l'individu et la collectivité, l'Orient et l'Occident et même le cerveau droit de l'homme (siège de l'instinct, de la fantaisie et du rêve) avec son cerveau gauche (lieu de la raison et de l'intelligence). Le Nouvel Age se propose aussi de remettre en cause les structures sociales et les institutions et de réaliser le syncrétisme religieux. Il s'appuie sur le besoin de sens et le désir de privatisation de l'expérience religieuse.

Mais certaines pratiques relèvent davantage de l'ésotérisme ou du charlatanisme que d'un humanisme désintéressé. Pour parvenir à l'harmonie promise, les adeptes doivent surveiller leur alimentation (végétarisme, macrobiotique, instinctothérapie...), accroître leur énergie par des méthodes de développement personnel dont certaines ne sont pas sans risque. La générosité apparente du discours cache donc souvent des réalités moins louables, voire répréhensibles.

TRAVAIL

LA POPULATION ACTIVE

Image du travail

La conception « religieuse » du travail est en recul depuis le milieu des années 60.

Travail-destin, travail-devoir, travail-punition. Les vieux mythes de la civilisation judéo-chrétienne ne sont pas morts, mais ils sont fatigués. Et les Français avec eux, qui n'ont plus envie d'assumer pendant des siècles encore les conséquences du péché originel. Un mouvement s'est donc produit depuis le milieu des années 60 en faveur d'une désacralisation du travail, avec pour point culminant la contestation de Mai 68.

La conception « religieuse » du travail reste pourtant présente dans la société. Elle concerne les actifs les plus âgés ou certaines catégories de jeunes à la recherche d'une identité et d'une utilité sociale. Pour eux, il est important de sauvegarder le travail en tant que valeur fondamentale de la vie individuelle et collective.

Des conceptions nouvelles de la vie professionnelle sont apparues.

La transformation du rapport au travail a été accélérée par la crise économique. Une conception « sécuritaire » s'est notamment développée dans les catégories les plus vulnérables de la population. Elle est particulièrement forte chez tous ceux qui se sentent menacés dans leur vie professionnelle pour des raisons diverses : manque de formation ; charges de famille ; emploi situé dans une région sinistrée, une entreprise ou une profession vulnérables.

On rencontre aussi chez les personnes les plus attachées à la consommation une conception « financière » de l'activité. Leur vision du travail est simple et concrète. Il s'agit avant tout de bien gagner sa vie, afin de pouvoir dépenser sans trop compter.

Une conception « affective » s'est répandue chez ceux qui accordent une importance prioritaire aux relations humaines dans le travail et qui cher-chent à s'épanouir. Elle concerne beaucoup de jeunes et d'adultes des classes moyennes pour qui la nature de l'activité professionnelle revêt une importance particulière, ainsi que son environnement (les collègues, la hiérarchie, le cadre de travail...).

Enfin, la conception « libertaire » consiste à envisager le travail comme une aventure personnelle. Ses adeptes sont attirés surtout par la possibilité de créer et de réaliser quelque chose par soi-même. Ils sont ouverts à toutes les formes nouvelles de travail (temps partiel, intérim...) ainsi qu'à l'utilisation des technologies dans l'entreprise. Ils sont par principe très mobiles et considèrent tout changement de travail, d'entreprise ou de région comme une opportunité.

Le travail et la vie

« Avez-vous des conflits travail - vie personnelle ? » (1998, en %) :

Jamais	Quelquefois	Souvent	Très souvent
60,0 %	27,9 %	7,4 %	4,8 %

✦ *Entre 1968 et 1996, la population française s'est accrue de 8 millions d'habitants, soit 16,3 %. Dans le même temps, la population active a augmenté de 24 %. Un actif sur cinq réside en Ile-de-France.*

Les dimensions non matérielles se sont développées.

Même s'il reste relativement élevé, le niveau de satisfaction dans le travail a diminué depuis quelques années, traduisant à la fois l'angoisse du chômage, une diminution de la confiance dans les entreprises et une frustration générale dans la vie professionnelle.

En même temps, le désir de gagner le plus d'argent possible en travaillant a reculé. Ainsi, les métiers qui, dans l'absolu, ont aujourd'hui les faveurs des jeunes (chercheur, médecin, journaliste, professeur...) ne sont pas ceux qui permettent le mieux de s'enrichir. A l'inverse, les attentes qualitatives tendent à s'accroître : être utile ; exercer des responsabilités ; participer à un projet collectif ; apprendre et se développer sur le plan personnel ; avoir des contacts enrichissants ; créer.

On peut rapprocher cette évolution de celle de la consommation ; le fait de s'entourer d'objets matériels apparaît moins important et n'est plus considéré comme la condition suprême de la réussite et du bonheur. Les Français recherchent de plus en plus des satisfactions immatérielles (culturelles, identitaires, voire spirituelles...) dans leurs actes de consommation. La crise économique a d'abord enrayé, puis retardé, cette évolution apparue vers le milieu des années 60. La reprise économique la rend aujourd'hui plus apparente.

Le bonheur par le travail

Pour 27 % des Français, le travail est une composante essentielle du bonheur. Ce sont les personnes qui ont les rémunérations les plus faibles, les conditions de travail les plus pénibles et les risques de chômage les plus élevés qui sont les plus attachées à cette idée du bonheur : 43 % des ouvriers, 43 % des travailleurs temporaires, contre 27 % des chefs d'entreprise, cadres et professions libérales. Pour les personnes modestes, le fait d'avoir un travail est déjà une condition pour espérer être heureux.

Le besoin d'épanouissement personnel est croissant.

Peu de Français sont assez naïfs pour imaginer qu'on puisse se soustraire à « l'ardente obligation » du travail. Mais le désir de s'épanouir en occupant un emploi intéressant leur paraît de plus en plus légi-

time. Pour beaucoup, l'activité professionnelle idéale est celle que l'on accomplit sans avoir l'impression de travailler.

Malgré les difficultés d'obtenir un emploi, ou plus probablement à cause d'elles, le travail reste une valeur centrale pour les jeunes. Il est la clé de l'indépendance financière et familiale et la condition de l'existence sociale, en même temps qu'un moyen de s'accomplir. Les jeunes femmes se montrent plus exigeantes que les hommes car le travail est pour elles un vecteur plus récent de la réalisation personnelle.

Les jeunes sont aussi les plus inquiets quant aux perspectives de l'emploi. La grande entreprise, lieu de prédilection des « jeunes loups » des années 60, n'est plus aujourd'hui le terrain d'expression privilégié de leurs ambitions professionnelles. Les petites structures dynamiques, qui autorisent une plus grande autonomie, ont souvent leurs faveurs. Dans le choix, réel ou imaginaire, d'un métier, il entre aujourd'hui d'autres dimensions que sa nature intrinsèque et sa rémunération : les conditions dans lesquelles il s'exerce ; la liberté qu'il laisse ; les gens qu'il permet de rencontrer, etc.

Le travail est souvent vécu comme une contrainte.

Les salariés sont prêts à accepter davantage de flexibilité dans le travail.

Beaucoup d'actifs comprennent aujourd'hui que la vie de l'entreprise nécessite une plus grande souplesse dans les conditions de travail, les méthodes de gestion des effectifs ou l'introduction des nouveaux outils de la technologie, alors qu'ils considéraient jusqu'ici ces évolutions avec circonspection.

Ce changement d'attitude est apparu de façon nette à partir de 1993. Inquiets de la montée du chômage et conscients des changements dans l'environnement économique, la majorité des Français se disent prêts à remettre en cause certains avantages acquis, à condition que les efforts soient équitablement répartis et qu'ils s'inscrivent dans le cadre d'un projet courageux et créatif, susceptible d'avoir une incidence réelle sur l'emploi. Les salariés du secteur public, qui ont davantage à redouter d'une remise à plat du système et des privilèges dont ils bénéficient, sont moins favorables à ces réformes que ceux du secteur privé.

Les solutions au chômage

• 69 % des Français sont favorables à l'embauche d'un grand nombre de salariés dans le secteur public (83 % des sympathisants de gauche, 52 % de ceux de droite), 29 % plutôt opposés.
• 58 % des Français sont favorables à une baisse importante de la durée du travail (71 % des sympathisants de gauche, 45 % de ceux de droite), 39 % opposés.
• 53 % des Français sont favorables à la poursuite des privatisations d'entreprises (34 % des sympathisants de gauche, 75 % de ceux de droite), 42 % opposés.
• 33 % des Français sont favorables à l'interdiction des licenciements économiques (38 % des sympathisants de gauche, 28 % de ceux de droite), 62 % opposés.
• 33 % des Français sont favorables à la suppression du SMIC pour favoriser l'embauche des jeunes (30 % des sympathisants de gauche, 39 % de ceux de droite), 64 % opposés.

L'Expansion/Sofres, mars 1997

Malgré la reprise économique, le partage du travail est ressenti comme une évolution nécessaire.

Après des années de tentatives infructueuses en matière de lutte contre le chômage, les Français ont compris que les méthodes traditionnelles ne fonctionnaient pas. Bien que le climat économique se soit sensiblement amélioré depuis fin 1997, ils pensent aussi qu'il est illusoire de compter sur la croissance pour créer un nombre d'emplois suffisant dans un délai acceptable. D'autant que beaucoup d'entreprises, notamment dans le secteur public, sont en situation de sureffectif malgré les compressions de personnel qui ont déjà eu lieu. C'est pourquoi on observe aujourd'hui une acceptation croissante de formes d'aménagement du temps de travail, c'est-à-dire de partage des emplois existants.

Dans ce contexte, le débat sur les 35 heures revêt une grande importance.

Les enquêtes d'opinion montrent une certaine hésitation des Français sur les effets supposés de cette mesure (voir *Conditions de travail*). La perspective de la réduction du temps de travail est ressentie plutôt comme une source d'espoir par 52 % d'entre eux, et par 36 % comme une source de crainte (CFDT/BVA, mai 1998). 79 % estiment que c'est une bonne chose pour la qualité de la vie (15 % une mauvaise chose), 67 % une bonne chose pour l'emploi (contre 26 %), 65 % pour les conditions de travail (contre 22 %), 61 % pour les relations sociales dans l'entreprise (contre 23 %), 51 % pour la situation économique de la France (contre 34 %), 47 % pour l'activité des entreprises (contre 36 %), 45 % pour le pouvoir d'achat (43 % non).

Mais, si 75 % des Français considèrent cette mesure comme solidaire, 74 % moderne, 65 % ambitieuse, 64 % nécessaire, seuls 55 % la jugent réaliste (contre 39 %) et 51 % efficace (contre 40 %). Elle a une dimension utopiste, qui séduit ceux qui déplorent l'absence d'idées neuves dans le débat social et inquiète ceux qui craignent que la France soit une fois encore à contre-courant des autres pays en matière politique et économique.

La véritable réforme que les Français attendent est celle du « temps choisi ».

Pour une proportion croissante de Français, mais aussi d'experts, le passage de la situation actuelle, dans laquelle le temps d'activité professionnelle est le plus souvent subi, à une autre où chacun aurait la possibilité de choisir son temps de travail aurait une triple vertu. Elle accroîtrait d'abord mécaniquement le nombre d'emplois, par le simple fait que beaucoup d'actifs souhaitent aujourd'hui travailler moins, quitte à gagner moins (voir encadré ci-dessus). Elle améliorerait ensuite les relations entre les citoyens et les institutions en proposant un « grand projet » qui manque à la France.

Enfin, elle permettrait à ceux qui le souhaitent de disposer de plus de temps libre pour se consacrer à leur famille, à leurs centres d'intérêt ou à des activités non rémunérées. Il faut se souvenir qu'une réduction de 20 % du temps de travail (par exemple quatre jours au lieu de cinq) correspond à une augmentation de 50 % du temps libre (trois jours par semaine au lieu de deux). Plus que d'un simple aménagement du temps de travail, il s'agirait en réalité d'une véritable révolution qui annoncerait une nouvelle civilisation.

La révolution possible

L'édition 1997-1998 de l'enquête du CREDOC apporte un éclairage révélateur sur l'état d'esprit des Français en matière de lutte contre le chômage et sur les solutions possibles :
• Si leur employeur l'acceptait, 23,3 % des salariés à plein temps souhaiteraient travailler à temps partiel, avec une diminution de leur salaire (76,0 % ne le souhaitent pas).
• 45 % seraient prêts à travailler un jour de moins par semaine (à 80 % de leur temps actuel) si leur salaire n'était diminué que de 10 % (54 % n'y sont pas favorables).
• Au cours des dix dernières années, 19 % des Français (actifs ou non) ont été au moins une fois au chômage (13 % au cours des douze derniers mois) ; parmi eux, 46 % l'ont été pendant plus d'un an de façon continue et 40 % ont connu des périodes de chômage non indemnisées. De plus, 67 % des Français connaissent dans leur entourage proche une personne qui, dans les dix dernières années, a connu une période de chômage continue de plus d'un an.

CREDOC

Activité

Seuls 38 % des Français exercent effectivement une activité professionnelle.

En mars 1998, on comptait 25,8 millions d'actifs, parmi lesquels 22,7 millions étaient « occupés » (salariés et non-salariés non chômeurs, appelés du contingent). 3,1 millions étaient chômeurs au sens du Bureau international du travail (ne travaillant pas, disponibles immédiatement et ayant effectué des démarches de recherche au cours du mois précédant l'enquête). Près de deux Français sur trois n'ont donc pas d'activité professionnelle : enfants ; étudiants ; adultes inactifs ; chômeurs ; retraités ou préretraités.

La proportion d'inactifs s'est beaucoup accrue au cours des dernières décennies. Le travail commence en effet plus tard, du fait de l'allongement de la scolarité : seuls 30,9 % des hommes de 15 à

24 ans (25,0 % des femmes) occupaient un emploi en mars 1998, contre 32 % en 1993. La période active se termine aussi plus tôt : l'âge légal de départ à la retraite est fixé à 60 ans depuis 1981 (il est inférieur pour certaines professions, notamment du secteur public).

Mais l'âge réel de fin d'activité est encore inférieur : 60 % des actifs sont déjà sans emploi lors de la demande de liquidation de leur retraite au régime général de la Sécurité sociale. La moitié d'entre eux sont chômeurs ou préretraités ; l'autre moitié est composée de personnes qui se sont volontairement retirées du monde du travail (essentiellement des femmes) ou qui bénéficient d'une convention spéciale. Enfin, la spectaculaire croissance du chômage (multiplié par 16 depuis 1960) a fortement réduit le nombre d'actifs occupés. La France est sans doute le pays du monde développé où la proportion d'actifs occupés entre 50 et 60 ans est la plus faible.

Le loisir aussi important que le travail.
ND Conseil

Le taux d'activité est remonté depuis la fin des années 60.

Du début du siècle jusqu'en 1968, la proportion d'actifs dans l'ensemble de la population avait diminué de 20 %, du fait de l'évolution de la pyramide des âges entre 1930 à 1945, de l'allongement de la scolarité, de la diminution de l'âge moyen de départ à la retraite et de la réduction de l'activité féminine jusqu'au début des années 70.

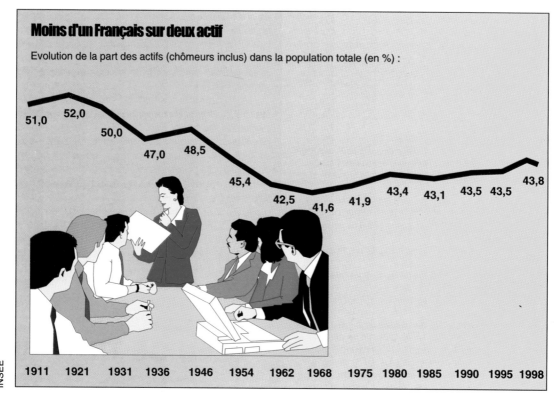

Moins d'un Français sur deux actif

Evolution de la part des actifs (chômeurs inclus) dans la population totale (en %) :

51,0 52,0 50,0 47,0 48,5 45,4 42,5 41,6 41,9 43,4 43,1 43,5 43,5 43,8

1911 1921 1931 1936 1946 1954 1962 1968 1975 1980 1985 1990 1995 1998

Depuis la fin des années 60, le taux d'activité est remonté à cause de la diminution de la fécondité, de l'arrivée sur le marché du travail des générations nombreuses du baby-boom et des flux d'immigration importants jusqu'en 1974, en provenance prin-cipalement des pays du Maghreb. Mais c'est le re-démarrage de l'activité féminine, particulièrement sensible depuis 1968, qui explique le mieux cet ac-croissement du taux d'activité. Aujourd'hui, 47 % des femmes de 15 ans et plus sont actives (un taux qui reste cependant inférieur au maximum de 52 % ob-servé en 1921).

Parmi les 46,4 millions de Français âgés de 15 ans et plus, un peu plus de la moitié (25,3 millions) sont actifs et 22,4 millions seulement sont occupés, soit 48 %.

Moins d'actifs après 2006

La population active pourrait passer de 26,6 millions en 1997 à près de 28 millions en 2006. Elle diminuerait ensuite avec le départ à la retraite des générations nombreuses du baby-boom. Les effets d'un changement dans la natalité ne se feraient sentir qu'à partir de 2015. L'évolution de l'immigration aurait en revanche des incidences immédiates. La généralisation de la scolarité à Bac + 2 ferait diminuer sensiblement la population active. A l'inverse, le recul de cinq ans de l'âge effectif de départ à la retraite la ferait augmenter de 10 %. Enfin, un changement important du taux d'activité des femmes paraît assez peu probable. Dans les autres pays de l'Union européenne, la baisse de la population active devrait se produire un peu plus tôt.

✦ Le nombre de femmes au foyer est passé de 5,5 millions en 1968 à 3,3 millions en 1990. Un tiers des femmes de 25 à 59 ans des pays de l'Union européenne se déclarent comme des femmes au foyer (60 % en Irlande, 25 % en France, mais 4 % au Danemark), contre 0,8 % des hommes. 42 % ont arrêté leur activité professionnelle à cause des enfants, 7 % à cause de leur mariage.

✦ 40 % des salariés en contrat à durée déterminée ont le baccalauréat contre 25 % en 1990.

FEMMES. *Entre 1960 et 1990, le nombre des femmes actives a augmenté de 4,3 millions, contre seulement 900 000 pour les hommes.*

L'accroissement du travail féminin est l'une des données majeures de l'évolution sociale de ces trente dernières années. Mais le travail des femmes n'est pas une nouveauté. Au début du siècle, leur taux d'activité était du même ordre que celui d'aujourd'hui (47,6 % en mars 1998 pour les femmes de 15 ans et plus). Il avait ensuite fortement baissé jusqu'à la fin des années 60 (39 % en 1970) sous l'effet de l'évolution démographique. Il a augmenté depuis, alors que celui des hommes diminuait. Il s'est stabilisé depuis quelques années.

Les valeurs féminines imprègnent la société.
BDDP Conseil

Le travail représente pour les femmes le moyen d'accéder à l'autonomie, de s'épanouir et de participer à la vie économique. La diminution du nombre des mariages, l'accroissement du nombre des femmes seules, avec ou sans enfants, la sécurité (parfois la nécessité) pour un couple de disposer de deux salaires sont d'autres raisons de la croissance du travail féminin. L'évolution de la nature des emplois, notamment celle des services, a été favorable à l'insertion des femmes. Mais c'est peut-être le développement du travail à temps partiel qui a le plus contribué.

Le modèle dominant est aujourd'hui celui du couple biactif dans lequel les deux conjoints ou partenaires travaillent ; il représente les deux tiers des couples, en tenant compte des conjoints travaillant à temps partiel et de ceux qui sont au chômage.

De tous les pays de l'Union européenne, c'est la France qui présente l'écart le plus faible entre les taux d'activité masculin et féminin, et donc la proportion de femmes dans la population active la plus élevée.

Le travail commence plus tard et finit plus tôt

Evolution des taux d'activité selon l'âge et le sexe (en % de la population active) :

	Hommes		Femmes	
	1968	**1997**	**1968**	**1997**
• 15 à 19 ans	42,9	9,4	31,4	4,3
• 20 à 24 ans	82,6	54,3	62,4	44,9
• 25 à 49 ans	} 95,8	95,3	} 44,5	78,2
• 50 à 54 ans	}	92,0	}	72,1
• 55 à 59 ans	82,4	91,9	42,3	50,0
• 60 à 64 ans	65,7	} 5,8	32,3	}3,9
• 65 et plus	19,1	}	6,9	}
15 ans et plus	**74,4**	**62,3**	**36,1**	**47,2**

INSEE

La vie professionnelle des femmes se rapproche de celle des hommes...

Les femmes qui ne travaillent pas à la fin de leurs études sont de plus en plus rares. A partir de l'âge de 30 ans, seules 4 % n'ont jamais travaillé. Entre 25 et 49 ans, 79 % sont actives, contre moins d'une sur deux en 1968. Le taux d'activité augmente avec le niveau de formation. Les femmes non mariées (célibataires, veuves ou divorcées) travaillent plus fréquemment que les autres (70 % sont actives). Ce sont les femmes d'ouvriers, mais aussi de cadres ou de « professions intellectuelles supérieures » (enseignants, professions scientifiques, etc.) qui ont les taux d'activité les plus faibles.

Les carrières féminines sont moins souvent interrompues que par le passé. Les maternités sont plus rarement l'occasion d'un arrêt de l'activité. Pourtant, le nombre d'enfants a une incidence sensible : entre 25 et 39 ans, neuf femmes sur dix n'ayant pas d'enfants à charge travaillent, deux sur trois parmi celles qui ont deux enfants, une sur deux avec trois enfants.

... mais certaines inégalités demeurent.

Les femmes occupent aujourd'hui plus de la moitié des emplois du secteur tertiaire. Mais la rotation de l'emploi y est plus rapide et le niveau de rémunération plutôt moins élevé.

Si les femmes représentent 57 % des bacheliers et 56 % des effectifs de l'enseignement supérieur, elles ne comptent que pour 30 % des cadres, moins de 10 % des dirigeants et leur taux de chômage est supérieur à celui des hommes (13,8 % contre 10,2 % en mars 1998). Malgré les progrès réalisés récemment, leur présence est faible dans les postes de direction des entreprises privées ou de la fonction publique.

On peut cependant penser que les femmes occuperont à l'avenir des postes plus élevés dans la hiérarchie professionnelle, du fait de leur formation, de leur volonté de jouer un rôle actif et de leur apport dans les entreprises. L'émergence des valeurs féminines dans la société (voir *Valeurs*) devrait avoir des incidences sensibles dans la vie économique, politique ou culturelle.

ÉTRANGERS. *Le nombre des travailleurs étrangers est stable à environ 1,6 million.*

Beaucoup d'étrangers sont arrivés en France pendant les années 60, période de prospérité économique, pour occuper des postes généralement délaissés par les Français. Leur nombre a continué d'augmenter sous l'effet des nouvelles vagues d'immigration, mais il s'est stabilisé depuis une vingtaine d'années. Il était de 1 570 000 en 1997, soit 6,1 % de la population active totale, une proportion comparable à celle du début des années 30.

Les plus nombreux sont les Portugais (342 000 en 1997, soit 22 % des actifs étrangers), devant les Algériens (246 000), les Marocains (205 000), les ressortissants d'Afrique noire (120 000), les Espagnols (91 000), les Tunisiens (85 000), les Turcs (66 000), les Italiens (66 000), les Yougoslaves (23 000) et les Polonais (14 000). On compte 313 000 ressortissants d'autres pays, dont 217 000 hors de l'Union européenne.

Les étrangers occupent les postes les moins qualifiés et les moins bien rémunérés : 49 % sont ouvriers, 24 % employés. Ils sont concentrés en Ile-de-France,

en Corse, dans la vallée du Rhône et dans la région Provence-Alpes-Côte d'Azur.

Les Français à l'étranger

1,7 million de Français vivent et travaillent à l'étranger, soit 6,4 % de la population active, une proportion plutôt inférieure à celle des autres grands pays européens. Mais le nombre des demandes s'accroît, notamment chez les jeunes. La destination première est aujourd'hui la Grande-Bretagne.
S'ils avaient la possibilité de travailler à l'étranger, 50 % des Français choisiraient en priorité le Canada, devant les Etats-Unis (30 %), l'Australie (29 %), la Grande-Bretagne (26 %), l'Allemagne (26 %), l'Espagne (24 %), le Brésil (13 %), l'Afrique du Sud (11 %), le Japon (7 %), la Chine (5 %) et la Russie (2 %).

PRÉCARITÉ. *Les formes de travail précaire se sont développées depuis le début des années 80.*

Le modèle traditionnel de l'activité professionnelle, un emploi stable et à plein temps, a laissé place à des formes plus complexes, plus souples et moins stables, qui concernent aujourd'hui plus de 3 millions de salariés. Un tiers des nouvelles embauches dans les entreprises de plus de 50 salariés se font avec des contrats à durée déterminée, un tiers à temps partiel.

Parmi les actifs occupés en mars 1998, près de 2 millions étaient en situation d'emploi précaire : 906 000 étaient titulaires de contrats à durée déterminée, 405 000 bénéficiaient de contrats aidés par l'Etat (contrats emploi solidarité, stages de formation professionnelle...), 413 000 étaient intérimaires et 257 000 apprentis. Ces emplois précaires concernent surtout les femmes, les jeunes et les personnes peu qualifiées. 20 % seulement des emplois correspondants se transforment en contrats à durée indéterminée.

✦ *82 % des Français estiment qu'il ne sera pas possible d'arriver au plein emploi dans les années à venir, c'est-à-dire que toutes les personnes en âge de travailler aient un emploi, contre 14 %. 14 % des jeunes chômeurs de 15 à 19 ans perçoivent une indemnité, 27 % de ceux de 20 à 24 ans, 41 % de ceux de 25 à 19 ans.*

Si l'on tient compte des emplois à temps partiel, qui sont en général moins stables et ne satisfont que la moitié de ceux qui les occupent, plus de 5 millions de salariés sont concernés, soit un emploi sur quatre.

32 % des femmes et 6 % des hommes travaillent à temps partiel.

La part du travail à temps partiel s'accroît régulièrement. 3,9 millions d'actifs occupés (hors chômage) étaient concernés en mars 1998, soit 17,1 % de la population active contre 13,7 % en 1993. La définition retenue est celle du BIT (Bureau international du travail), c'est-à-dire toute personne qui « occupe de façon régulière, volontaire et unique un poste pendant une durée sensiblement plus courte que la durée normale ». On considère en pratique que le temps partiel commence en dessous de 30 heures hebdomadaires. Un tiers des salariés des petites entreprises (moins de 10 employés) sont concernés, soit davantage que dans les grandes entreprises.

La proportion de femmes est six fois supérieure à celle des hommes. Malgré l'augmentation récente, la France reste en retrait par rapport à d'autres pays ; deux femmes sur trois aux Pays-Bas, près d'une sur deux au Royaume-Uni, mais environ une sur dix en Grèce, en Italie et au Portugal.

Ce type de travail ne correspond cependant pas toujours à un choix. En mars 1998, 858 000 travailleurs à temps partiel déclaraient souhaiter travailler davantage (dont 675 000 femmes) et 637 000 recherchaient un emploi à temps complet ou un temps partiel supplémentaire. En outre, 126 000 personnes étaient des travailleurs à temps complet obligés de travailler à temps partiel, par exemple à la suite d'un chômage technique. Au total, ce sont 44 % des actifs à temps partiel qui ne sont pas satisfaits de leur situation.

Les femmes revendiquent l'égalité professionnelle.
CLM/BBDO

Le nombre de travailleurs intérimaires continue de s'accroître.

413 000 actifs occupés étaient intérimaires en mars 1998, contre 171 000 en 1993. La hausse a été de 25 % par rapport à 1997. Les entreprises font de plus en plus appel à ce type de main-d'œuvre, pour des raisons de flexibilité mais aussi parfois pour éviter d'embaucher de nouveaux salariés. Depuis 1995, la part de l'intérim est supérieure à 1 % de la population active.

190 000 intérimaires ont effectué plus de 10 missions dans l'année, mais la majorité n'en ont obtenu qu'une à trois, ce qui fait d'eux des travailleurs au statut très précaire. La durée moyenne des contrats est d'environ trois mois. La demande a été particulièrement forte dans les secteurs exportateurs qui sont à l'origine de la reprise économique (équipements professionnels, chimie, métallurgie, papier-

Les femmes d'abord

Proportion d'actifs travaillant à temps partiel dans certains pays, par sexe (1996, en %) :

	Femmes	Hommes
Pays-Bas	66,1	16,1
Suisse	52,2	8,3
Royaume-Uni	44,8	8,1
Australie	42,6	11,7
Japon	36,6	11,7
Danemark	34,5	10,8
Allemagne	33,6	3,8
FRANCE	29,5	5,3
Canada	28,9	10,7
Espagne	16,6	2,8
Italie	12,7	3,1
Grèce	9,0	3,3

carton), dans les transports et, plus récemment, dans les biens de consommation, l'automobile et le bâtiment-travaux publics.

L'œuvre au noir

La Commission européenne estime entre 10 et 28 millions le nombre de personnes concernées par le travail au noir dans les pays de l'Union européenne, qui représenterait ainsi 7 à 16 % du produit intérieur brut total. C'est en Grèce que cette pratique est la plus répandue (un peu plus de 30 % du PIB), devant l'Italie (près de 25 %) et la Belgique (environ 20 %). Il est au contraire marginal en Finlande (2 à 4 %), au Danemark (3 à 7 %), en Autriche et en Suède (4 à 7 %). En France, il représenterait entre 4 % et 14 % du PIB. Entre 7 et 19 % des chômeurs de l'Union seraient concernés.

Ce type d'activité est particulièrement fréquent dans les secteurs employant une importante main-d'œuvre non qualifiée (agriculture, construction, travaux publics, commerce, main-d'œuvre ménagère). Il touche aussi de plus en plus l'industrie et les services aux entreprises.

Commission européenne

Chômage

Le nombre de chômeurs a été multiplié par 10 entre 1960 et 1985.

Le cap des 500 000 chômeurs, atteint au début des années 70, fut considéré à l'époque comme un seuil alarmant. Il s'est développé de façon sensible à partir de 1974, dépassant en 1976 le seuil symbolique du million. Le mal gagnait encore pour toucher 1,5 million de travailleurs au début de 1981, puis 2 millions en 1983. Il s'est stabilisé entre 1985 et 1990, avant de reprendre sa croissance. Le cap des 3 millions était franchi officiellement en 1993. Il l'a été en réalité bien avant si l'on tient compte de l'ensemble des personnes qui sont à la recherche d'un emploi et qui ne sont pas comptabilisées dans les statistiques (voir ci-après).

Le terme de chômage recouvre des situations fort diverses : licenciement, départ volontaire, fin de période d'essai, fin de contrat à durée déterminée, retraite anticipée, impossibilité de trouver un premier emploi, etc.

Depuis le début des années 90, la France a moins bien réussi que ses partenaires à préserver l'emploi. Début 1998, son taux de chômage se situait au cinquième rang des pays de l'Union européenne derrière l'Espagne, la Finlande, l'Italie et l'Irlande.

La France à la traîne

Taux de chômage dans les pays de l'Union européenne, aux Etats-Unis et au Japon (mars 1998, en % de la population active) :

Luxembourg	2,3
Japon	3,8
Autriche	4,4
Pays-Bas	4,6
Etats-Unis	4,7
Danemark	4,9
Royaume-Uni	6,5
Portugal	6,6
Suède	8,7
Belgique	9,0
Irlande	9,5
Allemagne	10,0
Italie	12,0
FRANCE	12,1
Grèce	12,5
Finlande	12,9
Espagne	19,5

* Taux standardisés.

Eurostat. OCDE

Le chômage concerne officiellement 12 % des actifs...

Malgré une éphémère embellie à la fin des années 80, le nombre des chômeurs a poursuivi sa progression depuis le début des années 90. Il s'établissait à 3 050 000 demandeurs d'emploi en mars 1998, soit un actif sur huit. Les effectifs salariés ont diminué dans toutes les branches d'activité industrielle, notamment l'automobile et les biens d'équipement. Entre 1980 et 1996, l'industrie manufacturière a perdu environ le quart de ses effectifs et n'occupe plus que 3,6 millions de personnes. Le bâtiment a été aussi durement touché. Le tertiaire est le seul secteur dont les effectifs ont augmenté, mais sa croissance n'a pu compenser cette hémorragie.

39 % des actifs se sont retrouvés au chômage à la fin d'un emploi à durée limitée, 29 % à la suite d'un licenciement collectif ou individuel, 6 % à la suite

d'une démission. 9 % étaient à la recherche d'un premier emploi après avoir achevé leurs études, 2 % terminaient leur service national. 9 % reprenaient une activité. 6 % des cas étaient dus à d'autres circonstances.

... mais le nombre réel d'actifs sans emploi est d'environ 5 millions.

Le chiffre officiel du chômage ne recouvre que les chômeurs à la recherche d'un emploi à plein temps et habitant la métropole. Il faudrait y ajouter plusieurs catégories de personnes sans activité au sens traditionnel : chômeurs des régions d'outremer non recensés ; personnes dans l'incapacité de trouver un emploi (maladies, handicaps...) ; personnes souhaitant trouver un emploi à temps partiel ou à durée déterminée ; préretraités issus du chômage économique percevant une allocation spéciale du Fonds national pour l'emploi ; chômeurs âgés dispensés de recherche d'emploi et indemnisés ; jeunes n'ayant aucun contact avec les services de l'emploi ; chômeurs inscrits à l'ANPE ayant occupé un emploi tem-

poraire ; RMistes non inscrits à l'ANPE. On arrive au total à 5 millions de personnes, soit un actif sur cinq.

Le chiffre atteint même 7 millions si l'on prend en compte les personnes fragilisées par le sous-emploi : bénéficiaires des mesures d'aide à l'emploi (emplois solidarité, conventions de conversion...) ; salariés à temps partiel « contraint » ; personnes en travail temporaire non choisi.

Plus d'un actif sur trois a déjà fait l'expérience du chômage.

Un actif sur trois a déjà connu le chômage au cours des dix dernières années, un sur quatre au cours des trois dernières, plus d'un sur dix au cours des douze derniers mois. La proportion est encore plus élevée (environ une personne sur six en un an) si l'on exclut du nombre total d'actifs les 5 millions de fonctionnaires qui bénéficient de la garantie de l'emploi.

Même si la durée moyenne du chômage a augmenté régulièrement, il ne faut pas perdre de vue que les chômeurs se renouvellent en permanence ; près de la moitié de ceux qui le sont à un instant donné ne l'étaient pas il y a un an. Mais la proportion était des trois quarts avant 1975.

Si les chances d'un salarié de conserver son emploi n'ont pas beaucoup diminué en France depuis le début des années 70 (sauf pour les jeunes), celles de sortir du chômage se sont en revanche considérablement réduites. On quitte aujourd'hui de plus en plus souvent l'inactivité pour le chômage.

La situation tend à s'améliorer lentement, mais les Français restent pessimistes.

La reprise économique tant attendue est apparente en France depuis la fin 1997. Au cours de l'année, 130 000 emplois ont été créés, contre une perte de 14 000 en 1996.

Mais les Français ne sont pas encore vraiment conscients de l'embellie et restent pessimistes. 28 % estimaient, en février 1998, que le risque de chômage pour eux ou pour les gens qui leur sont proches allait s'accroître d'ici un an (contre 50 % en septembre 1996), 16 % qu'il allait se réduire (contre 9 %), 55 % qu'il allait rester sans changement (contre 41 %). 62 % se disaient plutôt pessimistes quant à l'évolution de l'emploi et à la possibilité de trouver un travail intéressant et bien rémunéré d'ici cinq ou dix ans (contre 66 % en septembre 1996), 33 % plutôt optimistes (contre 28 %).

Le mal de la fin du siècle

Evolution du nombre de chômeurs au sens du BIT[*] (en mars de chaque année, en milliers) et du taux de chômage (en % de la population active) :

3 050
11,8 %

2 254
9,2 %

1 452

6,3 %

502

2,4 %

260   216

1,4 %   1,1 %

1950   1960   1970   1980   1990 1998

[*]Bureau international du travail : personnes au chômage cherchant effectivement un emploi (à plein temps ou temps partiel) ou ayant trouvé un emploi qui commence ultérieurement.

Le risque de chômage est d'autant plus élevé qu'on est moins qualifié.

Les ouvriers et les employés ont été les premières victimes des réductions d'effectifs liées à la crise économique et aux efforts d'amélioration de la productivité des entreprises. 15 % des ouvriers et 14 % des employés étaient au chômage en mars 1998, contre 7 % des professions intermédiaires et 5 % des cadres et membres des professions intellectuelles supérieures. Le chômage de cette dernière catégorie, qui avait été longtemps épargnée, a doublé entre 1990 et 1993, mais il diminue depuis.

On retrouve une hiérarchie semblable au sein de chaque catégorie : 23 % des ouvriers non qualifiés étaient sans emploi en 1998, contre 12 % des ouvriers qualifiés.

Le diplôme, arme relative

Le taux de chômage des diplômés de l'enseignement supérieur est deux fois moins élevé que celui des bacheliers et quatre fois moins que celui des non-diplômés. Les écarts tendent à s'accentuer en fonction du diplôme, au profit notamment des ingénieurs (5 % de chômeurs en mars 1997, contre 12 % pour les diplômés du second cycle et 10 % pour ceux du troisième cycle).
65 % des jeunes diplômés de l'enseignement supérieur trouvent un emploi un an après l'obtention de leur diplôme, plus de 40 % en moins de six mois. La plupart d'entre eux (81 %) intègrent le secteur privé, 19 % seulement le secteur public. Un tiers seulement ont un contrat à durée indéterminée, les autres se voient offrir un CDD (contrat à durée déterminée), des missions d'intérim ou des emplois subventionnés comme les CES (contrats d'emploi solidarité). 43 % ont un salaire mensuel inférieur à 8 500 F ; 15 % sont payés au SMIC.

Les jeunes sont plus touchés que la moyenne, mais beaucoup ne sont pas encore actifs.

En mars 1998, le taux de chômage des 15-24 ans était de 25,4 %. Ce taux ne reflète cependant pas la réalité, car la moitié de ces jeunes sont encore en cours de scolarité, notamment dans l'enseignement supérieur. La part des chômeurs parmi les jeunes est en fait de 2 % chez les moins de 20 ans et de 14 % chez les 20-24 ans. Le chômage des jeunes Français

Sexe, profession et chômage

Taux de chômage selon la catégorie socio-professionnelle et le sexe en 1997 (en % de la population active de chaque catégorie) :

	Hommes	Femmes	Ensemble
• Agriculteurs exploitants	0,7	0,2	0,5
• Artisans, commerçants, chefs d'entreprise	4,9	4,4	4,7
• Cadres et professions intellectuelles supérieures dont :	4,6	6,1	5,1
- *professions libérales*	*0,7*	*2,9*	*1,5*
- *cadres d'entreprise*	*5,6*	*8,5*	*6,3*
• Professions intermédiaires	6,4	7,7	7,0
• Employés	12,9	14,9	14,4
• Ouvriers dont :	14,6	20,4	15,8
- *ouvriers qualifiés*	*10,7*	*18,3*	*11,6*
- *ouvriers non qualifiés*	*24,8*	*21,4*	*23,5*
- *ouvriers agricoles*	*17,0*	*23,9*	*18,8*
Total	**10,8**	**14,2**	**12,3**

est d'ailleurs plutôt inférieur à celui des autres pays de l'Union européenne, du fait d'un taux de scolarisation plus élevé entre 18 et 24 ans : 60 % contre 47 % en moyenne.

La pyramide des âges et l'effet du creux démographique de l'après-baby-boom indiquent que le nombre des 15-24 ans va diminuer au cours des prochaines années. Le taux de chômage devrait alors mécaniquement baisser, en supposant que le nombre d'emplois reste constant.

La baisse du chômage constatée en 1997 a été confirmée début 1998. A l'inverse, le taux de chômage des actifs de plus de 50 ans est en hausse. Parmi les jeunes qui ont un emploi, la part du temps partiel s'est beaucoup accrue : 32 % pour les femmes et 6 % pour les hommes en 1998, contre 8 % et 3 % en 1975.

Les jeunes de 20 à 29 ans ayant bénéficié d'un enseignement ou d'une formation professionnelle complémentaires ont un taux de chômage inférieur de près de moitié à celui des jeunes ayant suivi un enseignement de base : 17 % contre 30 %.

Les femmes sont davantage concernées que les hommes.

14 % des femmes actives étaient au chômage en mars 1998, contre 10 % des hommes. Dans toutes les tranches d'âge, les femmes sont plus souvent sans emploi : 30 % contre 22 % chez les 15-24 ans ; 13 % contre 9 % parmi les 25-49 ans. L'écart est beaucoup moins marqué à partir de 50 ans (9 % contre 8 %). On observe une tendance à sa réduction en période d'accroissement du chômage et au contraire à son accroissement en période de diminution.

La durée moyenne de chômage est également un peu plus longue pour les femmes que pour les hommes : 16,4 mois contre 15,5 mois. 42 % d'entre elles étaient sans emploi depuis plus d'un an en mars 1998, contre 40 % des hommes. L'écart se vérifie à tous les âges.

Sexe, âge et chômage

Evolution du taux de chômage par sexe et par âge (en % de la population de 15 ans et plus) :

	1975		1998	
	Hom-mes	Fem-mes	Hom-mes	Fem-mes
• 15-24 ans	6,7	10,1	21,9	30,0
• 25-49 ans	2,0	4,5	9,5	13,3
• 50 ans et plus	2,1	5,4	7,8	9,2
Ensemble	**2,7**	**5,4**	**10,2**	**13,8**

INSEE

Le taux de chômage des travailleurs étrangers est deux fois plus élevé que celui des Français.

23 % des étrangers actifs étaient au chômage en mars 1998, contre 12 % des Français (au sens du BIT). 61 % des étrangers à la recherche d'un emploi étaient des hommes (47 % pour les Français), du fait d'un taux d'activité masculin très supérieur à celui des femmes.

Le taux de chômage diffère largement selon la nationalité : il est relativement faible chez les Portugais, très élevé chez les Algériens. A ces différences s'ajoutent celles concernant le sexe ou l'âge des travailleurs.

Le secteur d'activité joue également un rôle important. Ainsi, près de 20 % des salariés du bâtiment, génie civil et agricole, sont des étrangers, alors que ceux-ci ne représentent que 6 % de l'ensemble des salariés. Ils y occupent en outre des postes particulièrement vulnérables au chômage (manœuvres, ouvriers non qualifiés...).

On observe dans presque tous les pays européens que la part des étrangers dans le nombre des chômeurs est nettement plus élevée que leur part dans la population. Une étude de l'OCDE montre en revanche qu'il n'existe aucune corrélation entre le nombre d'étrangers dans un pays et son taux de chômage.

Le chômage frappe inégalement les régions.

En 1997, le taux de chômage dépassait 15 % dans le Languedoc-Roussillon, le Nord-Pas-de-Calais et la région Provence-Alpes-Côte d'Azur. Quatre régions se situaient en dessous de 14 % : Alsace ; Franche-Comté ; Limousin ; Ile-de-France. On constate cependant de fortes différences, à l'intérieur d'une même région, entre les départements qui la composent.

Les disparités actuelles existaient généralement avant la crise, mais le niveau moyen du chômage s'est fortement accru partout. Depuis 1980, les régions dont la situation s'est le plus dégradée sont celles qui avaient déjà les plus forts taux de chômage initiaux. On a observé récemment un léger déplacement du chômage vers le sud. La situation s'est en revanche améliorée depuis 1987 en Lorraine et en Bretagne.

Les départements d'outremer ont des taux de chômage nettement plus élevés qu'en métropole : deux fois plus aux Antilles et en Guyane, trois fois à la Réunion. Le chômage de longue durée, le travail à temps partiel et les emplois intérimaires y sont en outre plus fréquents.

DURÉE. *41 % des chômeurs le sont depuis au moins un an.*

La durée moyenne de recherche d'emploi était de 16 mois en 1998. Entre 1975 et 1985, l'ancienneté moyenne du chômage avait plus que doublé, quel que soit l'âge considéré. Elle avait ensuite diminué jusqu'en 1992, du fait de l'arrivée massive de nouveaux chômeurs. On constate depuis 1993 un accroissement régulier ; ce sont les chômeurs les plus récents qui trouvent du travail, ce qui accroît la proportion de chômeurs de longue durée. Les emplois créés en 1997 n'ont ainsi pas profité aux 1 250 000 chômeurs de longue durée recensés en mars 1998. On comptait parmi eux 261 000 personnes au chômage depuis plus de deux ans.

Si on mesure le chômage de longue durée sur une moyenne de trois ans et non sur douze mois continus, la proportion de personnes concernées est de 64 %. Pour ceux qui ressortent de ce chômage, la perte de salaire est de 20 % en moyenne par rapport à leur salaire antérieur.

Parmi les hommes, ce sont les cadres, les agents de maîtrise et les techniciens qui mettent le plus de temps à retrouver un emploi. Le phénomène est particulièrement net pour ceux qui n'acceptent pas la mobilité professionnelle. Les ouvrières connaissent la durée la plus longue.

La part des chômeurs de longue durée varie largement selon les pays. Elle est de 65 % en Italie, 53 % en Espagne, 48 % en Allemagne, 40 % au Royaume-Uni, 27 % au Danemark, 19 % en Suède (48 % en moyenne dans les pays de l'Union européenne).

La solution au chômage passe-t-elle par la technologie ?
Hickory Conseil

La durée de recherche d'emploi augmente avec l'âge.

La vulnérabilité au chômage n'est pas obligatoirement le signe d'une plus grande difficulté à retrouver un emploi. Ainsi, les personnes plus âgées sont moins souvent concernées que les jeunes, mais la durée de leur chômage est beaucoup plus longue. En mars 1998, les hommes chômeurs de 50 ans et plus étaient trois fois plus nombreux que ceux de 15 à 24 ans à rester au moins un an au chômage : 60 % contre 21 % (62 % contre 20 % pour les femmes). L'ancienneté moyenne du chômage est proche de deux ans (23 mois) pour les 50 ans et plus, contre 9 mois chez les 15-24 ans et 15 mois pour les 25-49 ans.

Les entreprises ont tendance à ne pas embaucher les personnes qui sont au chômage depuis plus d'un an. Elles hésitent aussi à embaucher des jeunes

L'arrêt-chômage

Evolution de l'ancienneté moyenne du chômage selon le sexe (en mois) :

	Hommes	Femmes
• 1975	6,7	8,3
• 1980	10,6	12,8
• 1985	13,7	16,2
• 1990	14,2	14,9
• 1991	13,9	15,1
• 1992	12,5	13,9
• 1993	11,5	13,2
• 1994	12,4	13,6
• 1995	14,3	14,9
• 1996	14,0	15,3
• 1997	14,4	15,5
• 1998	15,5	16,4

Proportion de personnes au chômage depuis au moins un an selon l'âge et le sexe en 1998 (en %) :

	Hommes	Femmes
• 15 à 24 ans	21,4	20,0
• 25 à 49 ans	40,5	43,7
• 50 ans et plus	60,3	61,7
• **Ensemble**	**40,1**	**41,9**

INSEE

sans l'aide des primes d'Etat et elles excluent souvent les personnes de 50 ans et plus. Une situation sans issue pour de nombreuses personnes qui pourraient pourtant apporter une contribution appréciable à l'économie nationale.

L'insertion difficile

Les organismes d'insertion par l'activité économique, les associations intermédiaires ou les régies de quartier ont pour vocation de remettre durablement au travail des populations fragilisées. Une enquête du CREDOC sur les personnes ayant bénéficié de cette aide montre que trois ans après, 40 % d'entre elles enchaînent des emplois précaires et un quart a une situation professionnelle plutôt stable. Les autres restent exclues du monde du travail.

Le chômage reste pour les Français le principal fléau.

Le chômage est partout présent dans la vie quotidienne et il arrive en tête des sujets de préoccupation des Français, devant les maladies graves, la dégradation de l'environnement, la pauvreté, la drogue ou l'insécurité. Il faut dire aussi que le chômage a des incidences dans de nombreux domaines. Il peut en effet entraîner la violence, la pauvreté, la maladie, l'usage de la drogue, le divorce, voire le suicide.

La plupart des Français ont des chômeurs dans leur famille ou parmi leurs relations. C'est pourquoi ils considèrent la lutte contre le chômage comme prioritaire. Tous les gouvernements ont été jugés depuis vingt ans sur leur capacité (en fait leur incapacité) à résoudre ce grave problème. 40 % des Français estiment que la responsabilité de la progression du chômage incombe au gouvernement, 39 % à la conjoncture économique mondiale, 14 % aux chefs d'entreprise (Canal Plus/BVA, janvier 1997). La peur du chômage est d'ailleurs un facteur qui, paradoxalement, entretient le chômage, car elle favorise le repli sur soi, la rigidité à l'égard des réformes, le corporatisme.

Malgré les résultats spectaculaires obtenus aux Etats-Unis dans ce domaine, 63 % des Français considèrent que l'on ne doit pas s'inspirer du modèle libéral américain pour traiter les problèmes français, contre 31 %. Les sympathisants de gauche sont les plus hostiles : 76 % au PC, 75 % au PS, 58 % chez les écologistes, contre 53 % à l'UDF, 50 % au RPR et au FN (BFM/BVA, novembre 1996).

La peur partagée

« Etes-vous inquiet de l'éventualité du chômage ? » (en % de réponses positives) :

73,5

55,9

1981   1985   1990   1995   1998

CREDOC

Les conséquences financières sont de plus en plus apparentes.

Le chômage est un facteur d'appauvrissement important. 74 % des personnes indemnisées par l'assurance-chômage perçoivent au plus 5 000 F par mois. 4 % au moins 10 000 F. 77 % de celles qui sont indemnisées par le régime de solidarité touchent entre 2 000 et 3 000 F, 16 % entre 3 000 et 4 000 F, 6 % moins de 2 000 F. En 1994, la partie basse de l'échelle sociale (les 10 % de Français les plus défavorisés en termes de revenus) regroupait 37 % des chômeurs, contre 19 % en 1980.

✦ *Pour faire baisser le chômage, 46 % des Français estiment qu'il vaut mieux réduire les charges des entreprises, 36 % qu'il faut diminuer le temps de travail, 13 % les deux.*

✦ *36 % des Français pensent que par rapport aux emplois qui leur sont proposés, les jeunes ne sont pas assez qualifiés, 30 % qu'ils sont trop qualifiés, 29 % qu'ils sont suffisamment qualifiés.*

Le stress du chômage

Contrairement à ce que l'on pourrait croire, le stress induit par l'activité professionnelle engendre moins de difficultés psychologiques que l'inactivité. La consommation de médicaments psychotropes des hommes qui sont au chômage est ainsi trois fois plus élevée que celle des hommes actifs occupés ; elle augmente d'un tiers chez les femmes. Les femmes au foyer sont également plus concernées que les femmes actives, même lorsque celles-ci sont au chômage.

L'une des conséquences économiques est qu'un chômeur sur deux (49 %) a déjà renoncé à des soins par manque d'argent. Les restrictions portent surtout sur les soins dentaires (43 %), les visites de médecins et examens (29 %) et les lunettes (16 %). 52 % ne bénéficient pas d'une couverture complémentaire maladie, contre seulement 16 % pour l'ensemble de la population.

✦ 42 % des Français considèrent que le fait que la mère travaille est un handicap pour l'épanouissement d'un enfant (33 % des femmes actives, 52 % des femmes au foyer). 23 % considèrent au contraire que c'est pour lui un atout (30 % des femmes actives, 6 % des femmes au foyer).

✦ En France, la moitié des jeunes sont entrés sur le marché du travail à 22 ans, contre 20 ans en moyenne dans les pays de l'Union européenne (16 ans au Danemark, 17 ans au Royaume-Uni, 19 ans en Allemagne, 21 ans en Italie et en Espagne).

✦ 80 % des salariés du privé ont une bonne opinion de leur patron. Il sont plus de 80 % à le qualifier de travailleur, compétent, courageux, énergique, gestionnaire, honnête, 70 % à le trouver visionnaire et autoritaire. 52 % le trouvent distant.

LES MÉTIERS

Professions

La structure de la population active a été bouleversée depuis un demi-siècle.

En 1800, la proportion d'actifs était identique à celle de 1997 (44 %). Au milieu du XIXe siècle, l'industrie représentait un quart des emplois, exactement comme aujourd'hui. Mais la composition de la population a beaucoup changé. Le nombre des agriculteurs (exploitants et ouvriers agricoles) s'est considérablement réduit. Il a été d'abord compensé par l'accroissement du nombre des ouvriers jusqu'au début des années 70, mais le mouvement s'est ensuite inversé. Les « cols bleus » (manœuvres et ouvriers de toutes qualifications), dont la croissance avait accompagné les deux premières révolutions industrielles (la machine à vapeur et l'électricité) ont été touchés par la troisième révolution, celle de l'électronique. Enfin, les oisifs et les rentiers ont été remplacés par les étudiants et les retraités.

Les professions intermédiaires (techniciens, contremaîtres, chefs d'équipe, instituteurs...) ont connu aussi une forte progression de leurs effectifs, comme les cadres et les professions intellectuelles supérieures (professeurs, professionnels de l'information, de l'art et des spectacles...). Enfin, les artisans et commerçants ont vu leur nombre se réduire au fur et à mesure du développement des grandes surfaces.

On a assisté à une « tertiarisation » de la société (70 % des emplois concernent les services) et une féminisation (45 % des actifs). Enfin, le salariat s'est développé, pour représenter aujourd'hui 87 % des actifs.

Des cols bleus aux cols blancs

Répartition des principales catégories socioprofessionnelles (en % de la population active)

CSP — PCS

Ouvriers
Agriculteurs exploitants
Patrons de l'industrie et du commerce
Employés
Professions intermédiaires
Cadres et prof. intellec. sup.
Cadres moyens
Salariés agricoles
Artisans, commerçants
Prof. libérales et cadres sup.
Ouvriers agricoles

1936   1954   1962   1968   1975*   1982   1990   1998

* Nomenclature modifiée en 1975 par l'INSEE.

Les agriculteurs ne représentent plus que 3,2 % de la population active occupée.

En 1800, les trois quarts des actifs travaillaient dans l'agriculture. Le changement s'est amorcé dès 1815. Pendant toute la période 1870-1940, les effectifs se sont maintenus, malgré la baisse régulière de la part de l'agriculture dans la production nationale. Dès la fin de la Seconde Guerre mondiale, la mécanisation a précipité l'exode rural. Le déclin s'est accéléré depuis une trentaine d'années et les effectifs ont diminué de moitié depuis 1980.

On ne compte plus aujourd'hui que 612 000 agriculteurs exploitants occupés à plein temps (et 116 000 à temps partiel), contre 7,5 millions en 1946. Le nombre des exploitations a été divisé par trois en quarante ans, du fait de la concentration des terres. L'érosion n'est pas achevée ; les trois quarts des paysans qui partent en retraite n'ont pas de successeur, du fait des perspectives limitées offertes par la profession en général.

Les exploitants sont devenus de véritables chefs d'entreprise, mais l'essentiel du travail est toujours effectué par la famille. On constate un rajeunissement, avec un âge moyen des chefs d'exploitation de 50 ans, contre 53 ans en 1955. Le nombre de femmes exploitantes s'est accru de façon sensible ; il représente aujourd'hui 20 % de l'ensemble, contre 8 % en 1970.

Retrouvons nos racines

L'agriculture, terreau de la société française.
Arfeuillères & Associés

La double disparition

Outre le fait que leur nombre a diminué de façon spectaculaire, les paysans ne sont plus des ruraux au sens traditionnel. Leur façon de travailler s'est transformée avec la mécanisation et la course à la productivité. Un quart d'entre eux habitent aujourd'hui dans des communes urbaines (contre 14 % en 1968), la moitié en périphérie des villes. Cette proximité explique que le conjoint travaille plus souvent à l'extérieur, parfois même le chef d'exploitation. Elle a provoqué un rapprochement sensible des modes de vie des paysans avec celui du reste de la population. Cette double disparition des paysans est celle de toute une classe sociale, dont beaucoup de Français sont issus. Au-delà des difficultés de reconversion, c'est un drame plus profond qui s'est joué au cours de la seconde moitié du xxᵉ siècle pour le peuple français : la perte progressive de ses racines.

✦ *Près de neuf agriculteurs sur dix sont fils d'agriculteur. Plus d'un ouvrier sur deux est fils d'ouvrier.*

La redistribution des métiers

Evolution de la structure de la population active totale[*]
(effectifs en milliers et poids en %) :

	1975	1997	% en 1997
• Agriculteurs exploitants	1 691	732	2,9
• Artisans, commerçants, chefs d'entreprise	1 767	1 694	6,6
• Cadres et professions intellectuelles supérieures dont :	1 552	3 098	12,1
- *Professions libérales*	*186*	*332*	*1,3*
- *Cadres*	*1 366*	*2 766*	*10,8*
• Professions intermédiaires dont :	3 480	5 050	19,7
- *Clergé, religieux*	*115*	*19*	*0,1*
- *Contremaîtres, agents de maîtrise*	*532*	*548*	*2,2*
- *Autres professions intermédiaires*	*2 833*	*4 483*	*17,4*
• Employés dont :	5 362	7 488	29,3
- *Policiers et militaires*	*637*	*501*	*2,0*
- *Autres employés*	*4 725*	*6 987*	*27,3*
• Ouvriers dont :	8 118	6 938	27,1
- *Ouvriers qualifiés*	*2 947*	*3 318*	*13,0*
- *Chauffeurs, OQ magasinage-transport*	*960*	*1 0512*	*4,1*
- *Ouvriers non qualifiés*	*3 840*	*286*	*8,9*
- *Ouvriers agricoles*	*371*	*283*	*1,1*
• Chômeurs n'ayant jamais travaillé	72	380	1,5
Population active (y compris le contingent)	**22 042**	**25 582**	**54,4**

[*] Occupée ou en recherche d'emploi.

INSEE

Les ouvriers sont aujourd'hui moins nombreux que les employés.

Les « cols blancs » (employés, cadres et techniciens) ont pris la relève des « cols bleus ». On ne compte plus aujourd'hui que 6,9 millions d'ouvriers, contre 8,1 millions en 1975 (population active totale). La crise économique a contraint les entreprises industrielles à mettre en place des programmes d'ac-

manpower

croissement de la productivité, qui se sont traduits par des réductions massives d'effectifs dès la fin des années 70. Entre 1982 et 1990, plus de 400 000 postes d'ouvriers non qualifiés ont ainsi disparu, du fait de l'automatisation de certains secteurs (sidérurgie, automobile) et de la restructuration qui s'est opérée dans d'autres (textile, mines, cuir...).

La part des ouvriers dans la population active reste cependant élevée (26 % contre 40 % au début des années 50) ; elle représente un salarié sur trois. Celle des ouvriers qualifiés et des contremaîtres continue de s'accroître, alors que celle des manœuvres et des ouvriers spécialisés diminue. Huit ouvriers sur dix sont des hommes (81 %, contre 77 % en 1962) ; la proportion est encore plus forte parmi les ouvriers qualifiés (88 %).

La proportion d'étrangers parmi les ouvriers diminue, mais elle est deux fois plus élevée (11 %) que dans la population active totale (6 %). Disposant généralement d'une moindre formation professionnelle que les Français, ils occupent souvent les postes les moins qualifiés (17 % des postes d'ouvriers non qualifiés). Ils sont aussi davantage touchés par le chômage et les emplois à durée déterminée, sans parler du travail clandestin.

La fin de la classe ouvrière

La nature du travail ouvrier a changé. Les tâches de production ont cédé la place à des tâches plus qualifiées. Aujourd'hui, deux ouvriers sur trois sont employés dans le tertiaire, la majorité dans des entreprises de moins de 500 salariés. Par ailleurs, beaucoup de postes d'ouvriers se sont transformés en postes employés, avec des conditions de travail plus diversifiées.

La « classe ouvrière », dont l'identité s'était forgée autour du travail dans la grande industrie, est donc en voie de disparition. La conscience de classe n'existe plus guère ; le déclin des effectifs syndicaux en est l'une des manifestations. Les modes de vie de ses membres tendent à se rapprocher de ceux des autres catégories sociales, de la façon de manger à l'habillement, en passant par les achats de biens d'équipement.

Les comportements restent en revanche différents en ce qui concerne les loisirs. Les ouvriers sont en particulier moins nombreux à partir en vacances (environ 60 % contre 90 % pour les cadres supérieurs). Surtout, le rattrapage culturel se fait de façon lente : 19 % des enfants d'ouvriers sont bacheliers contre 72 % de ceux de cadres.

Le nombre des commerçants est passé de 1 million en 1960 à 740 000 en 1997.

Le monde du commerce a connu en France un véritable bouleversement, provoqué par l'énorme concentration qui s'est opérée. Trente-cinq ans après l'ouverture du premier hypermarché (le *Carrefour* de Sainte-Geneviève-des-Bois, près de Paris, en 1963) on en comptait 1 123 en janvier 1998, auxquels s'ajoutent 7 600 supermarchés. Ce transfert de clientèle des petites surfaces vers les grandes a eu une incidence sensible sur les emplois du commerce.

Certains commerces de proximité ont pourtant réussi à se maintenir en offrant des services que ne pouvaient pas rendre les géants de la distribution : heures d'ouverture plus larges ; spécialisation ; conseils ; boutiques « franchisées » bénéficiant de l'expérience et de la notoriété des grandes marques nationales. Mais la situation est très différente selon les secteurs d'activité ; le nombre des boulangers et des cafetiers a diminué de moitié en vingt ans, tandis que le nombre des boutiques franchisées a progressé. Les femmes représentent 40 % des effectifs, mais elles occupent plus fréquemment des postes d'exécution que les hommes.

Le nombre des artisans a aussi diminué : 830 000 en 1997 contre un million en 1960.

L'artisanat ne fait guère parler de lui, du fait de sa faible représentation syndicale. Il regroupe pourtant plus de 800 000 entreprises représentant au total 300 corps de métiers différents et employant chacune moins de dix salariés (non compris le patron et, le cas échéant, son conjoint). Un tiers de celles-ci opèrent dans le secteur du bâtiment, notamment dans l'artisanat de second œuvre.

Les plus dynamiques ont su adapter leur service, leur structure et leur façon de travailler aux nouveaux besoins de la clientèle. Beaucoup ont misé, en particulier, sur la rapidité d'intervention. La revalorisation du travail manuel, le goût de l'indépendance, mais aussi et peut-être surtout l'accroissement du chômage ont incité un certain nombre de Français à s'installer à leur compte au cours des dernières années. La part des femmes dans l'artisanat (24 %) est deux fois moins importante que dans le commerce.

✦ *Un quart des ouvriers non qualifiés occupent aujourd'hui des emplois temporaires.*

Les 7,5 millions d'employés représentent 29 % des actifs.

Les employés constituent aujourd'hui la catégorie socioprofessionnelle la plus nombreuse. Ils accomplissent des tâches d'exécution dans les fonctions administratives et commerciales ou assurent des fonctions de service. Leur poids a doublé en cinquante ans, du fait de la tertiarisation de l'économie et de l'accès massif des femmes à ce type d'emploi. Ces dernières représentent 77 % des effectifs. 30 % des emplois sont à temps partiel. 10 % sont des emplois temporaires (contrats à durée déterminée, stagiaires).

Le nombre des employés administratifs a stagné vers le milieu des années 70, puis diminué dans les années 80 avec l'automatisation et l'informatisation de certaines tâches administratives. A l'inverse, celui des employés de commerce a augmenté, comme celui des personnels de service avec le développement des hôpitaux, des écoles, des hôtels et restaurants.

Plus de deux emplois sur trois concernent les services.

L'importance des services marchands n'a cessé de s'accroître depuis le début des années 60, avec une production multipliée par cinq alors que l'emploi doublait. Entre 1990 et 1997, les effectifs du tertiaire ont augmenté de près de 8 %, alors que ceux de l'industrie reculaient de 13 %. Le salariat y a fortement progressé et la qualification des salariés est sensiblement supérieure à celle des autres branches. La part de l'emploi féminin, traditionnellement forte, est restée stable.

Contrairement à ce que l'on croit souvent, le secteur tertiaire n'est pas une invention récente. La société française a eu très tôt besoin de tailleurs, barbiers, commerçants, scribes, cantonniers et autres allumeurs de réverbères. En 1800, à l'aube de la révolution industrielle, les travailleurs impliqués dans les activités de services représentaient 25 % de la population active et 30 % de la production nationale. Le développement de l'industrie a largement contribué à celui des services connexes (négoce, banques, ingénierie, etc.). Mais c'est l'émergence de la société de consommation dans les années 50 et 60 qui lui a donné son importance actuelle.

La proportion des emplois de services à domicile a d'abord diminué régulièrement en France depuis le début du siècle, passant de 4,8 % de l'emploi total

en 1906 à 1 % en 1982. Elle tend depuis à remonter (2,1 % en 1996), sous l'effet des incitations fiscales comme l'AGED. Ce type d'emploi ne représente plus que 0,7 % de l'emploi total aux Etats-Unis, où l'on a privilégié les services rendus par le marché (voir encadré ci-après).

Le service, valeur ajoutée de plus en plus appréciée.
Australie

Libre-service et emplois

Depuis le début du siècle, les Etats-Unis ont multiplié par dix le nombre des salariés dans les services, contre trois en France. Dans le commerce, le nombre d'emplois par habitant est supérieur de 60 % à ce qu'il est en France. L'écart est de 130 % dans l'hôtellerie-restauration. On arrive à des résultats semblables avec le ratio emploi/chiffre d'affaires. Si la France employait dans ces deux secteurs la même proportion de salariés, il y aurait 2,8 millions d'emplois supplémentaires (1,5 million pour le seul commerce de détail), soit 90 % du nombre des chômeurs. Au contraire des Etats-Unis, la distribution française a misé sur un libre-service à faible présence humaine. Le poids des charges sociales payées par les entreprises françaises explique en partie cette différence. Une autre explication tient à la durée du travail et aux salaires inférieurs aux Etats-Unis.

✦ *Le nombre de secrétaires est passé de 100 000 à plus de 700 000 entre 1950 et 1997.*

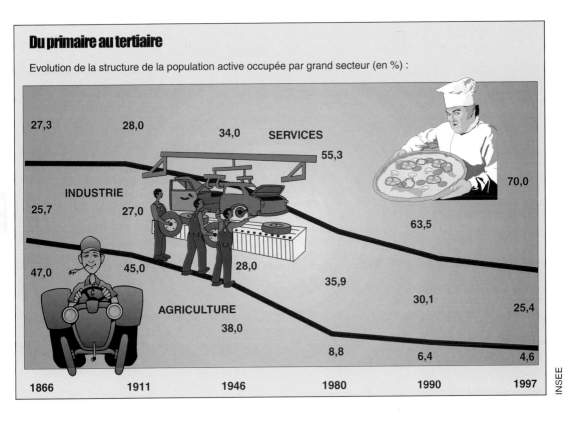

Du primaire au tertiaire

Evolution de la structure de la population active occupée par grand secteur (en %) :

27,3   28,0   34,0   SERVICES
                                          55,3

INDUSTRIE
25,7   27,0   70,0

                                          63,5

47,0   45,0   28,0
                                          35,9
                                                        30,1   25,4
AGRICULTURE
              38,0
                            8,8   6,4   4,6

1866   1911   1946   1980   1990   1997

INSEE

Statuts

SALARIÉS. *87 % des actifs sont salariés en 1998, contre 72 % en 1960.*

L'une des conséquences de la révolution industrielle a été l'accroissement régulier de la proportion de salariés. Les non-salariés sont en effet principalement des paysans, des commerçants ou des artisans, dont le nombre a considérablement diminué.

Les aides familiaux (femmes de ménage, domestiques, etc.) sont aussi beaucoup moins nombreux : un million de moins en vingt ans. De plus, beaucoup de femmes sont venues rejoindre les rangs des salariés. Mais ce sont les postes créés dans la fonction publique qui ont le plus contribué à l'accroissement des emplois salariés depuis vingt ans (voir ci-après).

✦ *56 % des hommes ouvriers âgés de 40 à 59 ans étaient fils d'ouvrier.*

FONCTIONNAIRES. *Près d'un actif sur quatre dépend de l'Etat.*

Le secteur public comprend au total plus de 5 millions de salariés répartis entre la fonction publique d'Etat (agents et employés des ministères, des établissements publics ou apparentés, employés de la Poste et de France Télécom, enseignants des établissements privés sous contrat), la fonction publique territoriale (personnel des collectivités locales) et la fonction publique hospitalière (personnel des hôpitaux publics). Ils représentent 28 % de l'ensemble des salariés (hors emplois précaires), ce qui place la France au premier rang des pays occidentaux.

En un siècle, la part du secteur public dans la population active a plus que triplé, du fait des nationalisations qui ont suivi la Seconde Guerre mondiale, puis de celles de 1982. Elle a été récemment réduite par les privatisations réalisées en 1987-1988 et depuis 1993. Le taux moyen de croissance des effectifs de fonctionnaires a été de 3,2 % par an pendant les années 60, 3,1 % pendant les années 70, 1,1 % pendant les années 80. Entre 1980 et

L'Express/BVA, septembre 199

Les Français trouvent les fonctionnaires utiles, mais privilégiés

73 % des Français disent avoir plutôt une bonne opinion des fonctionnaires, 24 % plutôt une mauvaise. Les salariés du secteur public sont évidemment les plus nombreux à avoir une bonne opinion d'eux-mêmes (86 %). La proportion n'est que de 61 % parmi les indépendants et de 67 % chez les salariés du privé. L'image des fonctionnaires est meilleure parmi les sympathisants de gauche : 80 % au PS, 78 % au PC, contre 66 % au RPR, 63 % à l'UDF et 54 % au FN.
 Les catégories ayant l'image la plus positive sont, par ordre décroissant : les enseignants (27 %) ; les employés de la Poste (15 %) ; le personnel hospitalier (10 %) ; la police (7 %). Mais la police est aussi la catégorie dont l'image est jugée la plus négative (12 %), devant les employés de la

Sécurité sociale (11 %), les fonctionnaires des impôts (11 %), les employés de la Poste (7 %) et les agents SNCF (6 %).
91 % des Français estiment que les fonctionnaires sont utiles, mais 80 % pensent qu'ils sont privilégiés par rapport aux salariés du secteur privé. 60 % considèrent que leurs qualités sont mal utilisées et 54 % trouvent qu'ils sont efficaces. 41 % des salariés du privé pensent que par rapport à eux, et au même niveau, les fonctionnaires sont mieux payés (29 % moins, 28 % autant). Mais 44 % des fonctionnaires pensent, eux, qu'ils sont moins bien payés que les salariés du privé (22 % mieux, 27 % autant). Enfin, 74 % des salariés du privé et 88 % des indépendants pensent que les fonctionnaires travaillent plutôt moins que les salariés du privé ; c'est aussi l'avis

de 49 % des salariés du secteur public (1 % plus, 48 % autant).
26 % des Français considèrent que l'on devrait retirer aux fonctionnaires la sécurité de l'emploi (42 % des indépendants, 33 % des salariés du privé, 11 % de ceux du public) ; 70 % y sont opposés.
A une époque où le chômage est une menace permanente et les retraites mal assurées, les avantages du statut attirent les Français : 86 % d'entre eux seraient satisfaits si l'un de leurs enfants souhaitait devenir fonctionnaire (95 % parmi les salariés du secteur public, 82 % parmi ceux du privé, 73 % parmi les indépendants).
42 % disent avoir envisagé au cours de leur carrière de passer un concours pour entrer dans la fonction publique (58 % parmi les 25-34 ans, 57 % non).

L'armée n'est plus une obligation, mais une profession.
Hintzy Heymann & Associés

1995, l'emploi public a augmenté de 20 % en France, alors qu'il baissait de 25 % aux Pays-Bas et en Grande-Bretagne.

CADRES. *Le nombre des cadres a doublé entre 1970 et 1990.*

Dans le processus de recomposition de la population active, la disparition des paysans et la réduction du nombre des ouvriers s'est faite surtout au profit des cadres. La création de ce statut répondait au besoin croissant de compétences techniques et scientifiques, à la nécessité de superviser des tâches administratives complexes et d'avoir des commerciaux performants. Le rôle des cadres a pris de l'importance au fur et à mesure du développement des activités de services, fortes consommatrices de matière grise.

On compte aujourd'hui 3,0 millions de cadres et professions intellectuelles supérieures, contre 900 000 en 1962. La proportion de femmes s'accroît régulièrement et représente un tiers des effectifs. Elle diminue au fur et à mesure que l'on s'élève dans la hiérarchie. 30 % des cadres ont moins de 35 ans, 22 % ont au moins 50 ans.

14 millions de salariés

Répartition de la population active occupée selon le sexe et le statut (1997, en %) :

	Hommes	Femmes	Ensemble
• **Salariés (hors Etat et collectivités locales)** dont :	36,5	26,1	62,6
- *Intérimaires*	1,1	0,4	1,5
- *Apprentis*	0,8	0,3	1,1
- *CDD*	1,8	2,0	3,8
- *Autres salariés*	33,0	23,4	56,4
• **Salariés de l'Etat ou des collectivités locales**	9,3	12,5	21,8
• **Non-salariés** dont :	8,5	4,3	12,8
- *Indépendants*	4,6	1,9	6,5
- *Employeurs*	3,6	1,0	4,6
- *Aides familiaux*	0,3	1,4	1,7
• **Stagiaires et contrats aidés**	0,7	1,2	1,9
• **Appelés du service national**	0,9	0,0	0,9
Total	56,0	44,0	100,0

Le nombre des cadres supérieurs a fortement augmenté depuis une vingtaine d'années sous l'effet de la demande de cadres administratifs supérieurs et de l'accroissement du corps professoral, qui entre dans cette catégorie. L'augmentation du nombre des cadres moyens est, elle, assez étroitement liée à la croissance du secteur médical et social.

L'appellation de cadre n'a pas de véritable équivalent dans les autres pays industrialisés. Elle avait été créée en France pour servir de référence ou de but à l'ensemble des salariés, et de récompense pour les plus méritants d'entre eux. Son élargissement en a fait un groupe très hétérogène, dans lequel les fonctions, les responsabilités et les salaires sont très diversifiés.

✦ *En 1996, le salaire moyen des cadres n'a progressé que de 1 %, contre 2,9 % pour celui des ouvriers.*

Le statut des cadres a subi les effets de la crise économique.

Les cadres ont vu disparaître au cours des années de crise une partie des attributs traditionnels de leur fonction : prestige, privilèges, pouvoir, sécurité. Dans une conjoncture difficile, leur nombre élevé, de même que leur coût, est devenu plus apparent. C'est ce qui explique les efforts réalisés pour « dégraisser » les structures, tendance favorisée par la concentration des entreprises. Celles-ci ont réduit le nombre de niveaux hiérarchiques et le chômage des cadres a plus que doublé pendant la première moitié des années 90. Les jeunes diplômés de moins de 30 ans, les personnes proches de la retraite (plus de 50 ans) et les femmes ont été les plus concernés. Les ingénieurs et les cadres techniques ont été les plus épargnés.

Le redressement de l'emploi s'est cependant confirmé pour les cadres en 1997, avec une hausse de 37 % des offres de l'APEC (Agence pour l'emploi des cadres) et de 51 % de celles diffusées par la

Le diplôme n'est plus une garantie

Si un diplôme supérieur est nécessaire pour accéder au statut de cadre, il n'est plus aujourd'hui une garantie. Près d'un jeune sur deux entre dans l'enseignement supérieur, alors qu'un quart seulement des postes créés sont destinés à des cadres. Il est donc de plus en plus difficile de donner à chaque diplômé l'emploi qu'il espère et l'on peut s'attendre pendant quelques années à ce que les qualifications des jeunes soient supérieures à celles requises aux emplois disponibles.

Aujourd'hui, moins de la moitié des jeunes diplômés obtiennent le statut convoité, contre plus des deux tiers il y a dix ans. Les employeurs attachent en effet plus d'importance aux aptitudes et aux compétences individuelles. En 1990, les salaires des jeunes diplômés étaient identiques, à niveau égal, à ceux des personnes promues cadres de moins de 30 ans déjà en place ; ce n'est plus le cas aujourd'hui. Pour un même poste hiérarchique, les entreprises préfèrent souvent embaucher un jeune à un salaire moins élevé que promouvoir un cadre.

51 % des chefs d'entreprises (moins de 500 salariés) pensent que par rapport aux emplois qui leur sont proposés, les jeunes ne sont pas assez qualifiés, 12 % qu'ils sont trop qualifiés, 28 % qu'ils sont suffisamment qualifiés. 65 % sont favorables à la mise en place d'une sélection à l'entrée dans l'enseignement supérieur (BVA, mars 1997).

presse. 33 % des recrutements ont concerné l'informatique, 19 % les fonctions commerciales, 11 % celles d'études-recherches-projets.

PROFESSIONS LIBÉRALES. *L'inquiétude s'est accrue, ainsi que les disparités.*

Les difficultés des cadres concernent aussi les membres des professions libérales, qui en sont proches par leur formation, leurs responsabilités et leurs revenus. A la pression fiscale s'est ajoutée pour eux l'augmentation des charges sociales.

Même si les revenus moyens restent élevés, les disparités au sein de chaque catégorie se sont accrues. Seuls les pharmaciens, les notaires ou les huissiers, qui bénéficient du *numerus clausus*, sont encore à l'abri de la concurrence. Certains médecins, avocats ou architectes connaissent aujourd'hui des difficultés financières, du fait d'une concurrence trop vive ou de la rareté de la clientèle. Une concurrence qui pourrait s'accroître avec la poursuite de la construction européenne, bien que la liberté d'installation ne soit pas jusqu'ici très utilisée.

Le temps de l'adaptation est donc venu pour les professions libérales, à l'exemple des avocats, des notaires, des agents d'assurance ou des conseillers financiers qui se regroupent pour offrir à leur clientèle de meilleurs services.

Une nouvelle hiérarchie professionnelle s'est mise en place.

La restructuration économique et sociale a entraîné une transformation de la nature et de la hiérarchie des professions. Beaucoup des notables d'hier ne bénéficient plus d'un statut social aussi valorisant. Les détenteurs de l'information (journalistes, professions intellectuelles) et de son analyse (experts, consultants) détiennent au contraire une part croissante du pouvoir économique et social, formant une sorte de « cognitariat » (voir *Groupes sociaux*). Dans le même temps, certains métiers de production ou de service ont été revalorisés (plombier, restaurateur, boulanger, viticulteur, garagiste, kinésithérapeute...).

De leur côté, les fonctionnaires cherchent à préserver les avantages importants dont ils bénéficient en termes de garantie d'emploi, de retraite, souvent de revenus. L'harmonisation européenne et la recherche constante de productivité pourraient à terme laminer ces privilèges ; déjà de nombreuses

embauches concernent des contractuels, qui ne bénéficient pas du statut. D'après le rapport d'un inspecteur des finances révélé en 1998, les sureffectifs dans l'administration française représenteraient 500 000 agents, soit 10 % du nombre des fonctionnaires. Le coût total serait d'environ 150 milliards de francs par an.

Avenir

Depuis deux siècles, l'évolution technologique a conditionné celle de l'emploi.

L'invention de la *machine à vapeur*, à la fin du XVIIIe siècle, est à l'origine de la première révolution industrielle. Elle a permis à l'homme de disposer pour la première fois d'énergie en quantité importante. On lui doit le développement considérable de l'industrie au cours du siècle suivant. La deuxième révolution industrielle fut liée à la généralisation de l'*électricité*, à la fin du XIXe siècle, qui permettait le transport de l'énergie, donc son utilisation par les industries et les particuliers.

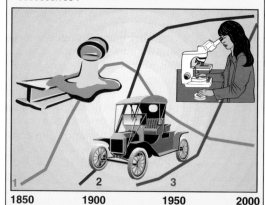

Les trois révolutions

Cycles de vie des trois révolutions industrielles successives :

| 1850 | 1900 | 1950 | 2000 |

1 Charbon, acier, textile
2 Mécanique, automobile, avion, pétrole, chimie, électricité
3 Electronique, télématique, robotique, biotechnologie, biomasse, atome

La troisième révolution industrielle est celle de l'*électronique*, qui a commencé à la fin de la Seconde Guerre mondiale. Elle a connu elle-même trois phases successives : le *transistor*, inventé en 1948, annonçait le véritable début des produits audiovisuels de masse (radio, télévision, électrophone...) et des calculateurs électroniques ; le *microprocesseur*, qui date des années 60, est à l'origine du développement de l'industrie électronique ; la *télématique*, qui marie aujourd'hui le microprocesseur et les télécommunications, a donné naissance au *multimédia* et à ses innombrables perspectives.

Technologie et emploi, un couple souvent conflictuel.
B2L

✦ *Les femmes représentent 60 % des employés des collectivités territoriales et 56 % de ceux des ministères civils, contre 41 % des salariés du secteur privé.*

L'innovation technologique crée et détruit des emplois.

Les mutations technologiques, celle de l'informatique en particulier, détruisent des emplois puisqu'elles permettent des gains de productivité. Mais elles sont aussi créatrices de nouveaux métiers : si le multimédia supprime par exemple des postes dans l'édition traditionnelle de livres, il est à l'origine de nouveaux emplois dans la conception et la vente des matériels, dans la production des cédéroms ou des services en ligne. Contrairement à une idée reçue, on constate que les 29 pays de l'OCDE créent en moyenne 4 millions d'emplois nouveaux par an. Depuis 1870, l'industrialisation n'a pas cessé de créer des nouveaux emplois dans les sept pays les plus riches.

Il existe cependant trois décalages entre les deux phénomènes. Le premier est *temporel*, car les nouveaux emplois ne sont pas créés en même temps que certains sont supprimés. Le deuxième est *spatial* ; les nouveaux emplois ne sont pas situés aux mêmes endroits que les anciens. Le troisième est *qualitatif* ; les emplois créés requièrent d'autres compétences que ceux qui disparaissent.

La montée du chômage en France semble indiquer que le solde est largement négatif, dans la mesure où la production globale n'a pas cessé d'augmenter pendant les années de crise. Il faudra donc diminuer la durée moyenne du travail disponible et mieux la répartir entre les actifs, comme on l'a fait depuis les débuts de l'ère industrielle.

La révolution technologique en cours a des incidences sur l'ensemble des emplois.

La révolution de la micro-électronique est encore plus lourde de conséquences sur la vie des Français que les deux précédentes. Car elle ne concerne plus seulement les processus industriels et la nature des produits accessibles au grand public. Son champ d'application est « transversal » et illimité. Il comprend le développement de la production et de la communication à tous les niveaux de l'entreprise : conception assistée des produits ; optimisation des méthodes de fabrication ; robotique ; télécopie ; téléconférence, etc. Il est aussi responsable de la rapide diffusion des produits qui ont changé les modes de vie des individus et des ménages : télévision couleur ; magnétoscope ; micro-ordinateur ; lecteur de disques compacts ; Minitel ; billetteries automatiques ; Internet, etc.

La transition entre cette révolution et l'évolution sociale a été douloureuse, car la société a dû faire face en même temps à la mutation technologique et à une crise économique et sociale.

Technologie et mentalités

Le progrès technique est d'autant plus facile à accepter qu'il n'implique pas une remise en cause des valeurs. Ce fut généralement le cas lors des deux premières phases de la révolution électronique, qui se sont déroulées sans grandes difficultés sociales. La troisième phase, celle de la télématique et de la convergence numérique, entraîne beaucoup plus de résistances.

Les structures, qu'elles soient industrielles, sociales ou surtout mentales, intègrent difficilement et en tout cas lentement les bouleversements, surtout lorsqu'ils se succèdent à un rythme élevé. Le résultat est le fossé croissant qui sépare ceux qui ont les moyens et la volonté de s'adapter et ceux qui se laissent emporter par le courant.

Les plus âgés sont souvent les moins malléables à la nouveauté, qui dérange leurs habitudes de travail ; ils sont aussi moins disposés à se remettre en question et à se former à l'utilisation des nouvelles technologies. On a donc assisté, au cours des dernières années, à une augmentation du nombre des exclus du modernisme, qui en subissent les effets sans pouvoir en tirer de réel avantage. La technologie apparaît donc à la fois comme un facteur de progrès et d'inégalité.

La plupart des professions seront concernées par l'évolution technologique...

Les travailleurs les moins qualifiés (ouvriers ou employés), qui effectuaient des tâches répétitives, ont été directement touchés par l'arrivée de machines électroniques. Mais ceux qui occupent des emplois de responsabilité sont également concernés par cette évolution. L'ordinateur est pour eux un instrument de travail permanent dont ils peuvent tirer un grand profit.

Même les métiers de création, jusqu'ici les plus épargnés par le progrès technologique, se remettent aujourd'hui en question. Les graphistes, illustrateurs, stylistes, concepteurs et même artisans peuvent utiliser les outils informatiques et télématiques. Ils seront sans doute touchés par les prochaines générations de systèmes experts, qui seront capables d'apprendre certains modes de fonction-

nement du cerveau humain, d'intégrer l'expérience des individus les plus qualifiés et d'appliquer ces acquis à des situations nouvelles.

... mais tous les métiers, notamment de service, ne nécessiteront pas une compétence technique.

La place croissante de la technologie n'implique pas une multiplication des postes requérant une grande qualification ou une spécialisation fine. Si certains métiers sont liés à la maîtrise de la technologie (conception, maintenance...), beaucoup d'autres ne seront transformés que dans les applications des techniques nouvelles à des activités traditionnelles. C'est le cas par exemple des téléservices, qui devraient se développer au cours des prochaines années : téléachat, téléenseignement, consultation médicale à distance... Dans certains métiers à fort potentiel, la technologie sera sans doute peu présente. C'est le cas notamment des services aux particuliers : aide aux personnes âgées, garde des enfants, livraisons à domicile, conseil conjugal...

Les métiers liés à l'environnement devraient connaître un fort développement.

L'innovation technologique a engendré des nuisances importantes, parfois de véritables menaces, dont les citoyens sont de plus en plus conscients. Les préoccupations écologiques vont donc imposer de nouvelles contraintes aux entreprises, qui devront « produire propre » sous peine de sanctions légales et d'une détérioration de leur image. Les métiers et emplois liés à la protection de l'environnement devraient donc croître au cours des années à venir, à la fois à l'intérieur et à l'extérieur des entreprises. Autant qu'une spécialité à part entière (ingénieurs ou techniciens de l'environnement), la dimension écologique devra être intégrée aux métiers existants et concernera tous les secteurs de l'industrie.

Des disciplines comme la chimie, la biologie, l'agronomie, la géologie, l'hydrologie, mais aussi le

✦ Si l'Etat s'engageait à augmenter de façon significative les salaires des fonctionnaires, 56 % des Français seraient favorables à ce que soit remis en cause le principe de sécurité de l'emploi dans la fonction publique (38 % non).

droit ou l'informatique seront particulièrement touchées par la contrainte écologique. Les problèmes de traitement des eaux et des déchets, de rejet de matières toxiques dans l'air devront être progressivement résolus avant que les techniques de fabrication non polluantes ne se généralisent.

L'environnement, une préoccupation croissante.
Euro RSCG BETC

La notion d'activité devrait se transformer au cours des années à venir.

Le concept d'emploi au sens classique a été remis en cause par les contraintes liées à la crise et à la mondialisation de l'économie. Le statut traditionnel de salarié à plein temps et à durée indéterminée est déjà de plus en plus rare. Environ 4 millions d'actifs ont aujourd'hui un emploi précaire (contrat à durée déterminée, intérim, stages...) ou travaillent à temps partiel. Certains salariés ont été « externalisés » par leur entreprise dans une structure indépendante. D'autres partagent un même emploi dans une entreprise. Au total, ce sont environ 20 % des actifs qui sont concernés par ces situations hors normes.

Les frontières entre l'emploi et le chômage, entre la période d'activité et la retraite, entre le statut de salarié et celui d'indépendant vont devenir de plus en plus floues et changeantes. Les horaires et les lieux de travail seront diversifiés. L'appartenance à des réseaux de travailleurs va prendre de l'importance, ainsi que le télétravail, les délocalisations ou le travail en mission. Plutôt que de chercher des emplois, les actifs devront chercher demain des clients à qui ils vendront leurs compétences, leur expérience, leur temps.

La pluriactivité est l'une des réponses à l'évolution économique et à celle des mentalités.

L'une des directions probables des changements en cours concerne la possibilité pour un actif de travailler pour plusieurs entreprises, soit de façon indépendante, soit en étant salarié à temps partiel de chacun de ses employeurs. Ce nouveau statut présente l'avantage de la souplesse, à la fois pour les entreprises qui ne peuvent pas toujours embaucher des salariés à plein temps ou qui cherchent à réduire leurs frais fixes. Il permet aussi aux travailleurs concernés d'être plus indépendants et d'enrichir leur vie professionnelle.

La pluriactivité apparaît donc comme l'une des réponses possibles à la précarité, aux emplois à temps partiel ou à l'intérim. Elle permet de remplacer des activités souvent subies en activités choisies et donc mieux vécues. Elle autorise une plus grande motivation, donc des gains de productivité et de satisfaction au travail. Elle est favorisée par le développement technologique.

Certains actifs concernés se mettent déjà à leur compte en choisissant le statut de profession libérale, de commerçant ou de gérant de société. Mais une nouvelle législation du travail est nécessaire afin d'éviter les problèmes de couverture sociale, de retraite et de cotisations multiples qui se posent aujourd'hui.

Demain, le télétravail

Les développements de la télématique permettent de « délocaliser » un certain nombre de tâches. Ils devraient favoriser le télétravail, qui commence à se développer dans certains secteurs (informatique, assurances, banque...) ou fonctions (gestion, vente, traduction, dactylographie...). Il est expérimenté en France par des entreprises comme France Télécom, Axa, IBM, Hewlett-Packard, Bull, Intel, etc.

S'il n'est pratiqué en 1997 que par 30 000 salariés environ, le télétravail devrait concerner environ 500 000 personnes à l'horizon 2005. Il devrait se répandre en priorité parmi les travailleurs indépendants.

D'une manière générale, la frontière entre travail et temps libre devrait s'estomper. La possibilité de travailler au moins partiellement chez soi est en phase avec la volonté de beaucoup de citadins d'habiter à la campagne et de se rapprocher de la nature.

La technologie au secours de l'environnement.
15ᵉ Avenue

La formation restera la principale clé pour obtenir un emploi.

En 1997, le taux de chômage des diplômés de l'enseignement supérieur âgés de 15 à 24 ans était de 15 %, contre 39 % pour ceux qui avaient au plus le certificat d'études. L'écart s'est accru en vingt ans et il devrait se confirmer au cours des prochaines années.

De même, le niveau de salaire obtenu est étroitement lié à celui de la formation. En 1996, cinq ans après la fin de leur formation initiale, les salariés diplômés de l'enseignement supérieur long (deuxième ou troisième cycle) gagnaient le double (102 % de plus) des non diplômés, les diplômés de l'enseignement supérieur court (premier cycle) gagnaient 56 % de plus, les bacheliers 21 %, les titulaires d'un CAP ou d'un BEP 11 %. La France est l'un des pays où les écarts sont les plus élevés en début de carrière. La situation est comparable à celle des autres pays au bout de quelques années.

Des efforts restent à accomplir en matière de formation et d'adaptation. Plus d'un salarié sur cinq estime aujourd'hui que sa formation n'est pas adaptée à son emploi (INSEE, 1997). 8 % considèrent qu'elle est insuffisante, 4 % qu'ils ont été formés dans un autre domaine que celui dans lequel ils exercent. Mais 6 % trouvent qu'ils sont surqualifiés par rapport

✦ *Chaque fois que la population d'âge actif a augmenté de 100 personnes, la France a détruit 18 emplois dans le secteur privé, créé 27 emplois dans le secteur public, 45 chômeurs et 46 inactifs.*

à leur emploi. Les décalages sont plus fréquents en début de carrière.

La culture générale représentera un atout important.

Les entreprises auront de plus en plus besoin de salariés capables de comprendre ce qui se passe autour d'eux, non seulement dans leur domaine d'activité et dans leur pays, mais dans la société et dans le monde. Ceci implique un niveau élevé de culture générale. Elle seule peut en effet fournir des points de référence par rapport au passé et permettre la mise en perspective de mouvements et de tendances apparemment aléatoires ou contradictoires.

Dans cette optique, les lettres pourraient prendre leur revanche sur les mathématiques. La sociologie, la géopolitique, la philosophie, l'art, l'histoire des civilisations ou des religions sont des outils qui seront de plus en plus nécessaires aux cadres et aux dirigeants dont le métier est d'intégrer le présent afin de préparer l'avenir. Quant à l'informatique, elle n'est d'ores et déjà plus seulement un métier mais un outil de base.

L'avenir est aux professionnels

L'avenir des différentes activités professionnelles pourrait être marqué par une revalorisation de la notion même de métier, qui implique un apprentissage, des réflexes de professionnalisme et une maîtrise d'un domaine permettant ultérieurement d'en investir d'autres.

Les connaissances resteront sans aucun doute importantes, mais peut-être moins que la capacité à les relier entre elles, à en faire une synthèse, à chercher les informations, à les actualiser et à les appliquer dans un contexte particulier.

Le travail en réseau devrait aussi se généraliser, sur un principe qui n'est plus celui de la division du travail mais de l'addition des compétences et de la synergie entre les personnes. Ceci implique des qualités d'ouverture, une bonne capacité relationnelle et de l'humilité.

Les innovations technologiques ne concerneront pas seulement les activités de pointe comme l'informatique ; elles seront utilisables dans tous les domaines, de façon transversale. Enfin, la frontière traditionnelle entre services et industrie devrait disparaître avec le développement de services dans l'industrie (conseil, entretien...) et d'activités industrielles dans les services.

Certaines qualités personnelles seront de plus en plus recherchées.

La formation scolaire et les diplômes qu'elle permet d'obtenir ne seront pas toujours suffisants pour répondre aux besoins futurs de l'économie et des entreprises, pas plus que la maîtrise des outils technologiques. Certaines qualités personnelles constitueront des atouts importants. C'est le cas notamment des capacités liées au travail avec les autres : communication, animation, ouverture d'esprit, dynamisme. La créativité devrait aussi jouer un rôle croissant dans un monde où les entreprises devront se différencier en innovant.

Ces qualités seront d'autant plus importantes que l'on se situera près du sommet de la hiérarchie. Une enquête réalisée auprès des dirigeants des grands groupes mondiaux montre que l'aptitude à la communication est considérée comme la compétence la plus importante des futurs dirigeants d'entreprises, devant la capacité à prendre des décisions et l'art de construire des relations professionnelles.

✦ *La réforme des retraites engagée en 1993 devrait conduire un tiers des salariés nés en 1960 à repousser d'un an et demi en moyenne l'âge de leur retraite.*

✦ *800 000 cadres de 55 à 69 ans ont ainsi été mis en préretraite entre 1980 et 1992, dont 190 000 en 1983. En 1996, on a recensé 42 000 offres d'emploi de cadres, pour 110 000 nouveaux diplômés et 140 000 cadres au chômage.*

LA VIE PROFESSIONNELLE

Entreprises

Le nombre des créations d'entreprises continue de diminuer...

Après la croissance des années 1983 à 1989, le nombre des créations pures d'entreprises (hors reprises et réactivations) a diminué régulièrement depuis 1990. La baisse a été de 2,4 % en 1997, avec 168 000 créations contre 194 000 en 1990. Elles ont diminué en particulier dans les industries agroalimentaires ; elles ont été en revanche plus nombreuses dans le secteur des transports et les services.

La conjoncture économique, les coûts élevés des emprunts et la réticence des banques à prêter de l'argent sont les causes principales de cette baisse. Le climat de morosité et la peur de l'avenir ont eu aussi pour effet de réduire les vocations d'entrepreneur. Les actifs qui disposent d'un emploi ne veulent pas prendre le risque de l'abandonner. Les jeunes sont moins nombreux à vouloir créer une entreprise, compte tenu des sacrifices personnels

Les entrepreneurs, une espèce trop rare.
YSA

que cela implique et de la difficulté de se développer dans un environnement très concurrentiel.

25 % des entreprises créées le sont en Ile-de-France. Paris est le département le plus concerné. 70 % des créateurs optent pour le statut d'entrepreneur individuel. 53 % n'investissent pas plus de 50 000 F.

... comme celui des reprises.

Le nombre des reprises d'entreprises existantes a lui aussi diminué au cours des dernières années, atteignant 46 540 en 1995, le plus bas niveau jamais observé. On constate également une baisse du nombre des réactivations. En 1997, le nombre d'entreprises nouvelles (créations pures, reprises, réactivations) s'est élevé à 271 316.

Chaque année, environ 50 000 entreprises font l'objet d'une reprise. La moitié sont liées au départ en retraite du dirigeant. Deux fois sur trois, il s'agit d'un fonds de commerce de très petite taille. Seules 4 % concernent des PME (10 à 499 salariés), mais celles-ci représentent la moitié des emplois repris. Un repreneur sur trois reprend l'entreprise dans laquelle il travaillait. Entre 1986 et 1995, environ 400 000 entreprises ont changé au moins une fois de propriétaire.

La reprise d'une entreprise requiert une plus grande préparation que la création. La mise de fonds est en général plus importante. Mais les reprises résistent mieux que les créations : 79 % après trois ans. Celles qui concernent l'industrie ont le meilleur taux de survie (85 %), celles de l'hôtellerie le plus faible (73 %).

52 265 entreprises ont disparu en 1997.

Après avoir fortement augmenté entre 1980 et 1993 (notamment après la loi de 1985 relative au redressement et à la liquidation judiciaires) le nombre des défaillances d'entreprises avait diminué en 1994 et 1995. Il a augmenté en 1996, et s'est stabilisé en 1997. La baisse des défaillances a été surtout sensible dans l'industrie (notamment dans les biens intermédiaires et les biens d'équipement) et le bâtiment. Elle

Vie et mort des entreprises

Evolution du nombre d'entreprises créées, des reprises et des faillites :

	1985	1990	1995	1997
• Créations nouvelles	192 200	216 620	179 049	167 452
• Reprises	52 320	56 800	46 540	46 318
• Réactivations			59 390	57 546
Total	**244 520**	**273 420**	**284 979**	**271 316**
• Faillites	26 425	46 170	52 595	52 265
Solde : créations moins faillites	**+ 165 775**	**+ 170 450**	**+ 126 454**	**+ 115 187**

est moins nette dans le commerce de détail et les services aux particuliers. On a enregistré au contraire une progression dans l'immobilier et les cafés-hôtels-restaurants.

Le taux de défaillance (nombre de dépôts de bilan de l'année divisé par le nombre d'entreprises existantes en début d'année) est un peu inférieur à 3 %. On constate qu'une proportion croissante des dépôts de bilan (88 %) aboutit à une liquidation.

Les entreprises les plus touchées ont entre deux et cinq ans d'existence ; les plus anciennes sont les moins affectées. Le taux est maximum pour les entreprises de 10 à 20 salariés. Les artisans et commerçants sont beaucoup moins touchés, de même que les entreprises employant plus de 50 personnes.

Le solde entre créations et disparitions d'entreprises donne une idée erronée de la situation de l'emploi. Les entreprises qui naissent ont une taille moyenne très inférieure à celle des entreprises qui disparaissent.

L'image de l'entreprise s'est dégradée depuis plusieurs années.

Après s'être améliorée de façon spectaculaire au cours des années 80, l'image de l'entreprise a évolué défavorablement dans l'opinion au cours des dernières années. Le poids des licenciements dans la montée du chômage a été d'autant plus mal perçu que beaucoup d'entreprises ont reconstitué leurs marges et affichent aujourd'hui des profits en forte croissance. La montée insolente de la Bourse

lors de plans sociaux douloureux apparaît aussi comme une provocation à tous ceux qui ne connaissent pas les mécanismes en jeu. Beaucoup regrettent que les actionnaires soient l'objet de plus d'égards que les salariés. Enfin, les « affaires » concernant des chefs d'entreprises corrompus et la publication des revenus de certains patrons ont contribué à dévaluer leur image.

L'éloignement des Français par rapport aux institutions et aux élites concerne donc aujourd'hui également les entreprises. La relation que les salariés ont avec elles a changé de nature ; elle est devenue plus contractuelle qu'affective. Les risques de tension se sont accrus en même temps que le stress engendré par la vie professionnelle (voir ci-après).

Cette attitude se vérifie dans la plupart des autres pays européens, où près de trois salariés sur quatre estiment qu'il y a divergence entre les intérêts des entreprises et ceux de la population (*L'Usine*

Une entreprise sur deux meurt avant cinq ans

Environ 300 000 entreprises sont créées ou reprises chaque année, sur un nombre total de 2,3 millions, ce qui signifie que plus d'une sur dix a moins d'un an d'existence. Les trois quarts n'ont pas de salarié à la création, mais leur taux de mortalité est beaucoup plus élevé. Seule une entreprise sur deux atteint son cinquième anniversaire. La survie est particulièrement faible dans le secteur de l'industrie de l'habillement et du commerce de détail. Les sociétés résistent mieux que les entreprises individuelles.

Le profil des créateurs est un facteur déterminant pour la réussite. Les chances de succès augmentent avec l'âge. Les cadres et les indépendants sont ceux qui réussissent le mieux, avec un taux de survie à trois ans de 74 % contre 61 % pour les employés, les ouvriers ou les chômeurs. Le taux de succès des hommes est supérieur à celui des femmes : 67 % contre 60 %. L'existence de relations avec d'autres entreprises et la possibilité de recevoir des conseils limitent le risque d'échec dans les premières années.

INSEE

Nouvelle/Sofres, février 1998). Mais seuls 36 % des Français font aujourd'hui confiance à leur entreprise, contre 56 % en moyenne dans les pays de l'Union européenne ; 66 % estiment même que l'entreprise n'attache aucune importance à leur devenir.

Dessine - moi une entreprise

« Pour faire face aux difficultés économiques, pensez-vous qu'il faut faire confiance aux entreprises et leur donner plus de liberté ou qu'il faut au contraire que l'Etat les contrôle et les réglemente plus étroitement ? » (en %)

Liberté des entreprises

65
58   55   63
49   45   47
46
44   44
38
33
31   35
26   26
Contrôle de l'Etat

| 1978 | 1980 | 1982 | 1986 | 1987 | 1990 | 1994 | 1997 |

Sofres

Les entreprises tendent à réduire le nombre des niveaux hiérarchiques.

Conscientes de l'importance du dialogue entre le sommet et la base de la pyramide hiérarchique, des entreprises ont entrepris de limiter le nombre des échelons. Pour ce faire, certaines ont supprimé le niveau de la maîtrise ; d'autres ont réduit le nombre des cadres supérieurs.

Cette pratique, née aux Etats-Unis dans les années 70, traduit la volonté de rendre plus rapide et plus efficace la prise de décision en limitant les échelons intermédiaires et donc les risques de parasitage. Elle a aussi pour but d'accroître la motivation et la créativité des salariés, qui se sentent ainsi plus autonomes. La contrepartie est une surcharge de travail, une réduction des possibilités d'évolution de carrière des cadres ou des agents de maîtrise et surtout un accroissement du stress, car le nombre de

personnes en concurrence à un niveau donné s'accroît.

L'union fait la force

Entre fin 1980 et fin 1995, le nombre de groupes d'entreprises est passé de 1 300 à 6 700. Cette forte augmentation est due aux micro-groupes de moins de 500 salariés, dont le nombre a été multiplié par huit. Les grands groupes, de plus de 10 000 salariés, ont accru le nombre de leurs filiales : 10 300 contre 3 000. Au total, le nombre d'entreprises françaises contrôlées a presque quintuplé en quinze ans, atteignant 45 000 fin 1995, contre 9 200 en 1980.

Le stress s'est développé chez les cadres et l'ensemble des salariés.

Certaines entreprises se sont rendu compte que le stress pouvait avoir des effets positifs sur les individus dans leur vie professionnelle : accroissement de l'énergie, esprit de conquête, volonté de dépassement. Elles l'utilisent donc comme une véritable méthode de management.

Mais cette « culture du stress » développe aussi chez ceux qui la subissent un sentiment d'angoisse, une tension permanente et une peur de l'échec qui finissent par les user intérieurement. Si l'insatisfaction et la frustration peuvent être les moteurs de la réussite, elles sont aussi la cause de problèmes personnels, comme en témoigne la consommation de tranquillisants et de somnifères.

Certaines pratiques menacent la liberté individuelle...

Les Français avaient connu plusieurs décennies de progrès en matière de liberté au travail : horaires variables ou « à la carte » ; enrichissement des tâches ; encouragement des initiatives... Depuis quelques années, certaines tendances vont dans le sens contraire. Ainsi, la notion de « culture d'entreprise » (ensemble d'objectifs, d'attitudes et de comportements propres à une entreprise) est parfois présentée comme un modèle auquel chacun doit adhérer et se conformer, au risque de perdre une partie de son identité et de sa créativité.

D'autres pratiques peuvent être considérées comme des atteintes à la liberté individuelle : écoutes téléphoniques des salariés ; contrôle de la pro-

Le nouveau taylorisme

Dans *l'Entreprise efficace* (Syros), Guillaume Duval montre que les méthodes mises au point par Taylor pour améliorer la productivité des employés n'ont pas disparu des entreprises. Si elles sont moins présentes sur les chaînes de fabrication, elles se sont développées dans le secteur des services, tant pour les tâches administratives que commerciales, sous l'impulsion du mouvement vers la « qualité totale ». Le néotaylorisme touche aujourd'hui les « cols blancs », sous la forme de procédures définies et imposées par l'entreprise ; il conduit à une surqualification générale des cadres et employés.
Ce retour du fractionnement des tâches a permis aux entreprises d'accroître leur productivité sans investir dans des machines, ce qui laisse penser que le chômage n'est pas la conséquence de la mécanisation. Contrairement à ce qui est souvent affirmé, l'auteur estime qu'il ne servirait à rien de baisser le coût du travail non qualifié, car cela encouragerait le travail répétitif et disqualifié. La démarche inverse permettrait d'inciter les entreprises à investir dans l'automatisation et stimulerait l'offre d'emplois qualifiés, limitant ainsi le chômage des personnes peu qualifiées.

... mais certaines entreprises font des efforts pour faciliter la vie de leurs employés et se montrer « citoyennes ».

Des services de garde d'enfants (notamment lorsqu'ils sont malades), de lavage du linge, de repassage ou de couture sont parfois proposés aux salariés au sein des établissements, souvent à l'initiative des comités d'entreprise. Ces services s'inscrivent dans une tendance générale à la disparition de la frontière entre vie professionnelle et vie personnelle. Ils sont aussi un moyen d'améliorer le

ductivité par caméras ; obligation de porter des badges électroniques indiquant les déplacements et interdisant l'accès à certains services ; surveillance du travail effectué sur les ordinateurs...

Les pratiques de recrutement sont aussi parfois discutables. Outre les curriculum vitae, entretiens d'embauche, analyses graphologiques et tests d'aptitude ou de personnalité, certaines entreprises ont recours à la numérologie ou à l'astrologie pour mieux cerner la personnalité des candidats. Certains employeurs rencontrent les épouses des cadres postulants afin d'estimer si elles peuvent représenter une entrave à la disponibilité de leurs maris.

Enfin, la vie professionnelle tend parfois à être codifiée, qu'il s'agisse de la tenue vestimentaire (parfois même de l'apparence corporelle) ou des comportements vis-à-vis des supérieurs ou des clients.

✦ En 1990, plus de 550 000 chefs d'entreprises avaient plus de cinquante ans et allaient être confrontés à des problèmes de succession dans les années à venir.

✦ 70 % des jeunes de 20 à 30 ans préparant un diplôme de niveau au moins égal à Bac + 2 estiment que le climat en France n'est pas favorable à la création d'entreprise, 29 % sont de l'avis opposé. 55 % pensent que pour faire une carrière intéressante en entreprise, aller travailler à l'étranger est indispensable.

France Télécom.
L'an 2000,
c'est vous, c'est nous.

Devenez actionnaire.

France Telecom

Les entreprises nationales se rapprochent de leurs clients.

climat de travail, de réduire l'absentéisme et d'accroître la productivité.

Les entreprises, qui sont par nature à l'écoute des consommateurs, ont constaté par ailleurs leur besoin croissant de morale et de vertu. Elles ont d'abord tenté, parfois maladroitement, d'y répondre par des discours éthiques. Elles s'efforcent aujourd'hui de se montrer « citoyennes » en se préoccupant davantage de leur environnement social, culturel, écologique.

Modes de gestion

Les entreprises sont friandes de méthodes qui leur permettent de s'adapter au changement et de se rapprocher de l'« excellence ». Après l'engouement pour les méthodes japonaises (cercles de qualité, zéro-défaut, juste-à-temps, Kaisen...), la plupart des techniques viennent aujourd'hui des Etats-Unis : *benchmarking* (comparaison des entreprises) ; *teambuilding* (pour améliorer le travail en équipe) ; *empowerment* (autonomie des salariés) ; *reengineering* (reconfiguration) ; *oursourcing* (externalisation)...
Le succès de ces méthodes et des « gourous » qui les défendent tient davantage à leur formulation qu'à leur nouveauté. Ils servent à la fois d'aide à la réflexion aux chefs d'entreprise et d'alibi pour mettre en place des changements. On peut seulement déplorer que les entreprises françaises se contentent pour la plupart de mettre en place des concepts développés aux Etats-Unis plutôt que chercher à en inventer d'autres, plus compatibles avec la culture nationale et donc plus facilement applicables.

Les entreprises devront demain faire autant d'efforts à l'égard de leurs salariés que vis-à-vis de leurs clients.

Pour réduire les tensions et motiver leurs employés tout en améliorant la productivité, les entreprises devront mettre en oeuvre de nouvelles méthodes de gestion des ressources humaines. Cela implique de définir des valeurs et une éthique, de veiller à l'ambiance de travail, d'informer les employés, de favoriser la liberté d'expression et de proposition, de reconnaître les efforts accomplis et les résultats obtenus, de considérer chaque salarié et de lui permettre de progresser. Cela ne passe pas pour autant par l'élaboration d'un plan de carrière. Le carriérisme semble en effet s'essouffler depuis quelques années, avec la complexité croissante de l'activité économique et la montée de préoccupations plus qualitatives que quantitatives.

De plus en plus, les entreprises devront se substituer aux institutions défaillantes pour résoudre les problèmes du pays, faire avancer la recherche et lutter contre les inégalités, innover en matière sociale. Demain, elles ne devront plus fournir à la société seulement du travail, des revenus, des produits, des services ou financer certaines activités (actions humanitaires, mécénat culturel...) ; elles devront aussi générer des idées pour résoudre les problèmes du moment et proposer de véritables projetscollectifs.

Syndicalisme

La France est le pays d'Europe le moins syndiqué.

Le taux de syndicalisation mesuré par le CREDOC était de 7 % de la population active en 1997, contre 10 % en 1980 et 22 % en 1970. La proportion est plus élevée dans le secteur public, où elle avoisine 20 %, contre environ 6 % dans le privé. Les estimations les plus fiables sont inférieures à 2 millions de syndiqués, un chiffre très en deçà des effectifs déclarés par les centrales. On constate aussi un vieillissement : sept adhérents sur dix ont au moins 40 ans.

Le taux de syndicalisation français est le plus faible de tous les pays de l'Union européenne et même de l'ensemble des pays occidentaux. Il se compare à des taux supérieurs à 50 % dans les pays de l'Europe du Nord. Les centrales syndicales sont donc en France peu représentatives du monde du travail, ce qui n'est pas sans poser un problème dans la vie collective.

◆ *Parmi six pays d'Europe, celui où les Français préféreraient travailler (en dehors de la France) est la Suisse (30 %), devant l'Allemagne (22 %), la Suède (11 %), l'Italie ou l'Espagne (9 %), l'Angleterre (8 %).*

◆ *Entre 1984 et 1993, la part des salariés concernés par le travail du samedi ou du dimanche a augmenté d'environ 40 %.*

L'exception syndicale française

Taux de syndicalisation dans les principaux pays développés (1990, en % du nombre de salariés) :

Suède	82,5
Finlande	72,0
Danemark	71,4
Norvège	56,0
Belgique	51,2
Autriche	46,2
Grande-Bretagne	39,1
Italie	38,8
Allemagne	32,9
Portugal	31,8
Suisse	26,6
Pays-Bas	25,5
Japon	25,4
Etats-Unis	15,6
Espagne	11,0
FRANCE	9,8

Le syndicalisme a subi un déclin spectaculaire à partir de la fin des années 70.

Les syndicats ont vu leur fonds de commerce s'évanouir avec la disparition de la classe ouvrière. La conception traditionnelle de la lutte des classes, censée opposer les patrons exploiteurs aux salariés exploités, a volé en éclats avec le développement des classes moyennes. La chute qui s'est produite dans la seconde moitié des années 70 a concerné toutes les catégories professionnelles et tous les âges ; elle était indépendante de l'appartenance politique.

S'ils sont restés attachés au principe de la représentation des salariés, les Français sont devenus plus réservés à l'égard de l'action syndicale. Beaucoup ont ainsi eu le sentiment que les syndicats obéissaient davantage à des motivations d'ordre politique qu'au souci de défendre les intérêts des salariés.

Les conflits du travail ont connu une forte baisse.

Après avoir atteint en 1996 son niveau le plus bas (303 000 journées individuelles non travaillées à la suite de conflits localisés), le nombre des journées de grève a atteint 352 840 en 1997. Si l'on fait abstraction de 1995, marquée par les manifestations du

mois de décembre contre le plan Juppé (784 000 journées perdues), les conflits du travail ne cessent de diminuer depuis les années 70, après le record de 1968 (150 millions de journées de grève). La moyenne annuelle était de 684 000 entre 1990 et 1997, contre 1 338 000 entre 1980 et 1989 et 3 556 000 entre 1970 et 1979.

On constate que les conflits ont lieu plus souvent dans des petites et moyennes entreprises. Les revendications concernent davantage l'emploi et les conditions de travail que les salaires. La durée moyenne est en baisse.

La baisse tendancielle du nombre des journées de grève depuis une vingtaine d'années est une illustration du déclin syndical. Elle s'explique aussi par la montée du chômage et la crainte des salariés de perdre leur emploi.

Les revendications des travailleurs ont pris de nouvelles formes.

Depuis 1986, beaucoup de conflits du travail se sont déroulés en dehors du cadre syndical ; les infirmières, les chefs de clinique, les cheminots, les étudiants, les routiers ou les salariés de la fonction publique en grève se sont regroupés en coordinations nationales indépendants. De nouveaux syndicats sont apparus. Ainsi, le SUD (Solidaires unitaires démocratiques), créé en 1989, représente aujourd'hui près d'un quart du personnel de France Télécom et plus de 10 % de celui de La Poste.

De leur côté, les entreprises tendent à consulter directement les salariés lors de la mise en place de plans sociaux, comme ce fut le cas à Air France. Le référendum remplace alors la négociation avec les organisations syndicales ; il lui succède lorsque celle-ci conduit à une impasse.

L'éclipse syndicale est peut-être en train de s'achever.

Les syndicats traditionnels ont réussi à reprendre l'offensive depuis 1994, à l'occasion de la remise en cause de la loi Falloux puis du contrat d'insertion professionnelle destiné aux jeunes. En décembre 1995, les grévistes de la fonction publique paralysaient la France pendant plusieurs semaines tout en bénéficiant d'une relative compréhension de la part de la population prise en otage.

Même si elle reste très partagée, l'image des syndicats tend à se redresser dans l'opinion. La confiance est encore très limitée, mais elle est en pro-

Les conflits en veilleuse

Evolution du nombre de journées de travail perdues à la suite de conflits (en milliers) :

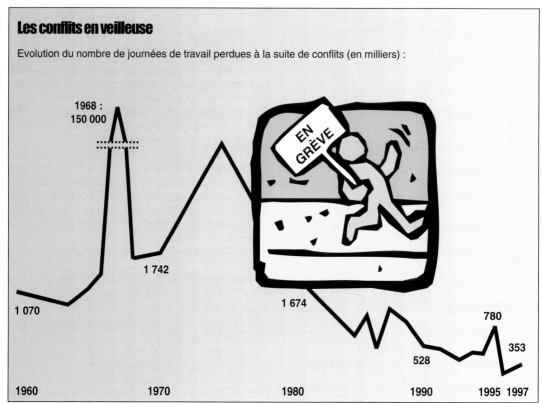

1968 :
150 000

1 742

1 070

1 674

780

353

528

1960   1970   1980   1990   1995 1997

Ministère du Travail

gression régulière depuis 1990. En janvier 1997, 47 % des Français se déclaraient confiants dans les syndicats, 46 % méfiants (Sofres). 51 % considéraient que les syndicats traduisaient bien les revendications des travailleurs (contre 44 %). 34 % estimaient même qu'ils exerçaient une influence insuffisante (32 % satisfaisante, 27 % trop importante).

L'acuité des problèmes sociaux, la volonté de réalisme et de dialogue plus apparente ou les enjeux des 35 heures ont favorisé un certain retour en grâce de l'action syndicale. Ce début de réhabilitation est peut-être aussi lié à la reprise économique, qui devrait permettre l'expression de revendications mises entre parenthèses pendant la crise. Elle s'explique aussi par le regain de méfiance des salariés à l'égard de l'entreprise.

✦ *64 % des Français estiment que l'idée d'abaisser l'âge de la retraite à 55 ans pour tous les Français n'est pas réaliste, contre 33 %.*

La CFDT a renouvelé son image et accru son audience, au détriment de la CGT.

L'érosion de la CGT a été particulièrement spectaculaire. Elle ne représente plus que 2,5 % des salariés aujourd'hui, contre 50 % en 1946. Elle occupait encore la première place en 1980 avec 36 % des suffrages, devant la CFDT (21 %). Elle a perdu en quinze ans à peu près les trois quarts de ses adhérents ; environ 500 000, contre 2 millions en 1977. Force ouvrière a connu aussi une érosion au cours des dernières années. La CFTC et la CGC ont enregistré une stabilité à un plus faible niveau.

Le retour d'affection récent à l'égard des syndicats profite surtout à la CFDT, qui a réussi à se maintenir à la première place, avec un score d'environ 20 %. Entre novembre 1995 et janvier 1997, la cote de sympathie de Nicole Notat est passée de 14 % à 32 % (Journaux de province/Sofres) alors que celle de Louis Viannet passait de 9 à 13 % et celle de Marc Blondel stagnait à 24 %. Lors des élections prud'homales de 1997, la CFDT a fortement accru son audience auprès des cadres avec une progression de 40 % par rapport aux élections précédentes. Elle représente aujourd'hui près du tiers des votes cadres (32 %) et devance largement la CGC (22 %) et la CGT (16 %).

L'adhésion reste cependant fragile.

La tendance générale au repli sur soi rend plus difficile la mobilisation des travailleurs pour des causes collectives. La forte dilution du sentiment d'appartenance à une classe sociale est une autre cause de la moindre agressivité des employés à l'égard des patrons.

Aux élections des comités d'entreprises, les grandes centrales ont connu une érosion régulière au profit des non-syndiqués ; ceux-ci représentent un tiers des votants, soit le double de celle constatée il y a vingt-cinq ans.

Le taux d'abstention aux élections prud'homales s'est également accru de façon spectaculaire au cours des dernières années ; en 1997, il a atteint 66 % des inscrits (collège salariés) contre 60 % en 1992, 54 % en 1987, 41 % en 1982 et 37 % en 1979.

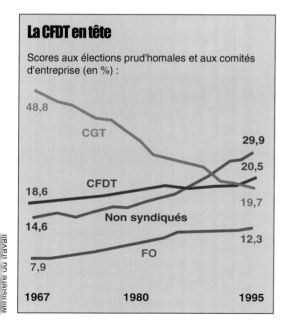

La CFDT en tête

Scores aux élections prud'homales et aux comités d'entreprise (en %) :

48,8
CGT
29,9
20,5
CFDT
18,6
19,7
Non syndiqués
14,6
12,3
FO
7,9

1967   1980   1995

✦ *Les reprises d'entreprises préservent en moyenne 3 emplois, dont 1,7 salarié.*

Ministère du travail

L'avenir des syndicats dépendra de leur capacité à accepter ou favoriser les adaptations nécessaires.

Pris de court par la crise, bousculés par les mutations économiques et sociales, gênés par la montée de l'individualisme et des nouveaux modes de vie, les syndicats n'ont pas su assez tôt se remettre en cause et répondre aux inquiétudes des travailleurs. Beaucoup de Français se sont rendu compte qu'en se focalisant sur la lutte pour le pouvoir d'achat, les grandes centrales avaient sans doute favorisé la montée du chômage. Ils ont été choqués aussi par les arrière-pensées politiques et les actions qui ont abouti à mettre des entreprises ou des secteurs économiques en difficulté (les chantiers navals, la presse, les transports...).

La poursuite de la construction européenne, le libéralisme dominant dans les échanges économiques, les contraintes liées à la globalisation constituent une toile de fond incontournable. Les syndicats devront faire preuve de réalisme s'ils veulent aider la France à s'adapter à ce monde, plutôt que de s'arc-bouter sur des acquis et des principes. Comme des entreprises, les Français attendent des syndicats qu'ils deviennent citoyens.

Conditions de travail

DURÉE DU TRAVAIL. *La durée hebdomadaire légale du travail a diminué de 6 heures entre 1968 et 1982.*

La loi instituant la semaine de 40 heures date de 1936. Mais les multiples dérogations sectorielles et le recours systématique aux heures supplémentaires avaient empêché son application. De sorte que la durée de la semaine de travail est restée pratiquement inchangée, autour de 45 heures jusqu'en mai 1968. Le protocole des accords de Grenelle prévoyait la mise en place de mesures conventionnelles de réduction de la durée du travail. Entre 1969 et 1980, celle-ci est passée de 45,2 heures à 40,8. L'arrivée au pouvoir de la gauche en 1981 a donné un nouveau coup de pouce, réduisant la durée légale à 39 heures en 1982.

La baisse de la durée du travail est un phénomène historique presque continu depuis un siècle et demi. Il est encore plus spectaculaire si l'on examine le temps consacré au travail à l'échelle d'une vie (voir *Le temps*). On s'aperçoit alors que celui-ci ne représente plus que 8 années pleines sur une durée de vie moyenne de 74 ans pour un homme, contre 12 années sur 46 ans en 1900. Par rapport au temps de vie éveillé (en enlevant le temps de sommeil) le travail ne représente plus que 12 %, contre 42 % en 1900. Aujourd'hui, 34 % des Français estiment que les Français travaillent encore trop, mais 30 % pas assez et 27 % suffisamment (BFM-Paris Match/BVA, mai 1998).

merce. La réduction des horaires a surtout concerné ceux qui étaient le plus longs (ils atteignaient près de 50 heures en 1968 dans le bâtiment et 46 heures dans le secteur agroalimentaire). L'écart entre les professions s'est également réduit. Celui qui séparait les ouvriers des employés était de 2 heures en 1974 ; il est pratiquement inexistant aujourd'hui.

L'écart s'est enfin réduit entre les pays. Après avoir longtemps pratiqué les durées hebdomadaires les plus longues de l'Union européenne, la France se situe aujourd'hui dans la moyenne.

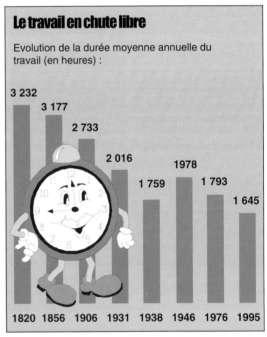

Moins de travail, mais plus d'efficacité et de service.

La durée hebdomadaire effective moyenne est de 41 heures.

La durée de travail habituelle des salariés à temps complet était de 41,2 heures par semaine en 1997, soit 2,2 heures de plus que la durée légale, mais un peu plus d'une heure de moins qu'en 1982. Depuis cette date, la durée de travail déclarée a continué de diminuer, mais de façon moins forte et régulière ; la poursuite de la baisse est surtout sensible depuis 1994.

Les hommes travaillent en moyenne près de deux heures de plus que les femmes, du fait notamment de la part importante du temps partiel pour ces dernières. 40 % des salariés déclarent travailler plus que les 39 heures légales (46 % dans le secteur privé, 73 % chez les cadres). Dans 75 % des cas, les heures supplémentaires ne sont pas payées.

La durée moyenne de travail varie selon les secteurs d'activité. Elle est plus longue dans le bâtiment, les transports, les activités artisanales et le com-

Le travail en chute libre

Evolution de la durée moyenne annuelle du travail (en heures) :

3 232
3 177
2 733
2 016
1 978
1 759
1 793
1 645

1820 1856 1906 1931 1938 1946 1976 1995

INSEE

Les non-salariés travaillent davantage que les salariés.

La journée de travail des non-salariés est plus longue que celle des salariés : près de 9 heures contre 7 heures 30. De même, près des deux tiers des non-salariés travaillent 6 ou 7 jours par semaine, alors que ce n'est le cas que de un salarié sur dix.

On trouve à une extrémité de l'échelle du temps de travail les instituteurs (environ 30 heures par semaine) et à l'autre les agriculteurs (jusqu'à 62 heures pour les gros exploitants). Les artisans, commerçants et chefs d'entreprise dépassent les 50 heures, les professions libérales travaillent environ 50 heures.

Dans la pratique, la diminution de la durée de travail des salariés s'est traduite surtout par un resserrement des journées, qui commencent plus tard et finissent plus tôt. L'interruption pour le repas de midi est plus courte.

Durée du travail : théorie et pratique

Durée hebdomadaire de travail légal et effective dans les principaux pays européens (en heures) :

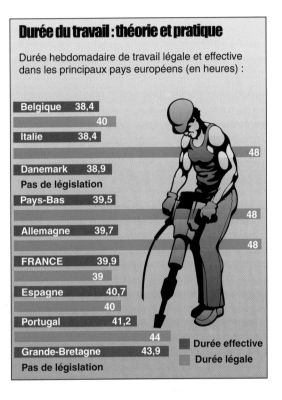

Belgique 38,4
40
Italie 38,4
48
Danemark 38,9
Pas de législation
Pays-Bas 39,5
48
Allemagne 39,7
48
FRANCE 39,9
39
Espagne 40,7
40
Portugal 41,2
44
Grande-Bretagne 43,9
Pas de législation

■ **Durée effective**
■ **Durée légale**

Les cadres effectuent en moyenne quatre heures de plus que les non-cadres.

Les cadres travaillent en moyenne 45 heures, soit quatre heures de plus que les autres salariés. La moitié travaillent plus de 46 heures par semaine, un quart entre 51 et 60 heures. Parmi les cinq principaux pays de l'Union européenne, la France est celui où les cadres dirigeants (secteurs privé et public) travaillent le plus, devant le Royaume-Uni (45 heures), l'Allemagne (43 heures), l'Espagne (42 heures) et l'Italie (40 heures).

Les rapports de l'inspection du travail montrent que la plupart des cadres effectuent plus d'heures que la durée légale (beaucoup emportent parfois du travail à domicile) et ne perçoivent pas d'heures supplémentaires. Selon un accord tacite avec l'en-treprise, ils ne sont en effet pas rémunérés pour un nombre d'heures mais pour un résultat.

La mise en place de la semaine de 35 heures paraît donc difficile pour ce qui les concerne, car elle risque de creuser davantage les écarts avec les autres salariés. D'autant que la réduction générale de la durée du travail dans les entreprises pourrait se traduire par un surcroît d'activité pour le personnel d'encadrement.

Les grandes dates

- **1814**. Chômage des dimanches et des jours de fêtes catholiques.
- **1841**. Travail des enfants de moins de 12 ans limité à 8 heures par jour.
- **1848**. Durée journalière maximale de 10 heures (mars), puis de 12 heures (septembre).
- **1851**. Autorisation de certaines industries à dépasser les 12 heures hebdomadaires.
- **1900**. Passage progressif en quatre ans à la journée de 10 heures.
- **1906**. Semaine de 60 heures avec repos dominical obligatoire.
- **1919**. Durée journalière maximale de 8 heures, durée hebdomadaire maximale de 48 heures.
- **1936**. Instauration des congés payés (deux semaines). Semaine de 40 heures.
- **1938**. Assouplissement des 40 heures, avec possibilité de recourir aux heures supplémentaires.
- **1950**. Création du SMIG.
- **1952**. Echelle mobile des salaires.
- **1956**. Troisième semaine de congés payés.
- **1963**. Quatrième semaine de congés payés.
- **1967**. Ordonnance sur la participation.
- **1968**. Accords de Grenelle. Hausse du SMIC de 35 %.
- **1971**. Loi sur la formation.
- **1974**. Autorisation administrative de licenciement.
- **1982**. Semaine de 39 heures. Cinquième semaine de congés payés. Lois Auroux sur la représentation des salariés dans l'entreprise.
- **1986**. Suppression de l'autorisation administrative de licenciement. Loi Séguin permettant aux entreprises de négocier la modulation de la durée du travail.
- **1993**. Loi quinquennale sur l'emploi, le travail et la formation professionnelle.
- **1996**. Loi Robien accordant une baisse de charges aux entreprises qui réduisent le temps de travail pour créer ou sauvegarder des emplois.
- **1998**. Loi sur les 35 heures.

✦ *La taille moyenne des entreprises françaises est de 6 salariés. Une sur deux n'en emploie aucun.*

Les ouvriers commencent tôt et les cadres finissent tard.

Pour 43 % des salariés, la journée de travail commence dans la tranche 7 h 30-8 h 30. Mais 31 % commencent leur travail avant 7 h 30. La fin de la journée est plus étalée selon les catégories de salariés : 33 % terminent avant 16 h 30, 31 % entre 16 h 30 et 18 h, 18 % entre 18 h et 19 h, 18 % après 19 h.

Les ouvriers, personnels de services et employés sont les plus matinaux. Les personnels de services et les ouvriers sont aussi ceux qui terminent le plus tard, mais ce ne sont pas les mêmes qui commencent tôt et finissent tard ; deux ouvriers sur trois terminent leur journée avant 17 h 30. Au contraire, les cadres et les membres des professions intellectuelles supérieures travaillent souvent tard : 15 % d'entre eux quittent leur bureau après 20 h 30. C'est le cas aussi de 25 % des non-salariés.

Les lève-tôt et les couche-tard

Horaires de début et de fin d'activité selon la catégorie socioprofessionnelle (1995, en %) :

	Début d'activité		Fin d'activité	
	Avant 7 h 30	Après 8 h 30	Avant 16 h 30	Après 19 h
• Cadres et professions intellectuelles supérieures	13,7	39,1	14,4	37,6
• Professions intermédiaires	25,8	29,7	28,8	18,3
• Employés	25,2	29,9	35,2	17,4
• Ouvriers	47,1	15,5	42,0	10,9

INSEE

Le temps de travail réel annuel est très inférieur au temps théorique.

La durée réelle du travail des salariés prend en compte les congés, l'absentéisme, les grèves et le travail à temps partiel. Ce dernier élément est responsable à lui seul d'une réduction d'une heure de la durée moyenne effective en dix ans ; 17 % des salariés travaillent aujourd'hui à temps partiel (31 % des femmes et 5 % des hommes), soit deux fois plus qu'en 1982 (8,5 %) et près de trois fois plus qu'en 1973

(6 %). Deux autres évolutions vont dans le même sens : le moindre recours aux heures supplémentaires et le chômage partiel pratiqué dans certaines entreprises.

A l'horaire annuel théorique (47 semaines de 39 heures sur 5 jours) il convient d'abord de retrancher environ 10 jours fériés légaux (en semaine), auxquels s'ajoutent parfois des « ponts » qui permettent de les prolonger. Les jours de congé supplémentaires (ancienneté, congés supplémentaires de branche, congés de fractionnement, repos compensateurs...) atteignent fréquemment une semaine par an, de sorte que la durée moyenne des congés payés est proche de six semaines annuelles.

La durée des pauses est très variable selon les branches et les entreprises. Dans l'industrie, le personnel travaillant en équipe a droit en général à une demi-heure par jour, soit 15 jours par an, mais les pauses peuvent atteindre plusieurs heures par jour dans certaines entreprises...

L'absentéisme représente environ 10 % du temps de travail.

L'incidence des absences pour maladie, maternité, accidents du travail ou événements familiaux, qu'elles soient autorisées ou non, payées ou non, est estimée à 10 % du temps de travail théorique. Les grèves ont également un effet sur la durée de travail réelle : 352 000 journées ont été perdues en 1997. Les heures de formation viennent enfin en déduction des heures de travail effectif.

Au total, la durée annuelle de travail effectif serait de l'ordre de 1 300 heures en France, contre 1 650 heures théoriques (industrie, hors jours fériés...), soit l'équivalent d'un jour de travail par semaine en moins. Le même calcul appliqué au Japon indique une durée réelle de 1 800 heures, contre 1 900 heures théoriques. Le temps de travail effectif des Japonais serait donc supérieur d'environ 40 % à celui des Français, malgré une baisse assez sensible au cours des dernières années.

La mise en place de la semaine de 35 heures représente des enjeux considérables.

La semaine de 35 heures est d'abord un défi social, car sa vocation est de permettre à moyen terme des créations d'emplois massives (entre un et plusieurs millions selon les estimations les plus optimistes) et de résorber en grande partie le chômage. Elle l'est également par son ambition de jeter les bases d'un autre type de société, et même de civilisation, qui fera une place prépondérante à la vie personnelle et familiale. Les Français se montrent plutôt confiants dans ces domaines (voir *Image du travail*).

Le défi est également économique. A un moment où certains pays tendent plutôt à accroître la durée du travail, la France prend la direction inverse. Mais elle n'est pas isolée : l'Allemagne, l'Italie ou le Danemark semblent vouloir aussi s'engager dans cette voie.

Une question essentielle est évidemment de savoir dans quelles conditions financières se fera cette réduction de la durée, au terme des négociations qui auront lieu dans les différentes branches. Un maintien des salaires serait sans doute une charge supplémentaire pour les entreprises qui entraînerait une moindre compétitivité, donc une baisse de l'activité et de l'emploi. Mais une baisse des revenus disponibles des ménages freinerait leur consommation et donc l'activité des entreprises. L'enquête du Cetelem de décembre 1997 indique que 75 % des salariés trouveraient acceptable (mais 47 % dans certaines conditions) de réduire leur temps de travail de 10 % (une demi-journée par semaine) et leur salaire de 5 % (24 % y seraient opposés).

Le troisième défi est politique. La réussite de cette loi placerait la gauche dans une situation très favorable pour l'avenir et la France pourrait devenir un modèle. Mais son échec aurait des conséquences internes et externes considérables.

CONTRAINTES. *L'obligation d'efficacité a transformé la vie professionnelle.*

Les Français ont eu quelque difficulté à accepter que leur rémunération et leur situation professionnelle dépendent de leur ardeur au travail et de leurs résultats. Le poids de la fonction publique, avec son système d'avancement à l'ancienneté, l'habitude des « plans de carrière », le goût du confort et l'absence de moyens de contrôle de l'efficacité personnelle expliquent cette situation assez particulière à la France.

La crise économique et l'internationalisation de la compétition ont entraîné une transformation brutale des habitudes. Les notions de « salaire au mérite », de « rémunération dynamique » et les « évaluations de performance » se sont généralisées dans les entreprises en même temps que se produisaient des transformations profondes dans la gestion des ressources humaines.

Dans un monde où la compétition est partout et les certitudes nulle part, le culte de la performance est devenu un mode de vie dans l'entreprise.

Les salariés ont le sentiment que leurs conditions de travail se sont détériorées.

Dans la foulée de Mai 68, des préoccupations qualitatives étaient apparues en matière de conditions de travail. Elles avaient donné naissance en 1973 à l'Agence nationale pour l'amélioration des conditions de travail (ANACT) et permis des progrès notables jusqu'au milieu des années 80. L'enquête sur les conditions de travail réalisée en 1991 par le ministère du Travail avait cependant fait apparaître une inversion de tendance ; les salariés avaient le sentiment de subir plus fréquemment des contraintes qu'en 1984, date de la précédente enquête. Cette évolution a été confirmée par l'enquête de 1993.

La recherche par les entreprises d'une meilleure efficacité et d'une plus grande flexibilité les a amenées à revoir les conditions de travail de leurs employés. La pres-

Les Français partagés

66 % des Français estiment que la réduction du temps de travail à 35 heures va leur permettre d'améliorer leur qualité de vie (74 % des 18-24 ans, 75 % des employés, ouvriers et chômeurs). Mais 68 % craignent aussi des conséquences négatives sur le fonctionnement des entreprises (86 % des artisans-commerçants et des chefs d'entreprise).

En tout état de cause, le scepticisme domine en ce qui concerne les effets sur le chômage : seuls 13 % des Français pensent que cette mesure va certainement créer des emplois, 30 % probablement, 52 % n'y croient pas du tout.

Dans le cadre de cette réduction, 38 % des Français préféreraient ponctuellement une journée libre supplémentaire dans la semaine, 29 % un allongement du temps de week-end, 17 % un peu plus de temps libre chaque jour, 13 % un allongement de la durée des vacances.

On constate enfin un doute quant à la possibilité d'utiliser ce temps libre, même à pouvoir d'achat identique, car les loisirs coûtent cher. Ainsi, 57 % des Français estiment ne pas avoir les moyens financiers suffisants pour faire ce qu'ils souhaiteraient de leur temps libre ; c'est le cas de 77 % des chômeurs, 72 % des ouvriers, 70 % des employés, 64 % des moins de 35 ans.

sion de la clientèle s'est fait en particulier davantage ressentir. Elle a eu des répercussions sur le travail d'un salarié sur deux, de deux employés ou cadres sur trois. Le travail dans le secteur industriel s'est accompagné de nombreuses contraintes : un ouvrier sur deux est soumis à des cadences de travail imposées ; quatre sur dix ressentent l'influence des contraintes commerciales sur leur rythme de travail.

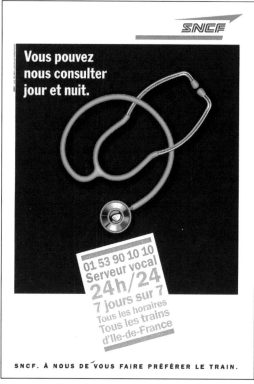

La disponibilité, condition de la réussite.
BDDP

Plus d'un actif sur deux se plaint du stress.

D'après l'enquête Eurotechnopolis/IFOP de février 1998, 57 % des salariés déclarent travailler dans des conditions stressantes. La proportion est semblable dans le secteur public et dans le privé. Les plus âgés se sentent davantage exposés que les plus jeunes. L'encadrement est plus sensible que les personnels d'exécution. 69 % des cadres supérieurs et membres des professions libérales se disent concernés, 66 % des professions intermédiaires, 52 % des employés, 47 % des ouvriers.

La course contre le temps (31 %) arrive loin devant la peur de perdre son emploi (10 %). 14 % des actifs déclarent avoir demandé un arrêt de travail parce qu'ils étaient fatigués nerveusement. 54 % estiment que leur travail est fragmenté. 48 % ne peuvent pas maîtriser leur planning. On estime que les cadres sont dérangés en moyenne toutes les 8 minutes. Pour 63 % des actifs, le stress est lié à l'émergence des nouvelles technologies, qui tendent à supprimer les frontières entre temps privé et temps professionnel. 81 % sont convaincus qu'à l'avenir, leurs enfants travailleront dans des conditions encore plus stressantes qu'eux.

L'éloignement du lieu de travail est une autre cause de stress. La proportion d'actifs occupés travaillant hors de leur commune de résidence est passée de 49,7 % en 1982 à 55,4 % en 1990. Cela implique des déplacements entre le domicile et le lieu de travail plus longs, plus fatigants, mais aussi plus coûteux. Le téléphone mobile et l'ordinateur portable sont d'autres facteurs qui prolongent le stress jusque dans la vie privée.

Les maux du travail

En % des réponses positives :	Ensemble	Salariés du privé	Salariés du public
• Les nouvelles technologies de l'information et de la communication obligent à aller plus vite et augmentent le stress	63	64	60
• Vous travaillez toujours dans l'urgence	59	64	55
• Votre travail est fragmenté, vous passez sans cesse d'une activité à une autre	54	52	53
• Vous avez l'impression de ne plus être maître de votre temps	48	48	46
• Vous avez le sentiment d'être obligé de passer plus de temps au téléphone qu'à faire avancer votre travail	21	22	20
• Il vous est arrivé de demander un arrêt de travail ou de vous mettre en congé parce que vous étiez épuisé nerveusement	14	13	15

Les drogués du travail

Les psychologues et psychiatres reçoivent de plus en plus de salariés qui craignent de ne pas être à la hauteur dans leur vie professionnelle et qui développent des phobies sociales : peur du contact avec les autres ; peur de défendre ses droits ; sentiment de culpabilité ; complexe d'infériorité ; régression infantile... Les collègues et les supérieurs hiérarchiques leur apparaissent comme des menaces. La peur de ne pas être apprécié, promu ou, pire, de perdre son emploi est évidemment à l'origine de ces pathologies. Elle est renforcée par la demande croissante d'efficacité et de productivité de la part des employeurs.

Le sentiment de contraintes plus nombreuses...

75 % des salariés déclaraient faire des efforts physiques dans leur travail lors de la dernière enquête de l'INSEE en 1991, contre 68 % en 1984. La position debout, l'exposition aux poussières, le port de charges lourdes et le bruit sont les contraintes le plus fréquemment ressenties par les salariés. Les préoccupations concernant les problèmes d'hygiène sont également plus nombreuses qu'en 1984. Cet accroissement du sentiment de pénibilité est plus fort dans les petites entreprises, le secteur public et les activités de services (en particulier la santé). Le BTP est le secteur où les conditions de travail sont les plus rudes : quatre salariés sur dix déclaraient travailler dans de mauvaises conditions d'hygiène (un sur deux dans l'industrie).

... s'explique surtout par des causes subjectives.

Ce sentiment d'une pénibilité croissante du travail ne peut guère s'expliquer par des raisons objectives, compte tenu des efforts accomplis depuis des années par les entreprises (notamment les grandes). L'explication tient probablement à l'accroissement des pressions internes sur la productivité du travail et à la répercussion des contraintes externes (concurrence accrue, pression de la clientèle). Elle est aussi due à une plus grande sensibilité des travailleurs aux nuisances, conséquence d'une meilleure information sur les dangers encourus et leurs conséquences sur la santé.

Enfin, le climat d'inquiétude générale et le « moral » de la population jouent sans doute un rôle dans ce domaine. On observe ainsi depuis quelques années un accroissement de la proportion de Français déclarant avoir mal au dos ou souffrir de mal de tête ou de nervosité, sans que cela puisse s'expliquer par une dégradation objective des conditions de vie (voir *Santé*).

✦ *69 % des Français estiment que si l'on réduit le temps de travail dans le service où ils travaillent, cela n'aura pas de conséquence sur l'emploi, car on leur demandera d'en faire plus en moins de temps. 28 % pensent que cela entraînera une augmentation des embauches car il faudra plus de monde pour faire le même travail.*

✦ *Les nouvelles entreprises créées sont dirigées en moyenne par 1,3 personne (une sur cinq a deux dirigeants ou plus) et emploient 0,8 salarié.*

ARGENT

L'ARGENT DES FRANÇAIS

La structure des chapitres consacrés à l'argent correspond au schéma ci-dessous (numéros de pages entre parenthèses) :

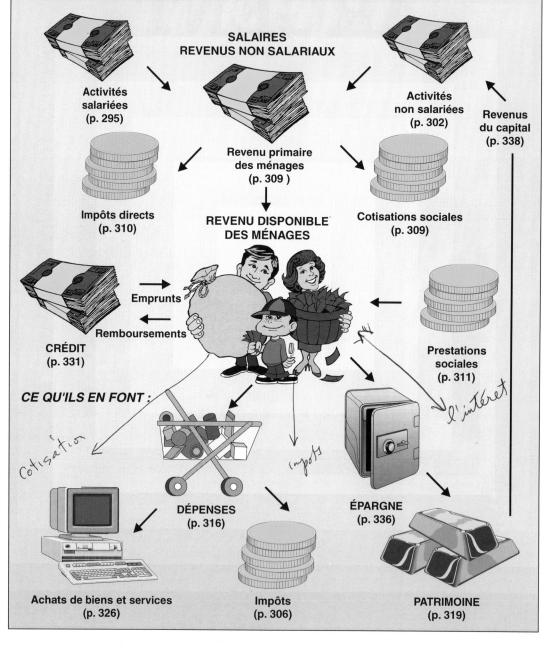

CE DONT ILS DISPOSENT :

SALAIRES
REVENUS NON SALARIAUX

Activités salariées (p. 295)

Activités non salariées (p. 302)

Revenus du capital (p. 338)

Revenu primaire des ménages (p. 309)

Impôts directs (p. 310)

REVENU DISPONIBLE DES MÉNAGES

Cotisations sociales (p. 309)

Emprunts

Remboursements

CRÉDIT (p. 331)

Prestations sociales (p. 311)

CE QU'ILS EN FONT :

Cotisation

l'intérêt

impôts

DÉPENSES (p. 316)

ÉPARGNE (p. 336)

Achats de biens et services (p. 326)

Impôts (p. 306)

PATRIMOINE (p. 319)

LES REVENUS

Image de l'argent

La tradition judéo-chrétienne est plutôt hostile à l'argent.

Les proverbes, qui sont souvent l'expression de la culture populaire, traduisent un certain mépris à l'égard de l'argent : « l'argent ne fait pas le bonheur » ; « peine d'argent n'est pas mortelle » ; « l'argent est bon serviteur et mauvais maître »... La tradition littéraire et intellectuelle n'est guère plus favorable, des auteurs anciens à Péguy, en passant par La Bruyère, Balzac ou Zola.

Pourtant, si l'argent fut longtemps absent des conversations des Français, il ne l'a jamais été de leurs préoccupations. L'émergence progressive d'une société matérialiste et individualiste depuis le début des années 50 a modifié les règles du jeu social et donné à l'argent une place centrale. Gagner de l'argent est devenu peu à peu une ambition commune et légitime.

Une certaine réhabilitation s'est produite au cours des années 80...

En rendant l'argent plus rare, la crise économique l'a aussi rendu plus « cher », c'est-à-dire plus désirable par tous ceux qui ont vu (ou cru) leur pouvoir d'achat réduit ou menacé. D'autant que la consommation, les loisirs et le plaisir sont devenus des valeurs essentielles. La gauche, idéologiquement hostile au « mur de l'argent », reconnaissait en 1982 la notion de profit.

Cette évolution coïncidait avec l'affaiblissement des points de repère moraux et la médiatisation croissante de l'argent ; les salaires des uns et la fortune des autres faisaient la une des magazines et les beaux soirs de la télévision. Les sondages montraient une acceptation croissante du principe de l'enrichissement personnel, qu'il provienne des salaires, des gains au jeu ou des plus-values en Bourse. On a pu croire que les Français étaient enfin réconciliés avec l'argent.

Du solide au gaz

L'argent a d'abord été *solide*. Avec les espèces « sonnantes et trébuchantes », il existait une relation quasi directe entre le poids des pièces et la somme qu'elles représentaient, c'est-à-dire leur « pouvoir » d'achat ; Balzac évoquait ainsi la « toute-puissante pièce de cent sous ».

Puis l'argent est devenu *liquide*, par le biais des chèques, bancaires ou postaux. Il « coulait » alors facilement entre les doigts ; la relation au poids était imparfaitement remplacée par une relation au volume. Aujourd'hui, l'argent est devenu une sorte de *gaz*. Il a perdu sa matérialité, puisqu'il n'existe le plus souvent que sous forme virtuelle (opérations électroniques). Comme le gaz, il peut se répandre partout, s'échappant facilement du récipient qui le contient (carte de crédit).

Cette plus grande facilité à dépenser explique en partie la diminution de l'épargne dans les années 80. Car si l'argent est un gaz, celui-ci est comme le dit le proverbe inodore. Il est aussi incolore, du fait de sa dématérialisation. Mais, contrairement à beaucoup de gaz, il n'est pas sans saveur ! Il a, pour ceux qui en disposent, le goût plaisant de la réussite et du pouvoir. Pour ceux qui en sont démunis, il a le goût amer de la frustration.

... mais la transparence entraîne le voyeurisme...

On aurait tort de voir dans ce changement d'attitude la disparition totale et définitive du tabou. La décontraction affichée à l'égard de l'argent est en effet superficielle et les traditions culturelles et religieuses continuent de peser lourdement sur son image.

Il reste ainsi bien difficile en France d'interroger un citoyen sur ses revenus, plus sans doute que sur sa vie amoureuse. Les réponses sont encore plus évasives lorsqu'il s'agit d'un personnage public. Ceux qui se prêtent au jeu comprennent d'ailleurs rapidement que ce n'est pas leur intérêt. Si l'on veut attirer la sympathie, mieux vaut avoir l'air pauvre et malade que riche et bien portant...

Les chiffres qui parviennent aux Français sur l'argent des autres sont donc rarement de véritables informations. Ils sont souvent « volés », repris et colportés sous forme de rumeurs invérifiables. Ils ne peuvent être authentifiés ni démentis par les personnes concernées, qui préfèrent adopter dans ce domaine un « profil bas ».

En révélant les revenus de leurs concitoyens, les médias répondent à des interrogations légitimes des citoyens. Mais ils favorisent un voyeurisme qui entretient un climat social délétère. Le règne de l'argent fou est aussi celui de l'argent flou.

Consommer, c'est exister.
Conquest

certaines disciplines des sommes considérables (40 millions de francs par an pour Jean Alési, pilote de formule 1) alors que d'autres, pourtant méritants, ne parviennent pas à joindre les deux bouts.

Ils se demandent s'il est normal que des patrons de grandes entreprises gagnent l'équivalent de 200 salariés au SMIC, dans une société où plus de cinq millions de personnes sont à la recherche d'un emploi. Ils ne comprennent pas que les grandes fortunes puissent se compter en milliards de francs (plus de 40 pour Liliane Bettancourt, actionnaire de L'Oréal, ou Gérard Mulliez, fondateur d'Auchan). S'il n'est plus honteux de gagner de l'argent, il est suspect d'en gagner trop, trop vite.

Ce sentiment d'inégalité et d'injustice crée une frustration croissante chez tous ceux qui ne peuvent espérer s'enrichir qu'en gagnant au Loto. Elle explique que les valeurs matérialistes soient aujourd'hui contestées, que certains citoyens prônent un « retour à la morale » et que d'autres prennent au contraire des libertés avec elle.

Les « hommes d'affaires »

La corruption, abondamment révélée par les médias, a donné aux citoyens l'impression d'un recul important de la démocratie et de la morale. Les multiples affaires politico-économiques de ces dix dernières années ont durablement entaché l'image des hommes politiques, des chefs d'entreprise et d'autres personnages qui ont profité de leur pouvoir pour s'enrichir.

Le gaspillage de l'argent public choque aussi de plus en plus les Français (voir *Institutions*). Le scandale du Crédit Lyonnais, dont on dit aux contribuables qu'il pourrait leur coûter 200 milliards de francs, dépasse leur entendement. Situé au confluent de l'affairisme d'État, de l'incompétence institutionnelle et de l'irresponsabilité individuelle, il pèse lourd sur l'image qu'ils ont aujourd'hui des responsables économiques et politiques. Ils en retirent l'impression désagréable que certains vivent dans un autre monde, où la morale, le sens de la mesure et celui de l'intérêt général n'ont pas cours.

... et l'étalage des inégalités est source de frustration.

Beaucoup de Français se disent choqués que des animateurs de télévision puissent gagner plus d'un million de francs par mois, parfois bien davantage en étant les producteurs de leurs émissions. Ils s'étonnent que certains acteurs perçoivent 10 millions de francs pour un film ou que des sportifs gagnent dans

Les Français attendent aujourd'hui une réconciliation de l'argent et de la morale.

Le retournement de l'opinion à l'égard de l'argent est sensible depuis la seconde moitié des années 80. Beaucoup se sont rendu compte que le règne de « l'argent facile » engendre de nombreuses injustices. La montée de la corruption, le rôle croissant de l'argent dans le sport, dans l'art ou dans certaines professions publiques montrent que l'argent joue un rôle essentiel dans la société et qu'il n'est pas toujours « propre ». Le besoin de morale est donc de plus en plus fort à l'égard des acteurs de la vie publique.

En même temps, l'individualisation des modes de vie et la nécessité pour chacun de maîtriser son propre destin rendent l'argent plus légitime et les écarts de revenus plus acceptables. Ceux qui font des efforts pour gagner de l'argent tendent à trouver anormal que d'autres bénéficient d'un système de protection sociale avantageux, qui peut parfois les inciter à ne pas travailler. La France laborieuse et ambitieuse se dresse contre une autre France qu'elle juge paresseuse et profiteuse.

Le débat entre le temps et l'argent est au centre des préoccupations individuelles.

Les Français affichent depuis longtemps une préférence pour l'accroissement de leur pouvoir d'achat plutôt que de leur temps libre. On observe cependant depuis quelques années une évolution des attentes en faveur du temps libre : s'ils avaient le choix, 58 % préféreraient aujourd'hui une augmentation de salaire à une réduction du temps de tra-

vail, mais 39 % choisiraient l'auti
Monde/Ipsos, juin 1997). La préfé
temps est évidemment d'autant plu   que les
revenus dont on dispose sont élevés.

Les deux notions ne doivent cependant pas être opposées. Le temps libre s'est accru dans des proportions considérables, pour représenter aujourd'hui le tiers d'une vie éveillée (voir Le temps). Ceci n'a pas empêché les Français d'accroître leurs revenus de façon spectaculaire (voir Revenus disponibles), même si cet accroissement n'a pas profité également à tous. De plus, la volonté de gagner plus d'argent est souvent une façon de chercher à avoir plus de temps (en achetant des produits et services qui en font gagner) ou de se procurer du « bon temps » (vacances, loisirs...). Le temps pourrait bien devenir le luxe du XXIe siècle. Mais il implique de disposer de suffisamment d'argent.

Salaires

SECTEUR PRIVÉ. *Les salariés à temps plein ont gagné en moyenne 128 220 F net en 1996.*

Le salaire moyen brut des salariés du secteur privé et des entreprises publiques s'est élevé à 13 550 F par mois en 1996, soit 10 685 F nets de prélèvements à la source. Le salaire net avait dépassé pour la première fois 10 000 F en 1993.

Ce chiffre concerne l'ensemble des salariés à temps complet (au total 12 millions d'actifs), hors agents de l'Etat, des collectivités territoriales, de la Poste et de France Télécom, salariés agricoles, gens de maison et apprentis. Il comprend les primes et indemnités et s'entend après déduction des diverses cotisations sociales à la charge des salariés : Sécurité sociale, chômage, retraite ; CSG (Contribution sociale généralisée) ; RDS (Remboursement de la dette sociale). C'est celui qui apparaît sur la feuille de déclaration d'impôt remplie en 1997, en tant que salaire net imposable, redressé des retenues éventuelles pour absence ou maladie, qui ne sont pas prises en compte. La part des primes (mensuelles et non mensuelles) représente 9 % de la rémunération.

◆ La moitié des salariés gagnent moins de 8 600 F net par mois.

Le temps et l'argent

Evolution de la préférence entre une augmentation du pouvoir d'achat et un accroissement du temps libre (en %) :

	Pouvoir d'achat	Temps libre
1998	61 %	39 %
1982	55 %	44 %

Combien gagnent les Français ?

Voir schéma explicatif en tête du chapitre.

Sous son apparente simplicité, la question cache une certaine complexité. D'abord, il faut savoir de quoi on parle. Plus que le montant brut de la feuille de paie des salariés ou la rémunération des non-salariés (agriculteurs, professions libérales, commerçants...), ce sont les revenus réellement disponibles de chacun qu'il est intéressant de connaître.

Il faut, pour les déterminer, ajouter aux revenus bruts du travail ceux du capital (placements), puis déduire les cotisations sociales (Sécurité sociale, chômage, vieillesse, etc.) et les impôts directs prélevés sur ces revenus (impôt sur le revenu, taxe d'habitation, taxe foncière, impôts sur les revenus des placements). Le résultat de ces opérations, effectuées pour les différents membres du ménage, constitue le revenu primaire du ménage.

La prise en compte des prestations sociales reçues par les différents membres des ménages (allocations familiales, remboursements de maladie, indemnités de chômage, pensions de retraite, etc.) permet ensuite de déterminer le revenu disponible du ménage.

Cette dernière notion est la plus significative. C'est en effet celle qui reflète le mieux la situation financière réelle des Français, car la consommation, l'épargne ou l'investissement sont généralement mesurés à l'échelle du ménage dans son ensemble plutôt qu'à celle des personnes qui le composent.

Ces différentes étapes illustrent la complexité des transferts sociaux et leur incidence considérable sur le pouvoir d'achat des Français. Il faut enfin préciser que les chiffres figurant dans ces chapitres correspondent à des moyennes. Par définition, chacune d'elles gomme les disparités existant entre les individus du groupe social qu'elle concerne. Mais cette simplification, nécessaire, présente aussi l'avantage de la clarté...

Le salaire varie très largement selon les caractéristiques individuelles.

Le principal facteur influant sur le niveau de salaire est la profession : les cadres gagnent en moyenne 2,6 fois plus que les ouvriers ou les employés et 1,8 fois plus que les professions intermédiaires (techniciens, agents de maîtrise...).

Le sexe joue aussi un rôle important, mais les écarts entre hommes et femmes (20 % au détriment de ces dernières) ne peuvent s'apprécier qu'à poste, responsabilité et ancienneté comparables (voir ci-après).

L'âge intervient de façon non linéaire dans le déroulement de la vie professionnelle. En début de carrière, un homme cadre gagne environ 45 % de plus qu'un employé ou un ouvrier. Les écarts s'accentuent par la suite, car la progression des salaires est moins importante pour les professions les moins qualifiées ; à 50 ans, le salaire d'un homme cadre est environ le double de celui d'un cadre débutant, alors que le ratio n'est que de 1,2 pour les ouvriers.

L'ancienneté dans l'entreprise apparaît comme un facteur plus important que l'âge pour les professions les moins qualifiées, qui en bénéficient davantage que les cadres ou les professions intermédiaires.

... et selon celles de l'entreprise.

Le secteur d'activité est un facteur prépondérant. Les salaires moyens varient du simple au double selon l'activité, avec un maximum dans le secteur pétrolier ou la chimie et un minimum dans l'habillement-cuir et le commerce. Mais les poids respectifs des catégories socioprofessionnelles y sont très différents. Les salaires moyens des ouvriers sont environ deux fois plus élevés dans l'aéronautique que dans l'habillement.

La taille de l'entreprise est un autre facteur déterminant. Les salariés des entreprises de 500 salariés et plus gagnent en moyenne 21 % de plus que ceux des petites entreprises de 10 à 49 employés. Dans un même secteur et à taille égale, on constate aussi que le dynamisme de l'entreprise joue un rôle croissant.

Les salaires varient aussi selon la région. En 1996, le salaire annuel net d'un Francilien dépassait de 40,5 % en moyenne celui d'un provincial : 163 000 F contre 116 000 F (secteur privé et semi-public, primes comprises).

Le pouvoir d'achat du salaire moyen net du secteur privé a diminué en 1996.

Le pouvoir d'achat du salaire brut moyen (après déduction de l'inflation) avait augmenté régulièrement depuis une vingtaine d'années, malgré la crise économique. Il est resté inchangé en 1996, du fait d'une diminution de la part des primes dans les salaires. Le pouvoir d'achat des revenus nets de cotisations sociales a, lui, diminué de 1,3 % du fait du relèvement des cotisations sociales.

Salaires privés

Evolution des salaires annuels nets moyens dans le secteur privé et semi-public[*] selon la catégorie socioprofessionnelle (en francs courants) :

	1988	1989	1990	1991	1992	1993	1994	1995	1996
• Chefs d'entreprise, cadres	223 700	230 700	232 000	242 900	248 900	251 900	248 600	251 970	249 160
• Techniciens, agents de maîtrise	118 200	122 000	124 900	130 100	133 500	135 000	134 720	136 870	138 410
• Autres professions intermédiaires	120 800	124 900	123 600	128 200	130 600	132 200	130 370	135 900	137 930
• Employés	77 800	80 200	82 400	85 800	87 900	89 400	88 820	93 330	94 080
• Ouvriers qualifiés	80 400	82 800	86 400	90 600	93 400	94 700	94 780	98 350	99 350
• Ouvriers non qualifiés	70 100	72 300	74 000	74 400	76 400	77 400	75 690	83 340	84 230
Ensemble	**101 000**	**104 700**	**109 100**	**114 400**	**118 400**	**121 300**	**122 160**	**127 300**	**128 220**

* Salariés à plein temps.

INSEE

L'évolution des revenus doit cependant être analysée en tenant compte de « l'effet de structure ». Ce ne sont pas en effet exactement les mêmes personnes qui travaillent au début et à la fin de la période considérée pour les comparaisons ; certaines sont parties en retraite (ou sont au chômage), d'autres ont changé d'emploi ou d'entreprise, d'autres enfin sont arrivées sur le marché du travail en cours de période. Si on élimine ces effets de structure pour mesurer l'évolution à qualification égale, on constate que le pouvoir d'achat a diminué de 0,3 % en 1996 pour les salaires bruts et de 1,6 % pour les salaires nets.

Mais, pour être représentative du pouvoir d'achat véritable des Français, l'analyse doit prendre en compte le revenu disponible au niveau des ménages, qui mesure l'ensemble de leurs ressources après déduction des impôts et intégration des prestations sociales (voir *Revenus disponibles*).

Les primes représentent 17 % du salaire.

Dans le secteur privé, huit salariés sur dix perçoivent des primes ou des compléments de salaire. Deux sur trois bénéficient de primes à périodicité fixe, comme le treizième mois, les primes de vacances ou de rentrée. Les primes d'ancienneté ou liées à la situation familiale concernent 40 % des salariés. Un sur quatre perçoit des primes de compensation pour des contraintes liées au poste de travail, près de quatre sur dix des primes de performance (individuelle, d'équipe, ou de l'entreprise). Les ouvriers et les professions intermédiaires sont plus concernés

Participation et intéressement

Un salarié du secteur privé sur quatre perçoit une prime au titre de la participation ou de l'intéressement. En 1996, 3 millions de salariés ont ainsi touché une prime de participation de 17,7 milliards de francs, soit 5 900 F par personne. 2,3 millions ont perçu une prime d'intéressement de 10,6 milliards de francs, soit 4 600 F par personne. Un million de salariés ont touché les deux primes.

Les primes sont en moyenne deux fois plus importantes pour les cadres que pour les ouvriers, trois fois plus dans les entreprises de moins de 10 salariés. Au total, les ouvriers ont perçu 3 960 F, les techniciens et agents de maîtrise 5 000 F, les cadres 9 850 F. Ces écarts ont tendance à se creuser au fil des années.

Plus d'un million de salariés épargnants ont déposé 10,5 milliards de francs sur un Plan d'épargne d'entreprise (PEE), soit 9 750 F par personne.

Salaires publics

Evolution des salaires annuels nets de prélèvements dans le secteur public[*] selon la catégorie socioprofessionnelle ou le statut (en francs courants) :

	1993	1994	1995	1996
Ensemble	**132 360**	**134 740**	**139 370**	**141 970**
• Cadres	**182 690**	**181 410**	**183 530**	**183 410**
dont :				
- Administratifs et techniques	206 220	210 410	220 410	225 400
- Enseignants	176 790	174 820	175 970	175 130
• Professions intermédiaires	**119 530**	**120 500**	**123 390**	**124 540**
dont :				
- Instituteurs et PEGC*	117 220	117 910	119 710	120 200
- Administration	125 690	127 390	132 210	136 480
- Police et prisons	156 410	155 840	166 620	161 270
• Employés et ouvriers	**98 490**	**100 370**	**103 800**	**105 330**
dont :				
- Employés administratifs	96 850	98 870	102 060	104 120
- Police et prisons	127 850	128 820	133 540	132 830
- Ouvriers, agents de service	82 730	84 810	87 180	87 930
• Titulaires	**138 290**	**140 560**	**145 220**	**147 550**
- Catégorie A	180 370	180 660	184 340	185 420
- Catégorie B	122 370	124 190	128 760	130 610
- Catégories C et D	101 070	102 930	106 250	107 390

[*] Salariés à temps plein.

INSEE

que les autres catégories et leurs primes comptent pour une part plus importante de leur rémunération.

Les augmentations individuelles jouent un rôle croissant (46 % en perçoivent), de sorte que les écarts tendent à s'accroître. Ainsi, 34 % des cadres ont subi une baisse de pouvoir d'achat en 1996, alors que le pouvoir d'achat moyen des cadres a augmenté de 2,5 %. Les augmentations collectives n'ont concerné que 52 % des cadres.

SECTEUR PUBLIC. *Le salaire net moyen des agents de l'Etat était de 141 970 F en 1996.*

Les agents (titulaires et non titulaires) des ministères civils de l'Etat, soit 1,8 million de personnes en métropole, ont perçu en 1996 un traitement indiciaire brut de base de 143 330 F. Il s'y ajoutait des indemnités de résidence, suppléments familiaux de traitement et autres primes et indemnités d'un montant moyen de 25 700 F, soit 18 % du traitement de base, avec des écarts considérables selon les catégories. Les

cotisations sociales et la CSG ont représenté respectivement 22 510 F et 4 550 F dans l'année.

Le salaire mensuel net de prélèvements s'est donc établi à 11 830 F, contre 10 685 F dans le privé, soit 11 % de plus. Mais la comparaison des moyennes est d'un intérêt discutable, car le secteur public comporte plus de cadres que le secteur privé.

Les 10 % les moins bien rémunérés ont gagné en moyenne 91 200 F (net), alors que les 10 % les mieux rémunérés ont gagné plus de 217 200 F, soit 2,4 fois plus. Un écart inférieur à celui observé dans le privé.

Le pouvoir d'achat des salaires nets des agents de l'Etat en place a augmenté de 1,2 % en 1996.

Le salaire moyen net de prélèvements (cotisations, CSG, CRDS) a baissé en francs constants de 0,1 % par rapport à 1995, du fait de l'accroissement de la part des cotisations sociales (le salaire brut a, lui, augmenté de 0,6 %). A corps, grade et échelon identiques (hors « effets de structure »), le salaire net a diminué de 0,3 %. Mais, pour l'ensemble des agents en activité au cours des deux années concernées, il faut tenir compte de l'« effet de carrière » (avancement et promotions), de sorte que le salaire net des seules personnes en place a augmenté de 1,2 % en francs constants.

Les évolutions les plus favorables ont été celles des cadres administratifs et techniques et des ouvriers et agents de service. Les enseignants ont aussi profité des mesures qui avaient été prises dans le cadre du plan Jospin de revalorisation.

Entre 1970 et 1985, le SMIC avait augmenté beaucoup plus vite que les autres salaires ; il avait été multiplié par 6 contre 3,8 pour le salaire horaire ouvrier. Son évolution a été ensuite moins favorable. En 1998, il se montait à 6 700 F brut par mois pour 39 heures, soit environ la moitié du salaire brut moyen. Le SMIC ne contribue plus aujourd'hui à l'accroissement des bas salaires. On note même depuis quelques années un léger élargissement de l'éventail des salaires ouvriers, lié à la difficulté de recrutement d'ouvriers qualifiés.

Avantages au secteur public

Depuis 1992, les agents du secteur public ont un pouvoir d'achat moyen supérieur à celui du secteur privé, du fait des revalorisations catégorielles. Le salaire minimum des fonctionnaires est également supérieur au SMIC. Les charges salariales des fonctionnaires sont inférieures d'un quart à celles des travailleurs du privé (16 % du salaire contre 21 %). La différence est due essentiellement aux cotisations de retraite et à celles de solidarité.

Par ailleurs, la retraite est beaucoup plus avantageuse dans le secteur public que dans le privé. D'autant que la réforme de 1993 n'a concerné que les travailleurs du privé. Ceux-ci devront cotiser 40 ans et leur pension sera calculée sur les 25 meilleures années, tandis que les fonctionnaires pourront se contenter de 37,5 ans de cotisations et leur pension sera calculée sur leur salaire des six derniers mois. Ceci représente un écart de traitement considérable, qui se prolonge en moyenne pendant une vingtaine d'années. Les fonctionnaires contribuent seulement à hauteur de 20 % au financement des pensions qu'ils reçoivent, contre 40 % pour les salariés du privé.

L'argent, un sujet de préoccupation et de dérision.
Dassas

SMIC. *Environ 2 millions de personnes perçoivent le salaire minimum.*

11 % des salariés perçoivent le SMIC (salaire minimum interprofessionnel de croissance). Les femmes sont deux fois plus nombreuses que les hommes (16,5 % contre 7,5 %). 13 % des ouvriers sont payés au SMIC (25 % des femmes et 9 % des hommes). 2,8 millions de salariés ont un salaire inférieur au SMIC, essentiellement parce qu'ils travaillent à temps partiel. La proportion est de 33 % dans les hôtels et restaurants, 18 % dans l'industrie textile et l'habillement, 16 % dans le commerce de détail.

INÉGALITÉS. *L'éventail des salaires s'était ouvert dans la seconde moitié des années 80, mais il s'est resserré à nouveau.*

On peut mesurer l'éventail des salaires en examinant le rapport entre les salaires du dernier décile (montant au-dessus duquel se trouvent les 10 % de salariés les mieux rémunérés) et ceux du premier décile (montant au-dessous duquel se trouvent les 10 % de salariés les moins bien rémunérés). Ce rapport avait baissé jusqu'en 1984. Il est ensuite remonté entre 1985 et 1993. Il tend aujourd'hui à rebaisser pour retrouver le niveau du début des années 80, à 3,0. Pendant la même période, l'éventail s'est au contraire accru aux Etats-Unis où il est passé de 3,2 à 4,3, au Royaume-Uni (3,2 contre 2,4) et au Japon (2,8 contre 2,6). Il a en revanche diminué en Allemagne (2,2 contre 2,4).

Les cadres ont été les plus touchés par la hausse des prélèvements sociaux et la diminution de la part des primes dans leur salaire. Depuis le début des années 80, leurs salaires ont été désindexés par rapport à l'inflation. Ceux des débutants ont augmenté plus vite que ceux des cadres confirmés. Les salaires des jeunes diplômés ont baissé et la prime aux diplômes les plus cotés s'est réduite. La part de l'intéressement dans le salaire a augmenté, alors que celle des primes d'ancienneté a diminué. Après quelques années d'expérience, les progressions de salaire sont en revanche plus fortes mais plus personnalisées.

Les femmes gagnent en moyenne 20 % de moins que les hommes (secteur privé, 1996).

Mesuré dans l'autre sens, l'écart est encore plus spectaculaire : les hommes gagnent en moyenne 25 % de plus que les femmes. Il faut cependant nuancer ce résultat, car les femmes occupent encore de façon générale des postes de qualification inférieure à ceux des hommes, même à fonction égale. Leurs horaires de travail sont plus courts et comportent moins d'heures supplémentaires. Enfin, elles bénéficient d'une moindre ancienneté. Les écarts sont moins importants dans le secteur public que dans le privé. En 1996, ils variaient de 8 % (employées) à 23 % (cadres et chefs d'entreprises) en faveur des hommes. Ils sont plus grands en valeur relative pour les revenus les plus élevés et s'accroissent avec l'âge, ce qui tendrait à prouver que les évolutions de carrière sont moins favorables aux femmes.

L'écart diminue depuis le début des années 50, mais de façon lente et irrégulière. Chez les ouvrières, il s'était creusé entre 1950 et 1967, puis il avait diminué de 1968 à 1975 pour retrouver le niveau de 1950. Chez les cadres supérieurs, la tendance au redressement était apparue plus tôt (vers 1957), mais elle avait été stoppée à partir de 1964. Le resserrement général qui s'est produit à partir de 1968 est dû principalement au fort relèvement du SMIG puis du SMIC et des bas salaires, qui a profité davantage aux femmes, plus nombreuses à être concernées.

Le diplôme et l'ancienneté sont des avantages déterminants.

Les salariés français possédant un niveau d'enseignement supérieur perçoivent en moyenne des revenus 57 % plus élevés que ceux qui ont un niveau d'études secondaires. La différence est de 40 % au Royaume-Uni, 32 % en Espagne, 35 % en Suède. Mais les femmes cadres ayant suivi des études supérieures sont proportionnellement les plus désavantagées, à l'inverse de celles qui occupent des emplois non manuels du type administratif et commercial à faible niveau de rémunération.

Les salariés les plus anciens perçoivent les rémunérations les plus élevées (essentiellement à cause d'un petit nombre de personnes percevant des revenus très élevés), contrairement à ce qui se passe en Espagne, en Suède et, surtout, au Royaume-Uni.

Les gros salaires

800 000 personnes appartiennent à des ménages ayant un revenu net supérieur à 520 000 F par an, soit 40 000 F par mois sur treize mois. Plus d'une sur deux habite en région parisienne. 42 % sont âgées de 35 à 49 ans, 79 % ont un diplôme supérieur, 76 % sont cadres supérieurs ou chefs d'entreprises. 55 % habitent des logements de plus de 150 m^2. 39 % possèdent une résidence secondaire.
Ces personnes consomment davantage que la moyenne, notamment en matière de loisirs : 30 % vont au cinéma au moins une fois par mois (contre 14 % en moyenne nationale) ; 47 % au restaurant (contre 23 %) ; 39 % sont parties plus de trois fois en vacances au cours des douze derniers mois (contre 14 %) ; 49 % ont passé au moins un week-end à l'étranger (contre 9 %) ; 54 % ont effectué au moins un voyage en avion (contre 17 %).

Gagner de l'argent n'implique pas de le dépenser sans compter.
154 Testa

Sexe, salaire et profession

Evolution des salaires annuels moyens selon la catégorie socioprofessionnelle et le sexe (en francs courants) :

	1992		1993		1994		1995		1996	
	Hommes	Femmes	Hommes	Femmes	Hommes	Femmes	Hommes	Femmes	Hommes	Femmes
• Chefs d'entreprise, cadres	265 500	193 300	269 100	196 200	264 500	196 800	264 590	204 470	261 400	202 180
- *Ecart hommes/femmes*		* - 27,2%		- 27,1%		- 25,6%		- 22,7%		- 22,7%
• Techniciens, agents de maîtrise	135 800	114 300	137 300	115 800	136 780	116 360	138 710	121 300	140 440	122 720
- *Ecart hommes/femmes*		- 15,8%		- 15,7%		- 14,5%		- 12,6%		- 12,6%
• Autres professions intermédiaires	143 400	118 800	145 200	120 600	139 650	*122 650*	145 850	124 860	148 050	126 650
- *Ecart hommes/femmes*		- 17,1%		- 16,9%		- 12,2%		- 14,4%		- 14,4%
• Employés	95 200	*85 400*	95 600	86 800	94 080	86 860	98 620	*90 890*	99 370	91 590
- *Ecart hommes/femmes*		- 10,3%		- 9,3%		- 7,7%		- 7,8%		- 8,0%
• Ouvriers qualifiés	95 000	78 300	96 300	79 300	96 270	80 840	99 590	84 740	100 600	85 390
- *Ecart hommes/femmes*		- 17,6%		- 17,7%		- 17,1%		- 14,9%		- 15,1%
• Ouvriers non qualifiés	82 300	66 500	83 300	67 300	80 900	67 180	87 140	75 760	87 930	76 330
- *Ecart hommes/femmes*		- 19,2%		- 19,3%		- 16,9%		- 13,1%		- 13,2%
Ensemble	**129 500**	**99 000**	**132 500**	**101 800**	**132 800**	**103 470**	**135 670**	**107 950**	**136 430**	**108 920**
- *Ecart hommes/femmes*		**- 23,6%**		**- 23,2%**		**- 22,1%**		**- 20,4%**		**- 20,2%**

* Lecture : parmi les chefs d'entreprise et les cadres, les femmes gagnaient 27,2 % de moins que les hommes en 1992.

INSEE

Les Français ont le sentiment que les inégalités économiques se sont accrues.

Les informations sur les revenus et les patrimoines des Français se sont multipliées depuis quelques années. A partir de documents officiels ou de leurs propres enquêtes, les médias « révèlent » régulièrement les « vrais salaires » des ouvriers, des cadres, des chefs d'entreprise ou des vedettes de la télévision, ainsi que les avantages, rentes, prébendes et autres privilèges dont bénéficient certaines professions (notaires, fonctionnaires, hommes politiques...).

Mais ces informations ne sont pas toujours fiables. Surtout, elles sont rarement assorties des expli-cations nécessaires pour être comprises du public, car les comparaisons sont complexes. Le résultat est un sentiment dominant de diminution du pouvoir d'achat et d'un renforcement des inégalités.

2,8 millions de salariés gagnent moins de 5 000 F net par mois (1997).

Parmi les personnes en situation de pauvreté (habitants de quartiers dégradés, résidents de centres d'hébergement et de réadaptation sociale, personnes dépendant de services associatifs divers...) une sur cinq est active. Le salaire moyen des ménages concernés est de 4 300 F, inférieur au SMIC car de nombreuses personnes travaillent dans le cadre de contrats aidés ou à temps partiel.

Le développement des formes d'emplois précaires explique cette situation. La principale cause est le travail à temps partiel, qui concerne 78 % des salariés en question. Les jeunes, entre 16 et 30 ans, sont les plus nombreux. 15 % des salariés peuvent ainsi être considérés comme des « travailleurs pauvres » ; ils n'étaient que 11 % en 1983. Le sous-emploi est néanmoins un moyen de garder le contact avec la vie active et d'éviter de basculer dans des formes plus lourdes de pauvreté.

Revenus non salariaux

2,8 millions d'actifs occupés ont un statut de non-salarié, contre 3,4 millions en 1991.

Les non-salariés représentaient 13 % de la population active occupée en 1997. Parmi eux, 325 000 travaillent à temps partiel. La moitié (1,4 million) sont des indépendants, un million sont des employeurs et 390 000 des aides familiaux. Les plus nombreux travaillent dans l'agriculture (740 000), devant le commerce (540 000), les services aux particuliers (336 000), la construction (327 000), l'éducation-santé-action sociale (289 000) et les services aux entreprises (218 000). Les hommes sont largement majoritaires : 1,9 million, soit 66 %.

Le nombre des non-salariés est en diminution régulière depuis une quarantaine d'années : 6,5 millions en 1954 ; 4 millions en 1972. Il existe une forte disparité des revenus à l'intérieur de chaque catégorie.

De nombreux facteurs influent sur l'évolution des revenus (bénéfices) de ces professions.

L'évolution de la consommation ou de la demande pour un produit ou un service donné a évidemment une importance dans le chiffre d'affaires réalisé. Les investissements en matériel ou en employés, nécessaires pour maintenir ou accroître le volume d'activité et la productivité, représentent des charges (amortissements ou salaires) qui viennent en déduction du bénéfice. Les prix des matières premières éventuelles influent également sur les prix de revient.

De la même façon, la variation, locale ou nationale, du nombre d'entreprises dans une profession

donnée modifie les données de la concurrence, donc l'activité et les prix. Les changements qui interviennent dans les différents circuits de distribution modifient la part de marché qui revient aux professions concernées. Enfin, l'évolution des prix relatifs a une incidence considérable à la fois sur l'activité et sur la marge bénéficiaire des non-salariés.

Les Français de plus en plus compétents en matière d'économie.
15ᵉ Avenue

Le revenu global des foyers d'agriculteurs est d'environ 150 000 F, dont 120 000 F pour le revenu agricole.

Les revenus des agriculteurs sont très différenciés selon l'activité et varient fortement d'une année à l'autre. En 1997, la hausse moyenne a été de 6,6 % par exploitation, avec des évolutions très contrastées : 23 % pour les viticulteurs, 12 % pour les grandes cultures, 5 % pour les arboriculteurs fruitiers, 4 % pour les maraîchers-horticulteurs, 1 % pour les éleveurs de bovins, mais une baisse de 1 % pour les producteurs laitiers et de 20 % pour les productions ovines. Entre 1980 et 1997, le revenu par exploitation s'est accru de plus de 40 %.

La réforme de la politique agricole commune (PAC) a fortement modifié l'origine du revenu agricole, avec le contingentement de la production par un gel des terres, une réduction du soutien des prix compensée par des aides directes. La diminution du nombre d'exploitations (environ 4 % par an), accentuée par les mesures de préretraite instituées en 1992, s'est traduite par l'accroissement de leur

Le palmarès des commerces

Revenu mensuel net moyen* de certains commerces (1996, en francs) :

- Optique	31 500	- Station-service boutique	12 200
- Café, tabac, jeux et autres	21 300	- Café-restaurant	12 200
- Boulangerie-pâtisserie	19 400	- Electroménager TV radio hi-fi	12 200
- Mécanique auto occasion	16 400	- Fruits et légumes	11 900
- Alimentation générale (120/400 m^2)	16 000	- Réparation appareils électro-ménagers	11 800
- Horlogerie bijouterie	15 700	- Antiquité brocante	11 500
- Hôtel	15 600	- Vins et boissons	11 300
- Boucherie-charcuterie	14 900	- Jouets jeux	11 000
- Carrosserie automobile	14 800	- Confiserie glace chocolat	10 900
- Brasserie	14 700	- Quincaillerie	10 800
- Mécanique auto sans carburant	14 700	- Chaussures	10 800
- Librairie papeterie journaux	14 700	- Prêt-à-porter femmes	10 800
- Ameublement	14 700	- Bijouterie fantaisie	10 300
- Pizzeria	13 900	- Tapisserie décoration	10 300
- Fleuriste	13 900	- Maroquinerie	10 200
- Crêperie	13 700	- Textile pour la maison	10 200
- Prêt-à-porter hommes	13 600	- Agence matrimoniale	10 000
- Restaurant	13 500	- Coiffure	9 900
- Poissonnerie	13 400	- Lingerie femme	9 800
- Hotel-restaurant	13 200	- Alimentation générale (− 120 m^2)	9 800
- Commerce moto cycles	13 200	- Droguerie	9 700
- Débit de boissons	12 800	- Bimbeloterie cadeaux	9 300
- Restaurant ethnique	12 500	- Teinturerie	9 000
- Librairie-papeterie sans journaux	12 400	- Prêt-à-porter enfants	8 700
- Parfumerie	12 300	- Cordonnerie	8 300
- Animalerie graineterie	12 300	- Toilettage d'animaux	7 300

* Après CSG et TVA, avant impôts sur le revenu.

FCGA

dimension moyenne, de sorte que le revenu par exploitation a augmenté en moyenne de 4 % par an depuis 1991.

Salaire et revenu

On imagine souvent que le revenu des ménages est constitué essentiellement de salaires. Si c'est bien le cas pour la plupart des salariés (plus de 90 % du revenu fiscal pour les cadres, professions intermédiaires, employés, ouvriers), le salaire n'intervient que pour environ 20 % dans les revenus des professions libérales (65 % sont des bénéfices non commerciaux, 10 % des revenus de la propriété), dans ceux des agriculteurs (63 % sont des bénéfices agricoles, 8 % sont des revenus de la propriété, 5 % des bénéfices industriels et commerciaux, 3 % des pensions ou rentes) et dans ceux des inactifs (67 % sont des retraites ou des rentes, 11 % des revenus de la propriété).

85 % des foyers d'agriculteurs disposent d'autres sources de revenus que leur exploitation, notamment les traitements et salaires des conjoints, les revenus de la propriété, etc. Cet apport représente plus de 20 % du revenu global moyen. L'existence de ces revenus d'appoint atténue les inégalités entre agriculteurs qui seraient autrement beaucoup plus marquées entre les diverses catégories.

Les bénéfices des professions libérales de santé connaissent des évolutions contrastées.

Leurs revenus dépendent étroitement de l'évolution de la tarification des actes, de la démographie et des politiques menées pour réduire les dépenses dans ce domaine. Le revenu d'activité des médecins libéraux généralistes a connu une baisse au début des années 80, avant de se redresser. Entre

1990 et 1995, leur pouvoir d'achat a progressé de 0,5 % par an ; il est un peu supérieur à celui de 1980. L'évolution a été plus favorable pour les spécialistes (+ 1 % par an entre 1990 et 1995). Le niveau actuel est supérieur de 15 % à celui du début des années 80.

Les rémunérations des auxiliaires de santé exerçant à titre libéral se sont accrues sensiblement pendant les années 80, plus modérément depuis le début des années 90 : + 40 % pour les infirmiers ; + 15 % pour les kinésithérapeutes.

On se valorise moins en dépensant.
154 Testa

L'évolution des revenus des commerces a été moins favorable que celle des services.

Depuis 1986, les commerces (hors pharmacies) ont pour la plupart enregistré une baisse de leurs résultats en francs constants, à l'exception des commerces d'alimentation spécialisée, de produits d'hygiène-beauté et de culture-loisirs, qui ont connu une faible progression. Les commerces liés à la santé (pharmacies, opticiens) arrivent très largement en tête, avec plus de 30 000 F de revenu net mensuel, alors que celui de certains commerces de services comme les teintureries ou les cordonneries est inférieur à 10 000 F. Les commerces d'alimentation générale, ceux d'équipement de la personne et du foyer ont connu une stagnation.

La situation a été plus favorable dans les services où les revenus ont en général nettement augmenté. La hausse a été limitée dans le secteur de l'artisanat

et du bâtiment. Les transports routiers de marchandises ont connu une baisse sensible, notamment entre 1986 et 1993.

La pyramide des revenus non salariaux s'est élargie à la base et au sommet.

Au sein d'une même profession, les situations individuelles font apparaître des écarts considérables. Parmi les professions libérales, un avocat au Conseil d'Etat et à la Cour de cassation perçoit en moyenne environ 80 000 F par mois, soit cinq fois plus qu'un architecte. Chez les artisans, commerçants et professions de services, l'écart est de un à quatre. Des médecins généralistes gagnent l'équivalent du SMIC, alors que des grands spécialistes de renom perçoivent des revenus très élevés. On trouve aussi des fortes disparités chez les agriculteurs ou les restaurateurs. Enfin, il faut préciser que les montants officiels des revenus sont probablement sous-évalués, du fait d'une évasion fiscale plus facile dans les professions non salariées.

RETRAITES. *Le montant moyen des pensions est d'environ 6 000 F par personne.*

10 millions de Français sont retraités du secteur public ou privé, ou anciens membres des professions non salariées. Il s'y ajoute 1,2 million de personnes qui perçoivent des pensions de réversion (conjoints survivants non remariés), soit 54 % de la pension versée au défunt. Le revenu annuel net disponible des ménages retraités (tous revenus confondus, après cotisations et prestations sociales) est de 110 000 F.

Le système français par répartition est complexe. Il fonctionne avec plus de 120 caisses de retraite de base et 180 caisses complémentaires. De nombreux retraités ont été successivement affiliés à plusieurs caisses ; un tiers d'entre eux perçoit plus d'une pension de base, sans compter les régimes complémentaires.

◆ *Le montant des pensions versées représente aujourd'hui près de 13 % du PIB, contre 7 % en 1970.*

◆ *Le revenu médian des ménages avec deux enfants était de 16 400 F par mois en 1996 (la moitié gagnaient plus, l'autre moitié moins). 25 % des ménages gagnaient plus de 26 800 F, 10 % plus de 49 000 F.*

4,5 millions de retraités, soit près d'un sur deux, bénéficient de régimes spéciaux. Il s'agit surtout de fonctionnaires, agents des collectivités locales et militaires. La pension moyenne servie aux fonctionnaires est de 8 000 F par mois ; elle atteint 10 000 F pour les retraités d'EDF et de GDF.

Le revenu moyen des ménages retraités est supérieur à celui des actifs, mais inégalement réparti.

Le montant moyen des retraites a connu depuis plusieurs décennies une forte augmentation, liée aux revalorisations régulières et au remplacement des anciennes générations de retraités par des nouvelles, qui ont cotisé davantage et obtenu des revenus d'activité supérieurs. De sorte que le revenu moyen des retraités est aujourd'hui supérieur à celui des actifs d'environ 8 %, alors qu'il était inférieur de 20 % en 1970.

L'écart est encore plus important si l'on considère les revenus par personne (ou par unité de consommation en tenant compte des adultes et des enfants présents) car les ménages retraités comptent moins de personnes que la moyenne. Parmi les 10 % de Français les plus défavorisés en termes de revenus, on ne compte plus aujourd'hui que 32 % de retraités, contre 49 % en 1980.

Ces moyennes cachent cependant de fortes disparités. 15 % des retraités perçoivent les deux tiers de la masse des retraites. L'écart entre les pensions des hommes et celles des femmes est important : 8 000 F en moyenne pour les premiers, contre 4 500 F pour les secondes, qui ont souvent eu des activités moins bien rémunérées et des carrières incomplètes.

Les revenus du patrimoine représentent une part croissante des ressources.

Les revenus du travail des salariés et des non-salariés sont complétés par les revenus financiers générés par le capital dont ils disposent. Il s'y ajoute le rendement du patrimoine professionnel, qu'il est difficile d'estimer et d'isoler des revenus non salariaux.

La part des revenus financiers dans les revenus globaux des ménages s'est nettement accrue depuis le début des années 70, passant de 5 % à environ 10 %. Ce phénomène est dû à l'augmentation du taux de détention d'actifs financiers par les ménages et à l'élévation des rendements de ces actifs au cours des vingt dernières années (voir *Patrimoine*).

RMI. *Plus d'un million de personnes bénéficiaient du revenu minimum d'insertion début 1998.*

Créé fin 1988, le RMI concernait 336 000 allocataires au cours de l'année 1989. Leur nombre a a doublé entre 1990 et 1995, passant de 422 000 à 841 000. Il a triplé en dix ans pour dépasser un million en 1998. En comptant les conjoints et les enfants à charge, ce sont environ 2 millions de personnes qui sont concernées, soit 3 % de la population française.

La moitié des allocataires sont des jeunes de moins de 35 ans. 90 % sont de nationalité française. Les trois quarts vivent seuls, un quart sont mariés ou vivent maritalement. La proportion de divorcés dépasse 20 %, celle des veufs est de 8 %. Si environ 40 % d'entre eux étaient auparavant ouvriers (dont les deux tiers non qualifiés) un peu moins de 10 % occupaient des postes de techniciens ou cadres.

Le RMI a permis à beaucoup de ménages de survivre pendant les périodes de chômage. Mais il a beaucoup moins bien rempli sa mission d'insertion dans la vie professionnelle. La proportion de personnes sortant du système

La fin de l'âge d'or

Le déséquilibre entre les pensions servies et les cotisations versées est croissant. Chez les fonctionnaires, il n'y aura plus dans vingt ans que 1,2 actif pour un retraité, contre 3,2 aujourd'hui. Chez les militaires, on ne compte déjà plus qu'environ 300 000 cotisants pour plus d'un million de bénéficiaires. Chez les cheminots, il ne reste que 180 000 cotisants pour 360 000 retraités.

Pour équilibrer à moyen terme les régimes de retraite, il faudrait que le taux de cotisation passe de 20 % à environ 32 % en 2020, 38 % en 2030, 41 % en 2040. C'est pourquoi 91 % des Français se disent inquiets du montant des retraites qui seront versées dans dix ou quinze ans, 8 % seulement sont confiants. 70 % trouvent souhaitable d'encourager un système d'épargne volontaire comme cela existe pour certaines catégories professionnelles, en plus du régime de retraite existant (83 % des sympathisants de droite, 58 % de ceux de gauche) ; 27 % sont de l'avis contraire.

était de 23 % en 1993 pour les personnes entrées en 1989 (CREDOC). Dans la moitié des cas, la sortie s'est traduite par un emploi salarié ou le suivi d'un stage rémunéré. Pour les allocataires de longue durée (plus de 18 mois), la perspective de retour sur le marché du travail est limitée ; seuls 47 % déclarent rechercher effectivement un emploi. Il est vrai que la perception du RMI peut être dans certains cas une incitation à ne pas travailler.

Revenu minimum européen

Un salaire minimum existe dans sept pays de l'Union européenne. Il a été créé en 1968 aux Pays-Bas, en 1970 en France, en 1973 au Luxembourg, en 1974 au Portugal, en 1975 en Belgique, en 1991 en Grèce. Il varie entre 42 % du salaire moyen (Espagne) et 59 % en France et au Portugal. Il est resté plutôt stable ou a régressé dans les pays concernés depuis 1980, à l'exception de la France et du Luxembourg où il a augmenté de plus de 25 %.

6 millions de personnes, soit 10 % de la population, vivent des minima sociaux.

Ces minima, au nombre de huit, sont accordés aux personnes disposant de ressources insuffisantes. Par ordre d'effectifs décroissants :
• Minimum vieillesse (3 471 F et 6 227 F pour un couple en janvier 1998) : 990 000 personnes ;
• RMI (2 429 F pour une personne seule, 3 644 F avec une personne à charge) : 946 000 personnes ;
• Allocation d'adulte handicapé (3 433 F au maximum) : 616 000 personnes ;
• Allocation spécifique de solidarité (2 345 F au maximum, complément de 969 F pour les plus de 55 ans) : 480 000 personnes.
• Allocation de parent isolé (3 163 F pour une femme enceinte, 4 217 F pour un parent avec enfant, 1 054 F par enfant supplémentaire) : 160 000 personnes ;
• Minimum invalidité (même montant que le minimum vieillesse) : 105 000 personnes ;
• Assurance veuvage (dégressive de 3 073 F à 1 537 F) : 17 000 personnes ;
• Allocation d'insertion (1 311 F) : 17 000 personnes.
   15 % des ménages touchent au moins l'un des huit minima sociaux (20 % dans le sud du Massif central et dans le Sud-Ouest, 33 % en Corse du Sud). Il faudrait y ajouter une partie des chômeurs : 28 %

perçoivent moins de 3 000 F par mois (juin 1997), 32 % entre 3 000 et 5 000 F, 13 % entre 5 000 et 10 000 F, 3 % plus de 10 000 F. 24 % ne sont pas indemnisés.

58 % des bénéficiaires sont des personnes isolées, 17 % des couples sans enfant. Dans les autres foyers concernés, on compte 1,5 million d'enfants. Le nombre des allocataires a augmenté de 40 % entre 1975 et 1995. La part des jeunes s'est accrue, comme celle des couples et des familles, au contraire des personnes isolées.

Impôts

Les Français reversent pratiquement la moitié de leurs revenus à l'Etat.

Le maniement de l'impôt est l'un des éléments qui, depuis Philippe le Bel, Richelieu ou Colbert, ont forgé l'identité nationale. Avec un taux de 45,5 % en 1997, la France dépasse d'environ 3 points la moyenne des pays de l'Union européenne. Elle n'arrive pourtant qu'en sixième position, assez loin derrière la Suède (55,2 % en 1996) et le Danemark (52,0 %) ; la moyenne européenne est de 42,4 %, contre 38,7 % en 1980.

La France détient cependant le record des cotisations sociales, avec 19,5 % du PIB, alors que la part des impôts sur le revenu et le patrimoine est la plus faible d'Europe (10 %). Dans l'ensemble de l'Union européenne, ces deux types de prélèvements sont à peu près égaux.

Dans les pays de l'Union européenne, les impôts sur le revenu, les cotisations sociales pour la retraite, la maladie et le chômage ainsi que la TVA représentent au total 57 % du coût du travail, contre 37 % aux Etats-Unis et 33 % au Japon. En France, un salarié doit travailler en moyenne sept mois dans l'année pour couvrir ces impôts, contre cinq mois et demi au Royaume-Uni, mais près de huit mois en Belgique et en Finlande.

✦ *Le taux d'imposition du travail représentait en France 44,4 % de la rémunération des salariés en 1995, contre 30,5 % en 1970. Il est de 56,2 % en Suède, mais seulement 27,0 % au Royaume-Uni.*

✦ *62 % des foyers corses ne sont pas imposés, contre 49 % sur le continent.*

Les Scandinaves champions des prélèvements

Recettes fiscales totales dans certains pays développés (1996, en % du PIB) :

Pays	% du PIB
Etats-Unis	27,9
Japon	28,5
Irlande	33,8
Portugal	33,8
Espagne	34,0
Royaume-Uni	35,3
Allemagne	39,2
Italie	41,3
Grèce	41,4
Luxembourg	44,0
Pays-Bas	44,0
FRANCE	44,5
Belgique	46,5
Danemark	51,3

La part des prélèvements obligatoires dans le PIB a augmenté de 11 points depuis 1970.

Malgré la volonté affichée par les gouvernements de s'engager dans une politique de réduction des impôts, la hausse des cotisations sociales s'est poursuivie au fil des années. Elle s'est même accompagnée de la création de prélèvements exceptionnels, mais régulièrement reconduits. C'est le cas de la CSG (contribution sociale généralisée) qui a été augmentée à plusieurs reprises. La TVA est passée pour les produits courants de 18,6 % à 20,6 % en 1995. Le RDS (remboursement de la dette sociale) est venu s'ajouter en 1996 aux autres impôts, pour une durée théorique de 13 ans. Il est destiné à faire

1 000 F par mois et par ménage pour l'intérêt de la dette

En 1997, la dette publique (ensemble des dettes résultant des emprunts émis ou garantis par l'Etat) s'élevait à 4 700 milliards de francs. Ce montant représente environ 200 000 F par ménage, soit près du double de ce qu'il était en francs constants en 1990 et quatre fois plus qu'en 1980.
On peut estimer que le paiement des seuls intérêts de la dette (au taux estimé de 6 %) représentera en 2001 une dépense de 1 000 F par mois et par ménage.

face aux déficits publics, tel celui de la Sécurité sociale. Enfin, l'impôt sur la fortune a été surtaxé de 10 %. Le produit de la fiscalité locale (taxe d'habitation, taxe professionnelle, taxe sur le foncier bâti, impôt foncier) a également augmenté ; il représentait 3,5 % du PIB en 1996, contre 2,6 % en 1979.

Les charges sociales ont également augmenté pour les entreprises. En France, 71,2 % des recettes de protection sociale sont payées par les salariés et les employeurs sur les salaires, contre 61 % en Allemagne, 60 % en Espagne, 58 % au Royaume-Uni, 57 % en Italie et 19,3 % au Danemark.

Les impôts indirects sont parmi les plus élevés d'Europe...

Au cours de l'année 1997, les Français ont acquitté plus de 700 milliards de francs de TVA, soit près de la moitié des recettes fiscales (44 %). Ils ont en outre payé près de 200 milliards de francs de taxes sur l'essence et sur le tabac. La fraude fiscale est estimée à 225 milliards de francs (particuliers et entreprises) ; les redressements effectués en 1997 ont permis d'en récupérer le tiers (73 milliards de francs).

Les impôts indirects ne sont pas progressifs en fonction du revenu et pèsent donc beaucoup plus sur les faibles revenus que sur ceux des ménages aisés. D'après une étude effectuée par le cabinet Epsy, ils représentent 6,6 % du revenu d'un cadre et 28,6 % de celui d'un chômeur en fin de droits. Si l'on prend en compte les dépenses incompressibles (loyer, alimentation, éventuellement essence ou tabac...), un allocataire du RMI dépense ainsi 2 100 F par mois, dont 440 F en taxes indirectes (hors frais d'essence dans ce cas), soit 21 % de son revenu. Un salarié payé au SMIC dépense 3 660 F, dont 760 F d'impôts indirects, soit 15 % de son revenu. Un employé chômeur en fin de droits percevant 2 691 F net par mois après trente mois de chômage dépense 4 626 F (dont 2 300 F de loyer, 1 500 F d'alimentation...) dont 770 F d'impôts indirects.

... mais l'impôt sur le revenu est le plus faible.

La part des impôts directs dans les prélèvements fiscaux s'est accrue jusqu'en 1980, avant de se stabiliser. Elle tend aujourd'hui à augmenter, du fait de la hausse de la TVA qui pénalise davantage les ménages que celle de la CSG. En vingt ans, on a assisté à une inversion de la part des impôts et des cotisations sociales dans les recettes de l'Etat.

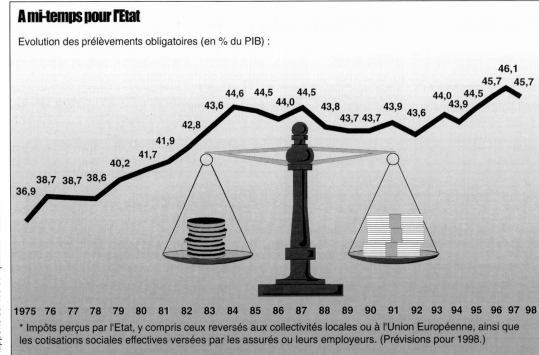

A mi-temps pour l'Etat

Evolution des prélèvements obligatoires (en % du PIB) :

Valeurs : 36,9 — 38,7 — 38,7 — 38,6 — 40,2 — 41,7 — 41,9 — 42,8 — 43,6 — 44,6 — 44,5 — 44,0 — 44,5 — 43,8 — 43,7 — 43,7 — 43,9 — 43,6 — 44,0 — 43,9 — 44,5 — 45,7 — 46,1 — 45,7

1975 76 77 78 79 80 81 82 83 84 85 86 87 88 89 90 91 92 93 94 95 96 97 98

Rapports sur les comptes de la nation

* Impôts perçus par l'Etat, y compris ceux reversés aux collectivités locales ou à l'Union Européenne, ainsi que les cotisations sociales effectives versées par les assurés ou leurs employeurs. (Prévisions pour 1998.)

Cette situation explique que, dans le cas d'une croissance plus forte que prévue de l'économie française et si le gouvernement envisageait une baisse des impôts, 62 % des Français préféreraient une baisse de la TVA, 19 % une baisse de la taxe sur les carburants et 17 % seulement une baisse de l'impôt sur le revenu (BFM/BVA, février 1997).

Un foyer sur deux exempté d'impôts sur le revenu

48 % des ménages fiscaux (13 millions sur 28 millions) ne paient pas d'impôt sur le revenu, contre seulement 15 % des Britanniques. Pour une famille avec deux enfants, le seuil de non-imposition est 2,5 fois plus élevé en France que dans les autres pays de l'Union européenne.
Parmi les contribuables ayant perçu un revenu imposable inférieur à 100 000 F dans l'année, 14,1 millions n'ont pas été imposés en 1997 ; on en comptait aussi 418 000 dans la tranche 100 000 à 200 000 F, 11 000 entre 200 000 et 300 000 F, 855 entre 300 000 et 500 000 F, et même 55 parmi ceux qui avaient perçu plus de 500 000 F (du fait des investissements permettant des déductions fiscales).
Avant la réforme fiscale de 1996, les couples avec enfants qui percevaient des revenus modestes ou moyens n'avaient pas intérêt à se marier. Par exemple, un couple avec un enfant dans lequel l'un des membres gagnait 250 000 F annuels brut et l'autre 150 000 F faisait une économie de 6 600 F d'impôts s'il vivait en union libre.
Avec des revenus de 260 000 F et 240 000 F, l'économie atteignait 13 500 F.

Les revenus du capital sont moins taxés que ceux du travail, mais le rééquilibrage est amorcé.

Entre 1985 et 1995, le taux de taxation du travail est passé de 38 % à 45 %. Dans le même temps, celui du capital est passé de 26 % à 19 %. Mais les dispositions prises depuis 1997 ont accru la taxation des capitaux, avec la généralisation de la CSG sur l'ensemble des revenus et l'accroissement des taux de prélèvement.

Il faut cependant préciser que, dans la plupart des

Le vrai revenu des ménages

Structure du revenu disponible des ménages par catégorie socioprofessionnelle (1995, en francs) :

	Agriculteurs exploitants	Indépendants (non agri.)	Cadres supérieurs	Professions intermédiaires	Employés	Ouvriers	Retraités	Autres inactifs	Ensemble
- Salaires	28 850	110 020	301 490	187 040	104 070	101 190	20 870	23 210	100 810
- Revenu de l'entreprise individuelle	269 760	203 920	8 760	2 060	1 550	2 580	3 700	3 610	21 970
• Revenu d'activité	298 610	313 940	310 710	189 100	105 620	103 770	24 570	26 820	122 780
• Revenu du patrimoine	27 830	64 480	56 750	28 760	16 490	14 740	45 130	22 110	34 010
- Vieillesse	5 410	5 800	5 410	4 830	5 220	3 270	100 520	46 160	37 680
- Santé	18 040	14 560	17 020	15 700	13 670	15 140	33 490	21 430	21 420
- Emploi	850	2 010	5 540	7 700	7 380	11 760	4 520	3 920	5 560
- Famille	17 150	10 530	8 350	9 700	11 450	22 140	2 030	11 490	10 240
- Divers	1 770	5 820	2 900	2 760	2 160	2 460	1 690	4 530	2 640
• Transferts	42 060	33 810	36 760	38 640	39 300	54 160	140 930	87 090	77 030
• Revenu net moyen avant impôts	368 500	412 230	405 920	256 500	161 410	172 670	210 630	136 020	233 820
• Impôts	29 310	79 460	56 220	23 630	10 320	11 540	17 530	7 720	23 220
• Revenu disponible net	339 310	332 770	349 700	232 870	151 090	161 130	193 100	128 300	210 600

INSEE

cas, les placements réalisés par les ménages sont issus de leur épargne, c'est-à-dire de leurs revenus non dépensés. Or, ceux-ci ont déjà été taxés une première fois au titre de salaires ou de revenus non salariaux. La situation est évidemment différente pour les rentiers, qui vivent des revenus de leurs capitaux placés sans travailler ; mais ils ne constituent qu'une infime minorité des détenteurs de valeurs mobilières.

Revenus disponibles

Le revenu primaire brut des ménages s'élevait à 250 000 F en moyenne en 1997.

Le calcul du revenu primaire brut des ménages est la première étape de la détermination de leur revenu disponible (voir schéma en début de chapitre). Il est obtenu en ajoutant aux revenus professionnels perçus par les différents membres du ménage (salaires et revenus non salariaux, voir chapitre précé-

dent) ceux du capital (placements mobiliers et immobiliers, voir *Patrimoine*). Il ne tient pas compte des transferts sociaux, c'est-à-dire des cotisations sociales et des impôts directs payés par les ménages ni des prestations sociales reçues.

Entre 1960 et 1980, le poids des salaires dans les revenus primaires avait augmenté de 12 points, pour se stabiliser vers 73 %. Il a ensuite amorcé une légère régression, pour se stabiliser à 70 %. Depuis 1982, la croissance des revenus du patrimoine est supérieure à celle des revenus du travail ; ils représentaient 17,5 % du revenu primaire en 1997, contre 10,6 % en 1980.

Les cotisations sociales versées représentent presque un tiers du revenu primaire brut.

Les cotisations sociales sont destinées au financement de la Sécurité sociale (maladie, infirmité, accidents du travail, maternité, famille, vieillesse, veuvage...), des caisses de chômage et de retraite complémentaire. Elles concernent l'ensemble des

CNPF

Cotisations sociales : toujours plus

Evolution de la part des cotisations sociales en fonction du montant du salaire (en %) :

Au 1er janvier	Salaire brut = 1 SMIC			Salaire brut = 1 plafond SS			Salaire brut = 2 plafonds SS			Salaire brut = 4 plafonds SS		
	6 663 F/mois			13 720 F/mois			27 440 F/mois			54 880 F/mois		
	Employeur	Salarié	Total	Employeur	Salarié	Total	Employeur	Salarié	Total	Employeur	Salarié	Total
• 1974	39,97	8,42	48,39	39,97	8,42	48,39	25,58	5,79	31,37	18,39	4,48	22,87
• 1993	43,57	19,29	62,86	43,57	19,29	62,86	42,65	17,64	60,29	42,19	16,81	59,00
• 1997	26,68	21,36	48,04	44,84	21,36	66,20	44,63	20,22	64,85	44,53	19,70	64,23

personnes qui perçoivent des revenus du travail (y compris les retraités) et sont réparties entre employés et employeurs, à raison d'un tiers pour les premiers et deux tiers pour les seconds.

Le poids des cotisations sociales a augmenté dans des proportions considérables depuis 30 ans : elles représentaient 31 % du revenu primaire brut en 1997 contre 27 % en 1980 et 16 % en 1959. Pour un salaire brut égal au SMIC (6 700 F brut par mois en 1998), les cotisations de protection sociale (Sécurité sociale, ARRCO, AGIRC, chômage, ASF, AGS, CSG et CRDS) représentaient 48 % du salaire brut (la même proportion qu'en 1974), dont 27 % payés par l'employeur et 21 % par le salarié. Pour un salaire brut égal à quatre fois le SMIC (26 800 F), elles représentaient 64 % (contre 23 % en 1974) dont 44 % payés par l'employeur et 20 % par le salarié.

En moyenne, un salarié perçoit en salaire net moins de 60 % du coût de son travail tel qu'il ressort pour l'entreprise, contre 70 % en 1970.

Les impôts directs sur le revenu et le patrimoine représentent 10 % du revenu primaire brut.

Les impôts directs prélevés sur les revenus des ménages complètent le dispositif de redistribution. Ils sont progressifs, c'est-à-dire que leur taux augmente avec le montant des revenus. Les impôts indirects (par exemple, la TVA payée par les ménages sur les achats de biens et services) n'interviennent pas dans le calcul du revenu disponible total car ils

concernent son utilisation dans le cadre de la consommation, et non sa constitution.

Au fil des années, la fiscalité directe a évolué dans deux directions. Le poids de l'impôt (revenu et patrimoine) a augmenté pour les ménages qui le paient : il représente aujourd'hui 10 % du revenu des ménages, contre 7 % en 1970. Son rôle redistributif s'est également accentué. C'est ainsi que les deux tiers des foyers (64 %) étaient imposés en 1980, contre la moitié aujourd'hui (48 %).

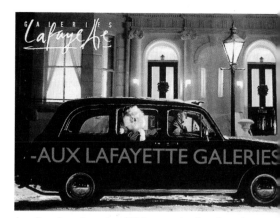

Les fins d'année moins difficiles que les fins de mois.
Groupe Movie Com

✦ Entre 1951 et 1997, le SMIC net de prélèvements a été multiplié par 3 en francs constants.

Les prestations sociales représentent un tiers du revenu primaire.

D'une manière générale, les prestations sociales sont inversement proportionnelles au montant des revenus, en raison de l'effet redistributif mentionné précédemment et de leur plafonnement ; leur part varie ainsi de moins de 5 % pour les cadres supérieurs à 75 % pour les inactifs. Leur destination principale est la « vieillesse » (retraites, pensions de réversion, minimum vieillesse) qui absorbe la moitié des dépenses. La santé arrive en deuxième position avec un quart, devant les prestations d'allocations familiales et de maternité (un peu plus de 10 %). Enfin, les allocations de chômage et d'inadaptation professionnelle représentent 10 % des dépenses ; ce sont elles qui ont le plus augmenté (2 % en 1970).

L'évolution au cours des trente dernières années a été spectaculaire. En 1959, les prestations sociales représentaient 19 % du revenu primaire des ménages. Leur part atteignait 22 % en 1970 et 27 % en 1980 ; elle était de 34 % en 1997.

Les Français et la redistribution

50 % des Français considèrent que les allocations familiales devraient varier en fonction du niveau de revenu, 25 % qu'elles devraient être identiques pour tous, quel que soit leur niveau de revenus, 23 % qu'elles devraient être réservées aux personnes dont les revenus n'excèdent pas un certain niveau.
Les opinions sont assez voisines en ce qui concerne les allocations de chômage. 42 % des Français considèrent qu'elles devraient varier en fonction du niveau de revenu, 34 % qu'elles devraient être identiques pour tous, quel que soit le niveau de revenu, 20 % qu'elles devraient être réservées aux personnes dont les revenus n'excèdent pas un certain niveau.

En 1997, le revenu disponible brut par ménage a atteint 240 000 F, soit 20 000 F par mois.

Ce revenu est celui qui reste effectivement aux ménages pour consommer et pour épargner. Il prend en compte les transferts sociaux (cotisations et prestations sociales, impôts directs), dont l'incidence sur les ressources et la redistribution des richesses est croissante.

Cet algèbre des transferts sociaux traduit l'importance du financement de l'économie nationale par le biais des impôts et des cotisations. Il est en partie déterminé par la politique sociale mise en place par le gouvernement sous la forme de prestations.

En dehors des professions indépendantes et des cadres, les ménages perçoivent plus de prestations sociales qu'ils ne paient d'impôts directs et de cotisations. C'est ce qui explique que le revenu disponible des moins aisés soit supérieur à leur revenu primaire brut. Le système redistributif de la fiscalité est en effet tel que les prestations diminuent lorsque le revenu augmente, tandis que les impôts augmentent proportionnellement plus vite que le revenu.

En 1997, le revenu disponible par habitant s'élevait à 94 000 F après impôt, contre 37 000 F en 1980 et 78 000 F en 1990. Ce revenu tend à stagner en francs constants, après prise en compte de l'inflation.

7 800 F par personne et par mois

Evolution du revenu disponible brut par habitant (en milliers de francs courants) :

94,0
93,8
92,3
88,4
86,9
84,8
81,6
78,4
73,8
69,4
65,4
63,1
60,2
56,2
52,7
48,6

1982 83 84 85 86 87 88 89 90 91 92 93 94 95 96 97

INSEE

✦ 8 % des ménages percevant des allocations familiales gagnent plus de 32 000 F par mois.

✦ Les aides sociales obligatoires représentaient en moyenne 1 300 F par an et par habitant en 1997. Elles variaient de 2 800 F à la Guadeloupe à 860 F en Ardèche.

Les ménages biactifs moins favorisés

Les ménages dont les deux conjoints sont actifs ont en moyenne un niveau de vie par « unité de consommation » (en tenant compte du nombre de personnes présentes au foyer) supérieur de 17 % à celui des couples avec un seul actif (1997) ; l'écart était de 30 % en 1984.

Cette évolution s'explique en partie par les situations de chômage plus fréquentes concernant l'un ou l'autre des conjoints et l'accroissement des emplois à temps partiel pour le second salaire. De plus, les salaires des couples monoactifs sont souvent plus élevés, ce qui rend le second salaire moins nécessaire.

L'éventail des revenus disponibles est beaucoup plus resserré que celui des revenus primaires.

Le rapport entre les salaires nets moyens d'un cadre supérieur et d'un manœuvre est d'environ 4. Il n'est plus que de 2 lorsqu'on compare les revenus disponibles moyens d'un ménage où la personne de référence est cadre supérieur et ceux d'un ménage où elle est manœuvre.

Le mécanisme de redistribution n'est pas la seule raison de ce phénomène. La présence d'autres revenus salariaux (généralement celui du conjoint) est plus fréquente dans les ménages modestes, car la femme est plus souvent active et perçoit un salaire d'un montant plus proche de celui de son mari que dans les ménages plus aisés. Ainsi, de nombreux ménages biactifs ayant des situations modestes ont des revenus plus élevés que des ménages monoactifs de situation aisée.

10 % des Français ont le sentiment d'appartenir aux milieux privilégiés ou aisés, 27 % aux classes moyennes supérieures, 39 % aux classes moyennes inférieures, 23 % aux milieux populaires ou défavorisés.

PAUVRETÉ. 12 % des Français gagnent moins de la moitié du revenu médian.

Les études sur la pauvreté se réfèrent souvent à un « seuil de pauvreté », défini en général comme la moitié du revenu médian (qui divise la population en deux moitiés). Il serait ainsi en France d'environ 3 500 F par mois par unité de consommation (une unité pour le premier adulte, 0,7 pour le second et 0,5 par enfant). D'après cette définition, environ

12 % de la population française peuvent être considérés comme pauvres, deux fois plus par exemple qu'aux Pays-Bas, mais deux fois moins qu'aux Etats-Unis.

Cet indicateur n'a cependant qu'une valeur relative ; si l'on multipliait tous les revenus par dix, on obtiendrait en effet la même proportion de « pauvres ». Il mesure davantage la dispersion des revenus et donc les inégalités. Mais la publication de cet indicateur donne aux Français un sentiment général d'appauvrissement. Celui-ci a sans doute été renforcé par la teneur des médias, qui ont largement accrédité son accroissement, en même temps que l'idée d'une diminution régulière du pouvoir d'achat moyen.

Les difficultés familiales sont souvent à l'origine de la pauvreté.

L'absence d'entraide familiale est l'un des éléments déterminants de l'exclusion et de la marginalisation. Les enquêtes réalisées auprès des détenteurs du RMI montrent que les personnes les plus vulnérables ont celles qui sont coupées des réseaux familiaux.

Les familles monoparentales sont les plus exposées à la pauvreté. Bien qu'elles représentent l'une des catégories les plus aidées (avec les familles nombreuses) leur situation financière s'est dégradée au cours des dix dernières années : 17,0 % d'entre elles vivaient au-dessous du seuil de pauvreté en 1995 (9,3 % de l'ensemble des ménages), contre 11,8 % en 1985 (8,5 % de l'ensemble des ménages). Les causes de cette situation tiennent à la disponibilité d'un seul revenu (le plus souvent féminin) et à l'importance relative des dépenses de logement, d'éducation ou de transport. A titre de comparaison, la proportion de familles nombreuses « pauvres » était de 11 % en 1995.

L'estimation du nombre de personnes sans domicile fixe varie dans de larges proportions, entre 70 000 et 700 000 selon les sources. Un consensus, qu'aucune enquête ne peut justifier scientifiquement compte tenu de la difficulté d'investigation dans ce domaine, s'est établi autour d'une fourchette de 200 000 à 300 000.

✦ En 1996, 41 000 tonnes de nourriture ont été données aux personnes en difficulté par 3 600 associations caritatives. 82 millions de repas ont été servis grâce aux 71 banques alimentaires.

La montre et le miroir

D'après une enquête effectuée par Arnaud Grévoz et Martin Vancostenoble dans le cadre d'un mémoire pour l'Ecole des mines de Paris, les personnes qui fréquentent les centres de secours (Restos du Cœur, Secours catholique...) recherchent avant tout deux objets symboliques : une *montre*, pour retrouver un rapport au temps et aux obligations professionnelles, sociales et personnelles ; un *miroir* pour être en mesure de porter un jugement sur soi-même et de trouver la volonté de s'en sortir. Ces deux instruments leur fournissent des repères qui manquent dans une vie où l'écoulement du temps n'est plus en phase avec celui de la société et où la vision de soi-même n'est plus objective.

POUVOIR D'ACHAT. *La croissance du niveau de vie a été considérable depuis plus d'un siècle.*

L'évolution du pouvoir d'achat des ménages dépend à la fois du montant de leurs revenus et du niveau de l'inflation, qui lamine en permanence leur valeur d'échange. Sa croissance est un phénomène plus que séculaire. Ainsi, entre 1856 et 1906, le salaire annuel net des ouvriers est passé de 11 000 F à 22 000 F en francs de 1995 (voir tableau ci-après). Pendant les Trente Glorieuses (1945-1976), il a plus que triplé (+ 230 %), alors que la durée annuelle moyenne de travail baissait de près de 200 heures.

Deux fois moins de temps, huit fois plus d'argent

Evolution du salaire ouvrier et du coût annuel de ce travail pour l'entreprise :

Années	Salaire net annuel (en francs 1995)	Coût annuel (en francs 1995)
• 1820	11 750	11 750
• 1856	11 010	11 010
• 1906	22 410	22410
• 1931	24 350	26 540
• 1938	25 890	30 640
• 1946	24 930	31 780
• 1976	82 400	124 970
• 1995	88 890	156 910

Pendant cette période, la grande majorité des Français se sont plus enrichis que pendant tout le siècle précédent ; entre 1950 et 1970, le pouvoir d'achat du salaire moyen a doublé. Ils ont ainsi pu progressivement acquérir leur résidence principale et s'équiper des produits phares de la société de consommation : voiture, réfrigérateur, télévision, machine à laver, etc.

La publicité est souvent ciblée sur le prix.
Euro RSCG Communicance

La croissance s'est poursuivie pendant les années de crise économique.

Contrairement au sentiment général, le pouvoir d'achat des ménages a continué de s'accroître dans de fortes proportions pendant la crise économique. Entre 1974 et 1985, les salaires ont continué de croître et les écarts se sont réduits, malgré les nuages qui s'accumulaient sur l'économie et la forte poussée de l'inflation (14,7 % en 1973). Les revenus des cadres ont moins augmenté que ceux des ouvriers ou des employés et la forte croissance du SMIC depuis 1968 a entraîné celle de l'ensemble des bas salaires. Un phénomène inverse de celui des vingt années précédentes.

La croissance du pouvoir d'achat s'est accélérée entre 1985 et 1989, poussée par celle de l'économie. Elle a bénéficié de la réduction de l'inflation, de la meilleure santé des entreprises, de mesures spécifiques comme la stabilisation du taux des prélèvements obligatoires ou l'instauration du revenu minimum d'insertion (RMI) et de la forte augmentation des revenus du capital, avec des taux d'intérêt réels élevés.

Pendant la crise, la hausse continue

Evolution du pouvoir d'achat du revenu disponible brut des ménages (en % annuel) :

Années	Pouvoir d'achat	Années	Pouvoir d'achat
• 1960	7,9	• 1979	1,2
• 1961	4,8	• 1980	- 0,1
• 1962	10,1	• 1981	2,6
• 1963	6,8	• 1982	2,5
• 1964	5,1	• 1983	- 0,8
• 1965	5,0	• 1984	- 0,7
• 1966	4,6	• 1985	1,7
• 1967	5,6	• 1986	2,4
• 1968	4,0	• 1987	0,4
• 1969	4,3	• 1988	3,2
• 1970	7,3	• 1989	3,7
• 1971	4,5	• 1990	3,4
• 1972	6,2	• 1991	1,9
• 1973	5,8	• 1992	1,8
• 1974	3,0	• 1993	0,7
• 1975	3,8	• 1994	0,8
• 1976	2,5	• 1995	2,8
• 1977	3,4	• 1996	0,2
• 1978	6,0	• 1997	2,2

INSEE

Entre 1970 et 1990, le pouvoir d'achat des ménages a progressé de 60 %...

Les données de la comptabilité nationale montrent que le pouvoir d'achat du revenu des ménages a continué de s'accroître en moyenne de 2,4 % par an entre 1970 et 1990. La croissance a été cependant beaucoup plus forte au cours des années 70 (+ 4 % par an) que pendant les années 80 (1 %).

Cette progression est mesurée à partir du revenu fiscal (avant impôts et hors prestations sociales). D'autre part, afin de gommer les écarts dus à la composition démographique différente des ménages, elle est calculée par unité de consommation avec une pondération de 1 attribuée à la personne de référence du ménage et 0,35 aux autres personnes. La prise en compte des transferts sociaux ne modifie pas les résultats qualitatifs de cette étude ; ceux-ci restent également valables si l'on s'intéresse au revenu disponible des ménages. Elle réduit en revanche sensiblement les inégalités, notamment au profit des familles avec enfants.

... mais l'évolution a été moins favorable pour les jeunes générations.

On constate que le niveau de vie des ménages dont la personne de référence était âgée de moins de 30 ans en 1990 a beaucoup moins progressé que celui des ménages de la génération précédente, qui avait le même âge en 1975. Ainsi, les jeunes qui s'installent depuis les années 80 ont un niveau de vie équivalent à celui qu'avaient leurs parents vingt ans plus tôt.

Ce sont les ménages qui avaient plus de 60 ans en 1990 qui ont connu la plus forte augmentation. Mais les retraités les plus récents ont davantage cotisé pour la retraite et bénéficient de liquidations de pensions plus favorables. Pour les générations nées avant 1940, la proportion de ménages pauvres a diminué d'une génération à la suivante, surtout pour les plus anciens. Au contraire, la pauvreté relative a augmenté pour les générations nées après 1950.

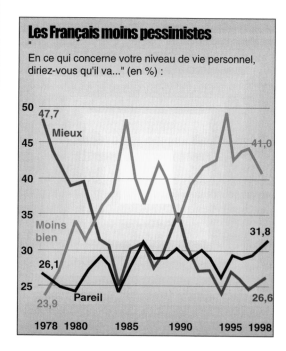

Les Français moins pessimistes

En ce qui concerne votre niveau de vie personnel, diriez-vous qu'il va..." (en %) :

✦ *80 % des célibataires gagnaient moins de 14 500 F net par mois en 1996.*

Depuis 1991, la croissance du pouvoir d'achat se poursuit à un rythme moins soutenu, mais la reprise a été forte en 1997 (+ 2,2 %).

Les forts taux de croissance du revenu disponible brut enregistrés à la fin des années 80 (3,5 % en moyenne entre 1988 et 1990) n'ont pas été retrouvés depuis le début de la décennie. Mais la croissance n'a pas cessé, avec 1,9 % en 1991 et 1,8 % en 1992 ; elle est passée en-dessous de 1 % en 1993 (0,7 %), 1994 (0,8 %) et surtout 1996 (0,2 %).

Mais 1997 a été une année de forte hausse du pouvoir d'achat des ménages (2,2 %), dans un contexte de très faible inflation (1,3 %). Il semble que cette progression n'ait pas été accompagnée d'un accroissement des inégalités, car l'accroissement des charges sociales a davantage touché les ménages aisés, qu'il s'agisse des salaires, des revenus non salariaux ou de ceux du patrimoine.

✦ *67 % des Français accepteraient une réduction de leur temps de travail avec une diminution correspondante de leur salaire pour éviter un licenciement dans l'entreprise, 30 % refuseraient.*

✦ *69 % des Français trouvent normal qu'il y ait des impôts sur le revenu (29 % anormal), 28 % des impôts sur les successions (67 % anormal), 72 % sur les impôts locaux (27 % anormal), 38 % une TVA (60 % anormal), 22 % une CSG (74 % non).*

✦ *Pour les Français, le pays dans lequel il y a le plus d'inégalités sociales est l'Espagne (40 %), devant l'Italie (35 %), la France (33 %), la Grande-Bretagne (32 %), l'Allemagne (10 %), la Suisse (5 %).*

✦ *Entre 1965 et 1994, le revenu disponible brut (ensemble des revenus salariaux et non salariaux des ménages après cotisations, impôts et prestations sociales) a été multiplié par 2,3 en francs constants.*

LA CONSOMMATION

Attitudes et comportements

L'évolution de la consommation est très largement déterminée par le changement social.

La consommation nationale n'est rien d'autre que l'agrégation des dépenses des ménages et des individus qui les composent. Elle est donc très influencée par les grands changements sociaux. L'évolution démographique joue un rôle important : on compte aujourd'hui moins de couples (surtout mariés), moins d'enfants, plus de personnes âgées, plus de familles recomposées et instables, des ménages plus nombreux mais de taille plus réduite...

Les modes de vie ont aussi connu des transformations importantes : la scolarité s'est prolongée et le niveau d'éducation s'est élevé ; les enfants sont adolescents plus tôt, mais adultes plus tard ; l'état de santé s'est amélioré ; les femmes sont de plus en plus souvent actives et autonomes ; la majorité des ménages habitent une maison individuelle ; le temps libre des actifs s'est accru tandis que le temps de travail diminuait ; le climat social s'est dégradé...

Enfin, les valeurs ont changé : l'attachement à la sécurité s'est accru ; les craintes concernant l'avenir se sont multipliées ; la confiance dans les institutions s'est érodée ; le souci du corps et de la santé est devenu prépondérant. La volonté de gérer son temps et sa vie, de prendre en main son destin a modifié les rapports avec les différents opérateurs : entreprises, produits, marques, distributeurs, médias...

1991 a été une année de rupture dans les attitudes.

Le choc psychosociologique lié à la guerre du Golfe a été le révélateur d'un changement des mentalités en matière de consommation qui était déjà sensible depuis plusieurs années. Le taux de croissance en volume des dépenses est resté depuis inférieur à 2 %. Seules quatre années avaient connu des taux aussi faibles depuis 1945 (1979, 1980, 1983, 1984).

Après 25 ans d'une transition à la fois culturelle, économique, psychologique et idéologique amorcée au milieu des années 60, les Français ont éprouvé le besoin de souffler. D'autant qu'ils ont été pendant ces années les témoins et les acteurs de véritables mutations et qu'ils ont vu se multiplier les menaces sur l'environnement et sur l'avenir de l'espèce humaine. Le tout sur fond d'innovation technologique accélérée et de mondialisation.

La crise économique, comme la guerre du Golfe, a eu des vertus pédagogiques. On a vu apparaître des attitudes nouvelles, caractérisées par une plus grande rationalité, une méfiance croissante par rapport à l'offre, une volonté d'autonomie.

Consommation de crise

L'analyse de différentes crises nationales ou internationales (Suez en 1956, la fin de la IVe République en mai 1958, Mai 1968, la vague d'attentats de septembre 1986) fait apparaître des réactions communes : stockage massif des produits alimentaires de base ; baisse de fréquentation des spectacles, des salons et des grands centres commerciaux ; annulations de voyages prévus. Dictées par la conjoncture, ces réactions d'autocensure et de réduction de certaines activités sont en général de courte durée. Dans les cas cités, elles n'ont pas infléchi durablement les modes de vie et la consommation, car une compensation a été observée dans les mois qui ont suivi la fin de la crise. Les changements qui ont eu lieu depuis 1991 apparaissent cependant d'une autre nature, car le rattrapage ne s'est pas produit. Ce choc, important sur le plan psychologique, semble avoir servi de révélateur et d'accélérateur à une transformation des mentalités et des comportements qui « couvait » depuis déjà plusieurs années.

✦ *69 % des Français souhaitent l'extension des horaires d'ouverture des commerces et des services.*

Les Français plus économes.
Market value

L'accumulation et la dépense sont devenues moins valorisantes.

Beaucoup de Français sont aujourd'hui conscients que la multiplication des objets et des équipements n'est pas la condition, ni même le moyen, du bonheur. Au contraire, les dimensions immatérielles de la vie comme l'émotion, le sens ou la convivialité prennent une place croissante dans leur vie. Cette recherche identitaire, existentielle et philosophique devient une dimension majeure de la consommation. Elle a pour conséquence un rejet de certains produits, dont les bénéfices n'apparaissent pas clairement, et entraîne une mobilisation contre le gaspillage. Elle explique aussi l'arbitrage du budget des ménages vers des dépenses plus porteuses de satisfaction sur le plan individuel comme les loisirs, la culture et tout ce qui peut contribuer au développement personnel.

La possession d'objets et de biens d'équipement est moins importante et valorisante, surtout s'ils ne contribuent pas à donner un sens à la vie. Les services qui leur sont associés (facilité et confort d'utilisation, durée de vie, garanties en cas de panne, etc.) sont au contraire de plus en plus déterminants. Cette recherche de sens s'est traduite par le rejet de certains produits de type *gadget* et a entraîné une mobilisation contre le gaspillage.

Les consommateurs sont entrés en résistance.

Face aux sollicitations toujours plus nombreuses de la part des entreprises et à l'« hyperchoix » auquel cela aboutit, les consommateurs hésitent. D'autant que, dans beaucoup de domaines, la saturation a été atteinte (c'est le cas notamment pour les équipements en biens domestiques) ; les achats concernent alors souvent le renouvellement ou le multiéquipement. Or, les Français sont aujourd'hui conscients que ces achats peuvent être différés dans le temps, ce qui permet une économie substantielle sans donner le sentiment de vivre moins bien.

Cette résistance est d'autant plus répandue que le standing social ne passe plus aujourd'hui par l'affichage ostentatoire des biens de consommation. Il devient plus valorisant de montrer que l'on achète moins, ou en tout cas mieux, en étant plus « malin ».

Le pouvoir de dire non

Contrairement à l'attitude qui prévalait au cours des années 80, les Français ne sont plus des « néophiles » ; ce qui est nouveau n'est plus par principe beau et intéressant. Une longue pratique leur a appris à faire la différence entre les vraies innovations et les fausses, qui ne concernent que l'emballage ou des modifications mineures.
Cela ne signifie pas que les véritables innovations sont acceptées par principe. Ainsi, le caméscope et la montre digitale n'ont pas vraiment séduit les foyers et la domotique reste un marché virtuel. Dans le domaine alimentaire, les salades en sachet ou les cocktails préparés à base d'alcool n'ont pas rencontré le succès attendu, tandis que les bières sans alcool ont fait long feu. Le succès commercial de Disneyland Paris, des consoles de jeux ou de l'ordinateur familial n'a été possible qu'en adaptant ces produits après des premiers échecs coûteux. Les entreprises proposent, les consommateurs disposent.

La méfiance est de plus en plus grande à l'égard de l'offre.

Les consommateurs refusent de subir les pressions économiques ou sociales. La multiplication des

« affaires », le climat de corruption et les pratiques commerciales discutables dans certains domaines (vente à l'arraché, faux rabais...) ont développé leur indépendance d'esprit et leur sens critique. Beaucoup ont le sentiment que les entreprises ont cherché à les tromper pendant des années, en pratiquant des prix trop élevés, en multipliant les fausses innovations et en faisant des promesses qu'elles ne tenaient pas.

Ils regardent donc avec une circonspection croissante les produits, les marques et la publicité dont ils font l'objet. Ils sont aujourd'hui conscients de leur poids face aux entreprises et ils le manifestent dans leurs comportements d'achat.

La tentation du détachement

Dans un monde où les objets n'ont pas souvent une âme et n'apportent pas toujours le bonheur espéré, certains réduisent leur consommation de façon drastique et choisissent des modes de vie moins matérialistes. D'autres, très minoritaires, se mettent en rupture avec la « société de consommation » ; ils rejettent la télévision, vendent leur voiture, décident d'aller vivre à la campagne, rêvent d'île déserte ou se réfugient dans une passion individuelle. La méfiance à l'égard des valeurs matérielles a trouvé son expression symbolique dans l'intérêt pour les produits « transparents » : shampooings, liquide vaisselle, produits de beauté, boissons, collants... Cette tendance à bannir la couleur (comme au temps de la Réforme) s'est retrouvée dans la mode, qui a privilégié les tons neutres, du beige au blanc. Le goût croissant pour l'immatériel a aussi amené logiquement à supprimer la matière. C'est pourquoi on a vu émerger l'idéologie du « sans » : produits alimentaires sans sucre, sans sel, sans matière grasse ou sans additifs, sirops sans colorant ou sans parfum, apéritifs sans alcool, essence sans plomb. La guerre du Golfe a été présentée comme une guerre sans morts. Les progrès de l'électronique permettent de faire rouler les métros sans conducteur. Les techniques de gestion de la production ont pour objectif des produits sans défaut. Comme les accouchements, les maladies doivent être soignées sans douleur. Avec la procréation assistée, les enfants peuvent naître sans père ou sans mère. Ce phénomène est la traduction concrète d'une volonté de dépouillement, d'authenticité, de retour à la simplicité extrême. Il montre à la fois le désir de ne garder que ce qui est nécessaire ou ce qui est bon pour l'homme et pour la nature. Mais il est contradictoire avec une autre tendance, qui cherche à renouer avec le plaisir de la consommation.

Les acheteurs sont de plus en plus compétents...

Au cours des années de crise, les consommateurs ont acquis de l'expérience. Ils sont de mieux en mieux informés sur les produits, les prix. Ils savent décoder la publicité et trier parmi les offres. De plus en plus, ils pratiquent leur propre marketing, étudiant le marché, consacrant le temps nécessaire

pour se faire une idée précise de ce qu'on leur propose et de l'adéquation avec leurs propres besoins. Le « bouche à oreille » prend une importance croissante dans la notoriété et le succès des produits et des services ; il peut être un concurrent sérieux de la publicité, mais aussi parfois une caisse de résonance.

Le consommateur est en outre rusé, malin et opportuniste. Conscient de son importance pour les entreprises et les commerçants, il sait en tirer profit. Il discute les prix ou s'efforce d'obtenir des avantages divers : garanties ; reprises ; matériel gratuit... Cette compétence va dans certains cas jusqu'à l'expertise. Il n'est pas rare que les acheteurs en sachent plus que les vendeurs sur certains produits, notamment à forte valeur ajoutée technologique.

... et de plus en plus exigeants.

Les consommateurs veulent tout, tout de suite et pour des prix bas. Cette exigence explique l'engouement pour les produits plurifonctionnels comme les vêtements tous usages ou les « deux-en-un » (shampooing-démêlant, éponge absorbante et essuyante, produits d'entretien lavants et désinfectants...). Cette exigence est justifiée par une compétence croissante dans de nombreux domaines.

On peut trouver deux explications majeures à ce phénomène. La première est la formidable diversité de l'offre, qui a multiplié les tentations. La seconde est l'évolution du rapport au temps. Les Français hésitent à se projeter dans l'avenir et vivent essentiellement dans l'instant. Ils sont devenus impatients et n'acceptent plus de faire la queue aux caisses des hypermarchés ou d'attendre chez le médecin. On peut noter que cette mentalité n'est pas étrangère au déclin de l'influence de la religion, qui prône la modération et l'austérité et promet un bonheur *post mortem* contraire à l'idée de *carpe diem* qui prévaut aujourd'hui.

La théorie du moindre effort

L'observation des comportements de consommation fait apparaître un processus de décision très rationnel, qui laisse assez peu de place au hasard. Tout se passe en effet comme si le consommateur évaluait de façon globale la « dépense » qu'il va devoir effectuer pour se procurer un objet. Celle-ci ne comprend pas seulement le coût financier de l'achat. Elle intègre une estimation de la dépense énergétique nécessaire pour se rendre au point de vente (fatigue, essence, parking...). Elle prend en compte le temps qui sera consacré à cette démarche et qui viendra en concurrence avec d'autres activités possibles.

Enfin, il existe un coût lié à la prise de décision, qui implique de réunir des informations, de les comparer et de choisir. C'est en fonction de cette estimation du prix de revient global, financier et non financier, que la décision finale sera prise.

Le pouvoir de séduction des produits varie avec le pouvoir d'achat des clients.
Alliance

Les achats sont plus rationnels...

Dans de nombreux domaines, on s'aperçoit que les hausses de consommation sont supérieures en volume (quantités achetées) à ce qu'elles sont en valeur (dépenses). Les prix moyens des achats tendent à diminuer car les Français achètent plus fréquemment pendant les périodes de soldes et de promotions, font davantage jouer la concurrence et marchandent. Le succès des magasins de maxi-discompte repose en partie sur cette volonté de mieux gérer le budget du ménage. Celui-ci devient en effet une véritable micro-entreprise qui s'efforce d'optimiser ses dépenses.

La perception du rapport « valeur-prix » est très personnelle. Il ne s'agit pas, le plus souvent, de la qualité intrinsèque des produits, mais de la « satisfaction » qu'ils apportent à leur acheteur ou utilisateur. Celle-ci peut passer par la marque, qui exerce notamment une fonction de garantie. Elle peut aussi être liée à la provenance du produit (l'exotisme est souvent une valeur ajoutée), à son esthétique (le *design* prend une importance croissante), à sa facilité d'utilisation (gain de temps) ou à l'image que lui confèrent la marque et la publicité.

... mais l'achat-plaisir reprend ses droits.

Pour beaucoup de Français, les années récentes ont été marquées par la frustration, parfois la privation. On observe aujourd'hui une volonté de retour au plaisir, à l'hédonisme, à une vie moins contrainte

Le goût de la fête

41 % des Français estiment qu'ils n'ont pas assez d'occasions de faire la fête. 70 % aimeraient se rendre plus souvent à des manifestations de type culturel (musique, danse, théâtre...), 55 % à des fêtes entre amis, 53 % à des manifestations sportives, 50 % à des fêtes familiales. Ils se disent prêts à faire en moyenne 160 km aller et retour pour se rendre à une fête (Kanterbrau/BVA, juin 1994).

Pourtant, 37 % des Français déclarent avoir le « blues » au moment des fêtes de fin d'année (62 % non). Parmi eux, 43 % l'ont au moment de Noël, 32 % le jour de l'An, 11 % les deux. 41 % ont le blues parce qu'ils font semblant d'être heureux pendant les fêtes, 26 % parce qu'ils ont peur d'être tristes, 9 % parce qu'ils ont peur de se fâcher avec leurs proches (Quo/BVA, décembre 1997).

Les anticipations d'achats pour les fêtes de fin d'année 1997 traduisaient le pessimisme national : si 51 % des Français pensaient consommer autant que l'année dernière ; 38 % pensaient dépenser moins et seulement 9 % davantage (BFM/BVA, décembre 1996).

où la fantaisie a sa part. Les loisirs prennent ainsi une place centrale dans la vie quotidienne. La douleur est de moins en moins bien supportée, qu'elle soit physique ou morale. La vogue du sport-souffrance des années 80 (jogging, aérobic, body-building, vélo d'appartement...) fait place à la recherche de la détente.

L'alimentation est l'un des principaux vecteurs du plaisir. Les produits « de fête » (saumon, foie gras, champagne...) sont de moins en moins saisonniers. Les petites collations en cours de journée se multiplient (grignotage, *mood food*). La consommation des produits de première nécessité diminue et l'on observe une montée en gamme générale.

Le retour des achats d'impulsion, l'intérêt porté aux aspects ludiques de la consommation (emballages, décoration des magasins...) sont d'autres manifestations de ce besoin croissant de plaisir par la consommation.

Le besoin de sécurité est de plus en plus apparent.

Les Français craignent pour leur emploi, leur logement, leur retraite, leur santé, leurs biens, l'avenir de leurs enfants ou celui de la planète. Ce sentiment de menace permanente et multiforme est renforcé par le chômage, la délinquance, les problèmes écologiques, les risques technologiques ou les déséquilibres économiques (Sécurité sociale, régimes de retraite..). Il est entretenu par le climat social et la tonalité des médias. Il engendre un très fort besoin de sécurité, dont témoigne par exemple l'engouement pour les labels.

Les produits et services permettant d'éloigner ou de supprimer les risques personnels ou collectifs sont donc recherchés. C'est le cas évidemment en matière d'alimentation, mais aussi d'assurance, d'assistance ou de biens d'équipement du foyer ; dans les critères de choix d'une voiture, la possibilité de rouler vite est aujourd'hui moins importante que celle de s'arrêter rapidement ou d'être protégé en cas d'accident.

Les consommateurs affichent un intérêt croissant pour le troc...

Les Français apprécient de plus en plus les formes de distribution qui leur permettent de faire des économies. C'est le cas par exemple des magasins de maxidiscompte ou d'usine. Ils apprécient aussi les formules qui se situent hors des circuits traditionnels (vis-à-vis desquels ils se montrent méfiants). Le troc entre particuliers a été ainsi remis au goût du jour et connaît un fort développement. Dans l'Ariège, les habitants ont mis en place le SEL (Système d'échange local) qui leur permet de s'échanger des produits ou des services, tous affectés d'une valeur en « grains ». Cette pratique est illégale car elle ne donne pas lieu au paiement de charges sociales ou de taxes. Elle est en outre dénoncée par les artisans et commerçants locaux qui y voient une concurrence déloyale.

Les particuliers ne sont pas les seuls à pratiquer le troc. Les entreprises effectuent des « échanges marchandises » : matériel contre espace publicitaire ; billets d'avion ou nuits d'hôtel contre produits. On estime que le troc représente au moins 5 milliards de francs de transactions par an. Il est également nécessaire dans le commerce avec certains pays peu développés, qui paient en matières premières des achats de matériels et d'équipements.

... et l'occasion.

La réussite des magasins Cash Converters, Troc dans l'Ile ou Phone House, qui rachètent aux particuliers leurs biens d'équipement usagés pour les revendre, montre l'importance croissante du marché de l'occasion. Elle témoigne à la fois de la rationalité des comportements de consommation (on peut se débarrasser d'objets encombrants dont on n'a plus l'usage et payer moins cher d'autre biens) mais aussi de la rapidité d'obsolescence des équipements, qui oblige à les changer plus souvent.

La brocante est un autre aspect de cet engouement. Entre 1990 et 1994, le nombre des dépôts-ventes, vide-greniers et braderies a augmenté de 32 %, passant de 3 800 à 5 000 par an et réunissant 450 000 exposants. 66 % des Français se rendent dans ces types de vente ; 67 % y recherchent en priorité des

A la Fnac,
on peut être
remboursé
sans se faire
gronder.

Vous êtes satisfait
ou remboursé,
parce que
tout le monde
peut se tromper.

www.fnac.fr - 3615 fnac (2,23 F/mn)

fnac

Le droit à l'erreur reconnu.
DDB Advertising

meubles, 33 % des appareils ménagers. 27 % y vendent eux-mêmes parfois des objets (La Trocante/Sofres, septembre 1997).

On ne peut comprendre les consommateurs que si on s'intéresse aux individus.

Les consommateurs sont aujourd'hui de plus en plus difficiles à saisir. Une même personne peut faire ses courses dans les magasins de maxidiscompte et fréquenter parfois des boutiques de luxe. Elle peut déjeuner dans un fast-food et dîner dans un grand restaurant, s'offrir la même année une semaine de vacances en gîte rural et une croisière aux Antilles. Les consommateurs ont souvent des comportements différents selon les circonstances ou leur humeur du moment. Ils changent aussi au cours des différentes étapes de leur vie.

Pour comprendre ces évolutions, il faut quitter la perspective du consommateur pour s'intéresser à l'individu qui se cache derrière. Car les attitudes et les décisions d'achat sont largement conditionnés par les modes de vie et les systèmes de valeurs. Il faut être conscient aussi que les individus sont multidimensionnels ; tour à tour adultes et enfants, actifs et oisifs, modernes et conservateurs, satisfaits ou frustrés, responsables ou assistés... C'est ce qui explique le développement du *zapping*, infidélité apparente aux produits, aux marques ou aux circuits de distribution.

L'infidélité des acheteurs est une manifestation d'éclectisme et de rationalité.

Les Français fréquentent aujourd'hui en moyenne 3,3 grandes surfaces alimentaires, contre 2,7 en 1987. Sur 100 F dépensés par un ménage, 38 F le sont dans un premier magasin, 25 F dans un second, 21 F dans un troisième, 2 F dans un quatrième. Seuls 4 à 10 % des ménages font leurs achats exclusivement dans un magasin, selon l'enseigne considérée.

Le *zapping* ne doit pas cependant être considéré comme un signe d'instabilité ; il est une manifestation de l'éclectisme croissant des individus qui veulent faire des expériences, renouveler leurs sensations et leur plaisir de consommer. Il est aussi le résultat de la plus grande rationalité des comportements, qui pousse à profiter des opportunités afin de mieux « gérer » son budget. Ainsi, les Français réalisent une part croissante de leurs achats en période de soldes ou de promotions. Ils hésitent moins à acheter dans les grandes surfaces des produits qui

étaient autrefois l'apanage des magasins spécialisés (vêtements, chaussures, produits de beauté, produits alimentaires haut de gamme) et qu'ils peuvent ainsi payer moins cher.

Cette évolution a été favorisée par l'accroissement de l'offre, avec notamment la guerre des prix entre les enseignes et l'arrivée récente des maxidiscomptes.

Les critères sociodémographiques ne suffisent plus à expliquer les comportements de consommation.

Les critères sociodémographiques traditionnels comme le sexe, la situation de famille ou le revenu sont de moins en moins explicatifs, encore moins prédictifs, des modes de consommation. Ceux-ci sont de plus en plus liés aux modes de vie et aux systèmes de valeurs. C'est ce qui explique que l'on trouve des représentants de tous les groupes sociaux dans les magasins de maxidiscompte ou chez Tati, et que la corrélation entre le prix d'achat des voitures et le pouvoir d'achat de leurs propriétaires soit moins apparente.

Cela ne signifie pas que les critères traditionnels sont caduques. La façon de consommer n'est pas indifférente au niveau de revenu ; les écarts restent importants en ce qui concerne les produits « de luxe » comme les voyages organisés, les locations de villas, les frais de résidences secondaires, les services domestiques ou les assurances. De même, l'alimentation pèse deux fois plus lourd dans le budget des manœuvres que dans celui des professions libérales. Le budget habillement d'un cadre moyen est près de deux fois supérieur à celui d'un agriculteur, son budget loisirs près de trois fois. Pourtant, à revenu égal, les habitudes de dépenses peuvent être très différentes.

L'âge reste un facteur important.

De tous les critères sociodémographiques traditionnels (sexe, âge, profession, revenu, habitat, statut matrimonial...), l'âge reste le plus prédictif des attitudes et comportements en matière de consommation. Il est par exemple déterminant pour le statut d'occupation du logement. Les jeunes ménages sont généralement locataires ; ils dépensent davantage pour l'équipement de leur logement. Par ailleurs, les dépenses de loisirs (cinéma, disques, vacances) et celles d'habillement prennent une place plus importante pour les jeunes ménages ou pour ceux qui ont des enfants adolescents. Les dépenses de luxe concernent au contraire surtout les personnes d'âge moyen, entre 35 et 65 ans, qui sont déjà installées.

Les valeurs féminines imprègnent les modes de consommation.

La société change de sexe. La diffusion de certaines qualités plus typiquement féminines est de plus en plus apparente : sens pratique, modestie, sagesse, intuition, équilibre, pacifisme, douceur, respect de la vie... Les femmes, bien sûr, n'en sont pas les dépositaires exclusives, mais les valeurs masculines sont plus marquées par la volonté de domination, l'agressivité ou l'esprit de compétition.

On observe parallèlement que le poids des femmes dans les décisions de consommation s'accroît. 45 % des acheteurs de peintures de décoration sont aujourd'hui des femmes, contre 10 % il y a dix ans. Le développement de la randonnée pédestre est dû à l'intérêt récent des femmes ; il en est de même pour la pratique sportive en général.

Les entreprises commencent à prendre en compte cette évolution majeure. La sécurité, le caractère pratique et la simplicité jouent un rôle croissant dans la conception des produits. Les programmes des machines à laver sont moins nombreux et d'utilisation plus facile, comme les fonctions des chaînes hi-fi ou des magnétoscopes. L'aménagement intérieur des voitures et les volumes de rangement font l'objet d'une plus grande attention de la part des constructeurs.

La femme, une consommatrice de taille.
Wolkoff et Arnodin

La recherche de l'autonomie résume les attitudes actuelles.

Les modèles et les normes sociales sont de moins en moins suivis. En matière alimentaire, les repas ne sont plus pris à heures fixes (déstructuration), la saisonnalité des produits est moins marquée. L'automédication est de plus en plus pratiquée par les familles, qui cherchent à se passer des services des médecins. Dans le domaine de l'habillement, l'influence de la mode est plus limitée. L'hégémonie des marques est aussi moins forte.

Le développement de l'économie domestique est l'une des conséquences de cette recherche d'autonomie. Elle concerne toutes les activités d'autoproduction : bricolage ; jardinage ; fabrication de confitures ; couture ; tricot, etc. Elle comprend aussi tous les services que l'on se rend à soi-même : réparation d'une fuite d'eau, montage d'un meuble en kit, déménagement...

Cette évolution concerne moins les jeunes, qui restent davantage dépendants des modes et des marques leur permettant de montrer leur appartenance à un groupe et de se chercher une identité.

Le rapport de forces entre l'offre et la demande tend à s'inverser au profit du consommateur.

La fuite en avant caractérisant la « modernité » telle qu'elle était vécue dans les années 70 et 80 a montré ses limites. La consommation de biens s'accompagne aujourd'hui d'une demande de valeur ajoutée immatérielle : authenticité, sens, vertu... Avec, en filigrane, une revendication écologique qui s'affirme. La période qui commence devrait être marquée par un rééquilibrage des forces au profit de la demande. Cette dernière n'émanera plus du « consommateur », mais de l'individu tout entier, dans sa complexité et, parfois, ses contradictions.

Pas plus qu'à la « fin de l'Histoire » nous n'assistons à la fin de la consommation. Mais nous entrons dans une nouvelle société, dans laquelle la consommation jouera un rôle différent.

Les transformations en cours seront durables.

Ces changements d'attitude et de comportement en matière de consommation ne sauraient être confondus avec un simple mouvement d'ajustement provoqué par une conjoncture économique difficile et un malaise social passager. Le passage du matériel à l'immatériel, de l'usage à l'identité, du signe au sens, de l'amoralité à l'éthique, de l'indifférence à l'écologie sont quelques-uns des aspects d'une demande plus générale, qui s'inscrit dans l'invention et la mise en place d'une nouvelle civilisation.

Comme les consommateurs, les fabricants et les distributeurs devront être davantage conscients de leur rôle dans l'environnement économique, social, culturel. Ils devront se comporter en citoyens, concilier l'éthique et le courage, c'est-à-dire la vertu.

Dépenses

La hausse de la consommation a été très forte depuis un demi-siècle.

Le taux de croissance de la consommation en volume (après prise en compte de l'inflation) a toujours été positif depuis la fin de la Seconde Guerre mondiale, à l'exception de trois années : 1980, 1983, 1984. Il a globalement suivi l'évolution du pouvoir d'achat, avec parfois un léger décalage dans le temps.

On constate cependant que le rythme d'accroissement, très élevé au cours des années 60 (le maximum a été obtenu en 1962, avec 10,1 %), s'est ralenti depuis le premier choc pétrolier. La modulation par les ménages de leur taux d'épargne ou le report de certaines dépenses, notamment de biens d'équipement, leur a permis de continuer d'accroître leur consommation dans les périodes de plus faible croissance du pouvoir d'achat. Mais, sur l'ensemble de la période 1945-1997, la croissance annuelle moyenne de la consommation et celle du pouvoir d'achat ont été identiques : 3,8 %.

Entre 1949 et 1969, la consommation a augmenté au même rythme que le pouvoir d'achat.

Le budget disponible pour la consommation s'est considérablement accru depuis le début des années 50 : le pouvoir d'achat des ménages a été multiplié par quatre entre 1949 et 1985 ; au cours de la période 1949-1969, leurs dépenses de consommation ont augmenté à un rythme comparable à celui de leur revenu réel, soit d'environ 5 % par an en moyenne.

Une hausse continue, mais ralentie

Evolution de la consommation en volume (en % annuel, après déduction de la hausse des prix) :

Années	Consom-mation	Années	Consom-mation
• 1960	5,2	• 1979	3,1
• 1961	6,2	• 1980	1,4
• 1962	7,6	• 1981	2,1
• 1963	7,4	• 1982	3,4
• 1964	5,5	• 1983	0,9
• 1965	4,2	• 1984	1,0
• 1966	4,8	• 1985	2,3
• 1967	5,1	• 1986	3,7
• 1968	3,9	• 1987	2,7
• 1969	6,0	• 1988	3,1
• 1970	4,3	• 1989	2,9
• 1971	5,3	• 1990	2,4
• 1972	5,3	• 1991	1,2
• 1973	5,5	• 1992	1,2
• 1974	2,2	• 1993	0,1
• 1975	3,2	• 1994	1,4
• 1976	5,0	• 1995	1,5
• 1977	2,9	• 1996	1,8
• 1978	3,8	• 1997	0,7

INSEE

La première période (entre 1949 et 1959) correspond à celle de la reconstruction nationale, en particulier de l'habitat. Les années 60 ont été marquées par l'ouverture des frontières, l'industrialisation et l'avènement des produits de consommation de masse. C'est dans ce contexte qu'est survenue la crise de 1973.

Entre 1970 et 1973, la consommation s'est un peu ralentie au profit de l'épargne.

La croissance des revenus des ménages a été particulièrement forte pendant les cinq années qui ont précédé la crise économique : 6,5 % par an entre 1969 et 1973. La croissance de la consommation est restée très élevée (5,6 % par an), mais inférieure à celle des revenus. Les Français ont donc pu reconstituer leur épargne, tout en se dotant des biens d'équipement du foyer fabriqués en grandes séries.

Le développement de l'offre industrielle, le rôle incitatif de la publicité et la volonté d'afficher un *standing* par l'acquisition des objets de la modernité (équipement ménager, voiture, vacances, vêtements, etc.) expliquent cette course effrénée aux biens matériels.

1973, l'année charnière

Le premier choc pétrolier a coïncidé avec une rupture du rythme de consommation des ménages. Le phénomène a été particulièrement net à la baisse pour l'alimentation, l'habillement et l'équipement du logement, à la hausse pour les dépenses de santé et de logement. Les arbitrages effectués traduisaient, bien sûr, l'évolution des goûts et des aspirations des Français, liée à une nouvelle échelle des valeurs, souvent implicite. Ils étaient aussi la conséquence des contraintes économiques nouvelles.

Ainsi, l'augmentation du prix de l'énergie a conditionné celle des dépenses de logement, qui, outre le loyer, comprennent le chauffage et l'électricité. Les dépenses de transport ont également subi l'augmentation du prix de l'essence et des voitures, dont la construction nécessite beaucoup d'énergie et de matières premières, elles-mêmes liées au prix du pétrole. Les Français n'ont réussi à maintenir le niveau de ces dépenses qu'en réalisant des économies substantielles sur ces postes. D'où la diminution des achats de voitures neuves au profit du marché de l'occasion.

De 1974 à 1987, l'accroissement des dépenses de consommation a été supérieur à celui des revenus.

L'arrivée de la crise économique n'a pas modifié les comportements de consommation des Français. Une sorte de consensus social s'est produit pour nier l'existence de cette crise. Il a été entretenu par l'attitude des partis politiques, mais aussi par celle des syndicats et des entreprises.

Les Français ont donc commencé à puiser dans leur épargne pour maintenir leur consommation : entre 1974 et 1981, la consommation s'accroissait de 3,4 % par an, alors que les revenus n'augmentaient que de 3,0 %. Le phénomène a été encore plus marqué entre 1982 et 1987.

Depuis 1988, la croissance de la consommation a été à nouveau limitée par la croissance du taux d'épargne.

Entre 1988 et 1997, la hausse de la consommation a été inférieure à celle du pouvoir d'achat, à l'exception de 1994 et 1996. Cette évolution s'explique par une hausse presque continue du taux d'épargne, après la forte baisse des années 1982 à 1987.

La période récente correspond en effet à un changement d'attitude en matière de consommation. Les Français sont plus hésitants à l'égard de la consommation matérielle, qui ne leur a pas apporté les satisfactions espérées (voir pages suivantes). Ils cherchent en revanche à se protéger pour l'avenir en cas de coup dur (chômage, maladie, nécessité d'aider un enfant dans le besoin...). Les actifs sont notamment conscients de la nécessité de constituer un patrimoine pour compléter leur future retraite, dont ils savent qu'elle sera moins favorable que celle que perçoivent actuellement leurs parents.

En 1997, chaque ménage a dépensé en moyenne 206 000 F pour sa consommation (97 000 F par habitant).

La consommation a poursuivi sa progression en 1997, mais avec une hausse limitée à 0,7 % en volume, très inférieure à celle de 1996 (1,8 %). Cette faible hausse, dans un contexte de fort accroissement du pouvoir d'achat des ménages (2,2 %) est le résultat d'une hausse de l'épargne, qui a représenté 14,6 % du revenu disponible. Le repli a été sensible dans le secteur de l'automobile, avec une baisse de 8 % en volume, après la suppression des mesures de soutien à l'achat de voitures neuves. La baisse a aussi concerné les dépenses d'énergie, du fait d'un hiver 1996-97 très clément.

Hors automobile et énergie, la consommation a tout de même augmenté de 1,5 %, avec pour la première fois depuis six ans une hausse des dépen-

Le maxidiscompte représente une part croissante des achats
Publicis Koufra

L'arbitrage consommation-épargne

Evolution de la consommation, du revenu et du taux d'épargne des ménages (en %) :

	1988	1989	1990	1991	1992	1993	1994	1995	1996	1997
- Consommation en volume*	3,1	2,9	2,4	1,2	1,3	0,1	1,4	1,5	1,8	0,7
- Prix à la consommation	2,9	3,6	3,1	3,4	2,5	2,3	2,1	1,7	2,0	1,3
- Pouvoir d'achat du revenu disponible brut	3,2	3,7	3,4	1,9	1,8	0,7	0,8	2,6	0,4	2,2
- Taux d'épargne (en % du revenu disponible brut)	11,0	11,7	12,5	13,2	13,6	14,1	13,6	14,5	13,3	14,6

* Après déduction de l'inflation sur la consommation en francs courants.

INSEE

ses d'habillement. Le rythme des dépenses s'est accéléré au cours du second semestre, indiquant sans doute le début véritable de la reprise économique tant attendue. L'inquiétude face à l'avenir reste cependant forte, ce qui explique la croissance de l'épargne. Ce climat prévalait encore en 1998, malgré l'amélioration générale des indicateurs économiques.

L'évolution de la structure du budget des ménages est un reflet fidèle du changement social.

Les changements intervenus dans la répartition des dépenses des ménages sont d'abord liés à l'accroissement du budget disponible ; certaines dépenses liées aux loisirs, aux transports ou à la santé ne se développent qu'à partir du moment où les besoins primaires (alimentation, habillement, logement) sont satisfaits.

Mais ces changements reflètent surtout ceux qui se sont produits dans les modes de vie et dans l'attitude des Français face à la consommation. Ils apparaissent très clairement dans l'évolution de la part de chaque poste de consommation dans le budget des ménages, c'est-à-dire dans l'allocation des ressources.

On ne peut établir de lien véritable entre le moral des ménages et leur consommation. On observe en revanche une augmentation des dépenses lorsque les consommateurs ont le sentiment qu'il existe des opportunités d'achat. On a pu le constater avec les primes d'Etat à l'achat de voitures neuves ; on le vérifie chaque année pendant les périodes de soldes.

L'incidence des prix relatifs

La baisse de consommation en valeur de certains biens ou services s'explique parfois largement par celle de leurs prix. Ainsi, les prix des appareils électroménagers ont tendance à diminuer en francs constants (parfois même en francs courants) au fur et à mesure de leur diffusion dans le public, grâce aux économies d'échelle et aux gains de productivité liés au progrès technique et à la concurrence internationale. Les prix des montres, des téléviseurs ou, plus récemment, des magnétoscopes, des lecteurs de disques compacts et des ordinateurs ont baissé de façon sensible, alors que les revenus des Français augmentaient.
A l'inverse, les journaux, les timbres ou les places de cinéma ont augmenté beaucoup plus vite que l'inflation, ce qui les rend plus coûteux aujourd'hui. Les services, qui sont constitués essentiellement de main-d'œuvre, donc de salaires, se prêtent beaucoup moins bien aux gains de productivité. Ainsi, les tarifs des coiffeurs, des garagistes ou des plombiers ont augmenté plus vite que ceux des biens de consommation.

✦ *Sur cent produits nouveaux mis sur le marché au cours des neuf dernières années, 45 ont été retirés, 29 ont été des succès mitigés et 26 de véritables réussites.*

INSEE

Le budget des ménages

Evolution de la structure des dépenses des ménages (en %, calculés aux prix courants) :

	1960 (en %)	1970 (en %)	1980 (en %)	1990 (en %)	1997 (en %)	1997 (en francs par ménage)
• Produits alimentaires, boissons et tabac	33,3	26,0	21,4	19,3	17,9	37 064
• Habillement (y compris chaussures)	11,0	9,6	7,3	6,5	5,2	10 757
• Logement, chauffage, éclairage	10,4	15,3	17,5	19,3	22,5	46 506
• Meubles, matériel ménager, articles de ménage et d'entretien	11,0	10,2	9,5	7,9	7,3	15 174
• Services médicaux et de santé	5,0	7,1	7,7	9,5	10,3	21 191
• Transports et communications	11,6	13,4	16,6	16,7	16,3	33 596
• Loisirs, spectacles, enseignement et culture	6,0	6,9	7,3	7,6	7,4	15 353
• Autres biens et services	11,7	11,5	12,7	13,2	13,1	27 051
CONSOMMATION TOTALE (y compris non marchande)	100,0	100,0	100,0	100,0	100,0	206 692

Les dépenses d'alimentation représentent 18 % du budget disponible des ménages, contre 27 % en 1970 et 36 % en 1959.

Le poste alimentation comprend les produits alimentaires, les boissons et le tabac. Les dépenses ont représenté 17,9 % des dépenses totales en 1997, en augmentation de 0,7 % en volume. La consommation de viande de bœuf a légèrement repris (respectivement + 0,4 % et + 0,5 % en volume) après l'affaire de la « vache folle », mais aussi celle de veau et de porc, tandis que la croissance des achats de volaille reste plus forte (4,3 %) ; la consommation de mouton a connu une baisse de 2,7 %. L'eau minérale, les boissons non alcoolisées (notamment les jus de fruits), les produits laitiers (à l'exception du lait), les produits diététiques et enrichis ont poursuivi leur croissance en volume, à l'inverse des produits frais de la mer (- 0,8 %).

La baisse du budget enregistrée au fil des années n'est que relative. Elle s'explique par l'accroissement régulier du pouvoir d'achat, qui a permis aux Français de consacrer une part plus grande de leurs revenus à d'autres postes de dépenses correspondant à des attentes moins primaires. Elle est aussi liée à la diminution des besoins caloriques, du fait d'une moindre dépense physique dans la vie professionnelle. Elle est enfin la conséquence d'une con-

currence accrue entre les entreprises du secteur agroalimentaire, du développement des grandes surfaces et, plus récemment, des magasins de maxi-discompte (voir *Vie quotidienne*).

La part des dépenses d'habillement a diminué de moitié depuis la fin des années 50 : 5 % contre 10 %.

Au cours des dernières décennies, la baisse relative des dépenses d'habillement a été encore plus marquée que celle de l'alimentation. Elle est la conséquence de la moindre importance des modes, mais aussi de comportements d'achat orientés vers la recherche du meilleur prix : utilisation massive des périodes de soldes ; recours aux circuits courts de distribution. On constate d'ailleurs que les prix des vêtements achetés baissent en valeur relative depuis 1986.

Elles ont cependant connu une hausse en 1997 (+ 1,5 %), après six années consécutives de baisse. Les achats des hommes ont augmenté davantage que ceux des femmes (2,5 % contre 1,7 %). Ceux de chaussures ont augmenté de 1,4 %. Bien que la hausse des prix dans l'habillement soit estimée à 0,6 %, le prix unitaire des articles achetés a poursuivi sa baisse.

*Les dépenses de santé
des ménages représentent
10,3 % du budget en 1997,
contre 7,1 % en 1970.*

L'augmentation des dépenses
de santé (en volume plus encore qu'en dépense effective)
a été très forte au cours des
quinze dernières années, à
l'exception de la baisse de
1987, due au plan de rationa-
lisation des dépenses mis en
place par les pouvoirs publics.
Elle a été en partie masquée
depuis quelques années par la
diminution des prix relatifs, liée
à la compression des marges
de l'industrie pharmaceutique
et des pharmaciens.

Cette augmentation est la
conséquence des préoccu-
pations croissantes des Fran-
çais pour leur état de santé. Plus que jamais, la santé
apparaît comme un atout dans la vie tant personnelle que sociale et surtout professionnelle. C'est
donc autant par conviction que par obligation que
beaucoup de Français investissent pour entretenir
ce capital, sachant qu'ils en percevront les intérêts.

On observe depuis 1994 une diminution du
rythme de croissance de ces dépenses, suite à la
mise en place du plan de 1993. Il a été de 1,7 % en
volume en 1997, avec une progression forte des
dépenses de médicaments (3,9 %) et modérée des
dépenses de consultation (0,9 %).

Lorsque l'enfant paraît

L'arrivée d'un enfant représente pour beaucoup de couples un changement
considérable dans le mode de vie, marquant la sortie définitive de
l'adolescence et l'entrée dans le monde des adultes. Elle correspond aussi à
une période de consommation boulimique, avec l'achat d'une voiture ou d'un
Caméscope, le recours fréquent au crédit, la souscription de produits
d'épargne et de prévoyance. Elle incite à faire davantage attention à son
alimentation.

80 % des décisions d'achat de produits et d'équipements liées à cet
événement sont prises et la moitié effectuées avant la naissance. C'est
pourquoi les entreprises concernées couvrent les mères de cadeaux bien
avant leur entrée à la maternité. Le marketing prénatal associe habilement la
promotion des produits à des informations concernant la santé et l'éducation
des enfants.

Lorsqu'ils grandissent, les enfants exercent une influence de plus en plus
sensible sur les achats du foyer. On estime que 30 % des 2-7 ans ont des
idées arrêtées sur les marques (1997), contre 22 % en 1994. 60 % des mères
laissent leurs enfants choisir leurs céréales, 60 % achètent leur marque de
soda préférée. Les petits ont tendance à choisir des marques destinées aux
plus grands. La nouveauté est qu'ils demandent désormais de plus en plus
souvent des marques ou des produits pour adultes.

disques compacts, Caméscope, téléviseurs 16/9, ordinateurs familiaux, téléphones portables, etc. On a
observé en 1997 une progression des achats d'équipements électroniques (téléphonie, informatique,
consoles et jeux vidéo, téléviseurs, répondeurs, radiomessagerie) et de disques (8 %) ainsi que des
dépenses de cinéma.

Il faut cependant préciser que certaines dépenses comme l'alimentation de loisir (réceptions à do-

*Les dépenses de loisirs représentent
officiellement 7,4 % du budget (1997),
mais en réalité plus du double.*

Les dépenses consacrées aux loisirs regroupent à la
fois les biens d'équipement (télévision, radio, hi-fi,
photo, sport, etc.) et les dépenses de spectacles, de
livres et de journaux. Elles ont connu une progression
régulière depuis une vingtaine d'années, en particulier dans le domaine des biens d'équipement, favorisé par la baisse des prix relatifs. Elles sont la
conséquence de l'accroissement du temps libre
(voir *Temps*) et du changement de mentalité face à
son utilisation (voir *Loisirs*).

La croissance des dépenses a été entretenue
par l'apparition de nouveaux produits : lecteurs de

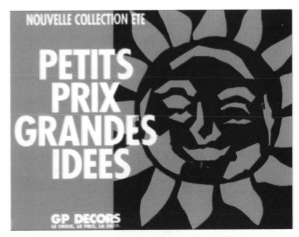

Avant d'acheter, les Français aiment avoir une idée du prix.
Richard Peyrat & Associés

micile, restaurants), les frais d'hôtel, les transports et communications ou les dépenses effectuées auprès des agences de voyage sont comptabilisées dans d'autres postes. Leur poids est difficile à estimer, mais il représente sans doute au moins autant que le seul poste loisirs.

Mythologie contemporaine

Les objets à la mode racontent les craintes et les espoirs de ceux qui les utilisent. Ainsi, le préservatif symbolise la menace permanente qui pèse sur les relations sexuelles. Il est avec l'autoradio extractible, le Digicode, la bombe lacrymogène ou la couette l'un des multiples objets destinés à la protection individuelle. L'ordinateur familial, le cédérom et Internet sont les symboles de l'avènement du multimédia et de l'interactivité. Le fax, le câble et l'antenne satellite sont d'autres outils essentiels de la distanciation vis-à-vis du reste du monde. L'ordinateur portable et le téléphone portable sont, au contraire, des instruments qui permettent de sortir de chez soi tout en restant « branché ».

Le logement est devenu le premier poste de dépense depuis 1991 (29,8 % du budget en 1997).

Les Français consacrent plus du quart de leurs revenus aux dépenses d'habitation : logement, équipement et entretien. Cette évolution tient d'abord à l'augmentation du nombre d'accédants à la propriété, en particulier de maisons individuelles, plus coû- teuses à acheter et à entretenir que les appartements (voir *Vie quotidienne*). Le poids des remboursements d'emprunts s'est fait aussi plus lourd, du fait des taux réels élevés.

La taille moyenne des logements a augmenté, en même temps que le souci d'en accroître le confort (cuisine, salle de bains...), ce qui entraîne des charges et des dépenses plus élevées. Depuis le début des années 90, les dépenses concernant la seule occupation du logement (loyer et charges, remboursements de prêts, gros travaux d'équipement et d'entretien, énergie, impôts et assurances) sont supérieures aux dépenses d'alimentation : 22,5 % contre 17,9 % en 1997 (malgré une baisse des dépenses d'énergie de 1,1 % en volume).

✦ *Un couple n'a besoin que de 1,5 fois le revenu d'un célibataire pour avoir le même train de vie.*

Les dépenses de transport et de communication poursuivent leur croissance (16,3 % du budget en 1997).

La proportion de ménages disposant d'au moins deux automobiles est passée de 17 % en 1980 à 26 % en 1997. Cette croissance a entraîné celle des dépenses d'acquisition, d'entretien et d'utilisation. En 1997, les achats de voitures neuves ont cependant diminué de 20 %, après la fin des mesures de soutien des années précédentes. Les dépenses de carburant, qui sont supérieures à celles d'équipement, ont cependant augmenté de 3,5 %.

Les attentats de 1995 et les grèves de décembre avaient eu une incidence sur les dépenses de transport collectif, avec une baisse de 5 % sur les transports ferroviaires et de 11 % sur les transports urbains dans l'année. La croissance a repris depuis 1996 ; elle a atteint 3 % en volume pour le train et 4 % pour l'avion en 1997.

Les dépenses de télécommunications ont connu une diminution de 2,4 % en 1997, à la suite de la baisse des tarifs du téléphone.

Les Français réalisent une part croissante de leurs achats dans les grandes surfaces.

Les Français effectuent un tiers de leurs achats de détail (hors automobiles) dans les hypermarchés, supermarchés et grands magasins, contre seulement un quart en 1987. Cette croissance s'est effectuée au détriment des petits commerçants. On comptait 1 123 hypermarchés et 7 600 supermar-

Les soldes rythment la vie de la consommation.
Paname

Les hypers gagnent

Parts de marché des différents circuits de vente au détail en 1997 (hors véhicules automobiles), en % :

Formes de vente	Ensemble des produits commer-cialisables	Produits alimentaires (y compris tabac)	Produits non alimentaires
• Alimentation spécialisée et artisanat commercial	7,3	19,8	0,9
dont :			
- *Boulangeries-pâtisseries*	*2,4*	*6,4*	
- *Boucheries-charcuteries*	*2,3*	*6,3*	
- *Autres magasins d'alimentation spécialisée*	*2,6*	*7,1*	
• Petites surfaces d'alimentation générale et magasins de produits surgelés	3,7	8,9	
• Grandes surfaces d'alimentation générale	33,3	58,7	18,8
dont :			
- *Supermarchés*	*13,6*	*26,6*	*6,2*
- *Magasins populaires*	*0,6*	*1,0*	*0,3*
- *Hypermarchés*	*19,1*	*31,1*	*12,2*
• Grands magasins et autres magasins non alimentaires non spécialisés	1,5	0,4	2,1
• Pharmacies et commerces d'articles médicaux	5,7	0,1	8,8
• Magasins non alimentaires spécialisés	27,4	3,3	41,0
• Commerce hors magasin	4,0	2,9	4,6
dont :			
- *Vente par correspondance*	*2,0*	*0,3*	*3,0*
- *Autres*	*2,0*	*2,6*	*1,6*
• Réparation d'articles personnels et domestiques[1]	0,5	0,0	0,8
Ensemble commerce de détail et artisanat	**83,2**	**94,1**	**76,9**
• Ventes au détail du commerce automobile[2]	10,8	0,3	16,7
• Autres ventes au détail[3]	6,1	5,6	6,3
Ensemble des ventes au détail	**100**	**100**	**100**

1. Pour leurs ventes au détail et leurs prestations de réparation.
2. A l'exclusion des ventes et réparations de véhicules automobiles, y compris les ventes et réparations de motocycles.
3. Ventes au détail d'autres secteurs : cafés-tabac, grossistes, ventes directes de producteurs, etc.

INSEE

chés début 1998, dont 1 700 de type maxidis-compte. Les hypermarchés sont les préférés des 16-30 ans, alors que les 60 ans et plus font davantage confiance aux spécialistes traditionnels.

Les hypermarchés restent le symbole de la société d'abondance. Leur succès s'explique par les gains de temps et d'argent qu'ils autorisent et par leurs efforts permanents d'adaptation. Ils ont ainsi permis de démocratiser certains produits de luxe alimentaires (saumon, caviar, foie gras...) ou culturels (livres, disques). Les ménages apprécient aussi de pouvoir effectuer leurs achats en famille et en libre-service, ce qui répond à un souci d'autonomie de plus en plus sensible dans les attitudes de consommation.

Les grandes surfaces spécialisées connaissent aussi un développement soutenu, notamment dans les secteurs du bricolage-jardinage et de l'équipement de sport.Leur succès s'explique à la fois par l'importance des gammes proposées et par la présence de vendeurs compétents jouant un rôle de conseiller.

Les achats par correspondance tendent à stagner depuis 1994. La dépense moyenne par foyer était de 2 100 F en 1997, dont 46 % en produits textiles, 14 % en édition, disques et vidéo, 10 % en ameublement, 7 % en produits de beauté-santé, 4 % en électroménager, 4 % en photo-ciné-son, 3 % en chaussures et accessoires (22 % autres).

On observe des évolutions comparables dans les autres pays européens...

Les frais de santé, de logement, de transports et de loisirs ont augmenté dans tous les pays de l'Union européenne, et d'une manière générale dans tous les pays industrialisés. A l'inverse, les dépenses d'alimentation et d'habillement ont baissé. Comme en France, les changements de hiérarchie observés s'expliquent par l'évolution des attitudes et des besoins, et par celle des prix relatifs des différents types de biens et services par rapport à l'inflation.

Plusieurs facteurs explicatifs se conjuguent pour expliquer ce phénomène de convergence : concentration des entreprises ; présence internationale des marques, des produits et des distributeurs ; internationalisation de la communication ; généralisation des échanges commerciaux et touristiques ; médiatisation des événements internationaux ; tendance lourde aux emprunts à d'autres cultures et au métissage.

Le rapprochement observé concerne en particulier les jeunes. Beaucoup se reconnaissent dans une même culture mondiale, fondée sur une musique commune, des goûts semblables en matière de vêtements ou de sports, un moindre intérêt pour la nation et un engouement pour les produits d'origine américaine. Les habitants des grandes agglomérations ont également des comportements de consommation semblables.

... mais des disparités nationales ou régionales demeurent entre le Nord...

Malgré le mouvement de convergence observé, les écarts restent importants entre les pays de l'Union européenne : les Grecs, les Portugais et les Irlandais consacrent encore plus de 30 % de leur budget à leur nourriture, contre seulement 15 % en Allemagne ou aux Pays-Bas.

Les comportements dans les pays d'Europe du Nord (Allemagne, Pays-Bas, Scandinavie...) sont davantage marqués par la recherche d'un certain hédonisme, qui passe par la consommation. Le travail joue un rôle moins important que par le passé et la dépense est le plus souvent une source de plaisir.

On y trouve aussi un plus grand esprit critique que dans les pays du Sud, avec une plus grande attention portée au rapport qualité/prix. Les décisions d'achat sont plus longuement mûries, les achats d'impulsion moins fréquents. L'influence de la publicité sur les achats est moins forte. Les marques nationales bénéficient d'une plus grande fidélité, voire d'une préférence. Le luxe joue un rôle plus important.

... et le Sud.

Les pays d'Europe du Sud (Espagne, Italie, Portugal...) apparaissent un peu plus sensibles aux aspects qualitatifs. Le besoin de confort, de relations humaines, de réalisation par la consommation y est plus fort que dans les pays du Nord. L'épicurisme du Sud se différencie de l'hédonisme du Nord par l'importance attachée à l'affectivité, aux rapports de séduction. La dimension culturelle y est également plus marquée, à travers les soucis esthétiques et artistiques.

On retrouve ces différences dans les réactions à l'égard de la publicité. L'ouverture aux autres cultures est moins forte au Sud qu'au Nord, où les habitants sont souvent plus attachés à leur propre passé et plus fiers de leurs traditions. La sensibilité aux marques étrangères est en revanche plus grande au Sud. Les pays concernés n'ont pas encore atteint le degré de maturation de ceux du Nord et la consommation est encore pour eux un moyen d'exister. Pour les mêmes raisons, la fibre écologiste est moins développée que dans les pays du Nord.

La France subit les influences du Nord et du Sud.

Géographiquement et culturellement, la France est un peu « l'empire du milieu » de l'Europe. Les attitudes et les comportements des Français empruntent donc aux deux types de culture en matière de consommation comme dans beaucoup de domaines.

On constate cependant une tendance de la société française à se « protestantiser », c'est-à-dire à adhérer à des valeurs d'austérité, de simplicité, de dépouillement, d'éthique ou d'écologie. L'individualisme, le libre arbitre, la reconnaissance de l'utilité du profit et de l'économie de marché sont d'autres manifestations croissantes d'un certain éloignement de la morale judéo-chrétienne traditionnelle. Elles ont des incidences sur la façon de consommer.

Les dépenses des Européens

Evolution de la structure de la consommation* dans les pays de l'Union européenne (en %) :

	All.	Aut.	Bel.	Dan.	Esp.	Fin.	FRA.	Grè.	Irl.	Ita.	Lux.	P-B	Por.	R-U	Suè.
• Produits alimentaires, boissons, tabac															
- 1970	23,4	-	28,0	29,9	32,0	-	26,0	41,4	45,0	38,6	28,4	26,0	41,0	26,5	-
- 1993	15,1	19,0	17,2	20,8	20,0	23,0	18,0	36,4	35,2	20,2	18,2	14,8	30,2	20,6	19,9
• Articles d'habillement et chaussures															
- 1970	9,6	-	8,7	7,7	8,0	-	9,5	12,4	9,8	8,8	9,4	10,7	9,1	8,8	-
- 1993	7,1	8,5	7,7	5,2	8,1	4,6	5,9	7,7	6,8	9,1	5,7	6,8	9,3	5,9	5,8
• Logement, chauffage et éclairage															
- 1970	15,2	-	15,5	18,1	18,1	-	15,3	14,0	11,4	12,1	17,5	12,6	6,8	17,1	-
- 1993	19,6	18,5	17,7	28,8	13,0	24,8	20,6	13,5	12,3	16,9	19,8	19,0	7,0	19,5	32,9
• Meubles, matériel ménager, articles de ménage et d'entretien															
- 1979	9,6	-	11,7	9,6	7,8	-	10,2	7,4	7,6	7,0	9,4	11,6	10,1	7,8	-
- 1993	8,5	7,8	10,2	6,1	6,5	5,8	7,3	7,4	6,9	9,1	10,8	6,9	8,3	6,6	6,6
• Services médicaux et de santé															
- 1970	9,5	-	6,8	2,0	2,9	-	7,1	4,1	2,5	3,8	5,4	8,5	3,9	0,9	-
- 1993	15,1	6,0	12,3	2,2	4,7	5,3	10,0	4,2	4,1	7,1	7,3	13,1	4,5	1,7	2,3
• Transports et communications															
- 1970	13,3	-	10,3	14,9	10,2	-	13,4	8,3	9,3	10,1	10,9	9,4	12,6	12,6	-
- 1993	15,3	16,1	12,7	15,4	15,3	14,4	15,5	14,7	13,1	11,6	19,9	12,6	14,9	17,1	15,7
• Loisirs, spectacles, enseignement et culture															
- 1970	9,6	-	4,7	8,2	5,8	-	6,9	4,8	7,8	7,7	4,0	8,4	5,0	8,6	-
- 1993	9,2	7,5	6,2	10,4	6,6	9,6	7,3	5,3	11,9	8,8	4,1	10,2	7,4	10,2	9,5
• Autres biens et services															
- 1970	9,8	-	14,3	9,6	15,2	-	11,6	7,6	6,6	11,9	15,0	12,8	11,5	17,7	-
- 1993	10,1	16,6	16,0	11,1	25,8	12,5	15,5	10,9	9,8	17,2	14,2	16,6	18,4	18,3	7,2
Total															
- 1970	100,0	100,0	100,0	100,0	100,0	100,0	100,0	100,0	100,0	100,0	100,0	100,0	100,0	100,0	100,0
- 1993	100,0	100,0	100,0	100,0	100,0	100,0	100,0	100,0	100,0	100,0	100,0	100,0	100,0	100,0	100,0

* Consommation finale des ménages par habitant.

Eurostat

✦ Le taux de marge des hypermarchés est de 19 %, celui des alimentations générales de 28 %, celui du commerce de l'habillement de 42 %.

✦ 53 % des Français prélèvent sur leur épargne pour vivre, 46 % mettent de l'argent de côté. 27 % ont recours au crédit pour acquérir des biens immobiliers, 21 % pour des biens de consommation.

Crédit

Pour préserver leurs dépenses depuis le début de la crise, les Français ont prélevé sur leur épargne et recouru au crédit.

Dès le premier choc pétrolier de 1973, il est apparu clairement que les Français n'étaient pas décidés à réduire leur train de vie. La plupart ont donc continué d'accroître leur consommation en puisant dans leurs bas de laine et en réduisant leur épargne nouvelle, même s'ils se disaient en majorité prêts à restreindre leurs dépenses. C'est ainsi que le taux d'épargne est passé de 18,6 % du revenu disponible en 1975 à 10,6 % en 1987 (avant de remonter à 14,6 % en 1997). Le retournement de la valeur des actifs du patrimoine (immobilier, actions) à partir de 1989-1990 a contraint certains ménages à restreindre leur consommation et à relever leur taux d'épargne financière (rapport de la capacité de financement au revenu disponible brut) afin de se désendetter. Celui-ci a brusquement progressé en 1997, passant de 6,7 % à 7,9 %.

L'autre moyen utilisé pour maintenir et même accroître la consommation fut de recourir de plus en plus massivement au crédit, afin d'anticiper sur les revenus à venir. Les ménages ont ainsi sensiblement accru leur endettement à la fin des années 80.

Un ménage sur deux est endetté.

50,2 % des ménages avaient un crédit en cours en 1997 contre 49,8 % en 1996 et 53,0 % en 1989. 23 % d'entre eux ont emprunté pour financer l'acquisition de leur résidence principale, 7 % pour réaliser des gros travaux, 6 % pour d'autres projets immobiliers ou fonciers. 25 % avaient emprunté pour l'achat d'équipement (voiture, électroménager, loisirs...) ou d'autres raisons (études, paiement des impôts...). Enfin, 7 % avaient emprunté pour des investissements professionnels (agriculteurs, commerçants et autres professions indépendantes).

L'endettement total des ménages se montait à environ 2 600 milliards de francs en 1997, soit 110 000 F par ménage. Ce chiffre représente 45 % du revenu disponible brut moyen. Pour les seuls ménages endettés, il est l'équivalent de presque une année de revenu (90 %). La plus grande partie de cette dette concerne les crédits immobiliers, mais la forte hausse qui s'est produite depuis 1985 est due à celle des crédits de trésorerie. 56 % des ménages jugent leurs charges de remboursement supportables, mais 36 % estiment que leur situation financière s'est récemment dégradée. 26 % des ménages cumulent un crédit de trésorerie et un découvert bancaire.

Malgré son accroissement récent, l'endettement des Français se situe dans la moyenne européenne. Il est comparable à celui des Allemands ou des Néerlandais, supérieur à celui des Italiens, mais très inférieur à celui des Britanniques.

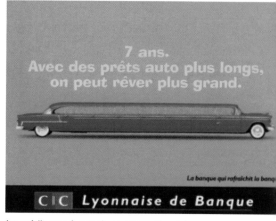

7 ans.
Avec des prêts auto plus longs, on peut rêver plus grand.

La banque qui rafraîchit la banque

CIC **Lyonnaise de Banque**

Le crédit, une façon de se sentir plus riche.
Publicis Cachemire

Les emprunts immobiliers représentent en moyenne 230 000 F, soit 90 % des dettes non professionnelles des ménages.

En 1997, près d'un ménage sur trois (30 %) avait un emprunt en cours pour acquérir sa résidence principale. 60 % des ménages endettés avaient effectué un emprunt immobilier contre 65 % en 1990. Cet endettement est à l'origine de l'essentiel des dettes non professionnelles des ménages. La durée moyenne d'emprunt est proche de 15 ans.

Ce type d'endettement est d'autant plus fréquent et son montant d'autant plus important que les ménages ont un revenu élevé. Ainsi, 43 % des ménages ayant un revenu annuel d'au moins 240 000 F ont un crédit immobilier en cours pour leur résidence principale, contre 18 % de ceux qui gagnent entre 80 000 et 120 000 F. La dette moyenne des premiers est plus élevée, mais leur effort financier de remboursement (rapport de l'annuité de remboursement au revenu global du ménage) est plus réduit.

La proportion de ménages endettés diminue fortement après 50 ans : 26 % entre 50 et 59 ans ; 10 % entre 60 et 69 ans. Seuls 10 % des retraités ont une dette immobilière, avec un capital à rembourser moyen de 70 000 F.

✦ *Les mensualités de remboursement représentent 30 % du revenu avant 40 ans, moins de 20 % après 50 ans.*

Les dettes des Français

Répartition de l'endettement des ménages selon la catégorie socioprofessionnelle et le motif (1996, en %) :

	Ménage endetté	Pour résidence principale	Pour gros travaux	Autre immobilier ou foncier	Autre domestique*	A titre professionnel
• Indépendant	79,1	35,5	11,7	20,7	26,2	53,9
• Cadre	69,5	38,0	11,3	14,4	32,0	3,9
• Profession intermédiaire	66,6	41,3	7,5	7,0	32,2	3,5
• Employé	59,0	26,1	6,9	4,8	36,5	2,2
• Ouvrier	66,2	32,3	6,3	3,9	40,7	3,3
• Retraité	20,4	6,0	4,7	2,7	9,4	1,8
• Autre inactif	20,7	6,2	3,1	2,7	13,6	1,9
Ensemble	**49,0**	**23,3**	**6,6**	**6,3**	**25,3**	**7,2**

* Endettement pour acquérir une voiture, un équipement, des loisirs, études, etc...

INSEE

15 % des ménages ont un crédit en cours non immobilier.

En 1997, 65 % des ménages ayant une dette (hors professionnelle) remboursaient des crédits autres qu'immobiliers. L'acquisition d'une voiture est l'une des causes les plus fréquentes ; 16 % des ménages avaient un crédit pour cette seule raison. L'endettement moyen hors immobilier se montait à 36 000 F, à rembourser sur un peu moins de cinq ans. Les ménages concernés par ces emprunts sont beaucoup plus jeunes que ceux qui réalisent une opération immobilière et leurs revenus sont plus modestes.

Un quart des biens d'équipement achetés à crédit

Sept voitures sur dix, un téléviseur sur trois, un magnétoscope sur trois, un lave-linge ou un lave-vaisselle sur quatre sont achetés en recourant au crédit. Au cours des trente dernières années, le développement du crédit a sans doute autant fait pour le rapprochement des conditions de vie des Français que la croissance économique. L'acquisition du logement, en particulier, ne serait pas possible pour l'immense majorité des ménages sans ce recours. Mais la tentation est grande de s'endetter au-delà de sa capacité de remboursement, d'autant que les organismes prêteurs ont souvent accordé des crédits sans vérifier la situation financière des acheteurs. Le moindre « accident de parcours » (perte de l'emploi, maladie, etc.) suffit alors à déclencher un processus qui peut avoir de lourdes conséquences.

8 % des ménages cumulaient au moins un emprunt immobilier et un non immobilier. Leur dette totale s'élevait en moyenne à 280 000 F, dont 230 000 F d'immobilier ; leur effort financier représentait 30 % de leur revenu global. La dette est particulièrement élevée chez les ménages ayant des enfants à charge et lorsque la personne de référence est cadre. Si les chômeurs et les familles monoparentales ont un taux d'effort plus élevé que la moyenne, c'est la plupart du temps parce qu'ils ont contracté des emprunts avant de connaître une modification de leur revenu ou de leurs conditions de vie.

Après quatre années de stagnation, le recours au crédit a de nouveau progressé en 1996 et 1997.

Le taux de croissance des crédits à la consommation avait dépassé 20 % par an entre 1985 et 1989, du fait notamment de la suppression de l'encadrement du crédit en 1985. Il avait ensuite diminué, puis stagné entre 1991 et 1995 (et même baissé de 0,3 % en 1993). La hausse a repris en 1996 (3,2 %) et en 1997 (2,7 %).

Ce sont surtout les crédits de trésorerie qui ont profité de cette hausse, mais les crédits immobiliers sont restés bien orientés. Au total, les dettes bancaires des ménages représentaient 48 % du revenu disponible des ménages en 1997, après avoir atteint le maximum de 55 % en 1990.

Cette reprise du crédit est la conjonction d'un certain nombre d'éléments objectifs comme la très faible inflation, la baisse des taux pratiqués et la hausse du pouvoir d'achat. Elle est aussi liée à des facteurs subjectifs tels que la sensation d'une légère amélioration de la situation économique, sensible dans les enquêtes sur le « moral des Français », même si ceux-ci demeurent moins optimistes que la plupart de leurs voisins européens.

La baisse des taux d'intérêt est une motivation importante pour les ménages.

Les Français sont sensibles à la baisse des taux qui s'est produite depuis quelques années, même si les taux réels (après déduction de l'inflation) restent élevés. En 1996, les encours des crédits de trésorerie ont ainsi progressé de 8 %. Ceux des prêts immobiliers ont augmenté de 32 %, à la faveur des mesures d'incitation à l'acquisition d'un logement telles que le prêt à taux zéro. 61 % des crédits accordés ont concerné des logements anciens, 27 % des logements neufs, 12 % des travaux de rénovation.

On constate en revanche une tendance à la diminution des demandes de crédit à court terme destinés aux achats non immobiliers. La baisse a été d'environ un tiers entre 1991 et 1996 pour les achats à tempérament et les crédits permanents. Elle s'explique par la difficulté à se projeter dans l'avenir et la hausse du taux d'épargne.

Le surendettement concernerait environ 300 000 ménages.

On estime qu'un ménage est surendetté lorsqu'il doit faire face à des remboursements à court ou long terme supérieurs à 60 % de ses revenus. En 1997, 95 756 dossiers ont été déposés devant les commissions de surendettement, soit 10 % de plus qu'en 1996 (86 806). Sur les 498 000 dossiers examinés entre 1990 et 1996, le taux de succès (cas résolus) est de 62 %.

Les ménages concernés ont souvent un lourd endettement immobilier, auquel s'ajoutent des emprunts destinés à financer l'acquisition de biens d'équipement (voiture, appareils électroménagers ou de loisirs...). La grande majorité sont des personnes de moins de 40 ans ; plus de la moitié sont des ouvriers et habitent dans des communes rurales ou des villes de moins de 100 000 habitants. Ils ont souscrit en moyenne 2,3 crédits. On constate un accroissement du nombre de personnes isolées ou de

familles touchées par le chômage. Beaucoup de ménages concernés ont connu une transformation de leur situation familiale et résidentielle ; ils connaissent surtout une forte instabilité professionnelle qui limite leur capacité à absorber les chocs de la vie et les dépenses exceptionnelles.

L'incapacité à gérer un budget est souvent à l'origine de ces situations. Mais elle est favorisée par le manque d'information, en partie entretenu par la publicité faite autour du crédit. Les organismes concernés ne sont pas toujours assez vigilants quant à la capacité de remboursement de leurs clients. Pour ne pas manquer une vente, certains vendeurs n'hésitent pas à transmettre et soutenir des demandes qui normalement ne devraient pas aboutir.

Plus d'un ménage sur deux se restreint

Proportion de Français déclarant s'imposer des restrictions sur certains postes (en %) :

	1980	1985	1990	1995	1998
- **Restrictions en général**	59,3	65,9	59,4	62,4	62,1
Restrictions sur :					
- les achats d'équipements ménagers	53,5	66,7	68,1	74,5	68,5
- l'alimentation	27,1	29,7	25,2	30,4	28,0
- l'habillement	66,4	72,8	70,4	76,2	71,5
- la voiture	52,1	56,1	50,8	54,9	52,5
- les vacances et les loisirs	71,6	80,5	79,3	79,1	79,1

25 millions de Français possèdent au moins une carte bancaire.

La généralisation des cartes bancaires (Carte Bleue, Visa, Eurocard, Mastercard...) a contribué à l'accroissement du crédit à court terme. Leur utilisation, longtemps réservée aux retraits d'argent dans les billetteries, s'est étendue aux paiements en même temps que se développait le réseau des commerçants qui les acceptent. Les cartes internationales sont utilisables dans un nombre croissant d'établissements dans le monde. Les cartes de crédit donnent droit à des services tels que l'assistance médicale gratuite lors des déplacements, l'assurance responsabilité civile et décès-invalidité lorsque la facture d'un voyage est réglée par carte, la perte ou le vol des bagages, etc.

La Carte Bleue représente les deux-tiers du marché des cartes de paiement, avec 18,5 millions de porteurs en 1998 (dont 12 millions de cartes Visa internationales, 827 000 Visa Premier, 582 000 cartes Plus et 95 300 cartes Affaires) contre 12,2 millions en 1990. Le montant moyen des transactions est de 340 F en France et de 530 F à l'étranger ; celui des retraits est de 400 F en France et de 750 F à l'étranger. La carte délivrée par le Crédit agricole est de loin la plus répandue, avec près de 7 millions de porteurs, soit trois fois plus que la Caisse d'épargne, la BNP, la Société générale, le Crédit Mutuel, le Crédit Lyonnais ou La Poste (environ 2,5 millions de porteurs chacune).

La plupart des ménages disposent en outre de cartes privatives fournies par les grandes surfaces, les grands magasins, les organismes de crédit, les sociétés de vente par correspondance, les hôtels, les compagnies aériennes, etc.

Chèques : record d'Europe pour la France

Les Français ont signé en moyenne 85 chèques par personne en 1996. Ceci les place au premier rang des pays de l'Union européenne, loin devant le Royaume-Uni (45), la Belgique (11) et l'Italie (11). Alors que la baisse moyenne a été de 32 % en Europe entre 1990 et 1996, on a enregistré une augmentation de 6 % en France. Le chèque représente 48 % des moyens de paiement scripturaux (hors argent liquide), contre 20 % pour les cartes bancaires et 17 % pour les virements.

✦ *Le marché aux puces de Saint-Ouen, à côté de Paris, attire chaque week-end 150 000 visiteurs. La Braderie de Lille en reçoit 2 millions chaque premier dimanche de septembre.*

✦ *Les ventes aux enchères ont représenté un chiffre d'affaires de 8,5 milliards de francs en 1997 (hors frais), contre 7,8 milliards en 1996 (mais 9,7 en 1990).*

LE PATRIMOINE

Épargne

Le taux d'épargne des ménages avait augmenté de façon continue pendant les Trente Glorieuses (1945-1975).

Le taux d'épargne des ménages mesure la part du revenu disponible (en général brut) consacré à l'épargne ou à l'investissement. A l'épargne financière (livrets de Caisse d'épargne, placements en obligations, actions, bons à terme...) s'ajoute l'endettement à moyen et à long terme, contracté en vue de l'achat ou de l'amélioration d'un logement ou de l'investissement en biens professionnels (dans le cas des entrepreneurs individuels).

Pendant les trois décennies qui ont précédé la crise économique (1945-1975), le taux était passé de 12 % à 20 %, dans un contexte de forte croissance du pouvoir d'achat. Les Français étaient alors l'un des peuples les plus épargnants du monde. Au cours des années 60, cette épargne fut principalement utilisée pour l'acquisition d'un logement, avec un endettement assez faible.

Plus du dixième du revenu est économisé.
ND Conseil

Il a diminué de moitié entre 1978 et 1987...

Entre 1978 et 1987, le taux d'épargne est passé de 20,4 % à 10,6 %, soit une diminution de 48 %. Cette baisse s'expliquait principalement par celle de l'inflation (l'expérience montre que les deux facteurs varient dans le même sens) et par la boulimie de consommation caractéristique des années 80. Elle était aussi liée à la forte baisse du rythme de croissance du pouvoir d'achat à partir de 1979.

Il paraît en effet logique que la hausse ou la baisse du pouvoir d'achat entraîne une variation de même sens que l'épargne. Mais les choses ne sont pas aussi simples dans la réalité. Les ménages tendent à profiter des « bonnes années » pour effectuer certaines dépenses (biens d'équipements, voyages, etc.) et à freiner celles-ci pendant les périodes de « vaches maigres ».

Ce phénomène de compensation s'applique surtout à des dépenses à caractère exceptionnel, pour lesquelles la liberté de décision est grande (vacances, biens d'équipement...). Il n'en va pas de même pour les dépenses courantes et pour celles qui sont imposées par les circonstances (impôts supplémentaires, remplacement d'un équipement défaillant...). Le taux d'épargne reste cependant lié globalement à l'évolution du pouvoir d'achat, même si l'effet a parfois du retard sur la cause.

... avant de croître à nouveau depuis 1988.

On a assisté depuis 1988 à une hausse pratiquement continue de l'épargne, favorisée par une certaine croissance du pouvoir d'achat et par l'inquiétude des ménages face aux menaces qui pèsent sur l'emploi et sur le financement des retraites. Les changements d'attitude intervenus en matière de consommation (voir *Consommation*) ont eu pour effet de renforcer l'épargne de précaution. Depuis 1993, le taux d'épargne brute des ménages a retrouvé son niveau de 1985, à environ 14 %. Il a atteint 14,6 % en 1997. L'épargne des Français représente près de 10 000 milliards de francs.

Au cours des années 90, les placements financiers ont baissé de 3 points par rapport à la décen-

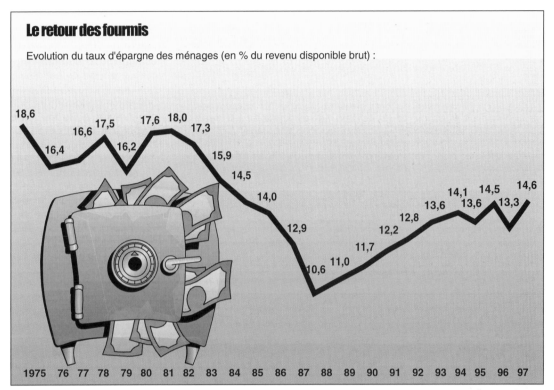

Le retour des fourmis

Evolution du taux d'épargne des ménages (en % du revenu disponible brut) :

18,6 16,4 16,6 17,5 16,2 17,6 18,0 17,3 15,9 14,5 14,0 12,9 10,6 11,0 11,7 12,2 12,8 13,6 14,1 13,6 14,5 13,3 14,6

1975 76 77 78 79 80 81 82 83 84 85 86 87 88 89 90 91 92 93 94 95 96 97

INSEE

nie précédente. En 1996, l'accroissement de l'encours a été dû pour un quart à l'épargne nouvelle et pour trois quarts de la valorisation des actifs existants. L'épargne des ménages était constituée à 28 % de liquidités, à 31 % d'épargne contractuelle (type assurance-vie) et à 41 % de valeurs mobilières.

Le taux d'épargne français se situe dans la moyenne des pays développés. Il est comparable à celui de l'Allemagne ou de la Grande-Bretagne. Il reste très supérieur à celui des Etats-Unis mais inférieur à celui de l'Italie ou, plus encore, du Japon. Les différences entre les définitions nationales ne permettent cependant pas des comparaisons très précises.

La reprise de l'épargne traduit à la fois un changement d'attitude et une nécessité économique.

Les comportements en matière d'épargne sont liés à des phénomènes objectifs tels que l'évolution du pouvoir d'achat, le niveau d'inflation, le coût du crédit, la rentabilité des placements ou la crois-

sance du chômage, qui sont autant d'éléments qui pèsent sur les revenus. Mais ils sont largement conditionnés par des facteurs subjectifs, qui touchent aux modes de vie et aux systèmes de valeurs.

Cette dimension psychosociologique est de plus en plus apparente. Ainsi, au cours des années 80, la plus grande instabilité familiale et sociale avait renforcé le goût pour le court terme, donc pour la consommation, au détriment de l'épargne. La multiplication et la banalisation des crédits à la consommation avaient aussi largement participé à ce changement des mentalités, même s'ils ne l'ont pas créé.

Depuis quelques années, on assiste à une évolution différente. Les craintes concernant l'avenir et la défiance à l'égard des institutions incitent à se prémunir contre les aléas de la vie (chômage, maladie) et à accroître le montant de sa future retraite. C'est ce qui explique que le désir d'épargne soit actuellement plus fort chez les moins de 35 ans que chez les plus de 50 ans.

On observe que les Français âgés de 30 à 44 ans prélèvent régulièrement de l'argent sur leur épargne

L'épargne est une consommation

On a l'habitude de distinguer, souvent même d'opposer, la consommation et l'épargne. C'est le cas notamment de la comptabilité nationale, qui considère l'épargne comme le solde entre le revenu disponible des ménages et leur consommation.

Cette approche ne rend pas compte de l'attitude actuelle des Français, pour qui l'épargne est une forme de consommation particulière. Ils achètent des appartements, des assurances-vie, des œuvres d'art ou placent leur argent sur un livret A pour en tirer des satisfactions qui sont comparables à celles liées aux achats de biens d'équipement ou de services. Comme dans les autres domaines de la consommation, il existe des « produits » d'épargne (avec leur emballage, leur prix, leur communication...), des fabricants, des distributeurs et des clients.

L'épargne n'est pas non plus, comme l'affirment certains économistes, une consommation différée, qui a pour seul but de se procurer à terme des revenus (sous forme de rentes ou de plus-values sur les placements réalisés) qui permettront d'acheter des biens et des services. Car la motivation de l'épargne peut être aussi le court terme (perspective de plus-value sur des actions, placement de trésorerie...).

Le fait d'associer l'épargne à la consommation permet de mieux comprendre les motivations auxquelles répondent les différents produits et leur évolution dans le temps. Elle fait sortir l'épargne du seul champ économique pour la faire entrer dans le champ sociologique. On s'aperçoit alors qu'il n'existe pas de différence réelle entre les attitudes, les comportements ou les attentes des consommateurs et celles des épargnants.

les Français ont cherché des solutions plus avantageuses. Il faut dire que leurs patrimoines avaient été sérieusement érodés au cours des années 70 par une inflation persistante. Une somme placée en 1970 sur un livret A de la Caisse d'épargne avait perdu en 1983 un quart de sa valeur en francs constants.

Au cours des années 80, les Français ont découvert la Bourse, dont la croissance a été depuis globalement élevée, ainsi que l'assurance-vie. L'intérêt pour des placements plus risqués ne traduit pas seulement le souhait des épargnants de mieux préserver leur capital ; il marque aussi leur volonté de prendre un peu plus en charge leur vie et leur avenir. Comme en matière de consommation, la recherche de l'autonomie est l'une des motivations des comportements d'épargne.

financière (livrets, valeurs mobilières...) pour subvenir à leurs besoins. De même, les 45-59 ans consacrent la moitié de leur capacité d'épargne à des remboursements d'emprunts. A l'opposé, les ménages âgés de 60 ans et plus effectuent 72 % des placements financiers des Français. Les plus de 75 ans ont un taux d'épargne deux fois plus élevé que la moyenne (BIPE/CREP, 1998).

Placements

Les Français sont devenus plus exigeants en matière d'épargne...

Les attentes et les motivations des épargnants ont changé en même temps, et dans le même sens, que celles des consommateurs. Ils sont devenus plus compétents, plus rationnels et plus mobiles. C'est ce qui les autorise à être plus exigeants quant à la rentabilité de leurs placements.

Après avoir longtemps placé l'essentiel de leurs économies à la Caisse d'épargne, dans l'or ou dans la pierre (sans oublier les matelas et les bas de laine)

... tout en recherchant la sécurité et la liquidité.

Par nature, les Français n'aiment guère le risque en matière financière. Cette attitude a longtemps conditionné la gestion de leur épargne. Elle explique la priorité qu'ils ont accordée aux placements sûrs comme le livret A, le plan d'épargne logement mais aussi, plus récemment, l'assurance-vie. Ils ont boudé en revanche les actions et les obligations, dont ils connaissent assez mal le fonctionnement.

On ne comptait fin 1996 que 9 millions d'actionnaires, dont 5 millions en gestion directe et 4 millions par le biais de fonds communs. Une proportion assez réduite par rapport à d'autres pays, notamment les Etats-Unis et ceux de l'Europe du Nord. On constate cependant l'acceptation croissante d'une part de risque dans les catégories les plus informées de la population, qui sont souvent celles qui ont la plus forte capacité d'épargne.

L'incertitude à l'égard de l'avenir explique aussi le goût pour la liquidité. C'est pourquoi les livrets de Caisse d'épargne ou les Codevi restent populaires.

L'épargne des Français

Évolution des taux de possession d'actifs financiers (en % des ménages) :

	1986	1992	1998
Livrets d'épargne			
- Livret jeunes	-	-	17,3
- Livret A	69,0	63,1	64,6
- Livret bleu	7,0	7,5	-
- Livret bancaire	10,0	7,7	ND
- Codevi	22,0	20,8	37,9
- LEP	4,0	5,9	14,2
Ensemble des livrets d'épargne	**82,0**	**77,2**	**83,7**
Épargne-logement			
- Plan d'épargne logement	20,0	23,4	34,9
- Compte d'épargne logement	12,0	15,6	16,6
Ensemble de l'épargne-logement	**29,0**	**31,1**	**41,4**
Valeurs mobilières			
- Obligations	9,0	6,3	5,3
- Sicav ou FCP	12,0	17,3	10,8
- Actions	6,0	7,7	13,2
Ensemble des valeurs mobilières	**19,0**	**23,5**	**22,6**
Assurances et épargnes retraite			
- Assurance-vie ou -décès	27,0	27,5	35,0
- Épargne retraite	6,0	6,2	9,4
- PEP ou PER	ND	14,4	15,0
Ensemble assurances et épargnes retraite	**31,0**	**39,5**	**45,9**

INSEE

Les trois quarts des ménages possèdent un produit d'épargne liquide (livret, compte ou plan d'épargne...). Ils sont également attentifs à la possibilité d'obtenir des avances dans les contrats d'assurance-vie avant le terme des huit années de versement.

L'apparition de taux d'intérêt réels positifs depuis 1984 a entraîné des changements importants.

La possibilité de protéger son capital avec des placements sans risque rapportant plus que l'inflation est une situation exceptionnelle pour les épargnants. C'est cette situation qui prévaut depuis une quinzaine d'années. Elle a été rendue possible par l'évolution favorable qui s'est produite au début des années 80 ; entre 1980 et 1986, la hausse des prix est passée de 13,4 % à 2,6 %. Les taux d'intérêt n'ont pas baissé dans les mêmes proportions, de sorte que même les intérêts servis sur les livrets de Caisse d'épargne sont depuis 1984 supérieurs à l'inflation.

Certains Français ont alors découvert que le capital pouvait rapporter plus que le travail. Cette période s'est achevée avec la baisse des taux d'intérêt, engagée depuis la fin de 1993. Les performances des Sicav monétaires ont diminué de moitié en quelques années et se sont rapprochées de celle du livret A de la Caisse d'épargne : 3,2 % en moyenne entre 1994 et 1997 contre 6,6 % entre 1988 et 1993. C'est pourquoi seulement 13 % des ménages détenaient des Sicav ou des fonds communs de placement en 1997, contre 17 % en 1992.

Le taux d'épargne financière des ménages a été multiplié par quatre entre 1988 et 1997.

L'un des bouleversements les plus significatifs des vingt-cinq dernières années est la diminution de la part de l'épargne liquide (espèces, livrets d'épargne, comptes de dépôt, bons de capitalisation, comptes à terme) au profit des placements financiers, mieux rémunérés (valeurs mobilières, épargne monétaire, assurance-vie). Au début des années 70, les livrets constituaient 80 % de l'épargne nette. A partir de 1980, on a assisté à une substitution en faveur des obligations, puis des OPCVM (Organismes de placements collectifs en valeurs mobilières).

Les Français plus exigeants sur les placements.
Euro RSCG

A partir de 1987, la reprise économique et la conviction que la hausse des prix était maîtrisée ont accéléré le transfert entre les liquidités et les placements, fortement appuyé par des taux d'intérêt réels élevés. Le taux d'épargne financière des ménages (rapport de la capacité de financement au revenu disponible brut) est ainsi passé de 2 % en 1988 à 3,1 % en 1990, puis à 6,4 % en 1992. Il a atteint 7,9 % en 1997, contre 6,7 % en 1996, retrouvant ainsi le niveau des années 70.

Les ménages âgés représentent une part importante des placements financiers : 41 % pour les 60-74 ans (qui ne pèsent que 22 % de la population) ; 31 % pour les 75 ans et plus (7 % de la population).

La place de l'immobilier a diminué...

L'épargne non financière des ménages, essentiellement constituée par l'immobilier, a fortement chuté ; elle est aujourd'hui inférieure à 10 % de l'épargne annuelle, contre 14,5 % en 1977. Les Français sont toujours nombreux à vouloir acquérir leur logement, mais ils ont été découragés par les taux d'intérêt élevés des prêts, en phase d'inflation descendante (voir *Logement*). Le sentiment d'une stagnation, voire d'une baisse de leur pouvoir d'achat, a aussi alimenté les craintes quant à la capacité future de remboursement. Enfin, la faible visibilité concernant l'avenir, en particulier en matière d'emploi, a rendu plus difficile la décision de s'endetter sur une longue période.

La situation de l'immobilier reste néanmoins très contrastée selon les types d'investissement et les régions. Paris constitue un marché à part, où la spéculation des années 80 a amené une spectaculaire correction à la baisse depuis le début des années 90. La proportion de ménages propriétaires de leur résidence principale a peu varié depuis quelques années : 54,1 % en 1996, contre 53,8 % en 1992. Il en est de même des résidences secondaires et autres logements : 19,1 % contre 20,1 %. La possession de biens immobiliers de rapport concerne moins d'un ménage sur dix.

La terre a connu aussi une désaffection, qui se traduit par une baisse continue depuis 1976 ; l'hectare vaut en moyenne moins de 20 000 F. Le rendement de la location des terres rapporte moins que les livrets de Caisse d'épargne. 13,9 % des ménages possédaient des biens fonciers en 1996, contre 14,4 % en 1992.

... mais on note une reprise depuis fin 1997, après sept années de crise.

Depuis le début des années 90, la baisse des prix et des transactions immobilières a concerné toutes les régions, avec un effet particulièrement sensible dans celles où les prix avaient beaucoup augmenté dans les années 80, du fait de la spéculation immobilière.

A Paris, le prix des logements anciens a baissé en moyenne de 29 % entre 1990 et 1997 ; le prix moyen d'un cinq pièces est revenu à 3,0 millions de francs, contre 5,4 millions en 1990 ; la chute a été moins brutale pour les petites surfaces (studios et deux pièces). Les pertes sont estimées à 300 milliards de francs au niveau national. La baisse des prix semble cependant enrayée depuis la fin 1997. La construction de nouveaux logements a redémarré au premier trimestre 1998, tandis que les notaires et les agents immobiliers constatent une reprise sensible, qui se traduit par le raccourcissement des délais de vente.

Il faut dire que le pouvoir d'achat immobilier des ménages parisiens n'a jamais été aussi élevé depuis 1976, alors que les taux de crédit ont atteint leur niveau le plus bas. Selon les calculs de la Compagnie Bancaire, un ménage ayant un revenu de 238 000 F en 1997 peut acheter 48 m^2 en empruntant 30 % du prix d'achat, contre 22 m^2 en 1990, soit plus du double (mais 43 m^2 en 1986).

Les Français ont découvert la Bourse dans les années 80.

Les efforts des pouvoirs publics pour diriger l'épargne des particuliers vers les valeurs mobilières ont été favorisés par la forte croissance de la Bourse entre 1983 et 1986 (avec des hausses respectives de 56 %, 6 %, 45 % et 50 %). Ce climat euphorique et les privatisations réalisées en 1986 et 1987 avaient décidé un grand nombre de Français à devenir actionnaires ; 20 % des ménages étaient concernés à la fin de 1987, contre la moitié trois ans plus tôt.

Le séisme d'octobre 1987, avec une baisse de 30 % de la Bourse de Paris, allait remettre en question ces comportements. Malgré la forte remontée au cours des deux années qui suivirent, les petits porteurs sont devenus plus hésitants ; ils ont privilégié les instruments de placements collectifs à vocation défensive ou d'attente (SICAV de trésorerie, fonds communs obligataires ou indiciels...).

Un nouvel effondrement des cours se produisit en août 1990, entraînant une baisse de 29 % sur l'année. Mais il fut largement effacé par les bonnes performances des trois années suivantes. 22 % des ménages détenaient des valeurs mobilières en 1996, contre 23,6 % en 1992. Cette diminution est liée essentiellement à la désaffection à l'égard des Sicav et des fonds communs de placement ; la proportion de porteurs d'actions a au contraire augmenté (11,5 % contre 8,5 %).

✦ *78 sociétés cotées au Règlement mensuel ont au moins doublé leur cours entre 1987 et 1997. La plus-value de Promodès a été de 1 624 %, devant Synthélabo (1 369 %) et Rexel (1 151 %).*

En 1997, l'indice CAC 40 a gagné 29,5 %. Au cours des premiers mois de 1998, l'indice connaissait de nouveaux records, dépassant le niveau des 4 000 points.

Le baromètre des placements

Evolution des différents types de placements[*] entre fin 1988 et fin 1996[*] (en %) :

	Fin 93 à fin 96	Fin 88 à fin 93
- Obligations du secteur privé	5,4	8,3
- Sicav "obligations françaises"	3,8	7,2
- Logements	3,3	3,1
- Sicav monétaires	3,2	6,6
- Actions françaises	3,0	8,1
- MOYENNE DES PLACEMENTS	2,9	5,0
- Livrets de Caisse d'épargne	2,4	1,7
- Sicav "actions françaises"	0,9	7,6
- Terres louées	0,5	- 2,1
- Logements parisiens	- 4,9	2,8

[*] En tenant compte des revenus (intérêts, loyers...) et des plus ou moins-values, corrigés de l'effet de l'inflation.

INSEE

Les livrets de Caisse d'épargne connaissent une désaffection.

Le livret A de la Caisse d'épargne a connu huit années consécutives de soldes négatifs (dépôts moins retraits) entre 1985 et 1993. Après avoir été positif en 1994 et 1995, il a replongé dans le rouge en 1996, avec la baisse du taux à 3,5 % au lieu de 4,5 % et le transfert d'une partie des sommes sur les livrets jeune, qui servent 4,75 % d'intérêt. L'encours des livrets A représentait 717 milliards de francs en janvier 1998. Celui des livrets bleus, créés en 1975, se montait à 97,5 milliards de francs.

La désaffection à l'égard du livret A a profité aux placements à plus fort potentiel de rémunération : Sicav de trésorerie, Fonds communs de placements, achats d'actions et d'obligations à titre individuel. Cette évolution a été favorisée par l'autorisation accordée aux banques de proposer des produits défiscalisés et donc de drainer une partie importante de l'épargne nouvelle.

Plus récemment, l'offre de nouveaux produits à plus forte rentabilité a accentué ce phénomène.

Lancé fin 1989, le plan d'épargne populaire a connu très vite un succès très supérieur à celui du PER (plan d'épargne retraite) qu'il remplaçait. Destiné a priori à une clientèle à faible revenu, le produit a concerné aussi des catégories sociales plus aisées, intéressées par des allègements d'impôts.

Les trois quarts des ménages possèdent un produit d'épargne liquide (livret A, compte ou plan d'épargne...). Les Français détiennent au total 40 millions de livrets et comptes d'épargne.

Un besoin croissant d'assurance en matière financière.
Publicis Koufra

L'assurance-vie est depuis 1992 le premier placement.

Les Français ont pris conscience de la nécessité d'une épargne longue, destinée au financement des retraites. L'assurance-vie représente aujourd'hui environ les deux tiers de leurs placements financiers, quatre fois plus qu'en 1985 ; un ménage sur quatre possède un produit de ce type. En 1997, les investissements (souscriptions nouvelles et versements sur les contrats existants) ont atteint 515 milliards de francs, contre 200 milliards en 1991. Les fonds gérés représentent environ 3 000 milliards de francs, répartis à plus des deux tiers en obligations et emprunts d'Etat. Les compagnies d'assurances ne collectent plus que le quart de l'épargne nouvelle, contre les deux tiers pour les filiales captives des banques.

L'assurance-vie a perdu son caractère spécifique de protection en cas de décès ; il est aujourd'hui difficile de la distinguer des autres produits financiers d'épargne longue destinés à la retraite.

Elle concerne en priorité les ménages aisés et les familles avec enfants.

Entre 1984 et 1996, la plus-value moyenne des contrats a atteint 180 %, alors que l'inflation cumulée ne s'élevait qu'à 40 % ; le pouvoir d'achat a doublé en francs constants. Mais le rendement moyen est en diminution régulière depuis quelques années, comme celui des obligations sur lesquelles les produits sont pour l'essentiel adossés. En 1997, le rendement des contrats à versements libres s'est élevé à environ 6 %. Cette performance reste cependant supérieure à l'inflation, mais elle devrait continuer à baisser au cours des prochaines années, entraînant sans doute un transfert vers les produits multisupports (investis partiellement en actions) ainsi que sur d'autres types de produits. Ce transfert sera favorisé par les récentes modifications de la fiscalité.

L'or n'est plus une valeur refuge...

L'or, traditionnellement thésaurisé par les Français, ne joue plus depuis des années son rôle de valeur refuge. Le cours du lingot ne cesse pratiquement pas de baisser depuis 1984. Il valait en mai 1998 le même prix qu'à la fin des années 70. Par rapport à 1952, les quelque 5 000 tonnes d'or détenues par les ménages en 1996 avaient perdu la moitié de leur valeur en 1996. A titre de comparaison, un portefeuille d'obligations valait six fois plus, un portefeuille d'actions trente fois plus.

L'or s'était nourri de l'inflation pendant les années 1977 à 1981. La hausse du dollar et l'invasion soviétique en Afghanistan avaient fait quadrupler le cours du Napoléon, qui atteignait le maximum de 1 130 F en janvier 1980. La politique du franc fort et les performances des actions l'ont fait chuter aux environs de 350 F. L'importance des stocks, la faiblesse de la demande industrielle et les ventes d'or des banques centrales sont d'autres causes de cette descente aux enfers.

... mais l'art pourrait le redevenir.

Entre 1987 et 1990, les prix de l'art (en particulier ceux de la peinture) avaient atteint des sommets, reflétant au moins autant les modes que la valeur intrinsèque des œuvres. La forte médiatisation, le besoin grandissant de culture et d'esthétique, joints aux perspectives de plus-values importantes, avaient amené une petite minorité de Français à s'intéresser à ce type de placement.

Mais, comme pour l'immobilier parisien, la « bulle spéculative » s'était dégonflée à la fin des années 80. Les ventes ont chuté de façon importante ; l'art moderne ou contemporain et les automobiles de collection, qui avaient connu les hausses les plus fortes, ont été les plus touchés.

Le marché assaini semble retrouver aujourd'hui un certain dynamisme, en même temps qu'un plus grand réalisme. Il a connu une reprise sensible en 1997, avec 8,5 milliards de francs de transactions réalisés par les commissaires-priseurs, en hausse de 8,7 % sur un an. Le chiffre d'affaires enregistré par Drouot se montait à 3,8 milliards.

Les placements gagnants ont changé au fil des décennies.

Au cours des années 60, les placements les plus rémunérateurs étaient les terres louées, les obligations et le logement. L'or, les livrets d'épargne et les bons, largement présents dans les placements des Français, avaient une rentabilité réelle négative.

Dans les années 70, le placement le plus rentable était l'or, suivi des terres louées, du logement et des obligations. Les produits d'épargne logement, livrets et bons avaient un rendement négatif et les actions (françaises, notamment) réalisaient des performances modestes.

La décennie 80 a été particulièrement favorable aux actions françaises, devant les obligations et

Les actions toujours gagnantes

Entre 1950 et 1995, la rentabilité moyenne des actions de la Bourse de Paris a été de 7,0 % par an après prise en compte de l'inflation. Celle des obligations n'a atteint que 1,8 %, celle des fonds monétaires 1,1 %. Cela signifie que, malgré les krachs de 1981, 1987 et 1990, les actionnaires ont vu leur capital multiplié par 20 en 45 ans. Dans le même temps, les détenteurs d'obligations n'ont même pas doublé le leur, tandis que les adeptes des placements sans risque l'ont tout juste préservé.
Les investissements en actions détenus pendant une durée de 25 ans n'ont jamais été perdants, quelle que soit l'époque de l'investissement initial. Entre 1950 et 1992, un placement de dix ans en actions a ainsi rapporté en moyenne 15,1 % par an, avec un minimum de 12,4 % et un maximum de 19,4 % selon la période d'investissement. Un placement en obligations a rapporté en moyenne 4 % par an avec un minimum de 1,9 % et un maximum de 5,9 %.

le logement de rapport. L'or et les terres louées étaient les placements les moins avantageux. Ainsi, 100 F investis en or en 1987 sont devenus 70 F en 1998, alors que 100 F placés à la Bourse de New-York sont devenus 350 F.

Globalement, depuis le début des années 70, les meilleurs placements ont été les actions françaises, suivies des obligations et du logement de rapport. Les pires ont été les placements liquides, en particulier le compte d'épargne logement et les livrets d'épargne ordinaires. Entre 1987 et 1997, les actions ont gagné en moyenne 14,7 % par an, les obligations 10,9 %.

Fortune

Les ménages détiennent un patrimoine total brut d'environ 29 000 milliards de francs.

La valeur du patrimoine global des Français ne peut être définie avec la même précision que leurs revenus. Il est en effet difficile de connaître la nature des biens possédés et surtout leur valeur réelle, souvent très fluctuante. Un actif mobilier ou immobilier soumis à un marché n'a en effet de valeur que lorsqu'il est réalisé.

A partir des données du Conseil des impôts, on peut estimer le patrimoine actuel brut (avant endettement) des ménages à 26 500 milliards de francs en 1998, dont 11 000 milliards en logements, 1 500 milliards en terrains non bâtis et 14 000 milliards en actifs non financiers (dont la moitié en valeurs mobilières).

Il faut ajouter à ces chiffres environ 2 500 milliards de francs représentant la valeur des objets de collection, des œuvres d'art et des biens d'équipement détenus par les ménages (voitures et véhicules, meubles, appareils ménagers...). Le patrimoine total brut s'élève donc à environ 29 000 milliards de francs, soit un peu plus de 1 200 000 F par ménage.

Le patrimoine moyen net est d'environ 1,1 million de francs par ménage.

Il faut retrancher au montant brut du patrimoine total celui de l'endettement (crédits à rembourser à moyen et à long terme), soit 4 000 milliards de francs. Cela conduit à un patrimoine net de 25 000 milliards de francs au début de 1998, soit un peu moins de 1 100 000 F par ménage.

Quel patrimoine ?

Il n'existe pas de définition unique du patrimoine. Si la nature des biens principaux qui le composent n'est guère discutable (liquidités, valeurs mobilières, biens immobiliers, terrains, placements divers), certains experts prennent en compte le patrimoine brut, sans tenir compte de l'endettement des ménages, considérant qu'ils ont la jouissance d'un bien acheté à crédit. On peut cependant estimer que seul le patrimoine net est le reflet de la réalité.

Un autre débat concerne les « droits à la retraite » accumulés par un ménage. Ceux-ci ne sont en général pas intégrés, car non cessibles ni transmissibles (sauf en partie au conjoint survivant) et difficiles à évaluer.

Des définitions élargies du patrimoine sont même proposées, qui incluent l'ensemble du « capital humain » : capacités individuelles liées aux aptitudes et connaissances (innées ou acquises) permettant à chacun d'obtenir tout au long de sa vie des revenus. Mais le patrimoine génétique et le capital financier sont des notions qu'il paraît difficile, voire dangereux, de mélanger.

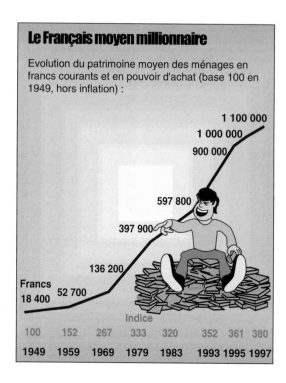

Le Français moyen millionnaire

Evolution du patrimoine moyen des ménages en francs courants et en pouvoir d'achat (base 100 en 1949, hors inflation) :

	1 100 000
	1 000 000
	900 000
597 800	
397 900	
136 200	
Francs 52 700	
18 400	

Indice							
100	152	267	333	320	352	361	380
1949	1959	1969	1979	1983	1993	1995	1997

Il faut signaler que la moyenne des patrimoines est environ deux fois plus élevée que la médiane (montant tel que la moitié des ménages ont un patrimoine supérieur, l'autre moitié un patrimoine inférieur), qui peut être estimée à 580 000 F en 1997. Cette différence traduit le poids très important des ménages les plus fortunés par rapport aux plus pauvres ; les premiers possèdent une part importante du patrimoine total, tandis que les seconds en possèdent une part très faible (voir en fin de chapitre).

On constate que les ménages détiennent 84 % du patrimoine national total (estimé à 31 000 milliards de francs en 1998) contre 70 % en 1970. Celui des administrations publiques augmente moins depuis 1980, du fait de son endettement, qui représente près des deux tiers de l'actif. La valeur nette du patrimoine des particuliers a été multipliée par treize en trente ans ; elle a plus que doublé en francs constants.

> ✦ Entre la fin des années 70 et le milieu des années 80, les 20 % les moins riches de la population américaine ont perdu en moyenne 20 % de leur pouvoir d'achat, tandis que les 20 % les plus aisés l'ont augmenté de 30 %. Ceux qui étaient situés au milieu de la hiérarchie des revenus ont vu leur pouvoir d'achat très légèrement baisser (2 %).

Depuis 1949, l'augmentation du patrimoine a toujours été supérieure à celle des revenus.

Entre 1949 et 1959, le patrimoine moyen des ménages avait augmenté de 4,4 % par an en francs constants (André Babeau, CREP), un rythme de croissance très proche de celui du revenu (4,5 %).

La croissance annuelle avait été encore plus forte entre 1959 et 1969 : 5,9 %, contre seulement 5,5 % pour les revenus. Cette hausse s'expliquait par les très fortes plus-values réalisées dans l'immobilier, l'augmentation des revenus et de l'épargne et l'accroissement du crédit.

Les années 70 ont été moins favorables, du fait du fort accroissement de l'inflation, de la mauvaise tenue des valeurs mobilières (les actions françaises ont stagné) et des livrets d'épargne. Au total, le patrimoine moyen s'est tout de même accru d'un quart en francs constants pendant cette décennie. Sur la période 1970-1985, patrimoine et revenu se sont développés au même rythme.

Depuis la deuxième moitié des années 80, le revenu disponible des ménages a augmenté en moyenne de 2 % par an, alors que le patrimoine augmentait, lui, de 3,5 %. Celui-ci a presque doublé en francs courants au cours des dix dernières années. Au total, entre 1969 et 1997, le patrimoine brut de dettes des ménages a augmenté à un rythme annuel de 3,0 % (2,9 % pour le patrimoine net) alors que leur revenu disponible n'a augmenté que de 2,5 % par an.

Quatre à cinq années de revenu

Le rapport entre le patrimoine d'un ménage et son revenu disponible annuel a longtemps été proche de 4. Il a atteint 4,5 vers le début des années 70. Cette progression s'explique par la désinflation intervenue depuis le milieu des années 80, les performances des placements financiers en termes réels et l'accroissement de l'effort d'épargne. En 1997, le rapport s'établissait à 4,6, avec un patrimoine net moyen par ménage estimé à 1 100 000 F et un revenu disponible brut moyen par ménage de 240 000 F (voir *Revenus*). Il s'agit ici d'une moyenne, car le rapport tend à augmenter avec le revenu.

La part du patrimoine professionnel a diminué au profit du patrimoine de rapport.

La composition du patrimoine des ménages s'est transformée depuis le début de la crise économique. La part du patrimoine professionnel (agriculteurs, professions libérales, industriels, artisans et commerçants) est passée de 19 % en 1975 à 9 % aujourd'hui, du fait de la réduction des effectifs des indépendants (de 3,8 millions en 1975 à 2,5 millions en 1997). A l'inverse, le patrimoine de rapport, qui comprend les actifs financiers (livrets, bons, épargne logement, valeurs mobilières, assurance) et les biens fonciers (terres) et immobiliers (logements loués) a vu sa part progresser à un peu plus de 50 %, contre 45 % en 1975.

La part du patrimoine domestique, dont l'essentiel est la résidence principale (plus de 80 % du total) avec les résidences secondaires et les liquidités du ménage, a peu varié : de 36 % à 38 %. En 1980, l'immobilier (logements et terrains non bâtis) représentait 69 % du patrimoine total net (déduction faite des dettes) des ménages ; il ne compte plus aujourd'hui que pour 51 %.

Depuis 1976, le taux de possession de valeurs mobilières a plus que doublé, passant de 10 % à 22 %. Celui de l'épargne logement a plus que triplé, passant de 11 % à 38 %. Enfin, l'assurance-vie s'est taillé une place croissante dans les investissements

financiers des ménages ; un ménage sur trois a souscrit un contrat. Globalement, la part de l'épargne liquide (livrets, comptes de dépôts, bons, comptes à terme) a beaucoup diminué au profit de l'épargne investie, que ce soit à la Bourse ou dans des contrats d'assurance-vie.

Les inégalités tendent à s'accroître.

Le système de « reproduction sociale » reste très fort en matière de patrimoine, car la mobilité professionnelle entre les générations est peu développée. Les enfants de familles aisées sont plus nombreux que les autres à exercer des professions non salariées ou des métiers à revenus élevés. Les écarts entre les héritages perçus par les différentes catégories sociales tendent à accroître ces inégalités.

Enfin, les années récentes ont montré que les patrimoines les plus importants obtenaient les rendements et les plus-values les plus élevés. Leurs propriétaires bénéficient en effet d'une meilleure information sur les opportunités existantes, d'un meilleur service de la part des intermédiaires financiers et de frais réduits (en pourcentage) sur les opérations effectuées. Chacun de ces facteurs va dans le sens d'un renforcement des disparités dans le temps.

Le patrimoine est très inégalement réparti. Les ménages de plus de 50 ans en détiennent près des deux-tiers. Les retraités (29 % des ménages) détiennent 32 % de la fortune totale et 39 % des seuls actifs financiers (45 % des valeurs mobilières, 35 % de l'immobilier de rapport, 25 % de l'assurance-vie). Les cadres supérieurs et indépendants concentrent 40 % de la fortune, contre 13 % pour les ouvriers (un tiers des ménages).

Les écarts entre les patrimoines sont beaucoup plus élevés qu'entre les revenus.

Entre les professions libérales, qui disposent en moyenne de près de 4 millions de francs, et les ouvriers, qui possèdent à peine plus de 400 000 F, le rapport est presque de un à dix. Il est plus de deux fois plus élevé qu'entre les revenus de ces mêmes catégories (un à quatre).

L'existence d'un capital professionnel (locaux et machines des entreprises industrielles, cabinets et équipements des professions libérales, terres de l'agriculteur) est à l'origine des écarts entre salariés et non-salariés. Si on soustrait la valeur de ces biens professionnels, on constate que les patrimoines des

Les actifs des ménages

Taux de détention d'actifs* selon la catégorie socioprofessionnelle (1998, en % des ménages) :

	Livrets d'épargne	Epargne logement	Valeurs mobilières	Assurance-vie Retraite	Immobilier	Terre (1996)
- Agriculteurs	89,4	67,8	30,4	61,6	79,9	84,4
- Artisans, commerçants, industriels	82,0	56,2	35,4	60,8	75,3	17,3
- Professions libérales	81,6	61,3	55,1	71,2	68,1	10,6
- Cadres	88,7	66,6	37,6	59,0	67,3	9,7
- Professions intermédiaires	86,9	57,1	24,6	53,5	62,3	9,9
- Employés	82,2	39,5	13,0	42,3	42,4	6,5
- Ouvriers qualifiés	84,8	39,7	9,8	43,2	54,3	8,4
- Ouvriers non qualifiés	78,5	29,8	6,0	31,8	44,8	5,7
- Agriculteurs retraités	85,7	32,7	23,1	45,0	70,1	56,8
- Indépendants retraités	80,6	34,3	41,5	47,4	79,6	22,8
- Salariés retraités	85,5	32,6	28,7	47,3	68,2	14,5
- Autres inactifs	73,9	20,8	11,1	21,4	32,5	10,5
Ensemble	83,7	41,4	22,6	45,9	58,9	-

* **Livrets d'épargne** : livret A ou bleu, livret jeunes, Codevi et LEP.
Epargne logement : plan et compte d'épargne logement.
Valeurs mobilières : obligations, emprunts d'Etat, Sicav ou FCP et actions.
Assurance-vie Retraite : assurance-vie ou -décès, PER ou PEP et autre épargne retraite.
Immobilier : résidence principale, résidence secondaire et autres logements.

INSEE

non-salariés sont beaucoup plus proches de ceux des salariés. Les écarts de patrimoine domestique entre les catégories socioprofessionnelles sont moins élevés ; le rapport est de 3,7 entre les professions libérales et les employés.

La seconde cause d'inégalité tient au fait que les hauts revenus génèrent eux-mêmes une épargne plus importante, qui vient s'ajouter chaque année au patrimoine accumulé. Enfin, le poids de l'héritage est plus fort chez les personnes qui disposent des revenus les plus élevés. Au cours des prochaines années, ce phénomène devrait renforcer les inégalités entre les retraités, dans un contexte de baisse générale des pensions.

Chez les salariés, les 10 % les mieux rémunérés perçoivent un tiers des revenus et possèdent un peu plus de la moitié du patrimoine.

Le rapport entre le salaire annuel net moyen des ouvriers et celui des cadres supérieurs est de 2,8, alors que celui existant entre leurs patrimoines est

de 4. Ce phénomène s'explique à la fois par les différences d'héritage (il existe une corrélation entre le montant de l'héritage reçu au cours d'une vie et le niveau de revenu des personnes concernées) et par les écarts entre les taux d'épargne. Ces derniers sont en général d'autant plus élevés en valeur relative que les revenus sont importants : on ne dépense pas deux fois plus pour son alimentation ou pour sa santé si le revenu double.

Les écarts à l'intérieur d'une même catégorie sont d'autant plus importants que le patrimoine moyen de la catégorie est élevé. Ainsi, le rapport des patrimoines des ouvriers entre le premier décile (les 10 % ayant les patrimoines les moins élevés) et le dernier décile (les 10 % ayant les patrimoines les plus élevés) peut être estimé à 3 ou 4. Il est dix fois plus élevé chez les cadres supérieurs, le rapport entre leurs patrimoines pouvant atteindre 30 ou 40.

✦ *Pour être riche, 53 % des Français préféreraient avoir des revenus importants, 41 % un capital important, 2 % les deux.*

Qu'est-ce que la richesse ?

En moyenne, les Français considèrent qu'une famille de quatre personnes est riche à partir d'un revenu mensuel de 33 000 F par mois net d'impôt ou à partir d'un patrimoine de 1,8 million de francs. 21 % ont le sentiment d'être riche personnellement.

Parmi les éléments qui symbolisent le mieux la richesse, le premier est d'habiter un grand logement (26 %). Les autres sont : faire régulièrement des voyages (14 %) ; avoir un portefeuille d'actions (12 %) ; posséder des œuvres d'art (10 %) ; posséder un bateau (10 %) ; posséder une résidence secondaire (8 %) ; avoir un employé de maison (8 %) ; avoir une piscine (2 %) ; posséder des bijoux (2 %).

Parmi les différentes façons de gagner une grosse somme d'argent, 95 % des Français estiment qu'il est acceptable de recevoir une prime de la part de son entreprise, 94 % de recevoir un héritage, 83 % de gagner au Loto ou à un jeu de hasard, 76 % de réaliser une plus-value sur un bien immobilier, 68 % de réaliser une plus-value en Bourse, 46 % de vendre tout ou partie de son entreprise, 45 % de recevoir une commission en faisant faire une affaire à quelqu'un.

Les disparités sont encore plus marquées parmi les non-salariés.

Le capital professionnel représente en moyenne 52 % du patrimoine des agriculteurs exploitants, mais sa part varie dans des proportions considérables entre le petit producteur laitier et le gros éleveur ou l'exploitant industriel. Moins de 1 % des agriculteurs exploitants possèdent un patrimoine inférieur à 100 000 francs, mais un sur cinq a un patrimoine supérieur à 10 millions de francs. De la même façon, l'outil de travail du patron d'une petite usine artisanale a une valeur infime par rapport aux actifs d'un grand industriel, même si ce dernier n'en est pas totalement propriétaire.

La dispersion est encore plus grande entre les retraités, dont les situations professionnelles antérieures étaient très diverses : un tiers d'entre eux ont un patrimoine inférieur à 100 000 francs, mais un tiers disposent de plus d'un million de francs.

L'héritage moyen est de 500 000 F, soit près de 200 000 F par héritier.

Au cours de leur vie, 56 % des Français héritent de leurs parents ou en reçoivent une donation. L'âge moyen de l'héritage est de 45 ans, alors que la première donation intervient vers 39 ans. Les montants reçus sont très variables : 10 % des successions représentent environ la moitié du capital transmis ; un peu plus de 10 % dépassent un million de francs. Les sommes reçues par les enfants d'ouvriers (nettes de droits) sont en moyenne trois fois inférieures à celles dles enfants d'agriculteurs et cinq fois moins à celles des enfants de cadres supérieurs.

Parmi les biens légués, les logements comptent pour environ la moitié, les liquidités et bons représentent 16 %, les terres 14 % (dans la moitié des cas, il s'agit d'exploitations agricoles), les valeurs mobilières, créances, fonds de commerce et immobilier d'entreprise 17 %, les meubles, bijoux, or et œuvres d'art 5 %. 84 % dles ménages ayant hérité d'un logement ont reçu la résidence principale de leurs parents, 12 % une résidence secondaire, 18 % d'autres biens immobiliers.

L'héritage représente environ 40 % du patrimoine, mais sa part tend à diminuer.

L'enrichissement des personnes âgées au cours des dernières décennies fait qu'environ les deux tiers des Français sont appelés à bénéficier d'héritages ou d'actes de donation. Mais, si l'on hérite plus souvent, la part des héritages dans les patrimoines tend à diminuer. Ce phénomène s'explique par la croissance de la richesse accumulée en propre par les ménages et par l'allongement de la durée de vie, qui fait que l'on hérite de plus en plus tard. D'après certaines estimations, la part héritée représente encore cependant 40 % du patrimoine total.

Sur les 400 000 décès qui surviennent chaque année en France, un peu plus de la moitié font l'objet d'une déclaration de succession. 80 000 d'entre elles donnent lieu au paiement d'un impôt (dont 2 000 au taux maximal de 40 %). 15 % des Français ont rédigé un testament.

1 % des ménages les plus fortunés détiennent près de 20 % du patrimoine total.

Les patrimoines des Français sont très concentrés. Les 10 % les plus élevés représentent plus de la moitié (53 %) du patrimoine total. A titre de comparaison, les 10 % de ménages percevant les revenus les plus élevés ne représentent que 28 % de la masse totale des revenus. Les 50 % les plus riches possèdent plus de 90 % du patrimoine total. Les 5 % des ménages les plus riches (possédant plus de 3,5 millions de francs) détiennent 39 % du patrimoine total. Le phénomène est particulièrement marqué à Paris où 10 % des ménages se partagent les trois quarts de l'ensemble, contre la moitié en province.

A l'inverse, les 10 % de ménages les moins fortunés possèdent une part infime du patrimoine total (0,1 %). On n'arrive qu'à 1 % en considérant les 20 % les plus pauvres et 7 % avec 50 %.

La structure des patrimoines est également très étirée à l'intérieur de chaque catégorie sociale. La concentration est plus forte chez les agriculteurs et les membres des professions libérales que chez les ouvriers ou les employés. L'âge est un autre facteur important : le patrimoine des 40-60 ans (tranche d'âge où il est maximum) est onze fois plus élevé que celui des moins de 30 ans.

Les « petits riches » ont plus d'immobilier, les « gros riches » plus de valeurs mobilières.

Si toutes disposent généralement d'un capital immobilier élevé en valeur absolue, celui-ci reste le plus souvent relativement constant quel que soit le niveau de la fortune. Ce sont ensuite les portefeuilles de valeurs mobilières qui font la différence. Dans beaucoup de cas, celles-ci sont en fait des biens professionnels détenus par les gros industriels.

Les actifs non professionnels sont à peu près également répartis entre les biens immobiliers et les valeurs mobilières et liquidités. Les biens de rapport constituent 53 % du parc immobilier, les résidences principales 22 %, les résidences secondaires 12 %.

Les actifs financiers représentent aujourd'hui 51 % des patrimoines contre 34 % en 1984. Parmi eux, les actions détenues en direct et l'assurance-vie sont passées de 30 % en 1980 à plus de 60 % en 1998. Lles 10 % de ménages les plus riches détiennent 78 % des valeurs mobilières, 62 % de l'immobilier de rapport et 47 % de l'assurance-vie.

175 000 ménages ont payé l'impôt sur la fortune en 1996.

La création, en 1981 (puis en 1988), de l'ISF (impôt de solidarité sur la fortune) a permis d'éclaircir en partie le mystère qui entoure depuis longtemps les grandes fortunes. Entre 1982 et 1986, environ 100 000 foyers fiscaux avaient payé l'impôt, 140 000 en 1990.

En 1996, le seuil de l'imposition était fixé à 4,7 millions de francs. 174 726 contribuables ont été con-

cernés ; ils ont acquitté au total 8,9 milliards de francs (contre 8,5 milliards en 1995) soit un montant moyen de 50 000 F. Leur patrimoine moyen se montait à 10,6 millions de francs.

Les détenteurs de grosses fortunes sont plus nombreux, car l'ISF exonère les biens professionnels et les œuvres d'art, qui représentent des sommes considérables. Une décote de 20 % sur la valeur de la résidence principale a été accordée en 1996. Mais la France est l'un des pays qui imposent le plus le patrimoine, avec notamment des droits de mutation élevés ; les impôts sur la fortune représentent 5,2 % des prélèvements obligatoires, contre 2,8 % en Allemagne et 10,5 % au Royaume-Uni.

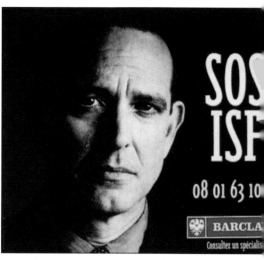

L'argent ne fait pas (toujours) le bonheur...
Euro RSCG

Le « Club des riches » reste très fermé.

Les seuls salaires, même élevés, sont dans la plupart des cas insuffisants pour accéder à la fortune. D'autres types de revenus sont nécessaires, ceux par exemple des professions indépendantes, qui facilitent la création d'un capital. Mais c'est encore l'héritage qui constitue le moyen d'entrée le plus sûr.

La plupart des très grosses fortunes se sont constituées en peu de temps, du fait de « coups » financiers réussis (OPA, OPE) ou de créations d'entreprises dans certains secteurs (distribution, informatique, mode, cosmétiques...). Il y aurait en France une quarantaine de milliardaires en francs actuels, qui ont accumulé leur fortune en faisant prospérer des entreprises ou en héritant.

LOISIRS

LE TEMPS LIBRE

Temps et argent

Le temps libre représente aujourd'hui près du quart de la vie, contre moins du dixième au début du siècle.

L'accroissement du temps libre est une donnée historique majeure, conséquence directe de la réduction du temps de travail et de l'allongement de l'espérance de vie. En 1900, la durée du travail représentait en moyenne 12 années sur une espérance de vie de 46 ans pour les hommes, soit le quart (voir *Temps*). Elle ne représente plus aujourd'hui que 8 années sur une espérance de vie de 74 ans, soit 11 % du capital-temps.

Le résultat est que le temps libre d'un adulte, après prise en compte du temps physiologique, du temps d'enfance-scolarité et du temps de déplacement, peut être évalué à 16 années, soit le double du temps de travail, contre 3 années en 1900. Il représente donc 22 % du temps de vie ou 31 % du temps éveillé (en tenant compte d'une moyenne de 7 h 30 de sommeil par jour).

Le passage à la semaine de travail de 35 heures va accroître le temps de loisir de 20 %.

Un actif est occupé en moyenne environ 10 heures par jour ouvrable par son travail, les transports et les travaux « forcés » (tâches ménagères, courses, obligations diverses). S'il consacre 7 h 30 au sommeil, il lui reste 6 h 30 de temps éveillé. Un peu plus de la moitié est consacré aux repas, à la toilette et à d'autres activités répétitives, de sorte que le temps disponible pour des activités librement choisies est de 3 heures par jour.

Avec la semaine de 35 heures au lieu de 39, la réduction du temps de travail sera de 10 %. Mais le temps de loisir disponible sera alors de 3,6 heures au lieu de 3, soit 20 % en plus, une augmentation deux fois plus importante que la diminution du temps de travail. L'écart sera encore plus spectaculaire dans le cas où la semaine de travail s'effectuera sur quatre jours, du fait de la diminution du temps de transport. La part du loisir dans l'emploi du temps de la vie bénéficie donc d'un très important effet de levier. Ce principe des « temps communicants » a des conséquences considérables sur le fonctionnement de la société, car il en change les priorités.

Plus ou moins de temps libre ?

Selon la perspective adoptée, les indicateurs choisis et surtout le recul historique considéré, l'évolution du temps libre peut conduire à des résultats opposés. Jonathan Gershuny, de l'université d'Oxford, a ainsi démontré que le temps libre a diminué par rapport à celui des sociétés primitives ; les peuplades de chasseurs-cueilleurs travaillaient en moyenne 4 heures par jour. Dans les sociétés préindustrielles, le temps de travail annuel n'était pas très éloigné de celui des sociétés modernes, environ 2 100 heures, compte tenu du très grand nombre de jours chômés (surtout en hiver) et des fêtes religieuses. Leur nombre a fortement diminué après la Réforme, de telle sorte que le temps de travail annuel atteignait 3 500 heures vers le milieu du XIXe siècle en Europe. On peut faire une constatation semblable en ce qui concerne l'évolution du temps de travail non rémunéré, celui des femmes en particulier. Joanne Vanek a montré au milieu des années 70 que le temps économisé grâce aux robots ménagers a été utilisé à accomplir d'autres tâches domestiques et qu'il a stagné, voire augmenté, d'autant que le personnel de maison disparaissait peu à peu. Le raisonnement tient compte aussi du taux d'activité des femmes et du fait que l'essentiel du temps libre est consacré à la consommation. Le paradoxe est donc que les individus consacrent une part de plus en plus grande de leurs loisirs à consommer une abondance de biens dont la production leur demande de plus en plus de travail. Mais on peut démontrer aussi la proposition inverse, beaucoup plus répandue, selon laquelle le temps libre augmente régulièrement. L'augmentation de la durée du travail féminin correspond à celle de leur taux d'activité rémunérée.

L'accroissement du temps libre peut être une source d'épanouissement, mais aussi d'inégalités.

L'accroissement du temps libre est-il un progrès social ? A la veille de la mise en œuvre de la semaine de 35 heures, on peut s'interroger sur les avantages et aussi sur les inconvénients que pourrait représenter ce surcroît de temps libre.

Dans un scénario optimiste, on peut imaginer que les Français sortiront davantage de chez eux, qu'ils seront moins stressés et se lanceront dans des pratiques culturelles librement choisies et conviviales. Le temps libre serait alors une vraie conquête et un moyen d'épanouissement individuel et collectif.

Mais on peut aussi imaginer un accroissement des inégalités entre les individus qui pourront financer ce temps libre supplémentaire et ceux qui seront contraints de choisir des activités gratuites. La télévision et les loisirs électroniques (disques, cassettes, jeux vidéo...) en seraient alors les principaux bénéficiaires, comme ce fut le cas au cours des dernières décennies. Dans ce scénario, les activités domestiques se renforceraient au détriment des activités sociales, les inégalités s'accroîtraient entre ceux qui auraient les moyens (culturels et financiers) mais aussi l'envie de s'enrichir à titre personnel et ceux qui rechercheraient la facilité.

Les loisirs remplissent plusieurs fonctions nouvelles.

On constate une volonté croissante de production dans l'utilisation du temps libre, à travers par exemple les activités de bricolage ou de jardinage ou les pratiques culturelles amateur (musique, peinture, danse, théâtre...). Cette motivation a aussi une dimension économique ; en se rendant des services à eux-mêmes, les ménages économisent de l'argent. Les retraités cherchent aussi par certaines activités de loisir à rester intégrés dans la société ; en participant à la vie associative, ils ont le sentiment d'être des citoyens à part entière. Ils consacrent une part importante de leur temps à la famille, en faisant preuve de solidarité envers leurs enfants et petits-enfants.

Le temps libre a aussi une vocation identitaire. Il permet de faire ce que l'on aime et qui n'est pas toujours possible dans le cadre de l'activité professionnelle. Le développement personnel est ainsi une forte motivation des Français, qu'ils soient actifs ou inactifs. La pratique du sport s'inscrit dans une démarche semblable. L'objectif n'est pas de chercher à réaliser des performances, mais de rester en forme, de mieux vivre et de vieillir moins vite. Elle est aussi un moyen de supporter le stress engendré par la vie moderne et de trouver un équilibre et une harmonie à la fois physique et mentale.

Le contact avec la nature est une pratique croissante en matière de loisir. Les activités de plein air se développent, dans la mouvance des préoccupations écologiques (pollution, sauvegarde de l'environnement) et en réaction avec le stress de la vie quotidienne et urbaine.

Un Français sur cinq associé

Evolution de la proportion de Français faisant partie d'une association culturelle ou de loisirs (en %) :

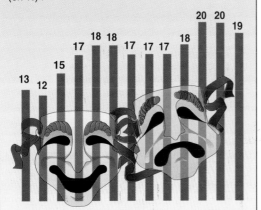

1983 85 87 89 90 91 92 93 94 95 96 97 98
13 12 15 17 18 18 17 17 17 18 20 20 19

CRÉDOC

Loisirs improvisés

47 % des Français ont tendance à ne pas planifier leurs activités de temps libre. 33 % planifient certaines activités, 19 % l'ensemble de leurs activités.
Pour 45 % d'entre eux, le meilleur emploi que l'on puisse faire du temps libre est de s'organiser un maximum d'activités, devant la volonté de réaliser ses aspirations individuelles (39 %) ou de tout oublier, faire le vide (14 %).
La « quantité » de loisirs apparaît donc essentielle ; elle est sans doute liée à la diversité de l'offre.
Une vie n'est plus suffisante pour faire tout ce que l'on souhaiterait ou pourrait faire, ce qui induit une frustration.

L'Observateur Cetelem, décembre 1997

Les dépenses de loisirs représentent probablement le premier poste du budget des ménages.

Les dépenses de loisirs-culture, telles qu'elles apparaissent dans la comptabilité nationale, représentaient 7,4 % du budget disponible des ménages en 1997 (contre 5,5 % en 1960). Mais ce chiffre ne prend pas en considération un certain nombre de dépenses liées aux loisirs qui figurent dans d'autres rubriques. Ainsi, dans le poste transports-télécommunications, une part importante des dépenses de voiture concerne les loisirs ; c'est le cas aussi des dépenses de déplacements, de sorties, de communications téléphoniques ou Minitel. De la même façon, certaines dépenses d'alimentation peuvent être considérées comme partie intégrante des loisirs : repas au restaurant, réceptions à domicile, etc. Le poste habillement comprend aussi certains achats de vêtements affectés spécifiquement aux loisirs, notamment sportifs. Enfin, la rubrique « autres biens et services » comprend les dépenses d'hôtellerie, de tourisme et de vacances.

En considérant ensemble ces différentes composantes, on arrive à une dépense totale très supérieure à celle du seul poste loisirs-culture. Il est difficile de la mesurer avec précision, car on ne connaît pas la part de chacun de ces autres postes véritablement affectée aux loisirs. On peut cependant estimer l'ensemble à près de 25 % (environ 15 % avec les deux seuls postes loisirs-culture et hôtels-cafés-restaurants-agences de voyage). Les loisirs représentent probablement le premier poste de dépenses des ménages, devant le logement (22,5 %).

Les dépenses consacrées à l'audiovisuel représentent la moitié des dépenses culturelles.

L'image et le son occupent aujourd'hui une place centrale dans les loisirs des Français. L'équipement audiovisuel s'est considérablement accru, ainsi que la fréquence et la durée d'utilisation des différents appareils (voir *Médias*). L'évolution des dépenses correspondantes n'est pas significative dans la mesure où les prix baissent régulièrement avec l'élargissement des marchés ; un magnétoscope vendu 8 500 F à son apparition en 1977 est proposé aujourd'hui à partir de moins de 1 500 F avec des fonctionnalités bien supérieures.

Les dépenses liées à l'accès aux programmes audiovisuels sont celles qui ont le plus augmenté

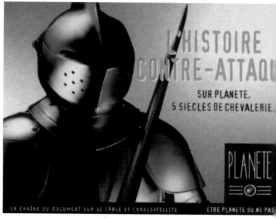

La télévision, premier loisir des Français.
Bon angle

8 000 F par an pour la culture

Structure des dépenses culturelles[*] des ménages (1996) :

	Francs	%
• Presse	1 590	20,0
• Imprimerie et édition	1 200	15,0
• Phonogrammes, vidéogrammes	1 070	13,4
• Redevance et abonnements TV	1 030	12,9
• Salles de spectacles et autres spectacles	820	10,2
• Radio, télévision	730	9,1
• Hi-fi, magnétoscopes	640	8,1
• Objets d'art, antiquités	470	5,9
• Cinéma	210	2,7
• Produits photographiques	210	2,7
Total	7 970	100,0

[*] La dépense totale s'élevait à 186 milliards de francs en 1997, soit 4 % des dépenses totales de consommation des ménages.

dans le budget des ménages, avec les dépenses de santé ; elles ont été multipliées par 2,8 en francs constants entre 1980 et 1997, soit un accroissement annuel moyen de 11 %. Dans le même temps, la part du cinéma a baissé (elle s'est cependant accrue depuis 1996) de même que celle de la redevance télévision, au contraire des abonnements

Ministère de la Culture et de la Communication

(câble, Canal Plus, satellite) et des achats et locations de vidéocassettes.

En 1997, chaque ménage a dépensé en moyenne un peu plus de 1 000 F en achats de disques et cassettes, une somme équivalente à celle consacrée à la redevance et aux abonnements de télévision (Canal Plus, câble et satellite).

Les dépenses consacrées à l'audiovisuel représentent la moitié (49 %) de celles de culture en 1997, contre 35 % pour l'écrit (journaux, magazines et livres).

Mentalités

Le loisir occupe une place croissante dans les modes de vie des Français.

Au cours des trente dernières années, les Français ont subi plusieurs chocs : culturel en Mai 68, économique en 1973, politique en 1982, financier en 1987, psychologique en 1991, européen en 1993, sociologique en 1995 (voir *Valeurs actuelles*). Chacun de ces chocs a eu des effets sur les mentalités et sur la diffusion de nouveaux modes de vie. Pour un nombre croissant d'individus, la vie ne consiste plus seulement à équilibrer les « figures imposées » (travail, activités contraintes) et les « figures libres » (activités de loisirs). Il s'agit au contraire de mélanger les unes et les autres pour en faire une vie plus riche, plus équilibrée et, finalement, plus agréable.

Carpe diem

L'un des grands changements intervenus dans les modes de vie au cours des dernières décennies est que le principe de jouissance passe avant le principe de réalité. Le *carpe diem* d'Horace (« profite du jour présent ») est une devise qui séduit notamment les jeunes générations ; le triomphe du *Cercle des poètes disparus* en a été une éclatante illustration.
Au cours des années 80, les Français ont ainsi redécouvert l'existence de leur corps et cédé à leurs pulsions naturelles pour le jeu, la fête, la liberté. Le déclin des valeurs religieuses n'est pas étranger à cette évolution. Des notions comme l'esprit de sacrifice ou la recherche d'un paradis après la mort tiennent de moins en moins de place dans la vie quotidienne. Si les anciens organisaient leur vie autour de leurs obligations, les plus jeunes souhaitent aujourd'hui l'organiser autour de leurs passions.

C'est dans cette recherche d'une plus grande harmonie entre travail et loisir que se dessine peu à peu le portrait de l'« honnête homme » de cette fin de millénaire.

Loin de retarder le développement de la société des loisirs, la crise économique l'a accéléré.

On aurait pu penser que la diminution de la croissance économique et ses conséquences sur les modes de vie allaient donner un coup d'arrêt à l'évolution amorcée dans les années 60. Il semble au contraire que la crise économique ait renforcé le mouvement vers une société postindustrielle. La montée du chômage a posé en effet le problème du partage du travail et donc celui d'une nouvelle réduction de sa durée. Or, c'est de la réduction du temps de travail que se nourrit le temps de loisir.

L'accroissement du temps libre et celui du pouvoir d'achat ont largement favorisé le développement des loisirs. Mais leur reconnaissance en tant qu'activités sociales majeures supposait aussi un état d'esprit différent. C'est le sens de l'évolution à laquelle on a assisté. De sorte que la civilisation des loisirs n'est plus aujourd'hui un mythe, ni une perspective à moyen terme.

Le loisir n'est plus une récompense, mais une activité à part entière.

Il fallait autrefois « gagner sa vie à la sueur de son front » pour avoir droit ensuite au repos, forme première du loisir. L'individu se devait d'abord à sa famille, à son métier, à son pays, après quoi il pouvait penser à lui-même.

Les générations les plus âgées sont encore sensibles à cette notion de mérite, qui est pour elles indissociable de celle de loisir. Mais, pour les plus jeunes (la frontière se situe vers 40 ans), le loisir est un droit fondamental. Plus encore, peut-être, que le droit au travail, puisqu'il concerne des aspirations plus profondes et plus personnelles. Il n'y a donc aucune raison de se cacher ni d'attendre pour satisfaire ses envies, bref pour « profiter de la vie ».

On peut d'ailleurs observer que le droit au loisir est aujourd'hui mieux respecté que le droit au travail, car il dépend beaucoup moins de la conjoncture économique. Il occupe une place d'autant plus grande dans la société contemporaine qu'il s'appuie à la fois sur l'accroissement du temps libre et sur celui du pouvoir d'achat.

Vies professionnelle et personnelle mélangées

La séparation traditionnelle entre la vie personnelle (ou familiale) et le travail est de moins en moins apparente. D'abord, parce que le travail demande une flexibilité croissante : beaucoup de salariés (notamment les cadres) emportent du travail chez eux le week-end ou le soir ; ils doivent pouvoir être joints à tout moment et en tout lieu. Ils doivent aussi consacrer une part croissante de leur temps personnel à s'informer et à se former pour être plus efficace dans leur activité professionnelle.

Ce mélange entre la vie personnelle et la vie professionnelle devrait s'accroître avec le nombre des travailleurs indépendants et le développement du télétravail, au moins partiel. On peut remarquer d'ailleurs que les équipements technologiques à forte croissance comme le téléphone portable ou l'ordinateur familial peuvent être utilisés à la fois dans un cadre privé et professionnel. Ce mouvement s'inscrit dans celui, plus général, de la « disparition des frontières » et de la réconciliation des contraires.

Le fonctionnement de la société reste pourtant centré sur le temps de travail.

Malgré l'évolution spectaculaire de la place du temps libre dans la vie des individus, la société continue de fonctionner sur la même base temporelle que par le passé. Son système de valeurs et de représentation est organisé autour du temps de travail, alors qu'il est devenu quantitativement très minoritaire à l'échelle d'une vie (voir *Emploi du temps*).

Ce décalage entre le temps réel et le temps social est à l'origine d'un grand malentendu. Un nouvel ordre social, fondé sur le temps libre, devrait donc peu à peu remplacer l'ordre traditionnel, qui repose tout entier sur le temps de travail. Car c'est aujourd'hui le temps libre qui est le temps sacré des individus.

La reconnaissance du loisir comme valeur implique la prépondérance de l'individu sur la collectivité.

Dans la conception du loisir, deux visions très différentes de la vie s'opposent. La première est optimiste et athée. Elle pose en principe que tout homme est mortel et qu'il lui faut donc tenter de s'épanouir au cours de son existence terrestre. Son objectif est de maîtriser sa vie et de la conduire le plus librement possible. Dans cette optique, le che-minement des dernières décennies peut être regardé comme un progrès. Les sociétés occidentales ont avancé sur la voie difficile d'un individualisme de type humaniste, auquel beaucoup aspiraient depuis longtemps, que l'on peut baptiser *égologie* (voir *Valeurs actuelles*).

La seconde vision est à la fois pessimiste et mystique. La tendance actuelle, qui privilégie l'individu et le court terme par rapport à la collectivité et à l'éternité, est ressentie comme l'amorce d'une décadence qui menace les nations développées. Car l'individualisme ne paraît guère compatible avec la vie en société. Avec lui se développent les risques d'antagonisme entre des intérêts divergents. En refusant l'effort, la solidarité et le sacrifice, les hommes se condamnent à une fin prochaine. Le choix se situerait donc entre l'individualisme forcené, condition de l'épanouissement de l'homme, et la référence à des valeurs transcendantales et collectives, sans lesquelles le monde ne pourrait survivre. La première solution peut conduire à l'égoisme, la seconde au totalitarisme. La société française devra naviguer entre ces deux écueils. Sur son itinéraire, la civilisation des loisirs n'est peut-être qu'une étape.

Le loisir est de plus en plus un moyen d'échapper à la réalité.

En matière de loisirs, les Français adoptent des comportements qui traduisent à la fois leur insatisfaction par rapport au présent et leur angoisse face à l'avenir. Les outils et les pratiques de loisirs sont souvent des moyens de substituer le rêve à la réalité.

Ainsi, les films qui font le plus d'entrées racontent des histoires fantastiques ou en forme de contes de fées (*les Visiteurs, Jurassic Park...*). A la télévision, le succès de séries comme *X-files* montre que beaucoup sont prêts à croire que « la vérité est ailleurs ». Les images virtuelles se multiplient sur les écrans. Les romanciers contemporains, tels Djian, Modiano ou Le Clézio inventent des personnages sans chair dans des histoires sans lieux. La peinture moderne est de plus en plus intérieure, de moins en moins descriptive. Les sculpteurs contemporains ne reproduisent pas des formes réelles ; ils donnent du volume et du poids à des images abstraites. La photographie, la bande dessinée ou les clips musicaux mettent en scène des héros symboliques qui évoluent dans des univers oniriques. La musique, de Jean-Michel Jarre à Michael Jackson, utilise des synthétiseurs qui créent des sonorités propres à favoriser le rêve.

La publicité, qui participe de toutes ces disciplines artistiques, cherche aussi de plus en plus souvent à transcender la réalité des produits qu'elle vante : décors, acteurs, éclairages, angles de prise de vue, montage contribuent à inscrire les images publicitaires dans un « autre monde ».

Le rêve, plus important que la réalité.
Callegari Berville

Le mythe du « voyage » se développe.

Le mot « voyage » a un fort contenu symbolique. On peut, au sens propre, changer de lieu, d'identité, d'activité, d'habitudes, bref de vie. C'est sans doute pourquoi l'idée de voyage occupe une place croissante dans la vie des Français, qui sont de plus en plus nombreux à s'accorder des périodes de rupture et de liberté, réparties tout au long de l'année.

Mais on peut aussi voyager au sens figuré, s'évader de soi-même comme on part de son pays ou de sa région. Le rêve en est le véhicule essentiel, l'imagination le support. Ce type de voyage est largement favorisé par l'environnement médiatique : images de synthèse, créations artistiques, publicité, jeux de toutes sortes.

Ce n'est donc pas un hasard si la drogue s'installe dans les sociétés développées. Le « voyage » auquel elle conduit n'a rien à voir avec ceux proposés dans les catalogues des *tour operators*. Il est avant tout une fuite, en marge d'une société dans laquelle beaucoup ne trouvent pas leur place. Une façon aussi de simuler sa propre mort. On trouve une motivation voisine dans le saut à l'élastique ou dans l'engouement pour les sports de l'extrême.

La diffusion des équipements de « distanciation » (télévision, ordinateur multimédia, Internet, téléphone portable, console de jeu...) participe à cette volonté d'évasion, ainsi qu'au développement d'une vie par procuration. Les foyers sont devenus de véritables « bulles » pourvues des moyens de télécommunication les plus modernes, mais protégées des risques extérieurs et des « agressions » de toutes sortes : délinquance, pollution, bruit, présence de la pauvreté, etc.

La réalité transcendée

Les activités de loisirs les plus modernes ne cherchent pas à recréer des univers existants ; elles s'en inspirent pour mieux les transcender. Dans les parcs de loisirs (Disneyland Paris, Astérix, Futuroscope...) les visiteurs entrent dans un monde magique, plus beau que la réalité. Avec leur bulle aquatique, les Center Parcs offrent une simulation du climat tropical (eau à 28°C toute l'année, végétation luxuriante) mais sans les moustiques, serpents et autres désagréments qui l'accompagnent habituellement. Les villages du *Club Med* offrent un confort, une qualité de vie et une sécurité souvent supérieurs à ceux que l'on trouve localement. Les images de synthèse, les jeux vidéo et les techniques de « réalité virtuelle » sont d'autres exemples, plus élaborés, de cette volonté de simuler la vie.
En modifiant les rapports entre le réel et l'imaginaire, en ouvrant à l'homme d'autres horizons, ces nouveaux outils ne vont pas seulement modifier les modes de vie. Ils vont remettre en cause les notions de temps et d'espace et poser de nouvelles questions philosophiques sur le passé et l'avenir de l'humanité.

Pratiques

Les activités de loisirs sont de plus en plus diversifiées.

L'évolution des mentalités à l'égard des loisirs a accompagné l'accroissement de la part du temps libre dans la vie. Elle s'est traduite par un accroissement de l'offre de produits et services de loisirs et une augmentation de la part du budget des ménages consacrée à ces activités.

L'audiovisuel occupe aujourd'hui une place essentielle ; télévision et radio absorbent ensemble environ 6 heures par jour du temps des Français, même s'il ne s'agit pas toujours (surtout dans le cas de la radio) d'un temps d'attention exclusif. Il faudrait y ajouter celui consacré à l'écoute des disques et cassettes, aux jeux vidéo et autres activités audiovisuelles. La nouvelle explosion attendue de l'offre, avec les bouquets de chaînes numériques, et les développements de l'ordinateur multimédia devraient encore accroître la prépondérance de cette forme de loisirs.

L'importance prise par les loisirs à domicile n'a pas empêché les Français d'accroître leurs activités extérieures (restaurants, vie associative, sorties...). Les activités sportives, culturelles et artistiques tendent, elles aussi, à se diversifier.

L'intérêt pour les activités culturelles s'est accru.

L'accroissement du niveau moyen d'éducation a facilité l'accès à la culture en donnant des références de base. On s'aperçoit d'ailleurs que le parcours scolaire conditionne l'intérêt pour les activités culturelles au cours de la vie adulte. L'évolution a concerné en particulier les femmes, dont la situation scolaire a été complètement transformée en une génération (voir *Études*).

Les Français sont plus nombreux à pratiquer la musique ou la peinture, à se rendre aux grandes expositions ou dans les festivals, à lire des livres d'histoire ou de philosophie, à consacrer une partie de leurs vacances à visiter des monuments ou à s'intéresser à la science. Ils recherchent dans l'art et dans la culture une émotion et une compréhension du monde qui leur apparaissent de plus en plus nécessaires dans une société où les repères tendent à disparaître.

L'amélioration de l'offre de services culturels par l'intermédiaire des équipements collectifs a joué un rôle dans cette évolution ; 80 % des Français ont accès dans leur commune à une bibliothèque, 75 % à une école de musique, 70 % à une école de danse, 60 % à une troupe de théâtre, 50 % à une salle de spectacle ou à un centre culturel.

La notion de « tout culturel », caractéristique des années 80, a aussi valorisé dans l'opinion des activités autrefois considérées comme mineures : bande dessinée, cuisine, couture, publicité, rock, etc. Des formes d'expression plus récentes comme le rap ou le tag ont aussi bénéficié de cette évolution des mentalités.

La démocratisation des loisirs n'est pas encore réalisée.

L'accroissement de l'utilisation des équipements audiovisuels (ceux permettant notamment l'écoute de la musique) concerne l'ensemble des catégories sociales. Mais certaines pratiques culturelles restent élitistes. La fréquentation des concerts (surtout de rock et de jazz) ou celle des expositions a augmenté, mais leur public ne s'est guère élargi. Huit Français sur dix ne sont jamais allés à l'Opéra, les trois quarts n'ont jamais assisté à un concert de musique classique, la moitié n'ont jamais visité une exposition (voir graphique).

Malgré les efforts d'équipement et de communication réalisés depuis quelques années en matière de loisirs, surtout culturels, les pratiquants se recrutent toujours dans les mêmes catégories sociales. Pour beaucoup, la télévision est un substitut satisfaisant (et économique) à une sortie au théâtre, au cirque, au concert ou au cinéma.

Les pratiques varient beaucoup avec le niveau d'instruction.

D'une façon générale, la pratique des loisirs augmente avec le niveau scolaire. La quasi-totalité des activités, à l'exception des loisirs dits « de masse » (radio, télévision) et des jeux d'argent du type Loto ou PMU, sont surtout pratiquées par des personnes

Les outils du loisir

Evolution des taux d'équipements de loisirs (15 ans et plus, en %) :

	1989	1997
• Téléviseur	96	96
dont :		
- *plusieurs postes*	24	45
• Magnétoscope	25	72
• Chaîne hi-fi	56	22
• Baladeur	32	74
• Micro-ordinateur	*	33
• Lecteurs de disques compacts	11	67
• Instrument de musique		45
• Caméscope	2	18
• Caméra	9	17
• Appareil photo	63	65

* La question n'avait pas été posée

Ministère de la Culture et de la Communication

Les sorties culturelles

Fréquentation des différentes activités culturelles
(1997, en % des 15 ans et plus) :

■ au cours des 12 derniers mois
▫ déjà, mais pas au cours des 12 derniers mois
■ jamais

Activité	au cours des 12 derniers mois	déjà, mais pas au cours des 12 derniers mois	jamais
Opéra	3	16	81
Concert jazz	7	12	81
Opérette	2	21	77
Concert de rock	9	17	74
Concert classique	9	19	72
Danse professionnelle	8	24	68
Parc d'attractions	11	21	68
Galerie d'art	15	19	66
Music-hall variétés	10	33	57
Spectacles d'amateurs	20	25	55
Danse folklorique	13	33	54
Expositions peint. sculpt.	25	25	50
Théâtre	16	41	43
Cirque	13	54	33
Monument historique	33	41	29
Musée	33	44	23
Brocante (foire, magasin)	54	25	21
Cinéma	49	46	5

ayant au moins le baccalauréat ou un diplôme équivalent. Les activités de type culturel (lecture, pratique de la musique, théâtre, musées, etc.) sont celles qui séparent le plus les Français les plus diplômés de ceux qui le sont moins. On retrouve des écarts de même nature entre les professions.

Les différences culturelles exercent une influence plus forte que celles de revenu. La randonnée, le jogging ou la visite des musées ne sont pas des activités coûteuses. Elles sont cependant ignorées ou presque des catégories ayant les niveaux d'instruction les moins élevés. Le manque d'habitude, le manque de références et parfois la peur de se mélanger à d'autres catégories sociales restent des freins à l'élargissement des pratiques de loisirs.

Les écarts entre hommes et femmes diminuent,...

Actives ou non, les femmes disposent en moyenne de moins de temps libre que les hommes (voir *Emploi du temps*). De plus, certaines pratiques de loisir restent différenciées. Ainsi, le sport est encore une oc-

cupation plus masculine, mais les femmes s'y intéressent de plus en plus ; c'est par exemple leur intérêt pour la randonnée qui explique le développement de cette activité. Dans le domaine des médias, les femmes inactives constituent la clientèle privilégiée des radios, mais elles regardent moins la télévision et lisent moins les journaux que les hommes. En revanche, le théâtre les attire plus que les hommes, qui préfèrent le cinéma ou les stades, et elles lisent davantage de livres.

... de même que ceux qui existent entre les villes et les campagnes.

Certains types de loisirs nécessitent des équipements ou des infrastructures spécifiques. Les petites communes sont généralement moins bien équipées que les grandes : 25 % des communes de 2 000 à 5 000 habitants ont une bibliothèque municipale, contre 61 % des villes de 5 000 à 10 000 habitants, 91 % de celles de 10 000 à 50 000 habitants et 100 % de celles de plus de 100 000 habitants. Les petites communes sont également moins nombreuses à disposer de musées, de cinémas, de salles de spectacle ou de librairies.

Certains types de loisirs sont au contraire indépendants de l'endroit où l'on habite, comme l'écoute de la radio ou de la télévision. Les différences sont alors assez peu sensibles entre les petites et les grandes villes, sauf à Paris, où la multiplicité des autres formes de loisirs possibles (en particulier de type culturel) entre en concurrence avec ces activités.

On constate un rapprochement des pratiques de loisir entre les types de communes, comme entre les régions. Il s'explique par la convergence générale des modes de vie. De plus, la disparition des paysans a entraîné celle des habitudes rurales tradi-

Paris, capitale culturelle

En matière de loisirs, Paris conserve une situation particulière. Les Parisiens sont à peu près trois fois plus nombreux que la moyenne à pratiquer les diverses formes d'activités culturelles, qu'il s'agisse d'assister à des concerts, à un opéra, d'aller au théâtre ou au cinéma. La pratique sportive est également plus forte dans la capitale : 20 % des Parisiens jouent au tennis au moins de temps en temps contre 13 % en moyenne nationale, 30 % pratiquent le jogging (contre 23 %), 28 % font de la gymnastique (contre 20 %).

Ministère de la Culture et de la Communication

Une année de loisirs

Activités pratiquées au cours des douze derniers mois par sexe (1997, en % de la population de 15 ans et plus) :

	Ensemble		Hommes		Femmes	
	Ont pratiqué	dont réguliè-rement	Ont pratiqué	dont réguliè-rement	Ont pratiqué	dont réguliè-rement
- Faire du tricot	12	6	0	0	24	11
- Faire de la broderie, du crochet, de la tapisserie	11	5	1	0	20	9
- Faire des mots croisés	32	18	24	13	39	23
- Faire de « bons plats » ou essayer de nouvelles recettes	50	29	32	16	66	40
- Faire des travaux de bricolage	50	23	66	36	35	12
- S'occuper de la voiture, la moto	39	22	55	35	24	11
- S'occuper d'un jardin potager	21	15	25	19	17	11
- S'occuper d'un jardin d'agrément	40	27	38	28	42	26
- Jouer aux cartes ou à des jeux de société	53	21	51	20	54	21
- Jouer au PMU	8	3	11	5	5	2
- Jouer au Loto, Tac-o-Tac, Morpion...	30	12	30	12	31	11
- Jouer à des jeux électroniques sur une mini-console	16	6	18	7	14	5
- Jouer aux boules	20	3	27	4	14	2
- Aller à la pêche	14	4	20	6	8	1
- Aller à la chasse	4	2	6	3	1	0
- Se promener dans un espace vert	70	30	68	29	72	32
- Faire une randonnée à pied ou à vélo	34	11	37	12	32	10
- Faire du yoga ou de la relaxation	4	3	4	2	5	3
- Faire du footing ou du jogging	18	9	23	12	13	6
- Faire de la gymnastique ou de l'éducation physique	19	12	16	10	21	14
- Pratiquer une autre activité physique ou sportive	23	16	29	22	17	11

tionnelles, alors que l'exode urbain amorcé (voir *Logement*) tend à transporter dans les zones rurales les modes de vie des villes.

L'âge est un facteur discriminant dans les pratiques de loisirs...

Parmi les très nombreuses activités possibles, deux seulement augmentent avec l'âge : la lecture des journaux et le temps passé devant la télévision. Toutes les autres (sports, spectacles, activités de plein air, activités culturelles, etc.) diminuent.

Les différences sont en fait la conséquence d'un écart de génération. Les plus de 60 ans sont les représentants d'une autre génération, pour laquelle la civilisation des loisirs n'est qu'une invention ré-

cente. Nés avant la Seconde Guerre mondiale, ils ont dû consacrer plus de temps au travail qu'au loisir, pour des raisons souvent matérielles, mais aussi philosophiques ou religieuses. Certaines activités considérées comme normales aujourd'hui leur paraissent sans doute un peu futiles. Et, même si elles tentent certains, ils considèrent qu'il est trop tard pour les pratiquer.

... mais la place des loisirs s'accroît chez les personnes âgées.

Les aînés manifestent un engouement croissant pour les voyages, les activités culturelles, les jeux et, à un moindre degré, les sports. Le pouvoir d'achat souvent élevé des retraités, l'amélioration continue de leur état de santé liée à l'allongement de l'espérance de vie sont des causes objectives de ce phénomène.

Mais c'est l'évolution des mœurs qui en est la principale responsable. Il est devenu socialement normal pour un retraité de sortir, de voyager ou d'avoir des activités ludiques lorsqu'il en a la capacité physique et financière. Cette transformation des modes de vie a été accompagnée et accélérée par les entreprises, qui ont pris conscience du poids économique des « seniors » et développé pour eux des produits spécifiques. Enfin, les médias ont banalisé ces nouveaux modes de vie en les décrivant.

La civilisation des loisirs devrait concerner bientôt l'ensemble de la population.

L'évolution de la pratique des loisirs témoigne des changements de mentalité intervenus dans la société. Les écarts observés dans le temps permettent de mesurer le chemin, considérable, qui a été parcouru, et qui se traduit notamment par une participation croissante des femmes. La césure entre les moins de 50 ans et les plus âgés est le signe concret et spectaculaire du passage, en une génération, de la civilisation industrielle à un autre type de civilisation, dans lequel les loisirs occupent une place croissante. Cette césure se déplace chaque année d'un an, de sorte que, d'ici quelques années, la civilisation des loisirs devrait être une réalité pour l'ensemble des Français.

Les sorties sont plus nombreuses et diversifiées.

Le goût pour les loisirs extérieurs est particulièrement marqué chez les jeunes. Il varie assez peu en fonction de la catégorie socioprofessionnelle (à l'exception des retraités et inactifs), du lieu de résidence ou du niveau d'éducation.

Le développement des équipements domestiques de loisir (audiovisuel, informatique, communication...) ne semble pas de nature à renforcer la sédentarité. Ces équipements accroissent peut-être au contraire la volonté de sortir de chez soi. En 1997, 68 % des Français sont allés dans un restaurant

L'extérieur préféré à l'intérieur

69 % des Français de 15 ans et plus préfèrent d'une manière générale les loisirs qui les amènent à sortir de chez eux, contre 62 % en 1989. Les hommes sont un peu plus nombreux que les femmes (71 % contre 67 %), les jeunes plus que les personnes âgées (91 % des 15-19 ans contre 50 % des 65 ans et plus). Seuls 27 % préfèrent ceux qui peuvent être pratiqués à la maison (30 % en 1989). Le repli frileux sur le foyer (cocooning) n'est donc pas une réalité sociale mesurable dans les faits.

Les Français sont un peu plus nombreux à préférer les activités qui se pratiquent seul (16 % contre 12 % en 1989). Mais ils privilégient celles qui se font entre amis (40 % contre 26 % en famille et 16 % en couple).

gastronomique, 48 % à une fête foraine, 30 % à un bal public, 27 % dans une discothèque, 26 % au zoo. 25 % ont assisté à un spectacle sportif.

La panoplie des sorties pratiquées s'élargit régulièrement. Les parcs de loisirs se sont développés un peu partout ; 18 % des Français s'y sont rendus au cours de l'année. Le karaoké connaît un vif succès depuis le début des années 90, en particulier auprès des célibataires et des jeunes couples sans enfant ; 18 % y sont allés en 1997. Les *rave parties* ont fait leur apparition ; elles ne concernent encore que 2 % de la population en général, mais 8 % entre 15 et 24 ans.

✦ *Entre 1959 et 1996, les dépenses de loisirs ont été multipliées par 5,4 en volume, contre 3,4 pour l'ensemble de la consommation. Depuis 1980, le prix de vente des magnétoscopes a baissé d'environ 40 % en francs constants. Mais le prix des places de cinéma a été multiplié par 2,4, celui des journaux et magazines par 2,3.*

✦ *23 % des Français de 15 ans et plus déclarent faire une collection (27 % d'hommes et 20 % de femmes). Les plus fréquentes sont les collections de timbres (8 %). Viennent ensuite les cartes postales (4 %), les pièces ou médailles (4 %), les objets d'art (2 %), les pierres et minéraux (2 %), les livres anciens (2 %), les poupées (1 %), les disques anciens (1 %).*

LES MÉDIAS

Télévision

N.B. Sauf indication contraire, les chiffres qui suivent émanent de Médiamétrie et correspondent à la situation à la fin de 1997.

ÉQUIPEMENT. *95 % des foyers sont équipés d'au moins un téléviseur couleur.*
37 % disposent de plusieurs postes.

En 1950, seuls 297 privilégiés étaient équipés de « l'étrange lucarne » sur laquelle ils pouvaient suivre quelques émissions expérimentales. Aujourd'hui, la quasi-totalité des ménages dispose d'au moins un téléviseur. Le taux de multiéquipement a plus que doublé depuis 1981, passant d'un ménage sur dix à plus d'un sur trois. 93,5 % des foyers disposent d'une télécommande, contre 24 % fin 1983. Les achats de renouvellement du poste principal concernent surtout le haut de gamme, avec notamment les modèles 16/9 (le parc était de 530 000 unités fin 1997). Le *home cinema*, avec image numérique et son Dolby-Stereo réparti dans des enceintes disposées autour de la pièce, commence à entrer dans les foyers.

Les rares ménages non équipés sont des réfractaires, dont beaucoup préfèrent d'autres activités de loisir, souvent de type culturel : on les trouve surtout parmi les jeunes de 25 à 34 ans, les personnes vivant seules, les Parisiens, les cadres supérieurs et les diplômés de l'enseignement supérieur. Le prix des appareils ne constitue pas un véritable frein ; il n'a cessé de diminuer en francs constants et représente aujourd'hui moins de la moitié d'un mois de salaire équivalent au SMIC, contre 7 mois en 1972.

69 % des foyers disposent d'un magnétoscope.

Pratiquement inconnu il y a une vingtaine d'années (seuls 7 000 foyers en étaient équipés en 1977) le magnétoscope est aujourd'hui présent dans plus de trois foyers sur quatre. De tous les équipements électroniques apparus sur le marché, il est celui qui s'est développé le plus rapidement, du fait des services qu'il rend aux familles (il permet de se constituer une réserve d'images choisies) et de la baisse des prix. Les familles avec des enfants sont les plus fréquemment équipées, à l'inverse des agriculteurs et des retraités.

Les Français plus acheteurs que loueurs

Les Français sont ceux qui louent le moins de cassettes vidéo parmi les habitants de l'Union européenne : 3,3, par ménage en 1997 contre 7,4 en moyenne européenne. Mais ils en achètent un peu plus que la moyenne : 3,0 contre 2,5 en moyenne (7,6 aux Etats-Unis). Les Français ont acheté également 1,3 million de disques laser vidéo en 1997. Le cinéma américain a représenté 45 % des achats en valeur, le cinéma français 12 %, le hors-film 13 %, les dessins animés 30 %. La part du cinéma dans le marché de la vidéo est passée en quatre ans de 38 % à 57 % en volume.
En Europe, les Irlandais sont de très loin les plus gros loueurs de cassettes : 37 par foyer équipé en 1996. Ils sont cependant derrière les Américains (46).

Le palmarès des enregistrements

Les 10 films les plus fréquemment enregistrés en 1997 :

	Taux moyen (%)
• La liste de Schindler	11,4
• Léon	10,1
• The Mask	10,0
• Jurassic Park	9,2
• Quatre mariages et un enterrement	8,8
• Beethoven 2	8,6
• Un Indien dans la ville	8,5
• Germinal / 2e partie	8,4
• Germinal / 1re partie	7,9
• Sister Act acte 2	7,8

La télé banalisée

Evolution du taux d'équipement des ménages en téléviseurs (en %) :

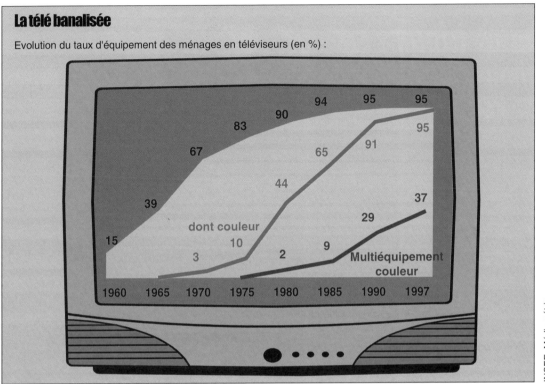

dont couleur

Multiéquipement couleur

| 1960 | 1965 | 1970 | 1975 | 1980 | 1985 | 1990 | 1997 |

INSEE, Médiamétrie

Près d'un foyer sur cinq est abonné à Canal Plus.

Après des débuts difficiles, la chaîne cryptée née en novembre 1984 a réussi son pari. Elle possède aujourd'hui 4,3 millions d'abonnés (19 %), avec un taux d'initialisation des foyers de 77 %. La chaîne est également présente avec Canal Satellite.

Basée à l'origine sur le cinéma et le sport, Canal Plus s'est aussi dotée d'une image anticonformiste grâce à des émissions de divertissement et d'humour diffusées en clair comme *Nulle part ailleurs ; Les Guignols de l'Info* sont devenus une sorte d'institution. La part d'audience de la chaîne était de 4,6 % en 1997 sur les 4 ans et plus.

9 % des foyers sont abonnés au câble.

1,6 million de foyers sont abonnés individuellement au câble et 800 000 à des services collectifs en France, soit un peu moins d'un sur dix, contre la quasi-totalité en Belgique et aux Pays-Bas (98 % et 93 %), la moitié en Allemagne (48 %), mais moins de

1 % en Italie et en Grèce (un sur quatre en moyenne dans l'Union européenne). La possibilité d'accéder à Internet dans de meilleures conditions que par le téléphone (débits beaucoup plus élevés, durée d'utilisation illimitée pour un prix forfaitaire, ligne téléphone libérée) devrait constituer une motivation nouvelle à l'abonnement. Il en est de même des services de téléphonie locale qui seront bientôt proposés.

La durée d'écoute individuelle des abonnés au câble était de 4 h 03 en 1997. La part d'audience des chaînes câblées s'est élevée à 25 % chez les abonnés et à 4 % par rapport à l'ensemble des téléspectateurs.

La télévision câblée représente 22 % des dépenses de télévision à péage des Français, le satellite 8 % et la télévision hertzienne 70 % (Canal Plus).

Plus d'un million de foyers sont équipés pour la réception par satellite.

La réception par satellite progresse plus rapidement que le câble, notamment grâce à l'arrivée des bou-

Les Français de plus en plus câblés.
Publicis Qualigraphie

quets numériques. Fin 1997, Canal Satellite comptait déjà 700 000 abonnés, contre 350 000 pour TPS et 50 000 pour AB Sat. Cette forte croissance est due essentiellement aux équipements individuels, car la réception collective est stagnante. Depuis 1994, les antennes de réception par satellite se sont multipliées dans les banlieues. Beaucoup ont été installées par des familles immigrées qui peuvent ainsi recevoir des chaînes arabes et turques.

DURÉE D'ÉCOUTE. *En 1997, les téléspectateurs de 15 ans et plus ont passé 3 h 12 minutes par jour devant le petit écran.*

La télévision est restée allumée en moyenne 5 heures par jour et par foyer (300 minutes) en 1997, soit 4 minutes de moins qu'en 1996 (304 minutes). La durée moyenne par individu de 15 ans et plus est de 3 h 12 (3 h 00 pour les 4 ans et plus). L'écart entre les actifs et les inactifs est le plus important, au profit de ces derniers : 3 h 44 contre 2 h 41. Les femmes sont plus consommatrices que les hommes (22 minutes de plus par jour, mais 11 minutes seulement pour les actives). Les personnes âgées de 50 ans et plus, en majorité inactives, regardent en moyenne 4 h 04 par jour, soit 1 heure 27 minutes de plus que les 15-49 ans.

Contrairement aux idées reçues, les enfants ont une consommation inférieure à celle des parents : 1 h 41 pour les 4-10 ans, contre 2 h 08 pour les 11-14 ans et 3 h 12 chez les 15 ans et plus. La consommation est en outre plus irrégulière chez les enfants, avec une forte pointe le mercredi.

Enfin, les personnes appartenant aux catégories socioprofessionnelles les plus aisées (professions libé-rales, cadres supérieurs, artisans et commerçants, professions intermédiaires) sont beaucoup moins consommatrices que les autres catégories : 2 h 14 en moyenne contre 2 h 58.

La durée d'écoute est très inégalement répartie. Les 20 % de Français les plus « téléphages » représentent à eux seuls près de 50 % de l'audience totale. Les 10 % les moins assidus ne regardent en moyenne que 8 minutes par jour.

Parmi les pays de l'Union européenne, c'est aux Pays-Bas que l'on regarde le moins longtemps la télévision : environ une heure et demie par jour, contre près de quatre heures en Grande-Bretagne, au Portugal ou en Espagne.

1 000 heures par personne et par an

Les Français ont consacré en moyenne 1 001 heures de leur temps à la télévision en 1997. Au cours de leur vie, ils passent plus de temps devant le petit écran qu'au travail : environ 9 années, contre 6 années. Les enfants scolarisés consacrent autant de temps au petit écran qu'à l'école (environ 800 heures par an). La durée moyenne d'écoute par personne, plus de 3 heures par jour, représente l'essentiel du temps libre. On peut estimer que le temps de fréquentation moyen de l'ensemble des médias est de 6 heures par jour. Il est supérieur au temps total de loisir du fait de la duplication de certaines activités : on peut regarder la télévision en mangeant, écouter la radio en travaillant, lire un journal dans les transports en commun ou même devant la télévision.

La durée moyenne d'écoute tend à diminuer légèrement.

Entre 1982 et 1991, la durée moyenne d'écoute quotidienne par foyer avait augmenté de plus de deux heures : 5 h 04 contre 2 h 53. Cet accroissement s'expliquait par celui du nombre de chaînes disponibles, par la progression de la proportion de foyers équipés de plusieurs postes et l'augmentation du temps de diffusion (télévision du matin et de la nuit).

On a assisté en 1992 et 1993 à un retournement. La durée d'écoute moyenne par foyer n'était plus que de 302 minutes en 1993, soit 13 minutes de moins qu'en 1991. La baisse a été confirmée en 1996 et 1997, alors que les conditions techniques de réception sont de plus en plus favorables avec le développement de l'équipement des ménages, l'accès croissant au câble ou aux satellites. On est donc tenté d'attribuer cette évolution à la concurrence d'autres formes de loisirs, notamment pour les jeunes (voir encadré) ou, parfois, à une insatisfaction des téléspectateurs.

Enfants : plus de vidéo et moins de télé

Les enfants sont moins fascinés par la télévision. Leur durée d'écoute a diminué d'une demi-heure entre 1991 et 1995. Cette baisse est surtout sensible entre 19 h et 22 h. Elle n'est pas la conséquence d'un désintérêt par rapport aux loisirs audiovisuels. Elle s'explique au contraire par la présence croissante du magnétoscope dans les foyers, ainsi que par celle des consoles de jeux qui se branchent sur le téléviseur. Les enfants, plus encore que les adultes, cherchent à être autonomes dans leur façon de consommer la télévision. Surtout, ils ont moins envie d'être passifs et plébiscitent l'interactivité qui leur est proposée par les jeux vidéo.

L'écoute est plus forte vers 13 h et 21 h, le dimanche et en hiver.

La durée d'écoute individuelle la plus élevée est celle du dimanche. Elle est minimale les mercredi (sauf pour les enfants), jeudi et vendredi. Elle varie fortement au cours de la journée, avec des pointes à 13 h (un peu plus de 25 % d'audience) et surtout entre 21 h et 22 h (plus de 45 % d'audience en semaine, 40 % le samedi). La tranche 18 h-20 h 30 représentait 22,6 % de l'audience journalière au cours de la semaine en 1997, celle de 20 h 30 à 22 h, 21,0 %.

L'écoute varie aussi selon la période de l'année, atteignant un maximum en novembre (3 h 27 pour les 4 ans et plus), suivi de janvier (3 h 26) et décembre (3 h 24). Le minimum correspond aux mois d'été, avec 2 h 24 en août et 2 h 38 en juillet. Enfin, on constate que l'existence de plusieurs postes dans un foyer ne se traduit pas par une consommation individuelle supérieure.

✦ *29 % des Français se disent d'accord pour payer la redevance télévision un peu plus cher pour qu'il y ait moins de publicité sur France 2 et France 3, 69 % y sont opposés.*

AUDIENCE. *La consommation de programmes est différente de l'offre des chaînes.*

Les Français de 4 ans et plus ont consommé en moyenne 1 002 heures de télévision en 1997, dont : 265 heures de fictions ; 144 heures de magazines et documentaires ; 141 heures de journaux télévisés ; 97 heures de publicité ; 88 heures de jeux ; 85 heures de films ; 56 heures de variétés et divertissements ; 50 heures de sport ; 31 heures d'émissions pour la jeunesse ; 2 heures de théâtre et de musique classique ; 42 heures d'autres types de programmes. On observe depuis quelques années une nette diminution du temps accordé aux variétés, notamment au profit des magazines et documentaires... et à la publicité.

Il existe un écart parfois important entre l'offre des chaînes (la répartition des types de programmes diffusés) et la consommation (les types de programmes regardés). Ainsi, les journaux télévisés représentent 14,1 % de la consommation mais seulement 6,0 % de la programmation. Les films, les fictions, les jeux, le sport et la publicité sont également « surconsommés » par rapport à l'offre (voir tableau). A l'inverse, les magazines-documentaires, les variétés et les émissions pour la jeunesse font l'objet d'une « sous-consommation ».

L'offre et la demande

Répartition des genres de programmes proposés et de l'audience en 1997 (en %) :

TV offerte		TV consommée
5,2	Films	8,5
22,7	Fictions TFV	26,6
4,8	Jeux	8,8
8,7	Variétés	5,6
6,0	Journaux TV	14,1
27,9	Magazines doc.	14,2
3,4	Sport	5,0
7,7	Emis. jeunesse	3,1
7,5	Publicités	9,7
6,1	Divers	4,4

Médiamétrie

Ces écarts entre l'offre de programmes et leur consommation s'expliquent en partie par les horaires de diffusion des différents types d'émission. Une émission diffusée en « prime time » (heure d'écoute maximale, après les journaux télévisés de 20 h) est beaucoup plus regardée qu'une autre placée en fin de soirée, après 23 h. Elle bénéficie donc d'une demande apparente beaucoup plus forte.

TF1 a obtenu 34,4 % de l'audience totale en 1997 (lundi-dimanche, 15 ans et plus).

En 1997, TF1 a obtenu 92 des meilleurs scores d'audience de la télévision (dont les 31 premiers), contre 6 pour France 2 et 2 pour France 3. Le journal télévisé du 2 décembre a été regardé par plus de 15 millions de personnes. Le record d'audience de tous les temps a été battu en 1998 par TF1 lors de la finale de la Coupe du monde de football du 12 juillet avec 24,2 millions de téléspectateurs, soit 40,7 % des Français de plus de 4 ans (dont 49,5 % de femmes) ; ce soir-là 88 % des personnes présentes devant la télévision ont regardé le match France-Brésil. Mais, si TF1 reste la chaîne leader, sa part de l'audience des six chaînes hertziennes diminue ; elle était de 34,4 % en 1997 contre 40,7 % en 1992. Celle de France Télévision (France 2 et France 3) est stable avec 42,0 % comme celle de Canal Plus (4,6 %), tandis que celle

de M6 s'accroît à 12,1 % (13,2 % sur les seuls foyers initialisés pour recevoir la chaîne). Arte obtient 1,6 % de l'audience totale (3,2 % sur les foyers initialisés), une part un peu inférieure à celle de La Cinquième (1,8 % et 4,5 % sur les foyers initialisés).

TF1, A2 et M6 ont une répartition similaire de leur audience entre les grandes tranches horaires : environ un tiers entre 12 h et 18 h et un quart entre 18 h et 20 h 30. Canal Plus et surtout FR3 se caractérisent par une plus forte concentration de leur audience en fin d'après-midi.

Les audiences varient selon l'âge des téléspectateurs. TF1 obtient 40,5 % de l'audience globale auprès des enfants de 4 à 14 ans, contre 30,4 % seulement à France Télévision et 18,3 % pour M6.

Les chaînes thématiques représentent 29 % de l'audience totale.

L'audience des chaînes hertziennes est de plus en plus écornée par celle des stations thématiques diffusées par câble ou par satellite. RTL9 et Eurosport arrivent en tête de l'audience, avec respectivement 2,5 et 2,3 millions de téléspectateurs par semaine (en cumulant câble, TPS et Canal Satellite), devant LCI (1,6 million) et TMC (1,6 million).

La percée récente des chaînes thématiques a été plus spectaculaire sur le satellite que sur le câble. Les premières ont en effet obtenu une audience de 34 % sur Canal Satellite et 35 % sur TPS au premier trimestre 1998. Les programmes pour enfants sont aussi en progression : près d'un million pour Canal J, plus de 550 000 pour Disney Channel, plus de 500 000 pour Télétoon et près de 400 000 pour Fox Kids. Paris Première obtient plus d'un million de téléspectateurs par semaine, TV5 940 000, Euronews et MTV autour de 800 000.

Les Français s'interrogent sur l'influence de la télévision dans la vie sociale...

Les Français sont partagés en ce qui concerne l'influence de la télévision sur le fonctionnement de la démocratie : 47 % trouvent son rôle positif ; 46 % le trouvent au contraire négatif (Canal Plus/BVA, février 1997). Si 72 % estiment qu'elle remplit son rôle en matière d'information (25 % non), ils ne sont que 56 % en ce qui concerne le divertissement (38 % non). Seuls 37 % considèrent qu'elle remplit bien son rôle en matière d'éducation (57 % non).

Le débat sur le « voyeurisme » de la télévision est régulièrement alimenté par l'actualité. Peut-on tout

TF1 toujours à la une

Parts d'audience des chaînes (1997, en %) :

	15 ans +	4-14 ans
- TF1	34,4	40,5
- France 2	24,7	14,1
- France 3	17,3	16,3
- La Cinquième	1,8	1,2
- Arte	1,6	0,05
- M6	12,1	18,3
- Canal +	4,6	4,2
- Autres TV	3,6	5,4

Médiamétrie

Palmarès 97

Liste des meilleurs résultats d'audience par genre (4 ans et plus, en %) :

Films
- Un Indien dans la ville — 23,4 — TF1
- Le flic de Beverly Hills 3 — 23,0 — TF1
- Sister Act acte 2 — 22,8 — TF1
- Léon — 22,7 — TF1
- Gazon maudit — 21,5 — TF1
- Soleil levant — 21,0 — TF1

Téléfilms
- Vérité oblige — 21,2 — TF1
- Joséphine profession ange gardien — 20,6 — TF1
- Maintenant ou jamais — 18,4 — TF1
- Une leçon particulière — 16,9 — TF1

Fictions
- Navarro — 24,0 — TF1
- Une femme d'honneur — 21,9 — TF1
- Julie Lescaut — 21,6 — TF1
- Les Cordier juge et flic — 21,1 — TF1

Documentaires
- Diana, princesse de Galles — 12,0 — TF1
- Monsieur Montand — 10,2 — France 3
- Diana all you need is love — 8,7 — M6
- Des trains pas comme les autres (Au sud de l'Inde) — 8,4 — France 2

Théâtre
- Le Clan des veuves — 13,2 — France 2
- Le père Noël est une ordure — 4,6 — France 2
- Nuit d'ivresse — 4,5 — France 2
- Un couple infernal — 2,9 — France 2

Musique classique
- Concert du nouvel an — 5,4 — France 2
- Turandot / 1er acte — 1,1 — France 3
- Opéra, Carmen — 1,1 — Arte
- Opéra, Tosca de Giacomo Puccini — 0,9 — Arte

Cirque
- Festival du cirque de Monte-Carlo — 10,2 — France 3
- Le cirque de Moscou sur glace — 7,9 — France 3
- Le cirque Amar — 7,3 — France 3

Jeux
- Drôle de jeu — 15,9 — TF1
- Intervilles — 14,9 — TF1
- Questions pour un champion — 14,2 — France 3
- Fort Boyard — 13,0 — France 2

Humour
- La télé s'amuse — 18,4 — TF1
- Les grosses têtes — 15,1 — TF1
- Histoire d'en rire — 14,7 — TF1
- Le bêtisier du sport — 12,9 — TF1

Variétés
- Election de Miss France — 23,7 — TF1
- Michel Sardou salut — 18,4 — TF1
- Les années tubes / Spécial Sardou — 16,4 — TF1
- Le Zénith des enfoirés 97 — 15,6 — TF1

Reality-shows
- Les enfants de la télé / Bêtisier — 20,6 — TF1
- Plein les yeux — 17,9 — TF1
- Combien ça coûte ? — 17,8 — TF1

Talk-shows
- C'est l'heure / Henri Salvador — 10,4 — France 2
- Drucker'n'Co — 9,4 — France 2
- Déjà le retour — 9,4 — France 2

Magazines d'images
- Opération Okavango — 15,5 — TF1
- Thalassa / Les corsaires du Surimi — 10,9 — France 3
- Faut pas rêver / Bruno Cremer — 8,5 — France 3

Magazines divers
- 30 Millions d'amis — 11,2 — TF1
- Les produits stars — 8,0 — M6
- E = M6 Junior — 8,0 — M6
- Elément terre — 7,4 — M6

Magazines débats
- Etat d'urgence / Prostitution — 13,1 — France 3
- Public / Charles Pasqua — 12,6 — TF1
- 7 sur 7 / Alain Delon — 9,8 — TF1

Magazines info-sociétés
- Reportages — 14,9 — TF1
- Envoyé Spécial — 13,8 — France 2
- Capital / J'achète ma maison — 11,3 — M6

Matchs de football
- Coupe des vainqueurs de coupe / FC Barcelone-PSG — 18,2 — TF1
- Ligue des champions / PSG-Bucarest — 16,4 — TF1
- Spéciale coupe d'Europe : ligue champions / Leverkusen-AS Monaco — 15,6 — TF1

Magazines sportifs
- Le Journal du Dakar — 13,5 — France 3
- F1 Podium — 12,5 — TF1
- Tout le sport — 11,5 — France 3

Spéciales élections législatives
- Campagne électorale — 11,2 — France 2
- Législatives 97 / 1er tour — 8,7 — TF1
- Législatives 97 / 2e tour — 7,9 — TF1

Médiamétrie

montrer dans les médias sous prétexte que les individus ont le droit de savoir ? Beaucoup de Français reprochent aux chaînes de briser les tabous et de faire des problèmes individuels ou « de société » leur substance quotidienne : homosexualité, sida, drogue, délinquance, alcoolisme, chômage, pollution... Le problème est accentué par le nombre croissant des cinéastes amateurs, dont les documents paraissent plus vrais que ceux des professionnels.

Il ne fait guère de doute aujourd'hui que la banalisation de la violence dans les émissions d'information ou de fiction a un impact sur les comportements de certaines personnes, comme en témoigne régulièrement l'actualité. C'est pourquoi 57 % des Français jugent utile la signalétique mise en place par les chaînes, indiquant le niveau de violence des programmes de télévision. 66 % des parents ayant un enfant de moins de 12 ans en tiennent beaucoup compte, 12 % un peu.

... et sont de moins en moins passifs.

La diffusion de la télécommande, du magnétoscope, des jeux vidéo ou, plus récemment, de la réception par câble et par satellite permet une plus grande maîtrise individuelle de la télévision. Les comportements des téléspectateurs en ont été progressivement transformés. Le *zapping* a ainsi pris une importance croissante. De nouveaux comportements d'écoute se sont développés.

Plus qu'une décision, le fait d'allumer la télévision est devenu un geste banal. Le choix des programmes se fait souvent au dernier moment : les deux tiers des téléspectateurs choisissent le jour même les émissions à partir des programmes ou des annonces ; une minorité (18 %) seulement choisissent à l'avance, en début de semaine par exemple. L'usage du magnétoscope permet à chacun de se fabriquer un programme sur mesure (le plus souvent des films, voir tableau ci-dessous) qu'il pourra visionner à sa guise, en évitant de subir les horaires et, parfois, la publicité.

Si l'audience d'une émission est évidemment une bonne indication de son intérêt pour le public, elle ne peut être considérée indépendamment de sa date ni surtout de son heure de diffusion, ainsi que des programmes proposés au même moment par les autres chaînes. Une même émission peut en effet avoir une audience différente selon la chaîne qui la diffuse, en fonction de son image et de sa notoriété, sans oublier sa couverture géographique.

Informatique et communication

La « révolution numérique » en cours a des incidences importantes sur les modes de vie.

La transformation de toutes les informations (textes, sons, images fixes ou animées) en données binaires permet de les transporter, de conserver intacte leur qualité initiale et de les mélanger dans un même appareil pour une utilisation séparée ou commune (multimédia). Elle est à la base de la convergence en cours entre les technologies et les matériels de communication.

La réalité tend ainsi à laisser place à sa représentation. Celle-ci devient plus élaborée avec l'interactivité, la 3D (relief), les grands écrans ou les systèmes permettant de s'immerger dans le monde virtuel. Les distances sont abolies, ainsi que le temps mis normalement à les franchir. Les frontières entre les pays sont ignorées par les technologies de la communication. La navigation dans l'espace est instantanée, ce qui donne aux humains le don d'ubiquité. Le monde n'est plus qu'une entité globale, qui transcende de plus en plus les entités nationales ou régionales.

La société verticale et linéaire traditionnelle est en train de faire place à une société horizontale, fondée sur les réseaux. Les centres (Etats, entreprises, places boursières, villes...) deviennent des nœuds dans un système complexe où se croisent des flux d'informations.

Le budget numérique

Les dépenses des Français pour les biens d'équipement et de loisirs ont atteint 67 milliards de francs en 1997. Les achats de téléviseurs ont stagné, alors que celles de micro-ordinateurs ont progressé de 28 %.
Depuis le début des années 90, les achats d'équipements électroniques grand public classiques (téléviseurs, magnétoscopes, Caméscope, chaînes hi-fi) diminuent au profit des produits nés de la révolution numérique (micro-ordinateurs, consoles vidéo, cédéroms, cartouches de jeux, appareils photos numériques, téléphones mobiles). Ces derniers devraient représenter la moitié des dépenses en 1998.

On assiste à une dématérialisation progressive des supports d'information.

Certains livres sont remplacés ou complétés par des cédéroms ; les disques, les journaux et les magazines peuvent être écoutés ou consultés sur ordinateur ; les photos peuvent être prises par des appareils numériques et visionnées sur écran. Les informations peuvent être obtenues sur des supports électroniques ou en ligne (par voie hertzienne ou câble) au moyen de modems, décodeurs, etc. La visualisation peut se faire sur un écran d'ordinateur, de téléviseur, de téléphone ou sur des appareils dédiés. Le nombre de foyers équipés d'un ordinateur multimédia (avec lecteur de cédérom) devrait atteindre 2,8 millions fin 1998, contre 1,8 million un an auparavant et 1 million fin 1996.

Mais les supports électroniques actuels comme les disquettes, les cassettes vidéo des magnétoscopes, les cédéroms (disque laser, inscriptible ou non), les CD-I (disque compact interactif), le vidéodisque, les minicassettes digitales, les CD-Photo et les cartouches de jeux pourraient à leur tour être remplacés par le DVD (digital video disc), support universel contenant au moins quatre heures de film en qualité numérique et indéfiniment réinscriptible.

Un ménage sur cinq possédait un ordinateur fin 1997.

2,8 millions de micro-ordinateurs ont été achetés en 1997, contre 2,3 millions en 1996 et 2,0 millions en 1995. 800 000 étaient destinés aux foyers et le taux d'équipement des ménages est passé en un an de 14 % à 19 %. Il pourrait atteindre 24 % fin 1998.

Après avoir hésité pendant quelques années, les Français ont commencé à s'équiper en 1993, année où ils ont acheté pour la première fois plus d'ordinateurs que de voitures. Le développement du multimédia a été dans ce domaine un élément majeur. On peut le définir comme la symbiose du texte, du son et de l'image (fixe ou animée) et de l'interactivité, possibilité pour l'utilisateur d'agir sur le déroulement des programmes au moyen d'une télécommande, souris, joystick...

L'ordinateur est ainsi devenu un centre d'éducation et de communication, un Minitel, un fax ou un répondeur. Il est aussi un centre de loisirs avec les jeux vidéo interactifs (voir *Jeux*), l'écoute de la musique en qualité laser avec les cartes son ou le visionnage des photos de famille numérisées. Il détourne une partie du temps que les Français consacraient jusqu'ici à la télévision.

95 % des utilisateurs de micro-ordinateur au foyer ont moins de 55 ans, 44 % sont des femmes. 39 % des ordinateurs domestiques sont installés dans un bureau, 32 % dans le salon.

La concurrence entre l'ordinateur et la télévision fait place à une convergence croissante.

Les Français considèrent la télévision et le micro-ordinateur (dans cet ordre) comme les deux plus grandes inventions du XXe siècle. La concurrence entre les deux objets s'accroît en même temps que la proportion de foyers disposant d'un ordinateur et le développement du nombre d'utilisations possibles.

Compte tenu de la multiplicité des applications qu'il propose, l'ordinateur est aujourd'hui plutôt destiné à une utilisation individuelle. Il n'est d'ailleurs pas conçu pour être utilisé à plusieurs ; il faut être assis près de l'écran (dont la dimension est en général de 14 pouces, l'équivalent d'un téléviseur de 36 cm) pour en apercevoir tous les détails. Il faut aussi être près du clavier et de la souris pour le commander. C'est pourquoi on le trouve aujourd'hui dans le bureau ou dans la chambre à coucher alors que le téléviseur est dans le salon.

Mais les différences entre les deux appareils s'estompent progressivement. L'ordinateur permet aujourd'hui l'accès aux chaînes de télévision par l'ajout d'une carte spéciale. De son côté, la télévision devient numérique et propose l'interactivité, les services en ligne et le *home cinema* (grand écran, son stéréo...). Elle intégrera progressivement tout ou partie des fonctions de l'ordinateur. La symbiose devrait se poursuivre au cours des prochaines années, de sorte qu'il sera de plus en plus difficile de distinguer les deux appareils.

Les Français ne se sont pas intéressés immédiatement à Internet...

Apparu en France vers 1996, le mot Internet a fait rapidement fortune dans les médias et dans les conversations. Mais le mot avait largement précédé la chose : en décembre 1997, la plupart des Français (79 %) n'avaient jamais utilisé Internet (L'Observateur Cetelem, décembre 1997). 15 % ne l'avaient utilisé qu'une ou deux fois, 7 % y avaient accès à titre régulier (au moins une fois par mois).

Une formidable opportunité... et quelques menaces

Internet représente une chance pour le monde, un « grand projet » planétaire. Le « village mondial » dont parlait McLuhan est en fait un « septième continent » dans lequel tous les humains pourront pour la première fois se retrouver sans distinction. Il va faire disparaître les frontières à la fois spatiales et temporelles, apporter un supplément d'intelligence, d'expression et de liberté. Il est l'un des outils d'élaboration d'une société mondiale parallèle, qui aura sans doute des influences considérables sur les sociétés et les cultures existantes. L'avènement d'Internet donne à l'individu la possibilité d'exister pour tous les autres, d'appartenir à des groupes qui ont les mêmes centres d'intérêt que lui. Il renforce son autonomie et son indépendance par rapport aux contraintes nationales. Pour les curieux, Internet est un nouvel univers à explorer, alors que le monde réel ne réserve plus guère de surprises. Il est une aventure moderne, un labyrinthe dans lequel chacun peut s'engager à sa propre vitesse, en suivant son propre itinéraire.

Mais la contrepartie de ces promesses considérables est le risque de dérives inhérent à un outil par nature difficile à contrôler. Internet est en effet potentiellement porteur de nouvelles inégalités. Entre ceux qui seront « branchés » et les autres. Entre ceux qui iront au plus simple (informations de base, jeux, distractions faciles...) et ceux qui en feront un outil de réflexion et d'enrichissement. Entre ceux qui rechercheront le côté « ombre » du réseau des réseaux (sites pornographiques, d'incitation à la violence ou au racisme...) et ceux qui chercheront à se développer à titre personnel dans le respect et l'échange avec les autres.

Un autre risque est que la « cybersociété » planétaire se substitue à la société réelle. Le temps passé devant son écran d'ordinateur est le plus souvent à déduire du temps disponible pour son entourage proche. A l'inverse de la télévision, la pratique de l'ordinateur est généralement solitaire. On peut en outre se demander s'il est bien normal de converser avec des individus situés à l'autre bout du monde, alors qu'on ne parle pas à ses voisins de palier. Mais la société virtuelle est ressentie comme plus sécurisante que la société réelle, car les contacts y sont indirects, distanciés, aseptisés. On tend d'ailleurs à transposer de plus en plus la « vraie vie » sur le Web. Des sites sont ainsi aujourd'hui consacrés à la célébration de personnes disparues, célèbres mais aussi inconnues (biographies, témoignages, souvenirs...). Ces sortes de « tombes virtuelles » illustrent la volonté croissante de partager des émotions (grâce à l'interactivité du réseau), comme on a pu le voir lors du décès de la princesse Diana. Dans cet univers protégé, les agressions sont cependant possibles : piratages par des virus ; atteintes à la vie privée de l'utilisateur par l'introduction à distance de « cookies » dans des fichiers ou logiciels ; influences et manipulations dues à des sites ayant un contenu moralement condamnable ; vols d'argent sur des transactions commerciales ou sur les comptes bancaires ; actes terroristes sur les réseaux publics ou privés...

Enfin, l'usage d'Internet apparaît à beaucoup comme une incitation à la sédentarité, qui serait contraire au mouvement actuel vers des activités « nomades » et aux activités de plein air. Ce risque existe surtout pour les « accros » du Web, qui passent des heures devant leur écran, oubliant la vie extérieure. Mais on constate que ce temps diminue souvent avec la pratique. De plus, les Internautes ont souvent envie de rencontrer réellement leurs interlocuteurs, ce qui représente des prétextes à se déplacer et à voyager qui n'existeraient pas autrement.

Les Français sont bien conscients de ces opportunités et de ces menaces. Si 77 % d'entre eux pensent qu'Internet va permettre un accès plus large à l'information et à la connaissance, 22 % craignent qu'il entraîne plus d'abêtissement et de dépendance (L'Observateur Cetelem, décembre 1997). Si 68 % considèrent qu'il va créer de nouvelles opportunités d'emplois, 28 % pensent qu'il va créer plus de chômage. Si 65 % estiment qu'Internet est un nouvel espace de liberté et d'expression, 32 % pensent qu'il va être utilisé à des fins illicites. Si 59 % estiment qu'il va permettre plus d'échanges entre les gens, 39 % pensent qu'il va entraîner un plus grand isolement pour l'utilisateur. 63 % pensent qu'Internet va générer plus d'exclusion, 32 % qu'il va créer plus d'égalité entre les gens.

Seuls 56 % savaient d'ailleurs de quoi il s'agissait (89 % des chefs d'entreprise, professions libérales et cadres supérieurs, 75 % des revenus supérieurs à 15 000 F, 68 % des 18-24 ans, 64 % des hommes), 42 % en avaient entendu parler mais ne savaient pas vraiment ce que c'était ; 2 % n'en avaient jamais entendu parler. 48 % se disaient intéressés, 34 % indif-férents, 8 % dépassés, 4 % effrayés, 3 % agacés, 3 % passionnés. Les écarts étaient assez marqués entre les hommes (55 % intéressés ou passionnés) et les femmes (47 %). Mais c'est l'âge qui était le critère le plus discriminant : 70 % des 18-24 ans étaient intéres-sés, contre 38 % des 45-55 ans. Cette hésitation s'ex-plique d'abord par l'existence du Minitel, qui a été une sorte de précurseur en matière de télématique et qui continue de rendre des services. Elle s'explique aussi par une spécificité culturelle : les Français sont rarement parmi les premiers à s'approprier une innovation technologique ; on a pu le constater par exemple pour le magnétoscope ou, plus récemment, le téléphone portable. Le plaisir de la nouveauté ne suffit pas à les séduire ; il faut leur démontrer que l'offre apporte des bénéfices tangibles, à un prix acceptable.

... mais ils sont en train de rattraper leur retard.

Fin 1997, 49 % des Français envisageaient cependant de se connecter à Internet, 46 % non (L'Observateur Cetelem, décembre 1997). 78 % estimaient cette évolution irréversible, 21 % la considéraient comme une mode destinée à retomber.

En juin 1998, on comptait en France plus de 3 millions d'Internautes, dont 1,3 million à domicile, 1,3 million au travail et 400 000 à l'école. Le nombre de foyers connectés était estimé à 600 000, soit 2,6 % des ménages et 14 % des foyers équipés d'un ordinateur, contre 100 000 en mai 1996 et 270 000 en mai 1997. 17 % des ordinateurs personnels étaient équipés de modems fin 1997.

Les Français ont donc compris qu'Internet ouvre des possibilités considérables aux individus comme aux entreprises. Le « réseau des réseaux » est en effet un lieu de connaissance, d'échange et de culture dont chacun peut être à la fois utilisateur et fournisseur.

Le Minitel occupe encore une place beaucoup plus importante qu'Internet.

Malgré la concurrence croissante d'Internet, les 25 000 services proposés par le Minitel restent utilisés par 14,5 millions de Français. Ils représentent un chiffre d'affaires de plus de 6 milliards de francs par an. Le nombre d'appels continue d'augmenter : 1,8 milliard en 1996, pour 106 millions d'heures de connexion. L'annuaire est le service le plus utilisé (20 % des consultations), devant les transports (la SNCF reçoit plus de 25 millions d'appels par an), la banque, la météo et le tourisme.

Depuis 1991, le parc de Minitel a cependant diminué de 100 000 unités ; on ne compte plus que 6,5 millions de terminaux, dont 5 millions dans les foyers.

domain ?

Les Français s'intéressent aux outils de communication.

L'engouement pour le téléphone a pris des proportions considérables depuis quelques années. 96 % des ménages en sont équipés ; 54 % disposent de plusieurs postes. Après la vogue des appareils sans fil, on a assisté plus récemment à celle des répondeurs ; fin 1997, 35 % des foyers en étaient équipés. Environ 5 % disposaient d'un fax (télécopieur). Mais la plus forte croissance concerne le téléphone portable (voir ci-dessous).

La radiomessagerie, qui permet de recevoir des messages sur un écran, connaît également un développement important, avec plus de 1,5 million d'abonnés fin 1997. Tatoo (France Télécom) et Alphapage représentent ensemble les deux tiers des abonnés, devant Tam Tam (Générale des Eaux, 15 %) et Kobby (Bouygues, 5 %) qui bénéficie de la plus forte croissance. L'essentiel de la demande se porte sur les modèles alphanumériques, qui peuvent recevoir des textes, au contraire des modèles numériques qui n'enregistrent qu'un numéro de téléphone à rappeler. Ces appareils concernent surtout les jeunes et les enfants. Leur succès illustre à la fois la montée du nomadisme et le besoin de rattachement à la cellule familiale ou aux amis.

Le téléphone portable connaît *craze* un engouement considérable.

A fin 1997, on comptait 5,7 millions d'abonnés au téléphone mobile, contre moins de 2,5 millions fin 1996. Aucun nouveau produit technologique n'a connu dans le passé une diffusion aussi rapide.

Le portable, archétype de l'objet nomade.

Apparemment, vos proches vous font des signes.

OLA
itineris

France Telecom
Mobiles

France Télécom représentait 54 % du marché, devant SFR (37 %) et Bouygues Télécom (9 %).

Comme pour l'ordinateur, les Français ont d'abord hésité avant de s'équiper. Ils ont attendu notamment que les produits proposés leur apportent de réels avantages. A cet égard, l'échec du Bi-Bop (qui aura coûté 600 millions de francs à France Télécom) est révélateur : son usage était limité à quelques grandes villes et il n'était pas utilisable en voiture.

Les Français ont acheté 115 millions de cartes téléphoniques à puce en 1997. Ce système permet d'utiliser un téléphone portable sans payer un abonnement ; l'appareil peut en outre être appelé d'un autre téléphone. Ils ont acheté aussi 600 000 fax.

Une nouvelle ère commence en matière de communication interpersonnelle. Contrairement à ce qui est parfois affirmé, les Français n'en seront pas exclus.

L'insu-portable

L'utilisation du téléphone portable fera peut-être bientôt partie des « incivilités » qui tendent à se multiplier dans la société (voir *Climat social*). Si les Français semblent bien l'accepter dans les restaurants, les cafés, les gares ou les aéroports, une majorité d'entre eux ne les supporte pas dans des lieux publics comme les musées ou les salles de spectacle ; 69 % sont ainsi favorables à leur interdiction au cinéma.

La fascination pour les nouveaux matériels s'accompagne souvent de frustration.

La complexité des matériels électroniques ou informatiques est souvent une source de frustration. Comment choisir un ordinateur ou un téléphone portable dans le maquis des équipements et des services proposés ? De plus, les problèmes d'utilisation sont fréquents. Certains ordinateurs refusent de lire des cédéroms ou de reconnaître des cartes d'extension. La navigation dans Internet s'avère souvent décourageante du fait de sa lenteur.

Par ailleurs, l'usage de ces équipements s'avère souvent coûteux ; le prix des communications est notamment élevé. Enfin, ces outils deviennent très rapidement obsolètes, car les générations se succèdent tous les quelques mois et les standards changent. Tout cela est assez mal vécu par les utilisateurs, comme en témoigne le nombre d'appels aux services après-vente, qui sont d'ailleurs souvent difficiles à joindre ou incapables de répondre aux questions, ce qui ajoute à la frustration. C'est pourquoi une partie non négligeable des équipements finissent dans un placard.

La révolution technologique va entraîner une révolution sociologique.

L'ordinateur individuel, Internet ou le téléphone portable sont sans doute les outils du futur. Mais on peut s'interroger sur leur incidence sur les modes de vie et les rapports sociaux. L'ordinateur va-t-il simplifier la vie ou la rendre plus complexe ? Va-t-on assister à un nivellement par le haut des connaissances ou à un accroissement des inégalités entre les individus ? L'entrée dans la « cybersociété » pose des questions de fond auxquelles il est difficile de répondre aujourd'hui.

Certains observateurs dénoncent des risques d'un type nouveau. L'interactivité de l'homme avec la machine pourrait se substituer à la convivialité avec l'environnement familial. La vie virtuelle par écran interposé pourrait remplacer en partie la « vraie vie », avec des dérives comme le *cybersex*, dernier avatar du *safe-sex*. De même, les possibilités infinies de télécommunication dans le cyberespace pourraient aboutir à une sédentarisation croissante, favorisée par le télétravail, le téléachat ou la visioconférence. Le développement attendu du *e-mail*, courrier électronique, pourrait à terme avoir des incidences importantes sur le courrier traditionnel. Mais Internet devrait induire un fort accroissement des colis postaux, avec le développement du cybercommerce.

Enfin, les grands opérateurs de ce marché considérable (Microsoft, Compaq, IBM, Apple, Intel...) pourraient être tentés d'utiliser leur puissance économique et leur présence dans les foyers pour jouer les *Big Brother* et agir sur les esprits. Une tentation surtout pour les réseaux terroristes, les mafias et les *crackers*, qui pourraient saboter les installations des particuliers, détruire ou modifier les données des entreprises et des institutions et disposer ainsi de moyens de pression considérables.

La possibilité pour chacun d'accéder à l'ensemble de l'information formera-t-elle des citoyens plus responsables dans un monde pacifié et démocratique ou créera-t-elle au contraire des pions malléables par une intelligence maléfique désireuse de s'assurer la maîtrise du monde ? La réponse n'est pas acquise et l'on peut être certain que des dérives se produiront, avec des conséquences plus ou moins graves.

Mais l'histoire de la technologie et celle de la consommation montrent que les individus sont souvent plus forts que les institutions, même les plus puissantes. Ils sont devenus compétents, rationnels, infidèles. Ils savent résister aux sollicitations, usant du formidable pouvoir qui est le leur, celui de dire non.

Les Français plutôt technophiles

64 % des Français souhaitent pouvoir se procurer en l'an 2000 un visiophone qui leur permette de voir le visage de leur interlocuteur au téléphone (35 % ne le souhaitent pas).
62 % des Français souhaitent pouvoir se procurer en l'an 2000 un écran de télévision extraplat qui s'accroche au mur (37 % ne le souhaitent pas).
49 % des Français souhaitent pouvoir disposer en l'an 2000 d'un réseau de télévision câblée qui offre à ses abonnés l'accès à une centaine de chaînes (50 % ne le souhaitent pas).

Radio

ÉQUIPEMENT. *Les foyers sont multiéquipés en appareils de radio.*

99 % des ménages disposent d'au moins un appareil de radio : transistor, radiocassette, baladeur, tuner, radioréveil, autoradio. La radio accompagne les Français dans la plupart des circonstances de leur vie quotidienne : à la maison, dans la rue, en voiture, dans les magasins et parfois sur leur lieu de travail. Alors qu'on ne comptait que 20 millions de récepteurs en 1970, le multiéquipement est aujourd'hui la règle. 42 % disposent d'appareils préprogrammables ; le nombre moyen de stations préprogrammées est de 8,8.

La disposition de la FM (modulation de fréquence) ne différencie plus guère les catégories sociales, car la baisse des prix des récepteurs qui s'est produite depuis quelques années les rend de plus en plus accessibles aux ménages. Les plus jeunes, les plus aisés et les plus urbains sont cependant les mieux équipés.

✦ *75 % des ménages possèdent au moins un tuner (43 % avec télécommande).*

6 radios par ménage

Equipement en récepteurs de radio (en %) et nombre moyen d'appareils en état de marche dans les foyers, en 1997 :

Au moins un appareil	**98,8 %**	**6,0**
Transistor radiocassette	**87,1 %**	**1,8**
Radioréveil	**78,8 %**	**1,5**
Autoradio	**77,1 %**	**1,2**
Tuner sur chaîne hi-fi	**75,0 %**	**1,1**
Baladeur avec radio	**27,9 %**	**0,4**
Autoradio équipé de RDS	**11,6 %**	**nd**

Médiamétrie

95 % des automobilistes disposent d'un autoradio, contre 24 % en 1971.

En vingt-cinq ans, le taux d'équipement radio des automobilistes a presque quadruplé. La multiplication des stations, nationales et surtout locales, émettant en FM a largement contribué à ce développement. Les jeunes en particulier sont séduits par la qualité croissante de l'écoute, liée à l'évolution spectaculaire des matériels : enceintes, amplis, égaliseurs, affichage digital des fréquences, recherche automatique des stations, lecture des disques compacts, etc. Aujourd'hui, la quasi-totalité des autoradios achetés sont équipés de lecteurs de cassettes ou de CD. L'équipement progressif des réseaux FM de Radio-France a permis l'avènement du RDS (Radio Data System, permettant la recherche automatique de stations), qui équipe aujourd'hui 12 % des ménages, et environ un tiers des récepteurs achetés.

Les radios locales et thématiques ont pris leur place dans le paysage radiophonique.

L'autorisation, en 1982, des « radios libres » (officiellement radios locales privées) a été une date importante dans l'histoire des médias. Elle a permis de nouvelles relations entre les stations et leurs auditeurs, basées sur le dialogue, l'engagement ou le partage d'un même centre d'intérêt.

La musique est sans aucun doute la motivation principale des auditeurs. Mais la spécialisation de la plupart de ces stations est une autre différence déterminante par rapport à leurs grandes sœurs généralistes. Cette spécialisation des radios libres a d'abord été régionale ou locale, du fait de zones d'écoute techniquement limitées.

Les radios nationales ont réagi à cette concurrence en créant des stations thématiques. Radio-France a effectué une percée remarquée avec la création de France-Info, Europe 1 a réussi à hisser Europe 2 dans le groupe de tête des radios locales nationales.

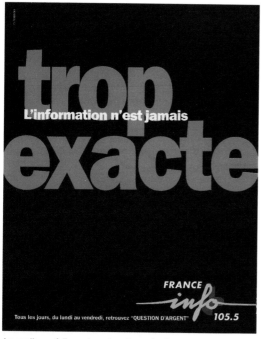

La radio, média « chaud » et omniprésent.
CLM/BBDO

Entre radios périphériques et radios locales, la lutte se poursuit. Mais les contraintes de rentabilité des radios locales les ont incitées à faire une place croissante à la publicité et à avoir des ambitions nationales, à travers les regroupements de stations au sein de réseaux. Elles ont donc perdu une partie de leur spécificité.

AUDIENCE. *Les Français ont écouté la radio en moyenne 3 h 09 ar jour en 1997 (en semaine).*

La durée moyenne d'écoute par auditeur est pratiquement la même que celle de la télévision (3 h 12 min en 1997). Elle est un peu supérieure en semaine à celle des week-ends. Les hommes écoutent plus la radio que les femmes (3 h 14 contre 3 h 04), mais le record est détenu par les artisans : 5 h 28, devant les commerçants (4 h 36). Les instituteurs et les cadres de la fonction publique sont les moins assidus, avec 2 h 27. Les moins concernées sont les personnes vivant dans des communes rurales. Les 15-34 ans écoutent moins longtemps que les 35-49 ans (2 h 53 contre 3 h 06). La durée d'écoute la plus longue est celle mesurée dans les parties Nord et Est du pays (3 h 23 dans le département du Nord) et en Ile-de-France (3 h 19). La plus faible est celle de Basse-Normandie (2 h 51).

La radio est très écoutée le matin entre 7 et 9 heures, pendant la tranche d'informations, bien que l'audience de la télévision du matin ait augmenté. L'écoute maximale est atteinte entre 7 h et 18 h. Elle diminue ensuite au fur et à mesure que la soirée se poursuit et que les Français s'installent devant la télévision.

C'est en octobre et en novembre que la radio a le plus d'auditeurs, au contraire de juillet et août. 64 % de l'écoute se fait à domicile, dont 40 % à la cuisine. 25 % de l'audience s'effectue le matin entre 6 h 30 et 9 h, 13 % entre 14 h et 18 h, 4 % le soir.

L'audience générale de la radio a atteint un record début 1998.

En 1997, l'audience cumulée (proportion de personnes ayant écouté une station au cours d'une journée de semaine, entre 5 heures et 24 heures) s'était établie à 80,7 %. Elle a atteint le plus haut historique au cours du premier trimestre 1998, avec 82 %, ce qui signifie que 38,5 millions de Français de 15 ans et plus ont écouté la radio au moins une fois dans la journée au cours de cette période.

Ce résultat est à mettre en relation avec une certaine érosion de l'audience de la télévision. Globalement, l'accroissement du nombre de chaînes de télévision au cours des dernières années ne semble pas avoir eu d'effet sensible sur l'écoute de la radio, qui résiste grâce aux qualités propres à ce média : souplesse et pouvoir d'évocation ; meilleure adaptation à l'analyse et au commentaire, à l'information en direct, parfois aussi à l'impertinence. Il faut noter que la radio est le média qui conserve la meilleure crédibilité auprès du public en matière d'information, devant la télévision et la presse.

Les cinq stations généralistes ont représenté 39,2 % du volume d'écoute en 1997 (lundi au vendredi).

La part de volume d'écoute radio est le rapport entre la somme des durées d'écoute individuelles d'une station et celle de l'ensemble des stations. Elle diffère de la part d'audience cumulée, qui représente la proportion de personnes ayant écouté une station au cours d'une période donnée, quelle que soit leur durée d'écoute (un point d'audience cumulée représente 467 630 personnes).

RTL toujours leader

Audiences* cumulées et parts d'audience en semaine au premier trimestre 1998 et 1997 (en %) :

	Part d'audience (%)		Audience cumulée (%)	
	1998	1997	1998	1997
• RTL	18,5	19,5	17,8	18,0
• France-Inter	10,8	9,5	11,4	11,0
• NRJ	6,8	7,4	11,4	11,7
• Europe 1	6,1	6,5	8,5	8,6
• Les indépendants	5,3	4,9	6,7	6,2
• France-Info	4,5	5,3	10,1	10,7
• Europe 2	4,0	4,0	5,8	5,5
• Nostalgie	3,9	3,5	4,8	4,8
• Chérie FM	3,8	2,5	4,5	3,5
• Skyrock	3,5	3,4	6,1	5,9
• RFM	3,4	2,4	4,5	3,3
• RMC	3,1	3,5	3,9	3,6
• Fun Radio	2,9	3,6	5,9	6,3
• RTL2	2,9	2,1	3,8	3,0
• Rire & Chansons	1,6	1,3	2,4	2,0

* Lundi au vendredi, 5 h à 24 h, janvier à mars.
Audience cumulée : proportion de personnes ayant écouté une station au cours de la période, quelle que soit la durée d'écoute ; un point représente 471 000 personnes en 1998 et 468 000 en 1997.
Part d'audience : rapport entre la somme des durées d'écoute individuelle d'une station et la somme des durées d'écoute de toutes les stations confondues.

La part d'audience cumulée de RTL, France-Inter, Europe 1, Sud Radio et RMC est restée supérieure à celle des programmes musicaux nationaux (Europe 2, Fun Radio, Nostalgie, NRJ, Skyrock, RFM, Chérie FM, RTL2) qui ont représenté au total 30,0 %.

L'ensemble des programmes thématiques du service public de Radio-France (France-Culture, France-Info, France-Musique, Radio bleue) a obtenu 22,9 % de l'audience cumulée. Les programmes locaux (39 stations décentralisées et 9 stations FIP de Radio-France, radios locales non affiliées à un réseau national) détenaient 18,8 % du volume d'écoute.

France-Info et NRJ ont dépassé Europe 1 depuis 1995.

Avec 17,8 % d'audience cumulée au cours du premier trimestre 1998 (contre 18,0 % au premier trimestre 1997), RTL maintient sa première place acquise depuis près de vingt ans. Sa suprématie est concrétisée à la fois par une audience supérieure et par une durée d'écoute plus longue. France-Inter occupe la seconde place, avec 11,4 % (11,0 % en 1997).

Europe 1 s'est laissé dépasser à la mi-1995 par France-Info (créée en juin 1987) et par NRJ. Elle s'efforce depuis de regagner l'audience perdue en privilégiant les émissions de proximité, notamment dans les tranches matinales, mais elle est retombée à 8,5 % en 1998 (8,6 % en 1997), contre 11,4 % pour NRJ et 10,1 % pour France-Info (qui connaît une légère baisse par rapport à 1997). Avec moins de 4 % de l'audience totale, RMC représente le tiers du poids d'NRJ ; elle connaît des difficultés de gestion et sa couverture reste régionale.

Les radios commerciales privées représentent plus des deux tiers de l'audience cumulée.

Près de 1 500 radios libres ont été autorisées sur le territoire au terme d'une période transitoire pendant laquelle les auditeurs ont eu un peu mal aux oreilles, entre les glissements de fréquence, les brouillages et les superpositions de programmes. La moitié environ sont ouvertes à la publicité de marque. Les autres ont un statut associatif et ne peuvent diffuser que des campagnes collectives.

Les radios privées commerciales (locales, régionales et nationales) ont un poids prépondérant :

70,2 % de l'audience cumulée en semaine en moyenne sur 1997, loin devant les radios du service public (Radio-France, RFI, 23,0 %) et les radios privées associatives (pour lesquelles la publicité représente moins de 20 % du chiffre d'affaires, 2,5 %).

Après avoir connu un démarrage foudroyant et malgré une légère érosion en 1989 et 1990, NRJ a dépassé Europe 1. Skyrock, Fun Radio et Europe 2 sont les trois stations préférées des jeunes ; elles se livrent entre elles une lutte sévère. RFM a connu une forte hausse de son audience en 1998, avec 4,5 % contre 3,3 %. C'est le cas aussi de Chérie FM, qui passe de 3,5 % à 4,5 %.

Les Français aiment la radio

84 % des Français estiment que la radio leur permet d'apprendre des choses, 81 % trouvent que c'est un média dynamique. Pour 81 %, elle est un média de détente et pour 76 % chaleureux. 69 % estiment que c'est un média qu'ils peuvent écouter quelles que soient leurs activités de la journée, 61 % un média dont ils se sentent proches.
La radio la plus moderne, « dans le coup », est pour eux NRJ (16 %), devant Skyrock (9 %), Fun Radio (8 %) et RTL (8 %). La radio qui renouvelle le plus ses programmes est RTL (8 %), devant France-Inter (7 %), NRJ (7 %) et Europe 1 (6 %). La radio qui informe le mieux est France-Info (22 %), devant RTL (18 %), France-Inter (15 %) et Europe 1 (9 %). La radio la plus dynamique est NRJ (16 %), devant RTL (11 %), Fun Radio (7 %), Skyrock (7 %) et France-Inter (7 %). La radio qui a les meilleurs animateurs est RTL (15 %), devant France-Inter (10 %), NRJ (9 %).
S'ils ne pouvaient plus recevoir demain qu'une seule station, 14 % des Français choisiraient RTL, 12 % France-Inter, 8 % NRJ, 7 % Europe 1, 6 % France-Info, 5 % les radios locales de Radio-France, 4 % Fun Radio, 4 % Europe 2, 4 % Nostalgie, 3 % RFM, 2 % RMC, 2 % RTL2.

Stratégies/BVA, mai 1998

Cinéma

La fréquentation du cinéma a été divisée par près de quatre entre la fin des années 40 et le début des années 90.

La fréquentation des cinémas a connu plusieurs phases distinctes depuis la fin de la Seconde Guerre mondiale. La chute a d'abord été brutale jusqu'au début des années 70. On avait recensé 424 millions de spectateurs dans les salles en 1947 ; ils n'étaient plus que 400 millions en 1957. Leur nombre avait encore baissé de moitié en 1968 (203 millions) alors que la population avait augmenté d'environ 9 millions d'habitants en quarante ans.

Entre 1975 et 1982, les efforts des professionnels avaient laissé espérer un retournement de tendance, avec notamment la création de « complexes multisalles » proposant un choix plus grand dans des salles plus petites et la modulation du prix des places. En 1982, la fréquentation était remontée à 202 millions de spectateurs et le déclin semblait enrayé.

Mais l'érosion reprenait à partir de 1983. Au total, la fréquentation chutait de 30 % au cours des années 80. Elle atteignait un minimum en 1992 avec 116 millions de spectateurs.

Une modernité chasse l'autre

Depuis les années 60, le cinéma a été concurrencé par de nouvelles formes de loisirs. Ce fut d'abord la voiture, qui permettait aux Français (en particulier les habitants des grandes villes) d'aller passer le week-end à la campagne.
Et puis, la télévision s'est installée dans les foyers. Elle a bouleversé les pratiques de loisirs, en même temps que les modes de vie. A partir du moment où il devenait possible de voir des films chez soi et pour un coût très faible, les contraintes propres à la fréquentation des cinémas décourragèrent beaucoup de spectateurs. L'inconfort de certaines salles, la taille réduite des écrans dans les complexes multisalles et la qualité de projection parfois discutable ont fait hésiter un nombre croissant d'entre eux à payer un prix considéré comme élevé (il a augmenté de 112 % au cours des années 80, alors que l'inflation n'était que de 82 %).

On assiste à une reprise de la fréquentation depuis 1993.

L'augmentation de 16 % de la fréquentation en 1993 était due pour une large part au triomphe des *Visiteurs*, qui avait attiré à lui seul près de 14 millions de spectateurs, et des deux autres « poids lourds » qu'avaient été *Jurassic Park* et *Germinal*.

Après la baisse légère de 1994, cette amélioration a été confirmée depuis 1995. Outre la capacité d'attraction des films proposés au public, ce résultat s'explique par les efforts des distributeurs et des exploitants pour diversifier la programmation, proposer des tarifs moins élevés, un meilleur accueil et des salles plus agréables avec des écrans plus grands.

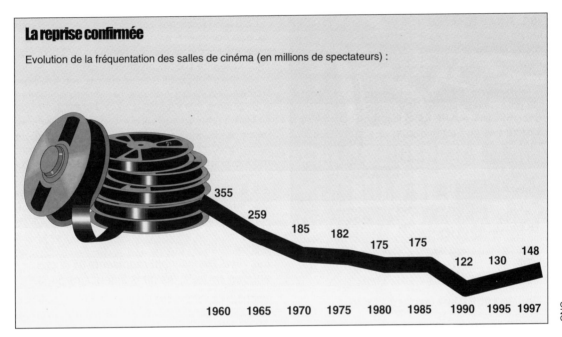

La reprise confirmée

Evolution de la fréquentation des salles de cinéma (en millions de spectateurs) :

355   259   185   182   175   175   122   130   148

1960   1965   1970   1975   1980   1985   1990   1995   1997

CNC

1997 aura été une année exceptionnelle pour le cinéma.

Avec 148 millions de spectateurs, une croissance de 8,5 % en un an, 1997 a été la meilleure année depuis douze ans. Elle confirme la tendance de fond au redressement de la fréquentation. 38 films ont obtenu plus d'un million de spectateurs et totalisé plus de 100 millions d'entrées. La progression a été beaucoup plus forte en province (17 %) et dans la petite couronne parisienne qu'à Paris (1 %).

Ce résultat est lié à la performance du *Cinquième Elément*, de Luc Besson, qui a occupé la première place du box office (7,6 millions d'entrées), devant *Men in Black* (5,7), *Le Monde perdu* (4,8) et *Les 101 Dalmatiens* (4,0).

1998 avait démarré en trombe avec le succès historique de Titanic, qui a pulvérisé tous les records. Mais la Coupe du Monde de football, au mois de juin, a été moins propice à la fréquentation des salles obscures qu'à celle des stades.

✦ *Le premier film des frères Lumière fut la Sortie des usines Lumière, filmé à Lyon. La première projection payante de cinéma eut lieu à Paris le 28 décembre 1895, au salon indien du Grand Café ; 33 spectateurs y assistèrent. Le prix des places était de 1 franc.*

95 % des Français sont déjà allés au cinéma au cours de leur vie (contre 88 % en 1989) ; 57 % y sont allés en 1997.

En 1997, les Français ont consacré 85 heures au cinéma à la télévision et 5 heures dans les salles.

Les Français aiment toujours beaucoup le cinéma. Ils n'ont d'ailleurs jamais regardé autant de films. Mais c'est à la télévision, le plus souvent, qu'ils assouvissent leur passion ; en 1997, les films, téléfilms, séries et feuilletons ont représenté 35 % de l'audience des chaînes et 28 % de leur temps de programmation. En moyenne, les Français ont passé 85 heures dans l'année à regarder des films sur le petit écran, et 265 heures à regarder des fictions. Il n'ont consacré qu'environ 5 heures au cinéma en salle (2,6 séances par personne en 1997).

Cette concurrence a été favorisée par la multiplication des chaînes de télévision (hertziennes, cryptées, câblées), l'accroissement du nombre de films diffusés et l'équipement en magnétoscopes. Elle devrait s'accroître avec le développement de la réception par câble (et surtout par satellite) et l'amélioration de la qualité des images et du son avec le *home cinema* (télévision numérique, grand écran, son Dolby-Stereo...).

Les jeunes aiment les films d'action.
Euro RSCG

CNC

Plus de 1 000 films par an à la télé

En 1997, les cinq chaînes de télévision émettant en clair ont diffusé 1 076 films, dont 301 sur Arte/La Cinquième, 197 sur France 2, 194 sur France 3, 190 sur TF1 et 190 sur M6. Canal Plus en a diffusé 434. Les quatre principales chaînes généralistes ont diffusé 369 films français sur un total de 771 (48 %), dont 197 en première partie de soirée. Les droits payés pour un film français récent sont de 3 à 4 millions de francs pour TF1, France 2 et Canal Plus, 1 à 2,5 millions pour France 3 et M6, 0,5 à 1,5 million pour Arte.
Les Français ont loué de leur côté 3,3 cassettes vidéo enregistrées par ménage en 1997 et ils en ont acheté 3,0. Les films représentent les deux tiers des achats de vidéocassettes ; la part du cinéma français est de 12 % en volume.

60 % des entrées sont assurés par les moins de 25 ans.

57,1 % des Français sont allés au moins une fois au cinéma en 1997, contre 55,3 % en 1996. Le cinéma en salle a regagné des spectateurs dans les couches les plus modestes et chez les jeunes adultes. Les femmes sont aussi concernées que les hommes. Mais les moins de 25 ans constituent toujours le public majoritaire, avec près de 60 % des entrées. La fréquentation reste plus importante chez les personnes ayant un niveau d'instruction élevé. Elle demeure aussi une pratique urbaine, qui concerne les grandes agglomérations.

Les trois quarts des entrées (74,8 % en 1997) sont assurés par des habitués (au moins une fois par mois), alors qu'ils ne représentent que 39,3 % du public. Il s'agit le plus souvent des jeunes : 87 % des 11-24 ans vont au cinéma au moins une fois dans l'année et 75 % des 6-10 ans. Les enfants entraînent leurs parents dans les salles pour y voir des dessins animés ou des films sur les animaux. Pour les adolescents, le cinéma est une occasion de se retrouver entre amis, en bande ou en couple. Le nombre moyen d'entrées atteint 8,0 par an pour les 20-24 ans, contre 4,8 en moyenne nationale ; il n'est plus que de 3,7 à partir de 50 ans. 26 % des entrées ont lieu le samedi et 16 % le dimanche, contre seulement 9 % le jeudi et 10 % le lundi.

Les films français ont représenté 35 % des entrées en 1997, les films américains 54 %.

Depuis 1986, la part des films français est inférieure à celle des films américains ; en 1982, ces derniers ne représentaient que 30 % des entrées. A l'inverse, les films français ont perdu 60 % de leurs spectateurs entre 1982 et 1990. La situation du cinéma français reste cependant largement plus favorable que celle de ses voisins européens (voir ci-dessous).

Parmi les dix films ayant réalisé le plus d'entrées en 1997, qui fut une bonne année pour le cinéma national, quatre sont français : *le Cinquième Elément ; la Vérité si je mens ; le Pari ; Didier.*

On observe une forte concentration des entrées sur un petit nombre de films : les 10 premiers films de 1997 ont attiré 29 % des spectateurs (53 % pour les 30 premiers). 17 films ont réalisé plus de 2 millions d'entrées, contre 15 en 1996 et 1995.

Le cinéma français est le premier en Europe.

La France occupe la première place parmi les pays de l'Union européenne en ce qui concerne la fréquentation moyenne, avec 2,6 séances par habitant en 1997. Elle est, avec la Grande-Bretagne et plus récemment l'Espagne, l'un des rares pays à avoir pu enrayer l'érosion.

La production cinématographique française reste également la plus importante en Europe, avec 125 films d'initiative française en 1997 (dont 86 intégralement français) et 33 films en coproduction à majorité étrangère. Elle représente plus d'un tiers des entrées en France (35 %) contre 19 % en moyenne pour les films produits nationalement dans l'Union

Ciné-parade

Films ayant réalisé plus de un million d'entrées en 1997 (en millions) :

• Le Cinquième Elément (F)	7,5
• Men in black (E.-U.)	5,6
• La Vérité si je mens (F))	4,8
• Le Monde perdu - Jurassic Park (E.-U.)	4,7
• Les 101 Dalmatiens (E.-U.)	4,0
• Hercule (E.-U.)	3,6
• Le Pari (F)	3,6
• Bean (G.-B.)	3,0
• Didier (F)	2,8
• Alien la résurrection (E.-U.)	2,5
• Demain ne meurt jamais (G.-B.)	2,3
• The Full Monty (Le Grand Jeu) (G.-B.)	2,2
• La rançon (E.-U.)	2,1
• Le mariage de mon meilleur ami (E.-U.)	2,1
• Le Patient anglais (E.-U.)	2,1
• Mars Attacks (E.-U.)	2,1
• Sept Ans au Tibet (E.-U.)	2,0
• Scream (E.-U.)	1,9
• Space Jam (E.-U.)	1,9
• La Guerre des Etoiles (E.-U.)	1,8
• Lucie Aubrac (F)	1,7
• On connaît la chanson (F - Suisse, G.-B.)	1,6
• Volte-face (E.-U.)	1,6
• Le Bossu (F)	1,6
• Le Bossu de Notre-Dame (E.-U.)	1,5
• Tout le monde dit I love you (E.-U.)	1,5
• Menteur, menteur (E.-U.)	1,5
• Les Randonneurs (F)	1,4
• Le Pic de Dante (E.-U.)	1,3
• Microcosmos - Le Peuple de l'herbe (F - Suisse)	1,3
• Ennemis rapprochés (E.-U.)	1,3
• Batman et Robin (E.-U.)	1,2
• Marius et Jeannette (F)	1,2
• Roméo et Juliette (Canada)	1,2
• Complots (E.-U.)	1,2
• L'Empire contre-attaque (E.-U.)	1,2
• The Game (E.-U.)	1,1
• Speed 2 - Cap sur le danger (E.-U.)	1,1
• Le Plus Beau Métier du monde (F)	1,0
• Western (F)	1,0
• Volcano (E.-U.)	1,0

1960. Les autres pays comme l'Allemagne sont davantage dépendants du succès des films américains, qui représentent l'essentiel de la fréquentation.

Aux Etats-Unis, la très forte baisse enregistrée jusqu'en 1971 a été enrayée. La tendance s'est depuis inversée et le nombre de spectateurs dépasse un milliard depuis une douzaine d'années (1,3 milliard en 1997). La fréquentation moyenne par habitant (4,8) est presque le double de celle de la France et le quintuple de celle du Japon (120 millions d'entrées en 1995, contre un milliard en 1960).

Un cinéma intelligent, mais un peu lent

Une enquête réalisée dans onze grandes villes européennes montre que le cinéma français est considéré comme l'un des trois meilleurs du monde, derrière les cinémas américain et britannique. L'image du cinéma français est liée aux notions d'amour, de sentimentalisme, de romantisme, d'intelligence, de raffinement et de profondeur, mais aussi de lenteur, d'ennui et de « gallocentrisme ». Les Italiens sont les plus francophiles.

Unifrance/Sofres, mars 1998

Les effets spéciaux attirent un public croissant...

Les spectateurs ne vont dans les salles que si le cinéma leur offre davantage que la télévision, justifiant ainsi le déplacement et le prix des places. La qualité du son, celle de l'image, les effets spéciaux, la taille de l'écran sont des atouts déterminants. Les écrans géants du type Géode (image hémisphérique de 1 000 mètres carrés) ou les salles du Futuroscope de Poitiers permettent de montrer des spectacles d'un genre nouveau, utilisant les nouveaux procédés Omnimax ou Showscan. Les complexes sont une autre évolution dans ce sens ; sur les 185 nouvelles salles créées en 1997, 138 l'ont été au sein de 11 multiplexes.

C'est la force de l'image projetée sur grand écran dans une salle obscure qui représente la caractéristique principale du cinéma. Elle apparaît de plus en plus nécessaire, à l'heure où la télévision se dote de la stéréophonie et de l'image numérique, augmente la taille de ses écrans et se prépare au cinéma à domicile.

européenne (25 % en Italie, 15 % en Allemagne, 13 % au Royaume-Uni, 9 % en Espagne).

Malgré une remontée depuis 1993 (96 millions de spectateurs en 1996), le cinéma italien, qui fut longtemps l'un des plus dynamiques et des plus créatifs, connaît des difficultés : la fréquentation était descendue à 84 millions de spectateurs en 1992, contre 125 en 1986, 215 en 1981 et... plus de 700 millions en

✦ *394 films ont été projetés en exclusivité en 1997.*

... mais les goûts des Français restent assez éclectiques.

Beaucoup de films figurant aux premières places du hit-parade cinématographique sont faits spécialement pour le public jeune, amateur d'aventures, de fantastique et d'effets spéciaux ; la plupart sont américains. Mais les jeunes aiment aussi, comme leurs aînés, les films qui les font rire. C'est ce qui explique le succès des grands films comiques, qui occupent souvent les premières places du palmarès de ces dernières années ; hors *Le Cinquième Elément*, les trois films français placés dans les dix premiers du box-office 1997 étaient des films comiques : *la Vérité si je mens, le Défi, Didier*. La tradition comique du cinéma français est ancienne. Louis de Funès avait su faire oublier la disparition de Fernandel. Il a réussi la performance de placer sept de ses films (dont trois « Gendarme ») dans la liste des cinquante plus gros succès depuis 1956.

Les spectateurs se déplacent moins aujourd'hui pour voir une star consacrée que pour suivre une histoire dont ils ont entendu dire du bien par les médias ou surtout par le « bouche-à-oreille ». S'ils aiment se divertir et s'évader au cinéma, les Français apprécient aussi les films qui sont ancrés dans la réalité et qui racontent leur époque.

Titanic, une fable contemporaine

Le triomphe de *Titanic*, qui a battu en France et dans le monde tous les records de fréquentation et de recettes, est sans doute le résultat de la qualité de son metteur en scène, des acteurs et des effets spéciaux. Mais il témoigne aussi du mythe d'un Occident aux prises avec ses problèmes en cette fin de vingtième siècle. Il met en évidence les différences entre les classes sociales dans la vie à bord, dans l'impossible amour entre un jeune homme pauvre et une femme riche ainsi que dans l'issue du naufrage (les riches étaient prioritaires pour quitter le navire ; certains auraient même été tués par des membres d'équipage). Il met aussi en évidence l'éternelle absence de modestie des hommes, qui croient être plus forts que la nature (le bateau était réputé insubmersible). En même temps qu'une histoire réelle, *Titanic* est une fable très contemporaine qui résonne particulièrement fort en cette période de changement de millénaire et de civilisation.

✦ *La France compte 4 655 salles de cinéma actives, soit 972 126 fauteuils. Paris compte 351 salles actives et 70 166 fauteuils.*

Les Césars du public

Les 50 plus grands succès entre 1956 et 1997 (en millions de spectateurs) :

• La Grande Vadrouille (F)	17,2
• Il était une fois dans l'Ouest (Ital.)	14,9
• Le Livre de la jungle (E.-U.)	14,7
• Les 101 Dalmatiens (E.-U.)	14,6
• Les Dix Commandements (E.-U.)	14,2
• Ben Hur (E.-U.)	13,8
• Les Visiteurs (F)	13,7
• Le Pont de la rivière Kwaï (G.-B.)	13,5
• Les Aristochats (E.-U.)	12,6
• Le Jour le plus long (E.-U.)	11,9
• Le Corniaud (F)	11,7
• Trois Hommes et un couffin (F)	10,2
• Les Canons de Navarone (E.-U.)	10,2
• Le Roi Lion (E.-U.)	10,1
• Les Misérables (F, Ital.)	9,9
• La Guerre des boutons (F)	9,9
• Docteur Jivago (E.-U.)	9,8
• L'Ours (F)	9,1
• Le Grand Bleu (F)	9,0
• ET, l'extra-terrestre (E.-U.)	8,9
• Emmanuelle (F)	8,9
• La Vache et le Prisonnier (F)	8,8
• La Grande Evasion (E.-U.)	8,7
• West Side Story (E.-U.)	8,7
• Un Indien dans la ville (F)	7,9
• Le Gendarme de Saint-Tropez (F)	7,8
• Orange mécanique (E.-U.)	7,6
• Le Cinquième Elément (F)	7,5
• Les Bidasses en folie (F)	7,5
• Les Aventures de Rabbi Jacob (F)	7,4
• Aladdin (E.-U.)	7,3
• Danse avec les loups (E.-U.)	7,3
• Jean de Florette (F)	7,2
• Les Aventures de Bernard et Bianca (E.-U.)	7,2
• La Chèvre (F/Mex.)	7,1
• Les Sept Mercenaires (E.-U.)	7,0
• Les Grandes Vacances (F)	6,9
• Michel Strogoff (F)	6,9
• Le gendarme se marie (F)	6,8
• Le Bossu de Notre-Dame (E.-U.)	6,8
• Rox et Rouky (E.-U.)	6,7
• Goldfinger (G.-B.)	6,7
• Les Trois Frères (F)	6,6
• Manon des sources (F)	6,6
• Le Cercle des poètes disparus (E.-U.)	6,6
• Sissi (Aut.)	6,6
• La Belle au bois dormant (E.-U.)	6,6
• Jurassic Park (E.-U.)	6,5
• Rain Man (E.-U.)	6,5
• Robin des Bois (E.-U.)	6,5

Musique

La musique occupe une place croissante dans les modes de vie.

On constate depuis quelques années une spectaculaire progression de l'écoute de la musique, sur disques, cassettes ou à la radio. La diffusion des équipements électroniques de loisirs a largement favorisé le mouvement. Les ménages possèdent en moyenne 6 appareils permettant d'écouter la radio ou de la musique ; 87 % ont un transistor ou radiocassette, 77 % un autoradio, 75 % une chaîne hi-fi, 67 % un lecteur de disques compacts, 45 % un baladeur (28 % un baladeur recevant la radio).

L'écoute de la musique est le loisir qui a le plus progressé depuis une vingtaine d'années. La proportion de Français qui écoutaient des disques ou cassettes au moins un jour sur deux avait doublé entre 1973 et 1989, passant de 15 % en à 33 %. Elle a poursuivi depuis sa progression, favorisée par l'apparition du disque compact ; en 1997, 27 % des personnes de 15 ans et plus en écoutaient tous les jours ou presque, 40 % au moins trois ou quatre jours par semaine. Les Français ne cessent d'accumuler de la musique enregistrée, sous forme de disques ou de cassettes. La quantité moyenne de disques avait augmenté de 50 % entre 1975 et 1990, celle des cassettes avait doublé entre 1981 et 1988. En 1997, seuls 21 % ne possédaient aucune cassette contre 30 % en 1989 ; un foyer sur deux (45 %) possédait plus de 20 disques compacts, contre 4 % en 1989.

De la musique avant toute chose

La musique fait partie de la vie quotidienne, que ce soit à la maison, en voiture, dans la rue, dans les magasins ou même sur le lieu de travail. A la radio, la fonction musicale a pris le pas sur la fonction d'information, grâce à l'explosion des « radios libres » de la bande FM. Les sorties qui concernent la musique (concerts, discothèques) sont les seules à avoir progressé de façon sensible depuis une vingtaine d'années. Enfin, la pratique du chant et celle des instruments se sont développées.
La musique apparaît comme un moyen d'enjoliver l'environnement ; comme dit le proverbe, elle adoucit les mœurs. A condition, toutefois, qu'elle ne soit pas trop puissante, comme c'est parfois le cas dans les concerts ou dans les discothèques. Elle peut devenir alors une nuisance et avoir des incidences irréversibles sur l'ouïe des personnes présentes.

L'augmentation de l'écoute a touché toutes les catégories de population sans exception. Elle concerne aussi tous les genres de musique, du jazz au rock en passant par la musique classique et l'opéra. Le phénomène est cependant plus marqué chez les jeunes. 56 % des 15-19 ans écoutaient des disques ou cassettes tous les jours ou presque en 1997 (4 % seulement des 65 ans et plus), le plus souvent des musiques très contemporaines. La durée moyenne d'écoute est de 9 heures par semaine.

Les instruments de la musique

Evolution de l'équipement musical des Français de 15 ans et plus (en %) :

	1989	1997
• 1 appareil pour écouter des disques ou des cassettes	79	86
• Chaîne hi-fi	56	74
• Electrophone, tourne-disques (hors hi-fi)	31	33
• Disques 45 T	66	58
• Disques 33 T	71	63
• Disques compacts	11	69
• Cassettes audio	70	79
• Baladeur	32	45
• Lecteur de disques compacts	11	67

Ministère de la Culture et de la Communication

Le disque compact a remplacé en quelques années les disques traditionnels (vinyle) et supplanté les cassettes audio.

Le lecteur de disques compacts a été commercialisé en France à partir de 1983. Son démarrage avait été assez lent, avec 25 000 appareils achetés en 1983 et 40 000 en 1984, mais leur nombre dépassait 3 millions dès 1991. Il a permis une progression spectaculaire des achats de disques, après la crise de la fin des années 70. Les achats d'albums CD ont dépassé depuis 1992 le maximum jamais atteint par les ventes de 33 T vinyle.

Le CD s'est initialement appuyé sur la musique classique et sur les personnes de 30 à 50 ans, plus aisées que les jeunes. Aujourd'hui, il a pris la relève des disques vinyle dans tous les genres musicaux. La baisse des prix, bien qu'inférieure à celle constatée dans d'autres pays, l'a rendu accessible aux plus jeunes, surtout avec le développement des CD deux titres.

Les disques traditionnels en vinyle ont aujourd'hui presque disparu des rayons des disquaires ; les Français en ont acheté environ 600 000 en 1997, contre 128 millions de disques compacts.

Après avoir beaucoup augmenté dans la seconde moitié des années 80, poussés par l'accroissement du parc de baladeurs et d'appareils de radio lecteurs de cassettes, les achats de cassettes ont aussi fortement diminué depuis 1991, du fait de la différence de qualité avec le disque compact (enregistrement analogique contre numérique). Les Français en ont acheté 17 millions en 1997.

En 1997, les Français ont acheté 159 millions de disques et cassettes.

Après une certaine stagnation en 1996, les achats de disques ont augmenté de 7 % en valeur (à 7,4 milliards de francs) et de 8,4 % en volume en 1997 (tous formats confondus, y compris les vidéocassettes et CD vidéo).

Cette croissance est surtout liée à celle des formats courts *(singles)*, qui ont progressé de 40 % en volume, à 43 millions, et de 52 % en valeur. Les achats d'albums ont baissé de 1 % en volume, à 113 millions. On constate que les achats sont moins

Le CD omniprésent

Evolution des achats de disques et cassettes (en millions d'unités) :

	1997	1978
Compacts	140,5	-
Cassettes	14,9	19
Vinyle	0,9	139
Autres	1,1	-
Vidéo (cassettes et CD)	1,7	-
Total	159,1	158

concentrés sur les moins de 25 ans ; ils s'élargissent progressivement aux tranches d'âge supérieures. Les Français achètent en moyenne 5,5 albums par an et par foyer.

Les CD représentent près de 90 % des achats. La chute des cassettes se confirme (- 11 %). Les nouveaux supports comme le minidisque compact de Sony (MD), le cédérom, le CDI (disque compact interactif) et le CD+ se développent (ce dernier a représenté plus de 1 % des dépenses). Quant aux cassettes audionumériques de Philips (DCC), elles ont été retirées du marché.

Les achats de vidéos musicales ont fortement progressé, après les baisses sensibles des deux années précédentes. Ce sont pour l'essentiel des vidéocassettes (92 %).

Le triomphe du format court

La forte progression des ventes de *singles* (CD deux titres) enregistrée en 1995 (39 % en volume) et en 1996 (42 %) a été dépassée en 1997 (52 %). Ce phénomène permet aux artistes de toucher un public nouveau et le plus souvent jeune. Il autorise une diversification de la production française, compte tenu du risque financier plus faible comparé à celui d'un album. Aujourd'hui, un disque sur quatre achetés est un *single*, contre un sur cinq en 1995 et un sur dix en 1994.

Avec 1 CD single pour 2,3 albums, la France se rapproche du Royaume-Uni (1 pour 1,8) et dépasse l'Allemagne (1 pour 4) et les Etats-Unis (1 pour 6). Parmi eux, 79 ont été vendus à plus de 125 000 exemplaires en 1997 (disque d'argent, d'or, de platine ou de diamant) contre 60 en 1996.

La chanson française reste le genre musical préféré.

La progression importante de l'écoute de la musique depuis une quinzaine d'années concerne tous les genres musicaux. Mais la hiérarchie reste sensiblement la même : la chanson ou la variété française est le genre musical le plus souvent écouté (44 % en 1997), devant les variétés internationales (22 %), la musique classique (18 %), les « musiques du monde » (reggae, salsa, musique africaine..., 11 %), le rock (10 %) et le jazz (7 %).

Cette préférence pour la variété se retrouve dans toutes les catégories de la population (en particulier chez les femmes), à l'exception des

15-19 ans, qui lui préfèrent la musique rock, et des cadres et professions intellectuelles supérieures qui privilégient la musique classique.

Les chansons le plus volontiers écoutées par les jeunes sont les « tubes » du moment, alors que les plus âgés restent attachés à des succès plus anciens (Brel, Brassens, Ferré...).

Les variétés françaises représentent un peu plus de la moitié des achats.

En 1997, la part des variétés françaises était de 52,3 % en valeur contre 53,8 % en 1996, mais 44,5 % en 1994. Sa progression a été de 4,6 % en volume, contre 11 % pour les variétés internationales. Les « best of », regroupements des succès d'un artiste sur un même album, ont représenté 6,1 % des achats.

Comme pour le cinéma, la France résiste mieux que d'autres pays européens à l'impact des variétés internationales. La part croissante des formats courts a permis de faire connaître de nouveaux artistes. Le système des quotas de chansons françaises, imposé aux radios depuis 1994, a permis de doubler le nombre de premiers albums de jeunes artistes ; celui des premiers *singles* a été multiplié par 4,7 (environ 60 dans l'année). En trois ans, les maisons de disques ont multiplié par 4,3 leurs investissements en faveur des artistes francophones.

Si la musique est plus que jamais pour les jeunes un moyen de communication privilégié, les paroles des chansons prennent aujourd'hui une importance nouvelle, à travers notamment le rap. Les jeunes sont d'autant plus attentifs aux textes que ceux-ci reflètent leurs inquiétudes et leurs doutes vis-à-vis de la société contemporaine.

La musique, un produit de grande consommation.

La musique classique a représenté 7,3 % du nombre de disques achetés en 1997, contre 8,4 % en 1994.

Le répertoire classique connaît une certaine stagnation : + 0,32 % en volume et - 0,14 % en valeur en 1997. La tendance à la baisse des prix, constatée depuis plusieurs années, semble enrayée. Les dépenses consacrées au classique sont plus élevées que celles de variétés car la part des albums est supérieure, tandis que celle des cassettes (moins onéreuses) est plus réduite.

Plus qu'une désaffection, le tassement des achats observé depuis 1993 indique que les amateurs de musique classique ont fini de reconstituer leurs discothèques avec des disques compacts. Globalement, la proportion de Français déclarant écouter le plus souvent de la musique classique a progressé depuis les années 80. Mais la composition de ce public a peu évolué : personnes d'âge moyen, Parisiens, bacheliers et diplômés de l'enseignement supérieur, et surtout cadres et professions intellectuelles. 85 % de ces derniers possèdent des disques ou cassettes de musique classique, contre 49 % dans l'ensemble de la population.

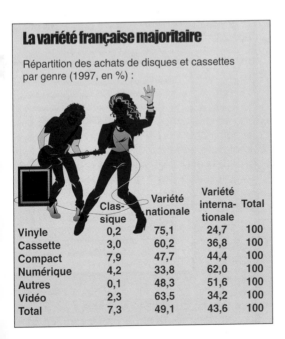

La variété française majoritaire

Répartition des achats de disques et cassettes par genre (1997, en %) :

	Classique	Variété nationale	Variété internationale	Total
Vinyle	0,2	75,1	24,7	100
Cassette	3,0	60,2	36,8	100
Compact	7,9	47,7	44,4	100
Numérique	4,2	33,8	62,0	100
Autres	0,1	48,3	51,6	100
Vidéo	2,3	63,5	34,2	100
Total	7,3	49,1	43,6	100

Les goûts musicaux sont plus diversifiés.

Les préférences musicales liées aux caractéristiques personnelles n'empêchent pas un éclectisme croissant dans les goûts. Lorsqu'on les interroge sur les genres qu'ils affectionnent, les Français donnent spontanément plusieurs réponses. Si les amateurs d'opéra écoutent naturellement de la musique classique, les amateurs de variétés sont plus ouverts aux autres genres musicaux. Ainsi, la proportion de personnes déclarant écouter le plus souvent du jazz a doublé depuis 1980, passant de 5 à 10 %. Mais le jazz ne représentait que 2,3 % des achats de disques et cassettes en 1997 (3,1 millions de disques et 43 000 cassettes). Ses adeptes sont en majorité des personnes d'âge moyen (25-39 ans), des Parisiens, des cadres et des membres des professions libérales.

La multiplication des radios locales et le besoin général de diversité expliquent cet éclectisme croissant. Pourtant, le poids croissant de la grande distribution dans les achats de disques a pour conséquence une raréfaction des titres disponibles. Il n'existe plus que 250 disquaires indépendants contre 3 000 en 1972.

Journaux et magazines

QUOTIDIENS. La lecture des journaux a beaucoup diminué depuis les années 70.

Entre 1980 et 1990, le nombre des lecteurs de la presse quotidienne avait diminué de plus d'un quart. Les quotidiens nationaux ont été les plus touchés, avec une perte de 2 millions de lecteurs pendant cette période et la moitié depuis 1970. La proportion de lecteurs s'est depuis stabilisée ; celle des lecteurs réguliers (chaque jour) a continué de chuter. Cette baisse concerne toutes les catégories de population, à l'exception des agriculteurs. La lecture des quotidiens augmente avec l'âge jusqu'à 50 ans et diminue ensuite.

La concurrence de la télévision ne suffit pas à expliquer cette désaffection. On observe que les pays où l'offre télévisuelle est la plus importante sont aussi ceux où les quotidiens sont les plus lus. L'une des causes est sans doute le prix élevé des quotidiens français par rapport à ceux des autres pays développés ; seuls les quotidiens italiens et suisses sont plus chers. On peut aussi s'interroger sur l'adaptation des journaux aux attentes du public. Enfin, il

faut préciser que les Français ont une préférence marquée pour les magazines, dont ils sont parmi les plus gros lecteurs du monde (voir ci-après).

Trois fois moins concernés que les Japonais

Si l'on rapporte le nombre d'exemplaires de quotidiens nationaux au nombre d'habitants, la France arrive environ à la vingtième place dans le monde avec 230 exemplaires pour mille habitants. Au sein de l'Union européenne, elle se situe derrière les pays du Nord (notamment la Grande-Bretagne, le Danemark et les Pays-Bas), mais devant ceux du Sud (Grèce, Espagne, Portugal). Le Japon occupe la première avec près de 600 exemplaires.
Le faible intérêt des Français pour la presse quotidienne (nationale et régionale) explique la diminution régulière du nombre de titres : on en compte aujourd'hui moins de 50, contre 250 en 1885, 175 en 1939.

L'érosion actuelle concerne surtout la presse régionale.

L'audience de la presse quotidienne en général a encore diminué de 2 % en 1997, avec 23,2 millions de lecteurs réguliers (au moins trois fois par semaine), contre 23,7 millions en 1996 et 25,4 millions en 1995. 44,6 % des Français de 15 ans et plus ont lu un quotidien la veille contre 46,0 % en 1996. Cette baisse est davantage sensible dans la presse régionale, qui a perdu 194 000 lecteurs sur 12 mois, que nationale (voir ci-dessous).

On observe un vieillissement général du lectorat, avec une baisse de 3,8 % du nombre des 15-24 ans. Le phénomène concerne certains quotidiens nationaux comme le Monde, qui a perdu 30 % de son lectorat dans cette tranche d'âge depuis 1994, le Figaro (10 %) et Libération (9 %) ; le nombre des jeunes a en revanche augmenté de façon importante pour le Parisien-Aujourd'hui (+ 43 %), France-Soir (+ 38 %) et l'Equipe (+ 10 %).

La diffusion de la plupart des quotidiens nationaux a progressé en 1997.

La croissance de la diffusion a été de 6,3 % pour Libération (à 171 000 exemplaires), de 4,1 % pour le Monde (383 000), de 2,3 % pour le Parisien-Aujourd'hui (469 000), de 0,6 % pour le Figaro (367 000).

Seuls *France-Soir* et *la Croix* ont régressé, respective-ment de 4,8 % (161 000 exemplaires) et 0,6 % (91 000).

Parmi les quotidiens économiques, *la Tribune* a connu une hausse de 8,6 % (78 000 exemplaires), *les Echos* de 4,1 % (110 000). L'Equipe reste le premier quotidien français, avec une diffusion de 386 000 exemplaires, en hausse de 0,6 %. Il a pris la première place au *Monde* depuis 1993, bénéficiant de l'inté-rêt des Français pour le sport.

Le profil des lecteurs des quotidiens nationaux diffère de celui de la population dans son ensem-ble. 60 % sont des hommes. Plus d'un sur trois (37 %) a suivi des études supérieures, deux sur cinq habi-tent en région parisienne. La lecture s'effectue sur-tout le matin : 60 % des journaux sont lus avant midi, plus des trois quarts avant 14 heures. La durée moyenne de lecture est de trente minutes par jour ; plus d'un quart des lecteurs y consacrent plus de quarante minutes. Le nombre moyen de prises en main est de 2,2.

Les Français peu lecteurs de quotidiens.
BDDP Conseil

Un peu moins d'un Français sur deux lit régulièrement un quotidien régional.

Les quotidiens régionaux répondent mieux que la presse nationale aux attentes de proximité, de servi-ces, de rapidité et de facilité de lecture et sont davantage lus. Leur taux de pénétration augmente avec l'âge : 36 % parmi les 15-34 ans, 41 % parmi les 35-59 ans et 55 % chez les 60 ans et plus. Le lectorat est plus équilibré que celui des quotidiens nationaux entres les hommes et les femmes (51 % contre 49 %).

La presse quotidienne régionale comprend au-jourd'hui moins de quarante titres (contre 175 au lendemain de la Libération), qui représentent au total un peu plus de 400 éditions locales. Environ 6 millions d'exemplaires sont achetés chaque jour dans 80 000 points de vente. La logique de concen-tration amorcée dès les années 50 a considéra-blement réduit la concurrence et peu favorisé l'innovation. C'est sans doute ce qui explique l'éro-sion du lectorat parmi les jeunes et la désaffection des publicitaires, qui assurent une part importante du financement des journaux.

Le paysage de la PQN comporte cependant quelques exceptions notables ; c'est le cas par exemple de *Ouest-France*, qui vend chaque jour près de 800 000 exemplaires avec 38 éditions locales.

✦ *61 % des lecteurs des quotidiens nationaux achètent leur journal au numéro dans un kiosque.*

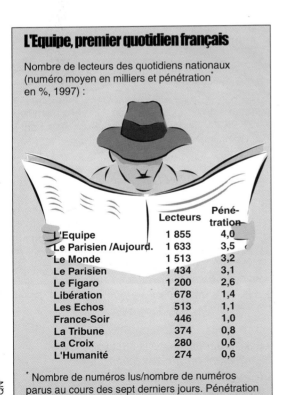

L'Equipe, premier quotidien français

Nombre de lecteurs des quotidiens nationaux (numéro moyen en milliers et pénétration* en %, 1997) :

	Lecteurs	Péné-tration
L'Equipe	1 855	4,0
Le Parisien /Aujourd.	1 633	3,5
Le Monde	1 513	3,2
Le Parisien	1 434	3,1
Le Figaro	1 200	2,6
Libération	678	1,4
Les Echos	513	1,1
France-Soir	446	1,0
La Tribune	374	0,8
La Croix	280	0,6
L'Humanité	274	0,6

* Nombre de numéros lus/nombre de numéros parus au cours des sept derniers jours. Pénétration calculée par rapport à la population française de 15 ans et plus.

MAGAZINES. *Les Français lisent davantage les magazines que les quotidiens.*

La faiblesse de la lecture de la presse quotidienne est compensée en France par celle des magazines : la quasi-totalité des Français (95 % des 15 ans et plus, soit 34,5 millions de personnes) sont lecteurs de ces derniers, régulièrement ou non. Ils en ont lu en moyenne 6,4 en 1997. Le taux de pénétration de la presse magazine est d'ailleurs plus élevé en France que dans la plupart des pays industrialisés. Le poids des achats au numéro est passé de 72 % en 1979 à 61 % en 1995.

Les femmes sont plus nombreuses que les hommes, du fait de l'existence de nombreux magazines féminins et de décoration. Les hommes sont en revanche davantage concernés par les revues de loisirs : sport, bricolage, automobile, etc. Les habitants de la région parisienne lisent plus que les provinciaux, les bacheliers et diplômés de l'enseignement supérieur plus que les non-diplômés. Les jeunes de moins de 24 ans lisent près de 2,5 fois plus de titres que les personnes de plus de 65 ans.

Au total, la presse française compte environ 3 000 titres. Il faudrait y ajouter les publications administratives et celles des groupements et associations, dont le nombre est estimé à 40 000.

Modes de lecture

81,2 % des magazines sont lus au domicile, 8,2 % chez des amis ou des voisins, 5,2 % sur le lieu de travail, 2,2 % dans une salle d'attente, 1,6 % chez le marchand de journaux ou en librairie, 1,2 % dans les transports, 0,5 % chez le coiffeur, 0,5 % dans un café, hôtel, restaurant (le total est supérieur à 100 en raison des réponses multiples).
En moyenne, un magazine est pris en main 6,5 fois pendant 3,3 jours (6,4 fois pendant 3,7 jours pour les mensuels). Les hebdomadaires de télévision le sont plus que les autres : 9,8 fois pendant 3,9 jours.

APPM, 1997

L'audience de la presse magazine a légèrement fléchi en 1997, après quatre années de progression.

L'audience moyenne en « lecture dernière période » (sept jours pour un hebdomadaire, trente pour un mensuel...) a baissé en moyenne de 0,9 % en un an. L'érosion a été équivalente pour les différents types de périodicité.

Les plus fortes baisses enregistrées ont concerné *Réponse à tout Santé* (23 %), *Lire* (16 %), *Max* (15 %), *Bravo Girl* (14 %), *Système D* (12 %) et *Vital* (11 %).

Les plus fortes progressions enregistrées ont été celles de *Télécâble Satellite Hebdo* (+ 26 %), *Courrier international* (+ 21 %), *Vocable* (+ 16 %), *l'Ami des jardins et de la maison* (+ 16 %) et *Star Club* (+ 12 %).

Cinq hebdomadaires comptent plus de 7 millions de lecteurs : *TV Magazine* (associé à 38 titres de la presse nationale ou régionale) ; *Télé 7 Jours* ; *Femme actuelle* ; *Télé Z* et *Télé Star*. Les cinq mensuels et bimestriels les plus lus sont : *Télé 7 Jeux* ; *Géo* ; *Art et Décoration* ; *Notre Temps* ; *Prima*.

Les Français grands amateurs de magazines.
McCann

Le développement de la télévision a largement profité aux magazines de programmes.

Née avec la télévision, la presse des programmes a grandi avec elle. Depuis 1981, le nombre des titres a triplé, en même temps que leur diffusion, qui est

Lectures pour tous

Nombre de lecteurs* des principaux magazines en 1997 (15 ans et plus, en milliers) :

Hebdomadaires généraux

• Paris-Match	4 783
• Le Nouvel Observateur	2 760
• France-Dimanche	2 562
• Figaro Magazine	2 522
• L'Express	2 461
• VSD	2 295
• Ici Paris	2 162
• Le Point	1 800
• Pèlerin Magazine	1 438
• L'Evénement du Jeudi	1 274
• La Vie	1 136
• L'Expansion (bimensuel)	1 099
• Courrier international	672

Féminins et familiaux

Hebdomadaires

• Femme actuelle	8 834
• Voici	4 104
• Maxi	3 517
• Elle	2 325
• Nous deux	2 055
• Madame Figaro	2 061
• Bonne Soirée	1 053

Mensuels

• Prima	4 753
• Top Santé	4 710
• Modes et Travaux	4 698
• Santé Magazine	4 484
• Parents	3 843
• Marie-Claire	3 452
• Cuisine actuelle	3 179
• Avantages	2 686
• Marie-France	2 086
• Enfants Magazine	1 683
• Famille Magazine	1 570
• Famili	1 474
• Réponse à tout Santé	1 400
• Guide Cuisine	1 358
• Cuisine et Vins de France	1 357
• Biba	1 138
• Cosmopolitan	1 123
• Vingt Ans	1 047
• Jeune et Jolie	1 004
• Femme	905
• Votre Beauté	759
• Vital	626

Télévision

• TV Magazine	12 637
• Télé 7 Jours	10 572
• Télé Z	7 611
• Télé Star	7 093
• Télé Loisirs	6 706
• Télé Poche	5 877
• TV Hebdo	4 295
• Télérama	2 830
• Télé Magazine	1 875

Automobile

Hebdomadaires

• Auto Plus	2 674
• Auto Hebdo	579

Bimensuel

• L'Auto-Journal	2 093

Mensuels

• Auto Moto	3 837
• L'Automobile Magazine	2 777
• Sport Auto	1 512
• Echappement	1 330
• Option Auto	933

Décoration - Maison - Jardin

Hebdomadaire

• Rustica	1 287

Mensuels

• Maison bricolages	1 685
• Mon jardin et ma maison	1 628
• Système D	1 219
• L'Ami des jardins et de la maison	1 196

Bimestriels

• Art et Décoration	5 051
• Maison et Travaux	3 523
• Marie-Claire Maison	2 577
• Elle Décoration	2 528
• Pour nos jardins	1 419
• Maisons Côté Sud	1 086
• Maison Française	1 006

Distraction - Loisirs - Culture

Hebdomadaires

• L'Equipe Magazine	3 252
• Gala	2 440
• Télé K7	1 831
• L'Officiel des spectacles	1 691
• France Football (bihebdomadaire)	1 213
• Point de vue	1 151

Mensuels

• Télé 7 Jeux	5 870
• Géo	5 165
• Notre temps	4 907
• Science et Vie	3 903
• Ça m'intéresse	3 597
• Le Chasseur français	3 391
• Sélection	3 370
• Capital	3 270
• Réponse à tout	2 433
• 30 Millions d'amis	2 348
• Mieux vivre votre argent	2 331
• Onze-Mondial	2 319
• Science et Avenir	2 266
• Entrevue	1 994
• Première	1 814
• L'Entreprise	1 737
• Pleine Vie	1 580
• Terre sauvage	1 513
• Star Club	1 462
• Vogue	1 360
• L'Echo des Savanes	1 326
• Photo	1 238
• Le Monde de l'éducation	1 207
• Grands Reportages	1 194
• OK Podium	1 177
• SVM - Science et Vie Micro	1 171
• Vidéo 7	1 143
• Studio Magazine	1 124
• Phosphore	1 031
• Newlook	1 018
• Tennis Magazine	838

* Personnes ayant déclaré avoir lu ou feuilleté, chez elles ou ailleurs, un numéro (même ancien), au cours de la période de référence : 7 jours pour un hebdomadaire, 30 pour un mensuel.

proche de 20 millions d'exemplaires chaque semaine et représente le quart des dépenses en kiosque des ménages. La plupart des quotidiens ont leur page télé ; c'est le cas aussi de certains hebdomadaires qui fournissent des programmes complets. Il faut ajouter la multiplication des journaux gratuits qui offrent petites annonces et programmes.

Les hebdomadaires de télévision sont les magazines les plus lus (voir tableau ci-après). C'est *TV Magazine* qui a le plus grand nombre de lecteurs (12,6 millions), devant *Télé 7 Jours* (10,6) ; ces deux magazines sont présents dans environ un quart des foyers. Six magazines de télévision ont plus de six millions de lecteurs et dépassent un million d'exemplaires de tirage.

La télévision à la une

Magazines les plus lus en 1997 (nombre de lecteurs[*], en milliers) :

• TV Magazine	12 637
• Télé 7 Jours	10 572
• Femme actuelle	8 834
• Télé Z	7 611
• Télé Star	7 093
• Télé Loisirs	6 706
• Télé Poche	5 877
• Télé 7 Jeux	5 870
• Géo	5 165
• Art et Décoration	5 071
• Notre Temps	4 907
• Paris-Match	4 783
• Prima	4 753
• Top Santé	4 710
• Modes et Travaux	4 698

[*] Personnes ayant déclaré avoir lu ou feuilleté, chez elles ou ailleurs, un numéro (même ancien), au cours de la période de référence : 7 jours pour un hebdomadaire, 30 pour un mensuel.

AEPM

La presse enfantine perd ses lecteurs, au contraire de la presse des « seniors ».

La presse enfantine a perdu plus de la moitié de ses lecteurs en une vingtaine d'années, passant de 360 millions d'exemplaires en 1975 à moins de 150 millions aujourd'hui. Cette chute vertigineuse s'explique en partie par la baisse de la natalité ; le nombre d'enfants de moins de 14 ans a diminué de 1,5 million en quinze ans. Elle est aussi due à la concurrence croissante de l'audiovisuel et surtout des jeux vidéo, qui occupent la plus grande partie du temps libre des enfants et du budget cadeaux des familles. Elle est enfin la conséquence d'un changement d'attitude des parents, qui privilégient les journaux à caractère pédagogique, dans le but de mieux « armer » leurs enfants pour l'avenir. Depuis 1986, la presse éducative connaît en effet une diffusion supérieure à celle de la presse de distraction, qui ne peut guère lutter contre la télévision.

A l'inverse, la presse destinée aux retraités et aux personnes âgées a connu une évolution très favorable. Ainsi, *Notre Temps* a dépassé en 1997 les 5 millions de lecteurs ; *Pleine Vie* (anciennement *le Temps retrouvé*) en comptait 1,6 million, en hausse de 6 %. Ce succès s'explique par le vieillissement démographique, la volonté croissante des seniors de trouver des réponses à leurs questions et les efforts de la presse spécialisée pour y répondre.

Les Français aiment la presse gratuite

85 % des Français âgés de 15 ans et plus consultent la presse gratuite ; 27 millions la lisent chaque semaine. Au cours des douze derniers mois, 21 % des ménages ont passé une annonce (92 % d'entre eux ont fait l'objet d'au moins un contact, avec un nombre moyen de 10 contacts par annonce), 58 % des acquéreurs d'un bien immobilier ont utilisé ce type de presse pour s'informer, 63 % des acheteurs d'une voiture ou d'une moto d'occasion, 600 000 personnes ont trouvé un emploi par ce biais.

Livres

Les trois quarts des Français lisent des livres.

74 % des Français de 15 ans et plus ont lu au moins un livre au cours des douze derniers mois (enquête 1997 du ministère de la Culture et de la Communication dirigée par Olivier Donnat), contre 75 % en 1989 ; 63 % en ont acheté au moins un (62 % en 1989). La dépense moyenne pour les livres a représenté 250 F par personne en 1997. 51 % ont prêté ou emprunté des livres à un tiers, contre 45 % en 1989.

Le livre est présent aujourd'hui dans la quasi-totalité des foyers (91 %). L'accès aux bibliothèques et aux médiathèques poursuit sa progression : 21 % d'inscrits contre 17 % en 1989. Elle a concerné tous

La bibliothèque des Français

Nombre de livres possédés dans les foyers et genres (en % des personnes possédant des livres) :

	Nombre de livres		Genre de livres					
	Aucun	Quantité moyenne	Littérature classique	Romans autres que policiers	Romans policiers	Poésie	Histoire	Livres d'actualité
ENSEMBLE	9	164	46	55	50	30	56	21
• **Hommes**	9	170	46	51	52	28	58	24
• **Femmes**	9	159	47	59	48	32	53	18
• 15 à 19 ans	3	152	55	61	68	44	60	17
• 20 à 24 ans	6	126	51	51	51	36	54	13
• 25 à 34 ans	7	134	38	47	45	26	45	17
• 35 à 44 ans	7	178	45	57	50	30	57	22
• 45 à 54 ans	8	204	58	59	52	32	61	24
• 55 à 64 ans	11	173	41	54	48	25	57	27
• 65 ans et plus	17	166	43	58	43	25	59	22

Ministère de la Culture et de la Communication

les milieux sociaux, à l'exception des retraités et des ouvriers. Enfin, 13 % des Français sont inscrits à un club de lecture. Le contact avec le livre est donc de plus en plus fréquent.

164 livres par ménage

91 % des Français possèdent des livres chez eux. La proportion de foyers ne possédant aucun livre diminue régulièrement : 9 % en 1997, contre 13 % en 1989 et 27 % en 1973. Un ménage sur quatre (24 %) possède au moins 200 livres. Les écarts entre les catégories socioprofessionnelles sont spectaculaires : les cadres et professions intellectuelles supérieures possèdent en moyenne trois fois plus de livres que les ouvriers, agriculteurs ou employés. Les ménages parisiens détiennent le record absolu, avec en moyenne 376 livres.
Parmi les livres présents, les dictionnaires sont les plus fréquents : 76 % des foyers en possèdent, contre 70 % en 1989. Ils devancent les livres de cuisine (68 %), puis les romans, les livres d'histoire, les bandes dessinées et les encyclopédies, présents dans un foyer sur deux. 43 % possèdent des ouvrages de la littérature classique. Les romans autres que policiers sont moins fréquents (51 % contre 58 %), de même que les livres de poésie (28 % contre 34 %) et les livres d'actualité (19 % contre 26 %).

Les femmes sont plus concernées que les hommes.

Seules 24 % des femmes n'ont lu aucun livre au cours des douze derniers mois, contre 30 % des hommes. Les lectrices ont lu en moyenne 22 livres, contre 19 pour les hommes. Cette différence est accentuée par le fait que la baisse du nombre de livres lus a davantage touché les hommes. L'écart se vérifie à tous les âges ; chez les 15-19 ans, les femmes sont plus fréquemment inscrites dans des bibliothèques, elles sont deux fois plus nombreuses à acheter souvent des livres. Par ailleurs, 17 % des femmes sont inscrites dans des clubs de livres, contre 7 % des hommes.
C'est sur les ouvrages de fiction que l'écart est le plus spectaculaire : la proportion de femmes lisant des romans (autres que policiers) est presque triple de celle des hommes : 36 % contre 14 %. Si les hommes se dirigent plus volontiers vers les loisirs audiovisuels et technologiques (ordinateur, console vidéo), les femmes restent plus fidèles à l'écrit.

Le nombre de livres lus par les gros lecteurs est en baisse.

Les Français ont lu en moyenne 15 livres au cours des douze derniers mois, contre 17 en 1989. Cette baisse n'est pas due, pour l'essentiel, à une diminution de la

BFM-96,4 FM-Lire Hebdo/BVA, octobre 1997

lecture en général, mais à celle des gros lecteurs (notamment entre 20 et 49 livres par an, qui ne représentent plus que 15 % de l'ensemble, contre 12 % en 1989). A l'inverse, la part des personnes qui lisent de 1 à 4 livres par an est passée de 19 % à 23 %. Au total, 55 % des hommes et 45 % des femmes ont lu moins de 5 livres dans l'année.

Il faut rappeler cependant que ces chiffres sont déclaratifs ; il est difficile de savoir s'ils sont correctement estimés (et si l'estimation varie dans le temps). De même, on ne sait pas si les livres achetés (ou reçus en cadeau) sont lus, et par combien de personnes.

âgés : la génération qui n'avait pas 15 ans en 1989 n'en compte plus que 13 %, contre 18 % pour sa devancière au même âge. C'est ce qui explique que le nombre de livres lus en moyenne diminue ; le phénomène est plus sensible chez les filles que chez les garçons.

Les jeunes aiment la lecture, mais ils considèrent qu'elle nécessite un effort plus grand que les autres loisirs, en particulier audiovisuels. On constate cependant que ceux qui disposent du maximum d'équipements culturels (télévision, magnétoscope, micro-ordinateur...) sont aussi ceux qui lisent le plus.

Littérature en tout genre

55 % des Français déclarent lire au moins un livre par mois, 18 % au moins quatre livres par an, 16 % moins d'un par an. 39 % s'intéressent prioritairement aux dernières nouveautés, 58 % non. 22 % lisent le plus souvent des romans contemporains, 10 % des romans historiques, 8 % des policiers, 6 % des livres pratiques (bricolage, cuisine...), 5 % de la littérature fantastique ou de science-fiction, 4 % de la littérature classique, 4 % des histoires vécues, 2 % des livres politiques, 2 % des bandes dessinées, 1 % des essais. 39 % achètent généralement un livre qu'ils ont découvert eux-mêmes, 17 % sur les conseils d'un proche, 16 % après avoir lu un article dans la presse, 14 % après en avoir entendu parler à la radio, 2 % sur les conseils d'un libraire.
Les Français tendent à aller vers des ouvrages plus faciles, poussés sans doute par les habitudes prises dans la consommation de l'audiovisuel. Ils sont de plus influencés par les classements des meilleures ventes publiés par les hebdomadaires et repris en compte par les grandes librairies.

La relation au livre change avec le développement de l'audiovisuel...

Un rapport réalisé par le sociologue François de Singly pour l'Education nationale a montré que les jeunes ont de plus en plus de difficulté à lire. C'est la longueur des livres qui représente l'obstacle le plus important. Le mode de culture imposé par l'audiovisuel, qui privilégie l'image par rapport aux mots et favorise les formats courts (clips), a transformé la relation au livre. Les jeunes trouvent à la télévision ou dans les jeux vidéo une satisfaction plus immédiate que dans la lecture. De plus, la pression exercée par les parents pour inciter leurs enfants à lire et à prendre du plaisir à cette activité aboutit souvent à l'effet inverse. Après l'audiovisuel, puis la lecture de la presse, celle des livres est donc concernée par la vague de fond du *zapping*. Certains éditeurs prennent en compte ces attitudes nouvelles, en proposant notamment des livres plus courts. Ce raccourcissement des formats de lecture est souvent associé à un prix bas, ce qui rencontre une autre demande forte en matière de consommation. La « littérature rapide » cherche à attirer les personnes pressées et les jeunes rebutés par la lecture.

Les jeunes lisent plus que les aînés, mais moins que par le passé.

Contrairement à ce qui est souvent affirmé, les jeunes lisent davantage que les générations plus âgées. La proportion de non-lecteurs est ainsi deux fois moins élevée parmi les 15-19 ans que chez les 55-64 ans. Les jeunes sont quatre fois plus nombreux à être inscrits dans une bibliothèque municipale ou une médiathèque que les 55 ans et plus. Un sur cinq est en plus inscrit dans une bibliothèque scolaire ou universitaire.

On constate que chaque génération tend à lire un peu moins au fur et à mesure de son vieillissement. Ainsi, les personnes nées entre 1965 et 1973, qui comptaient 16 % de non-lecteurs en 1989, en comptaient 22 % en 1997. Par ailleurs, la proportion de forts lecteurs (au moins 25 livres par an) continue de diminuer, chez les jeunes comme chez les plus

♦ *Sur un livre vendu 100 F hors taxes en prix public, 33 F vont au libraire, 20 F à l'imprimeur et au façonnier, 15 F à l'éditeur, 14 F au distributeur, 10 F à l'auteur.*

... mais le livre reste le support culturel le plus apprécié.

S'il apparaît aujourd'hui menacé par les supports électroniques, le livre jouit toujours en France d'un statut particulier. Selon une enquête *Libération*/Sofres de mars 1997, c'est la lecture des livres qui est considérée comme ayant la plus grande valeur culturelle (36 %), devant la visite des musées et des expositions (19 %), la lecture des journaux (12 %), la télévision (12 %), le théâtre et les spectacles (9 %), le cinéma (4 %), les disques (4 %) et Internet (4 %). Les salons et les festivals littéraires attirent un nombre croissant de visiteurs.

On observe par ailleurs une progression des échanges autour des livres : 36 % des Français ont parlé des livres ou de leurs lecteurs avec des amis ou des collègues de travail en 1997, contre 29 % en 1989. Mais cette augmentation tient peut-être au fait que les lectures sont de plus en plus « utilitaires » : 27 % des Français ont lu pendant leurs loisirs des douze derniers mois au moins un livre pouvant leur être utile professionnellement (38 % des hommes l'ont fait souvent ou de temps en temps et seulement 24 % des femmes) contre 20 % en 1989. Enfin, 35 % en ont parlé avec des membres de leur famille, contre 33 % en 1989.

Les achats de livres tendent à stagner depuis quelques années.

Après avoir connu une forte croissance pendant les années 60 (en moyenne 8 % en quantité chaque année), les achats de livres ont augmenté de façon plus modérée au cours des années 70 (3,5 % par an). L'évolution a été encore moins favorable au cours des années 80, mais elle est restée positive (sauf en 1983).

La décennie 90 avait assez mal commencé avec deux années difficiles en 1990 et 1991, liées à un climat général de contraction de la consommation, qui a touché en particulier les produits ne présentant pas un caractère de première nécessité. Mais les achats avaient repris leur progression en 1993 et 1994, tant en volume qu'en valeur. La croissance est négative depuis 1995 (- 4,7 % en francs constants) ; les grèves de décembre avaient beaucoup affecté les achats de livres, traditionnellement importants en fin d'année.

La tendance a été confirmée en 1997.

Les achats de livres ont été stables en francs courants en 1997, à 14,4 milliards de francs, soit une dépense moyenne de 610 F par ménage. La dépense moyenne des Français pour les livres est inférieure à la moyenne des autres pays de l'Union européenne ; elle est trois fois moins élevée que celle des Norvégiens, des Allemands ou des Belges et semblable à celle des Britanniques ou des Suédois.

Si les dépenses ont stagné en 1997, le nombre d'exemplaires achetés s'est accru de près de 4 %, à 229 millions (hors livres au format de poche) contre 221 millions en 1996. Les achats dans les magasins multimédias (FNAC, Virgin, Extrapole...) ont augmenté de 1,0 %, contre 0,5 % pour les librairies générales. Ceux effectués dans les hypermarchés ont stagné, tandis que ceux dans les librairies-papeteries-presse ont chuté de 5 %.

14 livres par an et par ménage

Nombre de titres publiés et nombre d'exemplaires achetés par catégorie (1996) :

	Titres	Exemplaires (milliers)	% des exemplaires
• Scolaires	6 707	61 230	19,1
• Sciences*	10 199	24 231	7,6
• Religion,	1 139	4 976	1,6
• Esotérisme, occultisme	357	1 511	0,5
• Littérature	10 360	94 001	29,3
• Actualité	908	5 491	1,7
• Encyclopédies et dictionnaires	637	9 219	2,9
• Livres d'art	1 602	8 481	2,6
• Livres pour la jeunesse	6 656	51 999	16,2
• Bandes dessinées	1 531	13 155	4,1
• Ouvrages de documentation	67	460	0,1
• Livres pratiques	6 143	45 858	14,3
• Autres	-	400	0,1
Total	**46 306**	**321 011**	**100,0**

* Livres scientifiques, techniques, professionnels, sciences humaines et sociales.

Syndicat national de l'édition

Le prix moyen est en baisse.

La sensibilité générale au prix concerne les produits culturels. C'est la raison pour laquelle les acheteurs se ruent sur les livres bon marché. Le prix moyen des livres, tous genres confondus, a baissé de 12 % entre 1993 et 1996, passant de 91 F à 80 F.

Le budget consacré aux livres est en concurrence directe avec celui qui est destiné aux autres formes de loisirs. Les dépenses liées aux nouvelles technologies prennent en particulier une place croissante : téléphonie ; informatique multimédia ; Internet ; télévision numérique par câble et satellite, *home cinema*... Les investissements concernés ne sont pas négligeables : plusieurs milliers de francs pour l'ordinateur ou la télévision. Ils induisent en outre des dépenses renouvelables : abonnements auprès des opérateurs de téléphonie ou de télévision, des serveurs Internet, achats de consommables. Ces sommes importantes viennent en déduction du budget disponible des ménages pour les achats de livres.

Le nombre de titres publiés continue d'augmenter, mais le nombre moyen d'exemplaires diminue.

Le nombre de titres publiés poursuit sa croissance, amorcée depuis plus de vingt ans ; il a atteint 47 000 en 1997, contre 27 000 en 1983. Celui des nouveautés (et nouvelles éditions de livres déjà publiés) avait fortement augmenté de 1985 à 1990, après une croissance plus faible entre 1981 et 1984. Il représente aujourd'hui la moitié des parutions, l'autre moitié étant constituée de réimpressions.

Le résultat est que le tirage moyen ne cesse de diminuer : 8 929 exemplaires en 1996, contre 9 180 en 1992 ; il était de 11 500 en 1989 et 13 800 en 1982. La baisse est due essentiellement à celle des livres au format de poche (11 548 exemplaires de tirage moyen contre 13 409), alors que l'on observe une quasi-stabilité pour les autres ouvrages (7 998 contre 7 912). Elle concerne surtout les nouvelles éditions et les réimpressions. Le tirage moyen varie largement selon les catégories ; il est de 56 000 pour les encyclopédies générales en un volume, 50 000 pour les dictionnaires de langue française, 27 000 pour les romans « sentimentaux », mais seulement de 2 000 pour les ouvrages d'économie d'entreprise.

Comme dans d'autres domaines culturels (films, disques, pièces de théâtre, expositions...) on observe une concentration des ventes sur un nombre restreint de titres très médiatisés. La contrepartie est que la publication de nouveaux auteurs ou d'ouvrages destinés à un public limité devient plus difficile.

Avec plus de 500 000 titres disponibles, le catalogue de l'édition française est l'un des plus riches du monde. Cela explique que le poids des rééditions et des réimpressions est particulièrement élevé en France : 59 % contre 38 % en Italie, 28 % en Allemagne, 24 % en Espagne, 23 % au Royaume-Uni.

Près d'un livre sur trois est un roman.

29 % des livres achetés en 1996 étaient des romans (classiques, contemporains, policiers, « sentimentaux », science-fiction). Ils ne représentent cependant que 18 % des achats en valeur, du fait de l'importance des romans dits « sentimentaux », de faible prix unitaire (collections *Harlequin*, *Duo*, etc.).

Les encyclopédies et les dictionnaires connaissent une désaffection croissante (la baisse a été de 20 % en valeur en 1996), avec l'apparition des nouveaux supports concurrents comme le cédérom. Les bandes dessinées connaissent au contraire un regain d'intérêt (+ 12 % en 1996), après les difficultés du début des années 90. Le nombre de nouveaux titres publiés n'était plus que de 332 en 1994, après avoir atteint le niveau record de 765 en 1991 ; il est remonté à 513 en 1996.

Le roman d'abord

Evolution des genres de livres préférés par les Français (en % de la population de 15 ans et plus) :

	1989	1997
• Œuvres de la littérature classique	6	5
• Romans autres que policiers ou d'espionnage	21	19
• Romans policiers ou d'espionnage	8	9
• Livres sur l'histoire	10	9
• Albums de bandes dessinées	5	5
• Essais politiques, philosophiques, religieux	3	3
• Livres scientifiques, techniques, professionnels	4	5
• Livres pratiques (cuisine, décoration, bricolage)	7	7
• Autres livres	12	12

Le palmarès 1997

Au nombre de semaines de présence sur les listes publiées par les hebdomadaires en 1997, le vainqueur a été *Soie* d'Allessandro Baricco (41 semaines), devant *la première Gorgée de bière* de Philippe Delerm (34), *Messieurs les enfants* de Daniel Pennac (19), *les Cendres d'Angela* de Franck Mc-Court (19), *le Voyage de Théo* de Catherine Clément (17), *Fort de l'eau* de Daniel Picouly (17).

En ce qui concerne les ventes, selon *Livres Hebdo*, le premier titre est le douzième volume de la bande dessinée *XIII* de Jean Van Hamme et William Lance (490 000 exemplaires), devant *Ni vue ni connue* de Mary Higgins Clark (410 000 exemplaires), *la Bataille* de Patrick Rambaud (400 000) et *le Scaphandre et le papillon* de Jean-Dominique Bauby (360 000).

On observe un succès croissant des livres de philosophie au sens large, qui s'explique par le besoin actuel de sens et de repères. En découvrant que les institutions ne peuvent plus résoudre les problèmes collectifs et moins encore individuels, les Français ont compris qu'ils devaient devenir autonomes et responsables. Pour s'épanouir dans une société qui ne fournit plus les clefs de la morale et ne propose plus de modèles ni de valeurs communes, ils se tournent vers la philosophie ou la spiritualité.

La « culture de poche » représente un quart des livres achetés.

La vitalité de l'édition française est due depuis des années en partie aux performances des livres au format de poche. Ils représentaient 26 % des titres et 25 % des exemplaires achetés en 1996, mais 13 % seulement des achats en valeur. 12 141 titres ont été publiés, soit plus du double de 1980. Comme dans les autres formes d'édition, le tirage moyen diminue, tout en restant plus élevé que celui des autres catégories ; 11 548 exemplaires en 1996, contre 14 060 en 1991 et près de 18 000 exemplaires en 1988. Plus de la moitié des titres (7 522) sont des réimpressions.

Le livre au format de poche est particulièrement présent dans le secteur de la littérature ; 68 % des exemplaires achetés en 1996 étaient des romans. Les livres « sentimentaux » comptent pour près du quart des achats de livres de poche. Depuis sa création en 1953, *le Livre de poche*, précurseur, a largement dépassé le milliard d'exemplaires vendus.

Le développement du multimédia va réduire la place du livre dans les loisirs...

Les nouveaux supports électroniques numériques permettent le mélange du texte, du son et de l'image (fixe ou animée). Le cédérom a une capacité de stockage de 250 000 pages de texte, 5 000 images fixes, plusieurs heures de son, d'animation vidéo ou de film. Le DVD (disque vidéo-numérique) est encore beaucoup plus performant. Les CD-I, vidéo-disques, CD-Photos, cartouches de jeux sont d'autres concurrents au support écrit traditionnel, comme les services interactifs en ligne disponibles sur ordinateur.

Ces nouvelles possibilités contraignent l'écrit traditionnel à évoluer. Les ouvrages de référence (encyclopédies, dictionnaires, ouvrages d'actualité, guides et livres pratiques, livres scolaires...) sont les premiers concernés, ainsi que les livres à vocation pédagogique, pratique ou ludique. Le multimédia apparaît en revanche peu concurrent des livres de littérature générale, qui reposent sur la force du texte et bénéficient d'une complicité particulière avec le lecteur.

Si l'électronique est destinée à supplanter dans certains cas le papier, l'essentiel reste le contenu. Le multimédia n'est donc pas un concurrent du livre, mais un enrichissement. Il autorise un nouveau mode de transmission de la connaissance.

... et modifier les pratiques culturelles.

La croissance prévisible des produits d'édition électronique ne représente pas seulement la naissance d'un marché gigantesque. Elle est susceptible de changer la façon dont les individus appréhendent l'information ; alors qu'on lit un livre, qu'on parcourt un magazine et que l'on consulte un dictionnaire, on « navigue » dans un cédérom. Le mode d'utilisation n'est plus linéaire : on peut passer instantanément d'un sujet à un autre ou obtenir la définition d'un mot grâce aux liens hypertexte ; on peut élargir ou rétrécir le champ de vision (à l'aide d'une fonction zoom) ; on peut accéder à différents médias pour compléter sa connaissance d'un même sujet (texte, image fixe, séquences animées, son).

Enfin, l'itinéraire de la navigation est totalement personnalisé, ce qui fait du multimédia un outil pédagogique exceptionnel. Il est probable que cette nouvelle pratique aura des incidences considérables sur le rapport au livre et aux journaux traditionnels. Il en aura aussi sur la façon dont les individus s'approprient la culture.

LES ACTIVITÉS

Sports

Le corps et son entretien ont pris une importance croissante.

Même si cela n'implique pas toujours une pratique sportive régulière, 81 % des Français disent entretenir leur forme physique : 29 % quotidiennement, 28 % de temps en temps, 16 % plutôt le week-end, 8 % plutôt en vacances (St-Yorre/Ipsos, avril 1997). Le nombre des activités sportives s'est accru et il est de plus en plus fréquent aujourd'hui d'en pratiquer plusieurs, de façon plus ou moins assidue.

Cette évolution s'explique par l'intérêt porté au corps, à la fois outil et « vitrine » de chaque individu dans les différents compartiments de sa vie. Elle a été favorisée par les pressions professionnelles et par l'imagerie sociale, qui constituent une forte incitation à se maintenir « en forme », afin d'être efficace et dynamique.

Le développement des équipements sportifs des communes (gymnases, piscines, courts de tennis, terrains de plein air), les investissements privés (golfs), l'accroissement du temps libre ou celui du pouvoir d'achat, de même que les résultats obtenus dans certaines compétitions internationales (jeux Olympiques d'Atlanta) ont largement contribué à cette évolution.

La moitié des hommes et un tiers des femmes se livrent à une activité sportive plus ou moins régulière.

Les Français sont de plus en plus nombreux à pratiquer une activité sportive, même occasionnellement. 41 % des Français déclarent faire du sport (L'Observateur Cetelem, décembre 1997). Les hommes sont un peu plus concernés que les femmes (47 % contre 35 %). La pratique décroît régulièrement avec l'âge : 61 % des 18-24 ans, 26 % des plus de 65 ans. Elle diffère selon la catégorie professionnelle : 59 % des cadres supérieurs font du sport, 53 % des cadres moyens, contre 34 % des employés.

Les Français dépensent chaque année plus de 30 milliards de francs pour le sport (équipement, cotisations...). En vingt ans, les dépenses des ménages ont été multipliées par trois en francs constants, soit une progression moyenne de 6 % par an, deux fois plus élevée que celle de l'ensemble des dépenses.

Le corps et l'esprit

52 % des Français font du sport pour être bien dans leur tête et se plaire, 44 % pour être bien dans leur corps, 12 % pour être efficace et performant, 12 % pour rester jeune, 9 % pour plaire aux autres, 6 % pour résister à la pression (total supérieur à 100, car plusieurs réponses étaient possibles).
60 % estiment que la meilleure façon d'entretenir sa forme est de faire du sport, 49 % d'avoir une hygiène de vie équilibrée, 27 % de limiter les excès, 20 % de prendre du temps pour soi, 17 % de prendre du bon temps, 15 % de surveiller attentivement sa santé, 6 % de ne pas trop travailler.
46 % pensent qu'en l'an 2000 les Français se sentiront globalement plutôt moins en forme qu'aujourd'hui, 32 % plutôt plus, 7 % ni plus ni moins.

Le sport est devenu un moyen de développement personnel.

Les années 60 et 70 avaient introduit en France de nouveaux rapports au corps et fait apparaître des pratiques nouvelles, notamment la diffusion des différentes formes de gymnastique. Le corps devenait un objet de culture, en liaison avec la libération sexuelle et la place croissante des jeunes dans la société.

Les années 80 avaient été marquées par le culte de la performance. Les aventuriers, les champions sportifs, les chefs d'entreprise conquérants, les cadres efficaces et autres représentants de « l'excellence » sociale étaient célébrés comme les nouveaux héros. La volonté de « gagner » impliquait pour chacun de cultiver sa forme et son apparence (le look), de développer ses capacités physiques et mentales. Le jogging, l'aérobic, le body-building ou le saut à l'élastique étaient à l'honneur, comme autant de moyens d'être compétitif et de se dépasser.

Depuis le début des années 90, la pratique sportive s'est étendue et les attitudes ont changé. Le sport est considéré comme un moyen d'être mieux dans sa vie personnelle et professionnelle ; il sert aussi à ralentir un processus de vieillissement de plus en plus mal supporté dans une société qui met en avant la jeunesse et la beauté, exhibant sans cesse ses *top models*.

L'accroissement de la pratique du sport répond aujourd'hui à un désir, souvent inconscient, de mieux supporter les agressions de la vie moderne par une meilleure résistance physique. Il traduit aussi la place prise par l'apparence dans une société qui valorise souvent plus la forme (dans tous les sens du terme) que le fond. Il est enfin un moyen de développement personnel.

On assiste depuis la seconde moitié des années 80 à un essoufflement des « nouvelles gymnastiques » au profit de pratiques plus douces, moins contraignantes et plus personnalisées. D'une manière générale, le sport est aujourd'hui davantage considéré comme un loisir que comme un moyen de compétition. Il est largement lié aux notions de santé, de défoulement et d'équilibre. Il s'inscrit dans la recherche d'une hygiène de vie et d'une forme physique utiles pour les activités quotidiennes. Il est enfin de plus en plus considéré comme un moyen de communication et d'échange avec les autres. Le désir de progresser ou d'être compétitif dans le sport choisi est aujourd'hui moins fort que celui de se détendre, de se défouler, de se faire plaisir et de partager ce plaisir avec d'autres.

Hygiénisme, esthétisme, hédonisme

Les motivations des sportifs sont principalement de trois ordres : « hygiéniques » pour les partisans de la forme ; « esthétiques » pour ceux qui privilégient l'apparence ; « hédonistes » pour les amateurs de plaisirs immédiats, à la recherche de l'excitation des sens. Dans les deux premiers groupes, les activités physiques s'accompagnent souvent de préoccupations alimentaires focalisées sur le contrôle de la ligne ; on trouve souvent parmi eux des adeptes des soins esthétiques. Les membres du troisième groupe considèrent au contraire que le sport et la bonne chère sont complémentaires et participent à une même vision de la vie.

Etre bien dans son corps pour être mieux dans sa vie.

La recherche du plaisir et de la détente est plus importante que celle de la performance.

Les équipements sportifs ostentatoires et les activités de « frime » sont en perte de vitesse. La randonnée, le cyclotourisme ou l'escalade ont plus d'adeptes que la planche à voile ou le surf. L'hygiène de vie, l'authenticité, la communion avec les autres et avec la nature (*outdoor*) sont aujourd'hui des motivations plus fortes que le dépassement de soi. C'est pourquoi les pratiques informelles, en dehors des clubs et des fédérations, se développent. Les femmes et les « seniors » sont aussi de plus en plus nombreux à s'intéresser à des activités sportives plus douces. Le sport-plaisir prend le pas sur le sport-souffrance.

Le nombre d'adhérents aux associations sportives et aux fédérations a augmenté...

Les effectifs des associations sportives ont beaucoup progressé au cours des vingt dernières années : elles regroupaient 21 % de la population en 1997 (CREDOC), soit un Français de plus de 18 ans sur cinq ; 24 % avaient fréquenté de façon régulière un équipement sportif au cours de l'année, 23 % de façon exceptionnelle. La France est donc en train de rattraper le retard qu'elle avait sur d'autres pays, en particulier du nord de l'Union européenne.

De son côté, le nombre des licenciés des 110 fédérations sportives avait triplé entre 1967 et 1986, passant de 4 à 12 millions. Il tend à stagner depuis quelques années, avec un effectif de 13,4 millions en 1997. Parmi les sports olympiques, le football arrive toujours largement en tête avec 2 millions de licenciés, devant le tennis (1,1 million), le judo (520 000) et le basket (440 000). La fédération de ski a perdu près de la moitié de ses licenciés entre 1994 et 1997 (268 000 contre 530 000), du fait de l'importance croissante des pratiquants de snowboard, qui n'en sont pas membres. Parmi les sports non olympiques, la pétanque arrive largement en tête, avec 455 000 licenciés (auxquels s'ajoutent 169 000 pour les boules), loin devant le rugby (290 000, avec le rugby à XIII).

Sur 1 000 habitants au niveau national, 49 sont licenciés de sports collectifs (football, rugby, basket, hand, volley), 42 de sports de plein air (randonnée, cyclotourisme, sports sous-marins, escalade, tennis, équitation, voile, golf), 14 de sports de combat (boxe, judo, karaté, autres arts martiaux, escrime).

ment récent de la pratique, qui concerne au moins deux fois plus de personnes. Les nouveaux pratiquants préfèrent en effet souvent les activités libres, hors de tout cadre institutionnel, y compris dans des disciplines comme les sports d'équipe ou l'athlétisme, qui étaient auparavant pratiquées dans des clubs. L'inscription à une fédération, l'entraînement hebdomadaire et les compétitions apparaissent de moins en moins indispensables aux sportifs, qui préfèrent pratiquer à leur rythme, de façon informelle et en essayant successivement des activités différentes.

Un quart des jeunes de 14 à 17 ans et la moitié des 18-65 ans pratiquent ainsi un sport de façon informelle, en dehors d'une fédération. Les activités les plus concernées sont le patinage, le ski, la randonnée, le cyclisme, la marche, la natation, les sports nautiques de glisse, le jogging, la course à pied, les sports de raquette et la plongée sous-marine. Les sports de combat, l'athlétisme, les sports d'équipe, la gymnastique sont au contraire des disciplines moins pratiquées de façon indépendante.

Une Coupe très pleine

La victoire de la France à la Coupe du monde de football est sans doute le plus grand événement de son histoire sportive. Elle récompense le travail, la motivation et les qualités mentales des joueurs, du sélectionneur et de tous ceux qui ont été concernés. Elle témoigne de la place particulière du football parmi les sports pratiqués en France, mais aussi regardés à la télévision. Cette belle aventure déborde largement le domaine sportif. En réalisant un parcours parfait, les Bleus ont réconcilié les Français avec leur pays, avec eux-mêmes et, au moins provisoirement, avec leurs dirigeants. Ils ont démontré que l'idée nationale n'avait pas disparu et que l'on pouvait mobiliser la population autour d'un projet commun, en y intégrant tous les citoyens quelle que soit leur origine ethnique, raciale ou religieuse. Ils ont démontré aussi que seuls des efforts importants pouvaient produire des récompenses exceptionnelles et que l'individu n'est pas antinomique avec la collectivité. Des messages essentiels, dont il restera sans doute quelque chose.

... mais moins vite que la pratique indépendante.

L'évolution du nombre des licenciés et adhérents des associations sportives ne reflète pas l'accroisse-

Un Français sur cinq licencié

Evolution du nombre de licenciés des différents types de fédérations sportives (en milliers) :

	1996	1980	1970
- Fédérations olympiques	6 626	3 824	2 410
- Fédérations non olympiques	2 478	2 478	1 054
- Fédérations et groupements multisports	1 747	1 108	620
- Fédérations scolaires et universitaires	2 543	2 089	1 444
Total	13 394	9 501	5 527

✦ *Environ 7 millions de Français possèdent un VTT (vélo tout terrain).*

Les écarts de pratique diminuent, mais restent importants.

Si la pratique s'est élargie au fil des années, certains clivages sociaux restent déterminants. La proportion de sportifs est ainsi proportionnelle au niveau d'instruction et à celui des revenus (qui sont assez fortement corrélés). Cette distinction s'explique par le fait que le système scolaire et universitaire est un moyen d'apprentissage du sport.

La distinction entre les catégories sociales est particulièrement nette pour les sports à forte image sociale, comme la voile, le golf ou l'équitation, qui sont souvent coûteux et se pratiquent dans des clubs dont l'accès n'est pas toujours aisé.

Le sport représente un moyen de valorisation sociale, un attribut du *standing* individuel. Même lorsque les contraintes matérielles ont disparu, les contraintes culturelles demeurent.

L'âge est un facteur déterminant.

Les enfants sont de plus en plus intéressés par le sport, sous l'influence des médias, des marques de vêtements et d'équipement et de l'aura des grands champions sportifs. Le sport est aussi devenu pour eux une forme de culture. Cette évolution s'est faite d'autant plus facilement et rapidement qu'elle est encouragée par un nombre croissant de parents qui voient dans cette pratique une habitude de vie à encourager, ainsi qu'une forme d'apprentissage de la vie. Contrairement aux adultes qui pratiquent pour rester en forme, le sport est pour les enfants un jeu et un moyen de bouger, qui s'intègre naturellement dans leur activité.

Les personnes âgées sont, elles aussi, de plus en plus concernées. On observe depuis quelques années une volonté de poursuivre (et, parfois, de reprendre) une pratique sportive à partir de 45 ou 50 ans. On constate aussi que les retraités s'intéressent davantage au sport et s'efforcent d'entretenir leur forme physique, en privilégiant les activités qui leur sont le plus accessibles comme la marche, la gymnastique, la natation ou le cyclisme.

Cet accroissement général de l'intérêt pour le sport ne doit cependant pas masquer les différences qui demeurent. On pratique dix fois moins le football ou la danse entre 40 et 60 ans qu'entre 15 et 20 ans, cinq fois moins le tennis, trois fois moins la natation ou la gymnastique. En dehors du golf ou des boules, la pratique sportive décroît régulièrement avec l'âge, la césure se faisant le plus souvent vers 40 ans.

Les femmes rattrapent les hommes dans la pratique des sports individuels.

Depuis une dizaine d'années, les femmes ont réduit leur retard sur les hommes en matière de pratique sportive. Mais la parité des sexes n'est pas encore réalisée : 35 % des femmes de plus de 18 ans font du sport au moins occasionnellement, contre 47 % des hommes. Leurs motivations sont principalement liées à l'entretien du corps : rester en bonne forme physique ; se forger un corps séduisant ; lutter contre les signes apparents du vieillissement. C'est sans doute en partie pour cela que les sports d'équipe ne les passionnent pas (à l'exception du basket et du handball). Elles sont en revanche très attirées par les sports individuels : plus des trois quarts des pratiquants de la gymnastique ou de la danse sont des femmes. 70 % des 500 000 pratiquants de l'équitation sont des femmes. Elles sont aussi plus nombreuses que les hommes à apprécier la natation. Ce sont également elles qui ont assuré le développement de certaines activités comme la randonnée.

DISCIPLINES. Les sports individuels se sont davantage développés que les sports collectifs.

La grande lame de fond de l'individualisme qui s'est développée dans les années 80 n'a pas épargné le sport. L'engouement pour le jogging, puis celui pour l'aérobic, en a été la spectaculaire illustration. On peut y ajouter le tennis, l'équitation, le ski, le squash, le golf et bien d'autres encore. Même la voile, autrefois surtout pratiquée en équipage, a acquis ses lettres de noblesse avec les courses transatlantiques en solitaire. Les règles des sports collectifs sont souvent ressenties comme des contraintes qui s'ajoutent à celles du quotidien. Aujourd'hui, plus d'un Français sur trois pratique un sport individuel, contre un sur quatre en 1973 ; un sur quinze seulement pratique un sport collectif.

S'il reste le premier en nombre de licenciés, le football n'arrive qu'à la septième place des sports les plus pratiqués. On compte beaucoup plus de licenciés de tennis, de ski ou de judo que de rugby ou de hand-ball. Les licenciés de karaté, de tir ou de golf sont aussi beaucoup plus nombreux que ceux de volley-ball.

On observe cependant que de nombreux sports individuels sont aujourd'hui pratiqués en groupe : randonnée, VTT, parapente, etc. Car ce n'est pas la solitude qui est recherchée dans le sport, mais la liberté et l'autonomie, ainsi que la convivialité.

Golf en hausse, tennis en baisse

Entre 1986 et 1997, le nombre de licenciés de la Fédération française de tennis a diminué de 28 %, à 1,1 million (le nombre des licenciés de squash a diminué encore plus fortement). Dans le même temps, celui des licenciés de la Fédération française de golf était multiplié par trois, à 265 000.

Mais ces chiffres ne sont pas représentatifs de la réalité. Beaucoup de pratiquants du tennis ne jugent pas nécessaire de s'inscrire à la Fédération et le tennis est toujours le deuxième sport français, derrière le football. Malgré sa forte croissance, le golf reste en France très en retrait par rapport aux pays anglo-saxons : moins de 5 licenciés pour 1 000 habitants contre 50 en Grande-Bretagne, 100 aux Etats-Unis ou 120 au Japon.

L'évolution des pratiques traduit celle de la société.

Parmi les fédérations olympiques, certaines ont connu une augmentation sensible du nombre de leurs licenciés au cours des dernières années (par ordre alphabétique) : aviron ; badminton ; gymnastique ; judo ; natation ; taekwondo ; tennis de table ; triathlon. Parmi les fédérations non olympiques, on peut citer l'aïkido, le billard, la danse, le football américain, le golf, le karaté, le motocyclisme, le patin à roulette, le rugby et la spéléologie.

Fous de foot		

Evolution du nombre de licenciés des principales disciplines :

	1997	1980
• Football	2 002 684	1 554 069
• Tennis	1 070 000	786 811
• Judo	519 974	351 888
• Pétanque	455 249	426 282
• Basket-ball	437 974	304 375
• Equitation	345 344	133 740
• Ski (hors snowboard pour 1997)	268 403	544 270
• Rugby	264 885	208 913
• Golf	264 812	38 718
• Voile	232 223	85 383
• Hand-ball	221 881	149 109
• Natation	173 841	93 710

Chacune de ces évolutions peut être reliée au changement social ou à l'actualité : montée de l'individualisme (billard) ; éclectisme (triathlon) ; intérêt pour la vitesse (motocyclisme) ; recherche d'activités extérieures (spéléologie) ; violence urbaine (sports de combat) ; influence américaine (basket, patin en ligne, golf) ; résultats obtenus par la France dans certaines compétitions (judo, tennis de table et football).

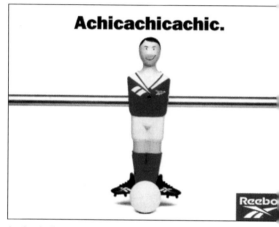

Le football, sport national.
Black pencil

L'apparition de nouveaux sports a permis de diversifier les activités.

La grande majorité des sports ont été développés entre la fin du XIXe siècle et le début du XXe. Mais les progrès de la technologie ont permis l'avènement de nouveaux sports comme les sports mécaniques, le parapente, l'ULM ou le surf. Ils sont par ailleurs à l'origine du renouvellement d'activités plus anciennes comme le cerf-volant ou l'escalade. Les individus cherchent aussi à personnaliser leurs activités sportives et à s'éloigner de celles qui sont trop banalisées. Le *zapping* est dans ce domaine aussi une tentation croissante, surtout pour les jeunes de 15 à 20 ans et les femmes. Beaucoup cherchent à accumuler des expériences successives, quitte à revenir plus tard à la pratique régulière d'un sport unique, choisi en toute connaissance de cause.

Les modes se succèdent de plus en plus vite, relayées et amplifiées par les médias. La voile, après un développement spectaculaire à la fin des années 70, a connu une régression aussi rapide, suivie depuis quelques années d'un retour en grâce.

Le sport-émotion

La recherche du plaisir et de la sensation par le sport se conjugue parfois avec celle du risque, à travers des activités comme le saut à l'élastique, le parapente, le rafting ou la descente de pistes de ski en VTT. Les Français ont ainsi effectué environ 120 000 sauts à l'élastique en 1997 et 500 000 sauts en parachute.

Les sports de glisse (deltaplane, parapente, ULM, surf, ski acrobatique) ou les sports nautiques motorisés (offshore, scooter des mers) font de plus en plus d'adeptes, mais aussi de blessés. 101 baigneurs ont été sauvés par des sauveteurs en mer en 1996, mais 19 sont morts noyés et 4 ont disparu. 119 plongeurs ont été ramenés sains et saufs, mais 24 sont décédés et 4 ont disparu. 381 véliplanchistes et 33 utilisateurs de scooters des mers ont été secourus, 1 est mort et 2 ont disparu. Sur les quelque 750 000 pratiquants de la navigation de plaisance, 5 194 ont été sauvés en 1996 ; 34 sont morts noyés et 19 ont disparu.

En montagne, les gendarmes, CRS et pompiers sont intervenus plus de 3 000 fois. On a déploré plusieurs dizaines de morts et quelques centaines de blessés. 40 % des accidents de ski se sont traduits par des entorses, 22 % par des fractures.

Les activités de plein air ont connu un essor spectaculaire.

Deux Français sur trois s'adonnent au moins occasionnellement à un sport de plein air. Le nombre des pratiquants de l'escalade a presque triplé depuis 1985 : 1,4 million (dont 850 000 occasionnels) contre 480 000. On peut mesurer l'ampleur de cet engouement pour l'« outdoor » à travers l'évolution des achats d'équipement, avec la création de grandes surfaces spécialisées comme Décathlon ou Go Sport.

La croissance de la randonnée a été particulièrement forte depuis la fin des années 80. 34 % des Français ont fait une randonnée à pied ou à vélo au cours des douze derniers mois (37 % des hommes et 32 % des femmes), 11 % régulièrement (1997). La part croissante des femmes est l'un des principaux moteurs du développement. La randonnée présente la particularité de faire appel aux cinq sens (vue, ouïe, odorat, toucher, goût). Elle donne aussi un sens à la pratique sportive en permettant la rencontre de la nature et des hommes, répondant ainsi au besoin actuel de convivialité. Elle présente en outre l'avantage de ne pas nécessiter un apprentissage technique et des équipements coûteux. Enfin, elle permet une autonomie que n'autorisent pas les autres sports.

Plus qu'une mode, ces activités représentent un mode de vie. Elles témoignent de la volonté de chaque individu d'aller à son rythme, d'évoluer dans un cadre naturel et écologique sans subir les contraintes liées à certains sports. La convivialité et la possibilité de pratiquer en famille sont d'autres motivations croissantes.

Les médias jouent un rôle important dans l'évolution des pratiques.

Les médias sont à l'origine du succès du tennis dans les années 80. Ils ont permis au cours des dernières années un fort développement du golf. Les superbes images de surf des neiges ou de planche à voile ont déclenché des vocations chez les jeunes. Ce fut le cas aussi pour l'escalade ou le cerf-volant. La simple diffusion à la télévision d'une série de dessins animés japonais sur le volley-ball avait eu aussi un effet sensible sur le nombre de licenciés. Des épreuves autrefois destinées à une élite sportive se sont banalisées, comme le marathon. Mais la croissance la plus spectaculaire a été celle du basket, favorisée par la médiatisation des champions américains (Magic Johnson, Michaël Jordan....) et des prestations de la *Dream Team* aux jeux Olympiques de Barcelone.

Le temps d'antenne consacré au sport par la télévision a plus que triplé en quinze ans (3 000 heures par an sur les chaînes hertziennes). Celui consacré au football est passé de 285 heures en 1991 à 483 en 1995 ; il a évidemment explosé en 1998 à l'occasion de la Coupe du monde. Celui du tennis a été en revanche presque divisé par trois entre 1992 et 1995 (163 contre 452). Celui du basket a doublé entre 1990 et 1995 (115 contre 63), comme celui du rugby entre 1992 et 1995 (125 contre 65). La différence s'accroît entre les sports très médiatisés (football, formule 1, tennis, cyclisme, patinage...) et ceux qui le sont moins ou pas du tout (athlétisme, équitation, handball...).

Le sport est parfois pratiqué par procuration.

Pour beaucoup de Français, les retransmissions sportives de la télévision constituent un substitut à la pratique sportive. L'intérêt pour le sport en tant que spectacle s'explique par la dramaturgie des compétitions et le suspense qu'elles entraînent. Il se nourrit aussi des formes diverses du nationalisme ou du régionalisme ; c'est en partie aux performances de ses athlètes que l'on juge un pays, une ville ou une région. Mais l'engouement des spectateurs est aussi justifié par les valeurs morales théoriquement portées par le sport : maîtrise de soi ; recherche de la performance ; esprit d'équipe ; loyauté ; respect de l'autre...

La Coupe du monde de football de 1998, qui s'est tenue en France, a été l'occasion de vérifier la force symbolique des compétitions sportives, dans leurs aspects à la fois rassembleurs (la *hola* des spectateurs, l'aura de certains joueurs comme Ronaldo), nationalistes (le match Etats-Unis-Iran) et dévastateurs (la violence des *hooligans* britanniques et allemands).

Chasse, pêche, écologie

Si elle est incontestablement une activité de plein air, la chasse n'est pas considérée comme un sport. C'est le cas également de la pêche, à l'exception de la pêche en mer (12 600 licenciés auprès de la Fédération en 1997), de la pêche au coup (8 500) et de la pêche sportive (2 400).
Ces deux activités concernent cependant un nombre important de Français. 4 % des Français sont allés à la chasse au cours des douze derniers mois (6 % des hommes et 1 % des femmes), 4 % régulièrement (1997). On compte 1,6 million de chasseurs dans l'hexagone, ce qui constitue le record d'Europe (1,3 million en Espagne, 1,2 million en Italie, 950 000 en Grande-Bretagne, 330 000 en Allemagne, 320 000 en Suède). 14 % des Français sont allés à la pêche au cours des douze derniers mois (20 % des hommes et 8 % des femmes), 4 % régulièrement (1997). Pourtant, ces deux activités de plein air ne semblent plus être dans l'air du temps. Malgré l'impression donnée régulièrement par l'actualité (lors des affrontements avec les écologistes ou des élections), la chasse fait de moins en moins d'adeptes ; les jeunes s'en détachent et le rapport que les Français entretiennent avec les animaux ne lui est guère favorable. Quant à la pêche, elle tend à avoir une dimension moins utilitaire et plus écologique ; la motivation est plus de communier avec la nature que de ramener du poisson.

◆ *En janvier 1998, 58 % des Français disaient s'intéresser à la Coupe du monde de football mais ne prévoyaient pas d'y consacrer de l'argent. 7 % prévoyaient d'y consacrer de l'argent (billets, objets promotionnels, radio, télévision). 35 % ne s'y intéressaient pas.*

Jeux

Les activités ludiques prennent une place croissante dans les modes de vie.

L'engouement croissant pour les jeux de toutes sortes s'inscrit dans le désir, souvent inconscient, de rêver sa vie. Le Loto est devenu pour des millions de Français un acteur potentiel de leur destin personnel ; le seul susceptible de transformer leur existence, de la dévier ou seulement d'en enjoliver le cours. Les chaînes de télévision ont bien compris l'importance de la part du rêve et multiplient les occasions de « gagner ».

Les émissions de jeu sur les chaînes de télévision généralistes représentaient 8,8 % de l'audience des chaînes de télévision en 1997, soit près du double de leur part dans les programmes (4,8 %). Les films et les séries sont devenus des prétextes à concours. Du voyage exotique au four à micro-ondes, la panoplie des gains proposés n'a de limite que celle de l'imagination. Car les producteurs savent que la carte du rêve coïncide avec celle de l'audience et de la rentabilité.

Homo ludens

Le besoin de jouer est probablement inscrit dans la nature humaine. On peut d'ailleurs penser que l'*homo ludens* a préexisté à l'*homo sapiens*. Le jeu constitue pour l'enfant un formidable moyen d'apprentissage. Les jeunes cherchent à prolonger leur enfance et ils souhaitent échapper à une réalité qui n'est pas toujours facile à vivre. Les modes se succèdent dans les cours de récréation, encouragées par les marchands qui en tirent des profits substantiels. Le jeu représente pour l'adulte beaucoup plus qu'un loisir. Il est un moyen de s'évader du monde, d'éprouver des émotions et du plaisir. Et de rêver à une autre vie. Il est normal qu'il se développe dans une société où se sont accumulées de nombreuses frustrations et dans laquelle le temps libre a pris une place considérable. Au fond, la société de consommation a réalisé la demande exprimée il y a fort longtemps par les citoyens de Rome et fustigée par Juvénal ; elle a donné à tous (ou presque) du pain et des jeux.

Les jeux vidéo connaissent un succès croissant.

26 % des Français sont équipés d'une console vidéo (1,5 million ont été achetées en 1997). Le parc de

PlayStation Sony a atteint 1,5 million en 1997 et sa croissance dépasse celle de Nintendo et Sega. Les Français sont parmi les plus gros consommateurs de jeux en Europe ; ils ont acheté 450 000 exemplaires de *Tomb Raider II* (avec l'héroïne virtuelle Lara Croft) et 300 000 exemplaires de *Formula One*, un jeu de simulation de course automobile.

En 1997, il s'est cependant vendu pour la première fois plus de cédéroms de loisirs pour ordinateur que de logiciels pour consoles de jeux : 6 millions (en progression de 71 %) contre 5,7 millions (+ 36 %). Les cédéroms de jeux ont représenté 55 % des achats. Ceux consacrés à l'art et la culture ont augmenté de 20 %.

Le succès des jeux vidéo s'explique en partie par l'interactivité qu'ils autorisent. Au lieu de suivre un spectacle, on peut agir sur son déroulement et le diriger. Il a été aussi largement favorisé par l'avènement de l'ordinateur multimédia et les progrès réalisés dans le graphisme et la qualité des jeux proposés, tant sur ordinateur que sur console.

JEUX D'ARGENT. *Les deux tiers des Français jouent au moins une fois par an à un jeu d'argent ; ils dépensent environ 100 milliards de francs.*

En 1997, les mises des Français au PMU, à la Française des Jeux et dans les casinos ont représenté au total 76,7 milliards de francs. La dépense moyenne pour les jeux d'argent se monte ainsi à 1 300 F par an et par Français, soit 110 F par mois.

En réalité, le chiffre d'affaires des jeux atteint sans doute les 100 milliards de francs si l'on tient compte des achats de jeux de société, de consoles et de jeux vidéo, de cédéroms de jeux pour ordinateurs, des jeux clandestins (cercles non autorisés, jeux de rue du type bonneteau...) et des jeux d'argent privés (poker, bridge...). Il est encore beaucoup plus élevé si l'on tient compte des sommes investies en valeurs mobilières, dont une partie peut sans doute être considérée comme jouée (beaucoup de Français disent d'ailleurs « jouer en Bourse »). On estime que les dépenses consacrées aux jeux représentent au total 6 % du PIB.

En 1997, les Français ont misé 34,6 milliards de francs au PMU,...

Le chiffre d'affaires du PMU a connu une lente érosion entre 1992 et 1995. La remontée de 1996 n'a pas été confirmée en 1997, qui a vu une baisse de 1,8 % des paris. 24,0 milliards de francs ont été redistribués aux parieurs, soit 69 % des mises. Le premier semestre de 1998 a vu cependant un début de redressement.

20 % des Français de plus de 18 ans déclarent jouer au PMU au moins une fois dans l'année, soit 20 millions de parieurs. 14 % ont joué au moins deux courses au cours des douze derniers mois. 28 % y ont déjà joué au cours de leur vie. Les parieurs sont un peu plus âgés que la moyenne de la population : 42 % ont 50 ans et plus. Les ouvriers ont un poids supérieur à celui qu'ils ont dans la population (29 % contre 18 %). 62 % sont des hommes, 38 % des femmes. Près de la moitié (45 %) jouent au moins une fois par semaine. 59 % engagent moins de 50 F pour chaque pari, 21 % plus de 100 F. 53 % jouent le plus souvent en groupe avec des personnes du foyer ou des amis. 40 % jouent le plus souvent au hasard, en particulier les femmes. Le nombre moyen de parieurs pour une journée à événement est de 1,2 million.

Le quinté représente 32,6 % des mises, le couplé et le jumelé 22,4 %, le quarté 11,3 %, le simple 11 %, le tiercé 10,5 %, le trio 5,5 %, le 2 sur 4 4,9 % et le report 1,8 %. Le PMU entretient 252 hippodromes, soit davantage que tous les autres pays européens réunis ; il a organisé 4 799 courses avec paris en 1997.

... 34,1 milliards de francs à la Française des Jeux...

La Française des Jeux, société publique gérante de jeux de hasard comme le Loto ou les « jeux instantanés » (Millionnaire, Monopoly, Bingo, Solitaire, Vatoo, Astro...), a recueilli 34,1 milliards de francs (en hausse de 1,3 % sur 1996).

64 % des Français ont joué au moins une fois à un jeu de la Française des Jeux en 1997, soit 29,3 millions de personnes. Les joueurs se recrutent dans l'ensemble des catégories sociales ; les jeunes sont surreprésentés (42 % contre 36 % dans la population française), de même que les ouvriers et employés. Le jeu le plus populaire reste le Loto (34,6 % des dépenses avec le Super Loto), devant le Millionnaire (11,4 %), Astro (8,1 %), Solitaire (7,0 %), Black Jack (5,6 %) et Banco (5,3 %). Le Loto sportif, rebaptisé récemment Loto-Foot, connaît des difficultés depuis son lancement en 1985. Le Poker Plus et le Morpion à 10 F ont disparu. Le Vatoo, lancé en 1997, a été un échec. Seul parmi les derniers lancements, Astro a été un succès.

Le miracle laïque.

L'arrivée en 1989 des « jeux instantanés » avait permis une forte progression de ces jeux. Les planches à gratter permettaient aux joueurs de savoir tout de suite s'ils avaient gagné et d'être réglés immédiatement par le point de vente ou, pour les gros gains, par un centre de paiement agréé. Plus d'un milliard de tickets de Millionnaire avaient ainsi été vendus au cours des seize premiers mois de sa création. Ce succès était dû pour une large part à la perspective offerte aux gagnants de passer à la télévision (TF1) et d'y gagner de 100 000 F à un million de francs en tournant une roue. Le chiffre d'affaires de la société nationale avait rattrapé en 1995 celui du PMU, alors que l'écart était de 15 milliards de francs en 1983. Mais 1996 a vu une certaine désaffection des joueurs ; les recettes du Millionnaire ont baissé de 50 % entre 1992 et 1996 (celles du Loto de 15 %). La part des mises reversée aux joueurs par la Française des Jeux est de 51 %.

Faites vos jeux

Dates de création des paris et jeux gérés par le PMU ou la Française des Jeux :
1933 : Loterie nationale. **1954** : Tiercé. **1976** : Loto. Quarté. **1980** : Dernier tirage de la Loterie nationale. **1984** : Tac-O-Tac. **1985** : Loto sportif, Tapis Vert. **1987** : Quarté Plus. Légalisation des machines à sous. **1989** : Quinté. **1990** : Banco. **1991** : Millionnaire. **1992** : Poker. Black Jack. **1993** : Bingo. Keno. Nouveau Tac-O-Tac. Suppression du Tapis Vert. **1994** : Morpion. **1995** : Grand 7, Goal, Solitaire. **1997** : Super Loto, Loto Foot (ex Loto Sportif), Astro, France 98. Paris sur les courses hippiques à l'étranger.

... et 8,1 milliards de francs dans les casinos.

Les 159 casinos français ont dégagé en 1997 un produit brut (après restitution des gains aux joueurs) en hausse de 13 %. Les 11 000 machines à sous installées dans les 150 casinos autorisés ont représenté 88 % de ce revenu. L'Etat a perçu 3,1 milliards de francs, soit 39 %.

La clientèle traditionnelle des casinos, surtout constituée de personnes aisées, se fait plus rare depuis quelques années. Les jeux de table ont souffert de la crise économique et de la diminution de la clientèle étrangère fortunée. La roulette a connu une baisse de fréquentation, mais les adeptes du black jack sont de plus en plus nombreux.

L'autorisation des machines à sous, en 1987, a été pour les casinos concernés l'occasion de séduire une nouvelle clientèle, plus jeune et moins fortunée. Ces machines ont permis de doubler le chiffre d'affaires des casinos entre 1988 et 1992 ; elles en représentent aujourd'hui près de 90 %. Les raisons de ce succès tiennent à la « démocratisation » que cette évolution a rendu possible par rapport aux jeux de table : absence de droit d'entrée alors qu'il faut payer une taxe fiscale de 65 F pour accéder aux jeux de table ; faiblesse de la mise minimum (1 F) ; taux élevé de redistribution (environ 90 % en moyenne). La mise moyenne est un peu supérieure à 100 francs par visite.

Le développement des jeux vidéo et celui du multimédia laissent entrevoir un avenir prometteur pour les machines à sous, car il est possible de proposer à l'aide de logiciels de très nombreux jeux avec le même type d'équipement.

Le plaisir de jouer et la possibilité de rêver sont aussi importants que l'appât du gain.

Si les Français regrettent la place centrale prise par l'argent, les abus et les injustices qu'il engendre, ils restent désireux de s'enrichir à titre personnel. Ils savent que la possibilité de faire fortune avec leur seul salaire est faible. C'est pourquoi ils sont nombreux à s'en remettre à la chance et aux jeux. Ceux-ci leur apportent en outre la part de rêve dont ils ont besoin pour mieux vivre le quotidien, en imaginant sans trop y croire des lendemains dorés : « Je joue, donc je suis ».

Le jeu est bien, selon la formule de Paul Guth, « la forme laïque du miracle ». Mais cette pratique païenne a une dimension spirituelle. On y trouve des superstitions et des rites (habitudes d'acheter au même endroit ses tickets, de procéder de la même façon pour remplir ses grilles de Loto ou établir son tiercé...). Le fait de jouer peut d'ailleurs être interprété comme une prière adressée à la Providence. L'irrationnel laïque remplace le religieux ; les joueurs jouent leur date de naissance, utilisent leur horoscope, prennent conseil auprès d'un voyant, etc. Le miracle tient ici à la possibilité de transformer une très petite somme en véritable fortune. On pourrait aussi parler de transmutation, car le but est de transformer l'argent en or. Les joueurs de Loto et d'autres jeux à fort potentiel de gain sont au fond les alchimistes de l'ère moderne.

Les Français jouent, l'Etat gagne

Depuis Napoléon, les jeux d'argent sont interdits en France. Mais l'Etat s'en est arrogé le monopole et peut accorder des dérogations à des entreprises privées, comme c'est le cas pour les casinos. Les jeux lui rapportent plus de 20 milliards de francs par an. Cette somme, pudiquement baptisée « recette de poche » dans le budget général, représente l'équivalent de trois fois l'impôt de solidarité sur la fortune. Le prélèvement varie selon les jeux : il est de 15 % pour les machines à sous et de 29 % sur les mises reçues par le PMU ; il atteint 47 % sur celles du Loto. Depuis 1996, les sommes misées sont passibles de l'impôt destiné au remboursement de la dette sociale (RDS). La situation actuelle satisfait à la fois les joueurs et les percepteurs. Seuls quelques esprits chagrins tentent de dénoncer « l'Etat bookmaker » et lancent des appels à la morale qui ne sont guère entendus. La « République des jeux » a encore de beaux jours devant elle.

L'intérêt pour le jeu est un indicateur de l'anxiété sociale.

L'engouement pour les différentes formes de jeux traduit une certaine frustration individuelle et collective. Son développement actuel peut s'expliquer par le fait que la société française est en train de vivre une période de transition, annonciatrice d'une nouvelle civilisation. Le succès des jeux de société, des jeux vidéo ou de ceux proposés par les chaînes de télévision témoigne d'une certaine volonté régressive, car le jeu est propre à l'enfance et aux sociétés primitives.

Le succès des jeux d'argent est autant le résultat d'une quête de la fortune que de la « bonne fortune », c'est-à-dire de la chance. Dans une société très structurée, où l'aventure n'apparaît plus guère possible, on se donne le frisson en espérant être choisi par le hasard. L'acte d'achat d'un bulletin de Loto peut dans certains cas tenir lieu d'effort individuel pour améliorer son sort.

Activités artistiques

Les Français sont de plus en plus nombreux à pratiquer des activités artistiques en amateur.

18 % des Français de 15 ans et plus ont joué d'un instrument de musique ou fait du chant avec une organisation ou des amis pendant leurs loisirs au cours des douze derniers mois (enquête du ministère de la Culture et de la Communication de 1997 dirigée par Olivier Donnat). 32 % ont pratiqué en amateur des activités non musicales : théâtre, danse, dessin, peinture, sculpture ou gravure, artisanat d'art, écriture, photographie, vidéo... Toutes ces activités rencontrent un engouement croissant depuis le début des années 70, même si le rythme de diffusion est différent pour chacune d'elles.

Ce phénomène est d'autant moins connu qu'il se développe le plus souvent en dehors des institutions culturelles, dans le cadre privé. Il est en résonance avec la montée des pratiques individuelles, le rôle décroissant du travail en tant que facteur d'identité sociale et les difficultés d'intégration que connaissent notamment les jeunes. Il a été favorisé par les progrès de la scolarisation, qui fournit des bases culturelles et pratiques. Il est aussi la conséquence de l'accroissement du temps libre, en même temps que du besoin d'expression personnelle.

L'expression personnelle est un moyen de se créer des émotions, dans un but identitaire et esthétique.

L'engouement pour les activités artistiques témoigne de la volonté d'épanouissement personnel qui prévaut aujourd'hui. Beaucoup de Français ne se satisfont pas de leur activité professionnelle, marquée par le souci de l'efficacité et la rationalité, parfois la frustration de n'être qu'un élément d'un projet collectif. Ils souhaitent la rééquilibrer par des

Ministère de la Culture et de la Communication

Amateurs d'art

Evolution de la pratique d'activités artistiques en amateur au cours des douze derniers mois (en % de la population de 15 ans et plus) :

	1989	1997
• **Ont joué d'un instrument de musique***	**18**	**13**
• **Ont fait du chant ou de la musique avec une organisation ou des amis**	**8**	**10**
• **Ont pratiqué une activité amateur autre que musicale,** dont :	**27**	**32**
- tenir un journal intime, noter des réflexions	7	9
- écrire des poèmes, nouvelles ou romans	6	6
- faire de la peinture, sculpture ou gravure	6	10
- faire de l'artisanat d'art	3	4
- faire du théâtre	2	2
- faire du dessin	14	16
- faire de la danse	6	7
• **Ont utilisé :**		
- un appareil photo	66	66
- une caméra ou un Caméscope	5	14

* Les modifications apportées au questionnaire interdisent toute comparaison sur cette question.

activités qui leur permettent de mettre en évidence les autres facettes de leur personnalité, notamment la sensibilité. C'est pourquoi ils sont nombreux à pratiquer la musique, prendre des cours de peinture ou de sculpture, s'adonner aux joies de l'écriture ou de la photographie. Ils le font d'autant plus que l'école les y a préparés et qu'ils disposent du temps nécessaire.

S'ils tendent à s'estomper, les clivages sociodémographiques demeurent. Ces pratiques artistiques concernent davantage les cadres et les professions intellectuelles supérieures que les ouvriers ou les commerçants. Le niveau d'instruction, sanctionné par un diplôme, apparaît plus important que le niveau de revenu. Ce sont moins les obstacles financiers qui empêchent les pratiques artistiques que les obstacles culturels et symboliques.

Toutes les générations sont concernées, mais les jeunes le sont davantage.

Depuis vingt-cinq ans, toutes les générations ont connu un accroissement de la proportion de pratiquants d'activités artistiques. Ainsi, beaucoup d'adultes ayant dépassé la cinquantaine ou atteint l'âge de la retraite ont découvert (ou redécouvert) le chant, la danse, l'écriture et surtout la peinture à un moment où ils se sentaient plus disponibles. Mais, quelque soit l'activité considérée, on constate qu'elle touche aujourd'hui plus de jeunes qu'au cours des précédentes enquêtes réalisées par le ministère de la Culture en 1973, 1981 et 1989 ; c'est le cas en particulier des adolescents.

On observe aussi que les jeunes générations sont plus éclectiques que les précédentes ; elles passent plus facilement d'une activité à l'autre et le nombre des « multipratiquants » s'accroît. L'apprentissage d'une activité dès l'enfance devrait donner lieu à des taux de pratique à l'âge adulte en augmentation au cours des prochaines années, au fur et à mesure que les générations anciennes, plus étrangères à ces activités, seront remplacées. L'apprentissage de la musique ou de la danse devrait aussi profiter aux autres activités artistiques, dont on sait qu'elles sont de plus en plus souvent « multipratiquées ».

Les hommes et les femmes n'ont pas les mêmes activités.

Les hommes sont proportionnellement plus nombreux que les femmes à pratiquer la musique ou le chant : 29 % savent jouer d'un instrument (contre 2 % des femmes) ; 20 % en possèdent un (contre 15 %) ; 15 % en ont joué au cours des douze derniers mois (contre 11 %) ; 11 % ont fait de la musique ou du chant en groupe (contre 9 %).

Mais les femmes sont plus nombreuses à s'investir dans les activités non musicales : 11 % font de la peinture, sculpture ou gravure (contre 9 % des hommes) ; 11 % tiennent un journal intime (contre 6 %) ; 10 % font de la danse (contre 5 %) ; 7 % écrivent des poèmes, nouvelles ou romans (contre 5 %) ; 5 % font de la poterie, céramique, reliure ou artisanat d'art (contre 3 %).

Des millions d'artistes

Pratiques artistiques amateur au cours des douze derniers mois par sexe et par âge (1997, en % de la population de 15 ans et plus) :

	Jouer d'un instrument musical	Faire de la musique en groupe	Tenir un journal intime	Ecrire des poèmes, nouvelles, romans	Faire de la peinture, sculpture, gravure	Faire de la poterie, céra-mique, reliure, artisanat d'art	Faire du théâtre	Faire du dessin	Faire de la danse
ENSEMBLE	**13**	**10**	**9**	**6**	**10**	**4**	**2**	**16**	**7**
• Homme	15	11	6	5	9	3	2	16	5
• Femme	11	9	11	7	11	5	2	16	10
• 15 à 19 ans	40	26	14	15	20	7	10	49	23
• 20 à 24 ans	27	14	12	11	12	5	4	29	11
• 25 à 34 ans	16	10	9	7	13	5	2	18	5
• 35 à 44 ans	9	7	8	4	12	4	2	14	7
• 45 à 54 ans	11	9	8	6	10	3	1	10	6
• 55 à 64 ans	4	6	5	3	6	3	1	7	6
• 65 ans et plus	3	4	7	4	5	2	0	5	4

Ministère de la Culture et de la Communication

18 % des Français de 15 ans et plus pratiquent la musique ou le chant (1997).

Un quart des Français savent jouer d'un instrument de musique et 13 % l'ont pratiqué au cours des douze derniers mois (enquête 1997 du ministère de la Culture). Par ailleurs, 10 % ont chanté ou joué de la musique avec une organisation ou des amis, alors qu'ils n'étaient que 6 % en 1989. Le chant choral fait l'objet d'un engouement particulier depuis quelques années auprès des adultes et des jeunes retraités.

On constate un écart très important selon l'âge : 40 % des 15-19 ans ont joué d'un instrument, contre 3 % des 65 ans et plus. La pratique diminue rapidement après 19 ans, traduisant l'importance de l'éducation musicale à l'école. Les générations plus âgées sont le plus souvent autodidactes dans ce domaine (mais la moitié des 65 ans et plus ont appris à jouer avec un professeur particulier). Les femmes sont deux fois plus nombreuses que les hommes à avoir appris à jouer à l'école (39 % contre 19 %).

La guitare est l'instrument le plus courant chez les 25-34 ans ; le piano reste dominant dans les catégories privilégiées. 35 % des 15-19 ans savent jouer de la flûte, largement présente à l'école. Les hommes sont plus nombreux que les femmes à savoir jouer

(29 % contre 22 %), du fait que certains instruments ont une image très masculine, comme la batterie, le synthétiseur ou même la guitare.

La moitié des personnes sachant jouer d'un instrument n'en ont pas joué au cours des douze derniers mois. Celles qui ont délaissé leur instrument augmentent avec l'âge : un tiers des 15-19 ans, la moitié des tranches intermédiaires, plus des deux tiers des 65 ans et plus.

7 % des Français font de la danse (contre 6 % en 1989).

La proportion de femmes concernées (au cours des douze derniers mois) est deux fois plus importante que celle des hommes : 10 % contre 5 % (enquête 1997 du ministère de la Culture). C'est souvent la danse classique qui sert d'initiation, mais plus de la moitié l'abandonnent ensuite pour un autre genre. Comme pour le théâtre, le milieu associatif joue un rôle important. Près de la moitié des amateurs prennent encore des cours, une proportion plus élevée que dans les autres disciplines artistiques en amateur.

La danse folklorique arrive toujours au premier rang des pratiques ; elle concerne surtout les milieux ruraux et les personnes âgées. Les amateurs de danses de salon sont encore plus âgés ; ils appartiennent plus souvent au milieu des cadres et professions intellectuelles supérieures et habitent la région parisienne. La danse moderne et contemporaine regroupe environ un quart des danseurs (le plus souvent jeunes), le jazz moins d'un sur dix.

On constate qu'il n'existe pas de lien obligatoire entre la pratique de la danse et l'assistance à des spectacles professionnels : seul un amateur sur cinq a assisté à un spectacle de danse (classique, moderne ou contemporaine) au cours des douze derniers mois. Les deux démarches sont le plus souvent indépendantes.

2 % des Français pratiquent le théâtre en amateur (contre 2 % en 1989).

Un Français sur cinquante a eu une activité de théâtre au cours des douze derniers mois (enquête 1997 du ministère de la Culture). Cette pratique concerne autant les hommes que les femmes. Les Parisiens sont trois fois plus nombreux que les provinciaux (7 % contre 2 %). Le diplôme n'apparaît pas comme déterminant. L'âge est en revanche un facteur important, la pratique diminuant régulièrement : 10 % des 15-19 ans, 4 % des 20-24 ans, 0 % des 65 ans et plus. Le théâtre est pourtant une activité plus tardive que celle de la musique ou de la danse, que l'on peut commencer après 40 ans. Le rôle de la famille et des professeurs est faible, cette pratique étant le plus souvent le résultat d'une démarche individuelle. La moitié environ des amateurs ont appris le théâtre dans un cadre associatif, plus d'un quart avec des amis.

La fréquence de la pratique est généralement assez faible : moins d'une fois par mois dans plus de la moitié des cas. Cela s'explique par le fait que la moitié des comédiens amateurs n'appartiennent pas à une troupe. De même que pour la danse, il n'existe pas de lien fort entre la pratique en amateur du théâtre et le fait de se rendre dans les salles : la moitié des personnes concernées n'ont vu aucune pièce jouée par des professionnels au cours des douze derniers mois.

Près d'un Français sur dix pratique des activités d'écriture.

9 % ont tenu un journal intime (contre 7 % en 1989) et 6 % ont écrit des poèmes, nouvelles ou romans au cours des douze derniers mois (enquête 1997 du ministère de la Culture et de la Communication). Cette activité est presque deux fois plus fréquente chez les femmes : 11 % contre 6 % pour le journal intime ; 7 % contre 5 % pour l'écriture de pièces, nouvelles, romans. Elle dépend étroitement du niveau d'instruction et de la catégorie socioprofessionnelle, avec une concentration dans les milieux de cadres et professions intellectuelles supérieures. Elle est beaucoup plus fréquente à Paris intra-muros que dans les autres communes.

La pratique de l'écriture est en forte corrélation avec l'âge : elle concerne deux fois plus les jeunes de 15 à 24 ans que les plus âgés. La découverte remonte souvent à l'enfance ou à l'adolescence. L'influence des parents est faible ; beaucoup d'adolescents commencent à écrire en cachette. Le taux d'abandon est élevé, lors de l'installation dans la vie adulte. L'écriture peut être alors en partie remplacée par la photo ou la vidéo.

A l'époque de l'audiovisuel, l'écriture reste un mode d'expression personnelle important, partie intégrante de la culture française. Les journaux et les poèmes restent souvent une activité solitaire, voire secrète. Il n'en va pas de même des romans, nouvelles ou essais ; les éditeurs reçoivent chaque année des milliers de manuscrits, dont la très grande majorité ne seront jamais publiés.

La pratique des arts plastiques s'accroît.

16 % des Français ont fait du dessin au cours des douze derniers mois (enquête 1997 du ministère de la Culture), contre 14 % en 1989. 10 % ont fait de la peinture, de la sculpture ou de la gravure, contre 6 % en 1989. 4 % ont fait de la poterie, de la céramique, de la reliure ou de l'artisanat d'art.

Comme pour l'écriture, ces pratiques sont plus féminines, sauf le dessin qui est autant pratiqué par les deux sexes. Toutes sont d'autant plus fréquentes que l'on est jeune. Ainsi, 49 % des 15-19 ans font du dessin (le plus souvent à l'école), contre 5 % des 65 ans et plus. Cependant, les abandons au moment de l'adolescence sont plutôt moins nombreux que dans les autres disciplines, pour ceux qui pratiquent en dehors de l'incitation scolaire. De plus, l'apprentissage est plus fréquent à l'âge adulte, comme pour le chant choral.

L'engouement pour les arts picturaux traduit à la fois l'attachement à la culture, source d'émotion esthétique, et le besoin de réaliser soi-même quelque chose de ses mains. La peinture, le dessin ou la sculpture sont des modes d'expression qui complètent les autres façons de communiquer avec l'entourage. Ils sont aussi souvent des activités solitaires ; la majorité des pratiquants ne cherchent pas à exposer leurs œuvres ou à les vendre. La moitié des peintres amateurs n'ont jamais visité de musée.

La cuisine, une activité artistique

Dans un climat social longtemps déprimé, les Français ont éprouvé un besoin croissant de faire la fête. Le bon repas partagé avec les proches en est l'une des formes les plus recherchées. La cuisine festive revêt aujourd'hui des aspects plus variés que par le passé. Du plat unique, dont la recette est empruntée aux traditions régionales les plus anciennes (pot-au-feu, cassoulet, choucroute, etc.) à la cuisine la plus exotique (chinoise, africaine, mexicaine, antillaise...).

Opposée par définition à la cuisine-devoir, la cuisine de fête, ou cuisine-loisir, en est aussi le contraire dans sa pratique. Le temps ne compte plus, aussi bien dans sa préparation que dans sa consommation. Si le menu est profondément différent, la façon de le consommer ne l'est pas moins : le couvert passe de la cuisine à la salle à manger ; la composante diététique, souvent intégrée dans le quotidien, est généralement absente. Enfin, les accessoires prennent une plus grande importance : bougies, décoration de la table et des plats, etc.

La cuisine-loisir est également marquée par la recherche du « polysensualisme » : le goût, l'odorat, l'œil, le toucher y sont sollicités ; c'est le cas aussi de l'ouïe, car la musique est souvent présente dans les salles à manger.

La cuisine n'est pas une activité comme les autres. C'est tout l'être profond qui s'exprime face au premier besoin de l'individu, celui de se nourrir. Rien n'est donc gratuit dans les rites qui président à sa célébration. Surtout dans un pays où la tradition gastronomique reste forte.

derniers mois, contre 19 %. Dans la majorité des cas, les appareils photo sont utilisés pour des circonstances exceptionnelles (vacances, événements familiaux). C'est ce qui explique que la présence d'enfants accroît largement la fréquence d'utilisation. Dans les ménages équipés, 28 % des femmes n'utilisent jamais l'appareil photo, contre seulement 18 % des hommes.

Le taux d'équipement en Caméscope s'est beaucoup accru : 17 % en 1997 contre 2 % en 1989. 7 % des foyers ont une caméra traditionnelle, contre 9 % en 1989, mais le film 8 mm ou Super 8 a été supplanté par la vidéo. Son usage est encore plus conditionné par la vie familiale que celui de l'appareil photo : les 25-34 ans, qui sont souvent parents de jeunes enfants, sont ceux qui l'utilisent le plus fréquemment, les 35-44 ans ayant une pratique plus irrégulière. Dans les ménages équipés, 27 % des femmes n'utilisent jamais le Caméscope, contre seulement 14 % des hommes.

La grande majorité des foyers possèdent un appareil photo, un sur cinq un Caméscope ou une caméra.

La plupart des ménages prennent des photos ou des films ; 17 % seulement n'ont pas utilisé leurs équipement au cours des douze derniers mois. 2,1 millions d'appareils photo ont été achetés en 1997, dont 64 % de compacts, 23 % de compacts APS (Advanced photo system), 12 % de reflex 24 x 36, 1 % de reflex APS. Les achats d'appareils numériques ont représenté 80 000 unités. On estime que les appareils photo jetables ont converti à la photographie 15 % de Français qui n'en prenaient jamais.

Les diplômés de l'enseignement supérieur sont la seule catégorie à posséder plus souvent un appareil photo perfectionné (reflex, avec objectifs interchangeables...) qu'un appareil simple. Ceux qui disposent d'appareils perfectionnés les utilisent plus souvent que les autres : 28 % au cours des douze

Près d'un Français sur trois est collectionneur.

L'intérêt pour les collections, qui avait sensiblement augmenté dans les années 80, poursuit sa progression : 29 % font personnellement une collection, contre 23 % en 1989. On observe une diversification des objets collectionnés. Aux traditionnels timbres et pièces de monnaie se sont ajoutés les poupées, les disques anciens, les cartes de téléphone, etc. 8 % des Français déclarent aujourd'hui faire une collection de timbres, 4 % de cartes postales, 3 % de pièces ou médailles, 3 % de cartes de téléphone, 2 % d'objets d'art. La proportion n'est que de 1 % pour les pierres et minéraux, les poupées, les livres anciens ou les disques anciens.

Les jeunes (15-19 ans) sont trois fois plus concernés que les 65 ans et plus (50 % contre 15 %). On constate cependant une stabilité entre 25 et 54 ans,

Ministère de la Culture
et de la Communication

aux alentours de 25 à 30 %. Les femmes ont comblé le retard qu'elles avaient sur les hommes dans les années 80 (20 % contre 27 % faisaient des collections). Elles s'intéressent plus qu'eux aux cartes postales, alors que les hommes collectionnent plus souvent les timbres et les pièces ou médailles. Contrairement à la plupart des autres activités en amateur, le niveau d'éducation n'est pas très discriminant, sauf pour les non diplômés qui sont les moins concernés.

Art et décoration

Une proportion croissante de Français possède au foyer des objets d'art destinés à la décoration, accrochés à un mur ou posés sur un meuble. 70 % ont des photographies, 45 % des affiches ou posters, 25 % des reproductions de tableaux de maître, 10 % des œuvres d'art contemporain et 3 % des tableaux de maître. Les taux de possession varient peu avec l'âge, avec la catégorie socioprofessionnelle ou le niveau d'éducation.
Dans 37 % des foyers, on trouve des oeuvres originales d'artistes amateurs, dans 10 % des œuvres originales d'artistes professionnels contemporains.

L'abandon et le changement d'activité sont fréquents.

Les pratiques artistiques en amateur sont souvent abandonnées au moment de l'entrée dans la vie professionnelle et de l'installation dans la vie familiale. Ainsi, parmi la génération née entre 1965 et 1973, dont 52 % pratiquaient une activité artistique (non musicale) en 1989, seuls 37 % étaient encore dans ce cas en 1997. Les abandons sont moins nombreux dans les autres générations, qui n'ont pas connu entre ces deux dates des ruptures aussi importantes dans leur vie personnelle.

La photographie et la vidéo font exception dans cette évolution. La mise en couple ou la venue au monde des enfants sont des incitations fortes à pratiquer ces activités, en achetant ou en se faisant offrir les équipements nécessaires (appareils photo, Caméscope...). Il faut dire aussi que ces deux activités nécessitent moins de temps et d'apprentissage que les autres. Elles sont en outre très compatibles avec la vie familiale et constituent une autre façon de tenir un journal relatant les événements de la vie, visuel celui-là.

On constate aussi une polyvalence et un éclectisme croissants, avec un passage plus fréquent d'une activité à une autre de même qu'une proportion croissante de personnes pratiquant plusieurs activités. Ainsi, 42 % des pratiquants amateurs de théâtre ont joué, au cours des douze derniers mois, d'un instrument de musique ; 38 % des instrumentistes ont fait du dessin.

Les Français s'intéressent aussi aux activités artistiques et culturelles en tant que spectateurs.

16 % d'entre eux sont allés au théâtre au cours des douze derniers mois (enquête 1997 du ministère de la Culture) contre 14 % en 1989. 13 % sont allés au cirque (contre 9 %). 13 % ont assisté à un spectacle de danse folklorique (contre 12 %), 8 % à un spectacle de danse professionnel (contre 6 %). 10 % sont allés au music-hall (contre 10 %). 9 % ont assisté à un concert de rock (contre 10 %), 9 % à un concert de musique classique (contre 9 %), 7 % à un concert de jazz (contre 6 %). 20 % ont assisté à un spectacle d'amateurs (contre 14 %).

La proportion de personnes qui n'ont jamais assisté à un spectacle vivant diminue régulièrement. Elle reste cependant élevée dans certains domaines : 81 % pour l'opéra, 72 % pour les concerts de musique classique, 43 % pour le théâtre professionnel. Mais 77 % des Français ont déjà visité un musée contre 72 % en 1989, 57 % ont été au théâtre, contre 45 %, 32 % ont assisté à un spectacle de danse, contre 24 %.

Comme la pratique en amateur, la proportion de spectateurs augmente avec le niveau d'éducation, en particulier pour les spectacles de danse, le théâtre, l'opéra, les concerts de jazz ou de musique classique ; ce sont souvent les mêmes catégories qui ont les taux de fréquentation les plus élevés.

Le renouveau du spectacle de rue

Les spectacles de rue attirent un public croissant : 29 % au cours des douze derniers mois. Il est presque deux fois plus important que celui des théâtres (16 %). Cet engouement confirme le renouveau de certaines formes d'expression culturelle, qui concernent un public qui ne va pas toujours naturellement dans les salles, notamment en province ; 26 % seulement des provinciaux qui ont assisté à ce type de spectacle en 1997 sont allés au théâtre (contre 49 % des habitants de la région parisienne).

Les spectateurs

Evolution de la fréquentation des spectacles vivants (en % de la population de 15 ans et plus) :

Sont allés au moins une fois...	Dans leur vie		Au cours des 12 derniers mois		Moyenne annuelle**	
	1989	1997	1989	1997	1989	1997
• Spectacle d'amateurs	43	45	14	20	3	2
• Spectacle de danses folkloriques	45	46	12	13	2	2
• Spectacle de danse professionnel	24	32	6	8	2	2
• Cirque	72	77	9	13	2	2
• Théâtre	45	57	14	16	3	4
• Spectacle de rue	*	52	*	19	*	3
• Music-hall, variétés	43	43	10	10	2	2
• Opérette	23	23	3	2	2	1
• Opéra	18	19	3	3	3	2
• Concert de rock	25	26	10	9	4	3
• Concert de jazz	18	19	6	7	4	3
• Concert de musique classique	29	28	9	9	4	3
• Concert d'un autre genre de musique	*	30	*	11	*	3

* La question n'a pas été posée en 1989.
** Calculée sur le nombre de personnes ayant fourni une réponse à cette question.

Ministère de la Culture et de la Communication

La fréquentation des lieux d'exposition a peu évolué en dix ans.

33 % des Français sont allés au musée au cours des douze derniers mois (enquête 1997 du ministère de la Culture), contre 30 % en 1989. 25 % ont visité une exposition temporaire de peinture ou de sculpture (contre 23 %), 15 % une exposition temporaire de photographies, 15 % une galerie d'art (contre 15 %). 11 % ont visité un parc comme le Futuroscope ou la Cité des Sciences.

Comme la fréquentation, le public a peu évolué au cours des dernières années ; il est majoritairement composé de jeunes, de diplômés de l'enseignement supérieur et d'habitants des grandes villes (avec un écart important entre Paris et le reste de la France, en particulier pour les visites de musées d'art moderne et contemporain). La fréquentation des musées est en hausse chez les jeunes (sans doute du fait de l'augmentation des sorties scolaires) et chez les jeunes retraités.

Au cours de leur vie, 68 % des Français n'ont jamais visité un parc comme le Futuroscope ou la Cité des Sciences, 66 % n'ont jamais pénétré dans une galerie d'art, 65 % dans une exposition de photographies, 50 % dans une exposition de peinture, 23 % dans un musée.

Bricolage et jardinage

On compte en France environ 40 millions de bricoleurs, dont 70 % d'hommes.

On estime que 80 % des hommes bricolent (30 % régulièrement). Mais les femmes sont de plus en plus concernées. Si elles s'intéressent d'abord aux travaux de décoration, beaucoup se lancent aujourd'hui dans des travaux plus complexes (électricité, menuiserie, voire plomberie ou gros œuvre...). Elles sont par exemple responsables de 45 % des achats de peinture, contre 10 % il y a dix ans.

Trois ménages sur quatre réalisent eux-mêmes la plupart des travaux d'entretien et de réparation de leur logement. Ce sont surtout des hommes de 30 à 50 ans, mariés, ayant des enfants, habitant une maison. On constate un regain d'intérêt pour le bricolage aux alentours de l'âge de la retraite, période au cours de laquelle on réaménage sa maison et l'on aide de plus en plus souvent ses enfants à s'installer.

Les dépenses annuelles s'accroissent régulièrement ; elles ont dépassé 90 milliards de francs en 1997 (contre 60 en 1989), soit 3 800 F par foyer. La moitié sont effectuées dans des grandes surfaces spécialisées. Le bricolage automobile se développe également ; il concerne près d'un automobiliste sur trois et représente plus de 50 milliards de francs de dépenses par an.

La moitié des ménages jardinent.

53 % des Français disent jardiner au moins occasionnellement. Cette proportion est semblable à celle des ménages habitant une maison : 56 % (contre 48 % en 1992). La quasi-totalité d'entre eux (94 %) disposent en effet d'un jardin, d'une surface moyenne de 980 m^2.

Ceux qui habitent un appartement créent des jardins intérieurs au moyen de fleurs et de plantes vertes. 4 millions de ménages possèdent ainsi un balcon, une terrasse ou une véranda. Beaucoup disposent en outre d'une résidence secondaire (12 % de la population) dans laquelle ils peuvent s'adonner aux joies du jardinage. Au total, il existe quelque 75 millions d'espaces fleurissables dans les foyers, qui comptent plus de 150 millions de plantes vertes. 65 % des logements possèdent un jardin ou un balcon.

Les dépenses de jardinage au sens large (jardins en amateur, fleurs et plantes) ont représenté au total environ 40 milliards de francs en 1997, soit près de 2 000 F par foyer. Les achats de végétaux représentent la moitié des achats (ils ont doublé entre 1982 et 1994), les produits d'entretien 25 %, de même que les équipements. Les hypermarchés ne sont plus les premiers lieux d'achat ; les jardineries et grandes surfaces spécialisées, qui offrent une plus grande variété de produits, font jeu égal avec eux et connaissent un développement soutenu.

La répartition des tâches entre les sexes reflète encore la tradition ; les femmes sont plus nombreuses que les hommes à s'occuper d'un jardin d'agrément, alors que les jardins potagers sont en majorité entretenus par les hommes. Le jardinage prend une place importante chez les « seniors » ; il concerne 68 % des 50-64 ans. Les jardiniers consacrent en moyenne 6 heures par semaine en saison (printemps-été) à leur activité. Ils attachent une importance

croissante à leur protection (vêtements, chaussures, gants) ainsi qu'aux nouveautés qui apparaissent sur le marché.

Bricolage et jardinage, les deux mamelles de la France.
Nouveau monde

L'évolution du rapport au logement favorise ces deux activités.

Plusieurs tendances lourdes expliquent le développement du bricolage et du jardinage. La première est le besoin d'autonomie des individus et des ménages. Face à une société en crise, à des institutions défaillantes, à des prestataires de services coûteux, il est important de pouvoir se « débrouiller » seul, en réparant un robinet, en cultivant des légumes ou en élevant des lapins.

Ce souci d'indépendance s'accompagne d'une volonté de personnaliser son logement, de le

Le logement au centre de la vie

Les Français passent de plus en plus de temps chez eux, du fait de l'allongement de la durée de vie, du raccourcissement de la durée du travail et des périodes d'inactivité professionnelle. Les enfants restent aussi de plus en plus longtemps dans le foyer parental : à 28 ans, 12 % des hommes et 5 % des femmes sont encore dans cette situation (INED, 1994).
Le logement est donc le lieu privilégié de la vie personnelle et de la convivialité familiale, voire tribale. On observe ainsi un accroissement régulier de la surface moyenne, qui est passée de 82 m^2 en 1982 à 88 m^2 en 1996 ; si elle est restée stable dans les appartements (66 m^2), elle a augmenté de façon sensible dans les maisons, passant de 86 m^2 en 1984 à 105 m^2 en 1996. Le logement est devenu depuis 1991 le premier poste de dépenses des ménages, devant l'alimentation ; il représente 30 % de leur revenu disponible (contre 15,3 % en 1970).

rendre plus confortable, de renforcer la sécurité des biens et des personnes qui l'habitent, de favoriser la convivialité entre les membres de la famille ou avec les personnes que l'on accueille.

Le bricolage et le jardinage permettent d'occuper son temps, de se changer les idées. Ils constituent des activités valorisantes, tant vis-à-vis de soi-même que des autres.

Le bricolage et le jardinage sont d'abord des loisirs...

Les Français considèrent le jardinage comme un passe-temps agréable (37 % des adeptes, 47 % des cadres mais 32 % des ouvriers). Cette motivation arrive devant le plaisir de consommer ce que l'on produit (44 % des ouvriers concernés) et d'enjoliver son environnement (surtout sensible chez les professions libérales et les cadres supérieurs).

Il en est de même du bricolage, qui est pratiqué comme un loisir valorisant. Avec le développement de la société industrielle et la partiellisation du travail s'est éloigné le sentiment de satisfaction lié à la fabrication complète d'un objet par un même individu. Conscients de cet appauvrissement, les Français ont recherché des activités de compensation. Beaucoup les ont trouvées dans la pratique de loisirs manuels tels que le bricolage ou le jardinage.

... mais aussi des moyens de faire des économies.

La moitié des bricoleurs déclarent être motivés par des raisons économiques. Les ménages tendent en effet aujourd'hui à se comporter comme des entreprises ; ils cherchent à « gérer » leur vie quotidienne en optimisant leurs recettes et leurs dépenses, ainsi que leur temps. Ils se rendent donc de plus en plus souvent des services à eux-mêmes (ou entre eux), parce que cela revient moins cher et que c'est plus rapide.

Une part importante de l'économie domestique est ainsi liée au bricolage : montage de meubles en kit ; travaux de construction, de réparation ou d'entretien ; fabrication d'objets divers... Avec la crise, on a observé un développement du petit bricolage.

La motivation économique est moins directe en matière de jardinage, car la proportion de jardins à usage strictement utilitaire (potagers, vergers) est en nette régression : 1 % en 1997 contre 7 % en 1988, au profit des jardins d'agrément. 35 % sont à usage mixte (agrément-utilitaire), contre 57 % en 1988.

17 % des œufs et 16 % des volailles consommés sont ainsi produits par les ménages eux-mêmes.

Faire ou faire faire

Les bricoleurs et les jardiniers « du dimanche » sont de plus en plus compétents et peuvent aujourd'hui s'attaquer à des travaux autrefois réservés aux professionnels. D'autant que la qualité, la variété et l'efficacité des outils et des matériaux proposés dans les points de vente spécialisés ont beaucoup progressé, rendant les travaux plus accessibles aux particuliers. Les Français préfèrent ainsi poser eux-mêmes les papiers peints (qu'ils changent en moyenne tous les cinq ans) plutôt que de faire appel à un artisan.

Mais, pour les gros travaux, 70 % des ménages font appel à des entreprises spécialisées... ou au travail au noir. Les services de pose à domicile sont aussi de plus en plus recherchés par les ménages, qui préfèrent dans certains cas acheter les matériaux et faire faire les travaux par des professionnels.

La dimension écologique joue un rôle croissant.

A une époque où le monde rural est en voie de disparition, beaucoup de Français souhaitent préserver ou retrouver leurs racines paysannes. C'est ce qui explique qu'un véritable exode urbain soit en cours depuis quelques années, après deux siècles d'exode rural (voir La Vie quotidienne). 14 % des Français passent une partie importante de leur temps pendant les week-ends à jardiner (17 % des hommes et 11 % des femmes).

Le besoin de « retour à la terre », qui s'était manifesté de façon parfois excessive pendant les années 70, est plus durable aujourd'hui. Les « néoruraux » sont les nouveaux modernes. Ils veulent se rapprocher de la nature sans abandonner les bienfaits du confort. Le jardinage est un moyen d'y parvenir. Le bricolage leur permet de jouer les castors, de construire ou d'aménager leur nid comme les oiseaux.

Ce sont ces motivations qui poussent aussi les Français à s'entourer d'animaux familiers (52 % des foyers). Ceux-ci assurent le lien nécessaire entre la nature et l'espèce humaine. Au-delà de leurs fonctions de protection, de compagnie, ils témoignent d'une attitude de régression, au sens psychanalytique, qui exprime à la fois une frustration dans le présent et une crainte de l'avenir.

Les motivations esthétiques prennent une importance croissante.

Bricoler ne signifie plus seulement entretenir, réparer, remplacer, rénover. La dimension créative est de plus en plus importante ; chacun peut façonner sa maison à son image et créer quelque chose de ses mains. Cette volonté d'expression personnelle est favorisée par les produits et les outils disponibles.

On observe la même évolution en matière de jardinage : la part des jardins d'agrément et d'ornement atteint aujourd'hui 64 % contre 36 % en 1988, alors que celle des jardins utilitaires diminue. 80 % des jardins ont une pelouse. Si les jardins sont plus petits (ceux de moins de 250 m² représentent 41 % du nombre total, contre 36 % en 1988), leur fonction esthétique est plus grande et elle fait l'objet de davantage de soins.

Le bricolage et jardinage sont des activités qui autorisent une réelle créativité. On constate d'ailleurs que les employés et les cadres sont mieux disposés à l'égard du bricolage que les ouvriers ou les artisans, qui sont moins frustrés sur le plan manuel.

La frontière entre intérieur et extérieur s'estompe

Comme les autres domaines, la maison est concernée par la tendance générale à faire disparaître les frontières, à réconcilier les contraires. C'est le cas, notamment, de la séparation traditionnelle entre l'intérieur et l'extérieur. On voit ainsi de plus en plus de jardins intérieurs et de pièces extérieures (remises, annexes...). Les meubles de jardin ressemblent davantage aux meubles de la maison, tandis que ces derniers empruntent les formes et les matériaux du mobilier de jardin. Cette volonté de continuité explique aussi l'intérêt porté aux terrasses et aux vérandas, qui servent de transition entre intérieur et extérieur. La multiplication des équipements de communication à distance (téléphone, Minitel, fax, ordinateur-modem...) est une autre illustration de ce phénomène.

Le développement du bricolage et du jardinage devrait se poursuivre dans les prochaines années.

Avec la baisse du temps de travail et la place croissante du télétravail, les Français passeront de plus en plus de temps chez eux. Les fonctions traditionnelles du logement (repos, alimentation, hygiène, protection, accueil, rangement, stockage) seront progressivement complétées par d'autres : communication ; information ; distanciation ; apprentissage ; culture ; création artistique ; soins personnels ; entretien physique ; gestion ; jeu ; évasion ; travail...

La mise en place de ces nouvelles fonctions impliquera un nouvel aménagement de l'espace et va donc accroître le nombre d'occasions de bricoler. Parallèlement, la volonté de vivre en harmonie avec la nature et le « néoruralisme » qui en découle vont accroître l'importance des activités de jardinage. D'autant que le potentiel de développement reste important dans ce domaine : les dépenses des Français représentent moins de 20 % de celles des pays de l'Union européenne (à douze), pour près d'un quart de la population.

Disposant de plus de temps et désireux de mieux vivre dans leur environnement quotidien, les Français devraient consacrer encore plus d'argent à des activités qui sont pour eux des sources de satisfaction. Sous réserve, bien sûr, que l'offre de produits, équipements et services ainsi que leur distribution soient adaptées aux nouvelles revendications qui se font jour.

✦ *Plus des deux tiers des ménages sont équipés d'une perceuse électrique, plus de la moitié d'une tondeuse, près d'un tiers d'une ponceuse.*

✦ *On compte en France 13 millions de jardins.*

✦ *Quatre jardins sur cinq ont une pelouse.*

✦ *9 % des maisons possèdent une véranda.*

LES VACANCES

Comportements et attitudes

Un peu moins de deux Français sur trois partent en vacances.

63 % des Français sont partis en vacances au cours des douze derniers mois en 1997 (CREDOC), contre 64 % en 1996 et 66 % en 1995 (mais 65 % en 1994 et 61 % en 1993). La proportion de personnes qui partent de leur domicile atteint 77 % si l'on inclut les déplacements pour d'autres raisons que les vacances (professionnelles, médicales, scolaires...).

La grande majorité des vacanciers (90 %) partent en été, mais plus de la moitié (57 %) partent à d'autres moments de l'année. Sur quatre ans, entre 1992 et 1995, 75 % des Français sont partis au moins une fois pendant l'été et 25 % ne sont pas partis du tout. Un sur trois part à la fois en été et à d'autres moments de l'année. La montagne est la destination la plus souvent choisie par ceux qui partent en dehors de la période estivale (38 % des vacanciers), devant les vacances itinérantes (20 %), la mer (17 %), la campagne (17 %) et la ville (8 %).

La proportion de départs en vacances tend à se stabiliser depuis la fin des années 80 ; le plus fort accroissement s'est produit entre 1969 et 1976. Elle continue cependant de progresser parmi les catégories sociales qui partaient le moins (indépendants, ouvriers, inactifs et surtout agriculteurs) et tend à stagner parmi les cadres et les employés, de sorte que les écarts entre les catégories se sont resserrés.

La France championne d'Europe des vacances

La conquête des vacances a commencé en 1936 ; pour la première fois, les salariés disposaient de deux semaines de congés payés par an. Une troisième semaine leur a été accordée en 1956, une quatrième en 1969, une cinquième en 1982. Seuls 15 % des actifs prennent moins de quatre semaines de congés (CREDOC, 1997) ; ce sont essentiellement des indépendants (agriculteurs, commerçants, professions libérales). Par le jeu de l'ancienneté ou de conventions particulières, 28 % des actifs disposent de plus de cinq semaines de congés annuels. De sorte que la France arrive en première position en Europe (et peut-être dans le monde) pour la durée des vacances (voir tableau).

Cinq semaines et demie

Durée légale et contractuelle des vacances dans les pays européens et taux de départ (1994) :

Moyenne annuelle en 1993	Selon la loi	Selon les conventions collectives	Taux de départ en 1994
• Allemagne	- 18 jours ouvrables (20 dans les nouveaux Länder)	- 31 jours	78,2
• Danemark	- 30 jours de calendrier	- 5 semaines	71,0
• Belgique	- 24 jours ouvrables	- 5 semaines	63,2
• Espagne	- 30 jours de calendrier	- 23,5 jours	44,0
• Grèce	- 22 jours ouvrables	- 5 semaines	48,0
• FRANCE	- 5 semaines de calendrier	- 5,5 semaines	68,7
• Irlande	- 15 jours ouvrables	- 4 semaines	60,0
• Italie	-	- 22,7 jours	54,0
• Luxembourg	- 25 jours ouvrables	- 28 jours	n.c.
• Pays-Bas	- 4 semaines de calendrier	- 4,5 semaines	69,0
• Portugal	- 22 jours ouvrables	- 4,75 semaines	29,0
• Royaume-Uni	-	- 5 semaines	60,0

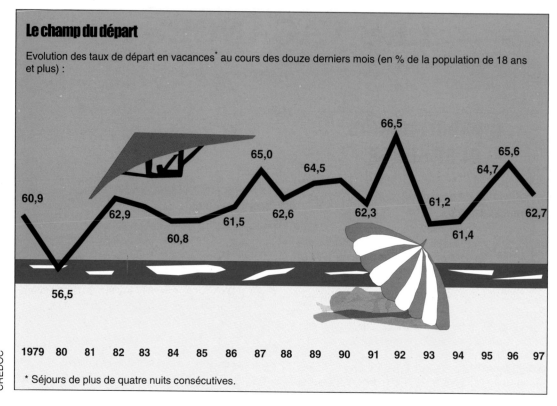

Le champ du départ

Evolution des taux de départ en vacances* au cours des douze derniers mois (en % de la population de 18 ans et plus) :

66,5

65,0   64,5   65,6
                                                              64,7
60,9
          62,9   62,6   62,3   61,2   62,7
                    61,5
          60,8   61,4

56,5

1979 80 81 82 83 84 85 86 87 88 89 90 91 92 93 94 95 96 97

* Séjours de plus de quatre nuits consécutives.

CREDOC

La fréquence des départs s'est accrue, avant de se stabiliser.

On avait assisté depuis les années 60 à une augmentation du nombre de séjours de vacances supérieure à celle du taux de départ, de sorte que les Français partaient plus souvent au cours d'une année. Cette tendance au fractionnement s'expliquait par la volonté de diversifier les expériences, en profitant de l'abaissement des coûts de transport et de l'amélioration du réseau routier. Elle a été favorisée en 1982 par l'attribution de la cinquième semaine de congés payés et l'obligation (ou l'incitation) de nombreux salariés à prendre leurs congés en plusieurs fois. Le développement de formules de week-ends prolongés et de courts séjours proposés par les hôtels, les résidences de loisirs et les parcs de loisirs (voir ci-après) a aussi contribué à ce fractionnement.

Cette tendance au fractionnement des congés tend à se stabiliser : 26 % des Français sont partis une seule fois en vacances en 1997, 15 % deux fois, 14 % trois ou quatre fois, 6 % au moins cinq fois. La durée

moyenne des séjours a diminué, passant de 21 jours en 1989 à 19 jours en 1997. Le nombre moyen de séjours (au moins une nuit passée hors de chez soi) est de 4,2 par personne, dont 2,5 pour les vacances.

Les visites à la famille et aux amis représentent la moitié des séjours.

En 1997, la moitié des voyages personnels des Français (47 %) ont été effectués auprès de membres de la famille ou d'amis, contre 51 % en 1996 et 50 % en 1995. Ces visites sont motivées par l'éloignement géographique des enfants par rapport à leurs parents, grands-parents et autres cousins. Si elles traduisent l'intérêt porté aux réunions familiales, elles représentent aussi une façon économique de voyager, puisque le logement et la nourriture sont le plus souvent assurés.

Ces séjours sont en général assez courts ; ils ne durent en moyenne que 4,1 jours contre 7,9 jours pour les voyages d'agrément. De sorte que les séjours en famille ou chez des amis ne représentent qu'environ un tiers des nuitées, pour près de la moitié des séjours.

Les jeunes sont les plus nombreux à partir.

Les moins de 25 ans partent plus fréquemment et plus longtemps que les adultes : 22 % sont partis trois ou quatre fois en 1997, contre 13 % des 25-64 ans. Ils sont plus attirés par les destinations étrangères, qui représentent plus du quart de leurs séjours contre 9 % en moyenne nationale. Ils se rendent aussi beaucoup plus fréquemment dans les grandes villes que les vacanciers plus âgés.

Partant plus loin et disposant moins souvent de voiture, les jeunes utilisent davantage les transports collectifs (train, avion, autocar, bateau). Ils voyagent plus fréquemment en groupe et recherchent davantage les rencontres. Ils font plus souvent appel à des prestataires de services, mais choisissent des types d'hébergement peu coûteux (camping, auberge de jeunesse) ou gratuits (résidences principales et secondaires de parents et amis).

Les séjours à l'étranger ne représentent que 9 % de l'ensemble.

On a enregistré 14,6 millions de séjours à l'étranger en 1997, soit 5 % de moins qu'en 1996. Avec à peine 10 % du nombre total de séjours personnels, la proportion de départs à l'étranger des Français est faible au regard de celle constatée dans d'autres pays développés : plus de la moitié aux Pays-Bas, en Suisse, en Allemagne, en Autriche ou en Belgique, plus d'un tiers en Grande-Bretagne ou au Canada, plus d'un quart en Irlande (mais seulement 4 % environ aux Etats-Unis et au Japon). On constate également une baisse de la durée moyenne des séjours à l'étranger, avec 8,0 jours en 1997 contre 8,1 en 1995.

L'élargissement de l'offre de séjours et de forfaits à l'étranger devrait renforcer la proportion de départs hors de France. La mise en place de l'Euro devrait favoriser notamment les séjours en Europe, avec la disparition des frais de change et la plus grande transparence des prix.

La France, première destination mondiale

La France a accueilli 67 millions de touristes étrangers en 1997, ce qui constitue un record absolu. L'excédent de la balance touristique a atteint 65 milliards de francs.

La France serait donc toujours la première destination mondiale, devant l'Espagne, les Etats-Unis, l'Italie et la Chine. Ce résultat s'explique bien sûr par les atouts propres à la France en matière touristique et culturelle, mais aussi par sa situation géographique, qui en fait un passage obligé pour les nombreux touristes qui se rendent en Espagne ou en Italie. La France est cependant dépassée par l'Espagne en ce qui concerne le nombre de longs séjours effectués (quatre nuits et plus) et par les Etats-Unis en ce qui concerne les recettes touristiques.

L'Ile-de-France a accueilli à elle seule 36,2 millions de touristes, soit 8 % de plus qu'en 1996. 55 % étaient des étrangers ; les Britanniques représentaient 17 %, les Américains 12 %, les Allemands 10 %, les Italiens 8 % et les Japonais 8 %. Le taux moyen d'occupation de l'hôtellerie homologuée a atteint 68 %.

La durée moyenne des séjours a diminué.

La propension des Français à partir plus souvent en vacances les a incités naturellement à réduire la durée de chaque séjour, notamment pour les salariés disposant d'un nombre fixe de jours de congé. Des raisons économiques expliquent aussi cette évolution : 79 % des ménages disent ainsi s'imposer des restrictions sur les vacances et les loisirs (21 % non).

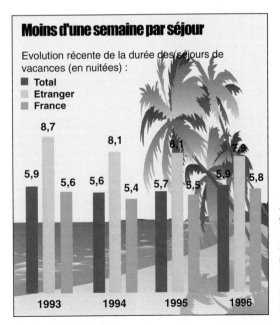

Moins d'une semaine par séjour

Evolution récente de la durée des séjours de vacances (en nuitées) :

- ■ Total
- Etranger
- France

	1993	1994	1995	1996
Total	5,9	5,6	5,7	5,9
Etranger	8,7	8,1	8,1	7,9
France	5,6	5,4	5,5	5,8

Ministère du Tourisme

Ministère du Tourisme/Sofres

Ministère de la Culture et de la Communication

Fins de semaine

Départs en week-end au cours des douze derniers mois (1997, en % de la population de 15 ans et plus) :

	Jamais	1 ou 2 fois	3 ou 4 fois	5 à 9 fois	10 à 14 fois	15 fois et plus
ENSEMBLE	**54**	**16**	**11**	**7**	**6**	**6**
• **Sexe :**						
- Homme	53	16	12	8	6	6
- Femme	55	17	1.1	7	5	5
• **Age :**						
- 15 à 19 ans	41	22	13	8	7	10
- 20 à 24 ans	37	20	14	9	11	8
- 25 à 34 ans	45	17	13	9	9	7
- 35 à 44 ans	53	17	11	8	7	5
- 45 à 54 ans	53	18	12	9	3	5
- 55 à 64 ans	58	15	15	5	5	3
- 65 ans et plus	74	9	7	5	1	3
• **Catégorie socioprofessionnelle du chef de famille :**						
- Agriculteur	55	24	12	5	1	3
- Artisans, commerçants et chefs d'entreprise	56	17	15	3	3	6
- Cadres et professions intellectuelles supérieures	32	18	18	16	8	7
- Professions intermédiaires	40	20	14	10	8	8
- Employés	51	17	12	9	6	5
- Ouvriers qualifiés	54	17	10	6	8	4
- Ouvriers non qualifiés	58	13	8	8	7	5
- Retraités	69	11	9	5	2	4
- Autres inactifs	57	15	6	5	6	11

La durée moyenne totale des vacances annuelles prises en dehors du domicile a surtout diminué depuis le milieu des années 80. Elle était de 27 jours en 1997, contre 29 jours en 1987 et 30 jours en 1964. Les écarts sont importants selon les catégories sociales : les inactifs sont ceux qui partent le plus longtemps (35 jours), devant les cadres supérieurs et les professions libérales.

En 1997, le nombre de nuitées en France a plus diminué que celui des séjours (– 6,0 % contre – 4,3 %), de sorte que la durée moyenne des sajours a diminué. On a assisté au phénomène inverse pour les séjours à l'étranger : – 4,6 % pour les séjours ; – 2,3 % pour les nuitées.

♦ *Les Français ont effectué 151,5 millions de séjours en France (hors Dom-Tom) en 1996.*

Les week-ends sont de plus en plus l'occasion de courtes vacances.

46 % des Français sont partis en week-end au moins une fois au cours des douze derniers mois (1997). Le repos dominical est une conquête presque centenaire, mais son jumelage avec le samedi (ou le lundi pour les commerçants) est beaucoup plus récent. Même si certains actifs n'en bénéficient pas, du fait de leurs conditions de travail particulières (voir *Conditions de travail*), la plupart apprécient cette parenthèse hebdomadaire entre deux semaines de travail. Mais environ un actif sur quatre déclare emporter du travail à effectuer au cours du week-end.

Les fins de semaine ont un caractère moins rituel et plus actif. La famille, les amis, la télévision et le sport tiennent une grande place. Le samedi est le plus souvent occupé par les courses, les travaux ménagers, le bricolage ou le jardinage. Le dimanche est davantage un jour de détente. La plupart des Français le passent chez eux ou en famille. Le déjeuner dominical est un rite moins important qu'auparavant, surtout pour les jeunes ; c'est le cas aussi de la messe.

La moitié des Français partent de chez eux pour le week-end au moins deux fois dans l'année, mais 54 % ne partent jamais au cours d'une année. Le fait d'habiter une grande ville constitue une forte incitation à rechercher l'air pur ; seul un Francilien sur cinq ne part jamais.

L'implantation en 1998 de Center Parcs en France, a popularisé la notion de court séjour (week-end de trois jours ou « mid-week » du lundi au vendredi). Les deux parcs, situés en Normandie et en Sologne, se situent à mi-chemin entre la résidence de tourisme et le village de vacances ; leur taux de remplissage atteint 90 %.

Les sites culturels tendent à être délaissés...

Le nombre de visiteurs du château de Versailles a baissé de 25 % entre 1991 et 1996, passant de 3,9 millions à 2,9 millions ; celui du musée d'Orsay est passé de 2,7 millions à 2,1 millions. Les monuments qui ont vu leur fréquentation accrue, comme le Mont-Saint-Michel, l'Arc de triomphe ou le château de Chambord, sont ceux qui ont bénéficié d'une politique de promotion et d'animation. Les loisirs ludiques tendent à se développer, au détriment de la « culture ».

On dénombre en France 38 000 monuments historiques, 4 000 musées et 2 000 festivals et manifestations. Sept régions concentrent 45 % des monuments historiques protégés : Ile-de-France (3 580) ; Bretagne (2 770) ; Centre (2 450) ; Aquitaine (2 380) ; Midi-Pyrénées (2 270) ; Provence-Alpes-Côte d'Azur (2 000) ; Bourgogne (1 970).

Les sites ouverts (non payants) les plus visités sont : la forêt de Fontainebleau (13 millions), Notre-Dame de Paris (11 millions), les puces de Saint-Ouen (11 millions), le parc du château de Versailles (7 millions), le Sacré-Cœur de Montmartre (5 millions), Notre-Dame de Lourdes (4 millions), le rocher de Monaco (4 millions) et le Mont-Saint-Michel (2,5 millions).

... au profit des parcs de loisirs.

La fréquentation des parcs à thème tend à prendre le pas sur celle des monuments historiques et des sites culturels (châteaux, musées). Disneyland Paris a accueilli à lui seul plus de visiteurs (12,6 millions en 1997) que la tour Eiffel (5,5 millions) et le Louvre (4,7 millions) réunis. Le Futuroscope, le parc Astérix, mais aussi les aquariums géants ou certains parcs animaliers connaissent un engouement croissant.

Près de 80 ont été créés en France au cours de la seconde moitié des années 80. La plupart étaient des parcs animaliers, d'attractions ou aquatiques ; une dizaine étaient thématiques. Dix ans après, beaucoup ont dû fermer leurs portes (Mirapolis, Big Bang Schtroumpf, Zygofolies, la Toison d'Or, le Parc

Les parcs à thème plus visités que les sites traditionnels.
Loeb & Associés

Le palmarès des parcs

Fréquentation des principaux parcs de loisirs (1996, en milliers d'entrées) :

	1996
• Disneyland Paris, Marne-la-Vallée	11 700
• Parc Futuroscope, Poitiers	2 800
• Parc Aquaboulevard, Paris	2 200
• Parc Astérix, Plailly	1 700
• Parc Marineland, Antibes	1 200
• Jardin d'acclimatation, Paris	1 000
• Parc floral de Paris	1 000
• Parc animalier de Vincennes, Paris	950
• Alizé Parc, aquarium, mini-châteaux et Fou de l'âne, Amboise	800
• Parc animalier de la Palmyre, Les Mathes	751

Ministère du Tourisme

océanique Cousteau, la Planète magique, la Cité des Etoiles...). Disneyland Paris subissait pour sa première année d'existence des pertes considérables. Ces échecs s'expliquent par les mauvais choix des emplacements, des offres inadaptées aux attentes des visiteurs et des investissements surdimensionnés.

Les parcs qui ont survécu sont aujourd'hui des destinations de plus en plus recherchées pour les week-ends ou les courtes vacances. Disneyland Paris, le Futuroscope et Astérix sont devenus des points de passage obligés. Plusieurs régions françaises cherchent à développer des activités de ce type pour accroître leur notoriété et leur fréquentation, créer des emplois. On compte au total environ 200 parcs à thème en France.

Les dépenses globales de vacances augmentent...

Il est difficile de connaître avec précision le budget vacances des Français, car il ne fait pas l'objet d'une comptabilisation spécifique au niveau national. On sait cependant que le poste hôtels-tourisme-vacances représentait 7,3 % du budget disponible des ménages en 1997, soit 15 000 F en moyenne. Il regroupe les dépenses telles que l'hôtellerie, la location de résidences, la restauration, les transports (hors automobile), les voyages organisés, les colonies de vacances ou la pratique des sports. Mais ce budget ne prend pas en compte les dépenses courantes telles que l'alimentation ou les frais liés à l'utilisation de la voiture (moyen de transport choisi par près de huit vacanciers sur dix), les visites et autres loisirs. On estime que chaque ménage dépense environ 10 000 F pour un séjour en hébergement payant et 6 200 F dans le cas où il est hébergé gratuitement.

Le budget global consacré aux vacances s'est accru régulièrement depuis plusieurs décennies, sous l'effet des hausses de tarifs et surtout du fractionnement, qui a entraîné notamment un accroissement des frais de transport. La part consacrée à l'hébergement et à la restauration reste stable, alors que celle des déplacements augmente, du fait de l'accroissement de la fréquence des départs et de l'éloignement des destinations, du fait notamment du poids croissant des séjours à l'étranger.

✦ *Les Etats-Unis comptent plus de 1 800 parcs, fréquentés chaque année par 300 millions de visiteurs.*

... mais les vacanciers se restreignent sur certains postes.

Environ 30 % des Français ne partent pas en vacances, la moitié d'entre eux pour des raisons économiques. Ceux qui partent s'efforcent de réduire leurs dépenses journalières afin de ne pas trop accroître le budget global. Ils économisent d'abord sur l'hébergement, la moitié environ étant logés gratuitement dans une résidence secondaire ou chez des parents ou amis. La voiture, mode de transport le plus économique pour une famille, est utilisée dans les trois quarts des cas (77 % en 1996), loin devant le train (11 %), l'avion (6 %) ou l'autocar (3 %).

Les Français font aussi davantage attention à leurs dépenses de restauration. Les repas de midi sont souvent constitués d'un sandwich, d'un plat à emporter ou d'une formule de restauration rapide. Les achats de souvenirs sont également réduits.

D'une manière générale, les vacanciers comparent davantage les prix, n'hésitant pas parfois à les discuter. Ils profitent des conditions avantageuses des départs hors saison et font quelquefois appel aux soldeurs de voyages et de circuits sur Minitel. Ces attitudes récentes leur permettent de maintenir, voire d'accroître, les dépenses de détente et de loisir sur place. Les abus constatés dans certaines régions touristiques ont aussi contribué à cette évolution des comportements.

Les décisions se prennent tardivement.

La part des ventes de dernière minute (VDM) s'est accrue depuis quelques années. Les Français attendent plus longtemps que par le passé pour choisir leur destination, l'hébergement et le moyen de transport. Ce comportement est la conséquence de l'instabilité générale et de la difficulté croissante à se projeter dans le futur, compte tenu des changements qui peuvent intervenir sur le plan professionnel, familial ou personnel.

De plus, les vacanciers qui envisagent de partir à l'étranger redoutent les risques géopolitiques dans certains pays ou régions. Leurs réactions ne sont d'ailleurs pas toujours rationnelles ; elles sont souvent provoquées et amplifiées par les médias. On observe depuis peu un retour de certaines destinations, considérées comme « à risque » lorsqu'elles sont proposées à des prix bas, comme c'est le cas pour l'Egypte ou la Turquie.

Enfin, certains vacanciers espèrent obtenir de meilleurs prix en se décidant au dernier moment ou en faisant appel aux soldeurs. Les professionnels ont commencé à réagir en proposant des prix plus avantageux à ceux qui réservent longtemps à l'avance ou en pénalisant ceux qui se décident tardivement.

Les vacanciers sont de plus en plus exigeants.

Comme dans tous les autres domaines de la consommation, les Français se montrent de plus en plus exigeants en matière de vacances. Ils attendent des professionnels du tourisme qu'ils respectent leurs promesses et leurs engagements. Ils apprécient la diversité et le changement.

Ils souhaitent surtout pouvoir personnaliser leurs vacances et être considérés comme des clients uniques. La flexibilité est une autre demande importante ; chacun veut pouvoir choisir ses activités sur place, et éventuellement en changer. Pour ces raisons, les hôtels impersonnels et standardisés sont moins appréciés, de même que les formules trop rigides.

Les attentes paraissent parfois contradictoires. Les Français désirent pouvoir à la fois se reposer et pratiquer à leur gré des activités culturelles ou sportives. Ils recherchent en même temps l'autonomie et la convivialité, le confort et l'aventure, la sécurité et la variété. Il s'agit en fait de donner un « sens » à ces moments privilégiés que sont les vacances. La demande implicite est celle de la perfection et de la découverte du paradis terrestre.

Le retour du Club Med

Après quelques années difficiles, le Club Méditerranée a engagé une vaste remise en question sous l'impulsion de son nouveau président, Philippe Bourguignon. Il s'agit d'adapter l'utopie fondatrice d'un monde sans argent (forfait « tout compris »), d'égalité devant les vacances et de tutoiement obligatoire, aux exigences actuelles des vacanciers en matière de personnalisation, de convivialité, d'authenticité, d'activités et de prix.
La marque devra donc être redynamisée (avec une intégration d'Aquarius), le concept revu et expliqué, les prix modulés et les villages rénovés au cours des prochaines années.
Les 120 villages répartis dans 36 pays ont reçu 1,5 million de « Gentils Membres » en 1997, dont 72 % de non Français.

Quand on aime... on compte quand même.
Devarieuxvillaret

Moins d'un vacancier sur dix fait appel aux professionnels.

Sur les 168 millions de voyages d'agrément effectués en 1997, 9 % seulement ont été organisés par des agents de voyages ou les voyagistes. Ceci s'explique par le fait que la plupart des séjours se déroulent en France ; les vacanciers utilisent leur voiture et n'ont pas de difficulté à trouver un hébergement (souvent une résidence secondaire, dans la famille ou chez des amis). En revanche, environ la moitié des 15 millions de séjours à l'étranger ont été organisés par des intermédiaires : 5,3 millions par des agences, un peu moins de 2 millions par des associations et des comités d'entreprises. La proportion atteint 70 % pour les destinations lointaines.

Au total, seuls 16 % des Français consultent des agents de voyage ou font appel aux clubs de vacances, comités d'entreprise ou associations pour organiser leurs vacances. Une proportion très inférieure à celle des pays de l'Europe du Nord, où elle dépasse souvent 50 %. Ce sont principalement les jeunes, les cadres et surtout les retraités qui achètent des produits de vacances forfaitaires ; le quart d'entre eux habite la région parisienne.

Une autre raison du faible recours des Français aux professionnels est que leurs attentes se heurtent souvent à une certaine standardisation de l'offre, qui répond mal aux exigences croissantes de personnalisation, de variété et de flexibilité.

✦ Les Français représentent 1,8 % des touristes qui se rendent aux Etats-Unis.

Les vacances des Français

Fréquence des départs en vacances* au cours des douze derniers mois (1997, en % de la population de 15 ans et plus) :

	Jamais	1 fois	2 fois	3 ou 4 fois	15 fois et plus
ENSEMBLE	**39**	**26**	**15**	**14**	**6**
• Sexe :					
- Homme	39	25	15	14	7
- Femme	40	26	15	14	5
• Age :					
- 15 à 19 ans	26	24	14	23	13
- 20 à 24 ans	39	21	14	20	6
- 25 à 34 ans	36	27	17	13	6
- 35 à 44 ans	39	29	17	12	4
- 45 à 54 ans	36	26	17	14	7
- 55 à 64 ans	40	27	14	14	5
- 65 ans et plus	53	23	11	9	4
• Catégorie socioprofessionnelle du chef de famille :					
- Agriculteur	55	34	5	1	5
- Artisans, commerçants et chefs d'entreprise	35	22	23	13	7
- Cadres et professions intellectuelles supérieures	15	21	19	29	16
- Professions intermédiaires	25	26	20	22	6
- Employés	41	25	17	12	5
- Ouvriers qualifiés	43	33	12	9	3
- Ouvriers non qualifiés	49	31	12	5	2
- Retraités	48	23	13	12	4
- Autres inactifs	51	18	12	12	7
• Taille de l'agglomération :					
- Communes rurales	44	27	13	10	5
- Moins de 20 000 habitants	42	25	17	12	3
- 20 000 à 10 000 habitants	44	26	16	10	4
- Plus de 100 000 habitants	39	25	15	14	7
- Paris intra-muros	17	23	14	28	15
- Reste de l'agglomération parisienne	29	25	16	23	7
• Niveau d'études :					
- Aucun diplôme, CEP	53	25	10	8	4
- BEPC	24	27	19	19	9
- CAP - BEP	37	30	17	11	5
- Bac et équivalent	28	23	19	21	9
- Etudes supérieures	16	23	21	29	10

* Au moins quatre jours consécutifs de vacances.

Ministère de la Culture et de la Communication

♦ Parmi ceux qui sont partis au moins une fois en vacances d'été entre 1992 et 1995, 65 % ont effectué au moins un séjour à la mer, 33 % à la montagne, 27 % à la campagne, 15 % en circuit itinérant, 7 % à la ville (certains ayant effectué plusieurs types de séjours).

♦ 50 % des Européens sont partis en vacances en 1997, soit 300 millions de voyages. Ils ont passé en moyenne 9,4 nuits hors de chez eux à chaque déplacement. 9 % seulement se sont rendus dans des pays hors de l'Union. Mais 18 % des adultes n'ont jamais pris de vacances.

Les vacances sont vécues comme des périodes à la fois de rupture et de continuité.

Les vacanciers sont de plus en plus urbains. Leurs modes de vie, notamment professionnelle, engendrent le stress. Aussi, l'une de leurs motivations principales en vacances est de rompre avec le quotidien, de se reposer en famille, en couple ou entre amis. Ils recherchent donc le calme, la tranquillité et surtout le soleil.

Mais l'accroissement des périodes de vacances au cours de l'année s'inscrit dans une tendance lourde, qui est le refus d'une séparation nette entre les genres, la volonté d'alliance entre les contraires, ici le travail et le loisir. Pour beaucoup, l'équilibre de la vie ne peut résider dans le contraste entre des occupations contraires, mais, à l'inverse, dans une plus grande intégration de chacune dans la vie quotidienne. L'homme est par nature un personnage multidimensionnel. C'est en assumant de façon continue ses différentes composantes qu'il a le plus de chances de trouver l'harmonie.

On constate d'ailleurs que beaucoup de Français qui bénéficient de congés payés ne partent pas ou le font pour une durée inférieure à celle dont ils disposent. Ils passent environ la moitié de leur temps de vacances à domicile, s'occupant de bricolage ou de jardinage, recevant leur famille ou leurs amis. Les motivations des non-partants ne semblent pas seulement économiques ; plus de la moitié d'entre eux se déclarent satisfaits d'être restés chez eux.

On observe une volonté de pratiquer des activités variées.

Les vacances sont un moyen d'évacuer le stress accumulé dans la vie professionnelle, familiale, personnelle. Mais la détente et le changement d'état d'esprit recherchés n'impliquent pas la passivité. Au contraire, c'est dans la découverte et la pratique d'autres activités, attrayantes et enrichissantes, que les vacanciers retrouvent le plaisir et l'équilibre.

Les vacances sont donc de plus en plus diversifiées, avec une volonté de vivre des expériences différentes, en fonction de l'état d'esprit et de la disponibilité mentale. Le « farniente » n'est plus la motivation unique. Il s'accompagne d'une volonté de s'occuper à la fois de son corps (par le sport) et de son esprit (par la culture). Le souci de développement personnel est une revendication croissante dans la société contemporaine. Il n'est pas éton-

nant qu'il s'exprime de plus en plus fortement lors des périodes de vacances, car la disponibilité à la fois temporelle et intellectuelle est alors maximale.

La fin des « vacances »

Etymologiquement, le mot vacance signifie « vide » (du latin *vacuum*). Or, on sait depuis Pascal que la nature a horreur du vide. Cela est particulièrement vrai de la nature humaine, qui s'efforce de le combler par des activités multiples. Les Français en vacances ne recherchent donc pas la « vacuité » ; ils souhaitent utiliser ce temps privilégié de façon agréable et enrichissante.
Les vacances ne sont plus vécues comme des parenthèses de la vie, une façon de faire le vide en soi. Elles sont au contraire une occasion de « faire le plein » et de se développer à titre personnel. C'est pourquoi la formule des « 3 S » (soleil, sable, sexe) recule depuis quelques années au profit de celle des « 3 D » : détente, divertissement, développement.

Vacances d'hiver

Le taux de départ s'est beaucoup accru depuis les années 70...

Le taux de départ en vacances d'hiver avait beaucoup augmenté pendant les années 70 et jusqu'en 1988 (avec une exception en 1984-1985). La diminution du temps de travail et la cinquième semaine de congés payés accordée en 1981 avaient entraîné dans les années 80 un fractionnement des congés des salariés et favorisé les vacances d'hiver. La baisse constatée entre 1988 et 1990 était liée au fait que certaines catégories partaient moins, en particulier les plus aisées : c'était le cas des patrons de l'industrie et du commerce et des Parisiens. A l'inverse, les familles de cadres moyens étaient parties plus nombreuses, mais sans qu'il y ait eu compensation.

L'accroissement du taux de départ a été de nouveau sensible depuis le début des années 90, avec un taux de 37 % au cours de l'hiver 1990-1991. Il s'explique à la fois par le bon enneigement des stations de ski et par l'engouement pour les voyages vers des destinations ensoleillées.

... mais plus de la moitié des Français ne partent pas.

Les vacances d'hiver restent un phénomène minoritaire. Au cours de l'hiver 1997-1998 (d'octobre à mars), seuls 40 % des Français de 15 ans et plus sont partis en vacances pour une durée d'au moins quatre nuitées, soit 17,2 millions de personnes sur 44 millions.

Le taux de départ est proportionnel à la taille des villes ; il est presque trois fois plus élevé à Paris que dans les communes rurales. Il est également proportionnel au revenu des ménages, ce qui explique que les cadres et professions libérales partent quatre fois plus que les ouvriers ou les agriculteurs. L'âge est un facteur moins déterminant, mais on constate une diminution à partir de 50 ans. Plus de la moitié des séjours d'hiver se déroulent en février ou en mars.

La durée moyenne s'est stabilisée autour de deux semaines.

La durée avait atteint un maximum de 15,4 jours en 1976-1977. Elle est stable depuis la fin des années 70 aux environs de 14 jours. Cette évolution est liée pour l'essentiel à la baisse de la durée des séjours aux sports d'hiver. Elle est aussi due à l'accroissement du nombre des courts séjours (de 1 à 3 nuits), conséquence du fractionnement ; ils représentent aujourd'hui une part plus importante que les séjours de 4 nuits et plus.

La durée varie en fonction de la catégorie socioprofessionnelle ; elle passe de 9 jours pour les ouvriers et les agriculteurs à 14 pour les cadres et professions libérales et à 20 pour les retraités. Les jeunes et surtout les plus de 60 ans sont ceux qui partent le plus longtemps. C'est le cas aussi des Parisiens, qui partent presque deux fois plus longtemps que les habitants des communes rurales.

L'hébergement est gratuit dans plus de deux séjours sur trois.

Au cours de l'hiver 1996-1997, plus de la moitié des nuitées des vacanciers (54 %) se sont déroulées chez des parents ou des amis, 17 % dans une résidence secondaire possédée ou prêtée, 12 % à l'hôtel, 6 % en location, 2 % en gîte ou dans une chambre d'hôte ; les autres dans d'autres types d'hébergement (camping, caravane...). Plus de

70 % des vacanciers ont donc été logés gratuitement.

Le choix de l'hébergement varie bien sûr selon les catégories sociales : les ménages aisés vont plus souvent dans leur résidence secondaire ou à l'hôtel ; les plus modestes choisissent le camping ou les chambres d'hôte. Le recours à l'hôtel et à la location est beaucoup plus fréquent dans le cas de circuits ou de sports d'hiver. La caravane est utilisée davantage par ceux qui effectuent des circuits.

Les vacances d'hiver se diversifient.
Publicis/Grand angle

Un peu moins d'un Français sur dix se rend dans une station de sports d'hiver.

La montagne est la première destination des vacances d'hiver. Ceux qui s'y rendent sont plutôt les 35-50 ans, qui ont un niveau de vie un peu plus élevé que la moyenne. La proportion de séjours aux sports d'hiver avait diminué fortement dans la seconde moitié des années 80, après le record de 10 % atteint en 1984. Le faible enneigement des stations au cours des hivers 1988 à 1990 était largement responsable de cette baisse. Le taux de départ est de nouveau en hausse depuis le début des années 90. Il a notamment profité de la tenue des jeux Olympiques d'Albertville en 1992 et des travaux d'équipement réalisés pour la circonstance. Il se situe depuis à environ 8 % (7,6 % au cours de l'hiver 1996-97).

Ce type de vacances est recherché principalement par les citadins et, singulièrement, par les Parisiens. Les écarts entre les catégories sociales sont

Faits d'hiver

Répartition des séjours d'hiver (octobre à mars) selon l'activité pratiquée et l'environnement (en %[*]) :

	Mer	Montagne	Campagne	Ville	Lac
• Sports d'hiver	-	63,4	1,2	-	16,7
- dont ski	-	53,1	0,8	-	11,3
• Promenade	50,2	34,8	39,5	30,2	38,9
• Visite de monuments, sites et musées	35,5	15,0	16,0	34,1	37,6
• Pas d'activité particulière	2,5	1,7	6,7	4,9	3,7

[*] Plusieurs activités peuvent être pratiquées lors d'un même séjour.

Ministère du Tourisme/Sofres[*]

encore plus marqués que pour les départs en vacances d'hiver en général. Les cadres et membres des professions libérales sont proportionnellement douze fois plus nombreux à partir aux sports d'hiver (16 %) que les ouvriers non qualifiés ou les retraités, cinq fois plus que les agriculteurs, trois fois plus que les employés. Les écarts tendent à diminuer, mais la « démocratisation » de la neige est encore loin d'être réalisée. On constate aussi que les ménages ayant des enfants partent plus fréquemment que les autres (12 %). C'est le cas aussi des habitants de la région parisienne (12 %).

Un excellent hiver 1997-1998

La fréquentation des stations de sports d'hiver a progressé de 10 % au cours de l'hiver 1997-98 atteignant 11 millions de skieurs. Ce sont les stations d'altitude qui ont le plus bénéficié de cette hausse de la fréquentation. Celle-ci s'explique par le bon enneigement et la modification du calendrier scolaire (les périodes de vacances scolaires ont débuté le samedi et non le mercredi). Les étrangers ont été aussi plus nombreux que les années précédentes (notamment les Britanniques, Néerlandais et Allemands), ainsi que les familles. Les dépenses de remontées mécaniques ont augmenté de 5,4 % en francs constants au cours de la saison 1997-98 par rapport à la moyenne des quatre années précédentes (17 % dans les Alpes du sud, 13 % dans les Alpes du nord, 2 % dans le Massif central, mais les autres massifs ont enregistré une baisse : 9 % dans les Pyrénées, 15 % dans le Jura, 25 % dans les Vosges). Sur 211 stations référencées,4 réalisent le quart du chiffre d'affaires total. Bien que le ski alpin reste majoritaire, on constate un intérêt croissant pour le surf des neiges, qui est souvent adopté par les jeunes qui commencent à skier (plutôt que le monoski). Les randonnées à ski de fond (favorisées par le développement du skating, pas du patineur) et en raquettes font aussi de plus en plus d'adeptes. On a enfin constaté une hausse des dépenses hors ski.

Les deux tiers des amateurs de sports d'hiver se rendent dans les stations des Alpes françaises. Près de 80 % d'entre eux choisissent les stations des Alpes du Nord. Les Pyrénées constituent la deuxième destination.

La durée moyenne des séjours aux sports d'hiver a diminué de moitié en vingt ans.

Elle est actuellement d'environ 9 jours, contre 13 jours en 1975-1976. La principale raison de cette diminution est sans doute économique ; le budget d'une famille de quatre personnes, dont deux enfants en âge de skier, dépasse 10 000 francs pour une semaine, ce qui décourage bon nombre de prétendants à l'ivresse des cimes. A budget égal, certaines familles préfèrent donc chercher le soleil des Baléares ou d'autres destinations proches.

Les dates des départs dépendent largement de celles des vacances scolaires, de février à avril. Elles représentent 60 % de la fréquentation des stations de moyenne montagne et 50 % de celle des stations d'altitude. Plus de 50 % des longs séjours d'hiver se déroulent en février ou mars. Les courts séjours sont répartis tout au long de la saison.

Les séjours à l'étranger sont de plus en plus nombreux.

Environ 5 % des Français partent à l'étranger au cours de leurs vacances d'hiver, à la recherche du soleil. Cette proportion tend à s'accroître, en même temps que les offres se multiplient, avec des prix plus abordables, compétitifs avec ceux des vacances aux sports d'hiver. Ces derniers se déroulent d'ailleurs dans 7 % des cas dans des stations étrangères.

Les séjours d'hiver à l'étranger sont plus longs que les séjours effectués en France : 11 jours contre 9. La moitié se déroulent dans un pays de l'Union européenne ; on note cependant un accroissement des voyages en Afrique du Nord, principalement au Maroc et en Tunisie. Le tiers des séjours se déroulent dans la famille proche, la moitié dans les pays de l'Union. Ces vacances concernent surtout les Parisiens et les familles aisées.

Vacances d'été

Près de six Français sur dix prennent des vacances d'été.

Plus de la moitié des Français partent en vacances au cours de la période d'été (entre le 1er avril et le 30 septembre). L'accroissement du taux de départ a été pratiquement continu depuis plusieurs dizaines d'années, à l'exception d'une pause entre 1990 et 1992. La proportion atteinte en 1994 a constitué un record, à 58,1 %. Elle a diminué depuis, en même temps que les départs en vacances d'hiver se sont accrus.

Cet accroissement a concerné surtout les catégories sociales modestes, de sorte que les écarts ont diminué. Mais il existe encore de fortes disparités : près de 90 % des cadres, des membres des professions libérales et des professions intermédiaires partent en vacances d'été, contre environ 60 % des employés, des ouvriers qualifiés ou des contremaîtres et moins de 40 % des agriculteurs.

Le lieu d'habitation est un critère important : 80 % des Parisiens partent, contre seulement 60 % des habitants des agglomérations autres que Paris et 40 % de ceux des communes rurales.

La durée moyenne des séjours a diminué.

L'accroissement du nombre des séjours effectués par les vacanciers au cours de la période d'été fait que la durée moyenne de chaque séjour tend à raccourcir. Celle des vacances principales au cours des deux mois de juillet et août est ainsi passée de 14,4 nuitées en 1990 à 12,5 en 1997.

Ce phénomène est compensé par la fréquence croissante des vacances secondaires, ainsi que des courts séjours (de une à trois nuits), notamment à l'occasion des week-ends. Cette tendance au fractionnement s'explique par la volonté des Français d'alterner les périodes de vacances et de travail et de vivre des expériences différentes au cours d'une même année. Elle s'explique aussi par le degré d'improvisation plus élevé en matière de vacances, lié à une vision à court terme de la vie et des projets.

Huit départs d'été sur dix ont lieu en juillet et août.

Au cours des dernières années, environ 13 millions de Français sont partis en vacances en juillet et 20 millions en août. La première quinzaine d'août est la plus chargée, avec près de 30 % des départs estivaux. Ces deux mois représentent plus de 40 % du nombre des nuitées (27 % pour le seul mois d'août en 1996, au cours duquel la durée de séjour est maximale). Un peu moins de six séjours de vacances de l'année sur dix (courts et longs) ont lieu entre mai et septembre. Les formules choisies diffèrent aussi ; juillet et août sont davantage consacrés au repos en famille et l'hébergement est plus souvent une résidence secondaire ou celle d'un parent ou ami.

La concentration des vacances estivales s'explique à la fois par des raisons climatiques, par les dates des vacances scolaires, par les habitudes prises et par le fait que de nombreuses entreprises ferment pendant cette période, considérant que l'activité générale est trop réduite. Cette situation reste propre à la France.

Six ménages sur dix sont hébergés gratuitement.

Comme pour les séjours d'hiver, la part des séjours effectués dans la famille ou chez des amis est importante : 48 % en 1997. 10 % des séjours se sont déroulé dans une résidence secondaire. Ce taux d'hébergement gratuit (près de 60 %) est plus élevé en France que dans les autres pays développés. Il est un peu inférieur (56 %) si on le mesure par rapport au nombre de nuitées.

Le type d'hébergement varie selon les séjours. Les résidences principales des parents et amis sont

Le gîte souvent gratuit

Evolution de la répartition des séjours d'été et des nuitées selon les modes d'hébergement (en %) :

	En % des séjours			En % des nuitées		
	1994	1995	1996	1994	1995	1996
• Hôtel	14,8	15,1	15,6	10,5	10,4	10,6
• Camping	8,8	8,5	8,4	12,8	12,1	11,3
• Location	5,4	4,8	5,1	10,2	9,3	9,3
• Gîte, chambre d'hôte	2,9	3,0	2,9	3,2	3,3	3,0
• Résidence secondaire	12,4	11,7	11,6	17,7	17,5	18,6
• Famille / amis	49,4	49,9	48,9	38,2	38,9	38,5
• Autre	6,3	7,0	7,5	7,4	8,5	8,7
Total	100,0	100,0	100,0	100,0	100,0	100,0

Ministère du Tourisme/Sofres

les plus utilisées dans le cas de séjours à la campagne ou à la montagne. Le camping et les locations sont plus fréquents à la mer et, pour les locations, en ville.

Les résidences locatives de tourisme connaissent un engouement croissant ; on en recensait 627 fin 1997, offrant 260 000 lits (11 % de l'hébergement classé) dans 60 000 appartements. Elles sont implantées surtout à la mer (119 000 lits) et à la montagne (105 000), plus rarement dans les villes (23 000) et à la campagne (13 000). La clientèle a dépassé 4 millions de personnes en 1997 (+ 14 %), dont 50 % de familles en vacances, 20 % de séjours entre amis, 20 % de séjours pour affaires et 10 % de séjours « seniors ».

L'hôtel est le mode d'hébergement le plus utilisé dans les circuits ; sa part tend globalement à s'accroître légèrement (16 % des séjours contre 15 % en 1995). L'hôtellerie de chaîne a connu une progression de 11 % de son activité en 1997, alors que l'offre de chambres n'a augmenté que de 2,6 %. Le taux moyen d'occupation était en hausse de 4 points, à 66 % (5 points dans les trois et quatre étoiles). Le prix moyen par chambre était de 360 F. Les hôtels standardisés attirent moins les Français

que les hôtels de charme authentiques. La douche est autant appréciée que la baignoire. La qualité des services et de la restauration prend une importance croissante.

Les gîtes ruraux ont connu en 1997 une forte hausse de la fréquentation des Français (10 %).

Les échanges encore peu pratiqués

Bien qu'inventé en France dans les années 60 (à Superdévoluy), le concept de vacances en temps partagé (timeshare) y est encore peu pratiqué. Grâce à des bourses d'échange, les ménages qui achètent des semaines en multipropriété dans une résidence de vacances peuvent les échanger pour d'autres destinations, à d'autres dates, en fonction des disponibilités et de l'attractivité de leur bien par rapport à la demande. Mais ce système, très courant en Amérique du Nord, se heurte en France à sa mauvaise image, entretenue régulièrement par les pratiques de certains vendeurs. Environ 80 000 ménages étaient concernés en France à la fin de 1997 (plus de 2 millions dans le monde).

De la même façon, les échanges d'appartement ou de maison avec des étrangers se développent lentement, malgré l'existence d'un nombre croissant d'agences spécialisées. Beaucoup de Français hésitent à confier leur appartement ou leur maison à des personnes qu'ils ne connaissent pas.

✦   42 % des retraités partant en vacances à l'étranger passent par une agence de voyages (36 % en moyenne nationale).

✦ Le prix moyen d'une chambre dans un hôtel sans étoile était de 143 F en 1997, contre 181 F pour une étoile, 280 F pour deux étoiles, 411 F pour trois étoiles, 874 F pour quatre étoiles.

80 % des vacanciers restent en France.

Les Français sortent moins des frontières que les habitants des autres pays européens. Ils profitent de la richesse de l'offre intérieure, qui explique que la France soit la première destination touristique du monde. Le département du Var arrive en tête des destinations d'été ; il accueille plus de 1,5 million de vacanciers entre juin et septembre. Il précède la Charente-Maritime (1,2 million), la Vendée et le Finistère (environ un million chacun) et les Alpes-Maritimes (près de 900 000).

On observe une assez grande stabilité dans les choix des séjours d'été : 60 % choisissent chaque année la même destination, dont un tiers vont au même endroit précis ; 67 % gardent le même lieu de résidence pendant tout leur séjour. Cette fidélité est souvent liée à la disposition d'une résidence secondaire ou à la possibilité d'être hébergé gratuitement.

Le recours aux agences de voyage pour les séjours en France est très faible, par rapport à ce que l'on observe à l'étranger : 2 %, soit 2,6 millions de séjours. Il s'explique par le fait que la plupart des vacanciers français utilisent leur voiture et qu'ils disposent souvent d'un hébergement.

Les vacances « bleues » représentent un tiers des longs séjours.

Un séjour d'au moins quatre nuits sur trois se déroule à la mer. La grande migration annuelle vers le Sud est peut-être en grande partie instinctive et peut être comparée à celle des espèces animales. Matrice de l'humanité, la mer exerce une attraction symbolique sur des individus qui cherchent à rompre le cours de leur vie quotidienne, à retrouver des repères, à communier avec la nature et les origines de l'espèce. Plus de 40 % des journées de vacances passées en France se déroulent en sur la côte atlantique ou méditerranéenne. Ce sont les zones balnéaires et les lacs qui ont connu récemment les plus forts taux de croissance. Les fidèles de la mer sont surtout les jeunes (moins de 35 ans), ceux qui ont des jeunes enfants à charge et des personnes issues de milieux modestes (ouvriers, employés, chômeurs).

Si l'eau est un élément essentiel de la relation à la nature, le soleil est le symbole de l'harmonie avec le cosmos. Il laisse en outre une trace sur la peau, sous la forme du bronzage qui prolonge le souvenir des vacances. On observe d'ailleurs un recours croissant aux produits permettant d'accélérer, de prolonger (ou parfois de remplacer, au moyen des cabines de bronzage) l'action du soleil.

Les circuits représentent un peu moins de 10 % des séjours d'été ; ils concernent surtout les ménages à hauts revenus et les personnes de plus de 50 ans, en particulier des retraités.

La plage, espace magique

La plage constitue un endroit très particulier, frontière entre mer et terre, entre passé et présent. Elle autorise à la fois le repli sur soi et la convivialité, le repos et l'activité. Le corps y prend une importance plus grande, tandis que les attributs de la civilisation s'estompent.

Pourtant, si les barrières sociales sont censées tomber avec les vêtements, le rôle égalisateur de la plage n'est pas toujours vérifié ; on constate en effet que les catégories socioprofessionnelles tendent à se regrouper dans les mêmes régions : les cadres supérieurs dominent sur la Côte d'Azur, les classes moyennes sur le Languedoc-Roussillon ; les ouvriers se retrouvent sur les côtes de la Manche ; la répartition est plus équilibrée en Bretagne et sur l'Atlantique.

Les vacances « vertes » sont majoritaires sur l'ensemble des séjours (longs et courts).

Un tiers des séjours d'été sont effectués à la campagne, contre un peu plus d'un quart à la mer. La part croissante des vacances vertes s'explique par la volonté de vivre en harmonie avec la nature et de retrouver des racines disparues avec l'exode rural et l'urbanisation. Ce mouvement s'accompagne d'une recherche d'authenticité et de calme. Le développement se fait surtout dans les régions centrales du pays, qui ont été plus récemment ouvertes au tourisme.

Les fidèles de la campagne sont plus souvent des personnes âgées, des Parisiens et ceux qui disposent de résidences secondaires. Les citadins fournissent logiquement les plus gros contingents, notamment parmi ceux qui partent en famille. Beaucoup de parents considèrent en effet qu'il est de leur devoir de montrer la nature à leurs enfants. La vogue des sports de plein air comme le VTT, l'escalade, le *rafting* et surtout la randonnée (voir *Sports*) a donné une nouvelle dimension à ce type de vacances. La campagne est aussi de plus en plus visitée par les vacanciers de bord de mer, qui font des incursions dans l'arrière-pays.

L'accroissement des courts séjours de proximité profite surtout au tourisme vert. La volonté de réduire les dépenses incite aussi les Français à aller dans des endroits où les prix sont moins élevés. Il existe donc des raisons à la fois sociologiques et conjoncturelles au développement du tourisme rural constaté depuis quelques années.

Un peu plus d'un vacancier sur dix se rend à l'étranger.

La proportion de séjours de vacances à l'étranger est de l'ordre de 12 %. Elle est très faible par rapport à celle d'autres pays d'Europe : plus de 60 % aux Pays-Bas, en Allemagne ou en Belgique. La baisse constatée entre 1988 et 1992 semble enrayée et la part des séjours d'été à l'étranger tend à s'accroître. La proportion atteint presque un quart (23,7 % en 1996) si l'on ajoute aux motifs personnels des Français pour leurs déplacements hors de l'hexagone le motif professionnel. 69 % de ces déplacements étaient à destination de l'Europe, 11 % de l'Afrique, 10 % des Amériques, 5 % des Dom-Tom, 5 % de l'Asie.

Pour les vacances, ce sont les jeunes qui sortent le plus des frontières nationales (un quart des séjours des 14-24 ans), ainsi que les Parisiens, les cadres, les patrons et les retraités. La proportion particulièrement élevée chez les ouvriers non qualifiés (30 %) s'explique par le nombre de travailleurs d'origine étrangère (principalement maghrébine) qui se rendent dans leur famille à l'occasion des vacances.

Un Français sur quatre n'est jamais allé à l'étranger. Un sur deux ne s'est jamais rendu dans d'autres

1990 F* une semaine Club Festival à Bodrum. Chéri, cache ta joie.

Les Français plus ouverts aux destinations étrangères.
Vista

pays que ceux qui ont une frontière commune avec la France (Belgique, Luxembourg, Allemagne, Suisse, Italie). Pourtant, la proportion de Français qui se rendent à l'étranger en vacances est en augmentation ; un quart des 60 % de Français qui pensaient partir en vacances en été 1998.

Il faut noter cependant que les séjours à l'étranger sont en moyenne plus longs que ceux en France : près de 11 jours contre 8 pour les séjours en France (y compris les séjours multiples).

La plupart des séjours à l'étranger se déroulent en Europe.

Parmi les vacanciers qui partent à l'étranger, sept sur dix restent en Europe. L'Espagne est leur destination favorite (30 % des séjours), devant la Grande-Bretagne, l'Italie, la Belgique et l'Allemagne (par ordre décroissant). Hors de l'Europe, ils se rendent principalement en Afrique du Nord (14 %). C'est au mois de mai qu'ont lieu le plus de séjours à l'étranger (12,7 %), devant 11,3 % en juillet et 11,3 % en août.

Environ 10 % des séjours concernent des destinations lointaines, dont plus de la moitié l'Amérique du Nord. Outre les départements français des Antilles, on observe une attraction croissante pour certains pays exotiques, notamment d'Asie du Sud-Est (Thaïlande, Vietnam).

Parmi les destinations qui se sont le plus développées récemment, on peut citer Cuba, la Grande-Bretagne, l'Irlande, la Tunisie, le Maroc, le Sénégal, l'île Maurice, l'Inde, l'Indonésie, l'Afrique du Sud, la Jordanie, Sainte-Lucie ou la Yougoslavie. A l'inverse, les pays scandinaves attirent moins les Français, de même que la Grèce, les Canaries, le Vietnam, le Sri Lanka (du fait des mouvements sociaux) ou l'Egypte (depuis l'attentat de septembre 1997). Après avoir multiplié sa fréquentation française par quatre en dix ans, le Canada a connu une année 1997 moins favorable.

Le mode d'hébergement dominant est l'hôtel (42 % des nuitées), devant la famille et les amis (24 %), le camping (6 %), les clubs et villages de vacances (4 %) ; les autres modes représentent 24 %.

◆ *En 1996, les destinations les moins fréquentées par les Français étaient : les îles Tonga (116 visiteurs), les îles Salomon (122), la Papouasie-Nouvelle Guinée (283), les îles Vierges (504), Saint-Kitts et Nevis (554), les îles Caïman (581).*

La voiture est utilisée dans huit séjours sur dix.

Les séjours en France étant largement majoritaires (près de 80 %), la plupart des familles peuvent se rendre sur leur lieu de vacances en voiture. Cette pratique est encore plus fréquente dans le cas des séjours de courte durée. Elle se vérifie également pour une part importante des séjours à l'étranger, qui se déroulent dans les pays limitrophes comme l'Espagne ou l'Italie.

Outre le fait qu'elle est plus économique que les autres moyens de transport (dans le cas de plusieurs personnes voyageant ensemble), la voiture permet une plus grande autonomie sur le lieu de vacances. Elle est en particulier bien adaptée aux vacances itinérantes et donne la possibilité, très valorisée aujourd'hui, d'improviser ses vacances au jour le jour.

En train, en avion, mais surtout en voiture

Evolution des modes de transport utilisés pour les voyages personnels[*] (en % des séjours effectués) :

	1994	1995	1996
Voiture particulière	77,4	77,7	77,0
Voiture de location	0,4	0,5	0,6
Minibus, camping-car	1,3	1,0	1,1
Avion	4,8	5,4	5,9
Train	11,2	11,0	11,2
Autocar	3,5	3,0	2,9
Autre	1,4	1,4	1,3

* Voyages d'agrément (vacances, tourisme, manifestations culturelles ou sportives, salons, foires...), visites à la famille ou aux amis, séjours linguistiques, cures, thalassothérapie... avec au moins une nuit passée hors de chez soi.

✦ La France dispose de 6 000 km de rivières navigables et de 2 000 bateaux destinés au tourisme fluvial. 55 % des touristes sont étrangers.

Ministère du Tourisme/Sofres

Les motivations des vacanciers sont multiples.

Les vacances ne sont pas seulement l'occasion d'un dépaysement ou d'une rupture avec le quotidien. Elles permettent une plus grande convivialité avec les autres (famille, amis, relations de vacances) mais aussi une plus grande proximité avec soi-même. Les vacances et les voyages sont de plus en plus des occasions de travailler à son propre développement, mental, physique, intellectuel ou culturel. Un nombre croissant de Français éprouvent en effet le besoin de progresser sur le plan professionnel ou personnel. Ils y sont poussés par leur propre ambition et leur souci de bien faire, mais aussi par la concurrence croissante au sein des entreprises et la demande de compétences multiples pour remplir une fonction et bénéficier de promotions.

D'après l'enquête du CREDOC de 1996, les vacanciers d'été recherchent d'abord le repos et le calme (28 %), le soleil (15 %) et la découverte de nouveaux lieux (14 %). Viennent ensuite les retrouvailles en famille et entre amis (12 %), les paysages et les sites (10 %), la pratique des activités de loisirs ou sportives (7 %), la visite de monuments et d'expositions (6 %), le fait d'être dans un endroit où les gens sont accueillants, sympathiques (5 %), le choix de sorties le soir (3 %).

Vacances et santé

La France compte 44 instituts de thalassothérapie et plus de 100 stations thermales, qui accueillent chaque année environ 800 000 curistes. Après l'engouement des années 80, l'activité des stations de thalassothérapie a connu un certain tassement de la fréquence des séjours et de leur durée moyenne (5,8 jours en 1996). Le thermalisme souffre quant à lui d'une image vieillotte et médicalisée. Des efforts sont faits par les stations pour conquérir et fidéliser une clientèle plus jeune, en diversifiant les soins.

Les activités sont de plus en plus diversifiées.

Le souci croissant de développement personnel amène les Français à rechercher les activités de toute nature. Un sur deux pratique un sport au cours des vacances, pour s'initier ou se perfectionner. En bord de mer, les sports de glisse (scooter des mers, fun board, speed-sails) font de plus en plus d'adeptes et complètent les sports plus traditionnels

Vacances actives

Répartition des séjours d'été selon l'activité pratiquée* et l'environnement (1996, en %) :

	Mer	Montagne	Campagne	Ville	Lac
• Sports nautiques	52,0	13,3	8,5	8,5	26,3
- dont natation, baignade	43,6	12,1	7,5	7,4	21,2
• Randonnée pédestre	5,5	29,2	5,9	2,3	13,6
• Promenade	48,0	47,2	35,2	29,1	47,3
• Visite de monuments, sites et musées	29,9	31,7	20,5	34,3	36,4
• Pas d'activité particulière	11,4	9,8	28,5	25,2	12,1

* Plusieurs activités peuvent être pratiquées lors d'un même séjour.

Ministère du Tourisme/Sofres

comme le ski nautique ou la planche à voile. La location de bateaux connaît un fort engouement ; 30 à 50 % du chiffre d'affaires des grands chantiers de construction proviennent aujourd'hui de la vente à des sociétés de location. A la campagne ou à la montagne, l'escalade, le parapente, le VTT et surtout la randonnée se développent.

La culture a aussi sa place dans les activités. Les vacanciers sont de plus en plus nombreux à visiter des monuments, des expositions, des festivals ou même des usines. Un quart des personnes qui font du tourisme dans des villes vont à la découverte des musées. Le tourisme strictement culturel se développe, comme en témoigne le succès auprès des visiteurs français de l'exposition Vermeer à La Haye. Le besoin de culture se manifeste aussi par la volonté de rencontre et d'échange avec les autres afin de mieux connaître et comprendre leurs modes de vie tant dans les régions françaises qu'à l'étranger.

Les stages d'initiation ou de perfectionnement aux activités sportives ou culturelles connaissent depuis quelques années un grand succès : tennis, golf, escalade, sculpture, poterie, peinture, musique, gastronomie, informatique...

A deux heures d'ici !

Tunisie
Une envie de sérénité

Partir, une façon de se découvrir.
Newton 21

Tourisme industriel

Le tourisme industriel et technique connaît depuis quelques années un développement spectaculaire ; en dix ans, le nombre de visiteurs est passé de 5 à 10 millions. Les sites les plus visités en 1996 étaient les suivants : usine marémotrice EDF de la Rance (360 000 personnes) ; Mont Aigoual (Météo France, 180 000) ; Byrrh à Thuir (170 000) ; Chartreuse à Voiron (160 000) ; Roquefort Société (160 000) ; Bénédictine à Fécamp (150 000) ; Aérospatiale à Toulouse (70 000) ; Roquefort Le Papillon (51 000) ; Perrier à Vergèze (40 000) ; Evian (30 000) ; Peugeot Mulhouse (20 000) ; Centrale EDF de Chinon (19 000).

✦ *Michelin vend chaque année environ 400 000 exemplaires des Guides Rouges et près de 2 millions d'exemplaires de ses 150 Guides Verts.*

Les vacances sont l'occasion de ressentir et de partager des émotions.

Les attentes à l'égard des vacances sont de plus en plus fortes, car elle correspondent à la volonté de vivre intensément. Les vacanciers cherchent des occasions de vibrer intérieurement, de faire des expériences nouvelles qui déclenchent chez eux des sensations agréables et/ou inédites. Ils cherchent à stimuler leurs cinq sens. Ils souhaitent aussi donner du sens à leurs vacances. Le voyage a toujours une dimension initiatique. L'utopie est souvent présente, avec le rêve d'un monde meilleur, voire paradisiaque.

Dans ce contexte, la recherche de la fête et de la transgression prend une vigueur nouvelle. On observe aussi un intérêt croissant pour le luxe. Celui-ci est un moyen de se faire plaisir, d'échapper au quotidien, de se valoriser à ses propres yeux comme à ceux des autres et d'oublier le stress. Il ne concerne plus seulement les personnes qui ont un pouvoir d'achat élevé. Chacun souhaite pouvoir accéder à des privilèges à certains moments de sa vie.

Le grand rêve bleu

On a dénombré 164 000 croisiéristes en 1997, contre 153 000 en 1996. La Méditerranée en a attiré 59 %, devant les Caraïbes (22 %), le Nord (12 %), le Pacifique (3 %), l'Atlantique (2 %), les autres destinations 2 %. La plus forte progression depuis trois ans concerne les Antilles. 57 % des croisières ont duré 7 jours, 24 % de 10 à 14 jours, 16 % moins de 7 jours (autres 3 %).

Il faudrait ajouter à ce chiffre celui, croissant, des croisières fluviales (environ 60 000) et des traversées en ferry. La France est le troisième marché en Europe, derrière l'Allemagne et la Grande-Bretagne, mais devant l'Italie et l'Espagne. Le développement récent s'explique par la plus grande diversité de l'offre, avec les croisières thématiques et culturelles (musique, histoire, théâtre, gastronomie...), les voyages destinés aux personnes du troisième âge, les pèlerinages ou les croisières organisées pour les entreprises. L'arrivée de compagnies étrangères en France a stimulé le marché et provoqué une baisse des prix.

INDEX

REMERCIEMENTS

Ce livre est le résultat d'un travail personnel de réflexion et de rédaction. Mais il ne serait pas possible sans la disposition d'informations en provenance de très nombreuses sources, publiques ou privées, françaises ou internationales, généralistes ou spécialisées ; les principales sont citées ci-après.

Je souhaite adresser des remerciements particuliers aux personnes et organismes suivants (par ordre alphabétique) : **Olivier Donnat**, du Département des études et de la prospective du ministère de la Culture et de la Communication, pour l'étude sur les *Pratiques culturelles des Français* ; **Gilles Hustaix**, directeur général et **Muriel Lecomte**, de la société d'études Infratest Burke, pour l'enquête inédite sur les valeurs dans dix pays d'Europe ; **Jean Oddou**, directeur associé de la société d'études TMO, pour l'enquête exclusive concernant l'héritage du XXᵉ siècle laissé aux jeunes générations ; **Jean Moscarola**, directeur de Sphinx Développement, pour la disposition d'un logiciel précieux pour le traitement statistique des données d'enquêtes ; **Robert Rochefort**, directeur du CREDOC, pour les informations émanant de l'enquête *Conditions de vie et aspirations des Français* (1997-1998).

Je dois mentionner tout spécialement mon épouse, **Francine Mermet**, pour la recherche documentaire et iconographique, la réalisation de la maquette et la mise en page de cette édition... mais aussi pour sa patience et son aide depuis le début de cette longue « collaboration ».

Enfin, je remercie **Philippe Fournier-Bourdier**, directeur éditorial de la division Encyclopédies-Références ainsi que **Jules Chancel**, responsable du secteur Actualité-Société, **Sophie Chedru**, attachée de presse et **Dominique Vautier**, correctrice, mes interlocuteurs chez **Larousse-Bordas**.

Sources

- **AEPM** (Audiences et études sur la presse magazine). Service de presse.
- **AFIRAC** (Association française d'information et de recherche sur l'animal de compagnie). Service de presse.
- **BVA**. Sondages divers.
- **CCFA** (Comité des constructeurs français d'automobiles). Service de presse, Pascale VAN DER VLIET.
- **CDIA** (Centre de documentation et d'information de l'assurance). Service de presse, Sylvie GRIZARD.
- **CDIT** (Centre de documentation et d'information sur le tabac). Jean-Paul TRUCHOT, délégué général.
- **CETELEM**. Relations extérieures, Alain LE MAISTRE.
- **CFES** (Comité français d'éducation pour la santé). Service de presse.
- **CNAMTS** (Centre national de l'assurance maladie des travailleurs salariés). Antoine BOURDON.
- **CNC** (Centre national de la cinématographie). Service de presse.
- **Courrier international**. Alexandre ADLER, directeur éditorial.
- **CSA**. Sondages divers.
- **CTCOE** (Centre textile de conjoncture et d'observation économique). Valérie BARREAUD.
- **La Documentation française**. Service de presse, Laurent DELMAS.
- **EUROPQN** (Etudes et unité de recherches opérationnelles de la presse quotidienne nationale). Service de presse.
- **Eurostat**. Service de presse, Luxembourg.
- **FACCO** (Chambre syndicale des fabricants d'aliments pour chiens, chats, oiseaux et autres animaux familiers). Service de presse.
- **Fédération française du prêt-à-porter féminin**. Service communication.
- **Fédération nationale de la coiffure française**. Sidonie VANNOORENBERGHE.
- **Fédération nationale de l'industrie de la chaussure de France**. Olivier BOUISSOU, délégué général.

- **La Française des Jeux**. Service de presse, Sophie ROYER.
- **GIFAM** (Groupement interprofessionnel des fabricants d'appareils d'équipement ménager). Service communication,
- **INED** (Institut national d'études démographiques). Service de presse.
- **INSEE** (Institut national de la statistique et des études économiques). Service de presse, François KOHLER, Irène MARTIN-HOULGATTE.
- **INSERM** (Institut national de la santé et de la recherche médicale). Françoise PEQUIGNOT.
- **IPSOS**. Sondages divers.
- **IREB** (Institut de recherches scientifiques sur les boissons). Service de presse.
- **Médiamétrie**. Service Communication.
- **Ministère de la Culture et de la Communication**. Direction de l'administration générale, département des études et de la prospective. Madame BRICOUD.
- **Ministère de l'Éducation nationale, de la recherche et de la technologie.** Bureau de l'édition et de la diffusion, J. CHASSAGNE et service de presse.
- **Ministère de l'Emploi et de la Solidarité.** Service de presse et service documentation.

- **Ministère de l'Équipement, des Transports et du Tourisme. Direction du Tourisme.** Service de presse.
- **Ministère de l'Equipement, des Transports et du Tourisme. Sécurité routière.** Service de presse.
- **Ministère de la Jeunesse et des Sports. Direction des Sports.** Fanny SCHOPFER.
- **Ministère de la Justice**. Sous-direction de la statistique, des études et de la documentation, Madame TIMBART.
- **OCDE** (Organisation de coopération et de développement économiques). Service de presse, service de documentation.
- **L'Opiniomètre**, lettre d'information internationale sur les sondages. Anika MICHALOWSKA, directrice de la publication.
- **PMU**. Service de presse, Grégoire DUFAY.
- **Secrétariat général de l'épiscopat**. Service de presse.
- **SIMAVELEC** (Syndicat des industries de matériels audiovisuels électroniques). Service de presse.
- **SNE** (Syndicat national de l'édition). Service de presse, Hughes de NORAY.
- **SNEP** (Syndicat national de l'édition phonographique). Service de presse.
- **SOFRES**. Sondages divers.
- **Stratégies**. Emmanuelle PRACHE.

QUESTIONNAIRE

Ce livre n'a pas d'autre ambition que de rendre des services toujours améliorés à ses lecteurs. Aussi, je serais très heureux de connaître vos réactions, souhaits ou suggestions à cette nouvelle édition (qui a été remaniée en tenant compte des questionnaires et des courriers reçus lors des éditions précédentes). Merci de bien vouloir remplir ce questionnaire (ou une photocopie) et de me le retourner à l'adresse suivante :

Gérard MERMET - FRANCOSCOPIE
175, boulevard Malesherbes 75017 PARIS

Cocher les cases correspondantes :

ETES-VOUS SATISFAIT...	Oui	Moyen	Non	Commentaires
• De la présentation générale	❏	❏	❏	
• De la structure des chapitres	❏	❏	❏	
• Des textes et des analyses	❏	❏	❏	
• Des graphiques et des tableaux	❏	❏	❏	
• Des photos de campagnes publicitaires	❏	❏	❏	
• Des photos de la partie introductive	❏	❏	❏	
• Du livre dans son ensemble	❏	❏	❏	

QUELLE EST VOTRE UTILISATION PRINCIPALE DU LIVRE ?

❏ Culture personnelle   ❏ Utilisation professionnelle

COMBIEN DE PERSONNES UTILISENT VOTRE EXEMPLAIRE ?

❏ 1   ❏ 2   ❏ 3   ❏ 4   ❏ plus de 4

AVEZ-VOUS ACHETÉ OU UTILISÉ L'UNE DES PRÉCÉDENTES ÉDITIONS (DEPUIS 1985) ?

❏ Aucune   ❏ Une   ❏ Plusieurs

COMMENT AVEZ-VOUS CONNU FRANCOSCOPIE ?

❏   ❏   ❏   ❏   ❏   ❏   ❏

Publicité   Médias   Bouche à oreille   Librairie   Bibliothèque   Bibliographies   Autre
(préciser)

QUELLES SONT VOS SUGGESTIONS POUR LA PROCHAINE EDITION
(contenu, structure, présentation...) ?

NOM :   **Prénom :**

Profession :   **Age :**

Adresse :

Appel aux lecteurs résidant à l'étranger
ou dans les DOM-TOM :

Souhaiteriez-vous participer à la création d'un réseau international de correspondants autour de *Francoscopie* ? Ce réseau, s'il était créé, aurait pour objectif de réunir des informations, d'organiser des réflexions ou des analyses comparatives concernant les modes de vie en France et dans d'autres pays, l'image de la France à l'étranger, la vie dans les DOM-TOM, la place des Français à l'étranger et/ou d'autres thèmes. Ces éléments d'information et de réflexion pourraient figurer dans les prochaines éditions de Francoscopie ou dans d'autres publications.

Si oui, merci d'indiquer éventuellement (outre vos nom et adresse ci-dessus) :

Votre numéro de fax :
Votre e-mail :

Informations complémentaires (domaines de compétence, suggestions...) :

Imprimé en France par I.M.E. - 25110 Baume-les-Dames
Dépôt légal : Septembre 1998 - N° éditeur : 12686